D1359207

**Über das Buch** Das deutsche Kaiserreich ist durch eine »Revolution von oben«, und nicht durch einen freien Willensakt seiner Bürger, begründet worden. Die Spuren dieser obrigkeitlichen Vergangenheit sind in seinem politischen System immer sichtbar geblieben. Auf der anderen Seite hätte es ohne die Mitwirkung der liberalen Nationalbewegung nicht entstehen und sich zu einem machtvollen Nationalstaat entwickeln können.
Das Spannungsverhältnis von autoritärer Staatsführung und freiheitlicher parlamentarischer Willensbildung durchzieht die Geschichte des Kaiserreichs in allen Lebensbereichen: in der inneren Politik, der Parteienstruktur, der Wirtschaftsordnung und Literatur, Kunst und Wissenschaft ebenso wie in der Außenpolitik.
Seit 1897 verschrieb sich das Deutsche Reich einer aggressiven »Weltpolitik«, die nicht nur von konkreten imperialistischen Zielsetzungen bestimmt war. Vielmehr stand hinter ihr das Bestreben der aufsteigenden Mittelschichten, zu einem großen und machtvollen Staatsgebilde zu gehören und damit an politischen Entscheidungsprozessen teilzuhaben, an denen verantwortlich mitzuwirken ihnen die halbkonstitutionelle Verfassungsstruktur weitgehend verwehrte.
Auf diese Weise war der notwendige beständige Ausgleich der Interessen zwischen den Führungseliten und der öffentlichen Meinung nicht möglich. Es entwickelten sich extrem nationalistische Expansionsbestrebungen, die zunehmend die politischen Realitäten hinter sich ließen. Das deutsche Kaiserreich wurde dadurch in den Ersten Weltkrieg hineingetrieben, an dessen Ende der Zusammenbruch der autoritären Staatsordnung und gleichzeitig die Entmachtung der Hohenzollern-Monarchie in der Revolution von 1918 bis 1920 standen.
In dem vorliegenden Band sind Essays und Aufsätze zusammengefaßt, die zum Teil, da verstreut veröffentlicht, schwer zugänglich waren; sieben Arbeiten werden hier erstmals publiziert, eigens für diesen Band geschrieben bzw. aus dem Englischen übersetzt.

**Der Autor** Wolfgang J. Mommsen, geboren 1930 in Marburg/Lahn, studierte Geschichte, Philosophie, Politische Wissenschaften und Kunstgeschichte; Dr. phil. (1958); Habilitation (1967); seit 1968 o. Professor für Mittlere und Neuere Geschichte an der Universität Düsseldorf; von 1977 bis 1985 Direktor des Deutschen Historischen Instituts in London; seit 1985 wieder in Düsseldorf. Zahlreiche Forschungs- und Lehraufenthalte in Großbritannien und in den USA.
Professor Mommsen ist seit 1988 Vorsitzender des Verbandes der Historiker Deutschlands.
Er ist u. a. Mitherausgeber von »Geschichte und Gesellschaft. Zeitschrift für historische Sozialwissenschaft« (1975 ff.) sowie der Max Weber-Gesamtausgabe.
Veröffentlichungen (u. a.): Das Zeitalter des Imperialismus (= Bd. 28 der Fischer Weltgeschichte) (1969); Imperialism and After: Continuities and Discontinuities (als Mitherausgeber, 1986); Imperialismustheorien ([3]1987); Das Ende der Kolonialreiche (als Herausgeber, 1990); Nation und Geschichte (1990).

# Wolfgang J. Mommsen
# Der autoritäre Nationalstaat

Verfassung, Gesellschaft und Kultur
des deutschen Kaiserreiches

Für Sabine

Lektorat: Walter H. Pehle

Originalausgabe
Veröffentlicht im Fischer Taschenbuch Verlag GmbH,
Frankfurt am Main, November 1990

© 1990 Fischer Taschenbuch Verlag GmbH, Frankfurt am Main
Alle Rechte vorbehalten
Übersetzungen aus dem Englischen von Marion Enke, Hans-Günther Holl,
Petra Krauß, Peter Theiner und Johannes Thomassen
Umschlaggestaltung: Buchholz/Hinsch/Hensinger
Umschlagabbildung: Anton von Werner, ›Eröffnung des Deutschen Reichstages
am 25. Juni 1888‹
Gesamtherstellung: Clausen & Bosse, Leck
Printed in Germany
ISBN 3-596-10525-0

# Inhalt

# Vorwort

Das deutsche Kaiserreich bildet auch heute noch einen Fixpunkt für die nationale Identität der Deutschen. Obwohl es nicht aus einem freien Willensakt seiner Bürger, sondern aus einer »Revolution von oben« hervorgegangen ist, wurde es mit den Jahren in den Augen seiner Bürger zur Verkörperung des deutschen Nationalstaats. Zwar fühlte sich insbesondere die deutsche Bildungsschicht auch weiterhin eng der deutschen Kulturnation verbunden, die auch die Deutschen außerhalb der Reichsgrenzen umfaßte, aber allmählich gewann die Orientierung am preußisch-deutschen Machtstaate mit seinem äußeren Glanz, seinem militärischen Gepränge und seinem wachsenden Ansehen im Rahmen der europäischen Staatenwelt die Oberhand über die kulturnationalen und emanzipatorischen Traditionen, die die Nationalidee der Deutschen noch in der ersten Hälfte des 19. Jahrhunderts ausgezeichnet hatten. Die Spuren seiner obrigkeitlichen Entstehung, dank der souveränen Machtpolitik Bismarcks, hat das deutsche Kaiserreich zeit seines Bestehens niemals abschütteln können. Zwar verdankten sich die Gründung des Reichs und insbesondere die Reichsverfassung einem Kompromiß zwischen den von Bismarck repräsentierten konservativen Kräften, insbesondere Preußens, das auch unter den neuen Verhältnissen ein Hort obrigkeitsstaatlicher Politik darstellte, und dem Liberalismus, aber die Hoffnungen des liberalen Bürgertums, daß man das Reich nach und nach gemäß fortschrittlichen Grundsätzen werde ausbauen können, blieben unerfüllt. Die autoritären Elemente des deutschen Nationalstaats, der in seinem Kern eine Schöpfung staatlicher Machtpolitik war, blieben in Teilen sogar noch nach dem Sturz der Hohenzollern am Ende des Ersten Weltkrieges erhalten; sie haben es verhindert, daß sich nach der Revolution von 1918/19 eine wirklich lebensfähige demokratische Ordnung bilden und unter widrigen politischen und wirtschaftlichen Verhältnissen behaupten konnte. Insofern sind die großen Krisen unserer jüngeren Vergangenheit nur aus der Geschichte des Kaiserreichs heraus zu verstehen. Andererseits bildeten sich in dieser Zeit alle jene Strukturen aus, die noch unsere gegenwärtige Wirklichkeit bestimmen. Genannt zu werden verdienen hier beispielsweise die Begründung eines auf liberalen Grundsätzen beruhendes Rechtssystems, die

Schaffung der institutionellen und rechtlichen Rahmenbedingungen für den Aufstieg eines marktorientierten industriellen Kapitalismus oder der Aufbau eines überaus leistungsfähigen Bildungssystems. Auch die Grundlagen unseres heutigen Kulturbetriebs wurden bereits im Kaiserreich gelegt; die Anfänge der modernen, avantgardistischen Kultur extrem individualistischen Zuschnitts gehen auf die Jahrhundertwende zurück. Gleichwohl hat das Kaiserreich die Eierschalen seines obrigkeitlichen Ursprungs nie wirklich abschütteln können. Im Vergleich mit den anderen europäischen Staaten war und blieb es ein autoritär verformter Nationalstaat. Das insbesondere seit Anfang der 1890er Jahre immer stärker hervortretende »neudeutsche« nationale Pathos, das sich die bürgerlichen Schichten immer stärker zu eigen machten, war in mancher Hinsicht ein Surrogat echter politischer Selbstbestimmung, wie sie der Nation kraft der besonderen Struktur der Reichsverfassung, aber auch der politischen und gesellschaftlichen Verhältnisse bis zum Ende des Kaiserreichs vorenthalten blieb. Das Spannungsverhältnis von autoritärer Staatsführung und freiheitlicher parlamentarischer Willensbildung durchzieht die Geschichte des deutschen Kaiserreichs in allen Lebensbereichen: in der inneren Politik, der Parteienstruktur, der Wirtschaftsordnung, in Kunst, Literatur und Wissenschaft ebenso wie in der äußeren Politik. Seit 1897 verschrieb sich das Deutsche Reich unter dem Druck der öffentlichen Meinung einer aggressiven »Weltpolitik«, die nicht in erster Linie von konkreten imperialistischen Zielsetzungen bestimmt war, sondern von weltpolitischen Erfolgen vielmehr eine Stabilisierung der inneren Verhältnisse erwartete. Die entschiedensten Befürworter der »Weltpolitik« waren die aufsteigenden Mittelschichten, die nichts sehnlicher wünschten, als zu einem großen und machtvollen Staatsgebilde zu gehören und damit wenigstens indirekt an den großen politischen Entscheidungsprozessen teilzunehmen, die aktiv mitzugestalten ihnen durch die halbkonstitutionelle Verfassungsstruktur verwehrt wurde. Eine Reform des Verfassungssystems blieb jedoch aus, und so wurde der Graben zwischen der politischen und der gesellschaftlichen Verfassung immer tiefer und stellte schließlich sogar die Regierungsfähigkeit des Kaiserreichs selbst in Frage. Unter den Nachfolgern Bismarcks gelang es immer weniger, einen Ausgleich der Interessen und Zielsetzungen der Führungseliten und der öffentlichen Meinung zu erreichen. Unter diesen Umständen wurden große Teile der bürgerlichen Schichten von immer radikaleren nationalistischen Begehrlichkeiten erfaßt, die zunehmend die politischen Realitäten hinter sich ließen. Die Regierung sah sich jedoch in wachsendem Maße außerstande, hier steuernd einzugreifen, weil sie fürchtete, daß dies ihre eigene Autorität erschüttern und die bestehende halbautoritäre Staatsordnung untergraben würde. Unter solchen Umständen wurde das Kaiserreich

1914 in den Ersten Weltkrieg hineingetrieben, an dessen Ende der Zusammenbruch der Hohenzollernmonarchie und die Revolution von 1918/20 standen.

Die in diesem Bande zusammengetragenen Abhandlungen gehen diesem Bündel von Fragen unter unterschiedlichem Blickwinkel nach. Sie bilden den Ertrag von mehr als zwanzig Jahren intensiver Forschungen zur Geschichte des Kaiserreichs. Obschon zu verschiedenen Zeitpunkten und aus verschiedenen Anlässen entstanden, bilden sie gleichwohl eine innere Einheit. Die ersten drei Abhandlungen bemühen sich um eine genauere Bestimmung des Charakters der Verfassung des Deutschen Reiches und des bis heute umstrittenen Verhältnisses von preußischem Staatsbewußtsein und deutscher Reichsidee. Der Beitrag über »Gesellschaft und Staat im liberalen Zeitalter« analysiert den gesamteuropäischen Kontext, in dem die sogenannte »liberale« Ära seit 1867 verortet werden muß. Die beiden darauffolgenden Aufsätze beschäftigen sich mit Aspekten der überseeischen Politik des Kaiserreichs, die gemeinhin weniger bekannt sind, obschon ihnen große Bedeutung zukommt, namentlich der Westafrikapolitik Bismarcks 1883/84 und der deutschen Orientpolitik, während die Abhandlung über »Triebkräfte und Zielsetzungen des deutschen Imperialismus vor 1914« ein Gesamtbild der imperialistischen Bestrebungen des Kaiserreichs zeichnet. Die Studie über das deutsche Österreich-Bild wirft ein interessantes Licht auf Grundkonstanten des deutschen politischen Bewußtseins, insbesondere den Fortbestand eines deutschen Kulturnationalismus sowie latenter großdeutscher Gesinnungen auch in einer Zeit, in der das Kaiserreich die Erfüllung aller nationalen Wünsche der Deutschen zu repräsentieren schien. Die folgenden Abhandlungen beschäftigen sich mit zwei zentralen Aspekten der Geschichte des Kaiserreichs, einerseits den wirtschaftlichen und sozialen Strukturen, andererseits der Frage nach dem Verhältnis von Kultur und Politik, das in der bisherigen Forschung weitgehend vernachlässigt worden ist. Die sich daran anschließenden, dem Wilhelminischen Deutschland gewidmeten Aufsätze suchen vornehmlich die innenpolitischen Ursachen dafür aufzuzeigen, weshalb das Kaiserreich schrittweise auf jene schiefe Ebene einer unbalancierten Machtpolitik geraten ist, an deren Ende die »Flucht nach vorn« in den Ersten Weltkrieg gestanden hat. Drei weitere Abhandlungen beschäftigen sich mit den politischen, ideologischen und sozioökonomischen Entwicklungen während des Ersten Weltkriegs und ihren langfristigen Auswirkungen auf die deutsche politische Kultur. Die abschließende Studie gibt eine Deutung der Deutschen Revolution von 1918/20, die die herkömmlichen, durchweg an den zeitgenössischen Parteistandpunkten orientierten Interpretationen zu transzendieren sucht; während sich die Revolution im November und Dezember 1918 ausschließlich gegen die Reste der kaiserlichen Machteliten, in erster Linie das Militär, richtete, ohne das bestehende gesellschaftliche System ernstlich in Frage zu stellen, mündete sie seit Anfang 1919 in eine breite soziale Protestbewegung ein, die alle Richtungen der parteipolitisch organisierten Arbeiterbewegung gleichermaßen überraschte, da sie sich in deren theoretische Horizonte nicht einfügen ließ.

Die Mehrzahl der hier zusammengestellten Essays sind bereits an anderen Orten erschienen; sie wurden für den Druck nochmals durchgesehen; jedoch wurde davon abgesehen, die seitdem erschienene Literatur nachträglich einzuarbeiten. Sie haben, so scheint es, dem Zahn der Zeit gut widerstanden und bewegen sich durchaus auf dem Diskussionsniveau der gegenwärtigen Forschung. Eine ganze Reihe der Aufsätze wurde ursprünglich in englischer oder italienischer Sprache verfaßt bzw. veröffentlicht; sie werden der wissenschaftlichen Öffentlichkeit hier erstmals in deutscher Sprache zugänglich gemacht. Andere Beiträge sind eigens für diesen Band geschrieben worden, aufgrund von Vorträgen, die u. a. am Institut für Europäische Geschichte in Mainz, im Seminar von Prof. Ronald Robinson an der Universität Oxford und anläßlich einer deutsch-österreichischen Konferenz in Wien im November 1989 gehalten worden sind. In ihrer Gesamtheit zeichnen sie, wie wir hoffen, ein anschauliches und eindringliches Bild der politischen, gesellschaftlichen und kulturellen Entwicklungen im deutschen Kaiserreich.

An dieser Stelle sei all jenen gedankt, ohne deren Hilfe dieser Band nicht hätte zustande kommen können. An erster Stelle sind hier Marion Enke, Dr. Hans-Günther Holl, Petra Krauß, Johannes Thomassen und Dr. Peter Theiner zu nennen, die jeweils einen der Beiträge aus dem Englischen übertragen haben. Vor allem aber gilt unser Dank Kirsten Zirkel, die die Mühe auf sich genommen hat, die Manuskripte einer arbeitsaufwendigen redaktionellen Überarbeitung zu unterziehen. Weiterhin danken wir Boris Barth und Dr. Birgitt Morgenbrod für wertvolle Hinweise und sachliche Zuarbeitung in speziellen Fragen und nicht zuletzt den Mitarbeitern des Historischen Seminars für vielfältige Hilfeleistungen. Schließlich sei dankend erwähnt, daß dieser Band ohne das zähe Drängen und die stetigen Ermunterungen von Herrn Dr. Pehle wohl nicht zustande gekommen wäre.

Düsseldorf, im August 1990 Wolfgang J. Mommsen

# Das deutsche Kaiserreich als System umgangener Entscheidungen

In der neueren Bismarck-Forschung, gleich welcher politisch-gesellschaftlichen Observanz, besteht weitgehend Einverständnis darüber, daß die Reichsgründung eine »Revolution von oben« gewesen ist, die im Gegensatz zu der in Ansätzen steckengebliebenen bürgerlichen Revolution von 1848/49 noch einmal für ein halbes Jahrhundert sozialkonservative Prinzipien zum Zuge gebracht hat. Die Akzente werden verschieden gesetzt; Bußmann etwa sah die Grundtendenz der Politik Bismarcks in der »Bekämpfung der Revolution in jeder Gestalt«,[1] Rein in der Mobilisierung der preußischen Staatsraison als eines der demokratischen Revolution gerade entgegengesetzten Revolutionsprinzips, Rothfels sowie in nuancenreicherer Form Theodor Schieder in der Abblockung der liberalen Bewegung und in der Eindämmung sowohl der sozial-revolutionären wie der national-revolutionären Sprengkräfte.[2] Die jüngere Forschung ist diesen Ansätzen auf breiter Front gefolgt; sie hat Bismarcks Politik ganz überwiegend als Versuch gedeutet, entgegen dem Trend der Zeit die bestehende gesellschaftliche Ordnung, koste es, was es wolle, gegenüber den Ansätzen einer Demokratisierung abzuschirmen und alle in diese Richtung wirkenden politischen Bestrebungen im Ansatz zu zerschlagen. Es kann in der Tat kein Zweifel daran bestehen, daß das Bismarckische System sozialkonservative Zielsetzungen gehabt hat. Im Grundsatz wird

1 Walter Bußmann, Wandel und Kontinuität der Bismarckwertung, in: Welt als Geschichte, Bd. 15, 1955, S. 132; vgl. dessen immer noch grundlegende Darstellung: Das Zeitalter Bismarcks, in: Otto Brandt/Arnold Meyer/Leo Just (Hrsg.), Handbuch der deutschen Geschichte, Konstanz, 1956, S. 153, in der Bismarcks unbedingter Wille, den status quo zu bewahren und die »modernen Entwicklungskräfte zu bändigen«, betont wird. Gustav Adolf Rein, Die Revolution in der Politik Bismarcks, Göttingen 1957, passim, insb. S. 332f.

2 Hans Rothfels, Bismarck und das 19. Jahrhundert, in: W. Hubatsch (Hrsg.), Schicksalswege deutscher Vergangenheit, Düsseldorf 1950, insb. S. 246f., wieder abgedr. in dessen Zeitgeschichtliche Betrachtungen, Göttingen 1959, S. 60f.; ferner ders., Bismarck. Vorträge und Abhandlungen, Stuttgart 1970; Theodor Schieder, Das Reich unter der Führung Bismarcks, Stuttgart 1962; ders., Bismarck und Europa, in: Deutschland und Europa. Festschrift für Hans Rothfels, Düsseldorf 1957; ders., Das Problem der Revolution im 19. Jahrhundert, in: Staat und Gesellschaft im Wandel unserer Zeit, München 1968; ferner ders., Bismarck – gestern und heute, in: Lothar Gall (Hrsg.), Das Bismarck-Problem in der Geschichtsschreibung nach 1945, Köln/Berlin 1971, insb. S. 364f.

man Hans-Ulrich Wehler gewiß zustimmen müssen, wenn er das politische Werk des »weißen Revolutionärs« Bismarck als eine »Flucht nach vorn« deutet, die das Ziel verfolgte, bei begrenztem Entgegenkommen gegenüber den fortschrittlichen Kräften eine Stabilisierung des bestehenden politisch-gesellschaftlichen Systems zu erreichen und dergestalt die überkommene Vorrangstellung der traditionellen Eliten auch unter veränderten Umständen zu erhalten. Bismarcks Politik wird demnach als sozialdefensive Strategie im Interesse der herrschenden Schichten gedeutet.[3] Die DDR-Forschung drückte sich noch ungleich massiver aus; Ernst Engelbert und Horst Bartel beispielsweise bezeichneten die Ereignisse der Jahre 1866 bis 1871 als »großpreußisch-militaristische Reichsgründung«, durch die die Vorherrschaft der herrschenden Klasse für absehbare Zeit gesichert werden sollte, ohne doch, in der Nachfolge von Karl Marx, in Abrede zu stellen, daß die Schaffung eines kleindeutschen Nationalstaates gleichwohl historisch ein Fortschritt gewesen ist.[4]

Fragt man jedoch nach den politischen und gesellschaftlichen *Trägern* dieser »Revolution von oben«, so ergibt sich alsbald die merkwürdige Tatsache, daß von den betreffenden Sozialgruppen und Parteien nur in höchst pauschaler Form die Rede ist und allerorten sogleich Bismarck selbst und seine – sei es bewundernswürdige, sei es diabolische – Politik ins Auge gefaßt wird, während die Frage, welche gesellschaftlichen Gruppen diese Politik jeweils konkret getragen haben, im Hintergrund bleibt und selten präzise beantwortet wird. Das ist kein Zufall. Denn bei genauer Analyse läßt sich Bismarcks Politik zumindest bis 1879 keiner der damaligen politischen und gesellschaftlichen Gruppen eindeutig zuordnen. Dies hat dazu geführt, daß sich die genannten Forschungsansätze in der Regel wider Willen auf die Person Bismarcks selbst zurückgeworfen sehen, gerade auch dann, wenn sie ihrer Intention nach Sozialgeschichte schreiben wollen.

Für die ältere Forschung, die die Geschichte des Kaiserreichs – wenn nicht ausschließlich, so doch primär – unter dem »Primat der äußeren Politik« betrachtete, war dieses Dilemma nicht sehr groß. Für sie war die Reichsgründung wesentlich der ebenso genialen wie nicht leicht auf einen politischen Nenner zu bringenden persönlichen Diplomatie Bismarcks zu

3 Hans-Ulrich Wehler, Das Deutsche Kaiserreich 1871–1918, Göttingen 1973, S. 37f.

4 Vgl. das Vorwort des Sammelbandes, Die großpreußisch-militaristische Reichsgründung 1871 – Voraussetzungen und Folgen, hrsg. von Ernst Engelberg/Horst Bartel, 2 Bde., Berlin 1971, Bd. 1, S. VII, sowie Horst Bartel, Zur historischen Stellung der Reichsgründung, Bd. 2, S. 4ff.; siehe ferner: Ernst Engelberg, Deutschland von 1848–1871. Von der Niederlage der bürgerlich-demokratischen Revolution bis zur Reichsgründung, Berlin 1959, S. 242; hier spricht Engelberg von der »bonapartistischen Diktatur Bismarcks im Interesse der Junker und der Großbourgeoisie, der aggressivsten Klassen der deutschen Gesellschaft«.

verdanken; nach ihrer Ansicht determinierten die außenpolitischen Gegebenheiten nicht nur Umfang und äußere Grenze des neuen kleindeutschen Staates, sondern auf weiten Strecken auch seine innere, insbesondere seine verfassungspolitische Struktur. Die Hervorhebung der großen außenpolitischen Leistung Bismarcks bildet ein Grundthema der älteren Bismarck-Forschung, und von hier aus rechtfertigt sich auch ihr personalistischer Ansatz, der nach den persönlichen Motiven des Staatsmanns fragte und seine große Imaginationskraft akzeptierte, welche es ihm ermöglichte, entgegengesetzte oder rivalisierende politische Tendenzen miteinander zu versöhnen und die Besorgnisse der anderen Großmächte hinsichtlich der Entstehung einer Großmacht in der Mitte Europas zu beschwichtigen. Auch linksliberale Kritiker Bismarcks wie Erich Eyck sahen sich gezwungen, die Leistungen des Außenpolitikers Bismarck anzuerkennen, zumal vor dem Hintergrund des Umstands, daß der Liberalismus der Konfliktzeit Bismarck gerade auf außenpolitischem Felde hatte aushebeln wollen. Die Befangenheit in ästhetischer Fasziniertheit gegenüber der Person Bismarcks, bei gleichzeitiger Verdammung seiner Innenpolitik, ist ein Grundzug der radikalliberalen Bismarck-Kritik von Max Weber bis Erich Eyck.

Die jüngere Forschung hat unter dem Einfluß der Lehre vom »Primat der Innenpolitik« energische Versuche gemacht, die Entstehung des politischen Systems 1871 von seinen innenpolitischen und wirtschaftspolitischen Bedingungen her zu interpretieren, und dabei insbesondere die Mängel des mit der Inkraftsetzung der Reichsverfassung vom März 1871 formal zum Abschluß gekommenen Reichsgründungsprozesses herausgestellt. Während Theodor Schieder noch von den »inneren Bruchlinien« des 1871 geschaffenen Systems, als einer »unvollendeten Reichsgründung«, sprach,[5] prägte Lambi die Formel von einer »zweiten Reichsgründung«,[6] beginnend mit dem innenpolitischen Umschwung von 1879, durch die das Bismarckische Reich erst stabilisiert worden sei, eine These, die von Helmut Böhme weiterentwickelt und popularisiert worden ist.[7]

5 Theodor Schieder, Vom Deutschen Bund zum Deutschen Reich, in: Bruno Gebhardt, Handbuch der deutschen Geschichte, 1960, S. 70; ders., Grundfragen der neueren deutschen Geschichte, in: Böhm, Reichsgründungszeit, S. 24ff. Die Entfaltung des Nationalstaatenproblems, in: ders., Das deutsche Kaiserreich von 1871 als Nationalstaat, Köln 1961.

6 Ivo N. Lambi, The Protectionist Interests of the German Iron and Steel Industry, 1873–1879, in: Journal of Economic History 22 (1962), S. 59ff.; ders., The Agrarian-Industrial Front in Bismarckian Politics 1873–1879, in: Journal of Central European Affairs 20 (1961), S. 395f.; ders., Free Trade and Protection in Germany 1868–1879, Wiesbaden 1963.

7 Helmut Böhme, Deutschlands Weg zur Großmacht, Köln 1966; ders., Politik und Ökonomie in der Reichsgründungs- und späten Bismarckzeit, in: Michael Stürmer (Hrsg.), Das kaiserliche Deutschland. Politik und Gesellschaft 1870–1918, Düsseldorf 1970, S. 34–40.

Spätestens mit Wolfgang Sauers Aufsatz über »Das deutsche Kaiserreich als Nationalstaat«[8] setzte zugleich eine neuere Interpretationsrichtung ein, die das Bismarckische System primär als Inbegriff einer manipulatorischen Politik der Machterhaltung der traditionalen Eliten um jeden Preis deutete, in einer von den säkularen Tendenzen der Modernisierung und Industrialisierung bestimmten Phase beschleunigten sozialen Wandels. Bemerkenswert ist freilich, daß sich gerade diese Forschungsrichtungen von der Orientierung an der Person Bismarcks nicht haben freimachen können. Eigentlich wider Willen begegnet uns bei Wehler ebenso wie bei Stürmer der Kanzler als der große Dämon, der das Schicksal der Deutschen in der Hand gehalten habe.[9] Mit Hilfe der manipulativen Strategien der sogenannten »sekundären Integration«, zu denen insbesondere die künstliche Schaffung innerer Feindgruppen gehört habe, sowie einer Politik des »Sozialimperialismus« habe Bismarck das bestehende pseudo-konstitutionelle System gegenüber allen fortschrittlichen Kräften zu immunisieren gesucht.[10] Als theoretisches Erklärungsmodell für die Erfassung dieser so vielfältigen Probleme ist dabei insbesondere auf das schon von Karl Marx beschriebene Modell des Bonapartismus zurückgegriffen worden, zuletzt – wohl am radikalsten – von Hans-Ulrich Wehler. Dieser beschreibt bekanntlich das Bismarckische Herrschaftssystem als »eine bonapartistische Diktatur, d. h. ein labiles, von starken Kräften der gesellschaftlichen und politischen Veränderung bedrohtes traditionelles Herrschaftsgefüge, das durch Ablenkung der Interessen von der Verfassungspolitik auf die Wirtschaft, von der inneren Emanzipation auf äußere Ersatzerfolge, durch unverhüllte Repression, aber auch begrenztes Entgegenkommen im Innern« verteidigt worden sei.

Von der Sache – ein Vergleich der Politik Bismarcks mit jener Napoleons III. zeigt dies – wie von der Analyse der persönlichen Motivation Bismarcks her spricht viel für eine solche Interpretation.[11] Sie ist übrigens so alt wie die Bismarck-Forschung selbst, ja bei genauem Betrachten haben sich schon die Zeitgenossen ihr zugeneigt. Allein die jüngere Forschung

8 Wolfgang Sauer, Das Problem des deutschen Nationalstaates, in: Helmut Böhme (Hrsg.), Probleme der Reichsgründungszeit 1848–1879, Köln 1968, S. 466ff.

9 Bei Wehler ist dies besonders deutlich in Bismarck und der Imperialismus, Köln 1972. Für Stürmer sei verwiesen auf dessen Arbeiten: Staatsstreichgedanken im Bismarckreich, in: Historische Zeitschrift 209 (1969); Bismarck in Perspective, in: Central European History 4 (1971) und insbesondere Regierung und Reichstag im Bismarckstaat 1871–1880, Düsseldorf 1974.

10 Der Begriff »sekundäre Integration« findet sich, in Anlehnung an Günther Roth, erstmals bei Sauer, S. 468; die These vom »Sozialimperialismus« ist zuerst von Hans-Ulrich Wehler in Bismarck und der Imperialismus, S. 454ff., ausführlich entwickelt worden, mit der verschärfenden Zuspitzung eines »manipulierten Sozialimperialismus«.

11 Bismarck und der Imperialismus, S. 137.

scheint mir, sofern sie auf das Bonapartismusmodell zurückgreift, die traditionellen Interpretationsschemata der Bismarckzeit nur umzupolen, nicht aber zu einer wirklich befriedigenden sozialhistorischen Sicht vorzustoßen.[12] Auch wenn die objektiven Bedingungen der Innenpolitik Bismarcks weit stärker berücksichtigt werden als früher, so bleibt es letzten Endes doch die Persönlichkeit Bismarcks, die die manipulativen Strategien ansetzt. Bismarck ist nicht mehr der nationale Heros, dafür aber der geniale Bonapartist. Ein solches Erklärungsmodell ist unzureichend. Die Bismarck-Forschung hat sich damit selbst in eine Sackgasse manövriert, die nicht mehr weiterführt. Es bleibt nur noch die Möglichkeit, die Beschreibung der bonapartistischen Strategien Bismarcks immer manieristischer auszufeilen, wie dies insbesondere Stürmer getan hat, der die stets vorhandenen, aber doch nie wirklich praktizierten Staatsstreichpläne des Kanzlers zum Eckpfeiler einer den sozialrepressiven Charakter des politischen Systems von 1871 extrem akzentuierenden Deutung erhoben hat.
Es scheint mir an der Zeit, gegen diese zugestandenermaßen großenteils unbeabsichtigten Tendenzen der neueren Bismarck-Interpretation Bismarck selbst zu zitieren: »Ich wenigstens bin nicht so anmaßend zu glauben, daß unsereiner Geschichte machen könnte. Meine Aufgabe ist es, die Strömungen der letzteren zu beobachten und in ihnen mein Schiff zu steuern. Die Strömungen selbst vermag ich nicht zu leiten, noch weniger hervorzubringen.«[13] Objektiv formuliert heißt das, daß eine gegenwärtigen wissenschaftlichen Anforderungen genügende Interpretation des Bismarckischen Herrschaftssystems primär auf die allgemeinen gesellschaftlichen Prozesse abheben sollte und weniger auf die Herrschaftstechniken und die hinter diesen stehenden Motivationen. Die Politik Bismarcks, die ja bekanntlich zu allen Zeiten eine bemerkenswerte Offenheit gegenüber Alternativmöglichkeiten gezeigt hat und ideologisch weit weniger festgelegt war, als seine konservativen Standesgenossen es gerne gehabt hätten, sollte stärker als Resultante der gesellschaftlichen Prozesse als solcher verstanden werden denn als Antwort eines genialen Bonapartisten auf eine kritische gesellschaftspolitische Lage.
In der Tat ist die neuere Forschung, in dem berechtigten Bestreben, den repressiven Charakter der Regierungspolitik Bismarcks nachzuweisen, in der Akzentuierung der manipulativen Strategien Bismarcks und seiner Partner um einiges zu weit gegangen, während der Anteil der gesell-

12 Dazu Heinz Gollwitzer, Der Cäsarismus Napoleons III. im Widerhall der öffentlichen Meinung Deutschlands, in: Historische Zeitschrift 173 (1952), S. 23ff.; Ernst Engelberg, Zur Entstehung und historischen Stellung des preußisch-deutschen Bonapartismus, in: Beiträge zum neuen Geschichtsbild. Festschrift für A. Menzel, Berlin 1956, sowie neuerdings Lothar Gall, Bismarck und der Bonapartismus, in: Historische Zeitschrift 223 (1976), S. 618–637.
13 Bismarcks Gesammelte Werke, Bd. 14 II, S. 752.

schaftlichen Gruppen und der sie repräsentierenden Parteien und Verbände an den politischen Prozessen gleichsam als ein bloß reaktiver erscheint. Insbesondere in den Arbeiten Stürmers wird die antiparlamentarische Zielsetzung der Gesamtpolitik Bismarcks in so manieristischer Weise zugespitzt, daß sie das Gegenteil ihrer selbst aus sich heraustreibt. Eine allzu starke Hervorhebung, sei es der bonapartistischen, sei es der manipulativen Elemente der Herrschaftstechnik Bismarcks, wie sie sich einerseits bei Wehler, andererseits bei Stürmer findet, läuft am Ende auf eine herkömmliche Bismarck-Heroisierung hinaus, bloß mit umgekehrtem Vorzeichen. Daß diese Autoren dergleichen selbst keineswegs beabsichtigen, verweist darauf, daß derartige Interpretationslinien die Grenze ihrer Leistungsfähigkeit überschritten haben. Auch wenn man namentlich der inneren Politik Bismarcks einen uneingeschränkt bonapartistischen Charakter zuschreiben kann, bleibt doch bestehen, daß diese nur innerhalb eines bestimmten politischen und gesellschaftlichen Kontextes möglich war, nämlich einer relativen Paralysierung der gesellschaftlichen und politischen Lager, die sich innerhalb eines komplizierten Systems pluralistischer Machtverteilung, das durch die Reichsverfassung von 1871 teils geschaffen, teils festgeschrieben worden war, rivalisierend gegenüberstanden.

Es ist nämlich durchaus verfehlt, schlechthin von der Machtlosigkeit des Reichstages und der politischen Parteien im deutschen Kaiserreich zu sprechen, auch wenn den letzteren direkte Einflußnahme auf die Zusammensetzung der Exekutive vorenthalten blieb. Die stattliche Reihe der vom Reichstag während der Regierungszeit Bismarcks tiefgreifend veränderten Gesetzgebungsprojekte, angefangen von der Reichsverfassung selbst bis hin zu den Sozialversicherungsgesetzen, spricht massiv gegen derartige einlineare Deutungen. Auch die Formel von der bloß »negativen Politik« des Reichstages verzeichnet die Verhältnisse insofern, als sie verkennt, in welch starkem Maße der Kanzler und seine Mitarbeiter sich immerfort zu Kompromissen in gesetzgeberischen Projekten bereitfinden mußten. Wenn es das erklärte Ziel Bismarcks gewesen ist, eine Steigerung der Macht des Reichstages und der Parteien mit allen Mitteln zu verhindern – er hat dieses Ziel allerdings mit unterschiedlicher Intensität verfolgt –, so war er darin bereits am Anfang der 80er Jahre gründlich gescheitert. Die These von der »Zweiten Reichsgründung« verkennt, daß die »Sammlungspolitik« kein Erfolg gewesen ist, jedenfalls sofern damit eine gesicherte parteipolitische Grundlage für eine konservativ-autoritäre Politik geschaffen werden sollte.[14]

14 Böhmes Untersuchung bricht nicht zufällig im Jahre 1881 ab und erlaubt es dergestalt, diesem Problem aus dem Wege zu gehen. Man kann nicht übersehen, daß selbst die Regie-

Demgemäß scheint es uns nicht angebracht, das Deutsche Reich der Bismarck-Zeit als ein »bonapartistisches Diktatorialregime« (Wehler)[15] oder als ein mit Hilfe extrakonstitutioneller Staatsstreichdrohungen autoritär regiertes System (Stürmer)[16] zu bezeichnen, sondern eher als ein *halbkonstitutionelles System mit parteienstaatlichem Zusatz*, das durch die Widersprüchlichkeit der in ihm wirksamen politischen Prinzipien ebenso an einer kontinuierlichen Fortentwicklung gehindert wurde wie durch die unter dem Einbruch der Industrialisierung zunächst stark zunehmenden sozialen Spannungen zwischen den Unterschichten und den besitzenden Klassen, insbesondere jedoch innerhalb der führenden Schichten. Gerade das antagonistische Zusammenspiel einer nicht unmittelbar von einer »Regierungspartei« abhängigen, dennoch aber auf Mehrheiten für die eigenen Gesetzgebungsvorhaben angewiesenen Exekutive, die sich euphemistisch als die »Verbündeten Regierungen« bezeichnete, mit wechselnden Parteienkoalitionen hat jenen für die Entwicklung des Kaiserreiches so typischen Prozeß beständiger technokratischer Reformen ohne Modifikation der politischen Basis ermöglicht, der sich am besten als *Modernisierung ohne Demokratisierung*, d. h. ohne wirkliche Partizi-

rungsmehrheit des sog. »Kartells« von 1887, die in der Tat mit manipulativen Mitteln und insbesondere dem Hochspielen außenpolitischer Gefahren von seiten Frankreichs zustandegebracht worden war, keinesfalls eine sichere Grundlage für Bismarcks Politik gewesen ist; nicht von ungefähr kamen wesentliche Anstöße für Bismarcks Sturz gerade aus dem konservativen Lager. Vgl. dazu Wilhelm Mommsen, Bismarcks Sturz und die Parteien, Berlin 1924, S. 18f., sowie Heinrich Heffter, Die Kreuzzeitungspartei und Bismarcks Kartellpolitik, Leipzig 1927, insbesondere S. 137ff.

15 Wehler, Kaiserreich, S. 63ff. Allerdings spricht Wehler selbst ziemlich ambivalent von einem »verzweifelten Defensivkampf gegen die gesellschaftlichen und politischen Folgen der Industrialisierung« (ebenda, S. 66) und läßt Bismarck in der Rolle des Retters sowohl des »bürgerlichen Ordnungsmenschen« als auch der traditionellen Führungseliten auftreten.

16 Stürmer spricht von einem »Dreiecksverhältnis von Staatsstreichdrohung, Parlamentarisierung und Revolutionsfurcht«; er sieht in der beständigen Drohung Bismarcks, gegebenenfalls zu extrakonstitutionellen Maßnahmen zu greifen, den Ansatzpunkt für seine cäsaristische Politik, die ihn »zu einem Machtfaktor sui generis« habe aufsteigen lassen. Vor allem darauf führt er es zurück, daß es zu einem »Prozeß der Zerstörung und Selbstausschaltung der bürgerlichen Parteien und der Entmachtung des Reichstages als Institution« gekommen sei. Gewiß wird man für die Bismarck-Zeit keinesfalls von einer fortschreitenden Parlamentarisierung im herkömmlichen Sinne sprechen können, aber daß sich ungeachtet der Politik Bismarcks die politischen Gewichte zunehmend zum Reichstag hin verschoben haben, läßt sich schwerlich bestreiten. Wenn die Parteien des Reichstages so geringe demokratische Energien entfalteten, so ist das keinesfalls nur auf die verfassungspolitische Konstellation und schon gar nicht allein auf Bismarcks manipulatorische Politik zurückzuführen, sondern in erster Linie auf die noch stark traditionalistische Struktur der deutschen Gesellschaft, ungeachtet erfolgreicher Modernisierungsmaßnahmen in einzelnen Teilbereichen. Stürmers Darstellung, die nicht zufällig ebenfalls im wesentlichen 1880 mit der kühnen, aber keinesfalls zutreffenden These abbricht, daß hernach vom Reichstag nicht mehr die Rede gewesen sei, läuft sich in einer manieristischen Darstellung der mannigfaltigen Herrschaftstechniken Bismarcks in seinem ständigen Tageskampf mit den Parteien fest und verliert dabei gutenteils die strukturellen und sozialgeschichtlichen Tatbestände aus dem Auge.

pation der jeweils unmittelbar Betroffenen, bezeichnen läßt. Sofern und soweit die Parteien bereit waren, ihre eigentlich politischen Fernziele zurückzustellen, offerierte Bismarck ihnen, und zwar je nach Lage in wechselnder Frontstellung, die Möglichkeit substantieller Einwirkung auf die Gestaltung der rechtlichen, wirtschaftlichen und gesellschaftlichen Verhältnisse, ja vielfach sogar die für die Wahlchancen bedeutsame Stellung einer informellen »Regierungspartei« im altkonstitutionellen Sinne. Umgekehrt waren die »Verbündeten Regierungen« nicht stark genug, sich begründeten Modernisierungswünschen auf Dauer frontal entgegenzustellen; sie konnten nur Reservatrechte für die Krone oder die Exekutive, z. B. in Form des Majestätsbeleidigungsparagraphen,[17] oder Kompensationen für die davon primär betroffenen Sozialgruppen – in erster Linie der adelige Großgrundbesitz – durchsetzen, um die politischen Folgen gesellschaftlicher Reformmaßnahmen zu kompensieren oder doch auf ein Minimum zu reduzieren.
Das Ausbleiben eines Demokratisierungsprozesses darf nicht einfach auf fehlende Entschlossenheit der bürgerlichen Parteien zurückgeführt werden, substantielle Verfassungsreformen durchzusetzen und so die Möglichkeit für eine stufenweise Veränderung des politischen Systems, unter Anpassung an die sich rasch verändernden sozialen und ökonomischen Bedingungen, zu schaffen. Man wird zwar einräumen müssen, daß die Deutsche Fortschrittspartei sich nach 1867 die Bestrebungen der radikaldemokratischen Gruppen der Zeit vor und nach 1848 in nur höchst begrenztem Maße zu eigen machte. Aber an konsequenter Kritik des Bismarckischen Systems hat es wirklich nicht gefehlt, wohl aber an Wählern, die eine derartige Politik der konsequenten Prinzipientreue honorierten. Nicht so sehr auf parteipolitischer Ebene, sondern in der einstweilen nur begrenzt politisch mobilisierten Gesellschaft fehlte es an einem entsprechenden Demokratisierungspotential.[18] Dies gilt durchaus auch für die Nationalliberale Partei; diese war in der Anfangsphase der Reichsgründung noch keineswegs jene Partei bedingungsloser Bismarck-Gefolgschaft, als welche sie späterhin in die Geschichtsbücher eingegangen ist.[19]

17 Dies war die Konzession, die die Liberalen sehr zu ihrer Verbitterung für die Durchsetzung eines ansonsten relativ fortschrittlichen Pressegesetzes 1874 zahlen mußten.
18 In diesem Punkte ist Heinrich August Winkler, Preußischer Liberalismus und deutscher Nationalstaat. Studien zur Geschichte der Deutschen Fortschrittspartei 1861–1866, Tübingen 1964, S. 23ff., gegen neuere Interpretationen zuzustimmen, wie insbesondere jene von Michael Gugel, Industrieller Aufstieg und bürgerliche Herrschaft. Sozialökonomische Interessen und politische Ziele des liberalen Bürgertums in Preußen zur Zeit des Verfassungskonflikts 1857–1867, Köln 1975, die einseitig auf die veränderte ökonomische Interessenlage des Bürgertums abheben und dessen sozialdefensiven Zielsetzungen gegenüber den aufsteigenden Unterschichten in den Vordergrund stellen. Vgl. dazu Anm. 20.
19 Vgl. auch Gustav Schmidt, Politischer Liberalismus. ›Landed Interest‹ und organisierte

Diese These von der, sei es infolge moralischen Versagens, sei es aufgrund objektiver ökonomischer Interessen vollzogenen Kapitulation des Nationalliberalismus vor Bismarck läßt sich im Bereich der inneren Politik keinesfalls aufrechterhalten; von einer Flucht des liberalen Bürgertums in die Arme des pseudokonstitutionellen preußisch-deutschen Obrigkeitsstaates angesichts des aufsteigenden Vierten Standes kann, obwohl vielleicht der Tendenz nach richtig, zumindest für die 60er und 70er Jahre nicht ohne weiteres gesprochen werden. Die konkrete Politik der Nationalliberalen entsprach vielmehr weitgehend der Grundhaltung des konstitutionellen Liberalismus der Zeit des Vormärz und der Revolution von 1848, der immer schon eine Strategie der »Vereinbarung« mit den Regierungen vertreten hatte, lange bevor von einer konkreten sozialen Gefahr von seiten des aufsteigenden Proletariats in numerisch relevanter Größenordnung die Rede sein konnte. Daß der deutsche Liberalismus – oder auch nur sein rechter Flügel – 1848 und endgültig 1867 unter dem Einfluß offensichtlicher Klasseninteressen sein altes Ideal einer »klassenlosen Bürgergesellschaft« zugunsten der selbstsüchtigen Förderung der eigenen sozio-ökonomischen Klasseninteressen aufgegeben habe, wie jüngst Michael Gugel in Anlehnung an Lothar Gall gemeint hat, ist eine verfehlte Interpretation; die tatsächlichen quantitativen Auswirkungen der Industrialisierung führten zunächst zu einer erheblichen Vermehrung mittlerer Existenzen und erst seit der Mitte der 80er Jahre zu einer drastischen Steigerung der Sozialschicht des Proletariats auf Kosten der Mittelschichten.[20] Gewiß ist Revolutionsfurcht, wie Theodor Schieder gezeigt hat, ein wesentliches Element bürgerlichen politischen Bewußtseins im

Arbeiterschaft 1850–1880, in: Hans-Ulrich Wehler (Hrsg.), Sozialgeschichte Heute. Festschrift für Hans Rosenberg, Göttingen 1974, S. 269f. Siehe auch Heinrich August Winkler, Vom linken zum rechten Nationalismus. Der deutsche Liberalismus in der Krise von 1878/79, in: Geschichte und Gesellschaft 4 (1978), S. 5–28. Ganz im Fahrwasser gängiger Interpretationen verbleibt Gordon Mork, Bismarck and the »Capitulation« of German Liberalism, in: Journal of Modern History 43 (1971), S. 59ff. Mork betont zwar, daß die Liberalen in erheblichen Punkten ihre gesellschaftspolitischen Forderungen durchsetzten, sich aber immer, wenn Bismarck ihnen direkt entgegentrat, diesem gebeugt hätten. Die Frage, weshalb dies so war, wird nicht eigentlich gestellt.

20 Bereits Lothar Gall hat in seiner Abhandlung Liberalismus und »bürgerliche Gesellschaft«. Zu Charakter und Entwicklung der liberalen Bewegung in Deutschland, in: Historische Zeitschrift 220 (1975) (auch in Lothar Gall [Hrsg.] Liberalismus, Köln 1976) den Versuch gemacht, das Verhältnis von Liberalismus und industrieller Entwicklung neu zu bestimmen. Zumindest der deutsche Liberalismus sei auf die Durchsetzung einer »klassenlosen Bürgergesellschaft der Hausväter« ausgerichtet und demgemäß tendenziell gegen das große Kapital und die mit der Industrialisierung einhergehenden erheblichen Einkommensdifferenzierungen eingestellt gewesen; von hierher gesehen sei die liberale Idee seit den 50er Jahren immer mehr zu einer bloßen Ideologie geworden, hinter der sich reale ökonomische Klasseninteressen des Besitzbürgertums verbargen. Diese – in sich keineswegs unproblematische, weil den frühen Liberalismus hinsichtlich seiner klassenmäßigen Grundlagen verklärende – Interpretation hat Gugel zum Ausgangspunkt seiner Analyse gewählt, welche auf den Nachweis abzielt, daß die Ideolo-

gesamten 19. Jahrhundert gewesen;[21] von einer konkreten, quantitativ meßbaren Bedrohung der bürgerlichen Schichten durch das Proletariat kann in den 60er und 70er Jahren jedoch noch nicht die Rede sein. Es ist vielmehr die relative Rückständigkeit der gesellschaftlichen Verhältnisse, die eine konservative Grundhaltung bedingte, gerade in den politisch noch weitgehend passiven Teilen der Bevölkerung.

Die verbreitete idealtypische Konstruktion, wonach die fortschrittlichen Kräfte der deutschen Gesellschaft einerseits durch Bismarcks überlegene Herrschaftstechnik, andererseits durch eigenes Versagen bzw. durch ihre einseitige Klassenorientierung ausmanövriert worden seien, bedarf demnach einer Modifizierung. Diese These ist auch deshalb problematisch, weil die beiden liberalen Parteien in der Zeit von 1867 bis 1878 erhebliche Anstrengungen gemacht haben, um eine Weiterentwicklung des politischen Systems in fortschrittlichem Sinne wenn nicht zu erreichen, so doch für die Zukunft offenzuhalten. Dies gilt bereits für die Auseinandersetzungen über die Reichsverfassung. Das politische System, das 1867 und 1871 entstand, war zwar das Produkt einer »Revolution von oben«, aber die ursprünglich in Aussicht genommenen Lösungen sind von den liberalen Parteien, insbesondere aber den Nationalliberalen, in Ausnutzung ihrer parlamentarischen Schlüsselposition im Norddeutschen Konstituierenden Reichstag in vieler Hinsicht abgefälscht und verändert worden. Auch wenn die Reichsverfassung in wesentlichen Punkten hinter den ursprünglichen Forderungen auch der Nationalliberalen, geschweige denn

gie des Liberalismus bereits in den 50er Jahren ihren ursprünglichen sozialemanzipatorischen Charakter verloren habe und statt dessen, angesichts der raschen Entwicklung des bürgerlich-kapitalistischen Erwerbssystems, rein sozialdefensive Züge angenommen habe, verbunden mit einer zunehmenden Entpolitisierung ihres Programms: »Mit dem Ziel der Stärkung des Bürgertums« seien hinfort »nicht alle jene allgemeinen emanzipatorischen Interessen verbunden« gewesen, »die zum Anfang des Jahrhunderts den bürgerlichen Forderungen ihre spezifische Durchschlagskraft und einen breiteren Massenanhang garantierten«. Im Umkreis der 50er Jahre gehe »es vielmehr um die Abschirmung einer privilegierten Position, die sich im wesentlichen von den Besitzinteressen her« definiere (ebenda, S. 205). Diese Interpretation idealisiert in ganz unzulässiger Weise den Liberalismus der Epoche des Vormärz, vor allem aber verkennt sie völlig das tatsächlich noch geringe Ausmaß der durch die Industrialisierung in den 50er Jahren bewirkten gesellschaftlichen Veränderungen; sie postuliert ohne zureichende Quellenbasis als Leitlinie liberaler Politik eine Abwehrposition gegenüber den proletarischen Unterschichten, obwohl diese damals nur in sehr begrenztem Umfang eine reale Grundlage hatte, und zieht daraus die kühne Folgerung, daß der Staat Bismarcks mit den tatsächlichen Interessen des Bürgertums identisch sei, was bestenfalls für die damals vergleichsweise noch kleine Gruppe des industriellen Großbürgertums zutreffend ist, aber schwerlich für die parteipolitisch organisierten Richtungen des deutschen Liberalismus der Bismarck-Zeit in ihrer Gesamtheit. Vgl. auch den Aufsatz d. Vfs., Der deutsche Liberalismus zwischen »klassenloser Bürgergesellschaft« und »organisiertem Kapitalismus«, in: Geschichte und Gesellschaft 4 (1978), S. 77–90.

21 Das Problem der Revolution im 19. Jahrhundert, in: Staat und Gesellschaft in unserer Zeit, München 1958, S. 11 ff.

des entschiedenen Liberalismus, zurückblieb, wurde doch damit ein rechtlicher und politischer Rahmen geschaffen, der den Parteien ein erhebliches Maß an faktischem Einfluß einräumte, wenn auch um den Preis zumindest einstweiligen Verzichts auf weitreichende verfassungspolitische Reformen.

Es ist unbestreitbar, daß bei diesen Entscheidungen auf seiten des Nationalliberalismus wirtschaftliche Erwägungen eine nicht unbedeutende Rolle gespielt haben. Das Bedürfnis der bürgerlichen Schichten nach Herstellung eines einheitlichen Wirtschaftsraumes, verbunden mit der Freisetzung der wirtschaftlichen Bestrebungen von traditionellen wirtschaftsgesetzlichen Beschränkungen, war unzweifelhaft ein wesentliches Motiv, das hinter dem Streben des deutschen Bürgertums nach einem deutschen Nationalstaat stand, auch wenn dieses, wie Zorn gezeigt hat, gewiß nicht darin aufging.[22] Die Aussicht auf eine Realisierung wenigstens der wirtschaftspolitischen Teile des liberalen Programms war für die nichtpreußischen Führer des Nationalvereins, insbesondere für Bennigsen, ein wichtiger Grund, zu Kompromissen mit Bismarck zu kommen, freilich in der Erwartung, daß eine wirtschaftsliberale Politik im Reiche auf die Dauer auch die Voraussetzungen für die Durchsetzung der politischen Forderungen des Liberalismus nach sich ziehen werde.

Man wird freilich im nachhinein die Frage stellen müssen, ob nicht der Nationalliberalismus – indem er Bismarck dazu verhalf, das halbkonstitutionelle Verfassungssystem des Deutschen Reiches gegen widerstrebende Kräfte auf der Linken wie auf der Rechten zustande zu bringen – der eigentlich Betrogene gewesen ist. Denn glich dieses System nicht einem kunstvoll geknüpften Netz, das in erster Linie dazu diente, die politischen Energien der deutschen liberalen Bewegung – bei gleichzeitiger Befriedigung seiner nationalen und wirtschaftlichen Forderungen – gleichsam in festen Dämmen einzufangen, ohne ihr eine wirkliche verantwortliche Mitwirkung an den großen politischen Entscheidungen einzuräumen?

Eine solche These erscheint im nachhinein bestechend, allein sie läuft auf eine Überrationalisierung der Politik Bismarcks hinaus. Zunächst einmal spricht der komplizierte Prozeß des Zustandekommens der Reichsverfassung gegen eine solche Deutung. Auch unter Berücksichtigung der be-

22 Wolfgang Zorn, Wirtschafts- und sozialgeschichtliche Zusammenhänge der deutschen Reichsgründungszeit (1850–1879), in: Helmut Böhme, Probleme der Reichsgründungszeit 1848–1879, Köln 1968, S. 304f.; vgl. auch ders., Wirtschaft und Gesellschaft in Deutschland in der Zeit der Reichsgründung, in: Theodor Schieder/Ernst Deuerlein (Hrsg.), Reichsgründung 1870/71. Tatsachen, Kontroversen, Interpretationen, Stuttgart 1970, S. 197ff.; ders., Die wirtschaftliche Integration Kleindeutschlands in den 1860er Jahren und die Reichsgründung, in: Historische Zeitung 216 (1973), S. 304ff.

kannten Thesen Otto Beckers[23] bleibt unübersehbar, daß sich Bismarck im Laufe der Auseinandersetzungen über die Verfassungsgebung ganz wesentlich über seine ursprüngliche Position hat hinausdrängen lassen, einerseits unter dem Druck der Parteien und der öffentlichen Meinung, die eine halbe Lösung perhorresziert haben würde, andererseits aus taktischer Rücksichtnahme auf die süddeutschen Staaten, die eine weit stärker großpreußische Lösung schwerlich akzeptiert haben dürften. Außerdem wäre dann der politische Zweck, nämlich die Stabilisierung der Vorherrschaft der traditionellen Führungseliten unter Einbeziehung von Teilen der aufsteigenden bürgerlichen Schichten, nicht erreichbar gewesen. Am Ende war die Stellung des Reichstages, ungeachtet wesentlicher Beschränkungen seiner legislativen Kompetenzen und trotz des verfassungsrechtlich ungeklärten Verhältnisses von Parlament und Regierung, weit stärker, als Bismarck selbst dies vorausgesehen hat.

Es ist im übrigen leicht, den Nationalliberalen zu große Nachgiebigkeit nachzusagen. Die Nationalliberalen im Norddeutschen Verfassunggebenden Reichstag sahen klar, was auf dem Spiele stand. Wenn sie sich – wie namentlich Lasker, der eine Schlüsselstellung als Führer des linken Flügels innehatte – zum Nachgeben in den entscheidenden Fragen der Ministerverantwortlichkeit und des sogenannten dreijährigen Pauschquantums bereit fanden, so einerseits, weil sie auf die Möglichkeit einer Weiterentwicklung der Verfassung im fortschrittlichen Sinne setzten, vor allem aber, weil sie sich der begrenzten Stärke ihrer eigenen Position, namentlich hinsichtlich ihrer Gefolgschaft in den breiten Massen, durchaus bewußt waren. Vor allem Lasker ließ sich von der Überzeugung leiten, daß eine Annahme der Verfassung ohne liberale Unterstützung bzw. eine einfache Oktroyierung derselben das Verschwinden der liberalen Partei von der politischen Bühne für eine lange Zeit bedeuten würde. Noch 1874 hat er rückblickend geurteilt, daß es zu Chaos und zu einer Zerstörung der liberalen Bemühungen für eine halbe Generation gekommen wäre, wenn der Konstituierende Norddeutsche Reichstag die Verfassung abgelehnt hätte.[24] Mit gleichartigen Argumenten hat auch Bennigsen seine Politik des Kompromisses mit Bismarck gegenüber seinen Wählern verteidigt.[25] Die Nationalliberalen gingen davon aus, daß ihre eigene gesellschaftliche Basis fragil war[26] und daß sie den Bruch mit Bis-

23 Otto Becker, Bismarcks Ringen um Deutschlands Gestaltung, hrsg. u. erg. von Alexander Scharff, Heidelberg 1958, insb. S. 388ff.

24 Neue Freie Presse, 1.1.1874, zit. nach James F. Harris, Eduard Lasker and Compromise Liberalism, in: Journal of Modern History 42 (1970), S. 349.

25 Ebenda, S. 350.

26 Nur das Dreiklassenwahlrecht mit seiner, namentlich bei unterentwickelter Parteienstruktur und beim Vorwalten von Honoratiorenpolitikern, stark multiplikatorischen Wirkung hatte

marck zu fürchten hatten, auch wenn diesem zunächst vor allem aus außenpolitischen Gründen an einem *modus vivendi* mit dem Nationalliberalismus gelegen sein mußte.
Auch im folgenden Jahrzehnt blieb die politische Fortune des Nationalliberalismus zu einem erheblichen Teil von einem erträglichen Verhältnis zu Bismarck abhängig; ohne den Vorteil der Rolle einer Quasiregierungspartei hätte dieser während der Jahre von 1871–1879 schwerlich eine so starke Stellung innerhalb des Parteienspektrums einnehmen können.
Ein Blick auf die Sozialstatistik der Reichsgründungsperiode vermag zu zeigen, weshalb dies so war.[27] Wenn man die 50er und 60er Jahre gemeinhin als die Periode des *take off* der industriellen Revolution in Deutschland bezeichnet, so ist dies qualitativ zutreffend. Aber die überkommene, noch weitgehend durch Agrarwirtschaft und vorindustrielle Gewerbe aller Art geprägte Sozialstruktur Preußens und Deutschlands wurde dadurch weit langsamer verändert, als man gemeinhin angenommen hat. Am stärksten machte sich die Industrialisierung in Sachsen und in regionalen Zentren des Rheinlandes bemerkbar; die Einkommen der bürgerlichen Oberschicht stiegen in diesen Jahrzehnten um ein Vielfaches. Für die Gesellschaft als Ganzes gesehen besagt dies jedoch noch nicht allzuviel. 1816 wohnten 73,5 % der Bevölkerung Preußens in ländlichen Gebieten; 1852 71,5 % und 1867 67,5 %. Der Rückgang ist, insbesondere, wenn man den gleichzeitig starken Bevölkerungszuwachs beachtet, nicht gerade spektakulär. Tatsächlich sank die Zahl der in landwirtschaftlichen Berufen Beschäftigten absolut überhaupt nicht, relativ nur langsam; nach Hoffmann waren es 1861 51,6 %, 1871, im Jahr der Gründung des Deutschen Reiches, waren es 49,8 % und elf Jahre später, 1882, immer noch 48,3 %. Die Reichsstatistik weist für 1867 2,3 Millionen Selbständige im

der Fortschrittspartei und im weiteren Sinne allen liberalen Richtungen in den 60er Jahren spektakuläre Mehrheiten im preußischen Abgeordnetenhaus verschafft (1862: 314 Liberale aller Richtungen, mit Ausnahme der Altliberalen, gegenüber 11 Konservativen; 1863: 247 Liberale aller Richtungen mit Ausnahme der Altliberalen gegenüber 35 Konservativen). Wie wenig stabil diese Mehrheit in der Gesellschaft selbst war, wußten die Liberalen selbst; auf den revolutionären Kampf gegen die preußische Krone konnten sie es niemals ankommen lassen. Die parlamentarische Machtstellung des Bürgertums ruhte, wie Winkler (S. 23f.) gesagt hat, »auf schwankendem sozialen Untergrund«; deshalb wurde die Maxime, daß die reaktionären Kräfte nicht mit Gewalt, sondern mit Hilfe des Rechts bezwungen werden müßten, damals im liberalen Lager niemals ernstlich angefochten. Vgl. für die gesellschaftliche Basis des Liberalismus in der Konfliktzeit Eugene N. Anderson, The Social and Political Conflict in Prussia 1858–1864, Lincoln/Nebraska 1954, Reprint, New York 1958; ders., The Prussian Election Statistics 1862 and 1863, Lincoln/Nebraska 1954.

27 Die folgenden Daten nach Walter G. Hoffmann, Das Wachstum der deutschen Wirtschaft seit der Mitte des 19. Jahrhunderts, Berlin 1965, sowie Gerd Hohorst/Jürgen Kocka/Gerhard A. Ritter, Sozialgeschichtliches Arbeitsbuch. Materialien zur Statistik des Kaiserreiches 1870–1914, München 1975. Vgl. auch Theodore S. Hamerow, The Social Foundations of German Unification 1858–1871. Ideas and Institutions, Princeton 1969, S. 70ff.

Bereich von Landwirtschaft, Forsten und Fischerei aus, in Industrie und Handwerk nur 1,7 Millionen. 1882 lauten die entsprechenden Ziffern 2,6 Millionen bzw. 2,1 Millionen, was, bei aller Vorsicht bei der Auswertung solcher Ziffern, auf ein deutliches Überwiegen des traditionell den Konservativen zuneigenden agrarischen Sektors schließen läßt, ungeachtet der Tatsache, daß der Prozeß der Industrialisierung, wie aus den erreichbaren Daten über die Wertschöpfung in den einzelnen Wirtschaftssektoren deutlich abzulesen ist, nunmehr stürmisch voranschritt, allen Schwankungen des konjunkturellen Verlaufes zum Trotz. Zumindest für die Zeit Bismarcks darf die gesamtgesellschaftliche Bedeutung des industriellen Sektors der Volkswirtschaft nicht zu hoch angesetzt werden; wir haben es bestenfalls mit einem labilen Gleichgewicht zwischen einem absolut nach wie vor starken, wenn auch im Produktivitätszuwachs hinter seinen Konkurrenten zurückbleibenden agrarischen Sektor und einem zwar äußerst dynamischen, aber gesamtgesellschaftlich noch keineswegs dominanten industriell-gewerblichen Sektor zu tun, bei einem weiten Mittelfeld kleiner Existenzen, die primär vorindustriellen Strukturen zugerechnet werden müssen. Die Ziffern über die durchschnittlichen Betriebsgrößen lassen ebenfalls bis zur Mitte der 80er Jahre auf ein großes, zunächst kaum rückläufiges Reservoir von Kleinbetrieben schließen.
Diese statistischen Befunde finden ihre Entsprechung in der Beobachtung, daß die traditionellen Gewerbe, insbesondere das Handwerk, in der Phase des *take off* keineswegs schlagartig zurückgingen, sondern zeitweise, wenn man Hamerows Analysen,[28] die durch die freilich nicht sehr differenzierten Statistiken über die Selbstbeschäftigten in Industrie, Handel und Gewerbe im ganzen gestützt werden, folgen darf, sogar noch zunahmen.[29] Andererseits stellten die Handwerkerschaft und mit ihnen verwandte Gewerbe wie die kleinere Kaufmannschaft oder etwa die Gastwirte, mittelfristig von sozialem Abstieg bedroht, ein natürliches Re-

28 Für einen Teilbereich des Kleinbürgertums vgl. neuerdings Robert Gellately, The Politics of Economic Despair. Shopkeepers and German Politics 1890–1914, London 1974; Gellately zeigt (S. 13ff.), daß der Kleinhandel in der Periode der Industrialisierung 1871 bis 1914 beträchtlich schneller wuchs als die Bevölkerung in ihrer Gesamtheit. Zur Mittelstandsproblematik fehlt es für die Bismarck-Zeit noch an definitiven Studien. Vgl. aber Wolfram Fischer, Das deutsche Handwerk in der Frühphase der Industrialisierung, in: Zeitschrift für die gesamte Staatwissenschaft 120 (1964); ders., Die Rolle des Kleingewerbes im wirtschaftlichen Wachstumsprozeß in Deutschland 1850–1914, in: Friedrich Lütge (Hrsg.), Wirtschaftliche und soziale Probleme der gewerblichen Entwicklung im 15. bis 16. und 19. Jahrhundert, Stuttgart 1968, S. 131ff.; Jürgen Kocka, Vorindustrielle Faktoren in der deutschen Industrialisierung. Industriebürokratie und ›neuer Mittelstand‹, in: Stürmer, Das kaiserliche Deutschland, S. 265ff.

29 Vgl. Hamerow, S. 78f., der auf die quantitativ zunächst weiterhin starke Stellung der Handwerkerschaft hinweist, ohne freilich von der landläufigen These von der Krise des kleinen Mittelstandes abzurücken.

servoir konservativer Politik dar – im Prinzip bis in den Ersten Weltkrieg hinein. Die beachtenswerten Erfolge der Agitation von Hermann Wageners »Preußischen Volksvereinen«, die anders als der Nationalverein keine Honoratiorenclubs waren, sprechen dafür, daß diese sozialen Gruppen politisch durchaus mobilisierbar waren, und zwar in antiliberalem Sinne.

Die uns verfügbaren statistischen Daten lassen eine präzise Bestimmung der Veränderungen der sozio-ökonomischen Schichtung des Deutschen Reiches der Bismarck-Ära nicht zu; eine überschlägige Rechnung bestätigt jedoch, daß der agrarische Sektor, bei einer noch zunehmenden Zahl der Selbständigen, bis in die 90er Jahre hinein eine erstaunliche Stabilität besessen hat, vor allem aber, daß die Veränderungen in der Struktur der in den übrigen Wirtschaftsbereichen Tätigen sich keineswegs so drastisch auf eine Polarisierung zwischen der Gruppe der Selbständigen und dem Proletariat hinbewegt haben, wie die meisten neueren sozialhistorischen Interpretationsversuche angenommen haben. Tatsächlich nahm die Zahl der Selbständigen zunächst weiterhin schneller zu als die Gesamtbevölkerung, während die Industriearbeiterschaft erst Mitte der 80er Jahre die Zahl der Selbstbeschäftigten aller Wirtschaftsbereiche zusammengenommen definitiv überholt. Quantitativ war sie bis in die 80er Jahre hinein noch keine reale Gefahr für die bürgerlichen Schichten.[30]

Bis zur Mitte der 80er Jahre wurde die Masse der Bevölkerung von der

30 Auf der Grundlage der bei Hoffmann, Wachstum der deutschen Volkswirtschaft, sowie bei Hohorst/Kocka/Ritter, Sozialgeschichtliches Arbeitsbuch, erreichbaren Daten ergibt sich das folgende globale Muster der Struktur der Beschäftigten im deutschen Kaiserreich, differenziert einerseits nach agrarischem und industriellem Sektor, andererseits nach Beschäftigungsstatus (Zahlenangaben in Millionen):

| | | 1867 | 1882 | 1895 |
|---|---|---|---|---|
| Agrarischer Sektor | Selbständige | ? | 2,3 | 2,5 |
| | Landarbeiter und abhängig Beschäftigte | ? | 5,9 | 5,6 |
| | Angestellte (white collar workers) | | 0,062 | 0,067 |
| Übrige Sektoren | Selbständige | 2,3 | 2,8 | 3,0 |
| | Bildungsberufe und Beamte | 0,5 | 0,63 | 0,78 |
| | Angestellte (white collar workers) | – | 0,30 | 0,62 |
| | Industriearbeiter | ? | 4,8 | 7,2 |

Auch wenn in diesen Zahlen zahlreiche Fehlerquellen stecken (so dürften die Beschäftigungsziffern im agrarischen Sektor, auf die Gesamtbevölkerung bezogen, vermutlich etwas höher gelegen haben als im gewerblich-industriellen Sektor; ebenso sind in den Zahlen für Bildungs-

Industrialisierung nur mittelbar berührt; von einer drastischen Veränderung ihrer Lebensbedingungen, geschweige denn ihrer Lebensgewohnheiten kann für diese Periode noch nicht gesprochen werden. Vielmehr konzentrierte sich die industrielle Entwicklung vorläufig auf einige wenige Zentren, erfaßte aber die Gesamtgesellschaft in geringerem Maße, als man gemeinhin anzunehmen pflegt. Dem entspricht, daß die aufsteigende Gruppe des industriellen Bürgertums, obgleich sie innerhalb des Gesamtliberalismus den Ton angab, zahlenmäßig nach wie vor relativ schwach war.

In sozio-ökonomischer Perspektive stellt sich die Position der progressiven Gruppen in der deutschen Gesellschaft während des ersten Jahrzehnts des Bismarckreichs, ja noch weit darüber hinaus, demgemäß als ziemlich prekär dar. Von einer politischen Mobilisierung der breiten Massen der Bevölkerung hatten sie keinesfalls nur Gutes zu erwarten. Die Liberalen nahmen zuversichtlich an, daß zumindest auf lange Sicht die Logik des Geschichtsprozesses auf ihrer Seite sei; tatsächlich wurde ihre magere Massenbasis durch das Voranschreiten der Industrialisierung eher geschwächt als gesteigert, obgleich die Zahl der »mittleren Existenzen« einstweilen noch zunahm. Der Liberalismus und speziell der Nationalliberalismus verdankten ihre relativ starke politische Position während der 60er und 70er Jahre gutenteils der Tatsache, daß ein erheblicher Teil der breiten Massen sich politisch noch weitgehend passiv verhielt. Die schroffe Reaktion der Liberalen auf die Zentrumspartei beruht, zumindest zu Teilen, darauf, daß diese, wenn auch unter Führung einer kleinen Gruppe von Aristokraten und bürgerlichen Honoratioren, erstmals auf die Unterstützung breiter Volksmassen zurückzugreifen vermochte.[31]

berufe und Beamte unglücklicherweise die Friseure enthalten), so können sie gleichwohl als Anhaltspunkt für die tatsächlichen Veränderungen der sozialen Schichtung während des Kaiserreiches dienen. Von allzu drastischen Veränderungen infolge der Industrialisierung ist demnach vor 1882 wenig zu spüren. Insbesondere fällt die relative Stärke der Selbständigen, wenn man den agrarischen und den gewerblich-industriellen Sektor zusammennimmt, ins Auge. Demgemäß sollte man der in den 50er Jahren in einer ersten großen Schubwelle einsetzenden Industrialisierung noch nicht zu großes Gewicht hinsichtlich der Veränderung der Sozialordnung beimessen; erst der zweite Schub der Industrialisierung seit dem Anfang der 80er Jahre schlug auf breiter Front auf die sozialen Strukturen durch. Die Position des agrarischen Sektors wurde dadurch jedoch in absoluten Ziffern nicht und zunächst auch relativ kaum beeinträchtigt.

31 Die These von Gustav Schmidt, wonach der Nationalliberalismus den »innenpolitischen Präventivkrieg« des Kulturkampfs geführt habe, um einen potentiellen Rivalen für die Position der Regierungspartei von vornherein auszuschalten, erscheint uns nicht haltbar. Zum ersten hätte die Zentrumspartei den Nationalliberalen 1871 niemals die politische Vorrangstellung streitig machen können, da sie sich zu eindeutig gegen die Reichsgründungspolitik Bismarcks festgelegt hatte; andererseits waren die Konservativen noch viel zu desorganisiert und übrigens noch viel zu bismarckfeindlich, um schon Anfang der 70er Jahre als politische Partner des Zentrums auftreten zu können. Zum zweiten hat der gesamte Liberalismus einschließlich

Entgegen der liberalen Erwartungsideologie führte der Prozeß der Industrialisierung nicht zu zunehmender Stärkung der gesellschaftlichen Basis der liberalen Mittelschichten und damit zu einer zunehmenden Liberalisierung der politischen Institutionen.[32] Dagegen begünstigte, ja erzwang er eine Politik der partiellen Modernisierung der gesellschaftlichen Institutionen einschließlich des Rechtssystems und der Sozialvorsorge, unter Aussparung der politischen Ordnung. Diese Politik ließ sich sehr gut, ja, irritierenderweise teilweise noch besser innerhalb des bestehenden halbkonstitutionellen Systems durchsetzen als in einem voll ausgebildeten parlamentarischen System.
Dieser Tatbestand lähmte von vornherein die Stoßkraft der politischen Aktivität aller Richtungen des Liberalismus. Umgekehrt begünstigte er sozialkonservative Bestrebungen, sofern diese sich mit Teilreformen vorwiegend technizistischer Art verbanden. Der große Erfolg des Zentrums, das einer Ideologie der »Ausgleichung von Grundbesitz, Kapital und Arbeit« huldigte, kam unter solchen Umständen nicht überraschend. Die gesellschaftlichen Verhältnisse begünstigten sozialkonservative Bestrebungen nicht nur in den ersten Jahrzehnten des Kaiserreichs, sondern späterhin in noch stärkerem Maße. Allein die politische Orientierungslosigkeit der konservativen Parteien in den ersten Jahren nach der Reichsgründung hinderte diese daran, dieses sozialkonservative Potential von Anfang an voll auszuschöpfen.
Unter diesen Umständen kommt Bismarcks Option für die Nationalliberalen seit 1867 durchaus erhebliche Bedeutung zu. Es war dies weit mehr als eine taktische Finesse, sondern eine Entscheidung, die den gemäßigt progressiven Kräften im Deutschen Reich zunächst einmal einen strategi-

der Fortschrittspartei, die sich nie Hoffnungen auf eine derartige Rolle gemacht hat, den Kulturkampf mit Überzeugung und Leidenschaft geführt, weil er im Katholizismus und seiner parteipolitischen Vorhut eine zutiefst fortschritts- und modernisierungsfeindliche Kraft sah. Es war die politische Mobilisierung von breiten Bevölkerungsgruppen mit nahezu durchgängig sozialkonservativer Einstellung, welche die Liberalen zu fürchten hatten. Auf lokaler Ebene degenerierte der Kulturkampf, wie beispielsweise im Fall Krefelds, nicht selten gar zu einer Art Klassenkampf zwischen katholischen Unterschichten und der protestantisch-industriellen Oberschicht.

32 Max Weber hat schon 1905 am Beispiel Rußlands massiv davor gewarnt, daß man nicht darauf rechnen dürfe, daß die fortschreitende Industrialisierung zwangsläufig auch zu einer Liberalisierung der Gesellschaft führen werde: »Käme es nur auf die ›materiellen‹ Bedingungen und die durch sie ›geschaffenen‹ Interessenkonstellationen an, so würde jede nüchterne Betrachtung sagen müssen: Alle ökonomischen Wetterzeichen weisen nach der Richtung zunehmender ›Unfreiheit‹. Es ist höchst lächerlich, dem heutigen Hochkapitalismus, wie er jetzt nach Rußland importiert wird und in Amerika besteht – dieser ›Unvermeidlichkeit‹ unserer wirtschaftlichen Entwicklung –, Wahlverwandtschaft mit ›Demokratie‹ oder gar mit ›Freiheit‹ (in irgendeinem Wortsinn) zuzuschreiben.« Gesammelte Politische Schriften, 1971$^3$, S. 64. Vgl. Wolfgang J. Mommsen, Max Weber und die deutsche Politik 1890–1920, Tübingen 1974$^2$, S. 89f.

schen Vorsprung verschaffte. Man könnte vielleicht sagen, daß Bismarck als wirklicher Konservativer der eigenen Sozialgruppe des großgrundbesitzenden Adels dergestalt gerade so viel an Reformen abtrotzte, wie notwendig war, um das gesellschaftliche System auf einer neuen Ebene für Jahrzehnte erfolgreich zu stabilisieren. Doch kann dies nicht einfach als eine sublime Strategie antirevolutionärer Modernisierung im Dienste und Interesse der herrschenden Schichten angesehen werden; dazu waren die Konzessionen an die aufsteigenden Mittelschichten denn doch viel zu weitgehend.

Es ist demgemäß auch nicht verwunderlich, daß die Masse der Konservativen der Politik Bismarcks seit 1867 mit Mißtrauen und offener Ablehnung gegenüberstand, obschon man schon aus Gründen der Loyalität gegenüber dem Monarchen, dann aber auch der politischen Klugheit, zumeist einen direkten Konflikt scheute.[33] Die Reserviertheit der Konservativen schlug jedoch sogleich in offene Feindschaft um, als der Kanzler begann, im Zuge seines taktischen Zusammengehens mit den Nationalliberalen in den frühen 70er Jahren an institutionellen Gegebenheiten in Preußen zu rühren, die für die gesellschaftliche und politische Vormachtstellung des Konservativismus von einiger Bedeutung waren. Die laizistischen Töne des Kultusministers Falk wurden von den preußischen Konservativen ebenso mit äußerstem Unbehagen aufgenommen wie die Kulturkampfgesetze, die direkt oder indirekt auch den Status der evangelischen Kirche zu beeinträchtigen geeignet waren. Der evangelische Pastor war ein essentielles Element traditioneller aristokratischer Magnatenherrschaft auf dem flachen Lande; eine Schwächung des Einflusses der Kirche bedrohte mittelfristig die patriarchalischen Strukturen, die trotz des Einbruchs der Geldwirtschaft damals noch weitgehend intakt waren. Ähnliches gilt von der gleichfalls hartumkämpften Kreisordnung, die Bismarck mit weit drastischeren Mitteln hatte durchsetzen wollen, als das preußische Staatsministerium anzuwenden bereit gewesen ist, eine Tatsache, die den Kanzler bekanntlich dazu bewog, zeitweilig die preußische Ministerpräsidentschaft an Roon abzutreten. Als dann die Wirtschaftskrise von 1873 vollends die Verfehltheit der liberalen Wirtschaftspolitik erwiesen zu haben schien, kam es gar zu emotionellen Ausbrüchen der »Kreuzzeitung« gegen die »Ära Bleichröder, Dellbrück, Camphausen und die neudeutsche Wirtschaftspolitik«, ein Ausdruck des Unbehagens großer Teile der Konservativen, insbesondere aber ihres Fußvolks über

33 Es ist zu bedauern, daß dieser Aspekt der Entwicklung des deutschen Kaiserreiches seit Gerhard Ritters Erstlingsbuch: Die preußischen Konservativen und Bismarcks deutsche Politik 1858–1876, Heidelberg 1913, und Heinrich Heffters Untersuchung, Die Kreuzzeitungspartei und Bismarcks Kartellpolitik, Leipzig 1927, nicht mehr systematisch untersucht worden ist.

die Entwicklung der wirtschaftlichen Verhältnisse seit 1867. Mit Recht bezog Bismarck diese Vorgänge auf sich persönlich und seine Politik. Er bestellte demonstrativ die Kreuzzeitung ab und forderte die loyalen Konservativen auf, ein Gleiches zu tun, was zur bekannten Gegenaktion der sogenannten »Deklaranten« führte. Man mag diese Protestbewegung ephemer nennen – wenig später schon sahen sich die Konservativen veranlaßt, den Konflikt formell zu begraben, da sie nur auf seiten der Regierung Chancen hatten, die bevorstehenden Reichstagswahlen gut zu bestehen –; sie beleuchtet gleichwohl den gesellschaftspolitischen Kompromißcharakter seines politischen Kurses seit 1867. Das durch die politische Konstellation der Jahre der Reichsgründung bedingte Formtief des parteipolitischen Konservativismus darf freilich nicht zu dem Schluß verleiten, daß dieser fortan nicht mehr über eine zureichende Basis in den Volksmassen verfügte; was den Konservativen infolge der zunehmenden politischen Mobilisierung der breiten Massen und der damit verbundenen Herauslösung aus patriarchalischen Strukturen verlorenging, vermochten sie durch den Appell an die Sozialgruppen vor allem des Kleinbürgertums, die ihre traditionellen Positionen durch den Modernisierungsprozeß gefährdet sahen, durchaus aufzufangen, insbesondere dann, wenn sie zugleich den Bonus einer Quasi-Regierungspartei für sich in Anspruch nehmen konnten, was seit 1879 beständig der Fall sein sollte.
Die gesellschaftspolitischen Fundamente, auf denen das Deutsche Reich von 1871 beruhte, waren demgemäß gemischter Natur. In allen politischen Lagern überwogen traditionalistische über progressive Tendenzen; allenfalls auf dem linken Flügel der Fortschrittspartei und in der Deutschen Volkspartei begegnete man Gruppen, die eine durchgreifende Demokratisierung des politischen Systems konsequent ins Auge faßten; sie aber waren relativ einflußlos, ebenso wie die einstweilen noch winzigen sozialdemokratischen Parteien, die sich dann 1875 zur Sozialdemokratischen Partei zusammenschlossen. Der bürgerliche Liberalismus stand in prinzipiellem Gegensatz zu den konservativen Gruppierungen, die nicht nur die Tendenz zur Parlamentarisierung der Reichsverfassung, wie sie den Liberalen aller Richtungen damals noch gemein waren, bekämpften, sondern auch den von den bürgerlichen Kräften konsequent geforderten Modernisierungsprozeß ablehnten. Er stürzte sich darüber hinaus in einen Prinzipienkampf gegen den Katholizismus und das Zentrum, in dem man den Hort gesellschaftlicher Rückschrittlichkeit, aber auch einen gefährlichen potentiellen Rivalen sah. Obwohl das Zentrum mit den antizentralistischen Tendenzen der Konservativen sympathisierte, wenn auch aus unterschiedlichen Gründen, unterschied es sich doch von diesen grundsätzlich in der Bereitschaft, die konstitutionellen Möglichkeiten der Verfassung zur Durchsetzung kirchlicher und sonstiger Interessen konse-

quent auszuschöpfen, allerdings nicht mit dem Ziel einer Demokratisierung des Systems, sondern nur eines Ausbaus der eigenen, belagerten Position.

Es ist ersichtlich, daß innerhalb eines solchen politischen Dreiecksverhältnisses – die Sozialdemokratie fiel als vierte Kraft einstweilen noch nicht ins Gewicht – der Exekutive, die innerhalb des politischen Kräftespiels gleichsam über den Vorteil der »inneren Linie« verfügte, ein außerordentlich großer Spielraum eingeräumt war, zuungunsten des Reichstages und der in ihm vertretenen Parteien (eine Situation, die sich freilich nach 1890 umkehren sollte). Andererseits war die Reichspolitik auf Mehrheiten nicht nur im Bundesrat und im preußischen Staatsministerium – was anfänglich nicht so schwer zu erreichen war –, sondern auch im Reichstag angewiesen. Nicht nur der Reichstag, auch die Regierung war zu positiver Politik nur imstande, wenn es zu einer Verständigung zwischen diesen so überaus verschiedenartig fundamentierten und zusammengesetzten Verfassungsfaktoren kam. Dies setzte allen Versuchen einer wirklich tiefgreifenden Änderung des Systems sowohl in progressiver als auch in reaktionärer Richtung von vornherein erhebliche Hindernisse entgegen.

Selbst wenn der Liberalismus nicht 1867 wieder in seine verschiedenen Richtungen, nämlich in einen konstitutionellen Flügel, der auf ein dualistisches System und auf das Prinzip der Vereinbarung mit der Exekutive festgelegt war, und in einen entschieden parlamentarisch-demokratischen Flügel, auseinandergefallen wäre, sondern sich die beispielsweise von Lasker ersehnte Einheit des Gesamtliberalismus wiederhergestellt hätte, wären die Chancen gering gewesen, eine durchgreifende Liberalisierung des bestehenden politischen Systems durchzusetzen. Dazu war das Reservoir konservativer Kräfte der Gesellschaft noch viel zu stark; die Möglichkeit einer Aushebelung der Liberalen im Falle eines offenen Konfliktes mit Bismarck stand allen Beteiligten als reale Möglichkeit konkret vor Augen. Wesentlich unter diesem Gesichtspunkt entschieden sich die Nationalliberalen im Unterschied zur Fortschrittspartei 1867 für einen Kompromißkurs, jedoch zunächst durchaus nicht einfach in blinder Gefolgschaftstreue für den Reichskanzler. Entgegen vergröbernden Handbuchthesen, derzufolge die Nationalliberalen sich damals in die schützenden Arme des Obrigkeitsstaates geflüchtet hätten, muß festgehalten werden, daß diese sich in den ersten Jahren nach der Reichsgründung zumeist nur zu befristeten Kompromissen herbeigelassen haben, in der Erwartung, die strittigen Fragen bei günstigerer Gelegenheit erneut aufrollen zu können. Die politische Strategie der Nationalliberalen schon in den Fragen der Verantwortlichkeit des Reichskanzlers, des Pauschquantums und dann des Septemnats (und in gewissem Sinne selbst des

Sozialistengesetzes) ist anders nicht verständlich. Es trug ein erhebliches Moment der Unruhe und der Instabilität in das politische System hinein, daß zentrale Fragen wie die Stellung des Reichskanzlers, das Budgetrecht oder das Kontrollrecht des Reichstages in Heeresfragen nur provisorisch gelöst und daher immer wieder neu aufgerollt wurden oder doch aufgerollt werden konnten. Nur in sehr begrenztem Sinne kann man mit Stürmer das Septemnat als einen »Hebel der inneren Stabilisierung« bezeichnen; tatsächlich war es Ausdruck eines labilen innenpolitischen Kompromisses.[34] Die Führer der Nationalliberalen sahen nüchtern, daß sie für einen Konfliktkurs eine viel zu unsichere Basis in der Wählerschaft hatten. Bennigsen rechtfertigte im April 1874 die Kompromißlösung des Septemnats unter Bezugnahme auf die »starke Volksbewegung, welche in den letzten Tagen und Wochen durch die deutsche Nation gegangen« sei; »[...] auf dem rein politischen Gebiete« sei »eine so primitive und starke Bewegung seit dem Jahre 1848 nicht dagewesen«; sie sei »hervorgegangen aus dem ganz unmittelbaren Drang, daß jetzt die Zeit nicht da ist, wo der neue deutsche Staat einen Konflikt zwischen seiner Regierung und dem Reichstag auf dem Gebiete der Heeresverfassung vertragen kann«.[35] Daher müsse man auf beiden Seiten die Verständigung suchen.

Allerdings bestanden für eine offen reaktionäre Politik im Reiche, die auf eine Beseitigung oder drastische Einschränkung des Reichsparlamentarismus und damit des parteienstaatlichen Zusatzes des Verfassungssystems abzielte, ebenfalls nicht die Voraussetzungen. Bismarck hat zwar immer wieder mit einer Rückwärtsrevidierung der Verfassung und mit der Aushöhlung des Parlamentarismus durch berufsständische Körperschaften gespielt, aber niemals gewagt, in dieser Richtung wirklich konkrete Schritte zu tun. Darin bildet allenfalls die Situation von 1890 eine Ausnahme insofern, als er damals ernstlich auf den Konflikt hingesteuert hat, wie Röhl seinerzeit glaubhaft gemacht hat.[36] Aus genuin konservativen Überlegungen heraus war Bismarck vielmehr darum bemüht, für seine Politik eine genügend breite gesellschaftliche Basis zu finden, ohne sich doch von der öffentlichen Meinung abhängig zu machen. Insofern tragen viele seiner politischen Entscheidungen Kompromißcharakter. Sie lassen sich zwar als Bestandteile einer konservativen politischen Strategie identifizieren, jedoch nicht ohne weiteres in dem Sinne, in dem die preußische aristokratische Herrenschicht ihre Interessen definierte. Die große

34 Michael Stürmer, Konservativismus und Revolution in Bismarcks Politik, in: Ders., Das kaiserliche Deutschland, S. 161.

35 Zit. bei Hermann Oncken, Rudolf v. Bennigsen, Ein deutscher liberaler Politiker, Bd. 2, Leipzig 1910, S. 263f.

36 John C. G. Röhl, Staatsstreichplan oder Staatsstreichbereitschaft? Bismarcks Politik in der Entlassungskrise, in: Historische Zeitschrift 203 (1966), S. 614ff.

Mehrzahl der konkreten politischen Entscheidungen Bismarcks ist weit stärker auf den Augenblick berechnet gewesen, als die Bismarck entweder positiv oder negativ heroisierende Bismarck-Historie bislang anzuerkennen bereit war, und trugen dem jeweiligen Gewicht der verschiedenen gesellschaftlichen Gruppen in bemerkenswertem Umfang Rechnung. Dies war nicht Ausdruck von Opportunismus (obwohl die Historiker es immer schon schwer gefunden haben, zu erklären, weshalb Bismarck immer wieder gleichzeitig völlig alternative politische Konzepte verfolgte, um sich dann in einer konkreten Situation blitzschnell für eines derselben zu entscheiden), sondern des labilen Grundcharakters des Systems pluralistischer Machtteilhabe, das 1871 institutionalisiert worden war. Es gelang Bismarck zwar wiederholt, Reichstagsmehrheiten, ebenso wie die jeweiligen Mehrheiten im preußischen Abgeordnetenhaus, mit Hilfe cäsaristischer Methoden zu manipulieren. Dennoch fielen die Parteien zunehmend als eigenständige Faktoren ins Gewicht, allein schon wegen der zunehmenden Ausweitung der Staatsfunktionen. Nahezu alle bedeutenderen Gesetzgebungsvorhaben der Bismarck-Zeit sind, gemessen an den ursprünglichen Intentionen Bismarcks und seiner Mitarbeiter, durch Parteienmehrheiten verschiedenen Zuschnitts bis zur Unkenntlichkeit abgeändert worden. So autoritär die verfassungspolitische Struktur und das politische Milieu des Deutschen Reiches der Bismarck-Zeit auch waren, der materielle Einfluß der Parteien auf den Gang der Entwicklung war stets groß und tendenziell in Zunahme begriffen.

Man wird demgemäß die Verfassung des Deutschen Reiches von 1871 mit Carl Schmitt als ein *System umgangener Entscheidungen* bezeichnen müssen, jedoch keineswegs nur in dem Sinne, daß eine eindeutige Option zugunsten entweder des preußischen militaristischen Obrigkeitsstaates oder aber eines bürgerlichen Parteienstaates unterblieben sei.[37] Vielmehr verfügten innerhalb des materiellen Verfassungssystems, in dem, wie Theodor Schieder es formuliert hat, die einzelnen Gewalten relativ unkoordiniert nebeneinanderstanden,[38] die dominierenden Sozialgruppen jeweils in einem Teil des konstitutionellen Terrains über ein Übergewicht. Die Aristokratie behauptete ihre Vorrangstellung in Preußen, insbesondere im Herrenhaus, in zunehmendem Maße aber auch im Abgeordne-

37 Vgl. Carl Schmitt, Staatsgefüge und Zusammenbruch des zweiten Reiches, Hamburg 1934, S. 24f.

38 Bismarck – gestern und heute, in: Gall (Hrsg.), Das Bismarck-Problem, S. 364. Vgl. die systematische Exposition dieses Problems bei Wolfgang J. Mommsen, Die latente Krise des Wilhelminischen Reiches (siehe in diesem Band, S. 287–315); vgl. zu diesem Problem ferner Peter Leibenguth, Modernisierungskrisis des Kaiserreiches an der Schwelle zum Wilhelminischen Imperialismus. Politische Probleme der Ära Caprivi, Phil. Diss., Köln 1975, S. 54ff., der allerdings diesen Sachverhalt allzu ausschließlich auf die Intention Bismarcks zurückführt, einer Parlamentarisierung der Reichsverfassung Hindernisse in den Weg zu legen.

tenhaus, sowie, was wichtiger war, ihren traditionell starken Einfluß auf die preußische Verwaltung, insbesondere auf den unteren Ebenen, wenn auch seit 1872 nicht mehr ganz uneingeschränkt. Die bürgerlichen Parteien hingegen dominierten im Reichstag und kontrollierten demgemäß in den Grenzen der diesem zustehenden Befugnisse die Legislative. Auf diese Weise konnten sie sich zumindest im wirtschaftlichen und teilweise auch im Bereich des Rechtssystems genehme Verhältnisse schaffen. Die gouvernementale Staatsbürokratie, mit Bismarck an der Spitze, spielte die Rolle des Equilibriums. Durch beständigen Wechsel der Stoßrichtung ihrer Politik vermochte sie weitgehend die Initiative zu behaupten und, auch wenn sie auf vielen Gebieten zu Kompromissen mit Parteienmehrheiten gezwungen war, die Verteilung der Gewichte wesentlich zu beeinflussen.

Diese schwebende Machtstruktur war die wesentliche Voraussetzung dafür, daß es zu einem Prozeß der Modernisierung der deutschen Gesellschaft ohne gleichzeitige Demokratisierung kam. Die Entwicklung dieses labilen politischen Systems ist weniger durch die konkrete Politik Bismarcks bedingt gewesen, die vergeblich die Ausbildung festgefügter Parteien gleich welcher Richtung mit allen taktischen Finessen, die ihm zur Verfügung standen, zu verhindern bemüht gewesen war, als vielmehr durch die Veränderungen der gesellschaftlichen Struktur, die sich im Gefolge der seit dem Anfang der 80er Jahre stürmisch vollziehenden Industrialisierung einstellten. Der Prozeß der Industrialisierung, in dem, gemäß den Beobachtungen Gerschenkrons, vergleichsweise wenige Großbetriebe in enger Verbindung mit einigen Großbanken eine dominierende Rolle spielten, führte endgültig zur Zersplitterung der klassischen Trägerschicht des bürgerlichen Liberalismus. Die wachsende Diversifikation der Einkommen der Mittelschichten und die Entstehung einer »industriellen Aristokratie« (Friedrich Naumann) nebst ihren Hintersassen und Gefolgsleuten atomisierte die Sozialgruppe, die man traditionell als »Besitz und Bildung« zu bezeichnen pflegt, und führte zu einer wachsenden Differenzierung der gesellschaftlichen Interessen und politischen Zielsetzungen im bürgerlichen Lager.[39] Infolgedessen ging dem bürgerlichen Liberalismus nunmehr die politische Stoßkraft verloren, ganz unabhängig davon, daß ihm in der aufsteigenden Arbeiterschaft seit dem Anfang der 80er Jahre ein gefährlicher politischer Konkurrent erwuchs. Gleichzeitig begünstigte die besondere deutsche Form der Industrialisie-

39 Vgl. dazu Theodor Schieder, Die Krise des bürgerlichen Liberalismus, in: Staat und Gesellschaft im Wandel unserer Zeit, München 1958, S. 77, und Wolfgang J. Mommsen, Liberalismus und liberale Idee in Geschichte und Gegenwart, in: Kurt Sontheimer (Hrsg.), Möglichkeiten und Grenzen liberaler Politik, Düsseldorf 1975, S. 28f.

rung das Fortbestehen einer zahlenmäßig beträchtlichen kleinbürgerlichen Unterschicht. Sowohl die Konservativen wie die Zentrumspartei nutzten die Möglichkeit, sich zu Sprechern dieser Sozialgruppen zu machen, und vermochten dergestalt ihre gemäß sowohl der liberalen wie der marxistischen Lehre theoretisch zukunftslose gesellschaftliche Position auf lange Zeit hinaus zu behaupten.

Diese Entwicklung war für die Zeitgenossen, Bismarck und die Führer des Liberalismus eingeschlossen, keineswegs unmittelbar vorauszusehen. Dies wird deutlich bei einer Analyse der Vorgänge, die dem großen innenpolitischen Umschwung von 1879 vorangingen. Bismarck ging noch im Herbst 1878 davon aus, daß an den Nationalliberalen nicht vorbeiregiert werden könne und daß sie deshalb in irgendeiner Form in die politische Mitverantwortung einbezogen werden müßten, freilich in einer Form, die nicht zu einer Parlamentarisierung des Verfassungssystems führen dürfe.[40] So entschloß er sich, Bennigsen ein preußisches Ministeramt anzutragen. Er hat die Verhandlungen mit Bennigsen denn auch mit durchaus ernstgemeinten Intentionen geführt, ungeachtet des hartnäckigen Widerstandes Wilhelms I., der hier nur das Echo preußischer konservativer Bedenklichkeiten spielte. Diese Verhandlungen bilden in gewisser Hinsicht den Kulminationspunkt der Ära der liberalkonservativen Kompromisse und zugleich den Wendepunkt in der innerpolitischen Entwicklung des Bismarckschen Reiches überhaupt. Es ist bemerkenswert, daß beide Kontrahenten damals überzeugt waren, den Gegenspieler nunmehr in der Hand zu haben, Bennigsen vielleicht noch mehr als Bismarck. Ersterer war überzeugt, daß die Nationalliberalen durch Aussetzung ihrer Zustimmung zu den anstehenden Steuervorlagen eine zuverlässige Handhabe besaßen, um nunmehr den Übergang zum Parlamentarismus zu erzwingen. Bismarck hingegen rechnete damit, daß er im Falle des Eintritts Bennigsens in das Kabinett den Nationalliberalismus, zumindest aber das Gros der Partei, unter Abspaltung ihres linken Flügels, für das bestehende System werde gewinnen und demgemäß völlig von den Linksliberalen trennen könne. Er war daran interessiert, dergestalt eine ausrei-

40 Vgl. dazu Bismarcks Erklärung im Preußischen Staatsministerium vom 6. Oktober 1877: »Ich regiere mit der Verfassung, mit der nationalliberalen Partei; wenn Graf Eulenburg ausscheidet, so werde ich ein Mitglied dieser Partei dem Könige zu seinem Nachfolger vorschlagen, wobei ich freilich nicht weiß, ob ich durchdringe; die Nationalliberalen hätten schon [längst] selbst im Ministerium vertreten sein sollen, um die Verantwortung für die Regierung mitzutragen und zu sehen, wie anders und schwerer es als dem Parlamentarier scheine.« Zit. nach Dietrich Sandberger, Die Ministerkandidatur Bennigsens, Berlin 1929, S. 85. Die Ministerkandidatur Bennigsens ist für die Vertreter der These von der sog. »zweiten Reichsgründung« mit Hilfe des Solidarprotektionismus ein ungelöstes Problem, das meist durch einfaches Übergehen oder zu rasche Abbuchung auf dem Konto Bismarckscher Manipulationsstrategien übersprungen wird.

chende gesellschaftliche Basis für seine künftige innere Politik zu erlangen, die sich einerseits von einseitig konservativen Einflüssen freihielt und andererseits einem möglichen Systemwechsel, wie er im Falle des Thronwechsels zu erwarten stand, vorbeugte. Andererseits waren seine parallel dazu betriebenen Bemühungen, in der Zoll- und Steuerfrage eine gemeinsame Front der Industrie und der Agrarier zu schaffen, weit genug gediehen, um Bennigsen einen Bruch mit der bisherigen liberalistischen Wirtschaftspolitik ansinnen zu können. Bennigsens Entschluß, »fest« zu bleiben und vor allem die finanzpolitischen Pläne des Kanzlers, die insbesondere das Budgetrecht des Reichstages zu beeinträchtigen schienen, nicht zu akzeptieren, führte bekanntlich dazu, daß Bismarck das Steuer radikal herumriß, um sein Ziel nun gerade gegen die Nationalliberalen zu erreichen. Es erwies sich in der Folge, daß die Liberalen aller Richtungen zwar stark genug waren, um Bismarcks Steuerprogramm weitgehend zu zerzausen und ihn zu einem unbequemen Kompromiß mit dem Zentrum in Gestalt der »Frankensteinschen Klausel« zu zwingen, welche die ursprünglichen Absichten seiner Finanzpolitik, nämlich die Zurückdrängung der Budgetkontrolle des Reichstages, weitgehend zunichte machte, nicht aber, um positiven Einfluß auf die weitere Gestaltung der Dinge zu nehmen.
Tatsächlich war die innere Auszehrung des Gesamtliberalismus, die sich dann seit 1880 in zunehmender parteipolitischer Zersplitterung niederschlug, schon länger im Gange. Die auf die Ausbildung monopolistischer Strukturen abzielende wirtschaftliche Entwicklung, bei gleichzeitigem Fortbestand starker Residuen traditioneller Wirtschaftsformen in anderen Sektoren, bedeutete vor allem für die Nationalliberalen eine Zerreißprobe. Die wirtschaftlich vorwärtstreibenden Gruppen, die Schwerindustrie, die Maschinenbauindustrie und Teile der Textilindustrie, waren für Schutzzölle, unter Bruch mit dem wirtschaftspolitischen Credo des Liberalismus, um so mehr zu haben, als sich ihnen in Gestalt der neuen Wirtschaftsverbände unmittelbarere Möglichkeiten der Einwirkung auf die Politik und insbesondere die Wirtschaftspolitik boten als jene auf dem Umweg über Parteien und Reichstag. Das Gros des Bankkapitals und mit ihm die primär am Exportgeschäft interessierten Industrien sowie der Handel hingegen traten energisch für den Fortbestand des Systems »internationaler Arbeitsteilung« ein. Zudem war die Industrialisierung noch keineswegs voll auf die sozialen Strukturen durchgeschlagen. Die Masse der gewerblichen Betriebe verharrte noch in traditionellen kleinbetrieblichen Strukturen; 1875 beschäftigten 63,6 % aller Betriebe in Industrie und Handwerk nicht mehr als 5 Personen – 1882 waren es noch 59,8 % und 1895 immerhin noch 41,8 % ! Bismarcks Übergang zur Schutzzollpolitik hat, bei rechtem Licht betrachtet, den politischen Niedergang des

Liberalismus keineswegs ausgelöst, sondern nur manifest gemacht und allenfalls beschleunigt. Es entsprach der objektiven Interessenlage des Nationalliberalismus – nach der Abschwenkung des Lasker-Flügels, der in erster Linie das Handelsbürgertum repräsentierte –, wenn er sich seit 1884 stärker nach rechts hin orientierte. Bennigsen rechtfertigte das Heidelberger Programm von 1884 mit den resignativ gestimmten Worten: »Will man in Deutschland zu ruhigen und festen Zuständen kommen, so ist ein Zusammengehen aller liberalen und gemäßigten konservativen Elemente absolut notwendig.«[41] Das war in gewissem Sinne das Eingeständnis, daß der Liberalismus eine Weiterentwicklung der politischen Verhältnisse im Sinne einer inneren Einigung der Nation aus eigener Kraft nicht mehr zuwege bringen könne.

Auf den ersten Blick hin war Bismarcks Übergang zu einer Politik des »Solidarprotektionismus« demnach ein großer Erfolg. Allein, es darf nicht übersehen werden, daß die »Sammlung der staatserhaltenden Stände« keineswegs die von Bismarck erhofften Ergebnisse gebracht hat. Der Zuzug, den die preußische Aristokratie seit dem Ende der 70er Jahre aus dem Lager der Großindustrie und des Großbürgertums erhielt, war, obgleich zahlenmäßig begrenzt, bei dem Vorhandensein eines großen Reservoirs konservativer Mitläufer in den unteren Mittelschichten und in der Intelligenz, groß genug, um das bestehende politische System vorerst gegen alle Angriffe von unten zu sichern. Doch damit war keinesfalls eine wirklich stabile Grundlage für eine sozialkonservative Politik im Sinne Bismarcks gewonnen, wie die These Böhmes vom Übergang zum »Solidarprotektionismus« als einer »zweiten Reichsgründung« es beinhaltet. Die Versuche Bismarcks, gestützt auf das Bündnis von agrarischer Aristokratie, Schwerindustrie und Großbürgertum, eine durchgreifende Reform des politischen Systems in konservativem Sinne durchzuführen, sind sämtlich im Sande verlaufen, mit Ausnahme allenfalls der Abschirmung der Armee gegenüber der parlamentarischen Kontrolle von seiten des Reichstages; auch dies wurde primär auf indirektem Wege erreicht, nämlich einer Reduzierung der Kompetenzen des preußischen Kriegsministers zugunsten des Generalstabs und der »Kaiserlichen Kommandogewalt«. Bismarcks Pläne zur Schaffung eines berufsständischen Vertretungssystems, in Konkurrenz und gegebenenfalls als politische Alternative zum Reichstag, gelangten über erste Ansätze nicht hinaus. Seine Absicht, die Sozialgesetzgebung so zu gestalten, daß die Arbeiter unmittelbar an den Staat als ihrem Wohltäter gebunden würden, wurde bereits von seinen Mitarbeitern verwässert, wohl wissend, daß man dafür niemals die Zustimmung des Reichstags würde erlangen können. Ebensowenig ge-

41 Zit. nach Oncken, S. 513.

lang es Bismarck, die politischen Zielsetzungen, die er mit seiner Steuerpolitik verband, auch nur annähernd zu realisieren, nämlich das Budgetrecht des Reichstags auszuhöhlen und darüber hinaus das Steuersystem so zu gestalten, daß der Staat als Steuereinnehmer für seine Bürger gleichsam unsichtbar und damit auf diesem Gebiet politisch unangreifbar würde.

Bismarcks Diversionsstrategien, so insbesondere die Repressivgesetzgebung gegen die Sozialdemokratie, die freilich vom Reichstag von vornherein in nicht unerheblichem Umfang verwässert wurde, oder die Ausnutzung außenpolitischer Krisen zu innenpolitischen Zwecken oder auch seine Kolonialpolitik, waren bestenfalls im Negativen erfolgreich. Zuverlässige konservativ-nationalliberale Mehrheiten, die seiner Politik bedingungslos folgten, vermochte der Kanzler dadurch nicht länger zuwege zu bringen. Selbst die Wahlen vom Jahre 1887, bei denen Bismarck die außenpolitischen Spannungen mit Frankreich systematisch hochspielte und ein Wahlbündnis der sog. staatserhaltenden Parteien herbeiführte, brachten nur begrenzt das gewünschte Ergebnis. Es sei daran erinnert, daß der Kartellreichstag Bismarck im Jahre 1890 die Verlängerung des Sozialistengesetzes einschließlich des Ausweisungsparagraphen verweigerte, eine Schlappe, die entscheidend zu seinem politischen Sturz beigetragen hat.

Tatsächlich ist die übergroße Betonung der Strategie der »Sammlung der staatserhaltenden Parteien«, wie sie seit Böhme und Stegmann üblich geworden ist, geeignet, die Tatsache zu verdunkeln, daß in der Tagespolitik der 80er Jahre die alte Praxis begrenzter Kompromisse, bei Fortbestand grundlegender Differenzen, nicht nur zwischen der Linken und den Rechtsparteien, sondern auch unter diesen selbst weiterhin herrschend blieb.[42] Die »gesellschaftlichen Bruchlinien« waren durch den Aufstieg der Sozialdemokratie vermehrt, keineswegs aber völlig verändert worden. Auch innerhalb des politischen Systems der späteren 80er Jahre blieb die Position der konservativen Eliten gefährdet, ohne daß die Kräfte der Linken stark genug gewesen wären, eine grundsätzliche Änderung der Verhältnisse zu erzwingen. Bismarcks meisterliche Politik der immer neuen taktischen Wendungen und Diversionen hat den Prozeß stillen Verfassungswandels nicht hintanhalten können, der dem Reichstag

42 In seinen Prolegomena zu einer Sozialgeschichte Deutschlands im 19. und 20. Jahrhundert, Frankfurt 1968, hat Böhme freilich das von ihm selbst initiierte Interpretationsschema modifiziert, wenn er darauf hinweist, daß auch nach 1879 die politischen und gesellschaftlichen »Spannungen nur von Fall zu Fall gelöst« worden seien (S. 89). Für die oben angedeutete Interpretation siehe Dirk Stegmann, Die Erben Bismarcks. Parteien und Verbände in der Spätphase des Wilhelminischen Deutschland, Köln 1970, insbesondere S. 59ff., sowie Wehler, Kaiserreich, S. 100ff.

und mit ihm den Parteien innerhalb dieses komplizierten Systems pluralistischer Machtverteilung immer größeres Gewicht zuführte und die Vormachtstellung der alten aristokratischen Eliten auszuhöhlen begann, sei es im Bereich der Staatsverwaltung, des Heereswesens oder im Bereich der Parteipolitik selbst. Die inneren Gegensätze des politischen Systems des deutschen Kaiserreiches konnten zwar für den Augenblick immer wieder überbrückt und in wachsendem Maße durch nationales Pathos überdeckt werden, aber sie gewannen gleichzeitig zunehmend an Schärfe. Dieses System war auf weiten Strecken ein Reflex der Gegensätze innerhalb der Gesellschaft, keineswegs ein gleichsam künstliches Produkt bonapartistischer Herrschaftstechniken. Der Prozeß der allmählichen Durchsetzung der modernen egalitären Industriegesellschaft im Schoße einer agrarischen Gesellschaft verlief überall in Europa schmerzhaft; die relative Schwäche des frühindustriellen Honoratiorenbürgertums in Deutschland, verglichen mit der starken Position der Aristokratie, bei rapidem, gleichsam dem liberalen Prinzip feindlichen Verlauf des Industrialisierungsprozesses, verschärfte jedoch hier die Konflikte und Probleme und begrenzte zugleich die Möglichkeiten einer zukunftsorientierten politischen Lösung gleich welcher Art. Das politische System von 1871 war demnach gewiß kein »Monstrum« im Sinne Pufendorfs, wie Sauer gemeint hat,[43] sondern ein System umgangener Entscheidungen, dessen Integrationskraft insgesamt, aller inneren Gegensätze ungeachtet, gleichwohl bemerkenswert hoch gewesen ist.

43 Sauer, S. 450f.

# Die Verfassung des Deutschen Reiches von 1871 als dilatorischer Herrschaftskompromiß

In den letzten Jahrzehnten hat es sich in der Forschung als »herrschende Meinung« durchgesetzt, daß die Gründung des Deutschen Reiches als eine »Revolution von oben« zu gelten habe, die zwar mit der Durchsetzung der nationalen Einheit ein wesentliches Desiderat der liberalen und demokratischen Strömungen der Zeit erfüllte, gleichwohl aber darauf abzielte, die liberale und demokratische Bewegung zu zähmen und in festen Dämmen zu kanalisieren. Die bekannte These Theodor Schieders, daß Bismarck in der Führung seiner Politik nicht nur von dem *cauchemar des coalitions*, sondern auch und letztlich mehr noch von einem *cauchemar des révolutions* geleitet worden sei,[1] wird heute im allgemeinen nicht mehr bestritten. Freilich werden die Akzente nach wie vor höchst unterschiedlich gesetzt, namentlich was die Frage nach dem Charakter des Herrschaftssystems, aber auch die Bewertung der Herrschaftstechniken Bismarcks selbst angeht. Eine starke, unterschiedlich motivierte Gruppe von Historikern neigt dazu, Bismarcks Politik der Jahre 1862 bis 1871 als eine gleichsam mustergültig realisierte Variante bonapartistischer Herrschaftstechnik zu interpretieren. Bismarck habe gleichsam stellvertretend für die bürgerlichen Schichten die für den Aufstieg des industriellen Systems notwendigen säkularen gesellschaftlichen Strukturveränderungen durchgesetzt, gleichzeitig aber ein pseudo-plebiszitär legitimiertes System autoritärer Herrschaft geschaffen, das eine wirkliche Partizipation des Bürgertums, geschweige denn der breiten Schichten der Bevölkerung, an den politischen Entscheidungen auf Dauer ausschloß. Am weitesten in dieser Richtung ist Geoff Eley gegangen; dieser bezeichnet die Reichsgründung unbekümmert als die deutsche Form der »bürgerlichen Revolution«, eine Revolution, die der Substanz nach keinesfalls hinter den bürgerlichen Errungenschaften des Westens zurückgeblieben sei.[2]
Andere Autoren, namentlich Lothar Gall, haben einer Deutung der Poli-

1 Bismarck – gestern und heute, in: Lothar Gall (Hrsg.), Das Bismarck-Problem in der Geschichtsschreibung nach 1945, Köln 1971, S. 357.
2 David Blackbourn/Geoff Eley, Mythen deutscher Geschichtsschreibung. Die gescheiterte bürgerliche Revolution von 1848, Berlin 1980, S. 29.

tik Bismarcks im Sinne des Bonapartismus-Theorems entschieden widersprochen; die These, daß sich Bismarck auf bonapartistische Herrschaftstechniken gestützt habe, halte einer empirischen Überprüfung nicht stand, denn es fehlten hier gerade die spezifischen Voraussetzungen einer Napoleon III. vergleichbaren Politik.[3] Eine zu enge Parallelisierung des Bismarckschen Regiments mit jenem Napoleons III. führt in der Tat in die Irre; dagegen ist eine Anwendung des von Karl Marx im 18. Brumière entwickelten Modells deswegen noch nicht ausgeschlossen, hebt dieses doch in erster Linie auf die langfristige Stabilisierung eines bourgeoisen Systems mit plebiszitären Mitteln ab. Und im übrigen kann kein Zweifel darüber bestehen, daß Bismarck gegenüber der Prädominanz der bürgerlichen Schichten innerhalb eines noch relativ unentwickelten politischen Systems auf die Loyalität der breiten, politisch noch kaum aktivierten Massen gesetzt hat. Die Hoffnungen, durch die Gründung eines weitverzweigten Systems von preußischen Volksvereinen den Liberalen eine konservative Massenbasis entgegenstellen zu können, erfüllten sich freilich nur teilweise. Ebenso sind die zaghaften Experimente der 60er Jahre, durch Inaugurierung einer staatlichen Sozialpolitik im Bunde mit den arbeitenden Schichten den bürgerlichen Liberalismus an seiner empfindlichsten Stelle zu treffen, sehr bald wieder aufgegeben worden. Spätestens seit 1867 war Bismarck sich darüber im klaren, daß eine Politik der Ausmanövrierung der Liberalen aller Spielarten durch eine pointiert royalistische Politik der elastischen Kompromisse getrieben werden müsse. Diese sollte zwar den nationalen Bestrebungen der liberalen Bewegung weitgehend freie Bahn schaffen, gleichzeitig aber der Krone und den konservativen Eliten weiterhin ein hohes Maß tatsächlicher Macht sichern. Dies kann keinesfalls als bonapartistische Strategie im engeren Sinne angesehen werden. Aber dennoch kamen auch weiterhin Waffen aus dem Arsenal des Bonapartismus zum Einsatz, so namentlich das allgemeine, gleiche und direkte Stimmrecht, dessen Aufnahme in die Verfassung des Norddeutschen Bundes namentlich die Nationalliberalen bekämpft haben. Jedoch muß eingeräumt werden, daß sich die Erwartungen Bismarcks hinsichtlich des allgemeinen Wahlrechts bekanntlich nicht erfüllt haben. Zwar wurde damit das System der bürgerlichen Honoratiorenrepräsentation effektiv untergraben, aber eben nicht eindeutig zugunsten loyalistischer Kräfte.

Es ist jedoch kein Zufall, daß Lothar Gall in seiner großen Bismarck-Biographie[4] der Bonapartismustheorie um einiges näherkommt, als ihm

3 Lothar Gall, Bismarck und der Bonapartismus, in: Historische Zeitschrift 223 (1976), S. 618ff.

4 Lothar Gall, Bismarck. Der weiße Revolutionär, Berlin 1980, S. 383.

selbst bewußt sein dürfte. Hier wird Bismarck als der Mann gedeutet, der es verstanden habe, die Diagonale zwischen den vorwaltenden politischen und gesellschaftlichen Kräften und Tendenzen der Epoche zu ziehen und dergestalt das, »was an der Zeit war«, in die Wirklichkeit umzusetzen. Zugleich aber wird darauf hingewiesen, daß Bismarck an der Herstellung eines »Gleichgewichtszustandes zwischen den Kräften und Mächten der Vergangenheit und jenen, die sich im Zuge eines grundlegenden wirtschaftlichen und sozialen Wandlungsprozesses neu entfalteten«, vor allem auch deshalb gelegen gewesen sei, weil dies die Erhaltung und Steigerung der staatlichen Autorität, aber auch der Stärkung seiner persönlichen Machtstellung, begünstigt habe.[5] Dies letztere aber darf wohl mit Fug und Recht als bonapartistische Strategie bezeichnet werden. Gall ist bemüht, sich durchgängig auf der Mittellinie zwischen jenen Deutungen zu halten, die Bismarcks Werk im wesentlichen als »wider dem Geist der Zeit« (so schon Ziekursch) gerichtet interpretieren, und jenen Auffassungen, die das Kaiserreich als eine, gemessen an den Verhältnissen der Epoche, definitiv positive Schöpfung ansehen. Dies geht jedoch nicht ohne Widersprüchlichkeiten ab, so jener vom Bonapartisten, der *qua definitione* kein solcher sein soll, oder vom meisterhaften Politiker, der seine Gegenspieler immer wieder zu überspielen vermochte, dennoch aber keinesfalls als ein genialer Manipulator angesehen werden dürfe. Vor allem aber steht man ein wenig ratlos vor einer These, die einerseits die Begründung des Deutschen Reiches im wesentlichen als die Realisierung von »vorwaltenden, teilweise sehr viel tiefer angelegten, längerfristigen Entwicklungslinien« ansieht,[6] andererseits aber Bismarck vom Tage der Reichsgründung an als im wesentlichen gegen den Geist eben der Zeit handeln und schließlich scheitern läßt, als dessen bescheidener Geschäftsführer er zuvor so umsichtig und behutsam zu handeln verstanden habe.

Lothar Gall ist in seiner Darstellung in bemerkenswerter Weise bestrebt, Bismarck vom Kothurn des genialen Staatsmannes mit fast übermenschlichen Fähigkeiten herunter und in den politischen Alltag zurückzuholen. Gerade seine These aber, daß Bismarck, jedenfalls bis 1871, in erster Linie nur Entwicklungen, die ohnehin an der Zeit waren, zum Durchbruch verholfen habe, in immer erneuter Herbeiführung pragmatischer Kompromisse, macht die Beantwortung der Frage um so dringlicher, wie das Herrschaftssystem des Deutschen Reiches denn eigentlich einzustufen sei, als ein anachronistisches Gebilde, das wesentlich der Verteidigung des Hergebrachten, wenn auch verbunden mit partieller Modernisierung,

5 Ebenda, S. 382.
6 Ebenda, S. 381.

gedient habe,[7] als ein, wie ich dies an anderer Stelle genannt habe, »System umgangener Entscheidungen«, das wesentliche politische Fragen in der Schwebe ließ,[8] oder, um Geoff Eley zu zitieren,[9] als deutsche Variante der »bürgerlichen Revolution«, d. h. die Schaffung eines stabilen Gehäuses für eine ungehinderte Entfaltung des bürgerlichen Kapitalismus. Diese Frage soll hier mittels einer Analyse des Charakters des Verfassungssystems, wie es 1867 geschaffen und dann 1871 modifiziert und auf die süddeutschen Staaten ausgedehnt wurde, angegangen und zumindest der Tendenz nach beantwortet werden. Dabei wird allerdings ansatzweise auch auf die hinter dem Verfassungsgebäude im engeren Sinne stehenden gesellschaftlichen Kräfte einzugehen sein, also das, was in der Formulierung Lassalles als die »reale Verfassung« des Deutschen Reiches zu gelten habe.

Bislang ist die Diskussion über den Charakter der Verfassung des Deutschen Reiches ziemlich eindimensional geführt worden, wesentlich mit Blick auf die deutschen Verhältnisse, weit weniger aber unter vergleichender Einbeziehung der außerdeutschen Verfassungsentwicklung.[10] Wolfgang Sauer hat in seiner bekannten Abhandlung über »Das Problem des deutschen Nationalstaats« die Parallele zu Pufendorfs berühmter Kritik am alten deutschen Reich als eines verfassungstheoretischen Monstrums bemüht, um die Verfassung des Deutschen Reiches um 1871 zu charakterisieren.[11] Hans Boldt hat gezeigt, wie wenig die Reichsverfassung in der Kontinuität des älteren deutschen Konstitutionalismus gestanden hat, und zutreffend darauf verwiesen, daß »die Souveränitäts- und Regierungsverhältnisse hier in ein absichtsvolles Dunkel gehüllt« waren.[12] Andere Autoren haben, zum Teil in Anlehnung an Max Webers seinerzeitige scharfsin-

7 Diese Interpretationslinie ist erstmals von Johannes Ziekursch in seiner Politischen Geschichte des neuen deutschen Kaiserreichs, 3 Bde., Frankfurt 1925ff., vertreten und dann insbesondere von Erich Eyck weitergeführt worden. In den neueren Arbeiten, so namentlich bei Hans-Ulrich Wehler, Bismarck und der Imperialismus, Köln 1974[4], sowie ders., Das deutsche Kaiserreich 1871–1918, Göttingen 1973, hat diese Interpretation eine weitere Zuspitzung erfahren.

8 Wolfgang J. Mommsen, Das deutsche Kaiserreich als System umgangener Entscheidungen, in: Helmut Berding u. a. (Hrsg.), Vom Staat des Ancien Régime zum modernen Parteienstaat. Festschrift für Theodor Schieder, München 1978, S. 239ff. (siehe auch in diesem Band, S. 32).

9 Vgl. Anm. 2.

10 Eine bemerkenswerte Ausnahme stellt der Beitrag von Gerhard A. Ritter, Entwicklungsprobleme des deutschen Parlamentarismus, in: Ders. (Hrsg.), Gesellschaft, Parlament und Regierung. Zur Geschichte des Parlamentarismus in Deutschland, Düsseldorf 1974, S. 11–54, dar. Ritter akzentuiert besonders die Unterschiede zur englischen Verfassungsentwicklung.

11 In: Helmut Böhme (Hrsg.), Probleme der Reichsgründungszeit 1848–1879, Köln/Berlin 1968, S. 450ff.

12 Hans Boldt, Deutscher Konstitutionalismus und Bismarckreich, in: Michael Stürmer (Hrsg.), Das kaiserliche Deutschland. Politik und Gesellschaft 1870–1918, Düsseldorf 1970, S. 125.

nige Kritik am Verfassungsgebäude des Bismarck-Reiches, den pseudokonstitutionellen Charakter dieses Systems, das die faktische Vorherrschaft Preußens nur mühsam verschleierte, mehr oder minder stark akzentuiert. Demgegenüber hat namentlich Ernst Rudolf Huber in einer systematischen Argumentation die Reichsverfassung als eine »vereinbarte Verfassung« bezeichnet, die zumindest in ihrer Substanz den »Durchbruch zum deutschen Nationalstaat« gebracht habe und als durchaus eigenständiger Typus des konstitutionellen Verfassungsstaates nationaler Prägung gesehen werden müsse.[13] Namentlich Ernst-Wolfgang Böckenförde hat gegenüber einer solchen Argumentation geltend gemacht, daß der deutsche Typus des konstitutionellen Verfassungsstaates mit seiner dialektischen Gegenüberstellung von Exekutive und Legislative prinzipiell nur als eine Übergangsform zum parlamentarischen Regierungssystem hin zu gelten habe und daß in dieser Hinsicht auch die Verfassung des Deutschen Reiches von 1871 keine Ausnahme mache.[14] Im übrigen dürfte es unbestritten sein, daß mit der Gründung des Deutschen Reiches noch nicht eigentlich ein, geschweige denn *der* deutsche Nationalstaat, wie ihn die Liberalen aller Spielarten so heiß ersehnt hatten, geschaffen war, sondern eigentlich nur der politische und verfassungsrechtliche Rahmen, innerhalb dessen sich dann das Deutsche Reich tatsächlich zu einem integralen Nationalstaat entwickeln sollte, nicht ohne daß im Zuge dieser Entwicklung einigen wichtigen Verfassungsorganen, so insbesondere dem Kaisertum selbst, aber auch dem Reichstag als Vertretungskörperschaft der politischen bzw. zunehmend stärker politisierten Nation, ein weit größeres Gewicht zuwuchs, als ihnen ursprünglich zugemessen war.[15] Dies heißt freilich noch nicht, daß es, wie Manfred Rauh in Wiederaufnahme älterer Interpretationen argumentiert hat, eine im wesentlichen kontinuierliche Entwicklung hin zum parlamentarischen System bzw. eine »stille Parlamentarisierung des Kaiserreiches« gegeben habe.[16]

13 Ernst Rudolf Huber, Deutsche Verfassungsgeschichte seit 1789, Bd. III: Bismarck und das Reich, Stuttgart 1963, S. 654ff.; ders., Die Bismarcksche Reichsverfassung im Zusammenhang der deutschen Verfassungsgeschichte, in: Theodor Schieder/Ernst Deuerlein (Hrsg.), Reichsgründung 1870/71. Tatsachen, Kontroversen, Interpretationen, Stuttgart 1970, S. 173, 190f.

14 Der deutsche Typ der konstitutionellen Monarchie im 19. Jahrhundert, in: Werner Conze (Hrsg.), Beiträge zur deutschen und belgischen Verfassungsgeschichte, Stuttgart 1967, S. 70ff.

15 Nachweis bei Theodor Schieder, Das deutsche Kaiserreich von 1871 als Nationalstaat, Köln 1961. Vgl. auch Elisabeth Fehrenbach, Wandlungen des deutschen Kaisergedankens 1871–1918, München 1969.

16 Vgl. Manfred Rauh, Föderalismus und Parlamentarismus im Wilhelminischen Reich, Düsseldorf 1973, und ders., Die Parlamentarisierung des Deutschen Reiches, Düsseldorf 1977. Allerdings argumentiert Rauh in dem erstgenannten Werk wesentlich behutsamer als in letzterem. Rauh ist bei seiner Analyse einseitig fixiert auf das Verhältnis von Bundesrat und Reichstag und übersieht, daß eine Machterweiterung des Reichstags als solche unter den gegebenen

Eine präzise Bestimmung des verfassungsgeschichtlichen Status der Verfassung des Deutschen Reiches wird, sofern man primär immanente Kriterien zugrunde legt, zunächst durch den Umstand erschwert, daß diese in einem komplexen Mischungsverhältnis sowohl staatenbündische als auch bundesstaatliche Elemente enthielt. Bismarck hat diesen Sachverhalt bekanntlich ganz im Anfang der Vorbereitungen der Verfassungsgebung selbst offen zum Ausdruck gebracht: »Man wird sich in der Form mehr an den Staatenbund halten müssen, diesem aber praktisch die Natur des Bundesstaates geben mit elastischen, unscheinbaren, aber weitgreifenden Ausdrücken. Als Zentralbehörde wird daher nicht ein Ministerium, sondern ein Bundestag fungieren [...].«[17] Die spezifischen Entstehungsumstände der Reichsverfassung, namentlich das Bedürfnis, die Eigenstaatlichkeit der Einzelstaaten möglichst weitgehend zu erhalten, andererseits aber dem Verlangen der nationalen Bewegung auf Schaffung eines zumindest auf außenpolitischem, militärischem und wirtschaftlichem Gebiete einheitlichen nationalen Staates zu entsprechen, haben Lothar Gall dazu veranlaßt, in Anlehnung an Bismarck selbst jegliche Definition der Reichsverfassung unter allgemeineren Gesichtspunkten als verfehlt anzusehen; ihre spezifische Stärke sei vielmehr »in ihrer weitgehenden Distanz zu Prinzip, System und Dogmatik« zu sehen. Gall fügt hinzu: »Jeder Versuch, diese Distanz zu verringern und der Verfassung nachträglich einen Systemcharakter aufzuzwingen, führt nicht nur in die Irre, sondern verstellt auch den Blick für das Wesentliche.«[18] Dennoch wird es erlaubt sein, in vergleichender verfassungsgeschichtlicher Perspektive den Versuch zu machen, jenen Standpunkt historistischer Selbstbescheidung zu überschreiten und die wesentlichen Züge dieses Systems zu bestimmen. Allerdings muß eingeräumt werden, daß die besonderen historischen Umstände der Entstehung der Reichsverfassung ziemlich ungewöhnlicher Art gewesen sind und eine solche Aufgabe in der Tat nicht leichtmachen.

Die Verfassung des Deutschen Reiches war, in systematischer Perspektive, die Resultante einer Reihe von höchst unterschiedlichen Tendenzen, die überdies in der Phase der Verfassungsgebung für den Norddeutschen Bund 1866/67 und der Phase der Ausweitung dieses Systems auf die süddeutschen Staaten in unterschiedlichem Maße ins Spiel gekommen sind. Es sind diese

1. das Drängen der bürgerlichen liberalen Bewegung, der unter den gege-

Verhältnissen keineswegs einer – wenn auch verfassungsrechtlich nicht fixierten – Parlamentarisierung gleichkam.

17 Gesammelte Werke des Fürsten Bismarck (künftig zitiert: GW), Bd. 6, Nr. 615, S. 167.

18 Gall, Bismarck. Der weiße Revolutionär, S. 390.

benen Umständen immer noch aktivsten politischen Kraft in der deutschen Gesellschaft, auf Schaffung eines geschlossenen Nationalstaats konstitutionellen Typs, als der notwendigen Voraussetzung für eine gedeihliche wirtschaftliche und gesellschaftliche Entwicklung der deutschen Staatenwelt im bürgerlich-kapitalistischen Sinne, aber auch einer Stärkung der Stellung Deutschlands innerhalb des internationalen Systems;
2. das Bemühen um die uneingeschränkte Erhaltung des überkommenen, durch konstitutionelle Konzessionen nur unvollkommen liberalisierten, monarchischen Obrigkeitsstaats in Preußen, als Voraussetzung der erfolgreichen Behauptung der privilegierten Stellung der traditionalen Eliten in Staat und Gesellschaft, unter den Bedingungen der anlaufenden industriellen Revolution und der sich anbahnenden tiefgreifenden Verschiebungen der Struktur der Verteilung des Volksvermögens;
3. das Bestreben der preußischen Politik, endlich die Vorherrschaft Preußens in Deutschland definitiv durchzusetzen, unter Zurückdrängung oder gar Ausschaltung des Einflusses Österreichs als der konkurrierenden Großmacht.

Die bürgerlich-liberale Bewegung war zwar im ersten Anlauf, in der von ihr freilich überwiegend gar nicht gewollten Revolution von 1848/49, gescheitert; dennoch aber hatte sich die Nationalbewegung seit dem Anfang der 60er Jahre wieder so weit konsolidiert, daß eine jede realistische Politik an ihr nicht mehr vorbeigehen konnte. Es ist vor allem Bismarcks Weitsicht zu danken, daß die anfänglichen Versuche des Regimes Manteuffel, eine Stabilisierung des monarchischen Systems mit Hilfe eines rein autokratischen Regiments, gestützt auf die traditionellen Machtfaktoren der preußischen Monarchie, die Armee, die Beamtenschaft und den Hochadel, zu erreichen, aufgegeben wurden und statt dessen eine elastische Strategie der Zurückrollung der liberalen Bewegung gewählt wurde. Trotz aller relativen Erfolge Bismarcks während der Zeit des preußischen Verfassungskonfliktes war klar geworden, daß es auf die Dauer nicht angehen würde, die liberale Bewegung einfach links liegenzulassen und den Versuch zu unternehmen, das aufsteigende Bürgertum im Bunde mit den noch nicht politisierten, weitgehend loyalistischen Unterschichten auszumanövrieren. Allein schon die Schwerkraft der wirtschaftlichen Entwicklung, die seit den 50er Jahren enorme Fortschritte auf industriellem Felde gebracht hatte, ließ dergleichen nicht länger zu. Und ebensowenig ließ sich die nationale Bewegung, die gutenteils einen Reflex des wirtschaftlichen Aufstiegs der oberen Mittelschichten darstellte, weiterhin vernachlässigen. Ohne eine Lösung der deutschen Frage hätte sich die bestehende politische und gesellschaftliche Ordnung in Preußen-Deutschland wohl kaum auf Dauer stabilisieren lassen. Bismarcks Ziel war es daher, die liberale Bewegung, indem er deren Ziele partiell und mit den Mitteln obrigkeitsstaatlicher Politik realisierte und sie dergestalt an das bestehende System band, in festen Dämmen zu kanalisieren. Damit aber wurde zugleich den weitergehenden Bestrebungen auf der demokratischen Linken jede Chance einer Verwirklichung ihrer Ideen auf absehbare Zeit genommen.

Bismarck hat einmal gesagt, daß seine Politik in der deutschen Frage nichts anderes als wohlverstandene preußische Politik gewesen sei. In der Tat legte das Ziel der Stabilisierung der Vorherrschaft Preußens in Deutschland ein partielles Zusammengehen mit der liberalen Bewegung schon deshalb nahe, weil dadurch Österreich zwangsläufig ins Abseits gedrängt wurde. Auf wirtschaftlichem Gebiet waren die Wege dafür in Gestalt der preußischen Freihandelspolitik bereits weitgehend gebahnt; um so mehr bot sich eine politische Einlösung dieses Ziels unter partieller Realisierung des liberalen Ideals eines deutschen Nationalstaates an. Mit der Entscheidung von 1866 gab es nunmehr den Weg nach vorn in Richtung auf die Schaffung eines kleindeutschen Staates, in dem freilich Preußen nicht allein in außenpolitischen, sondern auch den entscheidenden verfassungs- und gesellschaftspolitischen Fragen die unumstrittene Führung haben sollte.

Allerdings kann die Gründung des Norddeutschen Bundes nicht ohne weiteres als bloßes Durchgangsstadium hin zur Reichseinigung gesehen werden, obschon die Entwicklung dann ja so verlaufen ist. Bekanntlich gewannen in den süddeutschen Staaten nach 1867 teilweise die antipreußischen und partikularistischen Strömungen wieder die Oberhand, und nur die nationale Begeisterung des deutsch-französischen Krieges hat dann der Integration der süddeutschen Staaten in den bestehenden Bund die große Schubkraft verliehen, welche die stattlichen bestehenden Widerstände hinwegfegte. Gleichwohl ist es unübersehbar, daß bei der Entstehung der Verfassung des Norddeutschen Bundes das weitergehende Ziel der Einigung ganz Deutschlands von allen Beteiligten nie aus dem Auge verloren worden ist. Der Gesichtspunkt, daß den süddeutschen Staaten die Möglichkeit des Beitritts zu äußerlich attraktiven Bedingungen offengehalten werden müsse, hat naturgemäß das Verfassungswerk wesentlich beeinflußt. Schon dieser Umstand machte es erforderlich, die Souveränität der Einzelstaaten nicht mehr als notwendig zu beschneiden, zumindest der Form nach. Eine nichtrevolutionäre Umgestaltung der politischen Landkarte in Deutschland wäre ohne die mehr oder minder freiwillige Zustimmung der deutschen Fürsten niemals erreichbar gewesen, wenn auch Bismarck in einzelnen Fällen keine Bedenken getragen hat, das Prinzip der monarchischen Legitimität gründlich zu mißachten.

Eine Politik der möglichsten Wahrung der Rechte der Einzelstaaten unter Anknüpfung an die Verhältnisse des alten Bundestages war aber vor allem deshalb erstrebenswert, weil die Machtstellung Preußens selbst unter allen Umständen erhalten bleiben sollte. Die stabile Staatlichkeit Preußens war der Pfeiler, an dem alles andere aufgehängt werden sollte; es kam deshalb darauf an, diese durch die neu zu schaffenden Institutionen des Bundes bzw. des Reiches so wenig wie möglich zu mediatisieren. Dies war fernerhin notwendig, zum einen, weil die Interessen der preußischen Aristokratie und namentlich der hohen Beamtenschaft etwas anderes nicht zugelassen haben würden; zum anderen, weil allein Preußen ein stabiles Gegengewicht gegenüber allzuviel Parlamentarismus zu gewährleisten versprach. Angesichts des territorialen, politischen und ökonomischen Übergewichts Preußens im Norddeutschen Bund wäre etwas anderes auch kaum zu erwarten gewesen.
In den Jahren des Verfassungskonfliktes standen die bürgerlich-liberale Bewegung und die konservative preußische Aristokratie samt ihren *fellow-travellers* in den unteren Schichten einander in einer Art von Patt-Situation gegenüber, in der dem Ministerium Bismarck und der preußischen Staatsbürokratie eine strategische Schlüsselstellung zugefallen war. Die nach Königgrätz grundlegend veränderte Situation erlaubte es Bismarck, nunmehr zu einer innenpolitischen Offensive überzugehen. Er entschied sich für eine partielle Akkommodierung der liberalen Kräfte innerhalb eines weiterhin autoritär verfaßten monarchischen Systems konstitutioneller Spielart. Von einigen altkonservativen Gruppen abgesehen, über die später noch etwas zu sagen sein wird, war in der Situation vor 1867 der sich nun in der Nationalliberalen Partei konsolidierende Kern der liberalen Bewegung der einzige Gegenspieler, mit dem Bismarck auf parlamentarischer Ebene ernstlich zu rechnen hatte.
Die übrigen politischen Gruppierungen in Preußen-Deutschland, namentlich die Sozialdemokratie und die eben gegründete Katholische Fraktion, hatten 1867 noch nicht jenes politische Gewicht erlangt, als daß diese in den Ablauf der Verfassungsgebung ernstlich hätten eingreifen können. Wenn man den Grad der realen politischen Mobilisierung der Bevölkerung der deutschen Staatenwelt zu diesem Zeitpunkt ins Auge faßt, so wird deutlich, daß als dominierende politische Gruppierungen im Rahmen der »politischen Nation« eigentlich nur der bürgerliche Liberalismus und die konservative Aristokratie ins Gewicht fielen, wobei letztere sich zeitweilig gewisse Chancen ausrechnen konnte, die Unterschichten, die überwiegend royalistisch und obrigkeitstreu gesinnt schienen, auf ihre Seite zu ziehen; auch Bismarck hat bekanntlich zu Teilen auf diese Karte gesetzt. Wageners nicht unerfolgreiche Bemühungen der 60er Jahre um den Aufbau von preußischen Volksvereinen, die in der For-

schung bisher ungenügend Beachtung gefunden haben, sprechen in dieser Hinsicht für sich.[19]
Ein wirklich ernstlich bedrohlicher Faktor war die Arbeiterschaft damals noch nicht, ungeachtet der effektiven Agitation namentlich des ADAV; andererseits war sich der bürgerliche Honoratiorenliberalismus darüber klar, daß eine Aktivierung der breiten Massen für ihre Politik keinesfalls eine aussichtsreiche Strategie darstellte. Nicht unerhebliche Gruppen des Nationalliberalismus haben es auch späterhin als einen Kardinalfehler Bismarcks angesehen, daß dieser 1867 das allgemeine, gleiche und direkte Wahlrecht zum Reichstag einführte und dergestalt den aufsteigenden Unterschichten erstmals eine effektive Partizipation an den großen politischen Entscheidungsprozessen eröffnete.[20] Der demokratische – oder besser: der radikale – Flügel des Liberalismus war hingegen angesichts des Fehlschlages des Verfassungskampfes und des Triumphs Bismarcks in der deutschen Frage, über der man ihn bekanntlich hatte zu Fall bringen wollen, einstweilen politisch ausmanövriert; er besaß darüber hinaus eine viel zu schwache Basis in der Bevölkerung, um in den Verfassungskämpfen weiterhin eine aktive Rolle spielen zu können. Gleiches gilt, in vielleicht noch höherem Maße, für den politischen Katholizismus, der sich in einer strategisch besonders ungünstigen Situation befand. Die Mobilisierung der katholischen Wählerschaft stand erst in ihren Anfängen; einstweilen rekrutierte sich die katholische Fraktion aus solchen Gruppen und Regionen, die gleichsam die Verlierer der Entscheidungen von 1866 darstellten. Immerhin ist namentlich Windthorst damals mit sehr konkreten Vorschlägen zur Gestaltung der Reichsverfassung hervorgetreten, die vergleichsweise fortschrittlich gehalten waren; doch noch konnten es sich Bismarck ebenso wie die Wortführer der Nationalliberalen Partei leisten, im wesentlichen darüber hinwegzugehen.
Was die Nationalliberalen angeht, so wuchs ihnen seit 1867 nicht zuletzt auch deshalb eine Schlüsselstellung in den innenpolitischen Auseinandersetzungen zu, weil Bismarck ohne eine Mitwirkung der Altliberalen und

19 Siehe dazu jüngst Wolfgang Schwentker, Konservative Vereine und Revolution in Preußen 1848/49. Die Konstituierung des Konservativismus als Partei, Düsseldorf 1988, der die Stärke dieser Bewegung in den späteren Phasen der Revolution nachweist.
20 Vgl. etwa die interessante Stellungnahme in Meyers Konversationslexikon aus dem Jahre 1874: »Die Verantwortung für die Gefahren, die aus den ganz unbeschränkten direkten Wahlen hervorgehen, fällt überwiegend auf B[ismarck], denn er war es, der für diesen Grundsatz eintrat und denselben im konstituierenden Reichstag mit einer Entschiedenheit verfocht, die manchen bereitgehaltenen Widerspruch einschüchterte und verstummen machte [...] Bei aller Bewunderung für seine staatsmännische Weisheit wird nicht in Abrede gestellt werden können, daß er in diesem Punkt einen Fehler gemacht hat, der schwer zu verbessern ist und der dem Reich große Gefahren bringen kann.« Zit. nach: Hundert zeitgenössische Biographien berühmter Personen des 19. Jahrhunderts, Mannheim 1981, S. 28.

der »wenn auch im Innern unbequeme[n] sog. nationale[n] Fraktion« eine angemessene Durchsetzung seiner Politik gegenüber den Einzelstaaten nicht aussichtsreich erschien.[21] Die Nationalliberalen waren sich vollkommen darüber im klaren, daß Bismarcks außenpolitischer Triumph sie zumindest zum gegebenen Zeitpunkt in eine strategisch nachteilige Position versetzt hatte und daher in jedem Falle Kompromisse in der Verfassungsfrage unvermeidlich sein würden. Aber sie waren sich zugleich des eigenen politischen Gewichts gewiß und durchaus selbstbewußt. Noch fühlten sie sich keineswegs bloß als Schildknappen Bismarcks, sondern als eigenständige politische Kraft, der, wie »realpolitisch« man auch die bestehende Lage einzuschätzen geneigt war, die Zukunft gehöre.[22] Bei Anerkennung der bestehenden Machtlage, die ein erhebliches Maß von Nachgiebigkeit gegenüber den Forderungen Bismarcks unvermeidlich machte, da man sich nicht in einen neuen Konflikt mit diesem würde einlassen können, verfochten sie vor allem das Ziel, eine Lösung der Verfassungsfragen zu erreichen, die eine künftige Weiterentwicklung des politischen Systems in ihrem Sinne nicht ausschloß, welche Konzessionen auch immer im Augenblick gemacht werden müßten. Johannes Miquel hat dies bereits Ende Dezember 1866 unmißverständlich zum Ausdruck gebracht: »Wenn auch die Verhältnisse nicht danach angetan sein mögen, die volle Summe der Volksrechte mit einem Schlage zu erstreiten, so darf uns dies doch nicht gleichgültig machen gegen die Entwicklung der bürgerlichen Freiheit. Wir müssen daher die Bildung des Norddeutschen Bundes auf solchen Grundlagen zu erlangen suchen, die mindestens die zukünftige Ausbildung eines wahrhaft konstitutionellen Staates nicht von vornherein verhindern.«[23] Die verfassungspolitischen Zielsetzungen der Nationalliberalen erstreckten sich im übrigen keineswegs so weit, wie man aus heutiger Perspektive anzunehmen geneigt ist; nicht die Etablierung eines genuinen parlamentarischen Systems nach englischem Muster war ihr erklärtes Ziel, sondern nur die durchgängige Sicherstellung einer konstitutionellen Regierungsweise. Letzteres bedingte nach ihrer Auffassung – das sei hier bereits angedeutet – die förmliche Fixierung der justizförmigen Verantwortlichkeit der Exekutive gegenüber dem Parlament; das Prinzip der materiellen Verantwortlichkeit des Kanzlers gegenüber dem

21 Vgl. GW, Bd. 6, Nr. 659, S. 238.
22 Klaus Erich Pollmann, Vom Verfassungskonflikt zum Verfassungskompromiß. Funktion und Selbstverständnis des verfassungsberatenden Reichstags des Norddeutschen Bundes, in: Gerhard A. Ritter (Hrsg.), Gesellschaft, Parlament und Regierung, S. 189–204, betont demgegenüber die geschwächte Stellung der liberalen Parteien im konstituierenden Norddeutschen Reichstag, die eine Reduzierung ihrer Erwartungen zur Folge hatte.
23 Johannes v. Miquel, Reden, hrsg. von Walther Schultze/Friedrich Thimme, Bd. 1, Halle 1911, S. 198.

Reichstag, welches zu einer echten Parteienregierung hätte führen müssen, erschien ihnen selbst als äußerst bedenklich. Allerdings war die Vorstellung durchaus verbreitet, daß sich am Ende gleichwohl eine Entwicklung zum parlamentarischen System englischen Musters ergeben könne; doch war man sich auch im liberalen Lager hinsichtlich der Wünschbarkeit eines solchen durchaus uneinig.

Die neuere Forschung hat, den Ergebnissen der großen Darstellung von Otto Becker[24] folgend, den Anteil der Nationalliberalen an der konkreten Gestaltung der Verfassung des Norddeutschen Bundes überwiegend restriktiv interpretiert; einzig Ernst Rudolf Huber hat demgegenüber nachdrücklich an der Ansicht festgehalten, daß »die vorsorgliche Anpassung der Regierungsvorlagen von 1867 und 1870 an die fundamentalen Verfassungsmaximen des nationalen Liberalismus [...] der Sache nach nichts anderes« gewesen sei »als ein nachträglicher Sieg der Verfassungsideen von 1848/49«.[25] Auch Lothar Gall hat sich der entgegengesetzten Auffassung angeschlossen, daß der Einfluß der Nationalliberalen auf die konkrete Ausgestaltung der Verfassung des Norddeutschen Bundes minimal gewesen sei. Vielmehr habe sich Bismarck durch den konstituierenden Norddeutschen Reichstag und speziell durch die Nationalliberalen in eben jene Richtung drängen lassen, die er im Grund selbst gewollt, aber bei den einzelstaatlichen Regierungen zunächst nicht habe durchsetzen können.

Dementsprechend gelangt Lothar Gall, in gewissem Widerspruch zur Grundthese seiner Darstellung, wonach die Verfassungsgestaltung den realen Tendenzen der Zeit vollauf Rechnung getragen habe, zu dem ziemlich apodiktischen Schluß, daß »die Verfassung des neuen Staatswesens, die am 16. April 1867 mit überwältigender Mehrheit angenommen wurde [...], in ihren wichtigsten Punkten nicht ein Kompromiß, sondern ein eindeutiger Triumph« Bismarcks gewesen sei.[26] Allein uns scheint gegenüber einer solchen Interpretation, die die allgemeinen Rahmenbedingungen der Entstehung der Verfassung und die verwaltenden Tendenzen der damaligen politischen Kultur weitgehend außer Ansatz läßt, ein gewisses Maß an Vorsicht geboten. Der große Abstand der tatsächlich verwirklichten Verfassung von den ursprünglichen Entwürfen ist ebensowenig zu übersehen wie die Tatsache, daß sich am Ende ein Grad von parlamentarischer Mitwirkung der Reichstagsparteien an den großen politischen Entscheidungsprozessen einstellen sollte, wie ihn weder Bismarck noch

24 Bismarcks Ringen um Deutschlands Gestaltung, hrsg. und ergänzt von Alexander Scharff, Heidelberg 1958.
25 Die Bismarcksche Reichsverfassung (Anm. 13), S. 172.
26 Gall, Bismarck. Der weiße Revolutionär, S. 389.

die Nationalliberalen vorhergesehen haben, und dies ungeachtet der zahlreichen Kautelen und Gegengewichte, die in die Verfassung eingebaut worden waren, um der Machtstellung des Reichstages von vornherein enge Grenzen zu setzen.
Über Bismarcks konservative politische Zielsetzung als solche kann keinerlei Zweifel bestehen. Bereits ganz am Anfang seiner Reichsgründungspolitik hatte er es unmißverständlich als »unser großes Ziel« bezeichnet, »die konservativen Interessen zu fördern«, im Unterschied zu den Anbiederungen der Staatsmänner der mittelstaatlichen Regierungen an »demokratische Parlamentsmehrheiten«. »Wollten wir«, so führte Bismarck im April 1865 aus, »der konservativen Richtung unserer inneren Politik [...] untreu werden, so würden wir die revolutionären Waffen unserer Gegner mit weit mehr Erfolg gegen sie selbst wenden können [...]«.[27] Es stellt sich jedoch die Frage, ob Bismarck im Zusammenspiel mit den Nationalliberalen in der Folge nicht etwas zu reichlich von den revolutionären Waffen seiner Gegner Gebrauch gemacht hat, mit anderen Worten, ob nicht die von ihm angestrebte Konsolidierung der preußisch-deutschen Politik auf neuer Basis, unter teilweiser Übernahme der politischen Konzepte seiner Gegenspieler, dann doch zu einer Ausgestaltung der Verfassung geführt hat, die eine Verteidigung der bestehenden politischen und gesellschaftlichen Verhältnisse nur mit großen Schwierigkeiten und nur unter Einsatz aller verfügbaren Waffen obrigkeitlicher Herrschaft, unter Beimischung eines geschickt gesteuerten Nationalismus, möglich machte. Umgekehrt läßt sich fragen, ob das Ziel der Nationalliberalen, bei aller Bereitschaft zu Kompromissen im Augenblick, doch die Möglichkeit für eine künftige Fortentwicklung der Reichsverfassung in einem stärker liberalen Sinne offenzuhalten, tatsächlich so weitgehend gescheitert ist, wie dies von unterschiedlichen Positionen aus immer wieder vertreten worden ist.
Wie immer man darüber befinden möge, es läßt sich nicht übersehen, daß Bismarck im Laufe der Auseinandersetzungen mit den einzelstaatlichen Regierungen und der Reichstagsmehrheit über seine anfänglichen Positionen weit hinausgetragen worden ist. Die ursprüngliche Konzeption sah einen ziemlich machtlosen Reichstag vor, den man gefahrlos nach dem allgemeinen, gleichen und direkten Wahlrecht wählen lassen konnte (obschon der Kanzler zwischenzeitlich auch andere Möglichkeiten erwog, die auf die Kombination eines ausgesprochen plutokratischen Wahlrechts mit berufsständischen Vertretungsformen abzielte). Denn die eigentlichen Träger der Exekutive sollten in großer Entfernung vom Reichstag etabliert und institutionell so im preußischen Staatsministerium und in

27 Erlaß an Redern vom 5. April 1865, GW, Bd. 5, S. 154ff.

den Ausschüssen des Bundesrates verankert werden, daß sie dem Zugriff der Parteien des Reichstages weitgehend entzogen sein würden; unter solchen Umständen hätte die vom Präsidium zu verwirklichende Politik der »verbündeten Regierungen« nur sehr schwer parlamentarischer Kontrolle unterworfen, geschweige denn von einer Parlamentsmehrheit aktiv beeinflußt werden können, es sei denn, den Führern der Parteien wäre ihrerseits die Chance eingeräumt worden, zu Bevollmächtigten im Bundesrat berufen zu werden. Die Liberalen legten sehr mit Recht den Finger auf diesen schwerwiegendsten Mangel des regierungsamtlichen Verfassungsentwurfs, nämlich die fehlende verfassungsrechtliche Präzisierung des Status der Exekutive innerhalb des Verfassungsgebäudes. Nur dann hätte man diese allenfalls zur Verantwortung ziehen können.[28] Allerdings haben die Nationalliberalen mit ihrem starren Beharren auf der eigentlich eher bürokratischen Lösung eines kollektiven Reichsministeriums selbst zur Verunklärung der Fronten beigetragen und es Bismarck erheblich erleichtert, sich analogen Vorschlägen von seiten einzelner bundesstaatlicher Regierungen, unter anderem des Großherzogs von Oldenburg und des Kronprinzen, zu entziehen.[29] Vielmehr hielt Bismarck an seiner ursprünglichen Absicht, den Deutschen Bund bzw. das Deutsche Reich wesentlich subsidiär, d. h. von Preußen aus, zu regieren und auf die Schaffung von förmlichen Reichsministerien ganz zu verzichten, hartnäckig fest, auch nachdem klargeworden war, daß unter dem Druck der Parteien, aber auch der öffentlichen Meinung, sich die Gewichte zunehmend zugunsten einer Steigerung der Machtbefugnisse des Norddeutschen Bundes verschoben hatten.

Es war Bismarcks ureigenste Idee, daß die Geschäfte des Reichs unter Zwischenschaltung des Bundesrates, als der Vertretung der Regierung der Bundesstaaten, wesentlich von Preußen aus geführt werden sollten. Der Bundesrat war konzipiert sowohl als Organ der Legislative wie als Teilhaber an der Exekutive, und theoretisch war ihm eine Schlüsselposition innerhalb des Verfassungsgebäudes zugedacht, insofern, als er das Vertretungsorgan der »verbündeten Regierungen« war, die ja aus der Sicht Bismarcks zu gesamter Hand Träger der Souveränität waren. Die Ausschüsse des Bundesrats sollten, zumindest nach der ursprünglichen

28 Vgl. aber Miquels bemerkenswert präzise Darlegung des Sachverhalts, in: Reden, Bd. 1, S. 217: »[...] die Schwäche des Entwurfs [...] liegt in der Verquickung des Bundesrats, insofern er seine in die Exekutive allerdings eingreifende[n] verwaltende[n] Befugnisse hat und teilweise gesetzgeberische Befugnisse. Wenn es möglich wäre, das Verhältnis davon klarzustellen, daß der Bundesrat und das Parlament nur gesetzgeberische Befugnisse, dagegen das Präsidium, die Krone Preußens, die volle Exekutive rein und ausschließlich habe, dann allerdings würde der Entwurf auf einen viel klareren und bestimmteren Boden gesetzt sein.«

29 Vgl. Rauh, Föderalismus, S. 54f.

Konzeption, gleichsam an die Stelle von verantwortlichen Bundesministerien treten; und die Exekutive, gegenüber dem Reichstag allein durch den Kanzler repräsentiert, sollte der Form, wenn auch nicht der Sache nach, gleichsam aus dem Bundesrat heraus operieren.
Die Vorteile dieser Konstruktion sind offenkundig. Auf solche Weise konnte die Hegemonialstellung Preußens innerhalb dieses komplizierten Systems pluralistischer Teilhabe an der Macht vergleichsweise unauffällig zementiert werden. Faktisch wuchs damit der hohen preußischen Bürokratie innerhalb des Herrschaftssystems eine Schlüsselstellung zu. Denn zum einen war es den preußischen Bevollmächtigten zum Bundesrat ohnehin leicht möglich, dank der Unterstützung der kleinen norddeutschen Duodez-Staaten, dieses Gremium völlig im Sinne der preußischen Staatsregierung bzw. des preußischen Außenministers und Kanzlers zu lenken. Zum anderen war der Bundesrat völlig von der bürokratischen Vor- und Zuarbeit der preußischen Ministerien sowie späterhin des Reichsamtes des Innern abhängig.[30] Daneben stand aber ein zweites, von Bismarck selbst als ausschlaggebend betrachtetes Moment, nämlich die Chance, dergestalt gegenüber den Machtansprüchen des Reichstags ein für allemal eine unübersteigbare Barriere zu errichten.[31] Bekanntlich hat Bismarck alles darangesetzt – nicht nur in der Periode der Reichsgründung als solcher –, die juristische Fiktion aufrechtzuerhalten, daß die Parteien des Reichstages es nicht mit einer wie immer gestalteten Reichsregierung, sondern stets mit den »verbündeten Regierungen« zu tun hätten. Dazu paßte auch die Tendenz Bismarcks, die verfassungsmäßige Zuständigkeit des Kanzlers als eines »Präsidialbeamten« so eng wie möglich auszulegen und die Entscheidungen auf legislativem Gebiet ganz in die Verantwortlichkeit der von den einzelnen Regierungen instruierten Bundesratsbevollmächtigten zu stellen; die Mitwirkung des Kanzlers an der Legislative, so hat Bismarck im April 1869 einmal erklärt, sei »gleich Null«.[32] Auch wenn man einräumen muß, daß damals ein akutes Interesse daran bestand, die Fassade einer aktiven Mitwirkung der bundesstaatlichen Regierungen an der Führung der Geschäfte des Norddeutschen Bundes ungeschmälert zu erhalten, muß eine solche Stellungnahme, die in krassem Gegensatz zur wirklichen Lage stand, doch überraschen. Es kann kein Zweifel daran bestehen, daß in dieser Strategie in erster Linie innenpolitische Methode lag. Sie zielte darauf ab, gegenüber dem Reichstag und den

30 Nachweis ebenda, S. 110f.
31 Dies ist die Hauptthese Rauhs, der freilich dann allzu rasch folgert, daß mit dem Zusammenbruch des Bismarckschen Regierungssystems die Barrieren für eine »stille« Parlamentarisierung gefallen seien.
32 Horst Kohl, Die politischen Reden des Fürsten Bismarck, Stuttgart 1892–1905, Bd. 4, S. 186.

Parteien die Reichsexekutive der Form nach so weit wie irgend möglich hinter der Vertretung der »verbündeten Regierungen« zu verstecken und damit der direkten Kontrolle des Reichstags zu entziehen. Dergestalt gelang es in der Tat, die Exekutive in nicht unerheblichem Maße gegenüber dem Reichstag abzuschirmen und ihr ein ungewöhnliches Maß von Handlungsspielraum gegenüber den konkurrierenden Verfassungsinstitutionen zu sichern. Es läßt sich nicht bestreiten, daß die juristische Konstruktion der Regierung des Reiches aus dem Bundesrat heraus, obschon sich diese schon bald als reine Fiktion erweisen sollte, ein ernstliches Hindernis für die Parlamentarisierung der Reichsverfassung bis hin zum September 1918 gebildet hat.

Die Zweckmäßigkeit dieser Konstruktion aus der Sicht konservativer Machtinteressen ist unübersehbar. Aber in mancher Hinsicht muß die Durchsetzung dieser Lösung, die in anderen europäischen Verfassungen keinerlei Parallele findet, als Pyrrhussieg angesehen werden. Die Schattenexistenz, zu der der Bundesrat zeit seines Lebens verurteilt war,[33] obschon er formell gleichsam als Träger der »Souveränität« zur gesamten Hand galt und demgemäß als möglicher Ansatzpunkt für eine antiparlamentarische Lösung der deutschen Frage und späterhin als mögliches Vehikel eines Staatsstreiches angesehen wurde, hatte die Kehrseite, daß faktisch der Kanzler ganz allein den übrigen an den politischen Entscheidungsprozessen maßgeblich beteiligten Verfassungsinstitutionen, der Krone, dem preußischen Staatsministerium und dem Reichstag, Paroli zu bieten hatte. Unter Bismarck, der ein ungeheures Prestige auf die Waagschale zu legen hatte, mochte dies noch hingehen; für seine Nachfolger sollte dies zu einem ernsten Problem werden. Während des Weltkrieges hat Bethmann Hollweg zeitweilig den Versuch gemacht, durch Aktivierung des Bundesrats-Ausschusses für auswärtige Angelegenheiten sich bei den Mittelstaaten ein politisches Widerlager gegenüber der Intransigenz des preußischen Staatsministeriums und der beiden Häuser des preußischen Parlaments zu verschaffen; dieser Versuch ist bekanntlich mißlungen.

Überhaupt läßt sich sagen, daß das, was im Augenblick als mustergültige Lösung erschien, nämlich die informelle Festschreibung der preußischen Hegemonie, langfristig durchaus ambivalente Konsequenzen gehabt hat. Denn dadurch wurde eine strukturelle Abhängigkeit der Reichsleitung von der preußischen Staatsregierung etabliert, die sich unter Bismarcks Nachfolgern zuungunsten der Machtstellung des Reichskanzlers ausgewirkt hat. Nur solange der Reichskanzler unumstritten zugleich auch

33 Vgl. Hans-Otto Binder, Reich und Einzelstaaten während der Kanzlerschaft Bismarcks 1871–1890, Tübingen 1971, insb. S. 53ff.; ebenso Rauh, Föderalismus, S. 91ff.

Herr der preußischen hohen Beamtenschaft war, wirkte sich diese Regelung zu seinen Gunsten aus. Späterhin jedoch wurde die Reichsautorität zum Spielball wachsender Gegensätze zwischen dem Reich und Preußen, und es ist wesentlich dieser Faktor, der seit 1912 zu einer folgenschweren Blockierung des Regierungssystems des Deutschen Reiches geführt hat.[34] Ähnliches gilt auch hinsichtlich der Ausgestaltung der Bundesexekutive, die von allen verfassungspolitischen Fragen wohl die am stärksten umstrittene gewesen ist. Bekanntlich hatte Bismarck das Amt des Bundeskanzlers ursprünglich nur als subsidiäre Funktion des Amts des preußischen Ministers des Auswärtigen auslegen wollen, offensichtlich in der Absicht, dessen politische Rolle so gering wie möglich zu halten. Doch erwies sich dies schon bald als undurchführbar. Vielmehr erfuhr das Kanzleramt schon im Vorfeld der eigentlichen Verfassungsberatungen eine solche Ausgestaltung, daß *de facto* dort alle Fäden der Macht zusammenliefen, mit der Konsequenz, daß nunmehr nur Bismarck selbst für dieses Amt in Frage kam. Es ist umstritten, wie weit diese Regelung auf Druck der liberalen Bewegung zustande kam, die mit guten Gründen eine eindeutige verfassungsrechtliche Festlegung der Rolle der Exekutive verlangte. Otto Becker und ihm folgend Lothar Gall haben nachdrücklich die Ansicht vertreten, daß sich Bismarck von den Nationalliberalen nur in eine Richtung habe drängen lassen, in die er ohnehin zu gehen die Absicht gehabt habe. Doch ist dies nur in sehr begrenztem Sinne richtig. Vielmehr wurde Bismarck zu einer Ausgestaltung der Rolle des Bundeskanzlers innerhalb des Verfassungsgebäudes gezwungen, die zwar vielleicht seinen persönlichen Machtinstinkten entsprach, aber institutionelle Freiräume schuf, welche er selbst schon bald, entgegen seinen ursprünglichen Absichten, durch den Aufbau einer eigenen Reichsverwaltung mit einer Vielzahl von Reichsämtern auffüllen mußte, die dann unvermeidlich in eine Konkurrenzsituation zu den entsprechenden preußischen Ministerien gerieten.

Positiv hingegen blieb dem Drängen der Nationalliberalen auf eine klare verfassungsrechtliche Fixierung der Funktionen der Exekutive nur begrenzter Erfolg beschieden. Dies galt insbesondere für die politisch zentrale Frage der Verantwortlichkeit des Kanzlers. Wie bereits erwähnt wurde, haben die Nationalliberalen dabei keineswegs das Ziel verfolgt, eine parlamentarische Regierungsweise nach englischem Muster durchzusetzen. Für sie stand vielmehr die Sicherstellung des rechtsstaatlichen

34 Vgl. Wolfgang J. Mommsen, Die latente Krise des Wilhelminischen Reiches (siehe in diesem Band, S. 287–315), sowie ders., Domestic Factors in German Foreign Policy before 1914, in: James J. Sheehan (Hrsg.), Imperial Germany, New York 1976, S. 223–268 (vgl. auch die deutsche Übersetzung in diesem Band, S. 316–357).

Verfahrens ganz im Vordergrund ihrer Erwägungen, einerseits unter dem Eindruck der Erfahrungen des gerade beigelegten Verfassungskonfliktes, zum anderen, weil auf diese Weise der Gefahr vorgebeugt werden sollte, daß die zahlreichen Fragen, die in den Beratungen offengeblieben waren, wie beispielsweise das Budgetrecht oder die Ausgestaltung der Pressefreiheit, nicht im nachhinein gegen sie entschieden werden würden. Wageners Einwand, daß im parlamentarisch regierten England das Recht des *impeachment* vollkommen in den Hintergrund getreten sei, wurde von Miquel ausdrücklich aufgegriffen mit dem Hinweis darauf, daß die Dinge in Deutschland eben anders lägen als in England, wo »die konstitutionelle Regierung zu einer Parteiregierung geworden« sei und »das Parlament über die Exekutive vollständig« dominiere.[35] Deshalb aber strebten sie größere Klarheit hinsichtlich der verwaltungstechnischen Organisation der Exekutive an. In § 18 der Verfassung des Norddeutschen Bundes wurde zwar die Verantwortlichkeit des Kanzlers für alle Maßnahmen des Präsidiums verfassungsrechtlich festgelegt, aber die ursprünglich beabsichtigte konkrete Füllung dieser Bestimmung im Sinne der justizförmigen Verantwortlichkeit blieb auf der Strecke, von der weitergehenden Forderung eines kollegialen Ministeriums mit der Maßgabe eigenständiger Verantwortlichkeit eines jeden Ministers für seinen jeweiligen Geschäftsbereich ganz abgesehen. Diese Verfassung ließ dergestalt entscheidende Fragen offen und überließ es der künftigen Entwicklung, wie diese dann konkret entschieden werden würden.

In gewisser Weise wird man sagen können, daß die Forderung der Nationalliberalen auf Schaffung von Reichsministerien im nachhinein doch noch zur Verwirklichung gekommen ist, wenngleich sozusagen nur durch die Hintertür und in gebrochener und unvollständiger Form. Die Ablehnung einer förmlichen verfassungsmäßigen Festlegung des Status der Bundes- bzw. Reichsexekutive gehört zu den zahlreichen Entscheidungen, die im Grunde nur negativer Natur gewesen sind und die Sache selbst in der Schwebe hielten. In der Folge hat das Verhältnis der Reichsbehörden, denen ja jeglicher eigene verwaltungsmäßige Unterbau fehlte, zu den preußischen Ministerien immer wieder Anlaß zu Konflikten gegeben und übrigens eine abschließende verfassungsrechtliche Regelung nie gefunden. Ob dies, wie ursprünglich intendiert, der Hegemonialstellung Preußens uneingeschränkt zugute gekommen ist, läßt sich im übrigen durchaus bezweifeln. Denn die Übernahme von Aufgaben des Reiches durch preußische Behörden führte zu einer Verfilzung von Reichs- und preußischer Verwaltung, bei der die Interessen Preußens nicht immer die Oberhand behielten. Mit einigem Recht hat Karl Erich Born in dieser

35 v. Miquel, Reden, Bd. 1, S. 226f.

Hinsicht von einer »Verreichlichung« Preußens gesprochen.[36] Dies gilt nicht zuletzt auch für die Sonderrechte der preußischen Krone, namentlich auf militärischem Gebiete. Die weitgehende Abschirmung des Militärwesens gegenüber aller parlamentarischer Kontrolle dank der Sonderstellung des preußischen Kriegsministers und die gleichsam autonome Stellung des Offizierskorps gegenüber dem Reichstag, aber auch der »zivilen« Reichsleitung, hat sich keineswegs eindeutig zugunsten einer Stärkung der Staatsautorität ausgewirkt, wie schon Bismarck selbst zur Genüge erfahren sollte. Ein »persönliches Regiment« des Monarchen sah die Verfassung zwar nicht vor, beließ aber doch den Freiraum für die Entwicklung eines solchen.

Insgesamt ließ die Verfassung des Norddeutschen Bundes eine beachtliche Zahl von Fragen in der Schwebe, statt sie ein für allemal definitiv zu regeln. Dies war teilweise durch die besonderen Umstände bedingt, unter denen diese entstanden ist. Bismarck selbst war durchaus bereit, in dieser Hinsicht Kritik zu akzeptieren. »Ich gebe gern zu, daß die Bundesverfassung eine sehr unvollkommene ist«, erklärte er am 16. April 1869 im Reichstag angelegentlich eines erneuten Antrags der Nationalliberalen auf Einführung verantwortlicher Bundesministerien. »Sie ist nicht bloß in der Eile zustande gekommen, sondern sie ist auch unter Verhältnissen zustande gekommen, in denen der Baugrund ein sehr schwieriger war, wegen der Unebenheiten des Terrains, aber der doch absolut benutzt werden mußte.«[37] Andererseits ließ er keinerlei Zweifel daran, daß er eine Revision der Verfassung unter keinen Umständen ins Auge zu fassen geneigt war. Dies trifft natürlich insbesondere für die Periode der Reichsgründung im engeren Sinne zu. Im Zuge des Beitritts der süddeutschen Staaten zum Norddeutschen Bund und dessen schließlicher Umgestaltung zum Deutschen Reich hätte theoretisch die Gelegenheit zu einer gründlichen Revision des Verfassungswerks bestanden. Dazu ist es jedoch nur in jenen Bereichen gekommen, die das Verhältnis der süddeutschen Staaten zum Reich, die Kaiserfrage und das Heerwesen betrafen. Einer Änderung der komplizierten Struktur des Verfassungswerks und insbesondere der formalen Schlüsselstellung des Bundesrats innerhalb desselben hat Bismarck jedoch entschiedenen Widerstand entgegengesetzt. Er hat nicht zuletzt auch einer Umbenennung des Bundesrats in »Reichsrat« widersprochen, weil damit der Charakter desselben als der Repräsentation der Bundesstaaten gefährdet werde.[38] Unter den gegebenen Umständen kam es demgemäß nur zu einer Anpassung der Verfas-

36 Karl Erich Born, Preußen und Deutschland im Kaiserreich, Tübingen 1967.
37 Kohl (Anm. 32), Bd. 4, S. 192.
38 Vgl. GW, Bd. 6c, Nr. 1, S. 1f.

sung des Norddeutschen Bundes an die neuen Verhältnisse, nicht aber einer Modifikation ihrer Struktur. Auch die Nationalliberalen verzichteten darauf, ihre Forderung auf Ministerverantwortlichkeit erneut mit Nachdruck zu verfechten, während die Vorstöße des Zentrums, durch Aufnahme von rechtsstaatlichen Vorbehalten nach dem Muster der preußischen Verfassung wenigstens Sicherungen gegenüber staatlicher Willkür zu erlangen, ins Leere liefen.
Die Verhandlungen über die Neugestaltung der Reichsverfassung mit dem konstituierenden Reichstag fügten dem Verfassungswerk zwar noch eine Reihe weiterer Regelungen hinzu, aber an seinem Charakter änderte sich wenig. In mancher Hinsicht wurde der Grundzug desselben, nämlich einer eindeutigen Fixierung der Machtzuständigkeiten aus dem Wege zu gehen und umstrittene Fragen offenzuhalten, vielmehr noch verstärkt. Dies gilt nicht nur für die institutionelle Gestaltung der Reichsexekutive und das Verhältnis der Reichsexekutive zu den bundesstaatlichen Regierungen und speziell zum preußischen Staatsministerium, sondern auch für eine ganze Reihe anderer Bereiche. Am bedeutsamsten war die Frage des Militärbudgets, die nur auf dem Wege eines einstweiligen, auf drei Jahre befristeten Kompromisses aus dem Wege geräumt werden konnte und späterhin in Form des Septemnats wiederum nur provisorisch gelöst worden ist.
Man hat vielfach gemeint, daß die Verfassung des Deutschen Reiches von Anfang an so konstruiert gewesen sei, daß sie keinerlei Entwicklung in Richtung auf mehr Freiheitlichkeit und größere parlamentarische Verantwortlichkeit zugelassen habe. Unstreitig hat Bismarck sich darum bemüht, gegenüber den Machtansprüchen des Reichstags und der Parteien von vornherein zahlreiche Sicherungen einzubauen. Aber die wirkliche Schwäche der Verfassung lag eher darin, daß sie zuviel, statt zuwenig offenließ. Anfänglich kam dies in erster Linie dem Kanzler selbst zugute, der die großen Spielräume innerhalb der Verfassung souverän zugunsten der Steigerung seiner persönlichen Machtstellung auszunutzen wußte. Hellsichtige Beobachter erkannten sogleich die Zwiespältigkeit einer solchen Entwicklung. Constantin Frantz beispielsweise urteilte besorgt: »Was ist von der inneren Lebenskraft solcher Schöpfungen zu halten, die in Wirklichkeit nur auf zwei Augen ruhen?«[39] Tatsächlich war die Verfassung ein Kompromiß nicht nur insofern, als unterschiedliche, miteinander nur schwer vereinbare verfassungspolitische Traditionen in sie eingegangen waren, sondern gerade auch wegen ihres Charakters als eines »Systems umgangener Entscheidungen«, das zahlreiche Fragen ungeregelt ließ und der zukünftigen Entwicklung anheimstellte.

39 Constantin Frantz, Bismarckismus und Friderizianismus, München 1873, S. 13.

Nicht zuletzt dieser Umstand machte die Verfassung für die Hauptkontrahenten in den verfassungspolitischen Auseinandersetzungen überhaupt erst annehmbar. Bismarck wurde in der Verfassung ein weiter Spielraum für die Entfaltung einer informellen personalplebiszitären Herrschaft eingeräumt, den er in der Folge rücksichtslos auszunutzen sich nicht gescheut hat. Zumindest in der Sicht der Zeitgenossen war er eindeutig als Sieger aus den Verfassungsverhandlungen hervorgegangen. Aus der Perspektive der Nationalliberalen gesehen, blieb die Verfassung hinter dem von ihnen angestrebten, rein konstitutionellen System unitarischen Zuschnitts um einiges zurück. Sie waren jedoch zuversichtlich, daß der Weg dorthin nicht verbaut sei.[40] Es sollte sich freilich bald zeigen, daß diese Lagebeurteilung zu optimistisch gewesen war; tatsächlich sahen sich die liberalen Parteien schon bald in ein kunstvoll gewirktes pseudokonstitutionelles System eingefangen, an dem ihre politischen Energien weitgehend zerschellten, obschon es ihnen auf wirtschaftlichem Gebiet und auf den unteren Ebenen der Gesellschaft eine weitgehende Verwirklichung ihres wirtschafts- und gesellschaftspolitischen Programms ermöglichte.
Aus der Perspektive der konservativen Führungseliten gesehen, stellte die Verfassung zwar unumstrittene Vorherrschaft Preußens in bzw. die Herrschaft Preußens über Deutschland auf absehbare Zeit sicher und brachte zudem eine ungewöhnliche Machtzusammenballung in der Hand der preußischen Krone. Auch war es gelungen, wesentliche Bereiche der Exekutive der Kontrolle der Parteien mehr oder minder zu entziehen, wenngleich die Befugnisse des Reichstags weit größer ausgefallen waren, als Bismarck dies ursprünglich ins Auge gefaßt hatte. Die Einbindung des die aufsteigenden Schichten des Bürgertums repräsentierenden nationalen Liberalismus in ein im wesentlichen weiterhin autoritäres Herrschaftssystem erschien, zumindest für den Augenblick, gelungen. Aber dennoch blieb die bange Frage bestehen, ob denn die Macht des Reichstags auf Dauer in Schranken zu halten sein werde. Dies gab sogleich Anlaß zu »innenpolitischen Präventivkriegen«, als deutlich wurde, daß das allgemeine, gleiche und direkte Wahlrecht Massenparteien neuen Typs entstehen ließ, die die bisherigen honoratiorenpolitischen Spielregeln des innenpolitischen Kampfes zu mißachten sich anschickten. Im übrigen war die Sorge der preußischen Hochkonservativen, ob Bismarcks deutsche Politik trotz ihres ostentativ großpreußischen Charakters am Ende nicht

40 Vgl. Bennigsen am 15.4.1867: »Ich habe die Überzeugung, die ganze Lage Deutschlands ist so günstig, daß aus diesem Verfassungswerke nicht bloß für die Machtentwicklung der deutschen Staaten, sondern auch für die innere Entwicklung der deutschen Nation viel und große Vorteile hervorgehen werden. Ich hoffe, daß es zu Entwicklungen des deutschen Verfassungslebens in großem Zuge führen wird [...].« Zit. nach Hermann Oncken, Rudolf von Bennigsen. Ein deutscher liberaler Politiker, 2 Bde., Leipzig 1910, Bd. 2, S. 59.

doch zur Mediatisierung Preußens führen werde, keineswegs unbegründet. Diese wurde noch verstärkt durch die Tatsache, daß den Modernisierungsbestrebungen einstweilen in hohem Maße freie Bahn gegeben wurde, zum Nachteil der Partikularinteressen namentlich der Hocharistokratie.

Umgekehrt war die Opposition des Zentrums gegen die Gestaltung der Reichsverfassung, die in ihrer Sicht erheblich hinter den rechtsstaatlichen Bestimmungen selbst der preußischen Verfassung zurückgeblieben war, nur zu verständlich. Paradoxerweise war sie es, die in der Folge am geschicktesten die Möglichkeiten, die die Verfassung gewährte, für ihre Ziele zu nutzen verstanden hat. Die demokratische Linke hingegen, von der noch schwachen Sozialdemokratie ganz zu schweigen, vermochte dem Verfassungswerk verständlicherweise überhaupt nichts Positives abzugewinnen, stellte es doch aus ihrer Perspektive eine fatale Verwässerung und Verfälschung der großen demokratischen Verfassung von 1848/49 dar.

Ihrer gesellschaftlichen Substanz nach stellte die Verfassung des Deutschen Reiches von 1871 einen dilatorischen Herrschaftskompromiß zwischen den traditionellen Herrschaftseliten und dem aufsteigenden Bürgertum dar, der allerdings durch die bundesstaatliche Struktur, die der Form nach föderalistischen Prinzipien folgte, der Sache nach jedoch die Hegemonie Preußens auf Dauer sicherstellte, zusätzlich verkompliziert wurde. Faktisch wurde durch die Reichsverfassung ein pluralistisches System der Teilnahme an der Macht geschaffen, dessen zentrifugale Tendenzen einstweilen durch die personalplebiszitäre Integrationskraft Bismarcks in Schach gehalten wurden.[41] Die Machtstellung der konservativen Aristokratie in Preußen blieb im wesentlichen unangetastet, ja durch die Einbeziehung von Teilen der aufsteigenden bürgerlichen Schichten wurde dieser gleichsam eine neue *lease* auf Zeit gewährt. Auch Heer und Offizierskorps wurden zumindest vorerst vor den demokratischen Tendenzen geschützt und letzterem, unter dem Schutzschild der sogenannten »Kommandogewalt«, weiterhin eine privilegierte Stellung innerhalb der Gesellschaft gesichert. Auf wirtschafts- und gesellschaftspolitischem Gebiete hingegen wurde dem Bürgertum freie Hand gegeben, die notwendige Modernisierung der ökonomischen und rechtlichen Infrastrukturen vorzunehmen, soweit dabei nicht direkt monarchische Prärogativen verletzt wurden. Der hohen Bürokratie vornehmlich Preußens fiel innerhalb dieses halbkonstitutionellen Systems eine Schlüsselstellung zu, vermochte sie doch dem Reichstag und den Parteien in der Regel das Gesetz

41 Für eine ausführlichere Darlegung dieses Sachverhalts siehe Mommsen, Die latente Krise des Wilhelminischen Reiches (Anm. 34), S. 291 ff.

des Handelns vorzuschreiben. Die Integrationswirkung des nationalen Kaisertums tat ein weiteres, um die Stoßkraft der Parteien im politischen Raum abzuschwächen und der Exekutive einen erheblichen Handlungsspielraum zu wahren.
Im Zuge der politischen Mobilisierung neuer Sozialschichten, namentlich der Arbeiterschaft, aber auch des unteren Mittelstandes und der Bauern, sollte sich dieser Herrschaftskompromiß dann allerdings zunehmend als brüchig erweisen. Immerhin hat er den Rahmen für eine bemerkenswerte Modernisierung der deutschen Gesellschaft abgegeben. Andererseits hat er eine schrittweise Erweiterung der Partizipation der breiten Massen an den politischen Prozessen gerade nicht zugelassen, ein Umstand, der am Ende zunehmend destabilisierend gewirkt hat.
Abschließend stellt sich uns die Frage nach dem verfassungsrechtlichen Typus der Verfassung des Deutschen Reiches. In europäischer Perspektive gesehen nahm diese eine Mittelstellung zwischen den fortgeschritteneren Verfassungen West- und teilweise Südeuropas einerseits und den ungleich autoritäreren Systemen Ost- und Südosteuropas andererseits ein. Sie war, zumindest auf den ersten Blick, bemerkenswert fortschrittlich insofern, als sie dem demokratischen Prinzip des *one man one vote*, wenn auch mit gewissen Einschränkungen, Geltung verlieh. Auch wenn die volle Entfaltung der Auswirkungen des allgemeinen, gleichen, direkten und geheimen Wahlrechts unter anderem durch die Verweigerung der Diäten für die Abgeordneten (und späterhin durch den »Kulturkampf« und das Sozialistengesetz) abgebremst wurde, so war die Reichsverfassung unter diesem Gesichtspunkt eine der progressivsten Verfassungen ihrer Zeit, namentlich wenn man an die noch außerordentliche Beschränkung der Wählerschaft in Großbritannien selbst nach der Reformakte von 1885 oder an das ausgesprochen plutokratische Wahlrecht im Frankreich Napoleons III. denkt, das dann allerdings einem modernen, kaum beschränkten demokratischen Wahlrecht Platz machte. Auch die meisten übrigen konstitutionellen Systeme in Europa, wie etwa das italienische, beschränkten die aktive Staatsbürgerschaft weit stärker, als dies im Deutschen Reich der Fall war.
Dem steht gegenüber, daß die Möglichkeiten der effektiven Einflußnahme der parlamentarischen Körperschaften in jenen Ländern auf die politischen Entscheidungen weit größer waren als im Deutschen Reich. Denn ungeachtet oder auch gerade wegen des demokratischen Wahlrechts hielt die Verfassung des Deutschen Reiches an einem harten Kern von autoritären Regierungsmethoden fest. Insofern stand es den ansonsten vielfach weit rückständigen Verfassungssystemen Österreich-Ungarns und Rußlands nahe. Nicht nur verfügte der Kaiser und König von Preußen innerhalb dieses Systems über weitreichende Prärogativen, die

der Kontrolle des Parlaments ganz oder teilweise entzogen waren; vor allem lag die Führung der Exekutive in der Hand eines Kanzlers, der zwar formal als »verantwortlich« galt, aber verfassungsrechtlich als Beauftragter des politisch wie rechtlich nicht greifbaren Bundesrats handelte und demgemäß auch informell an Reichstagsmehrheiten nicht gebunden war. Die föderalistische Konstruktion des Deutschen Reiches diente, wie wir bereits ausgeführt haben, nur partiell der Absicherung der Eigenständigkeit der Bundesstaaten, deren Ansprüche auf eine effektive Teilhabe an der Verwaltung des Reiches denn auch weitgehend auf dem Papier blieben, sondern zielte primär auf die Beschneidung der Macht des Reichstags und der Parteien ab.

Vor allem die Tatsache, daß der Bundesrat, als die Repräsentanz der »verbündeten Regierungen«, für die Parteien des Reichstags gleichsam unerreichbar blieb, daneben aber, daß wesentliche Bereiche staatlicher Tätigkeit, namentlich das Heerwesen, der Kontrolle des Parlaments teilweise entzogen blieben, rechtfertigt es, von der Reichsverfassung mit Max Weber als einer *halbkonstitutionellen*, wenn nicht gar einer *pseudokonstitutionellen Verfassung* zu sprechen. Der Umstand, daß der Bundesrat zumeist im Schatten des Reichskanzlers gestanden hat und faktisch neben den sich später entwickelnden Reichsämtern die preußischen Ministerien die entscheidende Rolle bei der Vorbereitung der Gesetzesvorlagen gespielt haben, ist dabei unerheblich. Die Exekutive vermochte über die von ihr zu instruierenden preußischen Bundesbevollmächtigten sowie über die Bevollmächtigten der Zwergstaaten den Bundesrat weitgehend zu kontrollieren. Sie hat diesen in aller Regel zu einem gefügigen Instrument der Reichspolitik zu machen gewußt. Gerade dieser Umstand verlieh ihr ein außerordentliches Übergewicht über den Reichstag. Insofern erlaubte dieses System ein weitgehend bürokratisches Regime, ungeachtet aller parlamentarischen Zusätze.

Einer Parlamentarisierung der Verfassung des Deutschen Reiches im klassischen verfassungsrechtlichen Sinne standen demgemäß erhebliche verfassungstechnische Hindernisse im Wege. Nicht zufällig hat Max Weber seit 1906 im Zuge seiner Überlegungen, auf welchem Wege eine Reform der Reichsverfassung am besten erreicht werden könne, ernstlich erwogen, den Einfluß der Parteien nicht durch eine formelle Bindung des Kanzlers an eine Mehrheit im Reichstag, sondern durch eine Parlamentarisierung des Bundesrats zu stärken. Die Führer der Parteien sollten als Bevollmächtigte des Reichs oder ggf. auch als Exponenten der politischen Kräfte in den einzelstaatlichen Parlamenten in den Bundesrat einrücken und der Reichspolitik gleichsam von innen heraus die von ihren Parteien gewünschte Richtung geben. Deshalb legte Max Weber bekanntlich auch so großen Wert auf die Aufhebung der Inkompatibilität

der Mitgliedschaft in Reichstag und Bundesrat (die übrigens in dem ersten Entwurf zur Norddeutschen Bundesverfassung noch keineswegs ausgeschlossen war).[42]
Materiell betrachtet, kam dem Bundesrat im Prozeß des politischen Entscheidungshandelns gleichwohl nur eine marginale, wenn nicht gar bloß eine fiktive Rolle zu. Aber diese Konstruktion begründete eine informelle Hegemonialstellung des preußischen Herrschaftsapparates und verlieh damit der hohen preußischen Beamtenschaft eine Schlüsselstellung innerhalb des Systems. Diese aber war mit den herrschenden aristokratischen Eliten personell wie materiell eng verflochten und, davon ganz abgesehen, an der Erhaltung eines Systems der Machtteilhabe interessiert, in dem sie ein solches Maß von nahezu unkontrolliertem Handlungsspielraum besaß. Es ist vor allem dieser Umstand, der das Verfassungssystem des Deutschen Reiches mit den in anderer Hinsicht wesentlich autoritäreren Verfassungssystemen Rußlands und des cisleithanischen Teils der Donaumonarchie verbindet. In ersterem war die russische Autokratie der eigentliche Träger des Regimes, in letzterem eine deutsch geprägte Bürokratie; und in allen Fällen spielte die Armee die Rolle eines zusätzlichen, der öffentlichen Kontrolle weitgehend entzogenen, Pfeilers der monarchischen Ordnung.
Die ungewöhnlich starke Position eines in sich weitgehend homogenen Beamtenkörpers, der der Krone kraft Diensteid, Tradition und Personalauslese eng verbunden war, innerhalb eines ansonsten weitgehend konstitutionellen Regierungssystems, hat die Chancen für eine allmähliche Parlamentarisierung der Verfassung des Deutschen Reiches von vornherein erheblich reduziert. Hinzu kommt noch ein zweiter Umstand, nämlich die antagonistische Gegenüberstellung der Exekutive und des im Reichstag verkörperten Teils der Legislative. Der Graben zwischen den Ministerien, die für die Ausarbeitung der Gesetzesvorlagen zuständig waren, und den Parteien im Reichstag war außerordentlich tief und wurde auch im Zuge der allmählichen Ausweitung der Staatsfunktionen auf neue Bereiche des gesellschaftlichen Lebens nicht geringer. Angesichts dieser Verhältnisse blieb die Aktivität des Reichstags im wesentlichen auf negative Politik beschränkt, mit verderblichen Auswirkungen für das Niveau seiner Tätigkeit und die Vitalität seiner Mitglieder, ein Umstand, auf den schon Max Weber aufmerksam gemacht hat. Dies äußerte sich nicht zuletzt auch in der dichotomischen Struktur der politischen Führungseliten des Deutschen Reiches. Die Verfassung errichtete eine grundsätzliche Trennwand zwischen Parlamentarier- und Ministerkarrieren; Minister-

42 Nachweise bei Wolfgang J. Mommsen, Max Weber und die deutsche Politik 1890–1920, Tübingen 1974², S. 187–189.

kandidaten wurden nach wie vor mit nur verschwindend geringen Ausnahmen aus den Kreisen der aristokratischen Führungselite und der ihr verschwisterten hohen Bürokratie entnommen; die Parlamentarier hingegen hatten keine Aussichten, jemals in verantwortliche Positionen aufzusteigen. Nur in wenigen Fällen – und niemals mit Erfolg – konnte die Barriere zwischen Reichstag und Ministerbank übersprungen werden, wenn man von der Episode der Kanzlerschaft des Grafen Hertling in den Jahren 1917/18 absieht.

Gerade an diesem Punkte unterschieden sich die nach Maßgabe des Wahlrechts weit weniger demokratischen Verfassungssysteme Großbritanniens, Frankreichs und Italiens grundlegend von der Reichsverfassung. Obschon der Kreis derer, die direkt oder indirekt an den großen politischen Entscheidungen zu partizipieren berechtigt waren, hier rechtlich und faktisch durchweg weit enger gezogen war, gab es eine beständige gegenseitige Beeinflussung von Exekutive und Legislative. Zugleich aber gab es einen weit höheren Grad von Zirkulation unter den Führungseliten im engeren Sinne. Im Deutschen Reich dagegen entwickelte sich eine Art *deux tiers* System der politischen Elite, das niemals wirklich durchbrochen worden ist, wenn man von Einzelfällen wie dem Aufstieg von Miquels zum preußischen Finanzminister einmal absieht. Zwischen der regierenden Bürokratie und den Parlamentariern gab es vergleichsweise wenig Gemeinsamkeiten. Der Zugang zu der ersteren war vorzugsweise das Privileg der traditionellen aristokratischen Elite, wenngleich die Einbeziehung bürgerlicher Fachleute zunehmend unvermeidlich wurde; die Parteiführer hingegen hatten in aller Regel keine Chance, jemals für die von ihnen propagierte Politik konkrete Regierungsverantwortung zu übernehmen, und wenn, dann nur unter Aufgabe ihrer Machtposition im Parlament und in der eigenen Partei. Dies hat mehr als alles andere im Deutschen Reich einen gleitenden Übergang zum Parlamentarismus verhindert, wie er sich in den meisten anderen vergleichbaren Ländern vollzogen hat.

Auf der anderen Seite begünstigte diese Konstellation eine Radikalisierung der Parteien, die sich zunehmend gemäß den Postulaten der Volkssouveränität gerierten, obschon die Reichsverfassung dafür keinen Raum ließ, sowie eine Verschärfung der parteipolitischen Auseinandersetzungen. Die antagonistische Konstruktion der Verfassung vermochte als solche nicht zu verhindern, daß dem Reichstag im Zuge der Ausweitung der Staatsfunktionen, wie wir sie im späteren 19. Jahrhundert als säkulares Phänomen beobachten, vermehrte Macht zuwuchs. Insofern steht es nicht in Widerspruch zu der These, daß es sich um ein »halbkonstitutionelles System« gehandelt hat, wenn man feststellt, daß der Reichstag im Zuge der späteren Entwicklung zunehmend über die Grenzen des konstitutionellen Verfassungsmodells hinausgedrängt wurde. Er beschränkte sich immer weniger auf legislative Aufgaben und suchte statt dessen mit allen verfügbaren Mitteln, auf die konkreten Regierungsgeschäfte Einfluß zu gewinnen. Er konnte dies freilich zumeist nur in negativer Weise tun, mit der Konsequenz, daß sich der Graben zwischen der weiterhin bürokratisch geprägten Regierung und den sich zunehmend demokratisch definierenden Parteien immer mehr vertiefte. Bereits am Ende der Regierungszeit Bismarcks zeigten sich erste Anzeichen dafür, daß das Deutsche Reich unregierbar zu werden begann. Mit dem Sturz des Reichskanzlers Bülow über der Reichsfinanzreform von 1909 setzte dann die Agonie des von Bismarck geschaffenen verfassungspolitischen Systems ein, nicht ohne daß Europa dabei in einen Weltkrieg hineingerissen wurde. Erst die Kriegslage erzwang die notwendigen Adaptierungen der Verfassung an eine tiefgreifend veränderte Gesellschaft, ohne daß dadurch der Zusammenbruch des Kaiserreiches noch hätte abgewendet werden können.

# Preußisches Staatsbewußtsein und deutsche Reichsidee: Preußen und das Deutsche Reich in der jüngeren deutschen Geschichte

Die nachstehenden Ausführungen konzentrieren sich auf die Zeit nach 1866.[1] Denn es sind wesentlich die politischen und gesellschaftlichen Entwicklungen seit der Mitte des 19. Jahrhunderts, die im Ersten Weltkrieg ihren Kulminationspunkt erreicht haben, die das Bild Preußens in der deutschen und der europäischen Geschichte in einem eher dunklen Lichte haben erscheinen lassen. Die Periode der Weimarer Republik hingegen erscheint mir, im Unterschied zu Karl-Dietrich Bracher[2] und in gewisser Hinsicht auch zu Horst Möller, eigentlich mehr eine Phase der endgültigen Dekomposition des Kaiserreichs, nicht aber eine Periode wirklichen Neubeginns darzustellen. Karl-Dietrich Bracher ist insoweit zuzustimmen, als man den sog. Papen-Putsch vom 20. Juni 1932 als effektives Ende Preußens als eines Trägers eines spezifisch preußischen Staatsbewußtseins anzusehen hat.[3] Aber die großen Ereignisse, die über den historischen Weg Preußens entschieden haben, liegen demgegenüber weit zurück, nämlich in der zweiten Hälfte des 19. und im frühen 20. Jahrhundert. Sie führten zur Einebnung des preußischen Staatsbewußtseins zugunsten einer neudeutschen Reichsidee nationalistischer Observanz;

1 Der nachfolgende Beitrag war ursprünglich als einer von zwei Vorträgen für die Schlußveranstaltung einer von der Fritz-Thyssen-Stiftung gemeinsam mit der Stiftung preußischer Kulturbesitz durchgeführten Veranstaltungsreihe über Preußen in der deutschen Geschichte vorgesehen, wurde von dieser jedoch in letzter Minute zurückgewiesen. Diesem Beitrag sollte ein Vortrag von Reinhard Koselleck vorausgehen mit dem Thema »Lernen aus der Geschichte Preußens«. Dieser ist aber nicht zustande gekommen. – Die übrigen Beiträge sind in zwei Bänden im Druck erschienen: Preußen. Seine Wirkung auf die deutsche Geschichte, Bd. 1: Vorlesungen von Karl Dietrich Erdmann, Raymond Aron, Thomas Nipperdey und Lothar Gall, Stuttgart 1982; Bd. 2, Stuttgart 1985, siehe darin Theodor Schieder, Über den Beinamen »der Große« bei Friedrich II. von Preußen – Reflexionen über die historische Größe; Hagen Schulze, Die Stein-Hardenbergschen Reformen und ihre Bedeutung für die deutsche Geschichte; Clemens Menze, Bildungsstruktur und Bildungsorganisation. Wilhelm von Humboldts Grundlegung des Bildungswesens; Wolfram Fischer, Industrialisierung und soziale Frage in Preußen; Walter Bußmann, Das Scheitern der Revolution in Preußen 1848; Karl-Dietrich Bracher, Das Ende Preußens; Michael Howard, Prussia in European History.

2 Vgl. Brachers Einwände gegen deterministische Deutungen der Geschichte der Weimarer Republik, S. 12f.

3 Ebenda, S. 15: »Der 20. Juni 1932, und zwar sowohl der Schlag der Regierung Papen wie seine Hinnahme durch die Regierung Braun markieren die Sterbestunde Preußens...«

soweit eine eigenständige preußische Tradition sich gleichwohl erhalten konnte, wurde diese auf rein defensive Funktionen zurückgedrängt und verlor ihre ursprünglich durchaus integrative Kraft.
Unsere These lautet, auf eine idealtypische Formel gebracht, daß die Verschränkung der preußischen Staatsidee mit der neudeutschen Reichsideologie nationalistischen Zuschnitts, wie sie sich in der Ära Bismarcks ankündigte und dann in der Epoche des Wilhelminismus ihre Vollendung erfuhr, die negativen Elemente beider politischer Traditionen gesteigert, die gleichfalls vorhandenen positiven Elemente dagegen entscheidend geschwächt und am Ende bis zur Unkenntlichkeit verzerrt hat. Nicht bloß auf institutioneller Ebene, wie dies mit bemerkenswerter Kennerschaft von Lothar Gall behandelt worden ist,[4] sondern gerade auch aus sozial- und ideengeschichtlicher Sicht verdient das Verhältnis Preußens zum Deutschen Reich Bismarcks und Wilhelms II. besondere Beachtung. Die sog. borussische Geschichtsdeutung hat die Rolle Preußens im Zuge der Begründung des Deutschen Reiches und dessen spätere hegemoniale Stellung in der Reichspolitik verklärt als Erfüllung einer immer schon in der preußischen Geschichte angelegten historischen Mission. Demgegenüber hat schon Hans Joachim Schoeps, ohne damit mehr als nur interessierte Aufmerksamkeit zu finden, geltend gemacht, daß – in Übereinstimmung mit den Auffassungen der Altkonservativen – das alte Preußen im Grunde mit der Reichsgründungszeit sein Ende gefunden habe. Aus seiner Sicht war der Widerstand der preußischen Hochkonservativen gegen Bismarcks Politik im ersten Jahrzehnt nach der Reichsgründung nur konsequent, weil diese zwangsläufig zu einer Mediatisierung Preußens führen mußte. In der Tat wird man heute nicht mehr bestreiten können, daß dem Bürgertum in dem komplizierten und vielschichtigen Herrschaftssystem des Deutschen Reiches Bismarckscher Observanz ein immerhin so gesicherter Platz eingeräumt wurde, daß die langsame Verdrängung der altpreußischen konservativen Eliten nur eine Frage der Zeit sein konnte. Es läßt sich viel für die These anführen, daß die Vorrangstellung der preußischen Aristokratie in Staat und Gesellschaft überhaupt nur auf dem Wege der »konservativen Revolution von oben«, wie sie Bismarck in der Reichsgründungsära ins Werk setzte, in die neue Ära des »erobernden Bürgertums« (Morazé) hat hinübergerettet werden können. Umgekehrt aber sollte man den Kompromißcharakter des neuen politischen Systems nicht übersehen; es brach zwar dem Anspruch des liberalen Bürgertums auf aktive Beteiligung am politischen Prozeß in Form eines parlamentari-

4 Bismarcks Preußen, das Reich und Europa, in dem in Anm. 1 zitierten Band. Wir verdanken Gall viel für die Ausführungen unseres Beitrags, die sich thematisch in manchen Punkten eng an seine Interpretationen anschließen.

schen oder doch fortgeschrittenen konstitutionellen Systems die Spitze, gab diesem aber auf wirtschaftlichem und gesellschaftspolitischem Gebiete und ebenso auf den unteren Ebenen staatlicher Herrschaft, namentlich der kommunalen Selbstverwaltung, einen erheblichen Freiraum zur Verwirklichung der eigenen bürgerlichen Ideale. Anfänglich war das politische System des Deutschen Reiches darauf angelegt, insbesondere jene staatlichen Institutionen, die immer schon vornehmlich den konservativen Führungseliten offengestanden hatten, nämlich Armee, Staatsverwaltung und insbesondere die Führungsinstitutionen der auswärtigen Politik, von aller parlamentarischen Einflußnahme soweit wie möglich frei zu halten und allein der königlichen bzw. kaiserlichen Prärogative zu unterstellen. Bismarck verwendete erhebliche Energien darauf, dieses Ziel zu erreichen; und noch während der Regierungszeit Wilhelms II. wurden wiederholt Versuche gemacht, die Sphäre der sog. »kaiserlichen Kommandogewalt« auszuweiten, um Armee und Offizierskorps dem Zugriff des Parlaments und der Kontrolle der öffentlichen Meinung soweit wie irgend möglich zu entziehen.

Dies alles geschah unter ausdrücklicher Berufung auf die preußische Staatsidee – oder doch das, was man dafür hielt. Spätestens seit dem preußischen Verfassungskonflikt von 1862 galt es als unumstrittenes Prinzip preußischer staatlicher Tradition, daß das unmittelbare Verhältnis des Monarchen zur Armee, und besonders das Treueverhältnis zwischen Offizierskorps und Krone, nicht durch das Dazwischentreten parlamentarischer Institutionen gestört werden dürfe. Gleiches galt im Prinzip ebenso für die höhere Beamtenschaft, die sich in besonderem Maße dem Monarchen verpflichtet fühlte, der dann auch alle höheren Beamtenernennungen persönlich vollzog. In besonderem Maße aber galt die auswärtige Politik als Prärogative der Krone; zu Zeiten Bismarcks nicht zuletzt unter dem diskutierbaren Gesichtspunkt, daß auswärtige Politik nur fernab der Pressionen der öffentlichen Meinung als »Kunst des Möglichen« betrieben werden könne. Unter Wilhelm II. degenerierte dieses Prinzip freilich zum sog. »persönlichen Regiment«, d. h. des eigenmächtigen Hineingreifens des Monarchen in die auswärtige Politik, oft gerade, um es der öffentlichen Meinung, so wie Wilhelm II. diese wahrnahm, möglichst recht zu machen. Ungeachtet des weitgehenden Festhaltens an diesen verfassungsrechtlichen Fiktionen der preußischen Staatsidee trat in der Sache am Ende genau das Gegenteil ein; die Regierungen steuerten hilflos im Wind eines populären Nationalismus imperialistischer Gebärde, der die Realitäten der internationalen Politik immer mehr aus dem Auge verlor.

Neben dem traditionellen konservativen Militarismus, der für eine eher kleine, dafür aber von einem von preußischen Staatsidealen und mon-

archischer Gesinnung durchdrungenen Offizierskorps immer noch gutenteils aristokratischer Observanz geführte Armee eintrat, die auch gegenüber inneren Gegnern, wie etwa der Sozialdemokratie, unbedingt einsatzfähig sein würde, trat mehr und mehr ein neuer bürgerlicher Militarismus, der in der vollständigen Ausschöpfung der deutschen Wehrkraft und der Beseitigung aller aristokratischen Zöpfe die Vorbedingung einer erfolgversprechenden deutschen Weltpolitik sah.[5] Sein bedeutendster Vertreter innerhalb des Generalstabs war der bürgerliche Emporkömmling Ludendorff, der wegen seines allzu temperamentvollen Eintretens für die Schaffung von drei zusätzlichen Armeekorps, in Übereinstimmung mit Teilen der bürgerlichen Öffentlichkeit, 1913 relegiert und als Regimentschef nach Düsseldorf geschickt wurde. In der Öffentlichkeit waren es vor allem die politischen Agitationsverbände, insbesondere der Wehrverein und der Flottenverein, die sich zu Sprechern einer rückhaltlosen Aufrüstung zu Lande und zur See machten und schließlich offen mit der Idee eines Präventivkrieges spielten. Im Parlament aber waren es namentlich die bürgerlichen Parteien der Mitte, insbesondere die Nationalliberalen, die eine herausfordernde »Weltpolitik«, die die Überlegenheit der deutschen Rüstungen als Verhandlungspotential einsetzen und gegebenenfalls auch vor deren Einsatz nicht zurückschrecken solle, zum Kern ihrer eigenen politischen Programmatik erhoben.
Angesichts einer solchen Lage ist es verfehlt, in erster Linie die herkömmlichen preußischen Führungsschichten des Reiches dafür verantwortlich zu machen, daß das deutsche Kaiserreich, das zu Bismarcks Zeiten im wesentlichen eine Politik der Friedenswahrung betrieben hatte, schließlich auf die schiefe Bahn eines aggressiven Imperialismus geriet, die dann teilweise wider besseres Wissen der verantwortlichen Staatsmänner in den Ersten Weltkrieg hineinführte. Das Syndrom der Fehlentwicklungen der deutschen Geschichte ist wesentlich komplexer, als manche Vertreter einer revisionistischen deutschen Geschichtsschreibung dies, in berechtigtem Bemühen, den Schönfärbungen der nationalliberalen Geschichtsschreibung noch der 20er und frühen 30er Jahre entgegenzutreten, dargestellt haben. Es war vielmehr die Kombination der preußischen Machtstaatsidee, vertreten von einer Führungselite, die infolge der Hegemonialstellung Preußens im Deutschen Reiche im politischen Willensbildungsprozeß eine Schlüsselfunktion innehatte, mit einem naiven, von wirklicher Kenntnis der realen Gegebenheiten im in-

5 Ich stütze mich hier unter anderem auf die Untersuchung von Stig Förster, Der doppelte Militarismus. Die deutsche Heeresrüstungspolitik zwischen status-quo-Sicherung und Aggression 1890–1913, Wiesbaden 1985. Vgl. auch G. Eley, Reshaping the German Right. Radical Nationalism and Political Change after Bismarck. New Haven/London 1980.

ternationalen System relativ ungetrübten Nationalismus der aufsteigenden Mittelschichten, welche für die Politik verantwortlich ist, die schließlich zum Zusammenbruch des Kaiserreichs geführt hat. Ehrlichkeit gebührt es, darauf hinzuweisen, daß in vielen Fällen die preußische Staatsidee gerade von Vertretern des neudeutschen Nationalismus, wie etwa Heinrich v. Treitschke und späterhin Friedrich v. Bernhardi, zur Stützung einer weltweiten Machtpolitik angeblich preußischen Zuschnitts beschworen wurde, die mit den Auffassungen der traditionellen aristokratischen Führungseliten so gut wie nichts gemein hatten.[6] Und es bleibt auch zu fragen, ob ein Bethmann Hollweg, wenn er sich beispielsweise 1911 im Zusammenhang der Auseinandersetzungen über eine Reform des preußischen Dreiklassenwahlrechts auf die »gottgewollten Abhängigkeiten« berief, die keine Verfassungsreform beseitigen könne, damit nicht eher die eigene Handlungsschwäche als die überkommene Vorrangstellung der Aristokratie in Preußen zu verteidigen suchte.
Wie immer man darüber im einzelnen befinden mag, nicht nur die entschiedenen Liberalen in Deutschland selbst, sondern auch das Ausland lasteten die Mängel des deutschen politischen Systems ganz überwiegend, wenn nicht ausschließlich dem Fortleben der Vorherrschaft Preußens in Deutschland an. Das vornehmste Ziel, zu dem sich die britische Regierung unter Asquith zu Anfang des Ersten Weltkriegs bekannte, war die Beseitigung des preußischen Militarismus und, damit eng verbunden, die Ausschaltung der preußischen Führungseliten in Deutschland. Und während des Zweiten Weltkrieges wurden sich die Alliierten rasch darüber einig, daß, was immer geschehe, jedenfalls Preußen als Staat endgültig zu verschwinden habe, weil sich daran aggressive militaristische und antidemokratische Traditionen knüpften, die zu beseitigen vornehmstes Ziel jeder Politik einer dauernden Friedenswahrung in Europa sein müsse.
Bis zu einem bestimmten Grade beruhen alle diese Urteile auf einem historischen Mißverständnis, insofern, als die aufsteigenden bürgerlichen Schichten in Preußen/Deutschland fraglos einen größeren Anteil an der Verantwortung für die expansive Politik der Vorkriegszeit und den radikalen Revisionismus der Zwischenkriegszeit gehabt haben als die im engeren Sinne preußischen Führungsschichten. Diese Urteile zeigen, daß das wirkliche Preußen hinter jenem Gebilde, welches während der Existenz des Kaiserreichs auf verfassungspolitischem Gebiete ganz ohne jeden Zweifel die Rolle eines retardierenden Elements gespielt hatte, längst weitgehend außer Sicht geraten war.

6 Diese Zurechnung wendet sich gegen Michael Howard, der Treitschke und Bernhardi als Repräsentanten der preußischen Tradition sieht. M. E. bedarf es gerade einer deutlichen Abgrenzung von preußischen und von deutschen nationalistischen Traditionen.

Im gesamtdeutschen Vergleich wird man dem Staat Preußen jedenfalls bis in die 1860er Jahre hinein nicht schlechthin jede Fortschrittlichkeit absprechen können. Im Gegenteil, nicht nur im Bewußtsein der Zeitgenossen, sondern auch aus der Sicht des heutigen Historikers war Preußen in der ersten Hälfte des 19. Jahrhunderts durchaus ein moderner Staat, der sich, wenn auch mit charakteristischen Einschränkungen, die Attribute des Fortschritts zuzulegen und sich derselben zu bedienen verstand. Man mag die behutsame Modernisierung des preußischen Staates und seiner Gesellschaft durch die preußischen Reformer als noch so begrenzt ansehen, sie wies doch insgesamt in die richtige Richtung und war vielen, wenn auch nicht allen deutschen Staaten in vieler Hinsicht voraus. Ganz besonders gilt dies, wie Thomas Nipperdey eindrucksvoll dargelegt hat, für die Begründung eines neuen Universitätssystems, das die Forschung an die erste Stelle rückte.[7] Und ebenso machte sich Preußen schon früh zu einem Vorkämpfer des Prinzips des Freihandels, zuweilen ohne daß die Wirtschaftskreise selbst immer davon voll angetan waren. Fraglos hat Preußen seine Anhänger innerhalb und außerhalb seiner Grenzen, die in ihm den modernsten deutschen Staat sahen, der eben deshalb auch die Führung in der deutschen Frage zu übernehmen habe, während der Revolution von 1848/49 bitter enttäuscht. Es versagte sich dem Ruf der bürgerlichen Schichten, nationale Einheit und konstitutionelle Freiheit gleichermaßen zu schaffen und dergestalt über sich selbst hinauszuwachsen. Aber die preußische Verfassung von 1850 war, wenn sie auch in spezifischer Weise hinter den modernen konstitutionellen Verfassungen des Westens, wie der belgischen, die äußerlich als Modell diente, zurückblieb (von britischen Verhältnissen einmal abgesehen), durchaus in liberalem Sinne entwicklungsfähig;[8] sie enthielt, wie schon Friedrich Naumann immer wieder betonte, als erste deutsche geltende Verfassung einen Grundrechtskatalog. Und die politische Strategie des deutschen Bürgertums in den 50er und 60er Jahren ging wesentlich davon aus, daß einem im Innern fortschrittlichen Preußen, das sich eine wirklich konstitutionelle Verfassung gebe, zwangsläufig die unbestrittene »moralische Führung« in ganz Deutschland zufallen werde. Gewiß wird man sagen dürfen, daß Preußen damals die Chance gehabt hat, zu einem liberalen Staate im Sinne des englischen Whiggismus zu werden.

Es wäre im übrigen verfehlt, den preußischen Führungsschichten, in europäischem Maßstab gesehen, unbesehen extreme Exklusivität vorzu-

7 Preußen und die Universität (Anm. 1), S. 65ff.

8 Vgl. dazu Hans Boldt, Die preußische Verfassung vom 31. Januar 1850. Probleme ihrer Interpretation, in: Hans-Jürgen Puhle/Hans-Ulrich Wehler (Hrsg.), Preußen im Rückblick, Geschichte und Gesellschaft, Sonderheft 6, Göttingen 1980, S. 224f.

werfen. Dies gilt noch nicht einmal für den preußischen Adel im engeren Sinne. Gewiß, gemessen am Beispiel der »offenen Aristokratie« Englands, die eine bemerkenswerte Fähigkeit zur Assimilierung neuer politischer Strömungen besaß und die mit den Spitzen des finanziellen und industriellen Bürgertums eng verschmolzen war, war die preußische Aristokratie eine geschlossene Kaste, die zudem ihre gesellschaftliche Autonomie insofern teilweise verloren hatte, als sie weithin zu einem Dienstadel herabgesunken war, da die adelige Großgüterwirtschaft für sich genommen nie ausgereicht hat, um dieser Schicht einen standesgemäßen Lebensunterhalt zu sichern.[9] Aber etwa verglichen mit den Verhältnissen in Österreich war beispielsweise die Konnubiumsschranke gegenüber dem Bürgertum selbst in der Hocharistokratie bemerkenswert niedrig,[10] und ebenso setzte die Umwandlung der aristokratischen Grundbesitzerklasse in eine Schicht von landwirtschaftlichen Unternehmern mit steigendem bürgerlichen Anteil relativ früh ein. Hinzu kommt, daß die Bildungselite einen erheblichen Anteil an der preußischen Staatsverwaltung gehabt hat, den sie freilich nur zeitweilig in gemäßigt fortschrittlichem Sinne ausgenutzt hat, wie namentlich in der Reformzeit, aber etwa auch in der Hochschulpolitik des preußischen Staates der Wilhelminischen Ära. In gewissem Betracht wird man die preußische Reform als eine späte Variante des aufgeklärten Absolutismus zu deuten haben, und nicht, wie dies häufig geschieht, als eine Spielart eines bürokratischen Liberalismus.[11] Die bürgerliche Beamtenschaft fühlte sich weder als der Erfüllungsgehilfe der aristokratischen Eliten noch des aufsteigenden Bürgertums, sondern dem preußischen Staate als solchem verpflichtet. Hegel wies ihr mit guten Gründen die Bezeichnung eines »allgemeinen«, d. h. nicht interessengebundenen Standes zu, der berufen sei, eine nicht im engeren Sinne klassengebundene Politik zu treiben, im Gegensatz zum englischen Parlamentarismus vor 1832. Die in der Kantischen Philosophie theoretisch artikulierten Tugenden und Ideale, denen sich diese Beamtenschicht verpflichtet fühlte, lassen sich gewiß nicht ausschließlich

9 Vgl. dazu Hanna Schissler, Die Junker. Zur Sozialgeschichte und historischen Bedeutung der agrarischen Elite in Preußen, in dem eben zitierten Band, S. 89ff.; ferner Wolfgang J. Mommsen, Preußen/Deutschland im frühen 19. Jahrhundert und Großbritannien in der viktorianischen Epoche, in: Adolf M. Birke/Kurt Kluxen (Hrsg.), Viktorianisches England in deutscher Perspektive, München 1983, S. 31ff.

10 Vgl. Nikolaus von Preradovich, Die Führungsschichten in Österreich und Preußen (1804–1918), Wiesbaden 1955, S. 160ff.; ferner die Arbeiten von Hans Rosenberg.

11 Zu einer Entfaltung dieser ein wenig überpointierten These ist hier kein Raum. Man wird in jedem Falle Hagen Schulze darin zustimmen müssen, daß erst die revolutionäre Situation und die Vorbilder in Frankreich und den Rheinbundstaaten die Reformenergien der Beamtenschaft freisetzten. Die Art ihrer Verwirklichung steht jedoch unzweifelhaft in der Tradition des aufgeklärten Staates.

auf interessenpolitische Motivationen zurückführen, obschon auch diese eine Rolle gespielt haben. Sie bilden bis heute ein wesentliches Element unseres Verständnisses von der Funktion einer dem Gemeinwohl als solchem verpflichteten Beamtenschaft im modernen Staat.

Bis in die 60er Jahre des 19. Jahrhunderts hinein, so scheint es, wies die Entwicklung Preußens, trotz seiner restaurativen Politik in der Revolution von 1848/49 und der nachfolgenden Reaktionsperiode, nicht eindeutig in die Richtung einer konservativen Alternative zum bürgerlichen Konstitutionalismus liberaler Prägung oder, mit anderen Worten, in Richtung eines spezifisch deutschen Entwicklungspfades halbkonstitutioneller Regierung. In dieser Hinsicht war der Verfassungskonflikt von 1862–1866 eine entscheidende Wegscheide, und dies wurde in beiden Lagern auch so eingeschätzt. Wem ist nicht Bismarcks keckes Wort aus den Anfängen des Verfassungskonflikts in Erinnerung: »Das preußische Königtum hat seine Mission noch nicht erfüllt, es ist noch nicht reif dazu, einen bloß ornamentalen Schmuck Ihres Verfassungsgebäudes zu bilden, noch nicht reif, als ein toter Maschinenteil dem Mechanismus des parlamentarischen Systems eingefügt zu werden.«[12]

Bismarcks Triumph von 1866 führte dann freilich nicht zu einer einfachen Ausdehnung der gemäßigt-konstitutionellen Regierungsweise in Preußen auf den Norddeutschen Bund, sondern zur Schaffung eines pseudokonstitutionellen Systems mit starkem parlamentarischen Einschlag, in dem die preußischen Institutionen zu bloßen Instrumenten der informellen cäsaristischen Herrschaft des Reichskanzlers gemacht, zugleich aber alle großen politischen Entscheidungen (wie jene über das Budgetrecht des Reichstags oder über die Verantwortung und die Struktur der, wie man dies später nennen sollte, Reichsleitung) zunächst einmal in der Schwebe gehalten wurden.

Gemeinhin wird die Rolle Preußens innerhalb des Verfassungsgebäudes des Deutschen Reiches Bismarckscher Observanz als jene einer Hegemonialmacht beschrieben, die in vielfacher Hinsicht die Fäden der Macht in den Händen hielt, angesichts der Symbiose von preußischem Königtum und deutschem Kaisertum, der personellen Identität des preußischen Ministerpräsidenten und (oder doch zumindest) des preußischen Außenministers, der weitgehenden Überlappung von preußischen Ministerämtern und Reichsämtern, der dominanten Position Preußens als verlängerter Arm der preußischen Führungseliten innerhalb des Reichsgebäudes. Ursprünglich war dieses System in der Tat so angelegt, auch wenn es von Anbeginn angesichts des Drängens der Nationalliberalen eine Abfäl-

12 Rede vom 27. Januar 1863 im Preußischen Landtag, in: Horst Kohl, Die politischen Reden des Fürsten Bismarck, Bd. 2, Stuttgart 1903, S. 87.

schung in Richtung auf ein nationalstaatliches System mit eigenständiger Verantwortung nicht nur des Reichskanzlers, sondern auch der Reichsleitung überhaupt gegenüber dem die Interessen der deutschen Nation vertretenden Reichstag erfahren hatte, obschon es Bismarck gelungen war, eine verfassungsrechtliche Fixierung dieses Sachverhalts zu verhindern. Aber je mehr sich das Reich als ein politisches Gebilde von ungeahnter Dynamik entfaltete, desto stärker ging die Initiative in den großen politischen Fragen an das Reich, genauer an den Reichskanzler und an die großen politischen Parteien über, obschon diese auch verfassungstechnisch auf bloß »negative« Politik (Max Weber) beschränkt waren. Die preußischen Ministerien, und teilweise auch die preußische Politik selbst, wurden – etwa während der Periode des Kulturkampfes – zu bloßen Erfüllungsgehilfen der Reichspolitik gemacht.
Insofern erwies sich die Hegemonialposition Preußens innerhalb des Deutschen Reiches zunehmend als Danaergeschenk; führte dies doch zu einer stillen Aushöhlung der preußischen Politik, die auf weiten Strekken ihre Eigenständigkeit verlor. Je mehr sich der Parlamentarismus im Reich entfaltete, desto mehr wurde Preußen zu einem bloß retardierenden Element im politischen System des Kaiserreichs. Zwar entsprang beispielsweise die sozialpolitische Gesetzgebung der 1880er Jahre, deren Vorbildcharakter im europäischen Maßstab unbestritten ist, der preußischen Tradition staatlicher Fürsorge für die sozial schwachen Schichten der Bevölkerung, namentlich in der von Bismarck unter patriarchalischen Gesichtspunkten ursprünglich angestrebten, weit stärkeren unmittelbaren Beteiligung des Staates an den vorgesehenen Leistungen, aber sie fand ihre Verwirklichung im Reiche und erfuhr eine charakteristische Abfälschung im liberalen Sinne. Preußen selbst wurde immer nur dann bemüht, wenn sich der Reichstag bestimmter repressiver Gesetzgebungsmaßnahmen versagte; es verlor seine angestammte Rolle als Hort politischer Initiative und staatlich induzierter Reform. Ganz im Gegenteil, da nunmehr der Reichstag das Ventil für alle fortschrittlichen politischen Strömungen abgab, entfiel weitgehend jeglicher politische Druck auf Preußen, sich in seinem eigenen politischen System den veränderten Verhältnissen anzupassen. Jetzt erst wurde Preußen zu jenem politischen Gebilde, welches sein Bild in der Nachwelt bis heute maßgeblich geprägt hat. Etwas überspitzt gesagt, Preußen verkam nun zu einer Wohlfahrtseinrichtung für notleidende Agrarier, das sein politisches Gewicht vor allem in zweierlei Hinsicht in die Waagschale der Reichspolitik warf, einerseits, um der Landwirtschaft ökonomische Vorteile, vor allem Hochzollschutz gegen die überseeische Konkurrenz, zu verschaffen, andererseits, um jegliche fortschrittliche Politik im Reiche nach Möglichkeit zu verhindern oder doch, sofern dies nicht erreichbar war, deren

Auswirkungen auf ihre eigene Machtstellung soweit wie möglich zu begrenzen.
Niemand anders als Max Weber hat an dem Stand der preußischen Junker gerühmt, daß er jene großen politischen Instinkte entwickelt habe, durch die allein Preußen und das Reich erst hätten groß werden können. Aber er hat zugleich auf die tiefgreifenden gesellschaftlichen Wandlungen hingewiesen, die die ökonomische Basis des aristokratischen Großgrundbesitzes ein für allemal zerstört hätten. Er beschrieb »die ostelbischen großen Güter als lokale politische Herrschaftszentren«, die »nach den Traditionen Preußens« dazu bestimmt gewesen seien, »die materielle Grundlage für die Existenz einer Bevölkerungsschicht zu bilden, in deren Hände der Staat die Handhabung der politischen Herrschaft, die Vertretung der militärischen und politischen Macht der Staatsgewalt zu legen gewohnt« gewesen sei.[13] Nunmehr aber hätten sich die Verhältnisse radikal geändert: »Die politische Macht, statt sich auf die gesicherte materielle Unterlage stützen zu können, muß nun umgekehrt in den Dienst der wirtschaftlichen Interessen gestellt werden.«[14] Mit dem Verlust der wirtschaftlichen Unabhängigkeit im Gefolge des Niedergangs der Agrarwirtschaft aber seien auch die Voraussetzungen dafür entfallen, daß diesem Stande fernerhin politische Vorrechte zuständen. »Ein Vierteljahrhundert stand an der Spitze Deutschlands der letzte und größte der Junker, und die Tragik, welche seiner staatsmännischen Laufbahn neben ihrer unvergleichlichen Größe anhaftete und die sich heute noch immer dem Blick vieler entzieht, wird die Zukunft wohl darin finden, daß unter ihm das Werk seiner Hände, die Nation, der er die Einheit gab, langsam und unwiderstehlich ihre ökonomische Struktur veränderte und eine andere wurde, ein Volk, das andere Ordnungen fordern mußte, die er ihm geben konnte und in die seine cäsaristische Natur sich einfügen konnte.«[15] Mit den Bedürfnissen einer industriellen Gesellschaft, wie sie im Deutschen Reich seit 1880 in Entstehung begriffen war, war die Vorherrschaft einer rein agrarischen Elite in der Tat nicht vereinbar. Der preußische Staat hatte viel getan, um der Industrialisierung die Wege zu bahnen (obschon man dies überschätzen kann, wie Wolfram Fischer[16] überzeugend gezeigt hat). Seit den 90er Jahren geriet er dergestalt in Konflikt mit seinen eige-

13 Entwicklungstendenzen in der Lage der ostelbischen Landarbeiter, in: Preußische Jahrbücher, Bd. 77, 1894, S. 438.
14 Ebenda, S. 440.
15 Max Weber, Gesammelte Politische Schriften, Tübingen 1971$^3$, S. 19.
16 Vgl. dessen in Anm. 1 zitierten Beitrag, der die These widerlegt, daß der preußische Staat einen wesentlichen Anteil an dem Industrialisierungsprozeß in den 1850er und 1860er Jahren genommen habe. Es bleibt allerdings umstritten, ob sich die staatlichen Initiativen überwiegend auf die Entwicklung bremsend ausgewirkt haben, wie er ausführt, oder nicht zumindest streckenweise eine Initialfunktion gehabt haben.

nen Bauprinzipien; politisches System und wirtschaftliche Ordnung gerieten miteinander in Widerspruch. Dies wurde verschleiert durch den einstweilen unveränderten Fortbestand der offiziösen semifeudalen politischen Kultur, die dank des Reserveoffizierwesens und des Corpsstudententums auch erhebliche Teile der Bildungseliten und der Spitzen des Bürgertums in ihren Bann schlug. Aber auf Dauer konnte dieses Dilemma niemandem verborgen bleiben; es trat sogleich hervor auf politischem Felde.

Die Spätphase der Entwicklung Preußens, namentlich seit dem Sturz Bismarcks, beherrscht von zunehmenden Spannungen zwischen der preußischen Aristokratie, die sich nun, so gut es ging, in der Schwerindustrie einen Bündnispartner suchte, und den im Reichstag repräsentierten politischen Kräften, denen im Zuge einer stillen Verfassungsänderung zunehmend größeres Gewicht innerhalb des komplizierten Verfassungsgebäudes des Reichs zugewachsen war. Je mehr sich im Reichstag eine gemäßigt fortschrittliche Kombination der bürgerlichen Parteien herausbildete, desto mehr wuchs im konservativen Lager die Neigung, sich, gestützt auf das sichere konservative Mehrheiten versprechende Dreiklassenwahlrecht, in Preußen einzuigeln und von dort aus jegliche fortschrittliche Reichspolitik zu verhindern. Am bedeutsamsten ist in dieser Hinsicht die systematische Unterminierung der Position des Reichskanzlers Leo von Caprivi 1892 bis 1894 gewesen, der wohl als einziger deutscher Kanzler vor 1914 eine Außenpolitik des Augenmaßes, verbunden mit einer Innenpolitik des Ausgleichs zwischen den verfeindeten bürgerlichen Parteien, verfolgt hat, die das Deutsche Reich aus der Sackgasse des sog. »deutschen Sonderwegs« wieder hätte herausführen können. Ein weiterer Fall ist die Haltung der preußischen Konservativen in der Frage der Elsaß-Lothringischen Verfassungsreform von 1911, die freilich mit ihrer weitgehenden parlamentarischen Isolierung bezahlt wurde. 1913 fanden dann die hochkonservativen Tendenzen in Preußen ihren deutlichsten Ausdruck in der Begründung des »Preußenbundes«, der sich »die Aufrechterhaltung und Festigung preußischer Eigenart im »Staats- und Volksleben« zur Aufgabe setzte. Der Sache nach handelte es sich um eine Organisation nicht zur Verteidigung der preußischen Staatsidee, sondern nunmehr der Vorrechte der bedrängten preußischen Aristokratie in einer sich unaufhaltsam demokratisierenden Umwelt.

Soweit man in dieser Periode dennoch von einer Kontinuität preußischen Staatsbewußtseins in den Spitzen der preußisch-deutschen Beamtenschaft sprechen kann, wie etwa bei Theobald von Bethmann Hollweg, so stand dieses in einem teils latenten, teils offen bekannten Gegensatz zu den derzeitigen politischen Grundsätzen des parteipolitisch orientierten bzw. zu einer reinen Interessenvertretung des Großgrundbesitzes herabgesunkenen Konservativismus. Die preußischen Grundwerte der Pflichterfüllung, der Gerechtigkeit, der Verantwortung »vor Gott, vor dem Lande und vor der Geschichte«,[17] der unbedingten Loyalität gegenüber dem Monarchen selbst dann, wenn dieser durch Velleitäten verschiedenster Art die politischen Geschäfte aufs ärgste beeinträchtigte, dies läßt sich gerade an der Person Bethmann Hollwegs gut demonstrieren. Man wird dem Pflichtbewußtsein und der Hingabe der hohen Beamtenschaft Preußens gerade auch in den letzten Jahren des Kaiserreichs Respekt und eine gewisse Hochachtung nicht versagen können. Unter den gegebenen Umständen suchten sie das Beste zu tun, was möglich schien, ohne eine tiefgreifende Verlagerung der politischen Machtverhältnisse hin zu den bürgerlichen Parteien eintreten zu lassen, zumal das Auftreten der Sozialdemokratie als stärkste politische Kraft auf der linken Seite des politischen Spektrums eine politische Mehrheitsbildung im Reichstag seit 1912 ohnehin zu einer Unmöglichkeit gemacht hatte.

Aber bei allem Verständnis für die Bemühungen der konservativen Beamtenschaft im Reich, unter den gegebenen Verhältnissen eine »Politik der Diagonale« und des sozialen Ausgleichs zu betreiben, die sich von den politischen Extremen auf der Rechten wie auf der Linken gleichermaßen fernhielt, läßt sich nicht übersehen, daß dadurch einer verhängnisvollen Bürokratisierung der politischen Entscheidungsprozesse Vorschub geleistet wurde, die zunehmend auf Kosten wirklichen politischen Führertums ging.

In der Tat läßt sich die Ansicht vertreten, daß die preußische Staatstradition wesentlich dazu beigetragen habe, daß das Herrschaftssystem im Deutschen Reich in der nachbismarckschen Zeit mehr und mehr zu einer reinen Beamtenherrschaft degenerierte, der die großen Instinkte einer politischen Führungsschicht, wie sie die preußische Aristokratie ursprünglich hervorgebracht habe, weitgehend abgingen. Vor allem Max Weber hat so argumentiert: »Deutschland wurde seit dem Rücktritt des Fürsten Bismarck von ›Beamten‹ (im geistigen Sinne des Wortes) regiert [...] Deutschland behielt nach wie vor die an Integrität, Bildung, Gewissenhaftigkeit und Intelligenz höchststehende militärische und zivile Büreaukratie der Welt.« Aber »die Leitung des Staatswesens durch einen Politiker« habe gefehlt.[18] Man wird diese radikale Kritik auf ein vertretbares Maß zurückschrauben müssen. Aber allein ein Blick darauf, auf welchem Personenkreis vor 1914 Reichskanzler und Minister nach langer

17 Die Formulierung »vor Gott...« entnehmen wir dem Rücktrittsgesuch Bethmann Hollwegs vom 23. März 1912, mit der er einem unverantwortlichen Hineingreifen Wilhelms II. in die laufenden deutsch-britischen Verhandlungen entgegentrat.
18 Weber, Gesammelte Politische Schriften, S. 335.

Tradition, die als preußisch im besten Sinne des Wortes legitimiert schien, allenfalls rekrutiert werden konnten, zeigt, daß hier eine Verengung des Horizontes von Politik eingetreten war, die der Sache nach wenig mit altpreußischen Verhältnissen zu tun hatte und deutlich den Verfall einer ehemals starken politischen Führungsschicht anzeigte, ohne daß die Bereitschaft bestanden hätte, von Einzelfällen wie der Berufung Miquels zum preußischen Finanzminister 1891 einmal abgesehen, über die traditionellen Grenzpfähle hinauszugehen und Repräsentanten der politischen Parteien in politische Führungspositionen zu berufen. In gewisser Hinsicht entsprach diese, in langfristiger Perspektive gesehene Verengung des Rekrutierungsfeldes von Ministern und anderen leitenden Positionen in Preußen und im Reich vor 1914 der sozialen Situation, in der sich die konservative Aristokratie in Preußen befand. Während die englische Aristokratie damals zunehmend mit den gehobenen Schichten des Bürgertums zu einer neuen Oberschicht mit vergleichsweise einheitlichem Lebensstil verschmolz, kam es in Preußen zu einer Abkapselung der grundbesitzenden Aristokratie gegenüber den aufsteigenden bürgerlichen Schichten; diese verpaßte dergestalt den Anschluß an die moderne industrielle Gesellschaft. Es überrascht demgemäß nicht, daß nun auch im konservativen Lager Zweifel auftauchten, ob die politische Führungsschicht und die hohe Beamtenschaft in Preußen weiterhin vorzugsweise der Aristokratie entnommen werden sollten. Gustav Schmoller, ein überzeugt konservativer Sozialwissenschaftler, fühlte sich veranlaßt, die bisherige Praxis der Bevorzugung aristokratischer Bewerber im höheren Staatsdienst mit dem Hinweis zu verteidigen, daß diese im Amt unter dem Einfluß der Notwendigkeiten bald eine mittlere Linie steuern, ja zu Liberalen würden: »Das Ziel einer gesunden Politik kann nicht sein, unsere östlichen Rittergutsbesitzer aus dem Beamtentum, dem Heere, der Selbstverwaltung zu vertreiben, sondern nur sie politisch in die Höhe zu heben.«[19]

Tatsächlich war längst eine Umschichtung in der hohen Bürokratie und ebenso im Offizierskorps zugunsten des, wie man damals sagte, »gebildeten Bürgertums« im Gange, m. a. W. der akademischen Intelligenz. Gustav Schmoller war in vieler Hinsicht ein öffentlicher Fürsprecher dieser neuen konservativen Beamtenelite, die sich von der Grundaristokratie innerlich wie auch materiell unterschied. In gewisser Hinsicht war es nunmehr die konservative Beamtenschaft, die das Erbe des preußischen Staatsgedankens gegen den preußischen Grundadel hochhielt; sie suchte aus innerer Überzeugung heraus eine allen Volksschichten gleichermaßen verpflichtete, wenn auch grundsätzlich obrigkeitlichen Vorstellungen

19 Gustav Schmoller, Zwanzig Jahre deutscher Politik (1897–1917), München 1920, S. 71.

verhaftete Politik zu führen, die im Innern auf sozialen Ausgleich hinzuwirken bestrebt war und auf außenpolitischem Gebiet für ein kraftvolles, aber eher behutsames Vorgehen eintrat. Es ist nicht diese Beamtenelite, die in erster Linie für die Irrwege der deutschen Politik in der Zeit des Wilhelminismus verantwortlich gemacht werden muß, obschon sie nur sehr langsam sich darüber klar wurde, daß die Sozialdemokratie keineswegs mit allen verfügbaren Machtmitteln niedergehalten werden mußte, sondern daß diese durchaus national gesinnt war und daß demnach gute Chancen für deren schrittweise Integrierung in das bestehende politische System bestanden. Es waren vielmehr die aufsteigenden bürgerlichen Schichten, die sich einer von nationalem Pathos und naivem Vertrauen in die Machtstellung des Deutschen Reiches getragenen neudeutschen Reichsidee verschrieben, welche eine neue aggressive Gangart in die deutsche Politik hineinbrachten. Die Speerspitze dieses neuen integralen Nationalismus bildeten die nationalen Agitationsverbände, die zwar für sich genommen keine allzu große Mitgliedschaft erlangten, aber große Gruppen der Bevölkerung politisch mobilisierten, die bisher eher am Rande der politischen Arena gestanden hatten. Sie erlangten nur streckenweise direkten Einfluß auf die amtliche Politik und wurden auch von den etablierten politischen Parteien nicht für seriös gehalten. Aber dennoch sahen sich die bürgerlichen Parteien und seit 1912 auch die Konservative Partei veranlaßt, in einen regelrechten Konkurrenzkampf darüber einzutreten, wer denn am effektivsten eine Politik der Steigerung der Weltgeltung des Deutschen Reiches vertrete, teilweise ausdrücklich, um der neuen Rechten eine parteipolitische Heimat zu verschaffen.
Die neue Reichsidee, die nun schrittweise den preußischen Staatsgedanken auch in den Führungsschichten Preußen/Deutschlands verblassen ließ, war ganz auf den nationalen Machtstaat mit seinem militärischen Gepräge fixiert, wie er sich seit den 1870er Jahren entwickelt hatte, während kulturnationale Elemente eine vergleichsweise nachgeordnete Rolle spielten. Daneben mischte sich ein starkes Element des Stolzes in die großen wirtschaftlichen Leistungen der letzten Jahrzehnte hinein, freilich verbunden mit Mißbehagen darüber, daß die politische Machtstellung Deutschlands in der Welt dem weniger denn je entspreche. Man hat viel von einer Feudalisierung der deutschen Gesellschaft vor 1914 gesprochen. In Wirklichkeit überwog das Gegenteil, nämlich eine Verbürgerlichung der deutschen politischen Kultur, aber unglücklicherweise nicht in einem liberalen Sinne, sondern jenem eines naiven, häufig ganz unreflektierten integralen Nationalismus. Bis zu einem gewissen Grade war dieser Nationalismus eine bürgerliche Emanzipationsideologie, freilich in einem politischen System, welches obrigkeitsstaatlich verformt war und deshalb eine direkte Durchsetzung der politischen und sozialen Inter-

essen der bürgerlichen Schichten nicht zuließ. Es ist daher nicht überraschend zu sehen, daß dieser Nationalismus zunehmend eine Stoßrichtung gegen die traditionelle Vorrangstellung des preußischen Großgrundbesitzes in Staatsverwaltung und Armee an den Tag legte, ohne doch, auch angesichts der angeblichen Bedrohung der Gesellschaft von seiten der Sozialdemokratie, zu einer wirklichen Änderung des verfassungspolitischen Systems bereit zu sein. Als Schutz gegen die Sozialdemokraten war der überkommene Obrigkeitsstaat gerade recht. Man begnügte sich demgemäß damit, die bestehende politische Führungselite in die Bahn einer zunehmend aggressiven Weltpolitik zu drängen, ohne sich über deren Konsequenzen im klaren zu sein. In gewissem Sinne war der imperialistische Nationalismus, wie er im letzten Jahrzehnt vor 1914 breite Teile der Mittelschichten erfaßte, in spezifischer Weise unverantwortlich, da seine vornehmlichen Exponenten nicht institutionell in das bestehende politische System eingebunden waren und daher die politischen Folgen ihres Tuns in keinerlei formalisierten Verfahren zu verantworten hatten. Sie operierten aus dem vorparlamentarischen Raum heraus und nutzten die damit verbundenen strategischen Vorteile nach Kräften.

Es ist in der Tat das wesentliche Versäumnis der konservativen Beamtenschaft, die in jenen Jahrzehnten die Geschichte Preußen/Deutschlands in allem Wesentlichen bestimmte, daß sie diesem neuen Nationalismus, der im Grunde in krassem Gegensatz zu den politischen Traditionen Preußens stand, nicht entschieden entgegentrat, sondern sich desselben teils zu Zwecken der eigenen Machterhaltung bediente, teils sich von ihm treiben ließ und ihm auf solche Weise das Siegel der Respektabilität verlieh. Die große Mehrzahl der Staatsmänner und Diplomaten, die seit Bismarcks Sturz die Geschichte des Reiches lenkten, waren für eine forsche Außenpolitik eigentlich gar nicht zu haben und schon gar nicht Enthusiasten einer expansiven »Weltpolitik«. Sie waren, vielleicht mit Ausnahme des Fürsten Bülow, bestenfalls »reluctant imperialists«, ganz ebenso wie ihre englischen Gegenspieler. Und Bülow hatte sich auf die Inaugurierung einer ambitiösen Weltpolitik nur aus innenpolitischen Erwägungen heraus eingelassen, nämlich aufgrund des Kalküls, daß es dergestalt möglich sein werde, die Mittelschichten wieder mit der kaiserlichen Regierung zu versöhnen und gegen die Sozialdemokraten zu »sammeln«. Fürst Bülow trägt im übrigen die Hauptverantwortung dafür, daß Wilhelms II. »persönliches Regiment« überhaupt so großen Umfang hat annehmen können, hoffte er doch, indem er Wilhelm dazu ermunterte, an die Spitze der neuen Weltpolitik zu treten, das kaiserliche Prestige, ähnlich wie eine Generation zuvor Disraeli in England, für seine eigene Politik ausnutzen zu können. Wilhelm II. selbst sah sich ganz in der Tradition des preußischen Königtums stehend und berauschte sich an seiner

persönlichen Herrscherstellung »von Gottes Gnaden«.[20] Es bedarf nicht näheren Nachweises, daß dies mit preußischen Traditionen tatsächlich nur blutwenig zu tun hatte; jeder Vergleich mit Friedrich dem Großen, der eine viel nüchternere Auffassung vom preußischen Königtum besaß, könnte dies zur Genüge belegen.[21] In Wahrheit wollte Wilhelm II. es der öffentlichen Meinung, für deren Tendenzen er immerhin ein gutes Gespür hatte, eigentlich immer nur recht machen und insbesondere den Beifall der bürgerlichen Schichten und der gebildeten Intelligenz erlangen. Wilhelms II. Bedürfnis, sich demonstrativ mit den äußeren Insignia der preußischen Herrschertradition zu umgeben, ohne zu erkennen, daß diese gutenteils unzeitgemäß geworden waren, hat der Idee Preußens in der deutschen öffentlichen Meinung zunehmend Abbruch getan, und dies, obschon er eigentlich seine Regierung eher auf die bürgerlichen Parteien als auf die traditionellen konservativen Schichten zu stützen bemüht war und seit 1901 alle gesellschaftlichen Beziehungen mit den Führern der Konservativen Partei abgebrochen hatte.
In allen Zeugnissen der Zeit tritt der innere Zwiespalt deutlich hervor, in dem sich die preußisch-deutsche Führungselite angesichts der offensichtlichen Unzulänglichkeiten des Monarchen befand. Sollten sie im Interesse der Wahrung des Ansehens und der Autorität der Krone die Fehlhandlungen des Kaisers so gut es ging decken und vor der Öffentlichkeit abschirmen, oder sollten sie in aller Form dagegen Front machen, obschon dies dem Trend zur Parlamentarisierung der Reichsverfassung Vorschub leisten mußte? Die preußische Tradition verlangte einerseits unbedingte Loyalität gegenüber dem Monarchen, andererseits verantwortungsbewußtes Handeln im Interesse des Landes, ähnlich wie dies Graf York ein Jahrhundert zuvor praktiziert hatte, als er entgegen einem ausdrücklichen Befehl Friedrich Wilhelms III. 1812 die Konvention von Tauroggen abschloß.[22] Am Ende entschlossen sich Bülow und späterhin Bethmann Hollweg zu einer Politik der mittleren Linie, die eine wirkliche Beseitigung des »persönlichen Regiments« verhinderte.
Ähnlich stand es mit der äußeren Politik. Auch hier ließ sich die konser-

20 Vgl. die Untersuchung über das »persönliche Regiment« Wilhelms II. und dessen geistige und soziale Hintergründe von Isabel V. Hull, The Entourage of Kaiser Wilhelm II 1888–1918, Cambridge 1982.
21 Theodor Schieder zeigt in seinem oben (Anm. 1) zitierten Beitrag, daß Friedrich II. den Ehrentitel ›der Große‹ »schweigend akzeptiert« und solchen Ehrungen eher skeptisch gegenübergestanden habe. Wie anders Wilhelm II., der keinerlei selbstkritische Fähigkeiten besaß und der zwar versucht hat, seinem Großvater Wilhelm I. den Beinamen ›der Große‹ zu verschaffen, aber gern selber als der große Exponent glorreicher deutscher Weltpolitik in die Geschichte eingehen wollte. Vgl. auch Theodor Schieder, Friedrich der Große. Ein Königtum der Widersprüche, Berlin 1984, S. 474.
22 Vgl. Raymond Aron, Clausewitz – Stratege und Patriot (Anm. 1), S. 42.

vative Führungselite durchweg wider besseres Wissen in das Fahrwasser eines aggressiven Imperialismus drängen. Ebenso wie im militärischen Bereich kamen die eigentlich forschen Vertreter einer offensiven deutschen Weltpolitik nicht aus der preußischen staatlichen Tradition; Kiderlen-Wächter war ein resoluter, zu machiavellistischem Zynismus neigender Schwabe, und Zimmermann, in der entscheidenden Phase der Julikrise 1914, der eigentliche Scharfmacher in der Wilhelmstraße, ein Franke. Es war die große Verfehlung der konservativen Führungsschicht, daß sie sich ungeachtet ihrer eigenen Überzeugungen einer solchen Politik verschrieb, teils aus falsch verstandenem Pflichtgefühl, teils aus dem uneingestandenen Bedürfnis heraus, dem Drängen der Öffentlichkeit auf eine »kraftvolle«, nationale Außenpolitik zu entsprechen und damit die eigene, zunehmend schwächer gewordene Machtstellung zu wahren. Hinzu kam, daß es preußisch-deutscher Tradition zu entsprechen schien, daß dem Rat der Militärs im Zweifel Folge zu geben sei und daß zumindest in Krisensituationen militärische Erwägungen den Vorrang vor solchen politisch-diplomatischer Art verdienten. Aber gerade im Generalstab und der militärischen Führung hatten bürgerlich-militaristische Tendenzen gegenüber den Repräsentanten der preußischen Tradition, die mit dem royalistischen Instrument der Armee eher vorsichtig umzugehen geneigt waren, zunehmend die Oberhand gewonnen.
Unter solchen Umständen ergriff die Reichsleitung im Juli 1914 die »Flucht nach vorn« in eine diplomatische Offensive, die sie zwar zu gewinnen hoffte, aber selbst als einen »Sprung ins Dunkle« betrachtete. Dabei spielte eine wesentliche Rolle, daß sie auf diese Weise sowohl die militärische Führung wie die bürgerlichen und konservativen Parteien, die ein starkes Auftreten des Reiches verlangten, zufriedenzustellen hofften. Bethmann Hollweg selbst hatte noch Anfang Juli 1914 prophetisch bemerkt, daß ein Krieg die Macht der Sozialdemokratie gewaltig steigern und manche Throne stürzen werde.[23] Tatsächlich gingen auf den Schlachtfeldern des Ersten Weltkrieges nicht nur das deutsche Kaiserreich, sondern auch die Reste der großen politischen Traditionen Preußens zugrunde, mochten sie auch in der Weimarer Zeit als Verhaltensmuster im Offizierskorps und in der hohen Beamtenschaft weiterhin einen nicht unerheblichen Stellenwert behaupten. Das Staatsbewußtsein der preußischen Beamtenschaft erwies sich als stark genug, um auf das postrevolutionäre demokratische Preußen übertragen werden zu können. Es wäre allerdings falsch, daraus auf ein Fortleben der preußischen Traditionen

23 Vgl. den Bericht Lerchenfelds an Hertling vom 4. Juli 1914, in: Pius Dirr (Hrsg.), Bayerische Dokumente zum Kriegsausbruch und zum Versailler Schuldspruch, München 1922$^2$, S. 113.

unter vollständiger Umpolung seiner politischen Tendenzen schließen zu wollen. Es zeigt dies vielmehr nur, wie weit sich das politische Bewußtsein der hohen Beamtenschaft schon in der Spätphase des Kaiserreichs von der traditionellen preußischen Staatsidee mit ihren unverkennbar obrigkeitsstaatlichen und aristokratischen Zügen abgelöst und zu einer pragmatischen Staatsgesinnung verselbständigt hatte, für die die klassischen Tugenden der Pflichterfüllung, der Treue gegenüber Staat und Volk und der Bindung an Recht und Gewissen unverändert verbindlich geblieben waren.

Lenken wir abschließend noch einmal den Blick auf die leitende Frage nach der Rolle Preußens in der deutschen Geschichte. Keinesfalls läßt sich, wie es scheint, die preußische Tradition an die Stelle der am Bismarckschen Nationalstaate orientierten Idee der geeinten deutschen Nation setzen, welche angesichts der Teilung Deutschlands ihre verbindliche Orientierungskraft teilweise verloren hat. Preußen war bis in die Mitte des 19. Jahrhunderts einer von vielen deutschen Staaten, der, wenn nicht als fortschrittlich, so doch als modern gelten konnte und der im europäischen Maßstab gesehen durchaus nicht besonders reaktionär war. Im Gegenteil, hier bemühte sich eine vergleichsweise gebildete hohe Beamtenschaft um eine Modernisierung des Landes, ungeachtet der Tatsache, daß dies die tiefen strukturellen Gegensätze zwischen den bürgerlich-gewerblich ausgerichteten westlichen Landesteilen und den östlichen Provinzen auf die Dauer eher verschärfen mußte. Die Möglichkeit, die teils manifesten, teils latenten gesellschaftlichen Gegensätze durch einen schrittweisen Übergang zu liberalen und schließlich parlamentarischen Regierungsformen zu überwinden, wie er in anderen europäischen Staaten unter allerdings günstigeren Voraussetzungen vollzogen worden ist, wurde 1848/49[24] und dann 1862/63 wiederum verpaßt; statt dessen kam es zur Gründung des Deutschen Reiches dank Bismarcks »cäsaristischer Politik«,[25] die entgegengesetzte politische Bauprinzipien zu einem eindrucksvollen, aber in sich widersprüchlichen Verfassungsgebäude zusammen-

24 Vgl. dazu Walter Bußmann, Das Scheitern der Revolution in Preußen 1848 (Anm. 1); er schildert eindrucksvoll die Gründe, die Friedrich Wilhelm IV. daran hinderten, sich entschlossen an die Spitze der preußischen liberalen Bewegung zu setzen, wie das ganze bürgerliche Deutschland sehnlichst erhoffte. Trotz verbaler Annäherungen an den liberalen Zeitgeist, wie sie insbesondere in Friedrich Wilhelms IV. Ausspruch »Preußen geht fortan in Deutschland auf« und in seinem Verfassungsversprechen ihren Niederschlag fanden, hat dieser, wie Bußmann zeigt, ungebrochen an der »militärischen Staatstradition« Preußens festgehalten. Vgl. ebenda, S. 22.

25 »Cäsaristische Politik«: Dieser Begriff wird hier in Anlehnung an Max Weber verwendet; doch erscheint er im Licht der neueren Arbeiten zur Innenpolitik Bismarcks, namentlich von Michael Stürmer und Lothar Gall, nach wie vor am besten geeignet, um den spezifisch nichtpreußischen und dennoch autoritären Herrschaftsstil Bismarcks von den älteren preußischen Herrschaftstraditionen abzugrenzen.

zwang. Anfangs war dies ein probates Mittel, um die Vorrangstellung der traditionellen Führungseliten in eine neue Ära bürgerlicher Politik hinüberzuretten und den liberalen und demokratischen Kräften eine tief gestaffelte Widerstandslinie entgegenzustellen. Auf Dauer konnte damit der Ansturm der bürgerlichen Bewegung jedoch nicht aufgehalten werden; diese wurde vielmehr unter den Bedingungen eines halbkonstitutionellen Systems mit parlamentarischem Zusatz in Richtung auf einen aggressiven Nationalismus abgedrängt, der sich von seinen ursprünglichen liberalen Wurzeln immer weiter entfernte und zunehmend autoritäre und militaristische (um nicht zu sagen: »preußische«) Züge annahm. Die neue, unter nationalem Vorzeichen stehende bürgerliche Reichsidee aber verdrängte schrittweise die ältere preußische Staatsidee. Die preußischen Führungseliten gerieten in die Defensive, soweit sie sich nicht ihrerseits dem neuen Zeitgeist anpaßten und einer Symbiose von Preußen und Reich das Wort redeten, die die negativen Elemente beider politischen Traditionen akzentuierte, die positiven dagegen weitgehend in Vergessenheit geraten ließ. Am Ende mußte die hohe preußisch-deutsche Bürokratie die Reste der preußischen politischen Traditionen nicht nur gegenüber einem Monarchen verteidigen, der sich seines hohen Amtes nicht gewachsen zeigte, sondern auch gegenüber der preußischen großgrundbesitzenden Aristokratie, die ihre ererbten politischen Vorrechte nunmehr immer offener zur Verteidigung ihrer angeschlagenen wirtschaftlichen Positionen einsetzte. Die Beamtenschaft war in gewissem Betracht am Ende dazu berufen, das Erbe des alten Preußens auch gegenüber dem parteipolitisch organisierten Konservativismus zu verteidigen. Doch erwies sie sich dieser Aufgabe unter den schwierigeren Verhältnissen der beiden letzten Jahrzehnte vor dem Ausbruch des Ersten Weltkrieges um so weniger gewachsen, als sie zunehmend unter den Druck der nationalistischen Bewegung der bürgerlichen Schichten geriet.

Das Deutsche Reich, weit entfernt davon, nur eine Veranstaltung zur indirekten Machtsteigerung Preußens zu sein, hat im Grunde den unvermeidlichen Niedergang Preußens als eines eigenständigen politischen Systems von unverwechselbarer Eigenart beschleunigt, insofern, als dieses als ein bloß konservatives Widerlager in das Reichsgebäude eingebaut wurde, dem eine eigenständige Entwicklung im fortschrittlichen Sinne verwehrt blieb. Umgekehrt haben die obrigkeitlichen Traditionen auf dem Umweg über die Hegemonialstellung Preußens und die offizielle politische Kultur, die sich prononciert preußisch gab, maßgeblich zum Niedergang des Kaiserreichs beigetragen, mit seinen sich bis zum Jahre 1933 und darüber hinaus erstreckenden Spätfolgen.

Weder des historischen Preußens noch des Deutschen Reichs haben wir Deutsche uns heute zu schämen; beide Staaten waren im Schnitt nicht schlechter, wenn auch nicht gerade besser als vergleichbare politische Systeme im Europa des 19. und 20. Jahrhunderts. Die Kombination bürgerlich-liberaler und preußisch-konservativer Prinzipien, wie sie im deutschen Kaiserreich ihren Ausdruck fand, erwies sich freilich als eine unglückliche Mischung, die eher die nachteiligen Aspekte beider Traditionen als deren Stärken akzentuierte.

Die politische Kultur der Bundesrepublik ist heute, wie wir glauben, nicht mehr darauf angewiesen, sich nach historischen Vorbildern allein in der eigenen Geschichte umzusehen; sie ist ein Bestandteil der westlichen Welt geworden und hat in den westlichen politischen Traditionen überhaupt und nicht nur in den Wechsellagen der preußischen und deutschen Geschichte ihre wesentlichen geistigen Wurzeln. Das Schicksal Preußens vermag jedoch zu lehren, daß die Verengung und Abkapselung politischer und gesellschaftlicher Führungsschichten stets und immer ein Symptom des Niedergangs darstellt und daß alle Versuche, ihre Machtstellung mit den Methoden obrigkeitlicher Herrschaft zu sichern, statt dies einem Prozeß der offenen Austragung der gesellschaftlichen Interessen in einem rechtlich geordneten liberalen System zu überlassen, die Gefahr in sich tragen, zerstörerische Kräfte freizusetzen, die sich nicht nur innerhalb des eigenen Staatenverbandes, sondern unter Umständen auch im internationalen System am Ende als unkontrollierbar erweisen.

# Gesellschaft und Staat im liberalen Zeitalter Europa 1870–1890

Historische Periodisierungen bringen immer Probleme mit sich; sie implizieren stets Vorentscheidungen und bestimmte Perspektiven, und sie erweisen sich selten unter unterschiedlichen Gesichtspunkten als voll befriedigend; aber sie verweisen den Historiker auf die Erörterung der eigentlich zentralen Probleme. So steht es auch mit der Thematik dieses Beitrages. Es ist nicht ohne weiteres möglich, die Periode von 1870–1890 als eine einheitliche Epoche der europäischen Geschichte zu begreifen. Denn in mancher Hinsicht vollzog sich die Geschichte der europäischen Staatenwelt und der europäischen Gesellschaften in charakteristischen Phasenversetzungen gegeneinander, die sowohl Gemeinsamkeiten wie auch »Gleichzeitigkeit des Ungleichen« kennen.
In mancher Hinsicht läßt sich die Geschichte Europas im 19. Jahrhundert als eine »gerichtete Entwicklung« beschreiben, die ein starkes Gefälle von West nach Ost aufwies, mit allerdings mancherlei regionalen Abweichungen. Großbritannien, Frankreich, Belgien, und mit nur geringer Verzögerung die nordischen Staaten, gingen auf dem Wege der Ausbildung der »konstitutionellen Demokratie« voran, des schließlichen Endprodukts einer Epoche liberaler und seit den 80er Jahren zunehmend demokratischer Politik. Namentlich die deutschen Staaten, Italien und – mit charakteristischer Verzögerung – Österreich-Ungarn folgten nach, während das zaristische Rußland, wiewohl es ebenfalls tiefgreifendem Wandel unterworfen war, dennoch ein Hort obrigkeitlicher, ja autoritärer Herrschaft blieb. Auf wirtschaftlichem und sozialem Gebiete beobachten wir Vergleichbares; auch hier war Großbritannien der große Vorläufer, relativ dicht gefolgt zunächst von Belgien und Frankreich, ohne daß es freilich zu einer gleichermaßen intensiven »industriellen Revolution« kam; namentlich Frankreichs industrielle Entwicklung vollzog sich in weit gemächlicherem Tempo. Das Deutsche Reich wurde hingegen erst in den 50er Jahren effektiv von der Industrialisierung erfaßt und erfuhr seinen eigentlichen wirtschaftlichen *Spurt* erst in den 80er Jahren, der sich dann aber mit großer Beschleunigung vollzog. Italiens und Rußlands Aufstieg zu Industriestaaten stand hingegen bestenfalls in den ersten Anfängen. Österreich-Ungarn in seiner territorialen Mannigfaltigkeit wurde

ebenfalls spät und mit großen regionalen Unterschieden in den Sog der industriellen Entwicklung hineingezogen.
Auch unabhängig von den spezifischen Vor- und Nachteilen wirtschaftlichen Vorsprungs bzw. »relativer ökonomischer Rückständigkeit« im Sinne Gerschenkrons, die ja unterschiedliche industrielle Strukturen begünstigten, waren die Auswirkungen der Industrialisierungsschübe auf die Gesellschaften Europas auch in dem hier zu besprechenden Zeitraum höchst unterschiedlich. Frankreich wurde nur sehr behutsam von den Modernisierungsschüben der Industrialisierung erfaßt und konnte dergestalt sein überwiegend ländliches bzw. kleinstädtisches Honoratiorensystem und eine eher traditionelle, spezifisch »bürgerliche« Sozialstruktur bis weit in das 20. Jahrhundert hinein bewahren, im Unterschied etwa zu Großbritannien oder dem Deutschen Reich, wo es zu weitreichenden Umschichtungen der Gesellschaft kam, namentlich einer weitgehenden Verdrängung der alten vorindustriellen Mittelschichten zugunsten des sog. »neuen Mittelstands«. Belgien, zumindest dessen wallonische Region, wurde hingegen schon früh zu einem Ableger des britischen Industriesystems. Im Falle des Deutschen Reichs folgten die erste und die zweite industrielle Revolution einander nahezu auf dem Fuße. Länder wie Österreich-Ungarn und Italien wurden dagegen nur sektoral in den Orbit des neuen industriellen Systems hineingezogen, während das zaristische Rußland für die uns hier interessierende Periode noch außerhalb desselben verblieb. Es ergibt sich daraus, daß während dieses Zeitraums in allen diesen Ländern höchst unterschiedliche Mischungsverhältnisse von Landwirtschaft, Gewerbe, großer Industrie und tertiärem Sektor bestanden haben. Mit anderen Worten, sie befanden sich in unterschiedlichen Stadien des Modernisierungsprozesses. Dies aber bedeutete u. a., daß die Chancen für eine endgültige Durchsetzung liberaler Prinzipien und schließlich demokratischer Institutionen in Gesellschaft und Staat in den einzelnen Ländern und Regionen Europas erheblich variierten.
Diese grundlegenden Differenzen, die sich als Phasenverschiebungen im Prozeß der politischen und gesellschaftlichen Modernisierung beschreiben lassen, dürfen nicht aus dem Auge verloren werden. Dennoch gibt es in dieser Periode zugleich übergreifende Tendenzen und Strömungen, die ganz Europa, ungeachtet des höchst unterschiedlichen Entwicklungsstandes der einzelnen Länder, erfaßten und auf die jeweiligen politischen und gesellschaftlichen Verhältnisse wesentlich eingewirkt haben. Darüber hinaus bestanden enge Berührungen der einzelnen europäischen Gesellschaften miteinander, zuweilen vermittelt über außenpolitische Ereignisse, die dazu Anlaß gaben, daß sich politische oder wirtschaftliche Ideen und Handlungsmuster mit großer Geschwindigkeit über die nationalen Grenzen hinaus verbreiteten. Während des späteren 19. Jahrhun-

derts kannte Europa ein Maß von Freizügigkeit, das uns heute abhanden gekommen ist, und ein gesamteuropäisches System der »öffentlichen Meinung«, das zwar nur schmale meinungsführende Gruppen der Gesellschaft erreichte, dafür aber bemerkenswert übernational geprägt war.
Die Periode von 1870–1890 brachte vor allem den *Triumph des konstitutionell verfaßten Nationalstaates* über alle alternativen politischen Ordnungen. Der deutsch-französische Krieg von 1870/71 schuf die politischen Voraussetzungen für die Vollendung des kleindeutschen Nationalstaats unter Bismarcks Führung bzw., so ist man sogleich versucht zu sagen, der »konservativen Revolution von oben«, die in einem partiellen Bündnis mit der liberalen Bewegung einen konservativ geführten nationalen Machtstaat ins Leben rief. Ebenso wurde es Italien ermöglicht, mit der Eroberung des Kirchenstaats die große Politik des Risorgimento zum – vorläufigen – Abschluß zu bringen und die italienische Nationalstaatsbildung zu vollenden. Der Zusammenbruch des bonapartistischen Systems Napoleons III. machte den Weg frei für die Begründung einer parlamentarischen Republik in Frankreich, die in mancher Hinsicht als Vollendung des konstitutionell verfaßten französischen Nationalstaats gemäß liberalen Vorstellungen verstanden werden muß. Diese Entwicklungen setzten ein Vorbild für die nationalen Bewegungen in Ostmitteleuropa und Südosteuropa, die nunmehr mit Macht auf die Begründung oder die Vollendung eigener Nationalstaaten drängten. Freilich hatte sich Mazzinis Ideal eines Europa freier, auf nationalstaatlicher Basis organisierter Völker nur in gebrochener Form und auch nur in West- und Mitteleuropa verwirklicht, während die nationalen Emanzipationsbewegungen auf dem Balkan allenfalls auf erste Teilerfolge blicken konnten. Die polnische Nation schien vollends zwischen die Mühlen der europäischen Nationalismen geraten zu sein. Kaum einer der neuen Nationalstaaten entsprach zudem im Innern uneingeschränkt den Vorstellungen Mazzinis. Am stärksten war dies hinsichtlich Deutschlands der Fall. Das 1871 begründete Deutsche Reich war eigentlich noch kein Nationalstaat, sondern allenfalls das Gehäuse, innerhalb dessen sich die Deutschen erst noch zu einer Nation zusammenfinden mußten. Seine tragenden Elemente waren autoritärer, nicht liberaler Natur, und schon bald traten tiefe »innenpolitische Bruchlinien« (Theodor Schieder) sichtbar hervor. Und selbst die Dritte Republik Frankreichs war politisch zunächst in keiner Weise gefestigt und bis 1876 der Gefahr rechtskonservativer oder gar royalistischer Rückwärtsrevidierungen ausgesetzt. Die staatliche Administration blieb weiterhin tiefgreifend geprägt von der obrigkeitlich-bürokratischen Staatsverfassung der Napoleonischen Ära. Und die liberale Verfassungsordnung in Italien und mehr noch in den iberischen Ländern stand im Zeichen der Vorherrschaft schmaler bürgerlicher Eliten, wäh-

rend die Masse der Bevölkerung entweder völlig abseits von der Politik stand oder sich willig in den Dienst von sich zumeist national drapierenden Partikularinteressen stellen ließ.
Allerdings war eines sicher: Jeder Gedanke an eine Rückkehr zu einer konservativ-monarchischen Staatenpolitik, wie sie die Ära Metternichs gekannt hatte, war nunmehr definitiv dahin. Alle, auch die autoritär geführten Staaten Europas, mußten nun mehr oder minder weitgehende Kompromisse mit der liberalen Bewegung schließen, wenn dies auch zuweilen nur Scheinkompromisse waren. Den grundlegenden Postulaten der Zeit, insbesondere einer konstitutionellen Verfassungsordnung, der Garantie der bürgerlichen Freiheiten, der Herrschaft der öffentlichen Meinung und dem liberalen Grundsatz, daß die gesellschaftlichen Probleme am besten kraft freien Zusammenschlusses der jeweils primär betroffenen Individuen zu lösen seien, konnte sich kein politisches Regime mehr völlig verschließen. Insofern ist es vollauf berechtigt, wenn man die Epoche von 1870–1890 dem liberalen Zeitalter zurechnet.
Der Liberalismus hatte namentlich in Großbritannien, Frankreich, den nordischen Staaten und Italien zunächst auf der ganzen Linie gesiegt, allerdings weit weniger eindeutig, als das zunächst der Fall zu sein schien. Die konservativen Gegenkräfte waren auch hier einstweilen eher von der Macht verdrängt als zerschmettert worden. In Mitteleuropa hatte der Liberalismus dagegen vielfach schmähliche Kompromisse schließen müssen; an der östlichen und südöstlichen Peripherie Europas stand er gar noch gänzlich vor den Toren des politischen Systems. Aber dennoch war er zu einer Kraft geworden, die sich, zumal er mit der nationalen Idee verbündet auftrat, nirgends mehr vernachlässigen ließ. Diese Beobachtung muß jedoch sogleich wieder eingeschränkt werden. Zwar hatte sich die liberale Bewegung in West- und Mitteleuropa gegenüber den traditionellen Gewalten nahezu überall durchgesetzt oder doch zumindest ihren Gegenspielern weitgehend das Gesetz des Handelns diktieren können. Aber von einem wirklichen Triumph des Liberalismus kann nicht die Rede sein, eher von einem partiellen Sieg, der streckenweise gar einem Pyrrhussieg gleichkam.
In Großbritannien, das ohnehin dem Trend der Zeit voraneilte, gelang es den Konservativen unter Führung Disraelis, der Liberalen Partei wirksam das Wasser abzugraben, indem sie sich in der Wahlreform von 1867 weit liberaler gaben als diese selbst. Sie beschlossen eine dramatische Erweiterung des Wahlrechts, die der Vorherrschaft der *gentry* allemal ein Ende setzte und beide Parteien darauf verwies, sich eine breitere Basis in der Wählerschaft zu verschaffen. Gladstones liberale Regierung von 1868–1874 fand es zunehmend schwieriger, seine Parole von »peace, retrenchment and reform« in die Wirklichkeit umzusetzen. In Frankreich

war es die umsichtige Politik von Adolphe Thiers, die die Gründung der Dritten Republik unter Abwehr sowohl sozialrevolutionärer wie restaurativer Tendenzen ermöglichte, aber vorerst schien diese gegenüber restaurativen Tendenzen noch keineswegs gesichert. Im Deutschen Reich vermochten die Nationalliberalen im Zusammenspiel mit Bismarck, der gegen die einzelstaatlichen Dynastien und die ultrarechten Tendenzen in Preußen einen Bundesgenossen benötigte, wenigstens einen Teil ihrer politischen Ideale zu verwirklichen. Die Verfassung des Deutschen Reiches von 1871 hielt zwar wesentliche Fragen in der Schwebe und muß insofern als ein »System umgangener Entscheidungen« angesehen werden, war aber gleichwohl das Ergebnis eines Kompromisses zwischen konservativen und liberalen Prinzipien. Die Nationalliberalen wurden für mehr als ein Jahrzehnt zur »regierenden Partei«, wenn auch in gewisser Weise von Bismarcks Gnaden, und konnten in der inneren Politik maßgebliche liberale Eckdaten setzen. Ungleich vollständiger war unter den gegebenen Umständen der Erfolg der Liberalen in Italien; für mehr als dreißig Jahre übernahmen sie die Rolle der einzigen handlungsfähigen politischen Kraft in diesem innerlich noch tief zerrissenen Lande. Ein noch besseres Bild boten die nordeuropäischen Staaten, wo sich überall liberal-konstitutionelle Bewegungen nach englischem Muster durchsetzten. Dagegen waren die Verhältnisse in Ostmitteleuropa und in Südosteuropa noch nicht reif für eine auch nur partielle Verwirklichung liberaler Prinzipien. Hier hatten die Liberalen eigentlich nur Chancen, sofern sie sich mit Teilen der traditionellen Führungsschichten oder mit dem traditionellen Staatsapparat verbündeten, um von oben her liberalisierend auf die Gesellschaft einzuwirken. In gewissem Maße gelang dies dem österreichischen Liberalismus, doch mit arg begrenzter Reichweite, während die liberalen Kräfte in Rußland allenfalls eine schwache Basis in der sog. Zemstwo-Bewegung zu finden vermochten. Der südosteuropäische Raum wurde vom Konkurrenzkampf Rußlands und Österreich-Ungarns um die der Kontrolle des Osmanischen Reiches entgleitenden europäischen Territorien bestimmt; soweit sich wie in Griechenland, Serbien und Bulgarien liberale Bewegungen etablierten, denen die Gründung eines konstitutionellen Nationalstaats gelang, wurden sie zum Spielball der rivalisierenden Mächteinteressen.

In diesem eingeschränkten Sinne kann man für die Periode nach 1870 von einer politischen Vormachtstellung des bürgerlichen Liberalismus sprechen. Die älteren autoritären Formen staatlicher Organisation befanden sich in der Defensive, und die politischen Bewegungen auf der Linken, der demokratische Radikalismus und die sozialistische Arbeiterbewegung, stellten einstweilen noch keine ernstliche Konkurrenz für den bürgerlichen Liberalismus dar. Dennoch muß beachtet werden, daß die gesellschaftliche Basis des bürgerlichen Liberalismus auf durchaus schwankenden Grundlagen beruhte. Immer noch war in der großen Mehrzahl aller europäischen Staaten, soweit sie sich in ihrer Verfassungsordnung dem liberalen Zeitgeist angepaßt hatten, die Ausübung des Wahlrechts an mehr oder minder weitgehende Eigentums- und Bildungsqualifikationen gebunden, die eigentlich nur die Schichten von Bildung und Besitz positiv aktiv zum Zuge kommen ließen. In Italien, in den Niederlanden und Belgien beispielsweise bestanden ziemlich hohe Wahlrechtsqualifikationen, die die Vormachtstellung der bürgerlichen Schichten im politischen Prozeß weiterhin sicherstellten. Großbritannien tat 1884 einen großen Schritt in Richtung auf eine effektive Demokratisierung des politischen Systems. Mit der Wahlreform von 1885 wurden nunmehr alle volljährigen männlichen Bürger wahlberechtigt, die einem Haushalt vorstanden; aber von einem allgemeinen, gleichen und direkten Wahlrecht im Sinne des Postulats der Volkssouveränität war man immer noch weit entfernt. Gladstone sprach ganz offen davon, daß die Wahlrechtsvorlage bewußt so gestaltet sei, daß sie das »Residuum«, d. h. die Masse der unstetig Beschäftigten und Besitzlosen, von der aktiven Mitwirkung an der Politik fernhalte. Im Deutschen Reich bestand von Anfang an das allgemeine, gleiche, direkte und geheime Wahlrecht, aber Bismarck hatte es ursprünglich, wie er sich ausdrückte, nur deshalb als Kampfmittel »gegen Österreich in die Pfanne geworfen«, weil er überzeugt war, daß dieses konservative Mehrheiten hervorbringen werde, und zumindest anfänglich war dies durchaus der Fall. Überdies wurden die demokratischen Auswirkungen, die dieses Wahlrecht dann seit dem Ende der 70er Jahre zu entfalten begann – namentlich wegen des Auftretens der katholischen Zentrumspartei und der Sozialdemokratie als Massenpartei neuen Typs – durch die Hegemonialstellung Preußens innerhalb des Verfassungsgebäudes des Reiches effektiv abgefangen; hier garantierte das Dreiklassenwahlrecht seit den 70er Jahren zuverlässige konservative Mehrheiten. Italien folgte mit der Wahlreform von 1882 in weitem Abstand; die Verdreifachung der Wahlberechtigten, die bisher nur 2% der Bevölkerung umfaßt hatten, ließ freilich den Spalt zwischen dem *pays légal* und dem *pays réell* weiterhin offen und blieb hinter einer auch nur partiellen Demokratisierung des Systems weit zurück. Eigentlich nur in der Dritten Republik finden wir schon seit den 1870er Jahren ein demokratisches Wahlrecht, aber zunächst wirkte sich dies eher als eine Gefährdung für die Republik aus, suchten es doch sowohl die Bonapartisten wie die Orleanisten für ihre Zwecke auszunutzen; erst Boulangers klägliches Scheitern 1889 zeigte, daß plebiszitäre Herrschaftstechniken keine ernstliche Gefahr für die Republik mehr darstellten. Überdies experimentierte Frankreich mit den verschiedensten Wahlrechtssystemen, im Bestreben, die Allgemeinheit des Wahlrechts nicht voll zur Auswirkung kommen zu lassen und auf diese Weise das politische Übergewicht des Bürgertums möglichst ungeschmälert zu erhalten. Die Verhältnisse in den halbautoritär regierten Großstaaten älteren Typs, wie dem zaristischen Rußland, der Habsburger Monarchie und nicht zuletzt dem in rapidem Niedergang befindlichen Osmanischen Reich bedürfen in diesem Zusammenhang keiner näheren Erläuterung.

Insgesamt können wir festhalten, daß auch dort, wo sich die Wahlrechtsbestimmungen demokratischen Grundsätzen annäherten, die breiten Massen der Bevölkerung einstweilen noch weitgehend abseits von der Politik standen. Vielfach, wie in Großbritannien, wurden die Wahlkämpfe durch den Konkurrenzkampf um die Registrierung loyaler Wählergruppen entschieden, nicht an der Wahlurne selbst. Die strategische Schlüsselstellung, die der bürgerliche Liberalismus um 1870 in der großen Mehrzahl der europäischen Staaten einnahm, war demgemäß, wie schon angedeutet, vor allem darauf zurückzuführen, daß es noch nicht zu einer effektiven politischen Mobilisierung der breiten Schichten der Bevölkerung gekommen war. Hier boten sich zunächst Möglichkeiten für einen erneuerten Konservativismus, die in der Folgezeit denn auch vielfach genutzt worden sind, und späterhin auch Chancen für katholische oder sozialistische Massenbewegungen, die liberalen Parteien gleichsam von unten her auszuhebeln.

Es kam als zusätzliches Moment hinzu, daß die liberale Bewegung in dem Augenblick, in dem der Kampf gegen obrigkeitliche Willkür oder feudale Privilegien weitgehend gewonnen schien, zunehmend ihre innere Geschlossenheit und ihre ideologische Attraktivität verlor. Sie konnte nicht länger, wie noch in den 60er Jahren, uneingeschränkt als eine emanzipatorische Bewegung gelten, die für die Interessen der Nation in ihrer Gesamtheit eintrat. Im Gegenteil, zunehmend entwickelte sie die Tendenz, sich auf einer politischen Linie einzupendeln, der es in erster Linie um die Erhaltung des status quo und die Durchsetzung einer liberalen Wirtschaftsgesetzgebung sowohl gegen Rechts wie zunehmend gegen Links zu tun war, nicht aber um die Verteidigung oder gar die Weiterentwicklung der konstitutionellen Errungenschaften. Im Zuge dieser Entwicklung verlor der Liberalismus seine moralische Stoßkraft und wurde definitiv zu einer bloßen bürgerlichen Klassenbewegung, nicht nur im sogenannten objektiven Sinn, sondern auch im Verständnis der Liberalen selbst. Das konstitutionelle Programm, so bedeutsam es war, besaß für sich genommen nicht mehr genügend Anziehungskraft, um breite Wählerschichten für den Liberalismus zu begeistern, und auch die Zauberwaffe der »öffentlichen Meinung« begann einiges von ihrem Glanz einzubüßen, seitdem die neue Massenpresse sich daranmachte, sie nach Belieben zu manipulieren.

Die Liberalen waren seit 1880 zunehmend besorgt, daß das Maß der Partizipation der Bürger an den politischen Entscheidungsprozessen zu weit gehen und despotische Konsequenzen nach sich ziehen könne. Im Grunde hatte die Furcht, von unten her ausgehebelt zu werden, ihr Verhalten schon vor und während der revolutionären Bewegungen von 1848/49 maßgeblich bestimmt. John Stuart Mill hatte schon 1859 mit einiger Beunruhigung festgestellt, daß der Erfolg der liberalen Reformbewegung dazu geführt habe, daß nunmehr das Prinzip der Freiheit selbst in Gefahr geraten sei. Während die liberalen Reformbewegungen früher darum bemüht gewesen seien, der Macht der Regierung mit konstitutionellen Mitteln und parlamentarischen Institutionen Grenzen zu setzen, plädierten sie neuerdings dafür, daß das Volk dieser unmittelbar Wegweiser und Ziele zu setzen habe: »This mode of thought, or rather perhaps of feeling was common amongst the last generation of European liberalism, and in the continental section of which it still apparently predominates.«[1] Im gemäßigten Liberalismus jedenfalls kam die alte Maxime, daß liberale Politik vor allem für ein Gleichgewicht der gesellschaftlichen Gewalten zu sorgen habe und auf eine evolutionäre Festentwicklung der gesellschaftlichen Verhältnisse hinwirken müsse, wieder stärker zum Zuge. Gleichzeitig schwächte sich die liberale Begeisterung für das Prinzip des Freihandels und überhaupt für die Freisetzung der Gesellschaft von aller staatlichen Bevormundung, im Vertrauen auf die selbstregulierenden Kräfte des Marktes, immer mehr ab. Statt dessen begannen sich die bürgerlichen Schichten für einen machtvollen nationalen Staat zu begeistern, als eines Instruments, das nicht nur zum Schutz der Gesellschaft gegenüber äußeren Bedrohungen, sondern auch gegenüber den von unten her nachdrängenden Sozialschichten dienen sollte.

Dazu paßt weiterhin, daß die nationale Idee nun nicht mehr in erster Linie für eine emanzipatorische Politik gegenüber den herkömmlichen autoritären Regimen, sondern zunehmend für eine Politik der Statuserhaltung im Innern wie nach außen in Anspruch genommen wurde. Die nationale Idee wurde zunehmend angerufen, um die gesellschaftliche Auskreisung mißliebiger Randgruppen zu erreichen. Vor allem gegenüber der sich internationalistisch definierenden Arbeiterbewegung der Zweiten Sozialistischen Internationale ließ sich die nationale Idee effektiv einsetzen. Noch ärger stand es in dieser Beziehung mit den nationalen Minderheiten. Die Vorstellung, daß der ethnisch und kulturell homogene Nationalstaat als Maß aller Dinge zu gelten habe, gab den Anstoß zu Versuchen der gewaltsamen Renationalisierung ethnischer Minderheiten, sei es mit Hilfe einer autoritären Schulpolitik, sei es mit administrati-

1 John Stuart Mill, On Liberty, London/New York 1972, S. 67.

ven Maßnahmen, sei es schließlich mit Hilfe einer aktiven Siedlungspolitik, wie sie beispielsweise Bismarck 1886 unter dem Druck der Nationalliberalen in Gestalt der sogenannten Ansiedlungsgesetzgebung in den ostelbischen Gebieten Preußens einleitete. Das krasseste Beispiel dieser Politik bildeten freilich die Versuche der magyarischen Herrenschicht in Ungarn, die mehrheitlich slavischen Volksgruppen innerhalb ihres Herrschaftsbereiches mit allen verfügbaren Mitteln in die ungarische zu assimilieren. Ende der 80er Jahre kündigten sich überdies erste Vorboten einer Politik an, die darauf abzielte, die klassische liberale Politik der Judenemanzipation wieder zu revidieren.

Im Hintergrund stand eine Umformung des Bedeutungsgehalts der nationalen Idee. Diese verlor nicht nur, wie bereits angedeutet, weitgehend ihre ursprünglich emanzipatorische Stoßrichtung, sondern nahm zunehmend machtstaatliche und schließlich aggressive Züge an. Schon Jacob Burckhardt hatte in den »Weltgeschichtlichen Betrachtungen« besorgt festgestellt: »Allein in erster Linie will die Nation (scheinbar oder wirklich) vor allem Macht [...] man will nur zu etwas Großem gehören und verrät damit deutlich, daß die Macht das erste, die Kultur höchstens ein ganz sekundäres Ziel ist. Ganz besonders will man den Gesamtwillen nach außen geltend machen, andern Völkern zum Trotze.«[2] Die nationale Idee wurde zunehmend zu einem konstitutiven Element des politischen Selbstbewußtseins der aufsteigenden bürgerlichen und kleinbürgerlichen Schichten; die Ineinssetzung des Bürgers mit dem nationalen Ganzen war ein Reflex des wachsenden Stolzes der bürgerlichen Schichten auf die eigenen Leistungen und das eigene gesellschaftliche Gewicht. Die nationale Idee wurde desto stärker betont, je mehr den bürgerlichen Schichten maßgeblicher Einfluß auf die tatsächlichen politischen Entscheidungen vorenthalten blieb.

Die große kohäsive Kraft der Idee der in einem eigenen Staate geeinten Nation, die in erster Linie von den bürgerlichen Schichten vertreten wurde, konnte freilich nicht verhindern, daß der bereits lange vor 1870 sich anbahnende Prozeß der schrittweisen Dekomposition des Liberalismus als einer einheitlichen politischen Bewegung nunmehr in ein kritisches Stadium eintrat. Als Wendemarke muß hier das Jahr 1879 genannt werden. Kam es zunächst nur zu einer Spaltung zwischen einer gemäßigten und einer betont fortschrittlichen Richtung der liberalen Bewegung, die ungeachtet innerer Gegensätze doch bis zu einem gewissen Grade gemeinsam zu operieren vermochte, so setzte seit Ende der 70er Jahre eine zunehmende Erosion des liberalen Lagers schlechthin ein. Die Spit-

2 Jacob Burckhardt, Weltgeschichtliche Betrachtungen, Gesammelte Werke, Bd. IV, Darmstadt 1956, S. 70.

zen des Bürgertums, namentlich die Reste des liberal gesonnenen Adels und die Großbourgeoisie, orientierten sich jetzt zunehmend nach rechts hin. Die Abspaltung der *Unionists* in Großbritannien im Jahre 1885 von der Liberal Party unter Führung Chamberlains markiert diese Entwicklung ebenso wie die Wendung der Nationalliberalen Partei im kaiserlichen Deutschland nach rechts hin seit 1879 und endgültig mit dem »Heidelberger Programm« von 1884. Im Frankreich der Dritten Republik entspricht dem die Spaltung der Opportunisten von den Radikalen. In Italien bedeutete der Wahlsieg der »Sinistra« 1876 zugleich eine Ablösung der älteren landbesitzenden und zu Teilen aristokratischen Führungsschicht der Liberalen durch eine neue, von den »professional classes« geprägte, Führerschicht; hier gab es freilich vorerst keine Möglichkeit für die Liberalen, nach rechts hin auszubrechen; vielmehr kam es eine Generation später zunächst unter Depretis und dann unter Crispi zu einer eindeutigen Verlagerung nach rechts hin, bei fortbestehender Hegemonie des liberalen Blocks.

Umgekehrt suchten jetzt die führenden Elemente des progressiven Liberalismus den Absprung nach links, in entschieden demokratischer und zugleich sozialreformerischer Richtung. Während der ältere »klassische« Liberalismus sich entweder schrittweise in das neokonservative Lager einbinden ließ – aus Furcht vor den aufsteigenden Unterschichten –, suchte der entschiedene Liberalismus nun eine neue Basis in den breiten Massen der Bevölkerung zu begründen, unter Abkehr vom herkömmlichen System des Honoratiorenliberalismus. Dies ist ihm jedoch in der Mehrzahl der Fälle nur in beschränktem Maße gelungen. Vielmehr stellte sich zunehmend heraus, daß die aufsteigenden und zugleich an Zahl relativ zunehmenden Schichten des neuen Mittelstandes, die »white collar workers«, und Angestellten, die theoretisch dem fortschrittlichen liberalen Lager hätten zuströmen müssen, statt dessen überwiegend für einen erneuerten, nationalistischen Konservativismus optierten. Die Entstehung der »Neuen Rechten« bzw. eines »integralen Nationalismus« in Frankreich und im Deutschen Reich um 1890 ist dafür ebenso bezeichnend wie die gleichzeitige Entwicklung eines radikalen Nationalismus in der italienischen Bildungsschicht. Im übrigen erwies sich die Konkurrenz der politischen Arbeiterbewegung als unübersehbar; sie, nicht der entschiedene Liberalismus wurde zum Bannerträger des politischen und sozialen Fortschritts, und demgemäß gerieten die progressiven Liberalen seit der Jahrhundertwende zunehmend zwischen die Mühlsteine eines erneuerten nationalistischen Konservatismus und der sozialistischen Arbeiterbewegung.

Insofern wird man die Periode von 1870 bis 1890 als Kulminationsphase in der Entwicklung des bürgerlichen Liberalismus ansehen müssen, jedenfalls wenn man dessen Schicksal auf der staatlichen Ebene betrachtet. Charles Morazé sprach von der Zeit von 1848 bis 1870 als einer Periode der »bourgeois conquérants«, Eric Hobsbawm von einer »era of the triumphant bourgeois«, die freilich kurz und instabil gewesen sei.[3] Wann setzte diese tatsächlich ein? In gewisser Weise kann man bereits für die 70er Jahre die These vertreten, daß die Offensivkraft des Liberalismus gebrochen gewesen sei und sein Niedergang eingesetzt habe, jedenfalls auf der Ebene der Staatspolitik. In Großbritannien verloren die Liberalen nach mehr als zwei Jahrzehnten fast ununterbrochener Herrschaft 1874 die Macht und erlangten nur von 1879 bis 1885 ein befristetes *comeback*; danach setzte eine lange Periode nahezu durchgängiger konservativer Parteiherrschaft ein. Im Deutschen Reich wurde der Vorherrschaft des Liberalismus 1879 abrupt ein Ende gesetzt und das politische System auf eine neue, ungleich konservativere Grundlage gestellt, nämlich das Interessenbündnis der Agrarier und der Schwerindustrie, nebst ihren kleinbürgerlichen Hilfstruppen. In den romanischen Ländern gibt es keine unmittelbar vergleichbaren Phänomene, da hier eine klare politische Frontenbildung fehlte. Hier kam es statt dessen zu einer zunehmenden Erosion der sozialen Basis der liberalen Regime. Die relative Häufigkeit des Wechsels der Regierungen täuschte vielfach über einen Grundtatbestand hinweg, daß nämlich die tatsächliche Macht gleichwohl vergleichsweise kleinen Gruppen von Politikern vorbehalten blieb. Die Regierungsverantwortung kreiste innerhalb eines relativ geschlossenen Zirkels von führenden Politikern, die selbst Repräsentanten einer vergleichsweise schmalen Führungselite waren, während die effektive Partizipation der breiten Massen an den politischen Entscheidungsprozessen nach wie vor gering blieb.

Allerdings bahnte sich in dieser Hinsicht seit dem Ende der 70er Jahre ein deutlicher Wandel an. Namentlich im kaiserlichen Deutschland und in Belgien und den Niederlanden formierten sich katholische Parteien, die nicht mehr nur auf Honoratiorenbasis organisiert waren und zunehmend große Wählermassen zu mobilisieren vermochten. Die prononciert antikatholische Politik des »Kulturkampfs« im Deutschen Reich ebenso wie vergleichbare, wenngleich nicht ebenso radikale Versuche in anderen europäischen Ländern, den Einfluß der Kirchen auf die Politik zurückzudrängen, hatten diese Tendenz eher verstärkt als geschwächt. Als neue politische Konstellation bot sich ein Bündnis dieser katholischen Parteien mit dem traditionellen Konservativismus und gegebenenfalls mit nach rechts abdriftenden Kräften des großbürgerlichen Lagers an. Noch war

3 Charles Morazé, Les Bourgeois Conquérants: XIX. Siècle, Paris 1957; Eric Hobsbawm, The Age of Capital 1848–1875, London 1976.

die Zeit nicht wirklich reif dazu; im Deutschen Reich kam es 1887 zum Zwischenspiel der Bildung einer Bismarckschen Koalition der prononciert obrigkeitlichen »Kartell«-Parteien, ehe mit Bismarcks Sturz im Jahre 1890 eine Periode nahezu ununterbrochener Vorherrschaft der Zentrumspartei in allen parlamentarischen Konstellationen einsetzte. Im benachbarten Belgien und ebenso den Niederlanden hatte sich diese neue parteipolitische Konstellation schon länger angebahnt. In Italien wurde die Bildung einer katholischen Partei nur deshalb verzögert, weil die besonderen Umstände bei der Gründung des italienischen Nationalstaats dazu geführt hatten, daß die Katholiken in ihrer übergroßen Mehrzahl sich vorläufig von der Politik gänzlich fernhielten. Demgemäß ist es dort erst unter Giolitti zur Formierung einer katholisch geprägten Rechtspartei gekommen.

Noch folgenschwerer war der Aufstieg von sozialistischen Massenparteien in ganz Kontinentaleuropa. Nur in Großbritannien war es der Liberal Party gelungen, die Entstehung einer selbständigen politischen Arbeiterpartei lange hintanzuhalten, indem sie den Spitzen der Arbeiterschaft ein gewisses Maß an indirekter Repräsentation hatte zuteil werden lassen; die Gründung des *Labour Representation Committee* im Jahre 1900 markierte auch hier das Ende einer Ära. Namentlich in Deutschland, Italien und Österreich entwickelten sich starke sozialistische Parteien nach dem Muster der Zweiten Sozialistischen Internationale; in Frankreich und anderen romanischen Ländern blieb daneben lange eine starke anarchistische Richtung bedeutsam.

Dies signalisierte freilich zugleich, daß die relative politische Apathie der breiten Massen der Bevölkerung, die sich – ganz abgesehen von den vielfach immer noch weitreichenden Begrenzungen des Wahlrechts – bisher in außerordentlich niedriger Wahlbeteiligung, ja der fehlenden Neigung, sich überhaupt in die Wahllisten eintragen zu lassen, niedergeschlagen hatte, nunmehr abzuklingen begann. Mit der Herrschaft der Honoratioreneliten war es nun vorbei, mit bemerkenswerten Folgen auch für die innere Struktur der Parteien. Der Eintritt der Massen in die Politik hatte definitiv begonnen, und es war abzusehen, daß dieser Prozeß kontinuierlich weiter fortschreiten würde.

Damit war die informelle Hegemonie, die der bürgerliche Liberalismus in Europa, in Teilhabe mit den aristokratischen Eliten, bislang ausgeübt hatte, zerbrochen; ein neues, demokratisches Zeitalter kündigte sich an. Es stellte sich die Frage, ob der Liberalismus unter diesen neuen Bedingungen Aussichten haben würde, seine politische Schlüsselstellung, die er Ende der 80er Jahre nahezu überall an konservative oder konservativ-klerikale Koalitionen hatte abgeben müssen, wieder zurückzugewinnen. Der entschiedene Liberalismus plädierte unter diesen Umständen für eine rückhaltlose Öffnung nach links und zugleich für eine Politik demokratischer Reformen und konsequenter Sozialpolitik. Doch sollte sich erweisen, daß auch dies kein Allheilmittel für die Probleme darstellte, vor die sich die Liberalen gestellt sahen. Um 1890 standen die Chancen für eine fortschrittliche Reformpolitik nirgendwo gut. Der neue »integrale Nationalismus« und die bisweilen zum Jingoismus gesteigerte Begeisterung der Zeitgenossen boten vielmehr günstige Ansatzpunkte für eine Stabilisierung der konservativen Kräfte, nicht selten – wie unter Bismarck und Wilhelm II. und in Italien unter Crispi – verbunden mit Versuchen, den Aufstieg der politischen Arbeiterbewegung mit Repressivmaßnahmen hintanzuhalten. Die Dreyfus-Affäre in Frankreich warf ein grelles Licht auf die Stärke der anti-liberalen und anti-demokratischen Strömungen, die nunmehr an die Oberfläche des politischen Geschehens drängten – selbst in einem so demokratischen Lande wie der Dritten Republik.

Die *apogée* des Liberalismus in der Periode von 1870 bis 1890 bei gleichzeitiger Formierung sowohl neuer konservativ-autoritärer wie prononciert demokratischer bzw. sozialdemokratischer Parteien und Parteienkombinationen hängt unzweifelhaft zusammen mit fundamentalen Veränderungen in den ökonomischen Verhältnissen und indirekt den sozialen Strukturen. Ihnen müssen wir in der Folge unser Augenmerk zuwenden.

Wirtschaftlich war die Epoche von 1870–1890 bestimmt von der sogenannten *Great Depression* von 1873 bis 1896, die einer Aufschwungperiode von beispiellosem Wirtschaftswachstum 1859–1873 gefolgt war. Für das allgemeine Bewußtsein war der große Krach von 1873, der den von hektischer Spekulation und einem regelrechten Gründungsfieber gezeichneten »Gründerjahren« ein plötzliches Ende setzte, von weitreichender Auswirkung. Zum ersten Mal eigentlich war das unbegrenzte Vertrauen des wirtschaftlichen Liberalismus in die Kräfte der Selbstregulierung einer freien kapitalistischen Marktwirtschaft an seine Grenzen gestoßen. Nicht nur auf der äußersten Linken, sondern auch im konservativen Lager wurden nunmehr massiv antikapitalistische Stimmen laut, die sich lautstark gegen die angeblich unverantwortlichen kapitalistischen Spekulationen des unternehmenden Bürgertums auf Kosten der Gesamtheit wandten. Aber trotz der Schwere des wirtschaftlichen Einbruchs, namentlich im kaiserlichen Deutschland, der sich den anderen europäischen Wirtschaften unverzüglich mitteilte, konnte von einer wirklichen Krise des kapitalistischen Systems als solchem nicht die Rede sein. Die »Gründerkrise« war vielmehr nur der – durch spekulative Überexpansion namentlich auf dem Sektor des Eisenbahnbaus und der Eisen- und Stahlindustrie überhöhte – Kulminationspunkt eines langfristig angelegten Konjunkturzyklus. Einer Periode mit relativ hohen Wachstumsraten

folgte eine lange Periode vergleichsweise langsamen wirtschaftlichen Wachstums, unterbrochen 1885/86 und 1891/94 von neuen, vergleichsweise schweren Einbrüchen. Die Signatur dieser Konjunkturperiode war ein nahezu stetiges Fallen der Preise sowohl der Rohstoffe und Agrarprodukte wie der Produktionsgüter und aller Industrieprodukte schlechthin, bei gleichzeitigem Absinken auch der Nominal-, wenn auch nicht der Reallöhne. Diese stiegen weiterhin, wenn auch in vermindertem Tempo, leicht an, wesentlich als Folge sinkender Preise. Subjektiv stellten sich die neuen Verhältnisse, namentlich der Unternehmerschaft und den ihnen ökonomisch verbundenen Sozialgruppen, als schwere wirtschaftliche Krise dar. Es war nicht mehr eine Zeit rasch verdienter Profite, die umfängliche Neuinvestitionen aus laufenden Erträgen ermöglichten. Die Renditen fielen, verglichen mit der vorangegangenen Periode, in erheblichem Maße, und die Zinssätze stiegen selten über 3,5%.
Der Sache nach handelte es sich vielmehr nur um eine Anpassungskrise, die durch die Notwendigkeit verursacht worden war, sich den Bedingungen eines zwar einerseits ungemein erweiterten Marktes und einer enorm intensivierten Konkurrenz sowohl im Binnenmarkt als auch in dritten Märkten anzupassen. Mit der Erschließung der Welt durch moderne Verkehrsmittel, namentlich die Eisenbahnen und die Dampfschiffahrt, hatten sich die Voraussetzungen wirtschaftlicher Unternehmertätigkeit gegenüber der Periode des Frühkapitalismus grundlegend verändert. Nur bei sorgfältiger Beobachtung der Marktverhältnisse versprachen sich Investitionen wirklich effektiv auszuzahlen; die Zeit der bequemen Märkte, in denen man vorindustrielle Produkte mühelos verdrängen konnte, war ebenso vorbei wie, mit gewissen Ausnahmen, jene der monopolistischen Riesengewinne. Solche konnten allenfalls außerhalb Europas, in spekulativen Investitionen in kolonialen oder besser noch halbkolonialen Ländern erzielt werden, was die Begeisterung eines Teils des Publikums für eine imperialistische Expansionspolitik erklärt.
Die Ausbildung eines Systems multilateralen Welthandels, in dem Großbritannien nicht mehr wie bisher eine Monopolstellung innehatte, ermöglichte eine außerordentliche quantitative Ausweitung der industriellen Produktion und demgemäß auch stetiges Wachstum; andererseits wurde der einzelne Unternehmer verstärktem Konkurrenzdruck ausgesetzt, auf den er mit Rationalisierungsmaßnahmen, innovativen Investitionen und scharfer Kalkulation der Preise zu reagieren gezwungen war, es sei denn, ihm wurde, sei es durch staatliche Schutzzölle, sei es durch Kartellierung, die Möglichkeit gegeben, sich gegen unliebsame Konkurrenz aus dritten Staaten zu schützen.
Für die industriell fortgeschritteneren Länder wie Großbritannien, Frankreich, Belgien, das Deutsche Reich und die böhmischen Länder des

Habsburger Staates war eine solche Entwicklung eher günstig; sie war ein Zeichen beginnender Reife des industriellen Systems und nicht eigentlich eine säkulare Krise, mochten auch Teile der Unternehmerschaft die schwieriger gewordenen Verhältnisse als eine solche deuten. Für die zurückgebliebeneren Staaten war diese Entwicklung hingegen nicht im gleichen Maße günstig. Denn ihre noch in den Anfängen stehenden Industrien wurden in vermehrtem Maße der Konkurrenz technologisch und banktechnisch fortgeschrittener Industriewirtschaften ausgesetzt, bevor sie sich recht konsolidiert hatten, und damit die Ingangsetzung autozentrischen industriellen Wachstums vielfach eher verzögert. In der Tat vergrößerte sich das bestehene Gefälle von West nach Ost bzw. von Nord nach Süd in dieser Periode in nicht unerheblichem Maße. Zahlreiche Staaten, namentlich Italien und Rußland, suchten dieser Lage mit Schutzzöllen Herr zu werden, nur um zu erfahren, daß sich die Waffe der »Zollmauern« auch gegen sie selbst richten könne.
Die Verhältnisse wurden dadurch erschwert, daß diese Periode verlangsamten wirtschaftlichen Wachstums, verbunden mit Mengenkonjunktur und sinkenden Preisen und Renditen, in einem sich stetig intensivierenden System internationaler Konkurrenz, von einer schweren Agrarkrise überlagert wurde, die ihren Tiefpunkt freilich erst nach dem Ende der hier zur Verhandlung stehenden Periode, im Jahre 1896, erreichte. Der säkulare Prozeß des Niedergangs der Agrarpreise war zu einem immerhin erheblichen Teil durch Produktionsfortschritte in der Landwirtschaft ausgelöst worden; als marginaler Faktor kam jedoch die überseeische Konkurrenz hinzu, die nunmehr mit Macht auf die europäischen Märkte drängte. Ihre Auswirkungen insbesondere auf die Getreidepreise ließen sich teilweise, wie namentlich im Deutschen Reich, mit Hilfe von Agrarzöllen abfangen, aber grundsätzlich geriet die Landwirtschaft hier wie anderwärts wirtschaftlich unter Druck. Es äußerte sich dies in einem Absinken der Preise agrarisch genutzten Landes, einer zunehmenden Überschuldung namentlich des agrarischen Großbesitzes (hier sind allerdings auch politische Faktoren wie die soziale Hochschätzung agrarischen Besitzes in Anschlag zu bringen) und in einer immer stärkeren Bedrängnis auch der Bauern und der Landarbeiterschaft, die weiterhin in großen Zahlen vom flachen Land in die rasch wachsenden Städte strömten oder nach Übersee auswanderten.
Diese Konstellationen hatten erhebliche Auswirkungen auf die gesellschaftlichen Strukturen. Da nahezu alle europäischen Länder, auch wenn sie teilweise erhebliche Fortschritte auf dem Wege zum Aufbau einer industriellen Basis gemacht hatten, weiterhin überwiegend agrarisch bestimmt waren, konnten Probleme nicht ausbleiben. Die Nachfragestruktur der Wirtschaft verlagerte sich rapide zugunsten der neuen städtischen

Zentren und verstärkte die ohnehin vorhandene Tendenz zur »Landflucht« noch mehr. Gleichzeitig verschoben sich die Einkommensverhältnisse zuungunsten der ländlichen Bevölkerung einschließlich der Grundbesitzer und zugunsten des bürgerlichen Mittelstandes, namentlich der Großbourgeoisie und der freien Berufe. Andererseits wirkte sich die Abwanderung der Landarbeiter auf den Arbeitsmarkt in einer für die industrielle Arbeiterschaft tendenziell höchst ungünstigen Weise aus. Nur die Spitzen der Arbeiterschaft – Lenin sprach späterhin von einer Arbeiteraristokratie – vermochten ihre wirtschaftliche Situation in erheblichem Maße zu verbessern. Die Masse der Arbeitnehmer, namentlich in nichtindustriellen Gewerbezweigen, nahm hingegen nur in sehr beschränktem Umfang am Anstieg des Nationalprodukts teil. Arbeit war immer noch relativ preiswert, auch wenn innerhalb der Arbeiterschaft eine zunehmende Differenzierung hinsichtlich der jeweiligen spezifischen beruflichen Fähigkeiten *(skills)* und damit auch der Löhne eingesetzt hatte. Der Durchbruch zur Begründung der sogenannten »New Unions«, der Massengewerkschaften neuen Typs am Ende der 80er Jahre, der sich fast gleichzeitig in Großbritannien, Frankreich und Deutschland vollzog, signalisierte freilich, daß die Masse der ungelernten Arbeiterschaft nicht mehr wie bisher ihr Los apathisch hinzunehmen gewillt war. Vorerst blieben die Bemühungen, diese Gruppen in effektiven Massengewerkschaften zu organisieren und den Unternehmern entsprechende Lohnkonzessionen abzuringen, in Anläufen stecken; die Gewerkschaften sahen sich vielmehr unverzüglich dem gemeinsamen Sperrfeuer von seiten der neubegründeten Arbeitgeberorganisationen, der Rechtsprechung und des Staates ausgesetzt, in dem ihre Angriffe auf das herkömmliche Lohnsystem, das allein den Spitzen der industriellen Arbeiterschaft auskömmliche Löhne garantierte, zunächst steckenblieben. Aber gleichwohl wurden dauerhafte Fortschritte hinsichtlich der gewerkschaftlichen Organisation der Arbeiterschaft erreicht.

Obschon unbestritten ist, daß sich die Lage der Arbeiterschaft während der Periode der sogenannten *Great Depression* insgesamt nicht unerheblich verbessert hat, sollte der Umstand nicht aus dem Auge verloren werden, daß erhebliche Unterschiede hinsichtlich des Grades der Partizipation der Unterschichten an dem wachsenden wirtschaftlichen Wohlstand der Epoche bestanden. Wie Charles Booth Anfang der 90er Jahre in bestürzender Weise am Beispiel Londons feststellte und wie sich dies ähnlich für das Heimgewerbe im Deutschen Reich herausstellte, gab es selbst in den industriell am stärksten fortgeschrittenen Ländern immer noch große Gruppen der Bevölkerung, die am Rande des Existenzminimums lebten, als Folge von periodischer oder chronischer Arbeitslosigkeit oder konjunkturellen Schwankungen. Die Ansätze zur Einführung von gewerkschaftlichen oder staatlichen Sozialversicherungssystemen änderten daran vorerst nur wenig, da sich diese in erster Linie an den gesunden, erwachsenen, arbeitsfähigen und im Erwerb befindlichen Arbeiter richteten. Noch gehörte Massenarmut zum alltäglichen Bild des Lebens der breiten Massen nicht nur in den wirtschaftlich rückständigen, sondern auch in den industriell fortgeschrittenen Ländern Europas. Die Überzeugung des klassischen wirtschaftlichen Liberalismus, daß es möglich sein werde, im Zuge wachsenden wirtschaftlichen Wohlstands auch diese Gruppen zu integrieren, mit Ausnahme des angeblich arbeitsunwilligen und arbeitsunfähigen »Residuums«, wich demgemäß schrittweise der Erkenntnis, daß der Staat die Verpflichtung habe, hier steuernd einzugreifen. In diesen Dingen spielten die Liberalen in aller Regel eine retardierende eher als eine progressive Rolle.

Die ökonomischen und sozialen Verhältnisse in der Übergangsphase von der »Ära des triumphierenden Liberalismus« zur »postliberalen Ära«, in welcher der Staat die kapitalistische Marktwirtschaft zu regulieren bemüht ist (sei es durch dirigistische Interventionen, sei es durch den Ausbau eines umfassenden Systems sozialer Sicherungen, sei es durch unmittelbare Teilnahme des Staates und der Kommunen an der wirtschaftlichen Produktion), begünstigten freilich einstweilen die Konsolidierung des Wirtschaftsbürgertums auf den unteren Ebenen der Gesellschaft, insbesondere im kommunalen Bereich. Ungeachtet des Niedergangs der Hegemonie des bürgerlichen Liberalismus auf den Kommandohöhen des Staates vermochte das Bürgertum seine gesellschaftliche und zugleich auch seine politische Machtstellung auf der Ebene der städtischen Selbstverwaltung im Zeitraum von 1870 bis 1890 nicht nur zu konsolidieren, sondern noch erheblich auszubauen. Dabei spielte die Tatsache eine nicht unwesentliche Rolle, daß in der kommunalen Selbstverwaltung das alte Prinzip der Bindung des Wahlrechts für die Selbstverwaltungskörperschaften an Grundbesitz bzw. Eigentum nahezu ungebrochen bestehenblieb. Im Deutschen Reich sicherte das Dreiklassenwahlrecht auf kommunaler Ebene in den städtischen Ballungszentren stabile bürgerliche Mehrheiten; allenfalls die Zentrumspartei kam als ernstzunehmender politischer Konkurrent der Liberalen ins Spiel. Sozialdemokratisch kontrollierte Stadtverwaltungen sollte es erst ein Jahrzehnt später, auch dies nur als »muntere Ausnahme«, geben. In Großbritannien beobachten wir ähnliches. Zwar war die Zahl der Wähler, die auf kommunaler Ebene das Stimmrecht besaßen, im *Assessed Rates Act* von 1869 erheblich erweitert worden, und nun durften auch Frauen, sofern sie in der jeweiligen Gemeinde entsprechenden Grundbesitz besaßen, wählen (allerdings nur, wenn sie nicht verheiratet waren!). Aber die Bindung des Stimmrechts an substantiellen Besitz bestand im Prinzip bis 1894 fort und stellte sicher, daß die bürgerlichen Schichten keinem effektiven Druck von unten her ausgesetzt waren; in aller Regel waren es, wie in Birmingham, Kaufleute und Unternehmer von Rang, die in den städtischen Verwaltungsorganen den Ton angaben. Die stolzen munizipalen Bauten und Einrichtungen, die wir aus jener Zeit in allen größeren europäischen Städten finden, legen ein Zeugnis ab von dem bemerkenswerten bürgerlichen Selbstbewußtsein, mit dem diese Gruppen die Geschicke ihrer Gemeinden führten. Es unterschied sich dies deutlich von älteren aristokratischen Traditionen. Namentlich die großen Städte wurden Zentren einer neuen, selbstbewußten bürgerlichen Kultur. Museen, Theater, zoologische Gärten, Vergnügungsparks, Schulen und zahlreiche andere Bildungsanstalten entstanden dank aktiver Förderung der Kommunen. Diese Einrichtungen symbolisierten einen neuen, spezifisch bürgerlich-liberalen Lebensstil, der dem hergebrachten aristokratischen und obrigkeitlichen durchaus entgegengesetzt war, wie unter anderem David Blackbourn für Deutschland gezeigt hat.[4] Auf lokaler und bisweilen auch auf regionaler Basis bestand die hegemoniale Vormachtstellung des Liberalismus fort; auf den unteren Ebenen insbesondere der städtischen Gesellschaft vermochte er demgemäß die Modernisierung der europäischen Gesellschaften zielbewußt voranzutreiben, mit oder gegebenenfalls auch ohne die Hilfe der zentralstaatlichen Autoritäten. Diese begannen andererseits in vielen Dingen, namentlich im Sozial- und Gesundheitswesen, den Kommunen die Hand zu führen. Als Basis für eine nationale Politik reichte die lokale Machtstellung des bürgerlichen Liberalismus freilich, je mehr die Dinge voranschritten, immer weniger aus. Es ist allerdings bemerkenswert, daß gerade bürgerlich-liberale Politiker, die aus der Kommunalpolitik in die allgemeine Politik aufstiegen, am ehesten bereit waren, eine Politik konstruktiver Sozialreformen unter Abkehr von den überkommenen Prinzipien des sogenannten »Manchester«-Liberalismus zu unterstützen, mit dem Ziel, die Arbeiterschaft in das bestehende System zu integrieren. Joseph Chamberlains *Radical Programme* vom Jahre 1886 bildete in dieser Hinsicht in Großbritannien eine Wendemarke.

Freilich war die Neigung verbreitet, dieses Ziel weniger auf Kosten des städtischen Steuerzahlers bzw. *rate payers* als vielmehr mit Mitteln einer expansiven imperialistischen Politik zu bewirken. Anfänglich erschien es aussichtsreich, durch Begründung von Siedlungskolonien für angeblich überschüssige Bevölkerungsgruppen die sozialen Probleme gleichsam an

4 David Blackbourn/Geoff Eley, The Peculiarities of German History. Bourgeois Society and Politics in Nineteenth-Century Germany, Oxford 1984.

die Peripherie zu verlagern, wie dies im kaiserlichen Deutschland etwa Friedrich Fabri und in Frankreich Paul Leroy-Beaulieu propagierten. Außerdem versprach imperialistische Expansion die Erschließung zusätzlicher Märkte und ebenso marktneutraler Steuerquellen, die zur Finanzierung sozialpolitischer Maßnahmen hätten herangezogen werden können. Wesentlich diese letztere Vision ließ Joseph Chamberlain von einem Radikalen zu einem Imperialisten werden, vielleicht dem konsequentesten Vertreter einer weitausgreifenden imperialen Politik, den es in Großbritannien in dieser Periode gegeben hat. Aber auch anderswo, so in Italien, war die Idee populär, durch den Erwerb eines Kolonialreichs gleichsam neue Ventile zu schaffen, um die bestehende gesellschaftliche Ordnung vor einer Überflutung durch unterbeschäftigte Proletarier zu schützen.

Bis zu einem gewissen Grade war dieses sozialimperialistische Plädoyer zugunsten einer weitausgreifenden Politik kolonialer Erwerbungen nur ein moralisches Alibi, um den weit konkreteren Interessenlagen von direkt an kolonialen Unternehmungen beteiligten Gruppen eine politische Legitimation zu verschaffen. Der Übergang zu einer Politik des offenen Imperialismus, den alle großen europäischen Staaten seit etwa 1881 vollzogen haben, beginnend mit der Annexion Tunesiens durch Frankreich 1881 und der Okkupation Ägyptens durch Großbritannien 1882, hatte viele Ursachen, namentlich machtpolitischer, wirtschaftlicher und peripherer Art. Ausschlaggebend war sicherlich das Zusammentreffen von Krisen an der Peripherie, die zum Zusammenbruch der dortigen Kollaborationsregime führten und die europäischen Mächte demgemäß zu direkter Intervention zwangen, mit einer Intensivierung der mächtepolitischen Rivalitäten. Im Hintergrund stand jedoch die Erwartung, daß in einer Situation relativ wirtschaftlicher Stagnation der Erwerb bzw. die Erschließung überseeischer Territorien zusätzliche Wachstumschancen für die jeweiligen nationalen Wirtschaften begründen würden. Freilich waren es in erster Linie »strategische Cliquen« (Gilbert Ziebura) und einzelne an monopolistischen Beutegewinnen interessierte Unternehmergruppen, nicht eigentlich bedeutende wirtschaftliche Interessen oder gar das »große Kapital« schlechthin, die als Protagonisten einer imperialistischen Politik in Erscheinung traten. Einer ersten Phase hektischer imperialistischer Landnahme in der ersten Hälfte der 80er Jahre folgte dann freilich zunächst eine relative Abkühlung, als sich herausstellte, daß viele der betroffenen Territorien ökonomisch keinesfalls so viel des Aufwands wert waren. Aber gleichwohl setzte in allen Großstaaten schon bald das Verlangen eines Teils des Publikums ein, daß der Staat der Wirtschaft auf dem Gebiete der überseeischen Erwerbungen voranzugehen habe »in order to peg out claims for posterity«, wie dies Lord Rosebery und Joseph

Chamberlain fast gleichlautend in so unübertroffener Weise formuliert haben.[5]
Der klassische Liberalismus war durchaus für die Methoden eines »informellen Imperialismus« zu haben, der die Flagge notwendigenfalls dem Handel folgen ließ, sofern sich dies als unabdingbar herausstellte. Aber generell gab er dem Prinzip des Freihandels den Vorzug und hielt demgemäß eine staatliche Politik imperialistischer Erwerbungen, unter Einsatz erheblicher militärischer und administrativer Ressourcen, in aller Regel für verfehlt. Seit 1880 aber kehrten sich die Dinge um; anstelle des »informellen Imperialismus«, der in erster Linie die ökonomische Nutzung der überseeischen Territorien bei nur indirekter oder doch eines absoluten Minimums direkter staatlicher Kontrolle zum Gegenstand hatte, trat nun mehr und mehr der »formelle Imperialismus«, der in zunehmendem Maße staatliche Machtmittel und staatliche Ressourcen einsetzte, um Präventivannexionen zu tätigen, im Vertrauen darauf, daß sich die neuen kolonialen Territorien künftighin einmal würden ökonomisch nutzen lassen. Dies kam in mehrfacher Hinsicht einer Negation klassischer liberaler Prinzipien gleich. Zum einen wurde das Prinzip des freien Marktes dem Prinzip staatlicher Kontrolle nachgeordnet, zum zweiten das Prinzip des Freihandels zumindest grundsätzlich unterminiert, und zum dritten war nun nicht mehr daran zu denken, die Staatsaktivität in Wirtschaft und Gesellschaft auf ein möglichstes Minimum zu beschränken und die Steuern so gering wie möglich zu halten. Ein *retrenchment* des Staates war nunmehr ausgeschlossen, angesichts der steigenden Kosten für die Verwaltung überseeischer Besitzungen und für deren militärischen Schutz in einem Zeitalter zunehmender mächtepolitischer Rivalitäten.
Voll zum Durchbruch kam der neue, aggressive Imperialismus freilich erst in den 90er Jahren. Nunmehr schien es auch entschiedenen Liberalen nicht mehr ohne weiteres möglich, formellen Imperialismus mit den Argumenten Cobdens als eine verfehlte Politik abzulehnen. Es entwickelte sich, als Konzession an den Zeitgeist, sogar das Phänomen eines spezifischen »liberalen Imperialismus«. Dieser unterschied sich gegenüber dem von den konservativen Parteien bzw. den Regierungen weidlich ausgenutzten populären Imperialismus der Neuen Rechten vor allem dadurch, daß er zugleich für eine fortschrittliche Politik der stufenweisen Steigerung der Partizipation auch der Unterschichten bzw. der Arbeiterschaft plädierte. Gleichwohl kam der »liberale Imperialismus« in mancher Hinsicht einer Verleugnung liberaler Ideale gleich. Mochte sich diese Spielart

5 Vgl. die Rede Lord Roseberys am Royal Colonial Institute in London am 1. März 1893, in: G. Bennett, The Concept of Empire. Burke to Attlee, 1774–1947, London 1953, S. 310; ferner Joseph Chamberlain, Foreign and Colonial Speeches, London 1897, S. 114.

des Imperialismus auch als »sane imperialism« bzw. als »fortschrittliche Weltpolitik« definieren – im Unterschied zu dem »landgrabbing jingoism« des Neuen Nationalismus –, eine Stabilisierung der bedrohten Position der liberalen Kräfte im Gesamtspektrum der europäischen Politik hat er nirgends erreichen können. Im Gegenteil, er arbeitete am Ende den Gegenspielern des Liberalismus in die Hand. Freilich wird man diese These insofern qualifizieren müssen, als die neue imperialistische Ideologie zugleich eine deutlich antikonservative Komponente aufwies; nicht die aristokratischen Führungsschichten, sondern in erster Linie das aufsteigende Bürgertum war Träger dieses neuen nationalistischen Imperialismus. In mancher Hinsicht kann man den Imperialismus geradezu als bürgerliche Integrationsideologie bezeichnen, der einer Verschmelzung der traditionellen Führungseliten, in denen in einer ganzen Reihe europäischer Länder die Aristokratie noch den Ton angab, mit den Spitzen des aufsteigenden Bürgertums die Wege bahnen half.
Abschließend sei der Versuch unternommen, einige übergreifende Tendenzen, die der Periode von 1870–1890 ihre charakteristische Eigenart verliehen haben, nochmals hervorzuheben.
Am wichtigsten war fraglos, daß der bürgerliche Liberalismus in jener Periode zunehmend seine Schlüsselstellung innerhalb der gesellschaftlichen Systeme Europas verlor, und zugleich, daß dieser sich in einander erbittert befehdende Richtungen spaltete: eine Rechte, die sich nach rechts hin orientierte und mit den konservativen Kräften gemeinsame Sache machte, und eine Linke, die sich zum Befürworter konstitutioneller Reformen und einer aktiven staatlichen Sozialpolitik aufwarf, ohne doch vorderhand damit viel neues politisches Terrain gewinnen zu können. Die radikalen Kräfte und ebenso die sozialistische Arbeiterbewegung waren noch nicht stark genug, um eine wirklich durchgreifende Demokratisierung der europäischen Gesellschaften durchsetzen zu können. Aber die Furcht vor demokratischer Massenherrschaft und »roter Gefahr« war immerhin groß genug, um die bürgerlichen und konservativen Eliten dazu zu veranlassen, näher zusammenzurücken. Wo, wie in Preußen und in Österreich-Ungarn, die Aristokratie sich einer solchen Annäherung an die bürgerlichen Gruppen mehr oder minder versagte, wurden künftige Konflikte und politische und gesellschaftliche Immobilität gleichsam vorprogrammiert. Noch ungleich weniger anpassungsfähig zeigte sich die russische Aristokratie, nachdem die behutsame Politik der Liberalisierung, die Zar Alexander II. in den 60er und 70er Jahren unternommen hatte, nicht unmittelbar die erhofften Früchte getragen hatte; demgemäß kam die Liberalisierung der russischen Gesellschaft zu spät, um revolutionäre Erschütterungen abwenden zu können.
Die industrielle Entwicklung und die Ausbildung eines multilateralen Sy-

stems des Welthandels hatten Europa einem fortschreitenden Transformationsprozeß unterworfen, der sich mit dem Stichwort der Modernisierung nur höchst unvollkommen umschreiben läßt. Aber dennoch waren die europäischen Gesellschaften einander keineswegs ähnlicher geworden. Im Gegenteil, in mancher Hinsicht hatten sich die Gegensätze zwischen den wirtschaftlich fortgeschrittenen und den vergleichsweise rückständigeren Ländern eher noch verschärft. Großbritannien hatte zwar seine wirtschaftliche Monopolstellung gutenteils eingebüßt, aber gleichzeitig war es im Begriff, sich auf dem tertiären Sektor des Kapitalexports und des Exports von *know how* einen neuen Vorsprung zu verschaffen. Auf dem Kontinent bildete der Gegensatz zwischen Landwirtschaft und aufsteigendem Bürgertum einen potentiellen Konfliktherd, der zur graduellen Unterminierung der gesellschaftlichen Vorrangstellung der traditionellen Eliten beitrug; die fortschreitende Krise der Landwirtschaft war ein zusätzlicher Quell politischer Labilität.

Noch Anfang der 70er Jahre hatten viele Liberale geglaubt, daß es im Zuge der Beseitigung der Herrschaft schmaler privilegierter Eliten und eines unverantwortlichen monarchischen Regiments möglich sein würde, die Rolle des Staates wieder zurückzudrängen zugunsten des Prinzips der möglichst freien Entfaltung der gesellschaftlichen Kräfte auf der Basis freier Assoziation der Bürger für gemeinsame Zwecke. Gladstone in Großbritannien ebenso wie Sella in Italien hatten eine Politik des Zurückschraubens der öffentlichen Hand und eine Beschneidung des staatlichen Steueraufkommens angestrebt; schon bald sahen sie sich von der entgegengesetzten Tendenz überrollt. Die Zeichen der Zeit wiesen auf eine stetige Erweiterung der Staatstätigkeit im gesellschaftlichen Raum, da eine Lösung der drängenden Probleme ohne direkte Eingriffe des Staates nicht länger möglich erschien. Auch die neue imperialistische Außenpolitik erheischte ihren Tribut in Form stetig steigender Militärausgaben. Die Herausforderung seitens der demokratischen Kräfte und insbesondere der politischen Arbeiterbewegung erforderte eine Revision der viktorianischen Prinzipien des »Arbeitshauses« und der Armengesetzgebung, die sich auf die Prämisse gründeten, daß Armut und Arbeitslosigkeit selbstverschuldete Übel darstellten. Dies hieß nicht weniger, sondern mehr Staat, im Gegensatz zu den Erwartungen des klassischen Liberalismus. Johannes v. Miquel, einer der deutschen Nationalliberalen der ersten Stunde, sah sich 1891 gezwungen, das angesichts der enormen Diversifikation der Einkommensstruktur, die im Zuge der industriellen Entwicklung eingetreten war, anachronistisch gewordene preußische Steuersystem von Grund auf zu reformieren. Er verfiel auf ein neues Prinzip, nämlich die Einführung einer (freilich nur mäßig) progressiven Einkommensteuer, die die besitzenden Schichten erstmals in weit höherem

Maße gegenüber den breiten Massen für Steuerleistungen in Anspruch nahm, als dies bislang für möglich gehalten worden war. Der Interventions- und Verteilungsstaat der Zukunft kündigte sich, wenn auch nur in ersten schwachen Vorboten, an; das Zeitalter des bürgerlichen Liberalismus neigte sich endgültig seinem Ende zu.

# Bismarck, das Europäische Konzert und die Zukunft Westafrikas 1883–1885

Bis in die 1880er Jahre war, wenn überhaupt, die nichteuropäische Welt im »Konzert« der europäischen Mächte, wie zeitgenössische Diplomaten formuliert haben würden, eher sporadisch vertreten. Die Vereinigten Staaten von Amerika, die sich aus der kolonialen Herrschaft gelöst hatten, zogen es aus weltanschaulichen und anderen Gründen vor, sich aus den – wie sie es sahen – kleinlichen Machenschaften der europäischen Diplomatie herauszuhalten. In der Regel wurden die USA nicht konsultiert, oder sie zeigten sich schlicht nicht daran interessiert, an den internationalen Konferenzen und Kongressen teilzunehmen, die nach dem Wiener Kongreß zu einem Hauptinstrument europäischer Diplomatie geworden waren. Die Territorien des britischen Empires waren allenfalls indirekt durch die Regierung in Westminster vertreten; darüber hinaus waren auf den Konferenzen schließlich nur noch die großen, weiträumigen Teile des Osmanischen Reiches, die traditionell zum System der europäischen Mächte gezählt wurden, repräsentiert. Allerdings hatte das Osmanische Reich in Grenzen den Status eines gleichberechtigten Partners. Es erschien den europäischen Mächten zweckmäßiger, den »kranken Mann am Bosporus« – wenn auch unter Führung der Großmächte – am Leben zu erhalten, als den verschiedenen nationalistischen Bewegungen auf dem Balkan und in der arabischen Welt mit all ihren potentiell explosiven Energien auch nur den geringsten Auftrieb zu geben. Eine Reihe europäischer Übereinkommen – das letzte auf dem Berliner Kongreß 1878 über die orientalische Frage – hatten das türkische Problem im Interesse der europäischen Mächte geregelt (und zumindest indirekt im Interesse der europäischen Gläubiger). Die meisten nordafrikanischen Gebiete verblieben nominell unter der Oberhoheit des Sultans von Konstantinopel. Folglich waren auch sie von diesen internationalen Vereinbarungen – wenngleich meistenteils indirekt – betroffen. Das galt in besonderem Maße für Ägypten, das durch die *Caisse de la Dette Publique* einer informellen finanzpolitischen Kontrolle unterworfen worden war, die durch die von Vertretern Großbritanniens und Frankreichs ausgeübte »Dual-Control« ergänzt wurde.[1] Im Jahre 1880

1 Vgl. David S. Landes, Bankers and Pashas. International Finance and Economic Imperia-

war eine besondere internationale Übereinkunft bezüglich Marokkos abgeschlossen worden, die das Land der ökonomischen Durchdringung durch den Westen öffnete, während nominell sein internationaler Status als vom Osmanischen Reich abhängiges Gebiet durch die Mächte garantiert wurde.[2] Das übrige Afrika hingegen bildete bis dahin noch nicht Gegenstand internationaler Vereinbarungen; aus der Sicht der europäischen Politik galt es als Niemandsland, in dem jeder das Recht besaß, informelle oder formelle koloniale Herrschaft zu errichten, sofern die in Frage stehenden Gebiete noch nicht durch eine der etablierten Kolonialmächte, namentlich Großbritannien, Frankreich, Spanien und Portugal, in Besitz genommen worden waren. Mit anderen Worten, der größte Teil Afrikas blieb außerhalb des Geltungsbereichs des internationalen Rechts und war höchstens mittelbar in die Aktivitäten der europäischen Großmächte eingebunden.

Diese Ausgangssituation veränderte sich mit der französischen Besetzung Tunesiens 1881 und der britischen Okkupation Ägyptens im folgenden Jahr schlagartig. Gerade das englische Vorgehen berührte mehr oder weniger direkt die Interessen der anderen europäischen Staaten, speziell jedoch diejenigen Frankreichs. In diesen Jahren setzten säkulare historische Prozesse ein, die die Bedingungen, unter denen koloniale Herrschaft während der Ära des Freihandelsimperialismus vonstatten gegangen war, fundamental verändern sollten:

a) ein allmähliches Zerbröckeln der älteren Formen der informellen und halbinformellen imperialistischen Durchdringung, das es notwendig machte, zu weitaus direkteren und effektiveren Formen von Kontrolle in Kolonialgebieten überzugehen;
b) das Aufkommen starker imperialistischer Bewegungen in verschiedenen europäischen Ländern, dem kaiserlichen Deutschland eingeschlossen, die die Diplomaten zwangen, kolonialen Fragen – wie zögerlich auch immer – sehr viel mehr Aufmerksamkeit zu schenken als bisher und Forderungen nach Regierungsunterstützung für Handelsinteressen in Afrika und dem Mittleren Osten sowie Verpflichtungen in überseeischen Regionen in einem bis dahin meist unbekannten Ausmaß Rechnung zu tragen;
c) eine Kräfteverschiebung im Konzert der europäischen Mächte in Richtung auf das geographische Zentrum hin, zugunsten des Deut-

lism in Egypt, London 1958; Wolfgang J. Mommsen, Imperialismus in Ägypten, München 1956; Alexander Schölch, Ägypten den Ägyptern. Die politische und gesellschaftliche Krise der Jahre 1878–1882 in Ägypten, Zürich 1973.

2 Siehe dazu auch David K. Fieldhouse, Economics and Empire 1880–1914, London 1973, S. 272.

schen Reiches, das sich seit 1871 zu einer vorherrschenden Macht entwickelt hatte.

Die Ereignisse, die zur Einberufung der Westafrika-Konferenz und anschließend zur Aufteilung der meisten afrikanischen Territorien unter den europäischen Mächten führten, müssen gleichzeitig unter zwei verschiedenen Blickwinkeln betrachtet werden. Zuerst müssen wir die grundlegenden Veränderungen im Charakter der imperialistischen Expansion zu Beginn der frühen 80er Jahre in unserer Analyse berücksichtigen und sodann die Dynamik innerhalb des europäischen Konzerts, in dem das kaiserliche Deutschland jetzt die zentrale Stellung einnahm. Die überseeischen Gebiete wurden in den diplomatischen Schachzügen der Mächte oft als reine Faustpfänder benutzt, um Ziele zu erreichen, die sich ausschließlich auf die europäische Arena bezogen, und nicht als Objekte mit eigenständigem politischen Wert. Die Berliner Westafrika-Konferenz der Jahre 1884–1885 war tatsächlich weniger mit rein afrikanischen Problemen befaßt, als es die Lektüre der eher dürftigen Protokolle der Verhandlungen nahelegt.[3] Fürst Bismarck spielte eine Schlüsselrolle in den diplomatischen Verhandlungen, die schließlich in einen Versuch mündeten, die strittigen Fragen über die Zukunft des Kongobeckens in einer internationalen Konferenz beizulegen, die in Übereinstimmung mit den klassischen Regeln der hohen Politik durchgeführt wurde. Vielleicht ist dies darauf zurückzuführen, daß Bismarck weniger direkt an der weiteren Zukunft Westafrikas interessiert war als die Franzosen, die Briten oder die Portugiesen, sondern vielmehr darauf abzielte, die Stellung des Deutschen Reiches innerhalb des europäischen Mächtesystems weiter zu stärken.

Es darf wohl als gesichert gelten, daß für den Reichskanzler während der Sommermonate des Jahres 1884 das Bemühen vordringlich war, Frankreich teilweise von seinem rigiden antideutschen Kurs abzubringen, der auf die Wiedergewinnung der 1871 verlorenen Provinzen Elsaß und Lothringen ausgerichtet war. Bismarck konnte dies versuchen, indem er Frankreich auf dem Weg zu kolonialer Expansion unterstützte. Aus diesem Grund mag es auch im Sommer 1884 sein wichtigstes Bestreben gewesen sein, eine französisch-deutsche *Entente* herbeizuführen, die

3 Es existieren nur zwei gründlich erarbeitete Bewertungen der Westafrika-Konferenz von 1884–1885, keine von beiden auf dem neuesten Stand der Forschung: Georg Koenigk, Die Berliner Kongo-Konferenz 1884–1885, Essen 1938, und Sybil E. Crowe, The Berlin West African Conference 1884–1885, Westpoint/Conn. 1970 (Nachdruck). Die Verhandlungsprotokolle sind abgedruckt bei: R. J. Gavin/J. A. Betley (Hrsg.), The Scramble for Africa, Ibadan 1973, S. 128ff. Siehe auch Herbert Ganslmeier, Protocoles et Acte Général de la Conférence de Berlin, 1884–1885, Bremen 1984.

gegen den, wie er vermutete, britischen Anspruch auf eine Vorrangstellung auf dem ganzen Erdball gerichtet war; den kolonialen Interessen anderer Staaten schenkte er dabei wenig Beachtung. Es paßte sicherlich gut zu Bismarcks Absichten, daß genau zu diesem Zeitpunkt der westafrikanische Schauplatz als Folge des englisch-portugiesischen Vertrages, der am 26. Februar 1884 unterzeichnet worden war, größte Bedeutung erlangte. Durch den Vertrag sollten Portugals Territorial-›Rechte‹ im Kongobecken auf die Flußmündung ausgedehnt und somit einer möglichen Besetzung dieser Region durch Frankreich vorgebeugt werden. Dieser plötzliche und schlecht vorbereitete Schritt Großbritanniens bot eine erstklassige Gelegenheit für Bismarcks Initiative. Seit William A. Langer ist, sehr zu Recht, immer wieder die These vertreten worden, daß für das kaiserliche Deutschland die Ablenkung der französischen nationalistischen Energien an die Peripherie Europas außerordentlich vorteilhaft war, weil dadurch die exponierte deutsche Stellung im Zentrum des europäischen Kontinents gestärkt würde, und daß hierin das wichtigste Motiv für Bismarcks Einwand gegen den englisch-portugiesischen Vertrag lag.[4] Die generelle Strategie der deutschen Außenpolitik in überseeischen Fragen lief seit 1871 in der Tat darauf hinaus, die mächtepolitischen Spannungen an die koloniale Peripherie abzuleiten, wie im folgenden ausführlich gezeigt werden wird. Und doch erscheint es so, daß des Kanzlers ausschlaggebender Beweggrund in diesem Moment war, Großbritannien eine Lektion zu erteilen. England hatte nicht nur die kolonialen Ansprüche des Deutschen Reiches in einer sehr nachlässigen, ja ablehnenden Art und Weise behandelt, sondern hatte auch versucht, dem deutschen Schritt, ein Schutzgebiet in Angra Pequeña einzurichten, zuvorzukommen. Die britische Regierung war zu diesem Entschluß ein wenig gegen ihre eigenen Neigungen durch die Kapkolonie gedrängt worden.

Bismarck soll bei späterer Gelegenheit, als sein immer schon geringer Enthusiasmus für koloniale Erwerbungen einer tiefen Desillusionierung gewichen war, gesagt haben: »[...], aber meine Karte von Afrika liegt in Europa.«[5] Dieser Ausspruch galt auch für die Blütezeit des Bismarckschen Imperialismus; tatsächlich war seine Taktik in der Westafrikafrage

4 William A. Langer, European Alliances and Alignments, 1871–1890, New York 1962, S. 301 ff.; Lothar Gall, Bismarck. Der weiße Revolutionär, Berlin 1980[3], S. 620 f. Als entschiedenster Vertreter dieser These gilt Alan J. P. Taylor, der jedoch definitiv zu weit geht, wenn er behauptet, daß die gesamte deutsche Kolonialpolitik dieser Jahre nur Machenschaften gewesen seien, um Streitigkeiten mit Großbritannien vom Zaun zu brechen. Vgl. Germany's First Bid for Colonies 1884–1885, New York 1970.

5 Äußerung Bismarcks gegenüber einem deutschen Afrikareisenden vom 5. Dezember 1888, zit. nach Gall, Bismarck, S. 623.

in den Jahren 1884–1885 zu einem nicht geringen Maß durch auf Europa bezogene Überlegungen geprägt. Die diplomatische Offensive, die er im Frühjahr 1884 im Hinblick auf die Situation in Westafrika eingeleitet hatte, war ein Grundbestandteil seiner Europapolitik, deren oberstes Ziel lautete, die latente Hegemonialstellung, die das Reich auf dem Kontinent besaß, zu stabilisieren und – soweit wie möglich – das Entstehen von antideutschen Koalitionen zu verhindern. Gleichzeitig jedoch war die Entscheidung, mit Frankreich gemeinsam Großbritannien und Portugal in Westafrika herauszufordern, eng mit der Absicht verbunden, deutsche Wirtschaftsinteressen gegen Beeinträchtigungen durch rivalisierende Mächte zu verteidigen und an anderen Stellen in Afrika Schutzgebiete zu erwerben.

Seit 1875 lag der Schlüssel zu Bismarcks diplomatischen Aktivitäten, wie es Theodor Schieder schon vor längerer Zeit treffend formuliert hat, in einer sorgfältig kalkulierten Strategie der Ableitung der aggressiven Energien der großen europäischen Mächte vom Zentrum des Kontinents an die koloniale Peripherie. Deshalb ermunterte der Reichskanzler mit aller Vorsicht, wann immer sich die Möglichkeit dazu bot, die westlichen Mächte zu einem direkten Engagement in Afrika und dem Nahen Osten, sei es durch den Erwerb von Kolonien, sei es durch die Errichtung informeller Herrschaft, während das kaiserliche Deutschland selbst sich von solchen Aktivitäten fernhielt. Auf dem Berliner Kongreß legte Bismarck Disraeli nahe, Zypern zu annektieren, und ließ die Franzosen wissen, daß er sich der Annexion Tunesiens durch Frankreich nicht widersetzen würde. Zur gleichen Zeit arbeitete er beharrlich, aber sehr behutsam darauf hin, Großbritannien direkt in die ägyptische Frage zu verwickeln – vorzugsweise unter dem rechtlichen Vorwand eines Hilfeersuchens des Sultans von Konstantinopel.[6]

Im Kissinger Diktat vom Juni 1877, der berühmtesten diplomatischen Denkschrift Bismarcks, finden wir folgende Passage: »Ich wünsche, daß wir, ohne es zu auffällig zu machen, doch die Engländer ermutigen, wenn sie Absichten auf Ägypten haben; [...].«[7] Seiner Meinung nach mußte England durch ein unmittelbares Engagement im Nahen Osten ein genuines Interesse an der Beibehaltung des politischen *Status quo* im Orient entwickeln. Zugleich würde dies das Inselreich daran hindern, wegen der Differenzen in der ägyptischen Frage enge Beziehungen zu Frankreich

6 Ausführlich dazu Wolfgang J. Mommsen, Ägypten und der Nahe Osten in der deutschen Außenpolitik 1870–1914 (siehe in diesem Band S. 140–181).

7 Johannes Lepsius, Albrecht Mendelssohn Bartholdy, Friedrich Thimme (Hrsg.), Die große Politik der Europäischen Kabinette, 1871–1914. Sammlung der diplomatischen Akten des Auswärtigen Amtes, Bd. 2: Der Berliner Kongreß, Berlin 1927[4], Nr. 294, S. 153 (im folgenden als Große Politik mit Bandangabe zitiert).

aufrechtzuerhalten. Daraus wiederum resultierten ideale Voraussetzungen, um ein Gleichgewicht der Mächte in Europa herbeizuführen, in dem dem Deutschen Reich die Rolle eines Schiedsrichters zufiele. Unter anderem erachtete Bismarck vom deutschen Standpunkt aus die folgende Konstellation als optimal:

»[...]
3. für England und Rußland ein befriedigender Status quo, der ihnen dasselbe Interesse an Erhaltung des Bestehenden gibt, welches wir haben,
4. Loslösung Englands von dem uns feindlich verbleibenden Frankreich wegen Ägyptens und des Mittelmeers,

[...]«.[8]

In den folgenden Jahren nahm die internationale Politik exakt den Verlauf, den Bismarck für das Deutsche Reich als am vorteilhaftesten ansah. 1881 erklärte Frankreich Tunesien zum Protektorat. Zu dessen Bestürzung besetzte Großbritannien 1882 Ägypten – nicht ohne heimliche Rückendeckung Bismarcks. Danach versuchte London verzweifelt, die bisherige Kompradorenherrschaft mit Hilfe des Marionettenregimes des Khediven Taufic wiederherzustellen; damit sollte England genügend informelle Kontrolle, sowohl politisch als auch finanziell, in der ägyptischen Frage geboten werden, um die Besetzung beenden zu können. Dieses Unterfangen entpuppte sich als eine nahezu unlösbare Aufgabe, insbesondere weil die französische Regierung alle ihr verfügbaren Mittel für eine Einflußnahme auf die Entwicklung der Dinge in Ägypten, vor allem die *Caisse de la Dette Publique*, benutzte, um den Briten das Verbleiben in diesem Land so schwer wie möglich zu machen. Es überrascht nicht, daß Bismarck gemäß den Gepflogenheiten der internationalen Politik danach trachtete, die ägyptische Krise von Beginn an für seine eigenen Zwecke auszunutzen. In Übereinstimmung mit seiner generellen Strategie, Großbritannien nicht nur mit Frankreich, sondern auch mit Rußland, wenngleich in geringerem Maße, in Auseinandersetzungen hineinzuziehen, verlangte Bismarck nunmehr, daß das Deutsche Reich und Rußland an der Schuldenverwaltung beteiligt werden sollten. Hatte die deutsche Regierung bisher aktiv jeder deutschen Investition in ägyptische Wertpapiere entgegengearbeitet, so veranlaßte Bismarck seinen Sohn Herbert nun, gegenüber Lord Granville geltend zu machen, daß »[...] die deutschen Interessen an den ägyptischen Finanzen [...] zu unserer eigenen Überraschung weit größer [seien], als wir geglaubt hätten. Sie bezifferten

8 Ebenda, S. 154.

sich nach den neuesten Erhebungen auf mehr als 100 Millionen Mark.«[9]

In der Tat verhalf die ägyptische Frage Bismarck zu einem substantiellen Druckmittel gegenüber England, sehr zur Irritation des »Foreign Office«. Wenn der deutsche Botschafter in London, Graf Münster, strikt nach Bismarcks Intentionen gehandelt hätte, statt die englisch-deutschen Differenzen so weit wie möglich herunterzuspielen, hätte sich die Situation vielleicht noch mehr verschlechtert.[10] Der katastrophale Zustand der ägyptischen Finanzen 1884, der sich durch die Kosten der militärischen Aktion gegen den Sudan – einer Operation mit imperialistischem Charakter, die sehr zum Unwillen von Downing Street durchgeführt worden war – noch verschlimmert hatte, machte die britischen Prokonsuln in Ägypten weiterhin abhängig vom guten Willen der übrigen europäischen Mächte, weil die *Caisse de la Dette Publique* ungefähr zwei Drittel der Steuereinnahmen kontrollierte und bei der Ausgabe aller erwirtschafteten Überschüsse über ein satzungsmäßiges Mitspracherecht verfügte.[11] Das Problem Ägypten lieferte letztendlich die Plattform, auf der die deutsch-französische koloniale *Entente* zustande kam, obwohl Jules Ferry von vornherein darüber beunruhigt war, daß es Bismarcks Absicht sei, Frankreich und Großbritannien gegeneinander auszuspielen, nur um Frankreich dann letztlich im Stich zu lassen. Es muß in diesem Zusammenhang hinzugefügt werden, daß die diplomatische Stellung der deutschen Regierung im System der europäischen Mächte gerade eine neue Stärkung erfahren hatte: Im Februar 1884 war das Dreikaiserbündnis zwischen Rußland, Österreich-Ungarn und Deutschland um weitere vier Jahre verlängert worden. Diese Übereinkunft war grundsätzlich defensiver Natur, aber sie vereitelte, wenn auch nur vorübergehend, die Möglichkeit einer französisch-russischen Annäherung, über die sich Bismarck

9 Herbert von Bismarck an Fürst Bismarck, 16. Juni 1884, Große Politik, Bd. 4: Die Dreibundmächte und England, Nr. 745, S. 64f.

10 Die Rolle Münsters ist sehr kontrovers beurteilt worden. Insbesondere Taylor und Crowe vertreten die Ansicht, daß Bismarck mit dem Verhalten Münsters auf der Londoner Konferenz über Ägypten im Juni und Juli 1884 erst im nachhinein nicht einverstanden gewesen sei. Siehe dazu aber Bismarcks eindeutige Stellungnahme vom 12. August 1884, Große Politik, Bd. 4, S. 77. Bismarck fiel es später schwer, Courcel gegenüber eine einleuchtende Erklärung für die ungewöhnlich weiche Haltung Münsters auf der Londoner Konferenz zu finden, vgl. Courcel an Ferry, 21. September 1884, Gavin/Bentley, Scramble, S. 339. Münster selbst war gegenüber Kolonialunternehmungen absolut negativ eingestellt, vgl. Große Politik, Bd. 4, Nr. 749, S. 53. Im ganzen scheint es, als habe er dazu geneigt, seine Anweisungen nur in abgeschwächter Form den englischen Gesprächspartnern vorgelegt zu haben.

11 Eine detaillierte Studie zu diesen Konferenzen fehlt. Siehe jedoch Robert L. Tignor, Modernisation and British Colonial Rule in Egypt, 1882–1914, Princeton 1966, S. 76ff. Für die Schwierigkeiten der britischen Politik in Ägypten siehe auch Ronald Robinson/John Gallagher/Alice Denny, Africa and the Victorians. The Official Mind of Imperialism, New York 1968, S. 122ff.

zu Recht Sorgen machte. Darüber hinaus schien die Gefahr eines Konfliktes zwischen Österreich-Ungarn und Rußland über die Zukunft auf dem Balkan durch diese Verständigung, die das Zusammengehörigkeitsgefühl der drei konservativen Monarchien unterstrich, für eine überschaubare Zeitspanne ausgeräumt zu sein.

Ganz ohne Zweifel war dieses Vertragssystem in einem gewissen Maße gegen die westlichen Mächte, insbesondere Großbritannien, gerichtet, insofern als Rußlands traditionelle Aspirationen, die Kontrolle über die Meerengen zu erlangen, dadurch einigen – wenngleich begrenzten – Auftrieb erhielten. Das Übereinkommen zwischen dem kaiserlichen Deutschland und dem zaristischen Rußland verlangte u. a. gemeinsames Handeln in allen Fragen, die das Osmanische Reich betrafen. Angesichts des internationalen Status Ägyptens als eines subsidiären Territoriums des Osmanischen Reiches erstreckte sich diese Verpflichtung auch auf die ägyptische Frage. Daher überrascht es nicht, daß das Deutsche Reich – sehr zum Mißfallen der britischen Regierung – die russischen Bemühungen unterstützte, an der *Caisse de la Dette Publique* beteiligt zu werden, so wenig dies in finanzieller Hinsicht auch gerechtfertigt war (weil der russische Anteil an der durch die Caisse verwalteten Schuld minimal war). Zudem konnten die Deutschen mit einiger Unterstützung durch Österreich-Ungarn und Italien in den Mittelmeerfragen rechnen, bis zu einem gewissen Grad auch bei anderen internationalen Problemen. Italien war aufgrund des 1882 abgeschlossenen Dreibunds, der zum Teil als eine Reaktion auf die französische Besetzung Tunesiens zustande gekommen war, an die Mittelmächte gebunden. Der Dreibund bot den Italienern bei ihren kolonialen Unternehmungen im Mittelmeerraum immerhin begrenzten Schutz vor möglichen französischen Gegenmaßnahmen.

Insgesamt läßt sich demgemäß sagen, daß die politische Stellung des Deutschen Reiches und seiner Verbündeten im Europäischen Konzert 1884 vergleichsweise stärker geworden war, nicht zuletzt deswegen, weil Bismarcks Taktik, die anderen Großmächte in imperialistische Unternehmen im Mittelmeerraum und in Afrika zu verstricken, die sie gegeneinander engagieren mußten, voll aufgegangen war.

Das mag unter Umständen auch erklären, weshalb Bismarck es plötzlich als akzeptabel betrachtete, auf kolonialpolitischem Gebiet, wenn auch zögernd, aktiv hervorzutreten. Es ist unumstritten, daß Bismarck sich bislang einer jeden deutschen Politik widersetzt hatte, die auf den Erwerb überseeischer Kolonien abzielte, wohingegen er deutsche wirtschaftliche Aktivitäten in Übersee auf der Basis des Freihandels durchaus begrüßte. 1883 jedoch begann der Reichskanzler, seine Haltung in diesen Fragen zu ändern, obschon vielleicht nicht in so radikaler Weise, wie die meisten Historiker, die sich mit der kontroversen Frage nach dem Motiv für seinen »Imperialismus« beschäftigt haben, dies annehmen.[12] Nunmehr wurde er zu einem Anhänger einer eher pragmatischen Version des Freihandelsimperialismus, die deutschen wirtschaftlichen Unternehmungen in Übersee positiv gegenüberstand – wenn auch nur aus rein innenpolitischen Gründen. Der Reichskanzler hielt es politisch nicht länger für angebracht, deutschen Handelsunternehmen, die in Übersee operierten, diplomatische Unterstützung zu verweigern und nötigenfalls den Schutz der kaiserlichen Regierung vorzuenthalten. Denn im Laufe der Zeit hatte sich der deutsche Handel mit verschiedenen Regionen Afrikas und anderen Teilen der Welt in einem solchen Maße ausgeweitet, daß er nicht länger vernachlässigt werden konnte, obwohl sein prozentualer Anteil am gesamten deutschen Außenhandel immer noch kaum ins Gewicht fiel.[13] Trotz seiner Kursänderung blieb Bismarck fest entschlossen, die Reichsregierung so zurückhaltend wie möglich agieren zu lassen und insbesondere jegliche direkte Beteiligung an der Verwaltung und wirtschaftlichen Erschließung solcher entfernten Gebiete zu vermeiden. Beides sollte ausschließlich durch die jeweils dort tätigen Kolonialgesellschaften selbst und nur auf ihre eigene Rechnung unternommen werden. Seine Einstellung unterschied sich in dieser Hinsicht tatsächlich nicht sehr vom britischen »official mind«, und es waren in erster Linie britische Beispiele, an denen er sich orientierte und die ihm als Vorbild dienten. Ebenso wie die damalige britische Regierung entdeckte Bismarck als ideale Lösung die gesetzlich geschützte Gesellschaft (Chartered Company), wie zum Beispiel die East India Company oder die North Borneo Company, die ihren königlichen Schutzbrief erst 1881 erhalten hatte. Dem Kanzler widerstrebte es immer noch, eine Politik kolonialer Expansion großen Stils zu beginnen; andererseits war er spätestens 1883 deutlich erkennbar zu dem Schluß gelangt, daß das Reich deutschen Staatsbürgern eine Unterstützung bei ihren kolonialen Unternehmungen nicht länger verwehren könne, vorausgesetzt, daß die Projekte ökonomisch sinnvoll und rentabel erschienen. In den 1880er Jahren befand sich die deutsche Kolonialbewegung noch in ihren Kinderschuhen, und die im Reichstag vertretenen Parteien waren weitgehend unwillig, direkte staatliche Aktionen in kolonialen Fragen zu unterstützen. Die Mehrzahl der Liberalen beider Rich-

12 Vgl. William O. Aydelotte, Bismarck and British Colonial Policy, Philadelphia 1937; Taylor, Germany's First Bid; Henry A. Turner jr., Bismarck's Imperialist Venture. Anti-British in Origin?, in: Prosser Gifford/William R. Louis (Hrsg.), Britain and Germany in Africa. Imperial Rivalry and Colonial Rule, New Haven 1967, S. 47–82; Hans-Ulrich Wehler, Bismarck und der Imperialismus, Frankfurt/M. 1985²; ders., Bismarck's Imperialism 1862–1890, in: Past and Present 48 (1970), S. 119–155; Hartmut Pogge von Strandmann, Domestic Origins of Germany's Colonial Expansion under Bismarck, in: Past and Present 42 (1969), S. 140–150.
13 Gute Zusammenfassung bei John D. Hargreaves, Prelude to the Partition of West Africa, London 1963, S. 317ff.

tungen, Linksliberale und Nationalliberale, hingen noch der traditionellen Freihandelsideologie an, die gegen jede regierungsamtliche Kolonialpolitik oder auch nur indirekte Unterstützung privater Kolonialunternehmungen oder die Subventionierung von Schiffahrtslinien gerichtet war (wie sich gelegentlich der Dampfersubventionsvorlage gezeigt hatte). Aber inzwischen war offensichtlich geworden, daß eine Politik, die kolonialen Unternehmungen in Übersee allgemeine Beachtung schenkte, sich innenpolitisch durchaus hervorragend auszahlte und sich sogar zur Beschaffung einer regierungsfreundlichen Reichstagsmehrheit bei den nächsten Wahlen eignete. Hans-Ulrich Wehler hat eine umfassende Theorie entwickelt, nach der Bismarck sich gezwungen sah, dem zunehmenden Konsens unter den herrschenden Gruppen des kaiserlichen Deutschlands über die Notwendigkeit wirtschaftlicher bzw. territorialer Expansion zu entsprechen.[14] In der Tat nahmen viele Zeitgenossen an, daß die soziale Ordnung durch periodisch wiederkehrende wirtschaftliche Krisen, Massenarbeitslosigkeit und das Anwachsen der Arbeiterklasse bedroht sei. Indessen geht es vielleicht doch zu weit, den Schritt zu einer aktiven Kolonialpolitik während der 1880er Jahre einfach als einen Akt von Sozialimperialismus zu bewerten; denn ungeachtet dieses Konsensus bestanden einstweilen weiterhin große Meinungsunterschiede über die Rentabilität einer staatlichen Kolonialpolitik. Der Einfluß kolonialer Erwerbungen auf die wirtschaftliche Entwicklung war zumindest kurzfristig als gering einzuschätzen, wenn sie denn überhaupt einen gehabt haben. Dennoch gab es 1883 viele Gründe für eine vorsichtige Stützung der deutschen Kolonialbewegung oder auf jeden Fall solcher Initiativen, die nicht die begründeten Rechte der älteren Kolonialreiche verletzten, namentlich jene Großbritanniens und Frankreichs. In der Tat war Bismarck gern bereit, die kolonialen Besitzungen anderer Mächte zu respektieren, egal, ob klein oder groß, wenn sie nur als rechtmäßig erworben betrachtet werden konnten und nach internationalem Recht anerkannt waren.

Im Auswärtigen Amt herrschte anfangs jedoch erhebliche Unklarheit hinsichtlich der Frage, wie weit die Regierung im konkreten Fall bei der Gewährung von Hilfe und Schutz gehen sollte. Wie es scheint, war selbst Bismarck im Frühjahr 1883 in dieser Frage noch unsicher, mit Ausnahme eines Punktes, nämlich daß das direkte Engagement der Regierung jeweils auf ein absolutes Minimum beschränkt werden müsse.

14 Für eine Kritik an Wehlers Thesen (vgl. Anm. 12) siehe Wolfgang J. Mommsen, Hans-Ulrich Wehler, Bismarck und der Imperialismus, in: Central European History 2 (1969), S. 366–372; Paul M. Kennedy, German Colonial Expansion: Has the »Manipulated Social Imperialism« been Ante-Dated?, in: Past and Present 54 (1972), S. 134–141.

Der Testfall für die deutsche Haltung bezüglich eines direkten staatlichen Engagements in Kolonialfragen kam, als der Bremer Kaufmann F. A. E. Lüderitz zuerst im November 1882, danach noch mehrmals und definitiv im August 1883 mit der Bitte an die Regierung herantrat, einer Handelsniederlassung in der Bucht von Angra Pequeña den Schutz des Reiches zu gewähren. Bismarck war nicht gewillt, wegen einer Frage dieser Art Großbritannien unnötig zu verstimmen. Deshalb trat er über seinen Sohn Herbert, der damals Botschaftsrat in London war, an den britischen Außenminister heran und fragte in aller Form an, ob Großbritannien in dieser Region Souveränitätsrechte ausübe oder ob es beabsichtige, dort in naher Zukunft ein System direkter Herrschaft begründen zu wollen. Dabei fügte er ausdrücklich hinzu, »daß uns jetzt wie früher alle überseeischen Projekte und insbesondere jede Einmischung in vorhandene britische Interessen fernlägen, sowie daß wir es nur gern sehen würden, wenn England eventuell deutschen Ansiedlern in jenen Gegenden seinen wirksamen Schutz angedeihen lassen wollte«.[15] Nur wenn dies nicht der Fall sei, würde das Deutsche Reich selbst für den nötigen Schutz sorgen.

Dieser vorsichtige diplomatische Schritt führte zu einem, wie sich herausstellen sollte, sehr schwerwiegenden Zerwürfnis in den englisch-deutschen Beziehungen über Kolonialfragen. Er bestätigt, daß Bismarck zu diesem Zeitpunkt noch ohne jede Einschränkung die Prinzipien informeller Herrschaft favorisierte. Was in seinen Augen zählte, war, daß Unternehmungen deutscher Staatsbürger, die in Kolonien tätig wurden, Schutz gewährt werden sollte, nicht aber, welche der Mächte diesen Schutz übernahm. Falls die britische Regierung effektiven Schutz garantierte (und dies schloß ein angemessenes Maß von Rechtssicherheit in diesen Territorien ein), um so besser. Das Foreign Office und insbesondere das britische Kolonialamt, die mit der Anfrage befaßt waren, gingen davon aus, daß das Deutsche Reich auch weiterhin nicht daran interessiert sei, selbst aktiv in irgendeiner Form koloniale Herrschaft zu errichten, weder in Angra Pequeña noch anderswo. Aus diesem Grund hielt man die Beantwortung der Anfrage nicht für eilbedürftig; die ganze Angelegenheit wurde dilatorisch behandelt, teils weil es als notwendig erachtet wurde, die Regierung der Kapkolonie zu konsultieren, teils weil sie gar nicht auf einer höheren Regierungsebene behandelt wurde. Anscheinend hat die britische Regierung zunächst die Absicht gehabt, Bismarck in Angra Pequeña freie Hand zu geben. Die Kapkolonie übte hingegen erheblichen Druck aus, um die Deutschen aus Südwestafrika herauszuhalten, und forderte die

15 Am 7. Februar 1883. Vgl. Wehler, Bismarck, S. 266f. Die englische Version dazu bei Taylor, Germany's First Bid, S. 24, Herbert von Bismarck an Pauncefote, 7. Februar 1884.

Erklärung einer englischen Monroe-Doktrin für die gesamte Region.[16] In der Zwischenzeit, am 24. April 1883, hatte die deutsche Regierung bestätigt, daß das Lüderitzsche Unternehmen unter den Schutz des Reiches gestellt werden sollte. Man vermied jedoch, sehr zum Verdruß von Lüderitz, sorgsam, territoriale Hoheitsrechte im Namen des Deutschen Reiches selbst zu fordern. Downing Street seinerseits suchte Zeit zu gewinnen. Erst im November 1883 beantwortete man die deutsche Anfrage und revidierte auf eine Intervention der Kapkolonie hin die frühere Entscheidung, nach der einer Festsetzung Deutschlands in Angra Pequeña zugestimmt werden sollte. Jetzt wurde festgelegt, daß Großbritannien ein Protektorat an der afrikanischen Küste beanspruche, das sich vom 18. Breitengrad bis zur Grenze der Kapkolonie erstreckte, »although Her Majesty's Government have not proclaimed the Queen's sovereignity along the whole coast«.[17] Die britische Regierung übernahm demgemäß die südafrikanische Position, die darauf hinauslief, eine Art Monroe-Doktrin für diese Region zu erklären. Die Konsequenzen sind bestens bekannt; die Reichsleitung war empört und protestierte vehement gegen diesen Anspruch, der allen früheren Erklärungen seitens der Briten zuwiderlief. Der britische Schritt könne nicht akzeptiert werden, allein schon wegen der Tatsache, daß Ansprüche auf Souveränität nur anerkannt werden könnten, wenn diese auch tatsächlich ausgeübt würde. Im Ergebnis führte dieser heftige Zusammenstoß, der mit einem Einlenken der britischen Regierung endete, dazu, daß das kaiserliche Deutschland seine Haltung hinsichtlich kolonialer Siedlungen deutscher Staatsbürger in folgenreicher Weise änderte. Von jetzt an war man bereit, »überall, wo England nicht tatsächlich Jurisdiktion ausübt und unseren Angehörigen ausreichenden Schutz gewährt«, den eigenen Bürgern in Übersee staatlichen Schutz zu gewähren. Eine diesbezügliche offizielle Note vom 31. Dezember 1883 an Lord Granville blieb jedoch vorerst ohne Antwort.[18]
Inzwischen hatte sich die deutsche Seite entschlossen, wo immer dies möglich schien, Ansprüche auf potentielle Kolonialgebiete geltend zu machen, obwohl das Reich immer noch nicht beabsichtigte, über die Linie einer indirekten Unterstützung deutscher Kolonialunternehmungen

16 Die Rolle der Kapkolonie, die sehr stark auf die Erklärung einer »englischen« Monroe-Doktrin in Südwestafrika und Betschuanaland drängte, ist jetzt detailliert dargestellt bei Deryck M. Schreuder, The Scramble for Southern Africa, 1877–1895, Cambridge 1980, S. 115ff.
17 Granville an Münster, 21. November 1883, vgl. Taylor, Germany's First Bid, S. 25f., Anm. 2. Die deutsche Sicht wird bei Wehler, Bismarck, S. 271, dargelegt. Das Dokument selbst ist deshalb wichtig, weil die deutsche Reaktion auf die Note, nach der Großbritannien »formell nur Besitz von einzelnen Punkten« genommen habe, die Frage aufwarf, ob diese These nur »bei faktischer Ausübung« der Herrschaft, d. h. effektive Besetzung, aufrechterhalten werden könne.
18 Wehler, Bismarck, S. 271.

hinauszugehen. Die Forderung nach Souveränität über die in Betracht kommenden Territorien wurde sorgfältig vermieden. Bereits am 20. März 1884 wurde Lüderitz durch das Auswärtige Amt ermuntert, seine territorialen Ansprüche weit über seine ursprünglichen Absichten hinaus auszudehnen. Außerdem forderte die Regierung auf Bismarcks Geheiß nun Vertreter der Handelskammern von Bremen und Hamburg auf, ihre territorialen Ansprüche in überseeischen Regionen, namentlich in Westafrika, zu deklarieren, vielleicht einfach nur, um ein präzises Bild von dem Ausmaß des aktuellen ökonomischen Engagements deutscher Unternehmen in Übersee zu gewinnen. Ohne Zweifel war Bismarck jetzt zu konkreten Schritten entschlossen. Des weiteren wurde beschlossen, mit Dr. Nachtigal einen Reichskommissar mit dem Auftrag nach Westafrika zu schicken, deutsche Territorialansprüche gegenüber jenen des britischen Rivalen in den Gebieten abzusichern, aus denen später Togo und Kamerun hervorgingen. Die Anweisungen für Nachtigal waren freilich immer noch ziemlich vage. Er sollte zum ersten Informationen der vor Ort vertretenen deutschen Firmen sammeln, zum zweiten durch den Abschluß zusätzlicher Handelsvereinbarungen mit Eingeborenenhäuptlingen sicherstellen, daß die deutschen Händler gegen Übergriffe durch Konkurrenten besser geschützt würden, und zum dritten auf jedwede Anzeichen für britische Absichten achten, die auf Errichtung eines formellen Protektorates über diese Region hindeuteten. Andererseits aber sollten die bestehenden Handelsinteressen der anderen Mächte gewahrt bleiben. Zu diesem Zeitpunkt war ein formelles Engagement des kaiserlichen Deutschland noch keinesfalls beabsichtigt. Erst nach und nach wurde Bismarck durch die deutschen Chartergesellschaften veranlaßt, schrittweise die Schwelle von indirekter zu direkter Herrschaft zu überschreiten, und zwar weil die betroffenen Firmen sich weigerten, die Verwaltung der betreffenden Territorien in eigene Regie zu übernehmen, obschon der Kanzler persönlich sie auf einer eigens zu diesem Zweck zusammengerufenen Konferenz nachdrücklich darum ersucht hatte. Am 30. April 1884 wurde Dr. Nachtigal formell instruiert, daß »der Schutz ›der Deutschen und ihres Verkehrs‹ an einigen westafrikanischen Küstenstrichen ›im Namen des Reiches unmittelbar‹ übernommen werden solle«.[19] Wir dürfen jedoch annehmen, daß Bismarck zu diesem Zeitpunkt noch die Hoffnung hegte, daß ein solcher Schritt durch die Ausarbeitung angemessener politischer Vereinbarungen mit den anderen Mächten über die westafrikanische Frage vermieden werden könne.

Die plötzlich einsetzende vermehrte Aktivität des Deutschen Reiches in der Kolonialpolitik wurde in erster Linie durch die zögerlichen sowie au-

19 Ebenda, S. 312.

genscheinlich abweisenden und hochfahrenden Reaktionen Großbritanniens ausgelöst. Erleichtert wurde sie noch dadurch, daß der englisch-portugiesische Vertrag vom 26. Februar 1884 auch auf den Widerstand der anderen Mächte, insbesondere Frankreichs, traf. Darin wurde ein weiterer Versuch von seiten Großbritanniens gesehen, mit Portugal als Strohmann Protektorate zu errichten, die nur auf dem Papier existierten. Die Bestimmungen des Vertrages liefen darauf hinaus, ein riesiges Territorium im Namen eines Stellvertreterregimes für sich zu reklamieren, wiewohl überhaupt kein Zweifel daran bestehen konnte, daß hier keinesfalls irgendwo von einer faktischen Herrschaftsausübung seitens Portugal die Rede sein konnte.

Der Konflikt über koloniale Fragen, der sich zwischen dem kaiserlichen Deutschland und Großbritannien entwickelte, ist teilweise auf den Zusammenstoß zweier unterschiedlicher Konzepte, wie staatliche Autorität in Übersee geltend gemacht werden solle, zurückzuführen; im Kern stellte Bismarck die bis dahin im Herzen der europäischen Expansion vorherrschende Strategie in Frage, die imperialistische Herrschaft ganz überwiegend mit informellen und indirekten Mitteln zu begründen und die Ausübung unmittelbarer Herrschaft möglichst auf ein Minimum zu reduzieren suchte. Das System, das Bismarck selbst als das allein mögliche erachtet hatte, nämlich koloniale Machtausübung mit Hilfe indigener Kollaborationsregime oder privater Chartergesellschaften, wurde nun durch das kaiserliche Deutschland selbst in Frage gestellt. Protektorate, die nur auf dem Papier bestanden, wie die von Großbritannien beanspruchten nördlich und südlich der Walfischbucht, wurden hinfort als inakzeptabel betrachtet. Ebensowenig konnten bloß papierene Ansprüche, wie dies im englisch-portugiesischen Vertrag vorgesehen war, bezüglich Westafrika akzeptiert werden.[20] Faktische Inbesitznahme sollte von nun an als das entscheidende Kriterium angesehen werden, nach dem die territorialen Ansprüche der übrigen Staaten in Übersee zu beurteilen waren.

Die gespannte Lage wurde nur geringfügig verbessert durch den vergleichsweise überstürzten Rückzug der britischen Regierung in der Angra-Pequeña-Frage im Juni 1884, denn gleichzeitig faßte das Parlament der Kapkolonie eine Resolution, die die formelle Annexion von Betschuanaland und der Walfischbucht vorsah. Darin sah die deutsche Regierung einen weiteren bewußten Versuch, jegliche weitere Ausdehnung des Territoriums, das am 24. April 1884 zum »Schutzgebiet« der Deutschen Kolonialgesellschaft für Südwestafrika erklärt worden war, zu unterbinden. Dieser Konflikt löste eine umfassende Konfrontation beider

20 Große Politik, Bd. 4, Nr. 738, S. 50f.

Mächte in kolonialen Fragen von Angra Pequeña über die Fidschiinseln bis zu Guinea und natürlich auch Westafrika aus. Westafrika war inzwischen zu einem Objekt der rivalisierenden Beziehungen Frankreichs, Großbritanniens, Portugals und Deutschlands geworden, die sämtlich darauf abzielten, hier eine – sei es direkte oder indirekte – Herrschaft zu begründen. Bismarck war über das Verhalten der amtierenden britischen Regierung äußerst verärgert und glaubte – zweifellos in einer Überreaktion –, daß Großbritannien eine universale Vorherrschaft auf kolonialem Gebiet anstrebe, die durch gemeinsame Bemühungen aller kontinentalen seefahrenden Nationen verhindert werden müsse.[21]
In Wirklichkeit verfolgte die britische Regierung nicht unbedingt »[...] exklusive Bestrebungen nach möglichster Alleinherrschaft in den außereuropäischen Meeren«.[22] Dennoch stellten die in den Wettlauf um koloniale Besitzungen neu eintretenden Mächte für Großbritannien einen äußerst irritierenden Faktor dar. Die britische Strategie imperialistischer Herrschaft, die den Techniken informeller und indirekter Herrschaft beziehungsweise der Proklamierung von Protektoraten den Vorrang vor direkten Formen kolonialer Herrschaft gab, hatte sich bisher durchaus als erfolgreich erwiesen – allerdings nicht zuletzt deshalb, weil bisher kaum rivalisierende Bewerber aufgetreten waren. Allem Anschein nach war es mit dieser Strategie nunmehr vorbei. Die weitverbreitete Praxis, sich, statt kostspielige Kolonialverwaltungen zu errichten, mit Hilfe von Kollaborationsregimen in halbabhängigen Gebieten den freien Zugang zu den Märkten und günstige Bedingungen für den britischen Handel zu sichern, ließ sich zunehmend weniger aufrechterhalten. Andererseits war es aufgrund finanzieller und politischer Rücksichten nicht immer möglich, an die Stelle der bisher praktizierten Strategien direktere Formen imperialistischer Kontrolle zu setzen.[23] Die Regierung Gladstone, ideologisch einer Politik der Einsparungen und der Zurückschneidung staatlichen Engagements sowohl im Inland als auch im Ausland verpflichtet, war am wenigsten in der Lage, diese Probleme zu lösen, die sich zu einer weitreichenden Krise britischer imperialer Herrschaft verdichteten. In den Fällen Angra Pequeña und Guinea trat ein neues Phänomen zutage, mit dem man sich vorerst nur schwer abfinden konnte, nämlich der Subimperialismus der Dominions und der weiter fortgeschrittenen Kolonien; es erwies sich als schwierig, wenn nicht unmöglich, die von dort ausgehenden impe-

21 Große Politik, Bd. 3: Das Bismarck'sche Bündnissystem, Nr. 681, S. 414.
22 Ebenda.
23 Vgl. dazu auch John Flint, Chartered Companies and the Transition from Informal Sway to Colonial Rule in Africa, in: Stig Förster/Wolfgang J. Mommsen/Ronald Robinson (Hrsg.), Bismarck, Europe, and Africa. The Berlin Africa Conference 1884–1885 and the Onset of Partition, Oxford 1988, S. 69–83.

rialistischen Bestrebungen, welche die Spannungen auf internationaler Ebene erhöhten, von London aus in Schach zu halten. Obschon die anderen europäischen Mächte bis zu einem gewissen Grade bereit waren zu erkennen, daß gerade dieser Faktor den Briten große Probleme bereitete, zeigten sie sich nicht geneigt, den Standpunkt Londons zu akzeptieren, daß man auf die Haltung seiner Kolonien keinerlei Einfluß habe. Folglich war es nicht nur die Unbeholfenheit der damaligen britischen Regierung, sondern auch die Tatsache, daß der Prozeß der imperialistischen Durchdringung überseeischer Gebiete mit großer Beschleunigung in ein neues Stadium eingetreten war, welche das Dilemma hervorgebracht haben, in dem sich Gladstone und Granville Anfang der 80er Jahre befanden. Auf der einen Seite drängten einflußreiche Gruppen, im Mutterland und ebenso im Empire, darauf hin, daß die Regierung die Expansionsbestrebungen rivalisierender Mächte, sofern diese in den Einflußbereich der bestehenden britischen Kolonien einzudringen im Begriff waren, mit Entschiedenheit abzuwehren habe; auf der anderen Seite mangelte es an dem politischen Willen und an den finanziellen und militärischen Ressourcen, die eine solche Politik erfordert hätte.
Der englisch-portugiesische Vertrag vom 26. Februar 1884 muß im Licht dieser Entwicklungen gesehen werden. Es war der Versuch, ein weiteres französisches Vordringen im Kongobecken zu unterbinden, ohne die britische Regierung unmittelbar zu engagieren und damit die ansonsten anfallenden Kosten zu sparen. Der Sache nach gestand dieser Vertrag Portugal die ausschließliche Kontrolle einer Region zu, die seit einem Jahrzehnt immer stärker zu einem Objekt hochgesteckter Erwartungen geworden war. Allgemein wurde darauf spekuliert, daß die Erschließung des Kongobeckens für die Zukunft bedeutsame wirtschaftliche Aussichten eröffnen würde. Der Vertrag war freilich nur ein Notbehelf, der überdies großen Teilen der britischen Kaufleute, die in Westafrika Handel betrieben, wegen der negativen kolonialen Vergangenheit Portugals nicht zusagte. Frankreich protestierte sofort gegen den Vertrag, und andere Mächte folgten ihm – kaum überraschend – auf dem Fuße, darunter auch das Deutsche Reich. Der britische Verzicht auf die Ratifizierung dieses Vertrages, der mithin nicht in Kraft trat, reichte für eine Lösung der Krise nicht aus.
Es war schlechterdings nicht zu erwarten, daß Fürst Bismarck der Versuchung würde widerstehen können, diese Situation, in der Großbritannien sich an mehreren Fronten, namentlich in Ägypten und Westafrika, gleichzeitig von den europäischen Großmächten herausgefordert fühlte, für seine Gesamtpolitik auszunutzen. Der Kanzler eröffnete der französischen Regierung die Möglichkeit, in der Westafrikafrage gemeinsam mit dem Deutschen Reich vorzugehen; zusätzlich bot er Deutschlands Hilfe-

stellung auch in der ägyptischen Frage an. Dies kam einer diplomatischen Offensive gegen Großbritannien gleich, die in erster Linie darauf abzielte, jedermann dessen Isolation in Fragen der überseeischen Politik drastisch vor Augen zu führen, und durch die zum zweiten das Inselreich gezwungen werden sollte, in den strittigen Kolonialfragen nachzugeben. Im Vordergrund stand dabei jedoch der Gedanke, auf diese Weise einen Keil zwischen Frankreich und Großbritannien zu treiben. Davon abgesehen würde eine Kolonial-*Entente* mit Frankreich vorteilhafte Auswirkungen auf die deutsch-französischen Beziehungen im allgemeinen haben. Es ist äußerst umstritten, ob die Absicht, Frankreich von Großbritannien zu trennen, das ausschlaggebende Motiv Bismarcks gewesen ist oder ob die kolonialpolitische Zielsetzung einen davon unabhängigen Ursprung hatte. Unseres Erachtens nach war die – zeitweilige – Verfolgung einer Politik maßvoller kolonialer Erwerbungen in Übersee nicht nur Mittel zum Zweck; sie stand ganz im Einklang mit dem Geist der frühen 80er Jahre; der *Scramble for Africa* war im Begriff, in ein neues, intensiveres Stadium einzutreten. Die deutsche Regierung wollte nicht das Risiko eingehen, sich späterhin nachsagen lassen zu müssen, daß man den richtigen Zeitpunkt für den Einstieg verpaßt habe, wie wenig Bismarck selbst auch immer von formeller oder informeller Kolonialherrschaft gehalten haben mag. Jedoch sollte nicht übersehen werden, daß es von Anfang an Bismarcks höchstes persönliches Ziel war, Frankreich für eine *Entente* auf kolonialem Gebiete zu gewinnen. Die Idee, eine internationale Konferenz einzuberufen, die über die Zukunft Westafrikas befinden sollte – einer Region, in der für Frankreich viel mehr auf dem Spiel stand als für Deutschland –, war in erster Linie ein Instrument, ein deutsch-französisches *rapprochement* herbeizuführen. In zweiter Instanz verfolgte Bismarck mit der Konferenzidee den Zweck, Großbritannien eine Lehre zu erteilen und ihm zu verstehen zu geben, daß es in kolonialen Fragen nicht länger ohne das Einvernehmen der anderen europäischen Mächte agieren könne. In diesem Lichte betrachtet, war die Westafrika-Konferenz primär ein Element europäischer Mächtepolitik. Die substantiellen Fragen, die die Konferenz regeln sollte, insbesondere die Festlegung internationaler Regeln für die Begründung und Ausübung kolonialer Herrschaft, waren absolut nachrangig, und dies bestätigte sich, wie noch zu zeigen sein wird, mit dem Fortgang der Dinge mehr und mehr. Obschon die Kongoakte etwas anderes beanspruchte, wurde Afrika hauptsächlich als ein Objekt behandelt, das benutzt werden sollte, um politische Ziele zu erreichen, die mit diesem, ganz zu schweigen von den dort lebenden Völkern, nicht das geringste zu tun hatten. In gewisser Weise war es ein Versuch, Englands Hegemonie in der überseeischen Politik zu beschneiden, indem eine der – wie man damals allgemein annahm – für die europäische Wirtschaft wichtigsten Regionen Afrikas internationalisiert wurde. Andererseits sollte nicht übersehen werden, daß Bismarck gleichzeitig hoffte, durch die Begründung einer Freihandelszone in Westafrika oder wenigstens im Kongobecken die legitimen Interessen des deutschen Handels in dieser Region zu sichern, ohne zu direktem staatlichen Eingreifen beziehungsweise zur Begründung von Kolonien greifen zu müssen – eine Lösung, die voll mit den allgemeinen Vorstellungen des Reichskanzlers über Kolonien und Kolonisation übereinstimmte.

Zu Beginn des Jahres 1884 schienen die Chancen für eine radikale Neugestaltung der Bündniskonstellationen innerhalb des europäischen Mächtesystems nicht schlecht zu stehen. Das französische Kabinett unter Jules Ferry war zutiefst verstimmt über die britische Politik in Ägypten und fest dazu entschlossen, seinen Einfluß in der *Administration de la Dette Publique* dazu zu benutzen, um die französische Vorrangstellung in Ägypten soweit wie möglich zurückzugewinnen. Es war auch gewillt – unter Ausnutzung der privilegierten Position der konsularischen Gerichte –, für die Europäer, deren Eigentum bei der Bombardierung Alexandrias Schaden genommen hatte, Wiedergutmachungszahlungen einzufordern. Natürlich mußten die unglücklichen Ägypter diese Kosten tragen, nicht der englische Steuerzahler, aber dies mußte die Schwierigkeiten für das britische Regiment in Ägypten um einiges erhöhen.

Die Londoner Konferenz über die ägyptische Frage von April bis Juli 1884 endete in völliger Uneinigkeit, obschon Graf Münster sich nicht strikt an seine Instruktionen gehalten hatte, welche darauf hinausliefen, die französischen Vorschläge für eine Wiederherstellung der Schuldenverwaltung nachdrücklich zu unterstützen und sowohl auf einem deutschen als auch einem russischen Repräsentanten in der *Caisse de la Dette Publique* zu bestehen; auf der Konferenz hatte Münster sehr zur Irritation Bismarcks nur verlangt, daß, wenn diese der Berufung eines russischen Vertreters zustimme, er auch auf die Berufung eines deutschen Vertreters bestehen müsse.[24]

Aber damit war noch nicht alles verloren. Bismarck war entschlossen, die Spannungen zwischen Großbritannien und Frankreich über die ägyptische Frage systematisch auszunutzen, um die Franzosen dazu zu bringen, sich seinem Vorschlag einer internationalen Konferenz zur Regelung der Zukunft Westafrikas anzuschließen. Um ganz sicherzugehen, wurde Münster ausdrücklich instruiert, die Prioritäten der deutschen Außenpolitik nicht nochmals falsch zu setzen: »Ich bitte [...] nicht zu vergessen, daß Ägypten als solches für uns ganz gleichgültig und für uns nur ein *Mittel* ist, den Widerstand Englands gegen unsere kolonialen Bestrebun-

24 Vgl. Anm. 10.

gen zu überwinden. Der kleinste Zipfel von Neuguinea oder Westafrika, wenn derselbe objektiv auch ganz wertlos sein mag, ist gegenwärtig für unsere Politik wichtiger als das gesamte Ägypten und seine Zukunft.«[25] Bismarck benutzte die Gelegenheit, um in intensive Verhandlungen mit dem französischen Kabinett über eine politische Kooperation beider Mächte einzutreten, wie sie für einen erneuten Vorstoß in der ägyptischen Frage notwendig schienen. Gleichzeitig sollten sich beide Mächte über die Tagesordnung einer die Zukunft Westafrikas betreffenden Konferenz einigen. In diesen Gesprächen wich der Reichskanzler von den üblichen diplomatischen Gepflogenheiten ab, indem er Verhandlungen teilweise persönlich führte und den französischen Botschafter in Berlin, Courcel, sogar auf seinen Landsitz nach Friedrichsruh einlud. Überdies sandte er Ferry einen persönlichen Brief in französischer Sprache, in dem er die wichtigsten Vorschläge für die Tagesordnung der ins Auge gefaßten internationalen Konferenz persönlich aufgelistet hatte.[26] Die französische Regierung war zunächst sehr zurückhaltend; sie wollte nicht in eine politische Aktion hineingezogen werden, die auf eine direkte Herausforderung Großbritanniens hinauslief oder doch wenigstens eine größere diplomatische Offensive gegen dieses darstellte. Noch im Oktober bemerkte Jules Ferry: »Sein [Bismarcks, W.J.M.] offensichtliches Bestreben ist es, uns die Initiative zu überlassen und zu versprechen, uns zu folgen; unsere Haltung aber ist es abzuwarten und nicht einen einzigen Schritt zu unternehmen, ohne uns der Mitwirkung Europas versichert zu haben.«[27] Schließlich jedoch ging die französische Regierung auf die Vorschläge Bismarcks ein, in der Erwartung, sich dadurch der massiven Unterstützung des Deutschen Reiches auf der bevorstehenden nächsten Konferenz über die ägyptische Frage, die für März 1885 angesetzt war, zu versichern; sie hoffte, mit deutscher Hilfestellung dort eine weitreichende Internationalisierung der ägyptischen Frage zu erreichen. Dann aber würden die Briten einlenken, auf jeden Fall aber sich gezwungen sehen, der ägyptischen Schuldenverwaltung, in der die Vertreter Londons hoffnungslos in der Minderzahl sein würden, in allen finanziellen Angelegenheiten ein ausschlaggebendes Mitspracherecht einzuräumen. Es bedarf keiner besonderen Betonung, daß das Wohlergehen der ägyptischen Bevölkerung dabei als gänzlich nachrangig betrachtet wurde; es handelte sich hier um große Politik, die Verschuldung des armen Landes war lediglich ein will-

25 Große Politik, Bd. 4, Nr. 758, S. 96f.
26 Bismarck an Ferry, durch die Hände von Courcel, 14. September 1884, Documents diplomatiques français, 1[re] série (1871–1900), Tome V (23 Février 1883–9 Avril 1885), Paris 1933, 395., S. 404f. (im folgenden zitiert als: Ddf, Tome V); siehe auch Gavin/Betley, Scramble, S. 334.
27 Ddf, Tome V, 421, S. 442.

kommenes Pfand in den Händen der Kontinentalmächte, um Großbritannien zur Nachgiebigkeit zu zwingen.
Bismarck war von Anfang an die treibende Kraft hinter den Bemühungen, eine Westafrika-Konferenz einzuberufen, obwohl die Idee für eine derartige Konferenz eigentlich von der portugiesischen Regierung ausgegangen war. Das ursprüngliche Ziel war ohne Zweifel gewesen, eine antibritische Koalition zu schmieden, zu der nicht nur Frankreich und Deutschland, sondern auch alle anderen europäischen Kolonialmächte gehören sollten. Die Konferenz sollte in Analogie zu den Verhältnissen, die im Fernen Osten herrschten, für sämtliche Territorien, die noch nicht einer formellen kolonialen Herrschaft unterworfen waren, die Prinzipien der »Offenen Tür« und der effektiven Inbesitznahme verbindlich vorschreiben. Bismarck nahm an, daß Großbritannien sich wahrscheinlich weigern würde, sich an einer solchen Vereinbarung zu beteiligen: »Kann Englands Beitritt herbeigeführt werden, so wäre dies erwünscht, für wahrscheinlich halte ich es kaum, glaube vielmehr, daß die exklusiven englischen Bestrebungen nach möglichster Alleinherrschaft in den außereuropäischen Meeren die anderen handeltreibenden Nationen in die Notwendigkeit setzen werden, durch Assoziation untereinander ein Gegengewicht gegen die englische Kolonialsuprematie herzustellen.«[28]
Ähnlich beschwerte sich Bismarck gegenüber Courcel noch am 23. September 1884: »Die Engländer sind geneigt, zu glauben, daß alle Teile des Erdballs, die noch nicht durch eine andere Nation besetzt sind, aufgrund eines rechtmäßigen Erbschaftsgesetzes ihnen gehören und daß man ihnen ein Unrecht zufügt, wenn man sich neben ihnen an der Küste der noch freien Kontinente niederläßt oder auf den Meeren kreuzt.« Er forderte, daß der Grundsatz des europäischen Gleichgewichts ergänzt werden müsse durch eine »Art von Gleichgewicht auf den Weltmeeren [...]«.[29]
Zugleich aber wünschte Bismarck das, was er als die legitimen Wünsche der deutschen Geschäftswelt betrachtete, soweit wie möglich befriedigt zu sehen; d. h. freien Zugang zu wirtschaftlich vielversprechenden Märkten in Übersee sowie eine faire Behandlung der eigenen Kaufleute durch die dortigen Behörden. Ganz im Gegensatz zu seinen eigentlichen Absichten sah sich Bismarck jedoch bald über die Linie eines derartigen Freihandelsimperialismus hinausgedrängt, zum größten Teil durch das Verhalten der britischen Regierung und der britischen Agenten an der Peripherie. Seiner Auffassung nach betrieben diese sinistre Operationen, die darauf abzielten, jegliche weitere deutsche Kolonialexpansion an den

28 Große Politik, Bd. 3, S. 414.
29 Courcel an Ferry, 23. September 1884, Gavin/Betley, Scramble, S. 341; Ddf, Tome V, 407., S. 424.

verschiedensten Punkten des Erdballs zu unterbinden. Gleichwohl blieb der Kanzler immer noch ein Gegner aller direkten Ausübung kolonialer Herrschaft und suchte nach Lösungen, die eben noch vor der Schwelle lagen, jenseits welcher formelle koloniale Machtausübung begann. Dafür hatte er sehr konkrete Gründe: »Direkte Kolonien können wir nicht verwalten, nur Kompagnien stützen. Kolonialverwaltungen wären nur Vergrößerung des parlamentarischen Exerzierplatzes«, hatte er schon bei früherer Gelegenheit als Randbemerkung an eine der zahlreichen Eingaben mit der Bitte nach direkter Unterstützung kolonialer Unternehmungen durch die Regierung geschrieben.[30] Seine grundsätzliche Haltung in diesen Fragen hatte sich nicht geändert, doch räumte er jetzt ein, daß das Reich angesichts der nach immer weiteren Territorien ausgreifenden kolonialen Aktivitäten der Mächte nicht länger stillhalten könne.
Nicht zuletzt weil Bismarck in höchstem Maße abgeneigt war, zu einer Politik formeller und direkter Kolonisation durch den Staat als solchen gedrängt zu werden, war er daran interessiert, dem *Scramble* nach immer neuen Besitzungen Einhalt zu gebieten und in Übersee die Schwelle zu formeller Herrschaft nicht zu überschreiten, wenigstens soweit dies deutsche koloniale Projekte anging. Seine Vorschläge, die Konferenz so schnell wie möglich abzuhalten – eigentlich war daran gedacht gewesen, diese schon im Oktober 1884 zusammentreten zu lassen –, kam einem Versuch gleich, den kolonialen Expansionsprozeß gleichsam anzuhalten oder doch in Bahnen zu lenken, die ein unmittelbares Engagement der Großmächte entbehrlich machen würden. Er schlug vor, allen Gebieten, die noch nicht unter der Herrschaft westlicher Mächte stünden, einen internationalen Status zu verleihen, der die Prinzipien des Freihandels und des freien Zugangs zu den Märkten für Kaufleute aller Nationalitäten garantiere. Dies würde den Konflikten zwischen den Mächten wegen der Errichtung formeller Kolonialherrschaft in allen den überseeischen Regionen, deren politische Zukunft noch offen war, die Schärfe nehmen.
Im Falle Kameruns wurde Bismarck jedoch durch die Macht der Tatsachen dazu gezwungen, über seine Linie, derzufolge stets privaten Unternehmen die Initiative überlassen werden müsse, hinauszugehen. Dr. Nachtigal wurde angewiesen, Kamerun zum »Schutzgebiet« des Deutschen Reiches zu erklären. Bismarck beabsichtigte sogar, Dr. Nachtigal dort als Generalkonsul einzusetzen. Aber obwohl Anfang August 1884 die deutsche Flagge in Kamerun gehißt wurde, vermied man es vorerst sorgfältig, in diesem Zusammenhang von »Souveränität« zu sprechen. Der Reichskanzler unternahm persönlich den Versuch, deutsche Han-

30 Vgl. Wehler, Bismarck, S. 438ff.

delsunternehmen dafür zu gewinnen, ein »Syndikat für Westafrika« zu gründen, das nach Bismarcks Vorstellungen mit der Verwaltung des »Protektorats« beauftragt werden sollte. Das Syndikat jedoch, welchem die beteiligten Firmen nur widerwillig beigetreten waren, weigerte sich hartnäckig, jegliche Hoheitsaufgaben zu übernehmen. Infolgedessen wurde die deutsche Regierung hier am Ende über ihre eigentlichen Zielsetzungen hinausgetragen und zur Errichtung einer offiziellen Kolonialverwaltung in Kamerun gezwungen. Es kann kein Zweifel daran bestehen, daß Bismarck damals hart daran gearbeitet hat, eben dies zu verhindern; er hatte gehofft, daß die Übereinkünfte, die auf der Westafrika-Konferenz herbeigeführt werden sollten, einen ausreichenden Schutz des deutschen Handels in Kamerun gewährleisten würden und somit die Errichtung eines formellen Kolonialregiments vermieden oder wenigstens auf ein Minimum beschränkt werden könne. Wir haben keinen Grund, die Ernsthaftigkeit der Versicherung anzuzweifeln, die der Kanzler noch am 13. August 1884 gegenüber Courcel abgab: »Die Ausdehnung unserer kolonialen Besitzungen ist nicht Gegenstand unserer Politik; wir haben nur im Auge, dem deutschen Handel den Eingang nach Afrika an Punkten zu sichern, welche bis jetzt von der Herrschaft anderer europäischer Mächte unabhängig sind.«[31] Wenn die gerechtfertigten Ansprüche des deutschen Handels durch Maßnahmen abgesichert werden könnten, die unterhalb der Errichtung von »Schutzgebieten«, ganz zu schweigen von formellen staatlichen Kolonien, angesiedelt waren, hielt Bismarck dies für um so besser. Und er hatte Grund anzunehmen, daß dieses Prinzip wenigstens im Kongobecken verwirklicht werden könne, wenngleich er fraglos eine Ausweitung desselben über Afrika hinaus begrüßt haben würde.

Unter diesen Umständen kamen Bismarck die Bestrebungen der *Association Internationale du Congo* (AIC) Leopolds II. nur zu gelegen. Die *Internationale Kongo Assoziation* gab vor, den westlichen Industriestaaten ein riesiges, bisher beinahe unzugängliches Territorium auf der Grundlage uneingeschränkter Handelsfreiheit für alle Interessenten zu erschließen. Diese Bestrebungen wurden in Berlin mit Enthusiasmus aufgenommen, obschon Bismarck durch seinen persönlichen Bankier und Vermittler, Bleichröder, darüber informiert gewesen sein muß, daß Leopolds Unternehmen weder finanziell auf gesunden Füßen stand noch moralisch integer war. Bismarck hatte wiederholt Bleichröders Dienste bei der Anbahnung engerer Beziehungen mit Frankreich in Anspruch genommen; die von ihm geführte Bank sollte, nebenbei bemerkt, späterhin die Benennung des Repräsentanten der deutschen Gläubiger bei

31 Zit. nach Koenigk, Kongo-Konferenz, S. 108.

der *Caisse de la Dette Publique* übernehmen.[32] Die Tatsache, daß sich die USA in einer relativ frühen Phase Leopolds Unternehmen angeschlossen hatten, größtenteils, weil er auch den Amerikanern eine Politik der »Offenen Tür« im Kongo-Becken versprochen hatte, hat vermutlich die positive Resonanz, auf die die AIC in der Wilhelmstraße stieß, zusätzlich befördert.

Bismarck war überhaupt nicht daran interessiert, noch weitere Stücke aus dem westafrikanischen Kuchen für das Deutsche Reich herauszuschneiden, und sah es lieber, daß andere diese immer noch weitgehend unentdeckten Gebiete wirtschaftlich erschlossen, sofern der deutsche Handel dabei als gleichberechtigter Partner behandelt werden würde. Er war daher geneigt, der AIC einen so großen Teil von Westafrika zu überlassen, wie die Franzosen tolerieren würden.[33] Er war durchaus bereit, der AIC einen unabhängigen Status nach internationalem Recht zuzugestehen[34] und sie formell als unabhängigen Staat anzuerkennen. Selbst wenn Leopolds Unternehmen in Schwierigkeiten geraten sollte und das Vorkaufsrecht, das Frankreich im April 1884 zugestanden worden war, zur Anwendung kommen würde, wären die internationalen Garantien bezüglich des Freihandels unangetastet geblieben. Bismarck war es gänzlich gleichgültig, wie die zwischen den rivalisierenden Mächten zu vereinbarenden Grenzen in Westafrika im einzelnen ausfallen würden, solange durch sie nicht der Handel berührt werde. Während der Konferenz bemerkte er einmal aufschlußreich: »Ich wünsche nur Handelsfreiheit am Kongo, und es soll mir gleichgültig sein, von welchem die Hoheit beanspruchenden

32 Zu Bleichröders Rolle als Mittelsmann zwischen Leopold II. und Bismarck siehe auch Fritz Stern, Gold und Eisen. Bismarck und sein Bankier Bleichröder, Reinbek bei Hamburg 1988, S. 562ff.

33 Vgl. Jean Stengers, King Leopold and Anglo-French Rivalry, in: Prosser Gifford/William R. Louis (Hrsg.), France and Britain in Africa. Imperial Rivalry and Colonial Rule, New Haven 1971, S. 121–166, hier S. 163. Stengers bezieht sich dabei auf einen Bericht Courcels über eine Unterredung, die dieser mit Bismarck am 30. August 1884 geführt habe. Vgl. auch Bismarck an Courcel, 13. September 1884, zit. nach Koenigk, Kongo-Konferenz, S. 108: »Ebenso wie Frankreich wird die deutsche Regierung eine wohlwollende Haltung bezüglich der belgischen Unternehmungen am Kongo infolge des Wunsches der beiden Regierungen beobachten, ihren Angehörigen die Handelsfreiheit in dem ganzen Gebiete des zukünftigen Kongostaates sowie in den Stellungen zu sichern, welche Frankreich an diesem Strom einnimmt, und dem liberalen System, welches man von dem zu gründenden Staat erwartet, zu unterwerfen beabsichtigt. Diese Vorteile würden den deutschen Angehörigen für den Fall verbleiben und ihnen gewährleistet werden, falls Frankreich in die Lage kommen sollte, das ihm seitens des Königs der Belgier eingeräumte Vorzugsrecht im Falle einer Veräußerung der durch die Kongogesellschaft gemachten Erwerbungen auszuüben.«

34 Münster an Granville, 2. November 1884, Gavin/Betley, Scramble, S. 65: »Die kaiserliche Regierung vertritt die Ansicht, daß es im Interesse des Handels und der Zivilisation wünschenswert sei, daß die Assoziation als ein internationales ›Rechtssubject‹ anerkannt werde.«

Staate ich sie erhalte.«[35] Die Annahme ist sicher gerechtfertigt, daß Bismarck durchweg von derartigen Überlegungen geleitet wurde. Vielleicht sollte noch hinzugefügt werden, daß er gleichzeitig geneigt war, Frankreich in allen diesen Fragen soweit wie möglich entgegenzukommen. Das war auch in dem speziellen Fall der *Internationalen Kongo Assoziation* so. Darüber hinaus schlug Bismarck die Errichtung internationaler Kommissionen zur Regelung der Schiffahrt auf dem Kongo und dem Niger vor in der Absicht, das Prinzip des unbeschränkten Zugangs der Angehörigen aller beteiligten Mächte völkerrechtlich zu garantieren. Als Vorbild diente dabei die Europäische Donau-Kommission, die gemäß den Beschlüssen des Wiener Kongresses von 1815 eingesetzt worden war. Nebenbei bemerkt ist es beachtenswert, daß der Kanzler wünschte, diesen Kommissionen in den an die beiden Flüsse angrenzenden Regionen, soweit dort keine staatliche Autorität bestehe, beschränkte Hoheitsbefugnisse in Rechts- und Verwaltungsfragen einzuräumen. Solche Institutionen konnten helfen, den Prinzipien des Freihandels und der »Offenen Tür« zu effektiver Durchsetzung zu verhelfen. Andererseits betrachtete Bismarck dies als eine zusätzliche Maßnahme, um eine Internationalisierung des Handels in der Kongo-Region herbeizuführen. Davon abgesehen begrüßte er das wie auch immer begrenzte Engagement in afrinischen Fragen, das die Errichtung von Kommissionen dieser Art für weniger direkt betroffene Mächte wie das zaristische Rußland und die Habsburger Monarchie mit sich bringen würde.

Der letzte Punkt auf Bismarcks Tagesordnung für die Schaffung internationaler Regeln war der Vorschlag, daß die europäischen Kolonialbesitzungen im Kongobecken während eines Krieges zu einer neutralen Zone erklärt werden sollten. Ursprünglich stammte diese Idee wohl eher von Leopold II. als von Bismarck,[36] aber es paßte offensichtlich gut in die Strategie des Reichskanzlers. Somit wurde das kaiserliche Deutschland, das ansonsten wenig Neigung zeigte, für das Prinzip der internationalen Abrüstung einzutreten, zu einem Anhänger des Vorschlags, die Kolonien der europäischen Mächte im Kriegsfall zu neutralisieren. Im Hinblick auf die relative Schwäche des Deutschen Reiches als Seemacht war dieser Vorschlag vorteilhaft. Zudem war Bismarck immer noch darum bemüht, die Stellung des Deutschen Reiches im europäischen Mächtesystem nicht durch eine übermäßige Betonung seiner Rolle als Kolonialmacht zu belasten. Die Worte, mit denen der Kanzler die Verhandlungen der West-

35 Äußerung Bismarcks anläßlich eines Essens zu Ehren der Delegierten der Konferenz am 19. Januar 1885, zitiert nach Koenigk, Kongo-Konferenz, S. 172.
36 Vgl. Brief Leopolds II. an Bleichröder vom 4. Mai 1883, zit. nach Stengers, King Leopold, S. 150.

afrika-Konferenz am 26. Februar 1885 beschloß, spiegeln ohne Zweifel seine generelle Einstellung zur Westafrikafrage zutreffend wider: »[...] Sie [die Delegierten, W. J. M.] haben nach den Mitteln gesucht, einen Großteil des afrikanischen Kontinents aus den Wechselfällen der internationalen Politik herauszuhalten und die Rivalität der Nationen auf einen friedvollen Wettstreit von Handel und Industrie einzuschränken.«[37]
Fürst Bismarcks Absichten, wie er sie bei dieser Gelegenheit umriß, waren sicherlich aufrichtig gemeint; aber in seinen Augen hatte das Ziel, eine Verständigung mit Frankreich zustande zu bringen, welche vorteilhafte Auswirkungen auf die Position des kaiserlichen Deutschland innerhalb des Mächtesystems gehabt haben würde, eindeutig Vorrang vor einer umfassenden Durchsetzung seiner Vorschläge für eine Internationalisierung des Handels im Kongobecken. Im besonderen war der Kanzler daran interessiert, für alle bedeutsameren Vorschläge die Zustimmung Frankreichs zu erreichen, bevor diese den anderen Mächten, namentlich Großbritannien, zur Kenntnis gebracht wurden. Die Franzosen standen dieser Strategie wohlwollend gegenüber, aber sie wollten die Konferenz nicht in »eine Kriegsmaschinerie gegen England« umgewandelt sehen.[38]
Des weiteren erachteten sie das Freihandelsprinzip weder als insgesamt praktikabel noch als erstrebenswert, weil sie dann auf die Vorteile eines ziemlich restriktiven Systems von Abgaben und Zöllen in ihren eigenen westafrikanischen Besitzungen hätten verzichten müssen, ohne eine angemessene Entschädigung anderswo zu erhalten, wenngleich Bismarck ihnen Freihandel – oder besser: freien Zugang zum Handel in den beiden zukünftigen Schutzgebieten Togo und Kamerun – in Aussicht gestellt hatte. Ebenso waren die Franzosen nicht daran interessiert, die Einführung einer internationalen Schiffahrtskommission auf dem Niger zu unterstützen, obwohl der französische Handel von einer solchen Einrichtung möglicherweise profitiert hätte, weil dies aller Wahrscheinlichkeit nach zu einem Konflikt mit Großbritannien geführt haben würde.
Anders als die Deutschen sahen die Franzosen eine Ausweitung dieser Grundsätze über die Grenzen des Kongo-Beckens hinaus nicht gern. Infolgedessen wurde das Freihandelsprinzip von Anfang an beträchtlich verwässert. Es verlor einiges an Wirkung, weil Paris zum einen für die laufenden Verwaltungskosten sowie für Maßnahmen zur Belebung des Handels eine, wenn auch bescheidene, Besteuerung zulassen wollte und

37 Gavin/Betley, Scramble, S. 284. Französische Version bei Ganslmeier, Protocoles, S. 252.
38 Memorandum Jules Ferrys, August 1884, Ddf, Tome V, 376., S. 377ff.; Gavin/Betley, Scramble, S. 328ff. Ferry faßt seine Analyse wie folgt zusammen: »Anstatt eine Kriegsmaschinerie gegen England in Gang zu setzen, würde ich lieber Englands Aufmerksamkeit darauf lenken, daß es sich an seine eigenen Doktrinen hält.« Ebenda, S. 330; Ddf, Tome V, 376., S. 380.

zum anderen eine Begrenzung der Zeitspanne, in der das Freihandelsprinzip überhaupt Anwendung finden sollte, auf 20 Jahre wünschte. Was den Grundsatz der Effektivität kolonialer Herrschaft betraf, so begrüßte die französische Regierung diesen insofern, als durch ihn den fiktiven britischen Präventivannexionen und dem Mißbrauch der Proklamierung unbestimmt definierter »Protektorate« ein Ende gesetzt werden würde. Dennoch zögerte sie, in den Verhandlungen mit den anderen Mächten auf diesen Grundsätzen nachdrücklich zu bestehen, vielleicht weil sie sich sehr wohl bewußt war, daß einige ihrer eigenen neuerlichen Erwerbungen juristisch auf ähnlich tönernen Füßen standen wie die papiernen britischen Protektorate an der südwestafrikanischen Küste.[39] Die deutsche Diplomatie – ganz darauf bedacht, sich aus Gründen der allgemeinen Politik mit den Franzosen zu verständigen – leistete deren Vermittlungsvorschlägen keinen ernsthaften Widerstand. Ferner akzeptierte sie von vornherein, daß die neuen Bestimmungen nicht für Gebiete gelten sollten, die bereits der Souveränität europäischer Mächte unterstanden. Folglich wurden die deutschen Vorschläge ihrer potentiell revolutionären Wirkung auf die koloniale Peripherie beraubt, noch bevor die Konferenz eigentlich begonnen hatte. Bismarcks großer Plan, durch eine Internationalisierung des Handels das ganze Kongobecken und möglicherweise auch die angrenzenden Territorien gegen die aggressiven Bestrebungen der rivalisierenden europäischen Imperialismen abzuschirmen, kam demgemäß nie über das Anfangsstadium hinaus. Das gleiche Schicksal ereilte seine Bemühungen, im Herzen des Kongos ein Stellvertreterregime einzurichten, das die notwendigen Kontrollfunktionen wahrnahm, während es gleichzeitig allen kommerziellen Interessen uneingeschränkt freien Zugang unter gleichen Bedingungen gewährte. Das ist zum Teil darauf zurückzuführen, daß der Reichskanzler das ganze Unternehmen in erster Linie als eine antibritische diplomatische Offensive angelegt hatte. Zwar waren die englischen Reaktionen auf die vereinten deutschen und französischen Vorschläge alles andere als entgegenkommend ausgefallen, aber es zeigte sich bald, daß die Londoner Regierung durchaus nicht so unnachgiebig war, wie Bismarck vermutet hatte, obwohl der Ton, der von seinen diplomatischen Emissären angeschlagen wurde, gelegentlich eher rüde war. Sein Sohn Herbert, der fließend Englisch sprach und in den Spitzen der englischen Gesellschaft gut eingeführt war, stellte dabei keine Ausnahme dar.

39 Vgl. Ferry an Courcel, 19. September 1884, Ddf, Tome V, 402., S. 415f.: »Die delikateste Frage wird ohne Zweifel sein, die Bedingungen festzulegen, die vorhanden sein müssen, damit eine Besetzung als tatsächlich vollzogen angesehen wird. Ich glaube mit Herrn von Bismarck, daß es sich empfiehlt, nur den Grundsatz vorzugeben, um der geplanten Konferenz die Ausarbeitung der Anwendung zu überlassen.« Gavin/Betley, Scramble, S. 338.

Das Verhalten der Londoner Regierung läßt sich u. a. dadurch erklären, daß die Briten jeden erdenklichen Grund hatten, die Deutschen, wo immer möglich, konziliant zu behandeln, weil in den anstehenden Verhandlungen über die Zukunft Ägyptens einerseits ihre Unterstützung gebraucht wurde, andererseits zu befürchten war, daß sie ansonsten unnachgiebig für Frankreich Partei nehmen würden. Wie die Korrespondenz zwischen Gladstone und Granville zeigt, waren derartige Überlegungen in ihren Beratungen vorherrschend.[40] Aber grundsätzlich machte die britische Regierung keine Einwände geltend gegen die Einführung eines international garantierten Freihandelssystems in Westafrika, das die rivalisierenden französischen und die entstehenden deutschen Territorien, ja sogar diejenigen Portugals einschloß, über dessen unfaire Behandlung ausländischer Kaufleute die Briten selbst äußerst besorgt waren. Die englischen Anschauungen (oder eher die Einschätzungen von Downing Street, die im Gegensatz zu denjenigen des Kolonialamtes standen, welches die Ansichten der betroffenen britischen Kolonien wiedergab) unterschieden sich in der Tat nicht sehr von jenen Bismarcks, obwohl dieser vom Gegenteil überzeugt war. Dennoch machte London wenig Anstalten, eine internationale Schiffahrtskommission für den unteren Niger zu akzeptieren, da die englische öffentliche Meinung den Niger in jeder Hinsicht als einen englischen Fluß betrachtete.[41] Dagegen gestand man sehr früh zu, eine internationale Schiffahrtskommission für den Kongo einzuführen.

Bismarck hatte die Frage der Effektivität kolonialer Herrschaft als das Haupthindernis für eine Übereinkunft mit Großbritannien angesehen und sogar als eine Frage, die das Inselreich und die kontinentalen Mächte grundsätzlich voneinander trennte. Am Ende zeigte sich, daß das eigentlich gar keinen Streitpunkt ersten Ranges darstellte. Dies beruhte allerdings teilweise auf dem Umstand, daß die deutsche Regierung sich außerstande zeigte, eine präzise Formulierung für das Prinzip der Effektivität kolonialer Herrschaft vorzulegen, die mit der Wirklichkeit an der Peripherie übereinstimmte; das Netz europäischer Hoheitsrechte war nämlich beinahe überall extrem weitmaschig und reichte in der Regel kaum über einige wenige Brückenköpfe an den Küsten hinaus. Das galt glei-

40 Vgl. Agatha Ramm (Hrsg.), The Political Correspondence of Mr. Gladstone and Lord Granville, 1876–1886, 2 Bde., Oxford 1962, hier Bd. 2, passim. Die Westafrika-Konferenz und die vorhergehenden diplomatischen Aktivitäten werden in der Korrespondenz kaum erwähnt, während die ägyptische Frage nahezu täglich diskutiert wird. Im ganzen ist der Ton der Korrespondenz, die sich auf Bismarck und deutsche Kolonialfragen bezieht, um es vorsichtig zu sagen, eher herablassend.

41 Vgl. William R. Louis, The Berlin Congo Conference, in: Gifford/Louis, France and Britain, S. 167–220.

chermaßen für Kolonien, die bereits international anerkannt waren, sowie für diejenigen kolonialen bzw. halbkolonialen Territorien, die aufgrund mehr oder minder fiktiver Schutzverträge oder durch den Erwerb von Rechten und Privilegien von indigenen Herrschern begründet worden waren und weitgehend auf dem Papier standen. Bismarck stimmte letztlich dem Vorschlag zu, die Konferenz selbst eine adäquate Formel erarbeiten zu lassen, die festlegen sollte, wann und unter welchen Bedingungen die Inbesitznahme durch eine der Mächte als effektiv zu betrachten sei.[42] Somit wurde den Briten das erspart, von dem einige Beamte des Colonial Office fürchteten, daß es sich zu einem gewaltigen Problem auswachsen könnte: nämlich eine genaue Überprüfung der Rechtsgültigkeit der zahlreichen zumeist äußerst vage gehaltenen Verträge mit afrikanischen Fürsten und Häuptlingen, auf denen sich ihre kolonialen Herrschaftsrechte gründeten. Im allgemeinen gingen diese Verträge nicht wesentlich über die Einführung der durch einen britischen Konsularbeamten auszuübenden Gerichtsbarkeit für britische Bürger und möglicherweise andere Europäer und die Garantie der Handelsfreiheit für diese Gruppe hinaus. Nach den Regeln des allseits akzeptierten internationalen Rechts, wie es durch die europäischen Mächte praktiziert wurde, hätten diese Verträge sicherlich nicht den notwendigen Voraussetzungen für eine Anerkennung der Souveränitätsrechte der jeweiligen kolonialen Schutzmacht genügt!
Die britische Furcht erwies sich jedoch letzten Endes als unbegründet. Der Deckmantel formeller Legitimität wurde der imperialen Herrschaft in zahlreichen westafrikanischen Territorien durch die Westafrika-Konferenz nicht entzogen. Dies war teilweise darin begründet, daß die deutsche Diplomatie über die koloniale Wirklichkeit an der Peripherie in der Tat völlig unzureichend informiert war, als erstmals über die Formel der Effektivität kolonialer Herrschaft nachgedacht wurde; nur in wenigen Regionen ging die europäische Kolonialherrschaft über die effektive Kontrolle kleiner küstennaher Gebiete hinaus! Nahezu überall war die imperialistische Durchdringung in einer Vielzahl kleiner informeller Schritte erfolgt, und es gab – wenn überhaupt – nur wenige Präzedenzfälle für eine rechtlich angemessene Ausübung kolonialer Herrschaft. Dies machte es extrem schwer, eine den Realitäten angepaßte Formel für das Prinzip der »Effektivität kolonialer Herrschaft« zu finden, die einer genauen Überprüfung durch internationale Rechtsexperten standgehalten hätte. Zu guter Letzt wurde die Anwendung des Grundsatzes der »effektiven Inbesitznahme« faktisch auf die Küstenregionen beschränkt. Da es aber an der westafrikanischen Küste oder anderswo beinahe keine freien

42 Vgl. Anm. 39.

Gebiete mehr zu verteilen gab, büßte er am Ende jegliche Wirkung ein, die er andernfalls vielleicht gehabt haben könnte. Es spricht viel dafür, daß das Effektivitätsprinzip vielmehr das genaue Gegenteil dessen bewirkt hat, was Bismarck ursprünglich damit beabsichtigt hatte, nämlich eine Intensivierung des Prozesses der Aufteilung Afrikas anstelle einer Abbremsung kolonialer Annexionsbestrebungen.

Wir haben bereits dargelegt, daß der Reichskanzler die AIC als ein geeignetes Stellvertreterregime begrüßte, welches es den größeren Mächten ersparen sollte, selbst für den Schutz des internationalen Handels im Kongobecken zu sorgen. Die Briten betrachteten diesen Aspekt mit weit größerer Skepsis. Sie mißbilligten die Idee, der AIC einen internationalen Status zu verleihen, und der Umstand, daß Frankreich das Vorkaufsrecht zugestanden worden war, machte die Sache in britischen Augen noch unattraktiver. Angesichts der bestehenden diplomatischen Konstellation, in der Großbritannien zunächst weitgehend isoliert dastand, ließ die britische Regierung jedoch die Vorbehalte, die sie gegenüber der Seriosität des Leopoldschen Unternehmens hegte, schließlich fallen.

Selbstverständlich waren die Briten über die Art und Weise irritiert, in der ihnen die Vorschläge für eine Afrikakonferenz gemeinsam von Frankreich und Deutschland präsentiert wurden, aber weil deren Propositionen größtenteils mit den Grundsätzen der offiziellen britischen Kolonialpolitik übereinstimmten, hatten sie wenig Probleme damit, sie zu akzeptieren. »Die Konferenz ist ein zu gutes Geschäft für uns, als daß wir es uns entgehen lassen könnten«, schrieb Granville am 12. Oktober 1884 an Gladstone.[43] Deshalb stimmte die Londoner Regierung zähneknirschend der Einladung zu, allerdings erst nachdem sie eine formale Zusicherung erhalten hatte, daß die Regelungen, auf die man sich in der Konferenz einigen werde, nicht auf die Territorien Anwendung finden sollten, die bereits unter britischer Rechtshoheit standen, insbesondere die Region am unteren Niger.

Eine vollständige Isolation Großbritanniens und eine Einheitsfront der Kontinentalmächte, wie sie Bismarck zu Anfang der Verhandlungen angestrebt hatte, kamen demgemäß nicht zustande. Im Gegenteil, während der Konferenz begann sich allmählich eine englisch-deutsche Annäherung abzuzeichnen, was eigentlich nicht überraschend war, hatten doch beide Mächte die geringsten realen Differenzen in der westafrikanischen Frage. Großbritannien fand sich mit der Tatsache ab, daß das kaiserliche Deutschland die koloniale Bühne betreten hatte, und erkannte die deutschen Schutzgebiete an. Auf der zweiten Internationalen Konferenz über die ägyptische Frage im März 1885 in London akzeptierten die deutschen

43 Ramm, Correspondence, Bd. 2, S. 278.

Delegierten ihrerseits die britischen Vorschläge für eine Lösung des Schuldenproblems, die es, obgleich sie für die Ägypter selbst sehr drükkend waren, England ermöglichten, seinen halbkolonialen Status am Nil zu stabilisieren. Der britischen Regierung gelang dies um den Preis einer Internationalisierung des ägyptischen Schuldenproblems, die freilich Frankreich und Deutschland die Möglichkeit an die Hand gab, den Briten in diesem unglücklichen Land das Leben schwerzumachen, wann immer sie wollten – und zwar auf viele Jahre hinaus.

Der Versuch, eindeutige internationale Richtlinien hinsichtlich der Installierung und Ausübung kolonialer Herrschaft in Westafrika festzulegen, wurde schließlich nicht weiter verfolgt. Ohnehin war er teils nur ein Mittel gewesen, um eine Umgruppierung im europäischen Mächtesystem zuungunsten Großbritanniens herbeizuführen. Zudem lohnte es nicht länger, sich für eine strikte Durchsetzung der Prinzipien des Freihandels, der effektiven Besetzung und eines Minimalstandards von humanitärer Kolonialherrschaft einzusetzen, nachdem es sich als unmöglich herausgestellt hatte, auf diesem Wege einen kontinentalen Block gegen England zu schmieden; davon abgesehen erschien ein solcher im Spätherbst 1884 ohnehin nicht mehr wünschenswert. Es überrascht demnach nicht, daß Bismarck persönlich jedes Interesse am Verlauf der Konferenz verlor und die Behandlung der Detailfragen gänzlich seinen Mitarbeitern überließ.[44]

Insgesamt gesehen hatte er freilich seine wichtigsten Ziele durchsetzen können. Zum ersten hatte Großbritannien realisiert, daß es sich nicht länger leisten könne, die Forderungen anderer europäischer Mächte nach Kolonialerwerb in Übersee einfach zu übergehen. Zum zweiten war der britischen Diplomatie deutlich vor Augen geführt worden, »daß eine französisch-deutsche Allianz keine Unmöglichkeit ist«.[45] Zum dritten hatte Frankreich erkannt, daß eine konkrete Kooperation mit dem kaiserlichen Deutschland im Bereich des Machbaren lag und daß es sich lohnte, die eigenen Erwartungen nicht bloß auf einen kommenden Revanchekrieg zu fixieren, sondern die Chancen für eine konstruktive Zusammenarbeit auf bestimmten Gebieten in den Blick zu nehmen. Zur

44 Vgl. Norman Rich, M.H. Fisher, Werner Frauendienst (Hrsg.), Die geheimen Papiere Friedrich von Holsteins, 4 Bde., Göttingen 1956–1963, hier Bd. 2: Tagebuchblätter, Göttingen 1957, S. 182, Eintrag vom 13. Dezember 1884: »Eigentümlich ist die Haltung des Kanzlers bei der Konferenz. Die Sache langweilt ihn; sie war für ihn kaum mehr als ein Wahleffekt. Er folgt dem Gang der Verhandlungen nicht und gerät deshalb, wenn er mal mit dem französischen oder englischen Botschafter redet, in Widersprüche mit seinen früheren Äußerungen, welche zur Folge haben, daß beide Teile ihm mehr und mehr mißtrauen [...].«

45 Vgl. Bismarck an Courcel; Courcel an Ferry, 23. September 1884: »Deshalb ist es notwendig, daß es sich daran gewöhnt, daß eine französisch-deutsche Allianz nicht eine unmögliche Sache ist.« Ddf, Tome V, 407., S. 424; Gavin/Betley, Scramble, S. 341.

gleichen Zeit war Rußland und Österreich-Ungarn demonstriert worden, daß sie, welche Pläne sie auch immer entweder auf dem Balkan oder gegenüber dem Osmanischen Reich hegten, diese besser im Einvernehmen mit dem Deutschen Reich als ohne dessen Einwilligung verfolgen könnten. Für wenige Monate hatte Afrika beinahe im Zentrum der internationalen Politik gestanden; nun wurde es, wenngleich nur vorübergehend, wieder an die Peripherie zurückgedrängt; die europäischen Mächte waren wieder allein auf der Bühne der internationalen Politik. Vielleicht hätte es eine begrenzte humanisierende Wirkung auf die imperialistische Herrschaft ausgeübt, wenn es auf der Afrikakonferenz gelungen wäre, den *Scramble* nach Territorien in Afrika und anderswo den Regeln des internationalen Rechts zu unterwerfen. Aber die bescheidenen Ansätze, die sich noch am Vorabend der Berliner Westafrikakonferenz abgezeichnet hatten, sollten sich sehr bald wieder vollständig verflüchtigen.

(Übersetzt aus dem Englischen von Johannes Thomassen)

# Ägypten und der Nahe Osten in der deutschen Außenpolitik 1870–1914

Im ersten Jahrzehnt nach der Gründung des Deutschen Reiches im Jahre 1871 war die deutsche Außenpolitik ganz auf europäische Fragen konzentriert. Die Konsolidierung der informellen Hegemonie des Deutschen Reiches auf dem europäischen Kontinent, die in drei – wenn auch begrenzten – Kriegen von 1864, 1866 und 1870/71 begründet worden war, stellte das Hauptanliegen Otto von Bismarcks dar, der für die nächsten zwanzig Jahre der unbestrittene Lenker der deutschen Außenpolitik werden sollte. Die Entstehung eines starken deutschen Nationalstaats anstelle der althergebrachten Vorherrschaft Österreichs in Deutschland bewirkte eine bedeutsame Verlagerung des Machtzentrums in Mitteleuropa von Wien nach Berlin; dies zog eine partielle Umorientierung auch der Politik bezüglich des Balkans sowie des Nahen Ostens nach sich. Mit der Schwächung und Umstrukturierung der Habsburger Monarchie verloren die österreichischen Bestrebungen, die auf eine wirtschaftliche Durchdringung beziehungsweise eine hegemoniale Stellung auf dem Balkan abzielten, zwangsläufig, wenn auch nur vorübergehend, an Gewicht.[1] Die Deutschen aber waren weitgehend mit sich selbst beschäftigt. Die deutsche Wirtschaft war in den 1850er Jahren in das Stadium des *take off* eingetreten; im ersten Jahrzehnt nach 1867 war sie fast ausschließlich mit der Erschließung der heimischen Märkte befaßt. Demgemäß gingen zu dieser Zeit von der Wirtschaft nur sehr wenige Impulse aus, die die offizielle Politik hätten veranlassen können, sich intensiv mit den Fragen des Na-

1 Zur deutschen Orientpolitik allgemein Hajo Holborn, Deutschland und die Türkei 1878–1890, Berlin 1926; Jehuda L. Wallach (Hrsg.), Germany and the Middle East 1835–1939. International Symposium April 1975, in: Jahrbuch des Instituts für deutsche Geschichte, Beiheft 1, Tel Aviv 1975; Gregor Schöllgen, Imperialismus und Gleichgewicht. Deutschland, England und die orientalische Frage 1871–1914, München 1984; Wolfgang J. Mommsen, Europäischer Finanzimperialismus vor 1914. Ein Beitrag zu einer pluralistischen Theorie des europäischen Imperialismus, in: ders., Der europäische Imperialismus. Aufsätze und Abhandlungen, Göttingen 1979, S. 85–148; ders., Imperialismus in Ägypten. Der Aufstieg der ägyptischen nationalen Bewegung 1805–1956, München 1961; Wilhelm von Kampen, Studien zur deutschen Türkeipolitik in der Zeit Wilhelms II., Phil. Diss., Kiel 1968; Lothar Rathmann, Berlin–Bagdad. Die imperialistische Nahostpolitik des kaiserlichen Deutschland, Berlin 1962.

hen Ostens zu beschäftigen; statt dessen wurde die Vorherrschaft Frankreichs oder Großbritanniens in dieser Region mehr oder weniger als gegeben angesehen.
Demgemäß ist es nicht überraschend, daß der Balkan und der Nahe Osten von den Staatsmännern in Berlin während der Regierungszeit Bismarcks als nur von zweitrangiger Bedeutung angesehen wurden, d. h. bedeutsam nur insoweit, wie sie die Angelegenheiten Europas als solche oder, genauer, das europäische Mächtesystem tangierten. Ansonsten spielten der Balkan oder die ausgedehnten Gebiete des Osmanischen Reiches keine große Rolle. Von Bismarck ist der Ausspruch überliefert, daß »der Orient nicht die Knochen eines einzigen Pommerschen Grenadiers wert« sei.[2] Der Kanzler widersetzte sich konsequent allen direkten wirtschaftlichen oder politischen Engagements von deutscher Seite im Osmanischen Reich. Das hieß jedoch nicht, daß er sich der großen Bedeutung dieser Region nicht bewußt war; im Gegenteil, in den folgenden Jahrzehnten leistete er einen entscheidenden Beitrag zur Gestaltung der Geschicke der Völker, die unter der teils schwankenden, teils despotischen Herrschaft des im Niedergang begriffenen Osmanischen Reiches lebten.
Jedoch betrachtete Bismarck diese Fragen ausschließlich, und bis zu einem gewissen Punkt ganz bewußt, aus der Perspektive der europäischen Politik. Im Oktober 1876 drückte er dies überzeugend aus: »Die ganze Türkei mit Einrechnung der verschiedenen Stämme ihrer Bewohner ist als politische Institution nicht so viel wert, daß sich die zivilisierten europäischen Völker um ihretwillen in großen Kriegen gegenseitig zugrunde richten sollten. Die Teilnahme an dem Geschick jener Länder und ihrer Bewohner wiegt tatsächlich bei keiner Regierung so schwer, wie die Besorgnis vor den Entwicklungen, die an die Stelle der jetzigen Zustände treten könnten, und vor ihrer Rückwirkung auf die Sicherheit und das Machtverhältnis der nächstbeteiligten europäischen Mächte selbst.«[3] Es muß als schlichte Tatsache akzeptiert werden, daß Bismarck und die Diplomaten, die seine Politik ausführten, sich wenig oder gar nicht um das Wohlergehen der betroffenen Völker scherten; sie neigten dazu, auf diese herabzusehen, ähnlich wie sie von den Höhen der europäischen Diplomatie auch auf die breiten Massen ihres eigenen Volkes blickten. Dabei teilten sie, bewußt oder nicht, die Vorurteile ihrer Zeitgenossen, die im imperialistischen Zeitalter fest von der gottgewollten Überlegenheit der

2 Horst Kohl (Hrsg.), Die politischen Reden des Fürsten Bismarck, Bd. 6, Stuttgart 1893 (im folgenden zitiert: Kohl, Reden), S. 461.
3 Johannes Lepsius u. a. (Hrsg.), Die Große Politik der Europäischen Kabinette 1871–1914, Berlin 1927[4] (im folgenden zitiert: GP), Bd. 2, S. 71 (20. Oktober 1876).

europäischen Völker über die Araber, Türken und die zahlreichen anderen Nationalitäten dieser Region überzeugt waren.

Für die Politiker, die in den 1870er Jahren mit dem Nahen Osten befaßt waren, besaßen politische Erwägungen traditionalistischer Art absolute Priorität. Bismarck beispielsweise betonte dies bei zahlreichen Gelegenheiten. Er vertrat stets die Ansicht, daß die deutsche Politik gegenüber dem Osmanischen Reich und seinen Völkern ausschließlich von dem deutschen Interesse an der Erhaltung des bestehenden Machtgleichgewichts in Europa geleitet werden müsse. In einem Erlaß vom 10. Februar 1882 legte er diesen Gesichtspunkt dem deutschen Generalkonsul in Kairo, von Saurma, mit großer Schärfe dar: Es sei zwar natürlich, ein Interesse am Wohlergehen des ägyptischen Volkes zu zeigen. »Jedoch gehört die Herbeiführung dieses Zustandes *nicht* zu den näheren politischen Aufgaben Deutschlands.«[4] Die deutsche Haltung müsse statt dessen von seinen vitalen Interessen diktiert werden, und dazu gehöre insbesondere die Erhaltung des bestehenden politischen Gleichgewichts zwischen den Großmächten, notwendigenfalls auf Kosten der Völker in den Balkanstaaten, dem Nahen Osten oder in jedem anderen Land an der Peripherie Europas.

Diese vergleichsweise distanzierte Haltung gegenüber den Angelegenheiten des Nahen Ostens verhinderte jedoch nicht eine generelle Identifikation mit der Politik informeller imperialistischer Kontrolle, wie sie die europäischen Mächte in dieser Region ausübten. Anfang der 1870er Jahre war das wirtschaftliche Engagement Deutschlands in Ägypten und dem Osmanischen Reich nahezu unbedeutend, verglichen mit jenem Frankreichs, Großbritanniens, Italiens und Österreich-Ungarns: An der gewaltigen Akkumulation von Anleihen, die durch Isma'ils ambitiöse Bemühungen, um jeden Preis den Suez-Kanal zu bauen und eine zügige Modernisierung Ägyptens herbeizuführen, ausgelöst worden waren, war deutsches Kapital nur mit einem relativ geringen Anteil beteiligt.[5] 1882 schätzte das deutsche Auswärtige Amt die gesamten deutschen Investitionen in Ägypten auf etwa 100 bis 300 Millionen Mark, aber diese Schätzung war stark überhöht, wenn dies vielleicht auch nicht absichtlich geschah.[6] Nach Feis hatte Deutschland 1880 im gesamten Osmanischen

4 Siehe Wolfgang Windelband, Bismarck und die europäischen Großmächte 1879–1885, Essen 1940, S. 298.

5 Vgl. Jean Ducruet, Les capitaux Européennes au Proche-Orient, Paris 1964, S. 143, der Deutschland unter den Anteilseignern der Suezgesellschaft gar nicht eigens auswirft; ferner S. 20f., 293f.

6 Vgl. Windelband, Bismarck, S. 582. Die Frankfurter Handelskammer schätzte anfangs die deutsche Kapitalinvestition auf 100 Millionen und später auf 300 Millionen Mark. Die Reichsbank stimmte dieser Schätzung zu, während das Handelsministerium sie sogar tatsächlich auf

Reich ca. 40 Millionen Mark investiert; das war eine vergleichsweise bescheidene Summe, und erst seit der Jahrhundertwende hat das deutsche finanzielle Engagement in dieser Region deutlich zugenommen.[7] Auch der deutsche Außenhandel war, verglichen mit jenem der primär beteiligten Länder Frankreich und England, unbedeutend. Insgesamt kann gesagt werden, daß das wirtschaftliche Engagement des Deutschen Reiches in diesen Regionen im ersten Jahrzehnt nach 1870 nahezu unerheblich gewesen ist. Dennoch schloß sich das Deutsche Reich den Großmächten an, die dank ihres wirtschaftlichen Einflusses und durch diplomatischen Druck in den »halbkolonialen« Ländern des Nahen Ostens Privilegien, Konzessionen und wirtschaftliche Vorteile aller Art für ihre Kaufleute herausgeschlagen hatten, soweit dies eben möglich war. Sie alle sahen die von diesen unterentwickelten Ländern eingegangenen Verpflichtungen als unveräußerlichen Bestandteil des internationalen Rechts und nicht etwa als imperialistische Auflagen an. Auch das Deutsche Reich betrachtete die Kapitulationen, durch die den Europäern und ihren Agenten in den Ländern des Nahen Ostens ein besonderer rechtlicher Status zugestanden wurde, als geltendes Recht und zögerte nicht, diese Möglichkeiten für die Bürger des eigenen Staates uneingeschränkt in Anspruch zu nehmen.

Allerdings stand das Deutsche Reich in imperialen Fragen nicht in der vorderen Linie. Ganz im Gegenteil, dank der Anstrengungen der deutschen Diplomatie verhinderte der Berliner Kongreß von 1878 wahrscheinlich den völligen Zusammenbruch des nach dem verheerenden Krieg mit Rußland von 1877/78 darniederliegenden Osmanischen Reiches. Bismarck spielte eine führende Rolle in den diplomatischen Bemühungen während des Kongresses, die schließlich dazu führten, daß das Osmanische Reich 1881 das Dekret von Muharrem erließ, um seine ausländischen Gläubiger zufriedenzustellen. Dieses sah die Errichtung einer internationalen Schuldenverwaltung vor, welche die Zinszahlungen für die ungeheueren öffentlichen Schulden des Osmanischen Reiches sicherzustellen bestimmt war; der *Administration de la Dette Publique Ottomane* (A. D. P. O.) wurde, obschon es sich formal um eine private Institution handelte, ein großer Teil des türkischen Steueraufkommens, das zur Sicherung der zahlreichen Staatsanleihen der vorangegangenen Jahrzehnte verpfändet worden war, zu eigenständiger Verwaltung überlas-

320 bis 360 Millionen Mark ansetzte. – Vgl. W. O. Aydelotte, Bismarck and British Colonial Policy, 1883–1885, Philadelphia 1937, S. 114f.

7 Herbert Feis, Europe: The World's Banker, 1870–1914. An Account of European Foreign Investment and the Connection of World Finance with Diplomacy before the War, Clifton/N. J. 1964, S. 319 (Nachdruck).

sen.[8] Auch wenn man sagen kann, daß sich die A.D.P.O. in vieler Hinsicht für die Völker des Osmanischen Reiches vorteilhaft ausgewirkt hat, muß sie trotzdem als ein Schlüsselinstrument des europäischen Finanzimperialismus im Nahen Osten betrachtet werden.[9] Die Deutschen, deren Vertreter bis zur Jahrhundertwende von Bleichröder, dem Bankier Bismarcks, benannt wurden, spielten in der A.D.P.O. niemals eine ausschlaggebende Rolle, beteiligten sich aber gleichwohl uneingeschränkt an deren finanzimperialistischen Operationen.

Bismarck hielt es im europäischen Interesse für ratsam, den politischen status quo im Nahen Osten soweit wie möglich aufrechtzuerhalten. Bei Lage der Dinge bedeutete dies die Konservierung der Herrschaft des Sultans von Konstantinopel bzw. der Herrschaft des ägyptischen Khediven; dies war allerdings nur möglich, wenn man den europäischen wirtschaftlichen Interessen einen entsprechend freien Spielraum gewährte, obschon dies auf Kosten der türkischen und arabischen Völker dieser Region ging. Die Erhaltung des Osmanischen Reichs, bei gleichzeitiger weitestgehender Abwehr der expansiven Bestrebungen des zaristischen Rußland, schien, vom Standpunkt des europäischen Mächtesystems aus gesehen, noch die beste einer Reihe schlechter Lösungen zu sein. Den Sultan auf seinem Thron zu belassen, entsprach darüber hinaus den konservativen politischen Traditionen Europas. Nach damaligen Vorstellungen galt dessen Herrschaft als legitim, zumindest im Sinne der damals gültigen Grundsätze des internationalen Rechts.[10] Außerdem hielt Bismarck, und mit ihm die deutsche Diplomatie, die Türken für eine weitaus akzeptablere herrschende Klasse als jede andere, die in dieser geographischen Region verfügbar war, die verschiedenen arabischen Stammesgruppierungen eingeschlossen. Vor allem aber konnten die Strategien informeller europäischer Kontrolle in dieser Region am einfachsten mit Hilfe der Kooperation der überkommenen indigenen Regime und, falls nötig, durch die interne Stärkung ihrer Position gegenüber rivalisierenden Gruppierungen oder nationalrevolutionären Bewegungen praktiziert werden.

8 Vgl. dazu Donald C. Blaisdell, European Financial Control in the Ottoman Empire. A Study of the Establishment, Activities, and Significance of the Administration of the Ottoman Public Debt, New York 1966, S. 90ff.

9 Siehe Alexander Schölch, Wirtschaftliche Durchdringung und politische Kontrolle durch die europäischen Mächte im Osmanischen Reich (Konstantinopel, Kairo, Tunis), in: Geschichte und Gesellschaft 1 (1975), S. 404–446.

10 Gemäß Bismarcks Wünschen wurde die Pforte demgemäß auch zu der internationalen Kongokonferenz 1884/85 eingeladen, obschon dies zu Komplikationen führen sollte, forderten die Vertreter des Osmanischen Reiches doch die Gleichberechtigung des Islam mit den christlichen Religionen im Kongobecken. Vgl. Wolfgang J. Mommsen, Bismarck, das Europäische Konzert und die Zukunft Westafrikas, 1883–1885 (siehe in diesem Band, S. 109–139).

Im großen und ganzen trat Bismarck daher für die Erhaltung des Osmanischen Reiches ein, selbst angesichts offensichtlicher Mißherrschaft, sei es auf dem Balkan, in Armenien oder anderswo. Ja mehr noch, die Reichsleitung widersetzte sich konsequent den Bestrebungen der anderen europäischen Mächte, insbesondere Großbritanniens, die osmanische Regierung zu Reformmaßnahmen zu zwingen, sei es in ihren europäischen Besitzungen, dessen christliche Bevölkerung immer wieder gegen das drückende Regime der türkischen Satrapen revoltierte, sei es in den armenischen Siedlungsgebieten. Das Hauptargument, das von der deutschen Diplomatie in solchen Fällen gebraucht wurde, wenn auch zum Teil in verschleierter Form, bestand darin, daß durch derartige Reformmaßnahmen die Legitimität der osmanischen Herrschaft in den Augen ihrer Untertanen untergraben würde und daher die Dinge dadurch eher schlechter als besser gemacht würden.[11]

Dem muß jedoch hinzugefügt werden, daß Bismarck keineswegs abgeneigt war, die Erhaltung des europäischen Friedens oder eine Stärkung der Position des Deutschen Reiches in Europa durch territoriale Zugeständnisse im Nahen Osten an andere Mächte zu erkaufen; er hatte nichts dagegen einzuwenden, wenn diese periphere Regionen des Osmanischen Reiches, wie beispielsweise Ägypten, in ihre Gewalt brachten, vorausgesetzt, daß dies auf der Basis einer Übereinkunft zwischen den hauptbeteiligten Mächten erfolgte und die Fassade des internationalen Rechts und der Souveränität des Sultans dabei gewahrt blieben.

Der Schlüssel zu Bismarcks diplomatischem System der 1870er und 1880er Jahre war eine sehr sorgfältig kalkulierte Strategie der Ableitung der Spannungen zwischen den Großmächten an die Peripherie, wie schon Theodor Schieder dies treffend beschrieben hat.[12] Das hauptsächliche Mittel, dieses Ziel zu erreichen, bestand darin, die anderen Mächte zu ermutigen, koloniale Besitzungen in Afrika oder im Nahen Osten zu erwerben oder dort Protektorate zu begründen, während das kaiserliche Deutschland dabei im Hintergrund blieb. Es versteht sich von selbst, daß nach Bismarcks Auffassung das Deutsche Reich niemals versuchen durfte, andere Mächte direkt miteinander zu embrouillieren. Gleichwohl hegte Bismarck von Anfang an die Absicht, die anderen Groß-

11 Bismarck wandte sich gegen die britischen Bemühungen, die Türken zu Reformen zu bewegen, »da dies unausweichlich und unmittelbar zu einer immer stärkeren Schwächung der Autorität der osmanischen Regierung in den Augen ihrer Untertanen führen würde«, GP, Bd. 4, S. 26. – Baron von Wangenheim drückte sich noch deutlicher aus: »Jeder Fremde wird schon nach kurzem Aufenthalt in der Türkei zu der Überzeugung gelangen, daß unter den Völkerschaften, welche die heutige Türkei bewohnen, die Türken noch die besten sind. ›Le Turc est le seul gentleman de l'orient‹.« GP, Bd. 38, S. 127.

12 Theodor Schieder, Bismarck und Europa. Ein Beitrag zum Bismarck-Problem, in: Ders., Begegnungen mit der Geschichte, Göttingen 1962, S. 258f.

mächte dazu zu bringen, sich im Zuge der Errichtung imperialistischer Herrschaft oder informeller Kontrolle über die Außenprovinzen des Osmanischen Reiches gegeneinander zu engagieren. Bereits im Oktober 1876 stellte Bismarck Überlegungen darüber an, ob für den Fall einer russischen Intervention zugunsten der christlichen Bevölkerung im Osmanischen Reich »der Frieden Europas auf Kosten der Türkei erhalten werden könnte«.[13] Konkret hieß dies, daß Großbritannien Suez und Alexandria besetzen und Frankreich sich eine Sphäre prädominanten Einflusses in Syrien schaffen sollte, während Rußland eventuell Bessarabien überlassen werden könnte. Bismarck fügte hinzu: »Es ist dies eben ein Phantasiegebilde, aber wenn ich eine leitende Stimme in der Sache hätte, so würde ich doch versuchen, ob der so wertvolle Friede zwischen den europäischen Mächten nicht dadurch erhalten werden kann, daß die ohnehin unhaltbare Einrichtung der heutigen Türkei die Kosten dafür hergibt.«[14]

Auf jeden Fall wünschte Bismarck, Großbritannien unmittelbar in die Probleme des Nahen Ostens verwickelt zu sehen, denn dies würde Österreich-Ungarn und, in zweiter Linie, das Deutsche Reich von der Belastung befreien, die russischen Aspirationen in dieser Region allein in Schach halten zu müssen. Demgemäß befürwortete er eine wie auch immer geartete dominante Position Großbritanniens in Ägypten. Insgesamt kann kein Zweifel darüber bestehen, daß Bismarck seit 1876 bestrebt war, eine derartige Lösung herbeizuführen, obschon er dabei stets äußerst vorsichtig vorging, um zu vermeiden, daß ihm der Vorwurf gemacht werden könnte, er habe Großbritannien vorsätzlich dazu ermutigt, sich in Ägypten festzusetzen, um dieses mit Frankreich zu entzweien, während das Deutsche Reich die Rolle des »lachenden Dritten« spiele.[15] Bismarcks vielleicht berühmtester diplomatischer Text, das *Kissinger-Diktat* vom 15. Juni 1877, beginnt mit den folgenden Worten: »Ich wünsche, daß wir, ohne es zu auffällig zu machen, doch die Engländer ermutigen, wenn sie Absichten auf Ägypten haben [...].« Die Einbindung Großbritanniens in die Angelegenheiten des Nahen Ostens in solcher Form, daß die Briten ein unmittelbares Interesse an der Erhaltung des status quo haben würden, während Großbritannien und Frankreich aufgrund ihrer ägyptischen Differenzen von engen Beziehungen abgehalten würden, hätte ideale Bedingungen für ein System des Gleichgewichts in Europa geschaffen, in dem dem Deutschen Reich die Rolle eines Schiedsrichters innerhalb des

13 GP, Bd. 2, S. 71.
14 Ebenda, S. 72.
15 Dies ist ihm späterhin auch von britischer Seite vorgehalten worden, vgl. Windelband, S. 300.

europäischen Staatensystems zugefallen wäre. Als eine ideale Lösung der Probleme der deutschen Außenpolitik schwebte Bismarck eine politische Gesamtsituation vor, »in welcher alle Mächte außer Frankreich unser bedürfen, und von Koalitionen gegen uns durch ihre Beziehungen zueinander nach Möglichkeit abgehalten werden«.[16] Die relative Zurückhaltung gegenüber imperialistischen Bestrebungen, die vom deutschen Kaiserreich während der Reichskanzlerschaft Bismarcks praktiziert wurde, war demgemäß keinesfalls einfach nur durch Desinteresse bedingt; im Gegenteil, sie war Teil eines Kalküls, das auf die Stabilisierung der Hegemonialstellung des Deutschen Reiches in Mitteleuropa abzielte.

Vom Standpunkt der Peripherie aus gesehen stellte sich das Deutsche Reich, verglichen mit Rußland, Großbritannien, Frankreich, Österreich-Ungarn und nicht zuletzt Italien, gleichwohl als eine am Nahen Osten weniger interessierte Macht dar, mit der sich die betreffenden Länder demgemäß mit einem geringeren Risiko einer Beschränkung der eigenen Souveränität auf politische und wirtschaftliche Beziehungen einlassen konnten. Das Deutsche Reich setzte seinen Einfluß in der Regel zugunsten der Erhaltung des status quo in den betroffenen Regionen ein, sowohl in äußeren wie in inneren Angelegenheiten. Dies trug insofern Früchte, als das Osmanische Reich eine Zusammenarbeit mit Deutschland in vieler Hinsicht als weniger nachteilig empfand als mit Großbritannien oder Frankreich, von einer solchen mit Rußland ganz zu schweigen.[17]

Bismarcks Rolle auf dem Berliner Kongreß von 1878 als »der Makler, der das Geschäft wirklich zustande bringen will«,[18] soll hier nicht eingehend behandelt werden, da sie wohlbekannt ist. Er war maßgeblich bei der Ausarbeitung einer Kompromißlösung beteiligt, die das Überleben des Osmanischen Reiches für weitere fünfzig Jahre verlängerte, auch wenn dies auf Kosten der Völker in dieser Region geschah. Denn die türkische Regierung wurde hinfort immer stärker der Kontrolle seitens der Großmächte unterworfen, sei es auf diplomatischem Wege, sei es mittels der internationalen Finanzinstitutionen, insbesondere der *Administration de la Dette Publique Ottomane* und der *Banque Impériale Ottomane*, die *de facto* tief in die türkische Souveränität eingriffen.

Die deutsche Regierung war dabei nicht die führende Macht. Es waren eher Rußland und Großbritannien, die von unterschiedlichen Standpunkten aus versuchten, auf die Angelegenheiten des Osmanischen Rei-

16 GP, Bd. 2, S. 154.
17 Vgl. Winfried Baumgart, Bismarck et la Crise d'Orient de 1875 à 1878; in: Revue d'histoire moderne et contemporaine 27 (1980), S. 104–108, hier S. 107.
18 Kohl, Reden, Bd. 7, S. 92.

ches unmittelbar Einfluß auszuüben, wobei die Russen zumindest zum damaligen Zeitpunkt die aggressivere Partei darstellten. Die Eingriffe in die türkische Souveränität, durch die insbesondere jene Gebiete auf dem Balkan, die formalrechtlich weiterhin dem Herrschaftsbereich des Osmanischen Reiches angehörten, unter europäische Kontrolle gestellt wurden, erschien als die einfachste Lösung, um unter den gegebenen Umständen den europäischen Frieden zu sichern. Die russischen Ambitionen, sich als Protektor Bulgariens zu etablieren – Bulgarien sollte dabei letztendlich als mögliches Sprungbrett für die Kontrolle der Meerengen und Konstantinopels selbst dienen –, wurden ebenso konterkariert wie die Bemühungen, sich zum alleinigen Protektor der christlichen Bevölkerung auf dem Balkan aufzuwerfen. Infolge der russischen Verärgerung über die Strategie Bismarcks auf dem Berliner Kongreß kam es freilich zu einer schwerwiegenden Verschlechterung der deutsch-russischen Beziehungen. Dies erwies sich als eine schwere Belastungsprobe für das Bündnissystem Bismarcks, das bisher auf die Gemeinsamkeiten der drei konservativen Ostmächte gesetzt hatte. Das 3-Kaiser-Abkommen von 1881 sah vor, daß Deutschland, Österreich-Ungarn und Rußland gegenüber dem Osmanischen Reich eine gemeinsame politische Linie verfolgen sollten und jeder Schritt einer dieser Mächte in diesem Raum eine vorherige Verständigung mit den beiden anderen Mächten erfordere. Demgemäß wurde der Vorherrschaft des britischen und französischen Einflusses in dieser Region, die seit dem Krimkrieg bestand, wirksam Einhalt geboten, allerdings zugunsten eines nur schwer praktizierbaren gemeinsamen Vorgehens der drei Ostmächte in allen den Orient betreffenden Fragen.
Andererseits war Bismarck durchaus dazu bereit, den europäischen Frieden, falls nötig, auf Kosten des Osmanischen Reiches zu erhalten. Wie bereits dargelegt, hatte der Kanzler schon 1876 angeregt, daß die Briten Ägypten unter ihre Kontrolle bringen sollten,[19] während die Franzosen sich gegebenenfalls in Tunesien festsetzen sollten.[20] Im Jahre 1878 hob der Khedive Isma'il die sogenannten »gemischten Gerichtshöfe« auf, da sie die Autorität der Regierung in fast allen fiskalischen Angelegenheiten, bei denen es um europäische Interessen ging, ernstlich beeinträchtigten, und kündigte gleichzeitig das System der *dual control* auf, das ihm 1879 von den Großmächten oktroyiert worden war. Das System der »Doppelkontrolle« hatte den am meisten interessierten Mächten, Frankreich und Großbritannien, das Recht eingeräumt, jeweils einen Beauftragten zu ernennen, die gemeinsam die gesamte ägyptische Finanz- und Wirtschaftspolitik kontrollieren und auf diese Weise die Interessen der europäischen

19 Vgl. A. J. P. Taylor, The Struggle for Mastery in Europe, London 1957², S. 235.
20 Vgl. Windelband, Bismarck, S. 331.

Gläubiger Ägyptens ohne Rücksicht auf die Interessen der ägyptischen Bevölkerung selbst sicherstellen sollten.[21] Bismarck reagierte auf diesen Schritt des Khediven Isma'il, der in den europäischen Hauptstädten als Verletzung des sogenannten »Europäischen Rechts« angesehen wurde, als erster und zugleich am schärfsten. Außerdem veranlaßte er die österreichisch-ungarische Regierung, gleichermaßen zu verfahren. Sein scharf formulierter Protest gegen diese, wie er es sah, »flagrante Verletzung des internationalen Rechts«,[22] die nirgendwo geduldet werden dürfe, bahnte den Weg für einen gemeinsamen Protest der Großmächte, der die ägyptische Regierung zum Nachgeben zwang. Die Ägypter wurden gezwungen, die *dual control* wiederherzustellen sowie den Rücktritt von Isma'il und die Einsetzung von Tawfiq als eines reinen Marionettenherrschers hinzunehmen, der den *Comptrolleurs Générals* hinfort freie Hand ließ, wenn auch vielleicht in einer etwas weniger auffälligen Weise, als dies zuvor der Fall gewesen war. Unter führender Beteiligung der beiden formell durch die europäischen Gläubiger, faktisch durch die englische und die französische Regierung, neubestellten *Comptrolleurs Générals*, de Blignières und Sir Evelyn Baring, wurde eine befriedigende Lösung der ägyptischen Schulden ausgearbeitet, die die Zustimmung aller Mächte, das deutsche Kaiserreich eingeschlossen, fand und dann durch ein Dekret des neuen Khediven vom 17. Juli 1880 in Kraft gesetzt wurde. Ägypten wurde fortan im Interesse der europäischen Gläubiger und zwecks Wiederherstellung der ägyptischen Kreditwürdigkeit einem Finanzregime von drakonischer Härte unterworfen. Obschon das finanzielle Engagement der Deutschen verschwindend gering war, hatte die deutsche Diplomatie doch wesentlich dazu beigetragen, diese Übereinkunft zustande zu bringen, da Bismarck es aus Gründen allgemeiner Natur für ratsam hielt, bei dieser Gelegenheit das Gewicht des Deutschen Reiches im internationalen System nachdrücklich ins Spiel zu bringen. Tatsächlich zielte diese Politik darauf ab, Frankreich und Großbritannien über die ägyptische Frage auseinanderzumanövrieren.

1881 kam es angesichts der drückenden Verhältnisse, die sich in Ägypten unter dem Schuldenregiment der »Doppelkontrolle« eingestellt hatten, zu einer nationalistischen Aufstandsbewegung gegen das gleichsam in fremdem Solde stehende Regiment des Khediven Tawfiq, bei der das ägyptische Offizierskorps unter dem Obersten Urabi eine führende Rolle spielte. Unter dem Druck dieser Bewegung mußte der Schuldendienst für

21 Einzelheiten bei Alexander Schölch, Ägypten den Ägyptern. Die politische und gesellschaftliche Krise der Jahre 1878–1882 in Ägypten, Zürich 1972, S. 86ff.

22 Vgl. Mathilde Kleine, Deutschland und die ägyptische Frage 1875–1890, Phil. Diss., Greifswald 1927, S. 116ff. – Siehe auch Windelband, Bismarck, S. 300.

die ägyptischen Anleihen erneut, wenn auch ursprünglich nur zeitweilig, ausgesetzt werden. Bismarck zögerte nicht, diese erneute Krise dazu zu benutzen, um die Idee einer Besetzung Ägyptens durch Großbritannien wieder ins Spiel zu bringen. Demgemäß votierte er unverzüglich für eine Niederwerfung der Aufstandsbewegung durch eine militärische Intervention von außen. Wie sehr er auch gewünscht haben mag, daß die Briten sich in Ägypten engagierten, so hielt er es dennoch für besser, dieses Ziel auf einem indirekten Weg zu verfolgen; der Sultan als formeller, wenn auch längst weitgehend fiktiver Oberherr Ägyptens sollte dazu veranlaßt werden, seinerseits militärisch in Ägypten einzugreifen und die Ordnung wiederherzustellen: »Jedenfalls sei von dem Sultan für die europäischen Interessen in Ägypten weniger zu befürchten als von der Herrschaft arabischer Fanatiker, denn der Sultan sei viel mehr, als jene arabische Soldateska es sein würde, auf die Mächte angewiesen und von ihrem Einfluß abhängig.«[23] Sollte sich dies jedoch als nicht durchführbar herausstellen, möge der Sultan die Briten mit einem ausdrücklichen Mandat für eine militärische Intervention ausstatten. Bismarck hielt es auch in dieser Situation für das Beste, daß zumindest nach außen hin das traditionelle Prinzip der monarchischen Legitimität aufrechtzuerhalten sei. Bismarck war außerordentlich daran interessiert, daß die Briten die tatsächliche Macht in Ägypten übernahmen, aber er legte ihnen nahe, daß dies via Konstantinopel erfolgen möge. Die Briten sollten, wie er es späterhin ausdrückte, als »Statthalter« des Sultans handeln, statt Ägypten unter Verletzung des internationalen Rechts zu okkupieren, obschon dies in der Sache auf das gleiche hinausgekommen wäre. Er bot der britischen Regierung mehrfach seine guten Dienste an, Konstantinopel dazu zu bringen, einem informellen britischen *take over* in Ägypten zuzustimmen, auch nachdem die »Ordnung« im Lande wiederhergestellt sein würde.
Obwohl Bismarck alle Schritte vermied, die als eine direkte Ermutigung zu einem Alleingang Großbritanniens in der ägyptischen Frage interpretiert werden konnten, sah er sich gleichwohl späterhin mit dem Vorwurf konfrontiert, daß er den Briten zu ihrem Vorgehen »geraten« habe. Verfahrensmäßig gesehen war dies unzutreffend, worauf Bismarck selbst im Jahre 1885 in einer pathetischen Rede im Reichstag hingewiesen hat;[24] aber der Sache nach ist unbestreitbar, daß er im Februar 1882 alles in seiner Macht Stehende getan hat, um die Briten wissen zu lassen, daß er die britische Intervention für gerechtfertigt, wenn nicht sogar ausdrück-

23 Ebenda.
24 Vgl. Bismarcks Rede im Reichstag am 2. März 1885 (Kohl, Reden, Bd. 13, S. 6ff.), in der er auf Lord Granvilles Äußerungen im Oberhaus vom 24. Februar 1885 antwortete, durch die die ganze Angelegenheit öffentlich bekanntgeworden war.

lich erwünscht hielt. Bismarck war die britische militärische Intervention Anfang Februar 1882 äußerst willkommen. Im Gegensatz zu dem dortigen diplomatischen Vertreter des Deutschen Reiches, der die ungerechtfertigte Bombardierung Alexandrias durch die Marine und die Leiden, die diese für die indigene Bevölkerung gebracht hatte, verurteilte, begrüßte Bismarck ganz offensichtlich das britische Eingreifen in Ägypten. In den ersten Wochen der britischen Intervention deutete er der britischen Regierung gegenüber sogar vorsichtig an, daß diese ihre militärischen Operationen vielleicht besser beschleunigen sollte, um die Gefahr einer diplomatischen Intervention von seiten dritter Mächte zu verringern.[25] Es gibt guten Grund zu der Annahme, daß ohne Bismarcks Drängen die »Schatten-Souveränität«[26] des Sultans über Ägypten, die bis Kriegsbeginn 1914 aufrechterhalten wurde, bereits 1882 beendet worden wäre, auch wenn sie dem nützlichen Zweck diente, der britischen imperialistischen Herrschaft in Ägypten, die sich der Form nach eines indigenen Kollaborationsregimes bediente, ein wenig zusätzliche Legitimität zu verleihen.

Die Besetzung Ägyptens durch Großbritannien erwies sich als ein großer strategischer Vorteil für die deutsche Außenpolitik.[27] 25 Jahre lang sollte Ägypten eine Schlüsselrolle im britisch-französischen Gegensatz spielen und damit indirekt zu der Isolierung Frankreichs beitragen, worauf Bismarck so sehr hingearbeitet hatte. Die ägyptische Frage erwies sich als ein geeignetes Druckmittel, um Großbritannien, wann immer nötig, in Fragen der großen Politik zu Konzessionen zu zwingen. Seit 1883 nutzte Bismarck, obschon er nicht eigentlich die britische Herrschaft in Frage stellen wollte, alle ihm zur Verfügung stehenden Mittel, um den Briten das Leben in Ägypten zu erschweren. Zwar waren die deutschen Anteile an ägyptischen Staatsanleihen und anderen Investitionen äußerst gering (in der Tat waren sie beträchtlich geringer als selbst jene von Österreich-Ungarn), aber dies hinderte die deutsche Regierung nicht, über den deutschen Vertreter in der *Caisse de la Dette Publique* auf die Entwicklung der Dinge in Ägypten Einfluß zu nehmen. Als Großbritannien 1884 den Versuch machte, die Zustimmung der Gläubiger für eine Reorganisation der ägyptischen Staatsschuld zu gewinnen, schloß sich Bismarck der entschiedenen Opposition der französischen Regierung an, die eigentlich England dazu zwingen wollte, Ägypten wieder aufzugeben. Die Briten woll-

25 Aufzeichnung Herbert von Bismarcks, September 1882, GP, Bd. 4, S. 38.
26 Vgl. GP, Bd. 4, S. 43.
27 Die Geschichte der ägyptischen Frage als beständiges Druckmittel des deutschen Kaiserreiches gegenüber Großbritannien muß noch geschrieben werden; vgl. zu diesem Punkt auch Roger J. Owen, Cotton and the Egyptian Economy, 1820–1914. A study in trade and development, Oxford 1969, S. 86.

ten die Last der öffentlichen Schulden verringern und zumindest einen Teil der Staatseinkünfte für produktive Investitionen einsetzen, statt wie bisher der Tilgung der Anleihen oberste Priorität einzuräumen. Bismarck zögerte nicht, sich diesem Plan zu widersetzen, ungeachtet der Tatsache, daß dies eine Verlängerung des unerträglichen Leidens für die Fellachen bedeutete. Ebenso setzte er durch, daß ein zusätzlicher deutscher Repräsentant einen Sitz in der *Caisse* erhielt. Ferner gelang es ihm zu bewerkstelligen, daß ägyptische Anleihen hinfort auch an der Berliner Börse gehandelt wurden, eine Angelegenheit, bei der höchstwahrscheinlich Bleichröder seine Hand im Spiel hatte. Letzterer sicherte sich das exklusive Recht, als einziger deutscher Auszahlungsagent für die ägyptische Anleihe von 1885 aufzutreten, die mit einer gemeinsamen Garantie Großbritanniens, Frankreichs und des deutschen Kaiserreichs ausgegeben worden war und demgemäß als einigermaßen sichere Kapitalanlage gelten durfte.[28] Vor allem aber gelang es Bismarck, durch sein Ausspielen der ägpytischen Karte Großbritannien dazu zu zwingen, den deutschen Kolonialerwerbungen 1883/84 in Afrika und im Fernen Osten seine Zustimmung zu geben, obschon bedeutende Interessengruppen sowohl in Großbritannien wie auch im Empire, insbesondere in der Kap-Kolonie, sich einer deutschen Festsetzung in Afrika entschieden widersetzten.

Nach 1885 gestaltete sich die deutsche Haltung gegenüber der britischen Herrschaft in Ägypten weniger spannungsgeladen. Im Zusammenhang der Bemühungen im Jahre 1887, die Briten ins Lager der Mittelmächte zu ziehen, zeigte sich die deutsche Diplomatie mit einem Male in Angelegenheiten des Nahen Ostens kooperationswillig, wenn auch nur indirekt. Die Drummond-Wolff-Mission, die dem Ziel galt, die britische Vorherrschaft in Ägypten und über den Suez-Kanal in Verhandlungen mit dem Sultan und den zunächst betroffenen Großmächten völkerrechtlich zu legalisieren, wurde von Bismarck begrüßt und vorsichtig unterstützt, nicht zuletzt deshalb, weil die Briten sich, wenn auch reichlich spät, zur formellen Anerkennung der Oberhoheit des Sultans über Ägypten entschlossen hatten. Er begrüßte diesen Schritt als eine – wie auch immer bescheidene – Festigung der osmanischen Herrschaft. Bismarcks Entgegenkommen stand in einem direkten Zusammenhang mit seinen damaligen Bemühungen, eine »Mittelmeerentente« zwischen Großbritannien, Österreich-Ungarn und Italien zustande zu bringen, die zum Ziel hatte, die expansiven Aspirationen Rußlands auf dem Balkan und gegenüber der Türkei in Schach zu halten. Er hielt die internationale Lage im Nahen Osten durch dieses Abkommen, welches das gemeinsame Interesse der unmittelbar

28 Vgl. Fritz Stern, Gold and Iron. Bismarck, Bleichröder and the Building of the German Empire, New York 1977, S. 423.

betroffenen Partner verkörperte, Rußland an einer aktiven Orientpolitik zu hindern, für hinreichend gesichert, um Rußland in einer streng geheimen Zusatzklausel zum Rückversicherungsvertrag einen Köder ungewöhnlicher Art anzubieten, nämlich die deutsche diplomatische Unterstützung für die Erlangung der ersehnten Kontrolle der Meerengen, mit dem kaltblütigen Kalkül, daß dieser Fall angesichts der geschlossenen Abwehrfront Italiens, Österreichs und Großbritanniens niemals eintreten werde. Alle diese sorgsam ausgearbeiteten diplomatischen Schachzüge beruhten auf der Voraussetzung, daß das deutsche Kaiserreich im Nahen Osten keinerlei eigene Interessen verfolge. Nur mit großem Zögern hatte Bismarck 1878 dem Ersuchen des Sultans zugestimmt, eine Militärmission nach Konstantinopel zu entsenden. Aber insgesamt widersetzte er sich entschieden allen Schritten, durch die das Deutsche Reich direkt in die Angelegenheiten des Osmanischen Reiches verstrickt werden könnte.[29] In Übereinstimmung mit dieser Politik hatten die Staatsbehörden bislang alle größeren deutschen wirtschaftlichen Verflechtungen in diesen Regionen zu verhindern gesucht.[30] Nach Bismarcks Ansicht sprach nichts gegen den Handel Deutschlands unter dem informellen Schutz anderer europäischer Mächte, sei es in Ägypten und der Türkei, sei es in anderen überseeischen Regionen. Dies war zweifellos eine sehr vernünftige Haltung, besonders was den Nahen Osten betraf, denn rein wirtschaftlich gesehen war dieser durchaus profitabel, sofern die deutschen Kaufleute und Unternehmer nicht direkten Restriktionen unterworfen waren, was jedenfalls in britischen Territorien durchweg nicht der Fall gewesen ist. Davon abgesehen besaß das französische und – weniger ausgeprägt – das britische Kapital und Unternehmertum in Ägypten und im Osmanischen Reich eine dominante Stellung, und die wenigen deutschen Unternehmen, die im Nahen Osten operierten, waren die letzten, die dies ändern wollten. Als die *Administration de la Dette Publique Ottomane* 1881 eingerichtet wurde, befanden sich 40 Prozent der von ihr verwalteten Staatsanleihen in französischer und 30 Prozent in britischer Hand, während deutsche Kapitaleigner nur einen Anteil von 4,7 Prozent besaßen. Erst in den späteren 1880er Jahren begann sich diese Verteilung langsam zu Deutschlands Gunsten zu verschieben; während der britische Anteil sank, stieg die Beteiligung des deutschen, österreichischen und italienischen Kapitals. Dennoch war Bismarcks Reaktion gänzlich ableh-

29 Vgl. Jehuda L. Wallach, Anatomie einer Militärhilfe. Die preußisch-deutschen Militärmissionen in der Türkei 1835–1919, Düsseldorf 1976, S. 35–38.
30 Nicht nur Bismarck selbst, sondern auch der preußische Finanzminister taten alles, um die Investition deutschen Kapitals in den Nahen Osten und nach Rußland zu verhindern, sowohl aus außenpolitischen Gründen wie auch aus ökonomischen Überlegungen. – Vgl. dazu Stern, Gold and Iron, S. 423–425.

nend, als Italien 1888 vorschlug, daß dem vorherrschenden Einfluß der Franzosen in der A.D.P.O. durch eine gemeinsame Aktion der Repräsentanten der Mittelmächte sowie durch eine Steigerung der Investitionen in türkischen Staatsanleihen begegnet werden sollte: »[...] für eine Aufmunterung deutschen Kapitals, sich nach der Türkei zu wenden, können wir regierungsseitig eine Verantwortung nicht übernehmen.«[31]
Allmählich jedoch begann sich die Situation zu ändern, trotz aller Zurückhaltung von offizieller Seite. Die Gründe dafür waren zum Teil politischer Natur. Die osmanische Regierung wandte sich wegen neuer Staatsanleihen in zunehmendem Maße an deutsche Banken, in der Hoffnung, damit die höchst rigiden Konditionen umgehen zu können, die von der *Banque Impériale Ottomane*, die die öffentlichen Finanzen des Osmanischen Reiches weitgehend unter Kontrolle hatte, gefordert wurden. Außerdem bestand die Erwartung, daß die weniger interessierten Deutschen sich auf industrielle Projekte einlassen würden, ohne daran politische Ansprüche, wie indirekt auch immer, zu knüpfen. Auf der anderen Seite nahm das Interesse der deutschen Öffentlichkeit an Investitionen im Osmanischen Reich langsam zu; 1889 erwarb sogar Bismarck persönlich auf den Rat Bleichröders hin ägyptische Staatsanleihen im Werte von annähernd 150000 Mark.[32] Die Dinge spitzten sich 1888 zu, als sich die Möglichkeit ergab, die Konzession für ein vielversprechendes Eisenbahnprojekt, das unter dem Namen »Anatolische Eisenbahn« bekannt wurde, durch ein deutsches Konsortium unter Führung der Deutschen Bank zu erwerben. Der Anstoß dazu kam von der Württembergischen Vereinsbank unter Kaulla, die sich gegen scharfe Konkurrenz von zwei rivalisierenden Finanzgruppen um die Konzession für dieses Bahnbauprojekt bemühte; bei ersterer handelte es sich um eine von der *Banque Impériale Ottomane* angeführte Gruppe, die mit der Berliner Disconto-Bank und Bleichröder assoziiert war, letztere war eine britische Gruppe mit einigermaßen zweifelhaften Referenzen. Sultan Abdul Hamid II. war bereit, die Konzession der deutschen Gruppe eher als der *Banque Impériale Ottomane* zu geben, hauptsächlich aus politischen Gründen, aber auch, weil er hoffte, dadurch die dominante Position der *Banque Impériale Ottomane* im türkischen Wirtschaftsleben behutsam beschneiden zu können.
Am 15. August 1888 trat die Deutsche Bank formell an die Reichsleitung heran und ersuchte um deren Zustimmung und Hilfe bei diesem bedeutsamen Projekt. Bismarcks Reaktion war allenfalls lauwarm, wenn nicht sogar ablehnend; andererseits sah er keinen formalen Grund dazu gege-

31 Erlaß Herbert Bismarcks an die Botschaften in London, Wien und Rom vom 22. Juni 1888, zit. nach Hajo Holborn, Deutschland und die Türkei, S. 82.
32 Vgl. Stern, Gold and Iron, S. 426.

ben, das Projekt offiziell zurückzuweisen. Ein direktes Nein hätte weder mit seiner grundsätzlichen Haltung zu dieser Frage übereingestimmt, daß nämlich deutsche Unternehmungen unter ausländischer Flagge auf ihr eigenes Risiko hin operieren müßten, falls sie es so wünschten, noch wäre ein direktes Nein angesichts der Tatsache, daß dieses Projekt auf Wunsch des Sultans hin zustande gekommen war, politisch ratsam gewesen, hatte man sich doch lange Jahre um dessen Wohlwollen bemüht. Bismarck jedoch machte deutlich, daß er nicht bereit war, dem Projekt über die flankierende Unterstützung bei den Verhandlungen, die mit der Erlangung der Konzession verbunden waren, hinaus die Hilfe der Reichsleitung zu gewähren: »Die darin für deutsches Kapital liegenden Gefahren werden ausschließlich den Unternehmern zur Last fallen und werden die Letzteren nicht darauf rechnen können, daß das Deutsche Reich sie gegen die mit gewagten Unternehmungen im Auslande verbundenen Wechselfälle sicherstellen werde.«[33]
Die späteren Ereignisse sollten erweisen, daß Bismarcks Zögern wohlbegründet war. Denn tatsächlich erwies sich das anatolische Eisenbahnprojekt als ein entscheidender erster Schritt, mit dem das Deutsche Reich unmittelbarer als je zuvor in das komplizierte Netz des informellen Finanzimperialismus hineingezogen wurde, das im Osmanischen Reich seit den frühen 1880er Jahren entstanden war.[34] Denn zum einen erwies es sich als notwendig, eine türkische Staatsanleihe auf dem deutschen Markt als *quid pro quo* für die Erlangung der Konzession zu emittieren, obschon sich der deutsche Kapitalmarkt bislang für derartige Anleihen ziemlich unempfänglich erwiesen hatte. Zweitens mußte die Notwendigkeit, die anatolische Eisenbahngesellschaft zumindest nach außen hin als ein rein deutsches Unternehmen zu führen, angesichts der Tatsache, daß nahezu nichts im Osmanischen Reich ohne die Zustimmung der europäischen Mächte geschehen konnte, zwangsläufig zu politischen Verwicklungen führen.
Am Ende wurden die enormen Schwierigkeiten, denen sich die Deutsche Bank gegenübersah, gemeistert. Die anatolische Eisenbahn wurde zügig gebaut und erwies sich schon bald als finanzieller Erfolg. Dies war jedoch nur möglich, weil es Georg von Siemens von Anfang an gelungen war, sich der Kooperation der *Administration de la Dette Publique Ottomane* zu versichern. Letztere stimmte bereitwillig zu, die finanziellen Garantien und Einnahmequellen zu verwalten, die die osmanische Regierung an die

33 Antwort des Auswärtigen Amtes am 2. September 1888, abgedruckt in: Fritz Seidenzahl, 100 Jahre Deutsche Bank 1870–1970, Frankfurt am Main 1970, S. 67.
34 Für eine detaillierte Darstellung dieses Punktes siehe J. Mommsen, Der europäische Imperialismus, Göttingen 1979, S. 91–98, 119–129; vgl. auch Ducruet, Les capitaux Européennes; Donald C. Blaisdell, European Financial Control.

Deutsche Bank abgetreten hatte, um den Bau der anatolischen Eisenbahn zu finanzieren; ebenso besorgte sie den Schuldendienst der neuen Staatsanleihen, die in diesem Zusammenhang aufgenommen wurden. Auf diese Weise wurde die Kreditwürdigkeit des Projekts enorm gesteigert und indirekt dazu beigetragen, das dringend benötigte ausländische Kapital heranzuziehen. Andererseits wurde die deutsche Hochfinanz im Osmanischen Reich auf diese Weise vollständig in das halbkoloniale System der finanzimperialistischen Kontrolle eines großen Teils der türkischen Staatsfinanzen im Interesse der europäischen Gläubiger einbezogen, das sich seit 1881 entwickelt hatte. Die deutschen wirtschaftlichen Projekte haben in der Folge zu der schrittweisen Ausweitung der Operationen der *Administration de la Dette Ottomane* im Osmanischen Reich beigetragen.[35]

Zweifellos hat die *Administration de la Dette Publique Ottomane* viel getan, um das Vertrauen der europäischen und letztlich auch der deutschen Investoren und Unternehmer in die Wirtschaft eines Landes zu erhöhen, das dafür bekannt war, daß es von einer kleinen korrupten Elite in einer rücksichtslosen und willkürlichen Weise regiert wurde. Seit den späten 1880er Jahren erfuhren die deutschen Investitionen in das Osmanische Reich einen bemerkenswerten Aufschwung; die deutsche Industrie entdeckte die Türkei als einen vielversprechenden Markt.[36] Im September 1889 wurde die deutsche Levante-Schiffahrtslinie gegründet, und im gleichen Jahr richtete die Stahl- und Maschinenbauindustrie eine spezielle Exportagentur ein, um Exporte in den Nahen Osten zu fördern. Die Deutsche Palästinabank, 1899 gegründet, und andere deutsche Banken begannen, sich auf Bankgeschäfte zu spezialisieren, die sich im Zusammenhang des Handels mit dem Osmanischen Reich ergaben. Die deutschen Investitionen stiegen von etwa 400 Millionen Mark im Jahre 1898 auf 700 Millionen Mark im Jahre 1904 und erreichten schließlich im Jahre 1914 die stattliche Summe von 1,8 Milliarden Mark, ein Betrag, der 7,7 Prozent aller deutschen Auslandsinvestitionen entsprach. Der Außenhandel nahm einen noch bedeutenderen Aufschwung. Die Importe aus dem Osmanischen Reich stiegen von mageren 13,9 Millionen Mark im Jahre 1898 auf 172,3 Millionen Mark im Jahre 1913; die Exporte stiegen verständlicherweise noch schneller, da die beträchtlichen Kapitalexporte in das Osmanische Reich eine entsprechende Nachfrage induzierten; sie beliefen sich im Jahre 1891 auf 37 Millionen Mark und stiegen bis 1912 kontinuierlich auf 112,8 Millionen Mark, wenngleich sie im folgen-

35 Vgl. Schölch, Wirtschaftliche Durchdringung, S. 404 ff.

36 Für detaillierte Informationen dazu siehe Rathmann, Berlin–Bagdad, S. 33–37, ungeachtet der ziemlich einseitigen Darstellung der Fakten als einer Art kapitalistischer Verschwörung.

den Jahr wieder etwas zurückfielen. Das war, gemessen an dem Umfang des britischen und französischen Außenhandels mit dem Osmanischen Reich, noch immer relativ bescheiden, aber es war zweifellos eine namhafte Summe, wenn sie auch nur einen geringen Teil des deutschen Außenhandels als solchem ausmachte. Das Engagement der deutschen Wirtschaft im Osmanischen Reich war bedeutend geworden.
Der deutsche Außenhandel mit Ägypten entwickelte sich vergleichsweise noch günstiger. Allerdings profitierte er von dem bemerkenswerten Boom der ägyptischen Wirtschaft, der seit der Jahrhundertwende eingesetzt hatte, wenn dieser auch zugegebenermaßen recht unausgeglichen war und hauptsächlich auf dem rapiden Zuwachs des Anbaus von Baumwolle beruhte, welcher sich allerdings auf lange Sicht für die ägyptische Wirtschaft als ziemlich nachteilig erwies. In Ägypten begnügte sich das Deutsche Reich mit der Rolle des Nutznießers des britischen informellen Imperialismus; es profitierte von den Privilegien, die den europäischen »Kaufleuten« im Lande eingeräumt worden waren, ohne irgendwelche Lasten auf sich nehmen zu müssen. Die Verbesserungen in der ökonomischen Infrastruktur, die erreicht worden waren, nachdem 1904 die *Entente Cordiale* den französischen Widerstand gegen jegliche substantielle Modifikation der Schuldenverpflichtungen des Landes gegenüber seinen europäischen Gläubigern ausgeräumt hatte, stärkten die ökonomische Lage Ägyptens. Davon profitierte indirekt auch der Außenhandel mit dem Deutschen Reich, wenngleich letzterer immer noch weit hinter dem Außenhandel mit Großbritannien und Frankreich rangierte. Nunmehr stimmte die deutsche Reichsleitung bereitwillig einer Zurückstufung der Machtstellung der *Caisse de la Dette Publique*, die diese bisher als private Schuldenverwaltung mit hoheitlichen Funktionen innegehabt hatte, innerhalb des ägyptischen Wirtschaftslebens zu. Diese gestand erstmals zu, daß ein beträchtlicher Teil der Staatseinkünfte in profitable Entwicklungsprojekte investiert werden dürften, statt diese für eine vorzeitige Rückzahlung kleiner Teile der immer noch enormen ägyptischen Auslandsschulden zu verwenden. Andererseits bestand die deutsche Regierung darauf, daß ihr in wirtschaftlichen Fragen der gleiche Rechtsstatus wie Frankreich eingeräumt würde, eine Vereinbarung, die sich als sehr profitabel erweisen sollte. Im Jahre 1900 waren die deutschen Importe aus Ägypten noch geringfügig gewesen, doch nahmen sie in der Folgezeit geradezu dramatisch zu; bis zum Jahre 1913 stiegen sie auf 118,4 Millionen Mark. Die Exporte nach Ägypten stiegen vergleichsweise weniger spektakulär, aber immer noch in beachtenswertem Umfang. Im Jahre 1890 beliefen sie sich auf gerade 3,7 Millionen Mark, 1913 hatten sie sich auf 43,4 Millionen Mark gesteigert. Insgesamt hatte die deutsche Geschäftswelt keinen Grund, über die britische politische Vorherrschaft in

diesem Lande zu klagen, so lange wie sie einen relativ freien Zugang zum ägyptischen Binnenmarkt besaß.
Es war jedoch in erster Linie das Osmanische Reich, das zunehmend die Aufmerksamkeit der deutschen Wirtschaft und der breiten Öffentlichkeit auf sich zog; es wurde weithin als eine Region mit einer sehr vielversprechenden wirtschaftlichen Zukunft betrachtet. Dabei gingen die Erwartungen gelegentlich weit über eine bloß ökonomische Durchdringung des Osmanischen Reiches hinaus. So propagierte insbesondere der Alldeutsche Verband die Idee, daß jene Regionen, die von der anatolischen Eisenbahn erschlossen würden, von deutschen Kolonisten besiedelt werden sollten. Im Mai 1900 hielt Georg von Siemens es für ratsam, sich öffentlich gegen derartige Tendenzen zu verwahren, da sie die Transaktionen der deutschen Hochfinanz im Osmanischen Reich in ein außerordentlich schiefes Licht zu bringen geeignet waren.[37] Auch die Regierungskreise wurden nun von dem allgemeinen Enthusiasmus erfaßt, mit dem die Chancen einer ökonomischen Durchdringung des Osmanischen Reiches in der Öffentlichkeit erörtert wurden. 1894 wurde Marschall von Bieberstein zum Botschafter von Konstantinopel berufen. Noch während seiner Amtszeit als Staatssekretär des Äußeren unter der Kanzlerschaft Caprivis war dieser höchst skeptisch bezüglich imperialistischer Unternehmungen gewesen, seien sie nun formeller oder informeller Art. In Konstantinopel wurde Marschall von Bieberstein hingegen bald zu dem, was man als deutsche Variante eines imperialistischen Prokonsuls an der Peripherie bezeichnen könnte. Er wurde zu einem Vorkämpfer des deutschen informellen Imperialismus im Nahen Osten. Marschall ermutigte bei vielen Gelegenheiten nicht nur direkt interessierte Geschäftsgruppen, sich in der Türkei zu engagieren, sondern er überzeugte auch im Laufe der Zeit das Auswärtige Amt, daß man die einmaligen Möglichkeiten, die sich für eine deutsche wirtschaftliche Aktivität im Osmanischen Reich boten, nicht tatenlos vorübergehen lassen dürfe. Die guten Beziehungen, die Marschall zur türkischen Führungselite, insbesondere aber mit dem Sultan Abdul Hamid knüpfte, erwiesen sich dabei als sehr hilfreich. Von ausschlaggebender Bedeutung war es freilich, daß Wilhelm II., der immer empfänglich für neue Tendenzen in der deutschen öffentlichen Meinung war, schon bald von der populären Begeisterung für die aktive deutsche Betätigung im Osmanischen Reich erfaßt wurde und ostentativ an die Spitze dieser Bestrebungen trat.
Jedoch wurde erst unter Bülow, der 1897 zum Staatssekretär des Äußeren berufen worden war, die zurückhaltende Politik des Deutschen Reiches in imperialen Fragen definitiv zugunsten einer ungebremsten »Vorwärtspo-

37 Ebenda, S. 40.

litik« in dieser Region aufgegeben. Der Besuch des Kaisers in Konstantinopel und Jerusalem im Oktober 1898 war formal rein privater Natur. Der Sache nach war er der Vorbote einer aktiven deutschen Orientpolitik. Wilhelm II. trat dem Sultan Abdul Hamid ostentativ von Monarch zu Monarch gegenüber und behandelte ihn als einen Herrscher gleichen Ranges; damit identifizierte er sich in aller Form mit dem bestehenden politischen System im Osmanischen Reich, ohne die Tatsache zu beachten, daß die Herrschaft des Sultans auf wackeligen Fundamenten beruhte und die Souveränität seines Reiches längst weitgehend fiktiv geworden war. Zum zweiten bekräftigte Wilhelm II. uneingeschränkt die Ansicht, daß das Osmanische Reich für die deutsche Industrie und den deutschen Außenhandel unermeßliche zukünftige Möglichkeiten böte. Das Auswärtige Amt suchte vorsichtig, die Begeisterung des Kaisers für die Wunder des Orients, welche von einer romantizistischen Idealisierung der islamischen Welt nicht frei war und nur sehr wenig Bezüge zur Realität besaß, behutsam abzumildern und davon so wenig wie möglich an die Öffentlichkeit dringen zu lassen. Aber grundsätzlich teilten die Diplomaten die Meinung des Kaisers, daß das Deutsche Reich ein Anrecht auf eine angemessene Beteiligung an der ökonomischen Ausbeutung des Nahen Ostens geltend machen müsse und diese nicht allein den Briten und Franzosen überlassen dürfe.

Wie bereits dargelegt wurde, hatte Bismarck im großen und ganzen die Ansicht vertreten, daß es sowohl in Deutschlands wie in Europas Interesse liege, das Osmanische Reich zu erhalten und nicht zu versuchen, in dieser weitläufigen Region, die von Konflikten aller Art geschüttelt und von machtgierigen Nachbarn umgeben war, eine alternative politische Ordnung schaffen zu wollen. Diese politische Linie verhärtete sich nun zu einer dogmatischen Politik der Stützung des bestehenden Regimes in Konstantinopel um jeden Preis, ohne Rücksicht auf dessen Verfehlungen und Strukturmängel. Wenn Abdul Hamid II. zu einer Art von Kollaborateur des deutschen Wirtschaftsimperialismus wurde, wurde das Deutsche Reich umgekehrt zu dessen Kolaborateur bei der Stabilisierung eines im Grunde verrotteten Regimes.

Demgemäß war es nicht überraschend, daß Berlin auf die Vorschläge Lord Salisburys für eine Aufteilung des Osmanischen Reiches 1895 besonders feindselig reagierte, obwohl einiges dafür sprach, dieses korrupte und ineffiziente Regime zu beseitigen, das im Grunde ein Anachronismus war, der das 19. Jahrhundert nur dank wiederholter Interventionen der europäischen Mächte gegen seine Widersacher in der arabischen Welt überlebt hatte. Gleichermaßen widersetzte sich die deutsche Regierung beharrlich den diplomatischen Bemühungen der Großmächte, die türkische Regierung zur Durchführung von Reformen in den Provinzen seines

Herrschaftsbereichs zu veranlassen, die überwiegend von nichtislamischen Bevölkerungsgruppen bewohnt waren, im Hinblick auf die beständigen blutigen Konflikte in Makedonien und Armenien. Vor allem Marschall vertrat entschieden die Ansicht, daß durch solche Aktionen die Machtstellung des Sultans gegenüber seinen Untertanen vollends untergraben und die Verhältnisse nur verschärft würden.[38] Mehr noch, er beschuldigte gelegentlich die Briten, absichtlich den Aufruhr seitens der christlichen Bevölkerung zu schüren, um damit ihr politisches Süppchen zu kochen. Im allgemeinen lehnte die deutsche Politik Reformen und politische Veränderung jeder Art im Osmanischen Reich ab; sie suchte vielmehr, ihre Ziele durch enge Zusammenarbeit mit dem bestehenden Regime, insbesondere mit Abdul Hamid persönlich, zu erreichen und ihn gegenüber rivalisierenden Gruppen und manchmal sogar gegenüber seinen eigenen Ministern zu stützen.

Diese Politik zahlte sich zweifellos aus insofern, als es der Deutschen Bank 1903 gelang, sich nach langem Hin und Her die Konzession für den Bau der Bagdadbahn, die die anatolische Eisenbahn mit dem Persischen Golf verbinden sollte, zu sichern.[39] Dieses ehrgeizige Unternehmen beinhaltete die Konstruktion einer Bahnlinie von nahezu 2000 Kilometern Länge, die zu einem erheblichen Teil durch zerklüftetes und schwieriges Gebiet führen sollte. An dieser Stelle soll die lange und verwickelte Geschichte der Bagdadbahn nicht im einzelnen dargestellt werden, von der schließlich nur zwei Drittel vor dem Ausbruch des Ersten Weltkriegs fertiggestellt werden sollten. Die Bahn wurde bald zu dem bedeutendsten Projekt des deutschen informellen Imperialismus vor 1914, und große Hoffnungen und hohe Erwartungen waren damit verbunden.

Abdul Hamid hatte schon seit 1892 auf die Fortführung der anatolischen Eisenbahn gedrängt, und Marschall seinerseits hatte seinen ganzen persönlichen Einfluß und seine große Arbeitskraft diesem Projekt gewidmet. Freilich erschienen die Schwierigkeiten, die mit diesem Projekt verbunden waren, zunächst als nahezu unüberwindbar. Zeitweilig war sogar die Deutsche Bank nahe daran, das Projekt still und heimlich wieder fallenzulassen. Das von einer wirtschaftlichen Flaute gezeichnete Klima im Osmanischen Reich in den 1890er Jahren war für die Realisierung eines

38 Siehe Erich Lindow, Freiherr Marschall von Bieberstein als Botschafter in Konstantinopel 1897–1912, Danzig 1934, S. 37f.

39 Vgl. dazu Schöllgen, Imperialismus und Gleichgewicht, S. 205ff. – Zur Bagdadbahn siehe auch Helmut Mejcher, Die Bagdadbahn als Instrument deutschen wirtschaftlichen Einflusses im Osmanischen Reich, in: Geschichte und Gesellschaft 1 (1975), S. 447ff.; Mommsen, Finanzimperialismus; Raymond Poidevin, Les relations économiques et financières entre la France et l'Allemagne de 1898 à 1914, Paris 1969; Rathmann, Berlin–Bagdad; Seidenzahl, 100 Jahre Deutsche Bank.

derart ehrgeizigen Unternehmens, das erst nach langer Zeit Erträge würde abwerfen können, nicht eben günstig und die Instabilität des Herrschaftssystems für die Kapitalinvestoren auch nicht gerade ermutigend. Ausschlaggebend aber waren die politischen Widerstände gegen das Projekt, die von seiten der anderen Mächte, insbesondere Großbritanniens, ausgingen. Ursprünglich hatte Georg von Siemens die Bagdadbahn als ein internationales Unternehmen in enger Verbindung mit den im Osmanischen Reich operierenden englischen und französischen Finanzinstituten durchführen wollen, um die politischen Einwände von vornherein auf ein Minimum zu reduzieren. Jedoch verlangte die deutsche Öffentlichkeit und mit ihr die Reichsleitung, daß das Unternehmen ein deutsches und nicht ein internationales sein dürfe; dies entsprach auch den persönlichen Vorstellungen Wilhelms II. Abdul Hamid seinerseits hatte andere Gründe, die Bagdadbahngesellschaft lieber unter deutscher als unter englischer oder französischer Führung zu sehen, wenn schon nicht die Türken selbst eine dominante Rolle dabei zu spielen vermochten; er erwartete sich davon ein größeres Maß von Freiheit gegenüber der Bevormundung der Großmächte. Hatte Georg von Siemens anfänglich einigen Anlaß dazu gehabt, sich darüber zu beklagen, daß das Projekt der Bagdadbahn seitens der deutschen Reichsleitung nur halbherzige politische Unterstützung erhielt, so fand er es bald schwierig, dem Wunsch des Auswärtigen Amts zu entsprechen, sich mit anderen finanziellen Gruppierungen nicht zu eng einzulassen. Es war von Anfang an klar, daß die Deutsche Bank niemals in der Lage sein würde, das für den Bau notwendige Kapital ausschließlich auf dem deutschen Kapitalmarkt aufzubringen, obschon die Zusammenarbeit mit der Preußischen Seehandlung hatte gesichert werden können, die dem Unternehmen in den Augen der deutschen Kapitalinvestoren eine zusätzliche Bonität verlieh. Ohne die Heranziehung bedeutender Summen ausländischen Kapitals, insbesondere französischer Herkunft, wäre das Projekt von vornherein nicht realisierbar gewesen.

Darüber hinaus wären alle finanziellen Garantien seitens der osmanischen Regierung nicht viel wert gewesen, wenn sie nicht durch spezielle Einnahmequellen abgesichert worden wären, die der A.D.P.O. zugunsten der Bagdadbahngesellschaft abgetreten und von ihr verwaltet worden wären; wäre die Gesellschaft allein von den Operationen der notorisch unzuverlässigen türkischen Finanzverwaltung abhängig gewesen, hätte dies die Kreditwürdigkeit des gesamten Unternehmens von vornherein schwer beeinträchtigt. Dies bedeutet, daß die Bagdadbahn, obschon sie nach außen hin als ein rein deutsches Projekt galt und gegenüber der Öffentlichkeit auch so präsentiert wurde, im Grunde einen internationalen Charakter besaß, sowohl im Hinblick auf das benötigte Kapital als auch im Hinblick auf die Tatsache, daß die finanziellen Vereinbarungen

mit der osmanischen Regierung der Absicherung durch die internationalen Finanzinstitutionen im Lande bedurften.
Auch Abdul Hamid war sich darüber im klaren, daß bei Lage der Dinge die Kreditwürdigkeit der Türkei in Europa sehr viel höher und die Bedingungen für die zu emittierenden Anleihen sehr viel günstiger waren, wenn diese und die zu deren Sicherung getroffenen finanziellen Vereinbarungen von der A.D.P.O. und nicht von der türkischen Regierung verwaltet würden. Jedoch bedeutete dies, daß die finanzielle und ökonomische Souveränität der Türkei durch das Bagdadbahnprojekt indirekt noch weiter eingeschränkt werden würde. Es war ersichtlich, daß dies von der freilich noch nicht sehr großen türkischen Bourgeoisie ebenso abgelehnt wurde wie von den traditionellen Eliten; dadurch wurde auf Dauer auch die Stellung des Sultans in seinem eigenen Lande erschwert.
Im Lichte dieser Umstände stellt es keine Überraschung dar, daß 1902 seitens des Sultans ein letzter Versuch unternommen wurde, die Bagdadbahn unter türkischer Leitung als ein türkisches – nicht deutsches oder internationales – Unternehmen bauen zu lassen. Aber unter starkem diplomatischem Druck mußte dieser sehr verständliche Plan wieder aufgegeben werden. Man könnte den Standpunkt vertreten, daß, wenn es überhaupt zu einer durchgreifenden Modernisierung des Osmanischen Reiches kommen sollte, diese unter den gegebenen Bedingungen nur im Rahmen des bestehenden halbkolonialen Systems hätte durchgeführt werden können. Aber vom Standpunkt der betroffenen Völker aus war dies keinesfalls die beste Lösung, auch wenn man sich nicht dem Chor derjenigen anschließen muß, die damals laute Klagelieder darüber erklingen ließen, daß die armen anatolischen Bauern für den Bau der Bagdadbahn mit Entbehrungen und Elend zahlen mußten.
In der deutschen öffentlichen Meinung galt die Bagdadbahn als ein deutsches Unternehmen. Aber das traf, wie bereits dargelegt wurde, nur in einem begrenzten Umfang zu. Es waren eher die Politiker als die Bankiers, die die Bagdadbahn nach außen hin zu einem rein deutschen Unternehmen machten – die Briten, weil sie sich weigerten, sich daran zu beteiligen und die späterhin den Fortgang des Baues mit politischen Mitteln zu verhindern suchten; die Franzosen insofern, als sie den Bagdadbahnanleihen den Zugang zur Pariser Börse versperrten und einer engen Zusammenarbeit zwischen der Bagdadbahngesellschaft und der *Banque Impériale Ottomane* politische Hindernisse in den Weg legten; vor allem aber die Deutschen selbst, die die Bagdadbahn zum bedeutendsten Projekt der deutschen Weltpolitik erklärten und daran teilweise völlig utopische nationalistische Erwartungen knüpften, die mit den zu erwartenden wirtschaftlichen Gewinnen wenig zu tun hatten. Die Bagdadbahn erschien als

der Hebel zur indirekten, wenn nicht sogar der direkten Beherrschung der Kerngebiete des Osmanischen Reiches.
Der Sultan Abdul Hamid war von der Annahme geleitet worden, daß durch die Verpflichtung eines deutschen statt eines französischen oder internationalen Finanzkonsortiums erneute tiefgreifende Einschränkungen der Souveränität des Osmanischen Reiches vermieden werden könnten, ja mehr noch, daß dieses Projekt, sobald einmal die erwarteten Erträge fließen würden, die Chance eröffnen könnte, die drückende Herrschaft des internationalen Finanzkapitals über das Land nach und nach abzuschütteln. Diese letztere Annahme erwies sich freilich schon bald als gänzlich unzutreffend. Die fortgesetzte Opposition Großbritanniens und Frankreichs gegen die Bagdadbahn zwang die Deutsche Bank dazu, das Projekt in eine Serie von Teilprojekten zu unterteilen, die eigenständig finanziert und gebaut wurden. Auf diese Weise wurde vermieden, daß die osmanische Regierung von vornherein die Verpflichtung eingehen mußte, ausreichende finanzielle Garantien für das Gesamtprojekt bereitzustellen (was aufgrund innerer Schwierigkeiten, aber auch britischer und russischer Einwände unerreichbar gewesen wäre). Ungeachtet dieser Vereinbarung, die die loyale Zusammenarbeit des Sultans voraussetzte, bestand die Deutsche Bank hartnäckig darauf, daß die entsprechenden Staatseinkünfte ein für allemal der A.D.P.O. übergeben wurden, um jegliche zukünftige Einmischung in die Finanzierung der Bagdadbahn von staatlicher Seite auszuschließen. Die halbimperialistische Beschaffenheit dieser finanziellen Vereinbarungen, die darauf ausgerichtet waren, die Risiken der europäischen Gläubiger auf ein Minimum zu beschränken, ist unbestreitbar, obschon man den Standpunkt vertreten kann, daß die erforderlichen riesigen Kapitalien andernfalls niemals hätten aufgebracht werden können.
Es ist schwierig, die Auswirkungen des Projekts der Bagdadbahn auf das Osmanische Reich und seine Bevölkerung zuverlässig einzuschätzen. Einerseits trug es in nicht unerheblichem Maße zur Modernisierung des Landes bei, obschon die indigene Bevölkerung davon nur mit großer Verzögerung und dazu noch höchst ungleichmäßig profitierte. Die Rivalitäten zwischen den Großmächten, die durch dieses Unternehmen ausgelöst worden waren und die nur mit großen Schwierigkeiten beherrscht werden konnten, gingen in erster Linie auf Kosten der türkischen Bevölkerung, wurde doch dadurch die finanzielle Schuldenlast des Osmanischen Reiches, die sich seit 1878 zu einem immer höheren Berg aufgetürmt hatte, noch erheblich gesteigert, zum Nachteil des türkischen Steuerzahlers.
Der Widerstand der westlichen Mächte und insbesondere Rußlands gegen das Bagdadbahnprojekt beeinträchtigte übrigens die Interessen der Deutschen Bank in weit geringerem Maße als jene der Türkei selbst. Die

Bagdadbahngesellschaft und die hinter dieser stehende Deutsche Bank wurden dazu gezwungen, die Durchführung des Baus erheblich zu verlangsamen, mit der unerwünschten Folge, daß die bereits in Betrieb befindlichen Sektionen der Bahn nicht voll ausgelastet waren. Jedoch wurde die Hauptlast der finanziellen Aufwendungen während der Bauzeit der Bahn vom türkischen Staat, nicht von der Bagdadbahngesellschaft getragen; dieser war an den Erträgen erst dann beteiligt, wenn der Betrieb auf den betreffenden Streckenabschnitten der Bahn den Status der Rentabilität erlangt hatte. Ganz abgesehen davon wurden die türkischen Staatsfinanzen durch die britische Weigerung, einer Erhöhung der Außenzölle zuzustimmen, auch auf anderen Gebieten hart getroffen.
Der halbkoloniale Charakter des Bagdadbahnbaus wird noch offensichtlicher, wenn man die zahlreichen sekundären Konzessionen in Betracht zieht, die den osmanischen Behörden abverlangt worden waren, mit dem Argument, daß sich ohne diese die Bahnlinie nicht rentieren würde. Insbesondere erhielt die Bagdadbahngesellschaft das Recht zugesprochen, eine vierzig Kilometer breite Landzone entlang der Eisenbahnstrecke wirtschaftlich zu erschließen und alle dort vorhandenen Bodenschätze auszubeuten, ferner zahlreiche Häfen anzulegen, insbesondere in Basra und Bagdad selbst. Schließlich war ihr auch die Befugnis zum Bau von zahlreichen Nebenstrecken zugesprochen worden, deren Zweck es sein sollte, das Frachtaufkommen der Bagdadbahn zu erhöhen. Die Bagdadbahngesellschaft hat dann auch, ebenso wie dies die anatolische Eisenbahn in Konia gemacht hatte, zahlreiche Erschließungsprojekte in Angriff genommen, die die Ausbeutung der natürlichen Ressourcen, die Einrichtung von Pflanzungen und ähnliches mehr umfaßten. So gesehen war die Bagdadbahngesellschaft weit mehr als nur eine Eisenbahngesellschaft (und dies um so mehr, als sie eng mit den anderen Institutionen der internationalen Hochfinanz im Osmanischen Reich zusammenarbeitete), sie war ein Instrument des informellen Finanzimperialismus, der innerhalb eines formell unabhängigen Staates, dessen Souveränität freilich mehr und mehr auf ein Schattendasein beschränkt wurde, eine halbkoloniale Politik wirtschaftlicher Ausbeutung betrieb.[40]
Es ist allerdings einzuräumen, daß in dieser riesigen Region nicht allein der deutsche Finanzimperialismus operierte. Vielmehr waren hier eine große Zahl von ausländischen Finanzgruppen aktiv, die sämtlich in mehr oder minder hohem Maße auf die aktive Unterstützung ihrer jeweiligen Regierungen zählen konnten, von dem privilegierten Rechtsstatus, den Ausländer dank des Rechts der Kapitulationen im Osmanischen Reich genossen, einmal ganz abgesehen. Alle diese Finanzgruppen bemühten

40 Vgl. dazu Mommsen, Finanzimperialismus, S. 127ff.

sich um den Bau von Eisenbahnen, Hafeninstallationen oder sonstigen Projekten zur Schaffung einer modernen Infrastruktur und sonstigen, zumeist auf monopolistischer Basis betriebenen, wirtschaftlichen Unternehmungen aller Art. Sie alle warben um entsprechende Konzessionen, Subsidien und sonstige Vergünstigungen von seiten des osmanischen Staates, um die zugestandenermaßen beträchtlichen wirtschaftlichen Risiken erträglicher und die erhofften Gewinne stattlicher zu machen, und mobilisierten dafür von Fall zu Fall die Unterstützung der ihnen nahestehenden Regierungen der Großmächte. Es war keineswegs nur die deutsche Regierung, die ihren politischen Einfluß auf die Entwicklungen in dieser Region mit Hilfe wirtschaftlicher Unternehmungen zu stärken suchte. Die britische Regierung beispielsweise unterstützte die Bestrebungen der *National Bank of Turkey*, die Sir Ernest Cassell 1908 begründet hatte, mit allen verfügbaren Mitteln. Die *National Bank of Turkey* hoffte, zumindest auf mittlere Frist mit der von französischem Kapital kontrollierten *Banque Impériale Ottomane* gleichzuziehen, die einstweilen in der Türkei eine beherrschende Stellung einnahm. Allerdings gelang es ihr niemals, die Widerstände des englischen privaten Kapitalinvestors gegen ein Engagement im Osmanischen Reich zu überwinden, obwohl die britische Regierung dies gern gesehen hätte, da es nur zu offensichtlich war, daß im Osmanischen Reich Kapitalinvestitionen und politischer Einfluß eng miteinander verzahnt waren.[41]

Anfänglich hatte es im Osmanischen Reich ein hohes Maß an Zusammenarbeit unter den diversen internationalen Finanzgruppen gegeben. Jedoch schlugen seit der Jahrhundertwende die Spannungen im internationalen System in wachsendem Maße auf die Peripherie zurück; unter diesen Umständen wurde es für die jeweiligen Finanzgruppen schwieriger, bei der Durchführung von Großprojekten zusammenzuarbeiten. An sich war das internationale Finanzkapital zu derartigen Formen der Kooperation durchaus geneigt, allein schon, weil auf diese Weise die Risiken stärker gestreut, leichter Kapitalinvestoren gefunden und Vorsorge gegen politische Wechselfälle getroffen werden konnten. Aber im Zuge der zunehmenden nationalistischen Tendenzen in Europa begannen sie nach und nach, ihre Strategien zu ändern. Sie gingen mehr und mehr dazu über, aus Kooperationsprojekten mit Finanzgruppen anderer nationaler Herkunft auszusteigen und sich statt dessen über eigenständige Interessensphären bzw. »Arbeitszonen« zu verständigen. Es kam gleichsam zu einer Renationalisierung der internationalen finanzimperialistischen Unternehmun-

41 David McLean, Britain and her Buffer State. The Collapse of the Persian Empire, 1890–1914, London 1979, S. 296f.

gen.[42] Selbst die *Banque Impériale Ottomane*, die solchen Tendenzen lange widerstanden hatte, löste seit 1911 unter dem Druck der französischen Regierung ihre enge Verbindung mit der Deutschen Bank bezüglich des Bagdadbahnprojektes, obschon sie dieses auch weiterhin indirekt unterstützte.

Ansonsten hatte die *itio in partes* des internationalen Finanzkapitals im Osmanischen Reich schon weit früher eingesetzt. Die Operationen der einzelnen Finanzgruppen konzentrierten sich zunehmend in bestimmten geographischen Regionen des Osmanischen Reiches, auf der Grundlage von informellen Absprachen oder, wie dies in zunehmendem Maße der Fall war, von regelrechten Verträgen, an deren Zustandekommen die jeweiligen Regierungen zumindest indirekt beteiligt waren. Die Franzosen waren aktiv vor allem in Syrien und Konstantinopel sowie im nördlichen Bereich von Anatolien; die Deutschen konzentrierten ihre Unternehmungen auf Zentral- und Südanatolien, während die Briten vorzugsweise in den arabischen Regionen, insbesondere am Persischen Golf, agierten.

Die durch diese wirtschaftlichen Prozesse beförderte Zersplitterung des Osmanischen Reiches, in Verbindung mit dem zunehmenden Verlust der Kontrolle über die ökonomischen Geschicke des Landes, war eine der Ursachen für die jungtürkische Revolution des Jahres 1908. Die Erhebung der Jungtürken führte zum Sturz von Abdul Mahmud und zur Einsetzung eines neuen, der Form nach demokratischen Regimes, das die westlichen konstitutionellen Regierungsformen zu kopieren suchte. Mit der Abdankung Abdul Mahmuds war darüber hinaus ein Grundpfeiler der Politik der wirtschaftlichen Durchdringung, die bis dahin vom Deutschen Reich verfolgt worden war, zusammengebrochen. Marschalls Devise hatte darin bestanden, eng mit den traditionellen Eliten und dem Sultan, nicht aber mit den Kräften des Fortschritts zusammenzuarbeiten. Diese Strategie war völlig fehlgeschlagen. Zumindest für den Augenblick lief dies auf eine empfindliche Schwächung der deutschen Position in der Türkei hinaus. Helfferich, der zu dieser Zeit einer der Direktoren der Deutschen Bank war – er wurde bald darauf Staatssekretär im Reichsschatzamt –, erklärte damals: »Der Traum der ›deutschen Bagdadbahn‹ bis zum Golf ist ausgeträumt.«[43] Jedoch wurde die deutsche Position im Laufe der Zeit zum Teil wiederhergestellt, weil die Jungtürken an einer zügigen Modernisierung der Türkei mit Hilfe westlicher Unterstützung und westlicher Technologie interessiert waren, obschon dies mit einem

42 Vgl. Poidevin, Les relations, S. 654ff.
43 Helfferich an Gwinner, Direktor der Deutschen Bank, am 30. November 1908, GP 27/II, Nr. 9958/Anlage, S. 565.

Minimum an direkter politischer Einmischung bewerkstelligt werden sollte; unter diesem Gesichtspunkt schien das Deutsche Reich immer noch der am wenigsten gefährliche Partner zu sein. Ihr großes Ziel, die türkische Herrschaft in ihrer früheren Größe wiederherzustellen, konnte, wenn überhaupt, nur durch eine zügige Modernisierung der überalterten Infrastruktur des Landes wie auch der Armee erreicht werden, und dies erforderte die Aufnahme weiteren europäischen Kapitals. In allen diesen Fragen war das Deutsche Reich bereit zu helfen. Es kam hinzu, daß die deutsche Diplomatie weit weniger an dem Schicksal der Nationalitäten unter osmanischer Herrschaft Anteil nahm als die westlichen Mächte oder das zaristische Rußland und demgemäß weniger zu befürchten war, daß das Deutsche Reich in die inneren Angelegenheiten der Türkei eingreifen würde.

Im Hinblick auf die deutschen Interessen im Osmanischen Reich waren die Balkankriege 1912/13 mehr als unwillkommen. Das Bestreben der deutschen Regierung, das Osmanische Reich um jeden Preis zu erhalten, sowohl im Hinblick auf seinen territorialen Status wie auch in seiner inneren Struktur, schien vollkommen gescheitert. Obschon die deutsche Politik sich beeilte, zu versichern, daß das von ihr bei Ausbruch des Balkankrieges postulierte Prinzip der Aufrechterhaltung des status quo nur für die asiatischen Gebiete der Türkei Geltung habe, hatte die deutsche Politik viel von ihrer Glaubwürdigkeit verloren. In der Tat war sich die deutsche Regierung auf dem Höhepunkt des ersten Balkankrieges überhaupt nicht sicher, ob nicht ein völliger Zusammenbruch der osmanischen Herrschaft und damit eine Aufteilung des Osmanischen Reiches unmittelbar bevorstehen. Das deutsche Auswärtige Amt tat alles in seiner Macht Stehende, eine derartige Entwicklung zu verhindern, aber zugleich formulierte es vorsichtig seine eigenen Ansprüche, sollte es dennoch zu einer baldigen Machtprobe über die Zukunft des Osmanischen Reiches kommen. Im Januar 1913 instruierte das Auswärtige Amt den deutschen Botschafter in London, Lichnowsky, Sir Edward Grey gegenüber zu erklären, daß das Deutsche Reich zwar grundsätzlich weiterhin für die Erhaltung des Osmanischen Reiches eintrete, zumindest in den Grenzen seiner asiatischen Besitzungen, aber daß vitale deutsche Interessen auf dem Spiel stünden, die unter allen Umständen respektiert werden müßten: »Wir verfolgen dort ausschließlich wirtschaftliche Interessen, sind aber zu deren Verteidigung unter allen Umständen entschlossen. Asiatische Türkei ist uns *noli me tangere*.«[44] Bethmann Hollweg selbst war sehr besorgt, daß Großbritannien und die anderen Mächte insgeheim konkrete Pläne

44 Der Stellvertretende Staatssekretär des Auswärtigen Amtes Zimmermann an Lichnowsky, Telegramm-Konzept vom 23. Januar 1913, GP 34/I, Nr. 12718, S. 237.

für eine Aufteilung des Osmanischen Reiches hegten, die weit über die Beendigung der türkischen Herrschaft über die europäischen Territorien auf dem Balkan hinausgingen; es war klar, daß sich letzteres nicht mehr vermeiden ließ. Der Kanzler betonte, daß das Deutsche Reich nach wie vor ausschließlich an der Förderung seiner ökonomischen Interessen in der Türkei interessiert sei, aber für den Fall, daß es tatsächlich zu einer Aufteilung kommen sollte, würde man den Dingen nicht tatenlos zusehen können.[45] Zum damaligen Zeitpunkt hielt die Reichsleitung es für nahezu unmöglich, Anatolien formell zu annektieren oder zu einem Protektorat zu erheben, falls es tatsächlich zu einer Aufteilung des Osmanischen Reiches kommen sollte; dafür schien das deutsche wirtschaftliche Engagement in dieser Region noch viel zu schwach zu sein. Für den Augenblick wurde es demnach seitens der Reichsleitung als vordringlich angesehen, das geschwächte Osmanische Reich mit allen zur Verfügung stehenden Mitteln zu stützen.

Dies war zu diesem Zeitpunkt keinesfalls nur mehr eine Sache der offiziellen Politik. 1913 war der Nahe Osten zum wichtigsten Objekt der deutschen Weltpolitik geworden, so wie sie von der breiten Öffentlichkeit wahrgenommen wurde. Einflußreiche Publizisten wie Paul Rohrbach und Ernst Jaeckh propagierten die Idee, daß die Zukunft Deutschlands im Nahen Osten liege, mit großer Energie, und sie fanden dafür begeisterte Zustimmung insbesondere bei der Bildungsschicht. Sie waren damit weit erfolgreicher, als die Agitation des Alldeutschen Verbandes es je gewesen war. Führende Politiker wie Ernst Bassermann, der Führer der nationalliberalen Reichstagsfraktion, griffen dieses Thema ebenfalls auf und drängten die Regierung, sich klar zu den Zielen der deutschen Politik im Orient zu bekennen; und in Abweichung von der bisherigen konstitutionellen Praxis fühlte sich die Reichsleitung verpflichtet, sich im Reichstag in aller Form mit der Politik einer informellen Penetration im Osmanischen Reich zu identifizieren.[46] Auch in den Kreisen der Industrie war man überwiegend der Auffassung, daß der Nahe Osten für Deutschlands Zukunft wesentlich bedeutender sei als alle zukünftigen kolonialen Erwerbungen auf dem afrikanischen Kontinent.[47] Die offizielle Politik

45 Vgl. die Aufzeichnung Bethmann Hollwegs vom 25. Januar 1913, GP, Bd. 34/I, Nr. 12737, S. 255f.

46 Vgl. Verhandlungen des Deutschen Reichstages, Bd. 291, S. 6274C–D, sowie S. 6295A–B, ferner Bd. 293, S. 7512B–D.

47 So schrieb die Deutsche Arbeitgeber-Zeitung im März 1913, »die Devise ›Weltpolitik ohne Krieg‹« bringe nur »Kolonialreiche, die im Monde liegen, aber keine Realitäten«. Zit. nach Fritz Fischer, Krieg der Illusionen. Die deutsche Politik von 1911 bis 1914, Düsseldorf 1969, S. 340. Vgl. auch die Erklärung Bassermanns im Reichstag am 9. Dezember 1913, Verhandlungen des Reichstages, Bd. 293, S. 6295B.

konnte es sich nicht länger erlauben, diesen Stand der Dinge zu ignorieren, selbst wenn sie dies gewollt hätte.[48]

Allerdings hielt Bethmann Hollweg es für viel dringender, die Position des Deutschen Reiches auf dem europäischen Kontinent zu stabilisieren, als die Politik der *pénétration pacifique* im Osmanischen Reich, ungeachtet des Widerstands der anderen Mächte, konsequent voranzutreiben. Der Kanzler war primär daran interessiert, zu einer tragfähigen Kooperation mit Großbritannien in Fragen von gemeinsamem Interesse, den Nahen Osten eingeschlossen, zu kommen, als Vorstufe einer Heranziehung Großbritanniens an die Mittelmächte. Bethmann Hollweg war, anders als Bülow und Marschall ein Jahrzehnt zuvor, demgemäß durchaus geneigt, den Briten in Sachen der Bagdadbahn entgegenzukommen. Aber die Dinge waren bereits viel zu weit gediehen, als daß es möglich gewesen wäre, die britische Freundschaft durch die Preisgabe deutscher wirtschaftlicher Interessen im Osmanischen Reich zu erkaufen; die Bagdadbahn war zum vornehmsten Objekt der nationalen Begeisterung der deutschen Nation geworden, nicht selten zur Verlegenheit der unmittelbar beteiligten Diplomaten und Bankiers. Im Grundsatz war es nicht mehr möglich, wesentliche Abstriche an dem Projekt der Bagdadbahn vorzunehmen, wie dies von britischer Seite gewünscht wurde, geschweige denn dieses ganz fallenzulassen, obwohl sich damit das Deutsche Reich in einer internationalen Gefahrenzone erster Ordnung engagierte und das Risiko einging, sowohl den Unwillen Rußlands wie jenen Großbritanniens auf sich zu ziehen.

Im übrigen erforderte auch die Instabilität des politischen Systems in der Türkei eine Änderung der deutschen Strategie. Es war nicht länger möglich, in erster Linie auf die Unterstützung oder die Vorzugsbehandlung seitens der türkischen Autoritäten zu setzen, die ohnehin durch Vergünstigungen verschiedener Arten sowie durch finanzielle Hilfe erkauft werden mußte. Schon 1912 hatte die Deutsche Bank der jungtürkischen Regierung mit Vorschüssen auf eine neue internationale Anleihe aushelfen müssen, obschon dies inmitten des Balkankrieges ziemlich risikoreich war; die Konsolidierung dieser schwebenden Schuld, die Anfang 1914 eine Summe von mehr als 32 Millionen türkischer Pfund erreicht hatte, konnte mit nicht unbeträchtlichen Schwierigkeiten dann erst im Zusammenhang der Aufnahme einer letzten großen Anleihe von 1914 erreicht werden, die von der *Banque Impériale Ottomane* mit der Billigung der

48 Vgl. Wolfgang J. Mommsen, Die latente Krise des Deutschen Reiches, 1909–1914, in: Leo Just u. a. (Hrsg.), Handbuch der Deutschen Geschichte, Bd. IV/1, Abt. I a, Frankfurt am Main 1973, S. 70 f.

Deutschen Bank im April 1914 auf dem französischen Kapitalmarkt plaziert wurde.[49] Von größerer Bedeutung war der Wunsch der jungtürkischen Regierung, daß das Deutsche Reich eine Militärmission in die Türkei entsenden möge, die die Reorganisation des türkischen Heeres in die Hand nehmen sollte, dessen Zustand sich während der Balkankriege als durchaus unbefriedigend erwiesen hatte. Dieser Wunsch wurde Wilhelm II. im September und dann definitiv Ende Oktober 1913 übermittelt, und dieser willigte sogleich ein, diesem nachzukommen.[50] Vom deutschen Standpunkt aus lag dies nahe, obschon das politische Risiko der Entsendung deutscher Militärs in die Türkei nicht gering war. Wenn es irgend etwas gab, das das auseinanderbrechende Osmanische Reich für mindestens ein weiteres Jahrzehnt hätte zusammenhalten können, so war dies eine gut organisierte, schlagkräftige türkische Armee. Demgemäß wurde Anfang Dezember 1913 General Liman von Sanders, der allerdings ebenso wie die ihn begleitenden Offiziere zuvor pro forma aus preußischen Diensten ausgeschieden war, in die Türkei entsandt und zum Vorsitzenden der Reformkommission der türkischen Armee, zum Mitglied des türkischen Kriegsrats und zugleich zum Kommandeur des ersten türkischen Armeekorps mit Sitz in Konstantinopel ernannt.[51]

Die Entsendung der Mission Liman von Sanders' stürzte das Deutsche Reich jedoch in eine schwere internationale Krise. Die zaristische Regierung nahm insbesondere Anstoß an der Berufung Liman von Sanders' zum Kommandanten des türkischen Ersten Armeekorps in Konstantinopel; sie sah darin einen Versuch der deutschen Politik, sich für den Fall einer Aufteilung des Osmanischen Reiches vorab eine Schlüsselposition am Bosporus zu sichern. Sie sah damit ihre eigenen Bestrebungen durchkreuzt, zumindest langfristig die Kontrolle der türkischen Meerengen zu erlangen. Die Liman-von-Sanders-Krise konnte schließlich ohne deutsche Prestigeeinbuße durch die Beförderung Liman von Sanders' zum türkischen Marschall, die automatisch mit der Ablösung von der Position des Kommandeurs des ersten türkischen Korps verbunden war, entschärft werden. Aber an der grundsätzlichen Strategie der deutschen Politik, das bestehende Regime zumindest vorläufig mit indirekten Mitteln zu stärken und gleichzeitig den deutschen Einfluß weiter auszubauen, änderte das nichts. Dies wurde in St. Petersburg verständlicherweise keineswegs gern gesehen und trug zusätzlich zu einer Verschärfung des ohnehin gespannten Verhältnisses beider Mächte bei.

Die Reorganisation der türkischen Armee reichte natürlich nicht aus, um

49 Vgl. Ducruet, Les capitaux Européennes, S. 112f.
50 Siehe dazu Wallach, Anatomie einer Militärhilfe.
51 Ebenda, S. 129.

die wachsenden wirtschaftlichen Interessen Deutschlands in dieser Region langfristig sicherzustellen. Es war nicht länger sinnvoll, den Repräsentanten der anderen Mächte die kalte Schulter zu zeigen, während man sich auf das Wohlwollen des Sultans und seiner Kamarilla, oder späterhin der Jungtürken, verließ. Direkte Vereinbarungen mit den rivalisierenden Mächten sowie mit den verschiedenen finanziellen Gruppen, die im Osmanischen Reich agierten, waren unabweisbar geworden, und dies allein schon deshalb, weil das Osmanische Reich nicht in der Lage war, ohne die Zustimmung der Mächte eine Erhöhung der eigenen Außenzölle vorzunehmen, aus deren Erträgen die Kilometergarantien für den Weiterbau der Bagdadbahn finanziert werden sollten.[52]

Die Deutsche Bank hatte schon seit geraumer Zeit versucht, das politische Dynamit, das mit dem Bau der Bagdadbahn verbunden war, durch Verhandlungen mit den rivalisierenden französischen und englischen Finanzgruppen zu entschärfen, aber sie war dabei immer wieder auf politische Widerstände gestoßen, nicht zuletzt auch im Auswärtigen Amt. Bethmann Hollweg war jedoch seit 1912 entschlossen, die Differenzen mit Großbritannien hinsichtlich der Bagdadbahn auf dem Verhandlungswege auszuräumen, vor allem unter dem bereits angedeuteten Gesichtspunkt, durch Abkommen in peripheren Fragen – in Fortsetzung der Politik während der Balkankriege – eine Annäherung Großbritanniens an den Dreibund zu erreichen.

Nun wurde eine Doppelstrategie gefahren. Die Deutsche Bank nahm Verhandlungen mit der *Banque Impériale Ottomane* sowie mit rivalisierenden französischen Gruppen auf, um die bestehenden Differenzen auszuräumen.[53] Die *Banque Impériale Ottomane* stieg aus der Bagdadbahngesellschaft aus, erklärte sich jedoch dazu bereit, die Emission der im Frühjahr 1914 vorgesehenen großen türkischen Staatsanleihe, die ursprünglich allein von der Deutschen Bank getätigt werden sollte, zu übernehmen, um es so der letzteren zu erleichtern, genügend deutsches Kapital für den nächsten Abschnitt der Bagdadbahn zu finden. Darüber hinaus gelang es der Deutschen Bank in einem äußerst langwierigen Prozeß, bei dem die beteiligten Finanzgruppen von den jeweiligen Regierungen unterstützt wurden, mit den französischen Investoren eine umfassende Regelung zu treffen, die auf eine säuberliche Trennung und genaue territoriale Abgrenzung der beiderseitigen finanzimperialistischen Unternehmungen im Osmanischen Reich hinauslief. Am 15. Februar 1914

52 Vgl. dazu Mejcher, Die Bagdadbahn, S. 447ff.; für die deutsch-britischen Bagdadbahnverhandlungen Schöllgen, Imperialismus, S. 374ff.

53 Vgl. Poidevin, Les relations, S. 689–694, 698f.; ferner Schöllgen, Imperialismus, S. 388f.; Jaques Thobie, Intérèts et impérialisme français dans l'èmpire ottoman (1895–1914), Bd. I/2, Paris 1973, S. 655–657.

schlossen beide Finanzgruppen, in enger Fühlungnahme mit ihren Regierungen, einen Vertrag, in dem die jeweiligen Operationsfelder genau umrissen wurden. Insbesondere wurde festgelegt, daß die jeweils angestrebten Investitionsprojekte – es handelte sich in erster Linie um Eisenbahnbauten – nicht durch Konkurrenzprojekte des anderen Partners beeinträchtigt werden dürften. Die französische Gruppe erhielt das nördliche Anatolien sowie Syrien als Operationsgebiete zugesprochen, während von der deutschen Gruppe Mittel- und Südanatolien sowie Mesopotamien beansprucht wurde. Beide Seiten verpflichteten sich zugleich, für eine angemessene Verbesserung der türkischen Staatsfinanzen einzutreten. Dies hieß der Sache nach, daß man sich einer Erhöhung der türkischen Außenzölle – das Haupthindernis für die weitere Finanzierung der Bagdadbahn – nicht länger widersetzen werde.
Zur gleichen Zeit nahm die deutsche Regierung Verhandlungen zunächst mit Rußland und dann mit Großbritannien auf, um den Weg für die Bagdadbahn freizumachen. Bereits in der Potsdamer Vereinbarung vom 6. August 1911 war die russische Opposition schließlich überwunden worden, allerdings um den Preis der Anerkennung der russischen Interessen in Persien, was jedoch von der britischen Regierung nicht eben gern gesehen wurde. Die Verhandlungen mit Großbritannien erwiesen sich als sehr viel schwieriger. Die Deutsche Bank hatte sich schon seit geraumer Zeit darum bemüht, den britischen Widerstand gegen eine Fortführung der Bagdadbahn bis zum Persischen Golf auszuräumen, indem der Bau des letzten Teilstücks von Bagdad nach Basra einer türkischen Gesellschaft übertragen werden sollte, in der jedoch die englischen Kapitaleigner nicht die Mehrheit haben dürften, wie dies von britischer Seite gefordert wurde. Dies alles aber hatte nicht genügt, um die tiefe Abneigung auszuräumen, die die britische Regierung und die britischen Wirtschaftskreise dem Bagdadunternehmen aus politisch-strategischen wie aus kommerziellen Gründen entgegenbrachten.
Ungeachtet des insgesamt wenig befriedigenden Verlaufs der bisherigen Verhandlungen bestand auf seiten der Deutschen Bank die Bereitschaft zu einer umfassenden Verständigung mit Großbritannien, um das Unternehmen über die bestehenden finanziellen und politischen Hürden zu bringen, selbst auf Kosten erheblicher Zugeständnisse.[54] Auch die Reichsleitung war bereit, gegebenenfalls auch erhebliche wirtschaftliche Konzessionen in Kauf zu nehmen, wenn auf diese Weise das Ziel erreicht

54 Vgl. die Denkschrift der Deutschen Bank vom 17. März 1913, GP, Bd. 37/I, Nr. 14721, S. 144–151, und Schöllgen, Imperialismus, S. 380.

werden könne, »die einzige akute Frage, die zwischen Deutschland und England schwebt, zur beiderseitigen Befriedigung aus der Welt« zu schaffen.[55]

In der Folge kam es zu äußerst zähen Verhandlungen zwischen beiden Partnern, bei denen die Regierungen durchweg das Heft in der Hand hatten, obschon es vornehmlich um Fragen finanzpolitischer Natur ging, die in erster Linie die Interessen der rivalisierenden Finanzgruppen und insbesondere der Bagdadbahngesellschaft tangierten. Im Frühjahr 1914 konnte eine definitive Lösung der Streitfragen erreicht werden. Die Bagdadbahngesellschaft verzichtete, wie sich dies bereits seit 1911 abgezeichnet hatte, nunmehr endgültig auf den Bau der Teilstrecke von Bagdad bis zum Persischen Golf. Die Bagdadbahn sollte nun in Basra enden; eine eventuelle Weiterführung bis zum Persischen Golf sollte nur mit britischem Einverständnis erfolgen können. Darüber hinaus nahm die Bagdadbahngesellschaft davon Abstand, die Anlage von Häfen in Bagdad und Basra in eigener Regie vorzunehmen; diese sollten nunmehr Gesellschaften türkischen Rechts übertragen werden, in denen die Bagdadbahngesellschaft nicht mehr als 20 Prozent, die englische Beteiligung bis zu 40 Prozent betragen sollte. Schließlich wurden die Schiffahrtsrechte auf dem Euphrat und Tigris und dem Shatt-el-Arab einer von britischem Kapital kontrollierten Gesellschaft übertragen, eine Regelung, die vom rein kommerziellen Standpunkt aus wenig befriedigend war, da die Schiffahrt auf dem Euphrat und Tigris eine direkte Konkurrenz zur Bagdadbahn darstellte. Immerhin konnte ein englisches Schiffahrtsmonopol in Mesopotamien, wie es die britische Seite ursprünglich verlangt hatte, abgewendet werden. Ferner wurde der britischen Forderung Rechnung getragen, daß auf den Linien der Bagdadbahngesellschaft, wie auch auf allen anderen Bahnlinien im Orient, keinerlei Diskriminierung gegen Güter anderer Staaten vorgenommen werden dürfe. Dafür verpflichtete sich die britische Regierung, hinfort dem Bagdadbahnunternehmen keinerlei Hindernisse mehr in den Weg zu legen und insbesondere einer Erhöhung der türkischen Außenzölle ihre Zustimmung nicht länger zu versagen.

Insgesamt war diese Regelung der Bagdadbahnfrage und der damit zusammenhängenden wirtschaftlichen und politischen Probleme keineswegs so ungünstig für das Deutsche Reich, wie dies im nachhinein erscheinen mag, obschon die Bagdadbahngesellschaft in erheblichem Umfang auf ihre seitens der Pforte verbriefte Rechte bzw. Rechtsansprüche hatte verzichten müssen. Doch waren dies Rechte, die weitgehend auf dem Papier standen und deren Realisierung ohnehin nur unter weitreichender

55 GP, Bd. 37/I, Nr. 14725, S. 154f.

Beteiligung des internationalen Finanzkapitals jemals hätten erreicht werden können.[56]
Parallel dazu kam es zu einer deutsch-britischen Verständigung über eine gemeinsame Ausbeutung des mesopotamischen Öls.[57] Die Deutsche Bank besaß seit 1904 eine Option für die Nutzung von Ölvorkommen in Mesopotamien, doch fehlten ihr einerseits die Kapitalressourcen für die Realisierung eines solchen Projekts; andererseits wäre die tatsächliche Erteilung einer Konzession durch die türkische Regierung ohne die Unterstützung Großbritanniens schwerlich zu erreichen gewesen. So gründete die Deutsche Bank 1912 gemeinsam mit der *Anglo-Saxon Oil Company*, einer Tochtergesellschaft der holländischen *Shell*-Gruppe, sowie der von britischem Kapital kontrollierten *Turkish National Bank* unter Leitung von Sir Ernest Cassell die *Turkish Petroleum Company* zur Ausbeutung der Ölvorkommen in der Türkei; die britische und die deutsche Regierung verwendeten sich gemeinsam bei der Pforte für die Gewährung der notwendigen Konzessionen an die neue Gesellschaft, was diese freilich einstweilen zu verzögern verstand. An die Stelle Cassells trat dann wenig später die eng mit der britischen Regierung liierte Finanzgruppe *d'Arcy*, die ursprünglich gehofft hatte, die Holländer ganz aus der *Turkish Petroleum Company* herausdrängen und das Geschäft allein mit der Deutschen Bank machen zu können. Am Ende wurde die *Turkish Petroleum Company* unter maßgeblicher Beteiligung der britischen und der deutschen Regierung in eine *Multinational Company* umgegründet, in der die Deutsche Bank, obschon sie, wenn sie dies gewollt hätte, eine fünfzigprozentige Beteiligung hätte haben können, ebenso wie die holländische Gruppe einen Anteil von 25 Prozent erhielt, während d'Arcy 50 Prozent einbrachte. Diese Regelung entsprach durchaus den Interessen der Deutschen Bank, weil auf diese Weise die großen Kapitalien, die für die Erschließung der Ölvorkommen erforderlich waren, überwiegend von britischer und holländischer Seite aufgebracht werden würden und damit der deutsche Kapitalmarkt, dessen chronische Überlastung den Direktoren der Deutschen Bank beständig Sorge bereitete, nur begrenzt in Anspruch genommen werden mußte. Im übrigen versprach die Erschließung der Ölvorkommen, das Verkehrsaufkommen der Bagdadbahn indirekt zu steigern.

56 Dies verkennt die ansonsten verdienstvolle Darstellung von Schöllgen, Imperialismus, S. 400ff., die im übrigen die internationalen finanzimperialistischen Verflechtungen nicht immer in zureichendem Maße berücksichtigt.

57 Vgl. dazu Heinz Lemke, Die Deutsche Bank in der Auseinandersetzung um die Erteilung der Erdölkonzession 1911 bis 1914, in: Jahrbuch für Geschichte 34 (1987), Berlin 1987, S. 211ff., sowie Marian Kent, Oil and Empire. British Policy and Mesopotamian Oil 1900–1920, London 1976, S. 33ff.

Die die Bagdadbahn betreffende Übereinkunft mit Großbritannien wurde schließlich unmittelbar vor Ausbruch des Ersten Weltkrieges unterzeichnet, trat aber nicht mehr in Kraft. Ihr Abschluß hatte sich verzögert, weil sich die osmanische Regierung lange gesträubt hatte, die von britischer Seite als Gegenleistung für das Ja zur Bagdadbahn geforderte Anerkennung eines britischen »speziellen Interesses« am Persischen Golf, d. h. der Hinnahme britischer Protektorate über Bahrein und Kuweit, zu vollziehen.

Die Einzelheiten dieser komplizierten Abkommen und Vereinbarungen sollen hier nicht näher betrachtet werden. Es würde zu weit führen, ihre komplexen Details und ihre spezifischen Ziele, die in vielen Fällen niemals zum Tragen gekommen sind, im Detail zu erörtern.[58] Allerdings kann kaum Zweifel daran bestehen, daß sie im ganzen gesehen ein ausgeklügeltes Netz zur wirtschaftlichen Ausbeutung der natürlichen Ressourcen und des ökonomischen Potentials des Osmanischen Reiches darstellten. Der Anteil des Deutschen Reiches daran war, gemessen an den ursprünglichen Erwartungen, um einiges bescheidener ausgefallen. Aber die Direktoren der Deutschen Bank waren dennoch vollauf zufrieden, zumal ihre Rechte bislang weitgehend nur auf dem Papier gestanden hatten und unsicher war, ob für deren Finanzierung das notwendige internationale Kapital in ausreichendem Maße interessiert werden konnte.[59] Mit diesen Vereinbarungen wurde der Weg einer Fragmentierung der Operationen des internationalen Finanzimperialismus im Nahen Osten unter nationalpolitischen Gesichtspunkten beschritten, der das Osmanische Reich in eine Vielzahl von Interessensphären der Großmächte aufteilte, ohne daß dabei die Wünsche der indigenen Bevölkerung oder die Einwendungen der machtlosen türkischen Regierung im geringsten Berücksichtigung gefunden hätten; in Umrissen antizipierten diese Abkommen bereits die Aufteilung des Osmanischen Reiches im Sykes-Pikot-Abkommen von 1917 und die spätere Schaffung von Völkerbundsmandaten, mit der Abweichung, daß das Deutsche Reich dabei leer ausgehen sollte.

Die Abgrenzung von Interessensphären nach nationalen Gesichtspunkten, wie sie in den Jahren 1913 und 1914 im Nahen Osten vorgenommen wurde, ging einher mit der gegenseitigen Unterstützung der Förderung der informellen imperialistischen Beherrschung wichtiger Regionen des Nahen und Mittleren Ostens durch die europäische Wirtschaft und, in geringerem Maße, durch die europäischen Großmächte. Vom Stand-

58 Vgl. Ducruet, Les capitaux Européennes, S. 209–214; Mommsen, Die latente Krise des Deutschen Reiches, S. 75–78.

59 Schöllgen stellt die Dinge so dar, als ob die deutsche Seite gegenüber Großbritannien in großem Umfange nachgegeben und bestehende Rechte und Ansprüche aufgegeben habe. Vgl. Schöllgen, Imperialismus, S. 381–388.

punkt der europäischen Staatenwelt aus gesehen war dies, zumindest in wirtschaftlicher Hinsicht, eine vernünftige Politik, und sie hätte sogar dabei helfen können, die zunehmenden Spannungen unter den europäischen Großmächten zu entschärfen. Was den Nahen Osten betraf, so gab es aus deutscher Sicht in der Tat vielversprechende Anzeichen dafür, daß in diesem Raum schrittweise eine informelle britisch-deutsche Entente zustande kommen könnte, in der Deutschland in der Rolle des Juniorpartners des britischen informellen Imperialismus aufzutreten hoffte, auf der Grundlage eines gemeinsamen Interesses an der Erhaltung des status quo im Nahen Osten.
Im Gegensatz zur Auffassung zahlreicher deutscher Historiker, wie etwa Lothar Rathmann[60] oder, in einem anderen Sinne, Fritz Fischer,[61] spielten die Entwicklungen im Nahen Osten im Zuge der Entstehung des Ersten Weltkrieges keine ausschlaggebende Rolle. Allerdings sah die zaristische Regierung in dem stürmischen Vordringen deutschen Einflusses in den Kernregionen des Osmanischen Reiches eine potentielle Gefahr für die eigenen politischen Ziele im Nahen Osten; seit der Liman-von-Sanders-Krise stellte man sich in russischen Regierungskreisen darauf ein, daß künftig das Deutsche Reich als einer der Hauptopponenten der russischen imperialen Politik auf dem Balkan ebenso wie im Nahen Osten in Rechnung gestellt werden müsse. In der Tat läßt sich sagen, daß das Deutsche Reich nunmehr im Orient gleichsam den Platz Großbritanniens eingenommen hatte und damit zugleich auch dessen bisherige Funktion, nämlich die russischen imperialistischen Aspirationen in dieser Region in Schach zu halten, während Großbritannien gleichsam in die Rolle eines Beobachters zurückgetreten war. Diese Konstellation, die Bismarck zeitlebens hatte vermeiden wollen, hat indirekt zur Verschlechterung der deutsch-russischen Beziehungen in den letzten Jahren vor dem Ausbruch des Ersten Weltkrieges beigetragen. Aber es kann keine Rede davon sein, daß die deutsche informelle Penetration des Osmanischen Reiches den Ersten Weltkrieg unabwendbar gemacht habe, und ebensowenig, daß das Deutsche Reich 1914 den Entschluß zur Auslösung eines europäischen Krieges gefaßt habe, weil der deutsche Imperialismus im Nahen Osten angesichts des chronischen Kapitalmangels in Deutschland und überlegener französischer Gegenmaßnahmen 1914 in eine Sackgasse hineingeraten war und nur durch einen gewaltsamen Schlag gegen die Ententemächte wieder hätte flottgemacht werden können, wie Fritz Fischer gemeint hat.[62] Ganz im Gegenteil, die Position der Bagdadbahngesellschaft

60 Rathmann, Berlin–Bagdad, S. 94ff.
61 Fischer, Krieg der Illusionen, S. 439–443.
62 Ebenda, S. 442f.

und die damit verbundenen vielfältigen wirtschaftlichen Unternehmungen waren durch die internationalen Vereinbarungen im Frühjahr 1914 konsolidiert worden, wenn auch teilweise auf Kosten der Preisgabe der ökonomischen Interessen rivalisierender deutscher Unternehmungen, insbesondere der Schwerindustrie. Friedrich Krupp beispielsweise beklagte sich im Mai 1914 bitter darüber, daß die türkische Anleihe vom 9. April 1914 von der *Banque Impériale Ottomane* und nicht der Deutschen Bank emittiert worden war, denn dies beinhaltete nach den damaligen Usancen, daß die lukrativen Rüstungsaufträge, die mit dieser Anleihe bezahlt wurden, an Schneider-Creuzot anstatt an Krupp oder andere deutsche Unternehmen gingen.[63]

Insgesamt durfte die ökonomische Stellung des Deutschen Reiches im Osmanischen Reich im Frühsommer 1914 als konsolidiert gelten. Das deutsche Kapital hatte seine Anteile an der A.D.P.O. auf mehr als 32 Prozent erhöht, und es war nun möglich geworden, eine Änderung der alten informellen Regel zu verlangen, nach der der Präsident der A.D.P.O. entweder ein Franzose oder ein Engländer zu sein hatte. Jedoch wurde die Konstellation kompliziert durch die Forderung Rußlands nach einem eigenen Repräsentanten in der A.D.P.O., obschon die russischen Kapitaleinlagen nach wie vor äußerst gering waren. Andererseits gelang es auch jetzt nicht, die vorherrschende Stellung des französischen Kapitals zu brechen, und in der Tat war es angesichts des chronischen Kapitalmangels für überseeische Investitionen in Deutschland nicht wahrscheinlich, daß dies in absehbarer Zukunft gelingen würde. Trotz der zunehmenden nationalistischen Tendenzen der Zeit waren die deutschen Unternehmungen im Osmanischen Reich weiterhin auf die Kooperation mit dem internationalen Finanzkapital angewiesen und für die Finanzierung ihrer finanzimperialistischen Projekte zum Antichambrieren auf den internationalen Kapitalmärkten gezwungen. Daraus resultierten Spannungen zwischen den Banken und anderen kommerziellen Interessen, namentlich denjenigen der Schwerindustrie, im Hinblick auf die Strategien, die im Osmanischen Reich verfolgt werden sollten. Aber abgesehen von der Tatsache, daß die deutschen wirtschaftlichen Unternehmungen im Osmanischen Reich unter dem chronischen Kapitalmangel auf dem heimischen Markt litten, waren ihre wirtschaftlichen Zukunftsaussichten keineswegs schlecht, sondern sogar recht vielversprechend.

Jedoch bestand in den Führungskreisen des Deutschen Reiches zunehmend die Sorge, daß die politische Basis für diese Politik der *pénétration pacifique*, die ja von der Kollaboration der osmanischen Regierung abhing, zusammenbrechen könnte. Gottlieb von Jagow, der 1913 zum

63 Ebenda, S. 440f.

Staatssekretär des Auswärtigen Amtes berufen worden war, neigte zu der Ansicht, daß trotz »der völlig loyalen und ohne *reservatio* verstandenen Absicht« des Deutschen Reiches, »die Türkei in ihrem jetzigen Bestande *so lange als irgend möglich zu erhalten*«,[64] eine baldige Auflösung des Osmanischen Reiches zu erwarten sei. Er stand der Zukunft des Osmanischen Reiches als solchem ziemlich gleichgültig gegenüber; dieses war nach seiner Ansicht nur insofern von Interesse, als es am Leben gehalten werden müsse, »bis wir uns in unseren dortigen Arbeitszonen konsolidieren und für die Annexion fertig werden«.[65] Zugestandenermaßen hatte sich in den meisten europäischen Hauptstädten die Erwartung herausgebildet, daß der endgültige Kollaps des »kranken Mannes« am Bosporus unmittelbar bevorstehe. Es war bekannt, daß die Russen die Absicht hegten, bei der ersten sich bietenden Gelegenheit die Kontrolle über die türkischen Meerengen zu übernehmen. Die russische Neigung, zugunsten der von den türkischen Behörden massiven Verfolgungen ausgesetzten Armenier zu intervenieren, wurde in Berlin nur als ein Mittel zur Unterminierung des brüchigen Status der türkischen Herrschaftselite innerhalb des Osmanischen Reiches angesehen.[66] Es schien ebenso möglich, daß der endgültige Zusammenbruch des Osmanischen Reiches von einer inneren Rebellion ausgelöst werden könnte, und aus diesem Grunde versuchte die deutsche Diplomatie, zu verhindern, daß die osmanische Regierung von den Großmächten zu weiteren Reformmaßnahmen gezwungen würde; allerdings war dies nun ein schwieriges Unterfangen geworden.

Seit 1913 begann das Auswärtige Amt, Krisenpläne für den Fall eines Zusammenbruchs des Osmanischen Reiches auszuarbeiten. Dabei ging man davon aus, daß eine direkte Annexion türkischer Gebiete wenig realistisch sei und informelle Formen der Herrschaft, dem englischen Muster in Ägypten nachempfunden, angemessener sein würden.[67] Ungeachtet der bestehenden Zweifel hinsichtlich der Realisierbarkeit einer direkten Beherrschung von Teilen des Osmanischen Reiches wurden Karten angefertigt, die die deutschen Interessensphären im Detail auswiesen.[68] Mit bemerkenswerter Diskretion wurde diese Frage sowohl gegenüber Österreich-Ungarn als auch gegenüber Italien vorgebracht, wobei man bei letz-

64 Der Staatssekretär des Auswärtigen Amtes von Jagow an den Botschafter in London Fürst Lichnowsky, Privatbrief. Konzept vom 31. Mai 1913, GP, Bd. 38, Nr. 15317, S. 54–56, hier S. 55.

65 Jagow an Wangenheim, 28. Juli 1913, zit. nach Erich Brandenburg, Von Bismarck zum Weltkriege, Berlin 1924, S. 408.

66 Siehe Wangenheim an Bethmann Hollweg, 3. Juli 1913, GP, Bd. 38, Nr. 15347, S. 91ff.; ferner Wangenheim an Jagow, 15. Juli 1913, ebenda, Nr. 15361, S. 107ff.

67 Vgl. Brandenburg, Von Bismarck zum Weltkriege, S. 408.

68 Vgl. Fischer, Krieg der Illusionen, S. 430f.

terem zu Recht annahm, daß es bereits ein ähnliches Abkommen mit den Westmächten bezüglich Adalia abgeschlossen habe. Ebenso wurden diese Planungen an Sir Edward Grey herangetragen, mit der Absicht, zum einen die britische Unterstützung für eine gemeinsame Politik der Erhaltung des Osmanischen Reiches zu gewinnen und zum zweiten sich der Rückendeckung Großbritanniens für die deutschen territorialen Ansprüche im Falle einer Aufteilung des Osmanischen Reiches unter die Mächte zu versichern. Es kann kein Zweifel darüber bestehen, daß das Deutsche Reich darauf eingestellt war, es für den – zugestandenermaßen unwahrscheinlichen – Fall, daß es zu einer Aufteilung des Osmanischen Reiches ohne Berücksichtigung der deutschen Ansprüche kommen sollte, auf einen Krieg ankommen zu lassen. In gewisser Hinsicht kann dies als das einzige konkrete, offensive Kriegsziel angesehen werden, das das Deutsche Reich vor dem Juli 1914 hegte; dieses spielte allerdings in dem diplomatischen Ringen nach der Ermordung des Erzherzogs Franz Ferdinand am 28. Juni 1914, das dann mit dem Ausbruch des Ersten Weltkrieges endete, überhaupt keine Rolle. Das änderte sich allerdings bald nach Kriegsausbruch; bereits im September 1914 faßte die deutsche Reichsleitung als eines der wesentlichen Kriegsziele die Schaffung einer mitteleuropäischen Wirtschaftsunion ins Auge, der sich das Osmanische Reich früher oder später würde anschließen müssen. Was Ägypten anbetraf, so einigte man sich dann darauf, daß die britische Okkupation von einer »wohltätigen« deutschen Herrschaft abgelöst werden sollte![69]

Was bedeutete alles dieses für die Völker, die in den Grenzen des Osmanischen Reiches lebten? Während der Regierungszeit Bismarcks wurde das Schicksal des Nahen Ostens ziemlich machiavellistisch und manchmal geradezu zynisch von dem taktischen Kalkül bestimmt, wie man die informelle Hegemonie des Deutschen Reiches in Mitteleuropa am besten würde erhalten und ausbauen können. Die anderen Mächte im Nahen Osten, insbesondere Großbritannien und Frankreich, wurden, wenn auch höchst behutsam, zu imperialistischen Landnahmeaktionen auf Kosten des Osmanischen Reiches ermuntert, in der Annahme, daß die daraus resultierenden Auseinandersetzungen um die Beute auf dem europäischen Kontinent eine Entlastung für das Deutsche Reich bringen würden. Die teils formellen, zumeist jedoch informellen imperialistischen Bestrebungen der anderen Mächte wurden als Druckmittel benutzt, um an anderen Orten Konzessionen zu erzwingen, so etwa im Fall des Erwerbs der deutschen Kolonien 1883/84. Wirtschaftliche Unternehmungen von deutscher Seite wurden zu Bismarcks Regierungszeit nicht ermutigt, aber auch nicht gebremst, sofern sie kein direktes Eingreifen der deutschen

69 Rathmann, Berlin–Bagdad, S. 102.

Regierung in den jeweiligen Regionen nach sich zogen. Diese Politik scherte sich natürlich wenig, wenn überhaupt, um das Wohlergehen der Völker an der Peripherie, und deren nationale Emanzipation wurde damals überhaupt nicht als ein legitimes Ziel angesehen. Die deutsche Orientpolitik stand für die Erhaltung der traditionellen politischen Regime im Nahen Osten, wie überkommen und korrupt sie auch immer sein mochten, und nutzte diese gleichzeitig als Handlanger für eine informelle wirtschaftliche und, falls notwendig, auch politische Durchdringung dieser Region.

Unter Bismarcks Nachfolgern änderte sich die Situation nur insofern, als das Deutsche Reich nun damit begann, die deutsche wirtschaftliche Durchdringung des Osmanischen Reiches mit allen ihm zur Verfügung stehenden Mitteln zu unterstützen. Die deutsche Hochfinanz, insbesondere die Deutsche Bank, konnte den Umstand ausnutzen, daß das Deutsche Reich im Vergleich zu Rußland, Frankreich, Großbritannien und selbst Österreich-Ungarn und Italien aus türkischer Sicht die am wenigsten interessierte und damit zweifellos am wenigsten gefährliche Macht war und daß es deshalb bei Konzessionen in deutschen Händen und bei Anleihen von deutschen Banken weniger wahrscheinlich war, daß dies zu einer weiteren Beschneidung der Souveränität des Osmanischen Reiches führen würde. Das erklärt, warum die türkischen Herrschaftseliten im großen und ganzen bereit waren, eher mit deutschen Finanzgruppen und mit dem Deutschen Reich als mit anderen interessierten Mächten zusammenzuarbeiten. Die Deutschen zögerten andererseits nicht, der türkischen Regierung sehr substantielle Konzessionen abzuringen und die ökonomischen Risiken ihrer Unternehmungen großenteils auf diese abzuwälzen. Außerdem hielt das die deutschen Finanzgruppen nicht davon ab, eng mit der A.D.P.O. und anderen halbimperialistischen europäischen wirtschaftlichen Institutionen zusammenzuarbeiten, von denen man in gewisser Hinsicht sagen kann, daß sie sich zu parasitären Organen innerhalb des osmanischen Staates entwickelt hatten. In dieser Hinsicht war der Ruf der Deutschen nur wenig besser als der der Franzosen oder Briten. In politischer Hinsicht war der deutsche Einfluß vergleichsweise weniger positiv zu veranschlagen. Die Tendenz der deutschen Diplomatie, vorzugsweise mit den traditionellen Eliten und nicht mit den Kräften des Fortschritts zusammenzuarbeiten, hat dazu beigetragen, daß die dringend notwendigen inneren Reformen im Osmanischen Reich bis zum Ausbruch des Ersten Weltkrieges und darüber hinaus immer wieder aufgeschoben wurden.

Andererseits hat die wirtschaftliche Aktivität der Deutschen in nicht unerheblichem Maße zur Modernisierung des Osmanischen Reiches beigetragen, mit bleibenden positiven Auswirkungen. Doch bleibt zweifelhaft, ob die Modernisierung dieser weiten Region mit Hilfe eines dichten Netzwerks von internationalen Finanzgruppen, die den unmittelbaren Bedürfnissen der Bevölkerung wenig Beachtung schenkten und diesen eine wachsende Last von Steuern und Abgaben aufbürdeten, der bestmögliche Weg zur Schaffung von erträglichen wirtschaftlichen und politischen Bedingungen in dieser weiten Region gewesen ist. In gewisser Weise war es vorteilhaft für das deutsche Ansehen im Nahen Osten, daß sich Deutschland infolge seiner Niederlage im Ersten Weltkrieg aus der imperialistischen Politik zurückziehen mußte, die während des 19. und frühen 20. Jahrhunderts das Schicksal des Nahen Ostens entscheidend beeinflußt hat, mit bleibenden Folgen, deren Auswirkungen uns auch heute noch beschäftigen.

(Übersetzt aus dem Englischen von Marion Enke)

# Triebkräfte und Zielsetzungen des deutschen Imperialismus vor 1914

Das Deutsche Reich trat erst relativ spät in die Reihe der imperialistischen Mächte ein. Bismarcks plötzlicher und ziemlich unerwarteter Übergang zu einer aktiven Kolonialpolitik in der Mitte der achtziger Jahre des 19. Jahrhunderts erwies sich als bloß vorübergehend. Diese Politik wurde ziemlich bald wieder aufgegeben; bereits Ende der achtziger und in den frühen neunziger Jahren war die amtliche Politik hinsichtlich weiterer kolonialer Erwerbungen ziemlich zurückhaltend. Caprivi sah die Wiedererlangung von Helgoland als bei weitem wichtiger an als die Aufrechterhaltung der deutschen Ansprüche auf Sansibar, die nach damaligen internationalen Gepflogenheiten als gut begründet gelten durften, wenngleich sie, aus unserer heutigen Perspektive gesehen, ziemlich dubioser Natur waren. Dieser politische Kurs kolonialpolitischer Abstinenz wurde dann in den späteren neunziger Jahren fast über Nacht korrigiert. Unter der Führung von Fürst Bülow und Tirpitz wurde eine energische Weltpolitik in Gang gebracht, allerdings eher in lautstarken Phrasen, die an die deutsche Öffentlichkeit gerichtet waren, als in wirklichen Taten. Eigentlich erst seit 1905 ließ sich das Deutsche Reich auf größere imperialistische Unternehmungen ein, in der Absicht, nunmehr effektiv in den Rang der imperialistischen Mächte aufzusteigen. Aber auch selbst dann noch erwies sich die deutsche Politik in imperialistischen Fragen als sehr wenig konsistent; tatsächlich war sie beständigen Schwankungen unterworfen.

Deutschland war wie Italien ein Nachzügler im Konkurrenzkampf um den Erwerb überseeischer Besitzungen. Im Unterschied zur großen Mehrzahl seiner Konkurrenten hatte es keine Möglichkeit, auf überseeischen Besitzungen aufzubauen, die vor der Zeit erworben worden waren, in der man allgemein zu der Auffassung gelangt war, daß alle jene Mächte, die nicht in den zweiten Rang zurückfallen wollten, imperialistische Politik treiben müßten, wie dies ziemlich gleichzeitig um die Jahrhundertwende von Joseph Chamberlain in Großbritannien, Paul Leroy Beaulieu in Frankreich und Heinrich von Treitschke in Deutschland vertreten worden ist. Das Deutsche Reich verfügte über sehr wenige Außenposten, die als Brückenköpfe für den Aufbau eines neuen Kolonialreiches benutzt werden konnten; die wenigen deutschen Kolonien entwikkelten sich zum damaligen Zeitpunkt keineswegs besonders gut und erschienen daher nicht sonderlich geeignet, um einer weitreichenden imperialen Weltmachtbildung als Basis zu dienen. Daher ist die periphere Imperialismustheorie auf den deutschen Fall nicht anwendbar, und, wenn überhaupt, dann nur in indirektem Sinne. Es kam hinzu, daß die imperialistische Politik des Deutschen Reiches auf den gemeinsamen Widerstand der *beati possidentes* traf, die naturgemäß nicht davon begeistert waren, daß ihre eigenen imperialistischen Besitzungen von rivalisierenden Mächten, die gerade eben erst die imperialistische Arena betraten, bedroht oder auch nur beunruhigt wurden. Letzteres war um so mehr der Fall, je stärker das allgemeine Publikum von Zweifel befallen wurde, ob imperialistische Expansion überhaupt all den Aufwand wert sei, da diese zwar Sonderprofite für marginale Gruppen der Gesellschaft erbrachte, andererseits aber mit steigenden Steuerlasten verbunden war und insofern eindeutig auf Kosten der Bevölkerung in ihrer Gesamtheit ging.

Die Deutung des deutschen Imperialismus, mit seiner unverblümten Aggressivität auf der einen Seite, seinen beständigen Schwankungen und Inkonsistenzen auf der anderen Seite, bildet bis zum gegenwärtigen Tage ein Streitobjekt der Historiker. Auf den ersten Blick stellt sich die sogenannte »Weltpolitik« der neunziger Jahre als eine direkte Folgeerscheinung des aggressiven Nationalismus dar, der sich während des 19. Jahrhunderts ausgebildet und dann schließlich im Deutschen Reich eine machtvolle Verkörperung gefunden hatte. Aber durch eine solche Deutung wird eigentlich nur eine Metapher durch eine andere ersetzt, ganz abgesehen davon, daß alle Versuche, politische Prozesse in erster Linie aus einem spezifischen Nationalcharakter ableiten zu wollen, seit geraumer Zeit mit Recht als unzureichend betrachtet werden. Vor dreißig Jahren hat Fritz Fischer die Debatte über den Charakter des deutschen Imperialismus vor 1914 mit dem Argument wiedereröffnet, daß das gesamte deutsche Volk, in allen seinen sozialen Schichten, wenn auch mit Ausnahme großer Teile der Sozialdemokratie, von einem ungezügelten Weltmachtwillen erfüllt gewesen sei, der in den nationalistischen Traditionen des deutschen politischen Denkens wurzelte und durch den anachronistischen Charakter des halbkonstitutionellen politischen Systems zusätzlich verstärkt worden sei. Eine genauere Untersuchung der Tatsachen zeigt, daß diese Interpretation, obwohl sie in allgemeinen Umrissen als richtig gelten darf, der Sache nach nicht ausreicht, um die höchst komplexe Natur des deutschen Imperialismus vor 1914, mit all seinen widersprüchlichen Zügen, ausreichend zu erklären.

Gleiches gilt für die orthodox-marxistischen Interpretationen des deutschen Imperialismus, die nach wie vor, namentlich von seiten der Historiker der DDR, in einem beständigen Strom von Publikationen vertreten worden sind. Diese Interpretationen sehen in Bismarcks Kolonialpolitik, und später in Fürst Bülows »Weltpolitik«, einen direkten Reflex mächtiger ökonomischer Interessen, die sich im Zuge der raschen Entwicklung einer kapitalistischen Wirtschaftsordnung ausgebildet haben. Demgegenüber wird man jedoch daran festhalten müssen, daß es bestenfalls marginale wirtschaftliche Interessengruppen gewesen sind, die ein direktes Interesse an Bismarcks Imperialismus genommen haben, und daß dies in den neunziger Jahren, vielleicht mit Ausnahme des Flottenbaus, nicht sehr viel anders gewesen ist. In ihrer großen Mehrheit standen die Wirtschaftskreise der aggressiven imperialistischen Ideologie, die sich in den neunziger Jahren ausgebildet hatte und schon bald zu einem entscheidenden Faktor im Rahmen der Formierung einer deutschen Außenpolitik werden sollte, eher fern. Soweit sie jedoch ihrerseits spezifische imperialistische Zielsetzungen entwickelten, deckten sich diese meist weder mit den Bestrebungen der amtlichen Politik noch mit den Forderungen der Alldeutschen. Zwar entwickelte sich eine enge Kooperation zwischen der Schwerindustrie und der grundbesitzenden Aristokratie, die beide ein gemeinsames Interesse an der bestehenden sozioökonomischen Ordnung hatten, aber keine von beiden hatte ein spezifisches Interesse an imperialistischen Unternehmungen. Die Antriebskräfte des deutschen Imperialismus kamen vielmehr überwiegend aus einer anderen sozialen Ecke, namentlich den aufsteigenden Mittelschichten und der Intelligenz, während wirtschaftliche Erwägungen dabei im ganzen nur eine zweitrangige Rolle spielten.

Eine gegenwärtig sehr einflußreiche Gruppe von Historikern sieht hingegen in dem deutschen Imperialismus vor 1914 in erster Linie eine Defensivstrategie der herrschenden Klassen, die ihre Vorrangstellung in Staat und Gesellschaft durch die Prozesse der Modernisierung und Demokratisierung bedroht sahen; denn trotz seiner halbautoritären Struktur blieb das Deutsche Reich von dem allgemeinen Demokratisierungsprozeß, wie er in ganz Europa vor 1914 zu beobachten war, nicht ausgespart, wenn dieser auch sich vornehmlich still und in indirekten Formen vollzog. Die deutsche Weltpolitik sei, so argumentierte diese Gruppe der *»Kehrites«*, der Sache nach eine Spielart von Sozialimperialismus gewesen, der darauf abzielte, die akuten sozialen Spannungen vom Zentrum an die Peripherie abzuleiten und zugleich die Voraussetzungen für die Erhaltung der bestehenden sozialen und politischen Machtverteilung im wilhelminischen Deutschland zu schaffen. Insbesondere Hans-Ulrich Wehler und Volker Berghahn haben nachdrücklich die Ansicht vertreten, daß die deutsche Weltpolitik das Ergebnis einer zielbewußten Manipulation von seiten der herrschenden Eliten gewesen sei, zugleich aber auch ein Reflex der politischen Kultur, die noch weitgehend von traditionellen Werten beherrscht war und Machtpolitik als solche glorifizierte. In ähnlicher Weise hat Arno Mayer geurteilt, daß belagerte Eliten stets die Tendenz zu haben pflegen, ihre Zuflucht zu aggressiver Politik und im Grenzfall zum Diversionskrieg zu nehmen, um ihre gesellschaftliche Vorrangstellung gegenüber den aufsteigenden Kräften der Demokratie und des Sozialismus zu behaupten. Trotz ihrer offensichtlichen Unzulänglichkeiten bildet die Theorie des Sozialimperialismus immer noch die besten Voraussetzungen für eine Erklärung des deutschen Imperialismus vor 1914. Sie erlaubt eine Synthese einer Vielzahl von miteinander konkurrierenden Interpretationen des modernen Imperialismus, sowohl derjenigen, die auf einer ökonomischen oder soziopolitischen Basis argumentieren, als auch derjenigen, die sich am Paradigma der Machtpolitik orientieren. Der letztere Interpretationstypus hat seit einigen Jahren mit guten Gründen an Boden verloren. Ausgehend von der Tatsache, daß, von einigen wenigen Ausnahmen abgesehen, die Staatsmänner in imperialistischen Fragen überall eher zurückhaltend agierten, müssen die Ursachen imperialistischer Politik anderswo gesucht werden, entweder, den innovativen Vorschlägen von David Fieldhouse folgend, in den Vorgängen an der Peripherie oder in den soziopolitischen Prozessen innerhalb der metropolitanen Gesellschaften selbst. Was auch immer gegen die Theorie des »Sozialimperialismus« eingewendet werden kann, so darf sie doch als ein fruchtbarer Neuansatz gelten. Jedoch wird durch eine ganze Reihe von Beobachtungen nahegelegt, daß dieses Erklärungsmodell, zumindest in seiner reinen Form, einer erheblichen Modifizierung bedarf, um die besonderen Verhältnisse der deutschen »Weltpolitik« vor 1914 zureichend zu erklären. Zunächst ist darauf hinzuweisen, daß die konservative Aristokratie keineswegs die Speerspitze der imperialistischen Bewegung bildete. Im Gegenteil, aus ihrer Perspektive gesehen war Imperialismus mit beschleunigter Industrialisierung und einer Schwächung der Position des landwirtschaftlichen Sektors verbunden. Nicht zufällig verknüpften auch gerade die ideologischen Fürsprecher des Imperialismus den Gedanken einer starken deutschen Weltpolitik mit Vorstellungen, die dem grundbesitzenden Adel nichts weniger als genehm waren. Nach ihrer Meinung erforderte eine wirksame imperialistische Politik zugleich eine durchgreifende Modernisierung des soziopolitischen Systems, einschließlich eines gewissen Maßes verfassungspolitischer Reformen. Es kam hinzu, daß die Inaugurierung der Weltpolitik und der Flottenpolitik im Jahre 1897 der Armee zumindest einen Teil der öffentlichen Aufmerksamkeit und, was vielleicht wichtiger war, die vorrangige Berücksichtigung bei der Zuweisung staatlicher Finanzmittel entzog; die Armee aber war von allen staatlichen Institutionen am engsten mit der Aristokratie verbunden und war ein wich-

tiger Multiplikator traditioneller und speziell aristokratischer Werte in der wilhelminischen Gesellschaft. Schließlich ist darauf hinzuweisen, daß der neue Nationalismus, der insbesondere von den nationalistischen Agitationsvereinen, namentlich dem Alldeutschen Verband und dem Flottenverein sowie späterhin dem Wehrverein, propagiert wurde, keineswegs ein bloßes Produkt geschickter Manipulation von seiten der herrschenden Eliten oder der Regierung gewesen ist. Vielmehr stützte sich der neue Nationalismus weitgehend auf die politische Mobilisierung von Teilen der unteren Mittelschichten. Seine Agitation richtete sich nicht nur gegen die Linke, sondern auch gegen die etablierten Eliten sowohl innerhalb der Regierungskreise wie in den bürgerlichen Parteien. Die nationalistischen Agitationsverbände nahmen für sich in Anspruch, über eine populäre Legitimation zu verfügen, die stärker sei als die Basis in der Bevölkerung, welche die Konservativen wie auch die Nationalliberale Partei besaßen. Dieser Anspruch war keineswegs ganz unbegründet, obwohl man hinzufügen muß, daß die Agitationsverbände der Sache nach von sehr kleinen Gruppen von Aktivisten und Ideologen gesteuert wurden, die man als eine Art selbsternannter Elite bezeichnen kann, die nur deshalb erfolgreich operieren konnte, weil die Regierung und die etablierten Parteien eine Art politisches Vakuum hatten entstehen lassen, in das letztere erfolgreich hineinzustoßen vermochten. Im Grunde war dies ein Nebeneffekt des Übergangs von der herkömmlichen Honoratioren- zur modernen Massenpolitik, dem die etablierten Parteien bislang nur unvollkommen Rechnung getragen hatten.
Ganz abgesehen davon decken die bisher genannten Erklärungsmodelle nur einen Teil des Feldes ab, das heutzutage als imperialistisch bezeichnet zu werden pflegt. Innerhalb der letzten Jahrzehnte hat der Begriff des Imperialismus eine erhebliche Ausweitung erfahren. Darunter wird heute eine Vielzahl von Formen sowohl formeller wie informeller Kontrolle subsumiert, von denen formelle politische Herrschaft in Gestalt von staatlichen Kolonialverwaltungen nur als eine von vielen anderen Möglichkeiten figuriert. Wenn solche Kriterien angewendet werden, erweist sich der deutsche Imperialismus vor 1914 als ein äußerst facettenreiches Phänomen. Es lassen sich zumindest drei verschiedene Entwicklungstrends unterscheiden, die häufig miteinander in Widerspruch gerieten, während sich ihre Wirkungen zu anderen Zeiten akkumulierten, nicht selten mit katastrophalen Konsequenzen. Es sind dies der *gouvernementale Imperialismus*, der gemeinhin als »Weltpolitik« bezeichnet wurde, der *radikale nationalistische Imperialismus* der Agitationsverbände und späterhin eines Teils der bürgerlichen Parteien und schließlich der überwiegend *informelle ökonomische Imperialismus* der deutschen Wirtschaft. Nur wenn die ineinandergreifenden Operationen dieser ver-

schiedenen Typen von Imperialismus klar unterschieden werden, ist eine kohärente Interpretation des deutschen Imperialismus möglich. Gefordert ist ein funktionalistisches Erklärungsmodell, das die sozioökonomischen Faktoren innerhalb der verschiedenen Subsysteme der deutschen Gesellschaft in Betracht zieht und sie im Blick auf die Natur des halb konstitutionellen Systems des kaiserlichen Deutschland analysiert, das ein offenes Auskämpfen der unterschiedlichen politischen und ökonomischen Interessen ausschloß. Die Kernfrage, die beantwortet werden muß, ist, warum im deutschen Fall die vorherrschenden imperialistischen Tendenzen derart akkumulierten, daß sie letztlich zur Selbstzerstörung der bestehenden politischen Ordnung geführt haben. Es kann schon jetzt gesagt werden, daß der deutsche Imperialismus teilweise das Produkt einer Politik des Krisenmanagements war, das schließlich mit verheerenden Konsequenzen fehlschlug. Denn einer der Faktoren, der den Lauf der Ereignisse nach 1907 vor allem determinierte, war die Schwäche der traditionellen Herrschaftseliten angesichts einer Flut von diffusen emanzipatorischen Strömungen, die ihre Forderungen in ein nationalistisches und imperialistisches Gewand kleideten. Die folgende Analyse versucht die verschiedenen, in einem ständigen Konflikt miteinander stehenden Tendenzen des deutschen Imperialismus genauer zu bestimmen. Ihr Zusammenwirken löste einen sich ständig beschleunigenden Prozeß aggressiver Außenpolitik aus, der schließlich völlig außer Kontrolle geriet.

Jedoch ist es zuvor notwendig, zunächst einen Blick auf den Charakter von Bismarcks Politik überseeischer Erwerbungen zu werfen. Wie Hans-Ulrich Wehler detailliert nachgewiesen hat, ist Bismarcks Kolonialpolitik teilweise dem Typus des informellen Imperialismus, teilweise jenem eines pragmatischen Imperialismus zuzurechnen, hinter dem überwiegend innenpolitische Motive standen. Allerdings sind ersichtlichermaßen auch Erwägungen der klassischen Machtpolitik in den Entschluß des Kanzlers, zu einer imperialistischen Politik überzugehen, eingeflossen. Als Bismarck sich dafür entschied, die Gründung von deutschen Schutzgebieten in verschiedenen Regionen Afrikas aktiv zu betreiben, hatte er keineswegs die Absicht, das Deutsche Reich dabei direkt zu engagieren. Ganz im Gegenteil, die Lasten und Risiken dieser Politik sollten nahezu ausschließlich von privaten Kolonialgesellschaften getragen werden; diese sollten aufgrund von kaiserlichen Schutzbriefen – ähnlich der Royal Charters, die die britische Krone an zahlreiche Kolonialgesellschaften vergeben hatte – die Verantwortung für die Verwaltung dieser fernen Territorien, einschließlich der Aufrechterhaltung der öffentlichen Ordnung, allein übernehmen, ohne jede direkte Einwirkung oder Kontrolle der kaiserlichen Regierung. Bismarck selbst bezweifelte bekanntlich die kolonisatorische Befähigung der deutschen Beamtenschaft und wollte schon deshalb diese Aufgaben ganz den »men on the spot« bzw. den unmittelbar interessierten Geschäftsleuten überlassen.

Als dann das Reich angesichts des finanziellen und politischen Scheiterns der Kolonialgesellschaften in Deutsch-Südwestafrika, in Kamerun und in Deutsch-Ostafrika binnen weniger Jahre gezwungen wurde, diese Gesellschaften in Reichsbesitz zu übernehmen und in den betreffenden Territorien eine staatliche Kolonialverwaltung einzurichten, verlor Bismarck jegliches Interesse an einer überseeischen Expansionspolitik. Er erklärte 1887, daß das Deutsche Reich »saturiert« sei. Während der letzten Jahre seiner Kanzlerschaft und ebenso während der vier Jahre der Regierung seines Nachfolgers General von Caprivi hat denn auch das Deutsche Reich weitgehend Abstinenz gegenüber imperialistischer Politik geübt. Jedoch gab Caprivis Politik in der Frage des Erwerbs von Helgoland im Austausch gegen Sansibar den Anstoß für die plötzliche Eruption einer ziemlich massiven kolonialen Bewegung. Der Helgoland-Sansibar-Vertrag vom Jahre 1890 wurde von dem neubegründeten Allgemeinen Deutschen Verband als Politik des »kolonialen Ausverkaufs« angeprangert. Binnen weniger Jahre wurde die Öffentlichkeit von einer Welle des Enthusiasmus hinsichtlich der angeblichen Zukunftsaussichten kolonialer Expansion erfaßt. Auch der Kaiser, der von einem echten, wenn auch ziemlich naiven Bedürfnis getrieben wurde, bei jedermann beliebt zu sein, entdeckte sein Interesse am Imperialismus und dem Erwerb kolonialer Besitzungen in Übersee.

Demgemäß brachten erst die neunziger Jahre den Durchbruch des imperialistischen Gedankens in der deutschen öffentlichen Meinung. Bisher war die imperialistische Idee nur von vergleichsweise schmalen Gruppen der deutschen Gesellschaft propagiert worden, insbesondere der »Deutschen Kolonialgesellschaft«, die eine relativ inhomogene Mitgliederschaft von Geschäftsleuten, Akademikern, früheren hohen Beamten und Adeligen von einigem Rang aufwies. Nunmehr wurden weit bedeutsamere Gruppen der Öffentlichkeit in das Fahrwasser des neuen Imperialismus hineingezogen. Männer wie Max Weber und Friedrich Naumann trugen wesentlich dazu bei, die neue Idee einer deutschen Weltpolitik auch unter der bürgerlichen Intelligenz insbesondere protestantischer Observanz zu verbreiten.

Ausgehend von der Tatsache, daß imperialistische Politik in vielen Lagern populär geworden war, erschien dies als ein zweckmäßiger Weg, dem Linksrutsch, der, wie man meinte, während der Caprivizeit eingesetzt und durch die Ungeschicklichkeiten des Regimes Hohenlohe beschleunigt worden war, Einhalt zu gebieten. Durch die Propagierung einer Politik des nationalen Imperialismus hoffte man, daß schließlich die bürgerlichen Parteien wieder in den Kreis der Regierung hineingezogen werden

würden, während der Aufstieg der Sozialdemokratie zur gleichen Zeit erschwert werden könne. Als Fürst Bülow am 6. Dezember 1897 sein berühmtes Pronunciamento für die deutsche Weltpolitik im Reichstag vortrug und forderte, daß auch die Deutschen ein Anrecht auf »einen Platz an der Sonne« besäßen, geschah dies in der Annahme, daß dies ein Schlachtruf sein würde, dem sich sowohl die Mittelschichten wie die Konservativen anschließen würden. Dies eröffnete der Regierung die Aussicht, wieder aus der schweren inneren Krise herauszukommen, in die das Reich seit dem vorzeitigen Rücktritt Caprivis im Jahre 1894, als Folge einer Rebellion der Konservativen gegen dessen Freihandelspolitik, geraten war. Im privaten Gespräch ließ Bülow keinen Zweifel daran, daß diese neue Initiative in erster Linie unter innenpolitischen Gesichtspunkten unternommen worden sei: »Ich lege den Hauptakzent auf die auswärtige Politik. Nur eine erfolgreiche Außenpolitik kann helfen, versöhnen, beruhigen, sammeln, einigen.«[1] Insofern läßt sich diese Variante imperialistischer Politik in der Tat als Spielart des Sozialimperialismus bezeichnen. Wie Geoff Eley gezeigt hat, sollte der neue Imperialismus die bereits ein wenig altmodisch gewordene Strategie der »Sammlung« ergänzen und, zumindest teilweise, ersetzen.
Die Weltpolitik Bülows hat der Sache nach viel mit jenem Tory-Imperialismus gemeinsam, den Disraeli eine Generation früher initiiert hatte, in der Absicht, die konstitutionelle Stellung der Krone zu stärken. Bülow brachte dabei die Position des Kaisers systematisch ins Spiel; Wilhelm II. war dazu ausersehen, als die plebiszitäre Speerspitze eines volkstümlichen Imperialismus zu agieren, der der Theorie nach allen Klassen der Gesellschaft gleichermaßen zugute kommen, aber faktisch dazu dienen sollte, die Konservativen und die bürgerlichen Klassen wieder hinter der Regierung zu sammeln. Friedrich Naumann, der ein großes Gespür für neue Entwicklungen innerhalb der deutschen öffentlichen Meinung besaß, veröffentlichte nur zwei Jahre später ein Buch mit dem Titel »Demokratie und Kaisertum«, das sofort zu einem Bestseller wurde. Dieses war ein Appell an Wilhelm II., eine Art von plebiszitärer kaiserlicher Herrschaft zu errichten, die ihre Stütze nicht länger bei den traditionellen Eliten, sondern in den Massen der Bevölkerung suchen sollte, insbesondere in den aufsteigenden Mittelschichten. Der Sache nach ging Bülows Politik in die gleiche Richtung; aus eben diesem Grunde suchte er das persönliche Prestige des Kaisers bei den verschiedensten Gelegenheiten unmittelbar zugunsten seiner Politik einzusetzen. Demgemäß ermutigte er Wilhelm II., in der Öffentlichkeit gleichsam als der natürliche *leader* der

1 Zit. nach John C. G. Röhl, Deutschland ohne Bismarck. Die Regierungskrise im Zweiten Kaiserreich 1890–1900, Tübingen 1969, S. 229.

deutschen Nation in eine neue imperialistische Zukunft aufzutreten. Damit trug Bülow einen erheblichen Anteil der Verantwortung für die großsprecherischen, naiven Reden Wilhelms II., die in der Folge die Reputation des Deutschen Reiches in der Welt und nicht zuletzt auch das Ansehen des Kaisers diskreditierten.

Eine sorgfältige Analyse der Motive, die Bülows Außenpolitik in diesen Jahren bestimmten, zeigt, daß es ihm primär darum ging, mehr gegenüber der deutschen Nation als gegenüber den anderen Mächten lautstark zu bekräftigen, daß das Deutsche Reich in der Tat eine Weltmacht sei, die rechtens die Mitsprache in allen Angelegenheiten auf dem ganzen Erdball beanspruche. Mit Hilfe der Propagierung eines nationalen Imperialismus hoffte Bülow, die bürgerlichen Parteien, namentlich das Zentrum, wieder in den Bannkreis des Regierungseinflusses hineinzuziehen und dem weiteren Aufstieg der Sozialdemokraten Einhalt zu gebieten. In der Tat gelang es Bülow, wieder eine Art von Arbeitsbasis im Reichstag zu finden, die in den vorhergehenden Jahren weitgehend verloren worden war. Durch die Errichtung eines von Wilhelm II. geführten pseudoplebiszitären Regimes hoffte Bülow, die Autorität der Regierung wiederherzustellen. Dies würde es dann erlauben, dem Reichstag einige Konzessionen zu machen, ohne die Prärogativen der Krone und der kaiserlichen Regierung zu unterhöhlen.

Die Tatsache, daß der gouvernementale Imperialismus wesentlich unter innenpolitischen Gesichtspunkten ins Leben gerufen worden war, spiegelt sich nicht zuletzt in dem pathetischen Stil wider, den die deutsche Diplomatie in Verfolgung ihrer weltpolitischen Ziele anschlug. Tatsächlich hatte die Regierung Bülow keine wirklich klaren Vorstellungen hinsichtlich der konkreten Objekte dieser neuen Weltpolitik, und ebenso war sie ziemlich unentschieden hinsichtlich der Frage, in welchen Regionen des Erdballs sie sich engagieren solle und in welchen nicht. Eugen Richter hat damals Bülows Außenpolitik sarkastisch, aber treffend als das Bedürfnis charakterisiert, überall, wo auf der Welt etwas passiere, dabeisein zu wollen. Anders ausgedrückt, diese Politik war primär an spektakulären Auftritten und erst in zweiter Linie an konkreten Resultaten interessiert, sei es in Form territorialer Erwerbungen, sei es durch Absteckung bestimmter ökonomischer Interessensphären. Bülow hielt es offensichtlich für wichtiger zu demonstrieren, daß das Deutsche Reich im Prinzip das Recht habe, in allen Kolonialfragen, wo auch immer auf dem Erdball, mitzureden, als sich auf den Erwerb bestimmter Territorien zu konzentrieren, unter Preisgabe anderer möglicher Objekte. Dementsprechend engagierte sich die deutsche Weltpolitik in rascher Folge in den verschiedensten Regionen des Erdballs, u. a. in Samoa, Angola und Mozambique, China, Marokko, aber nirgends mit voller Kraft und Entschlossenheit zum Äußersten. Vielmehr neigte sie dazu, sobald die Situation kritisch zu werden drohte, sogleich wieder klein beizugeben, unter vorrangiger Berücksichtigung der Erhaltung der Hegemonialposition des Deutschen Reiches auf dem europäischen Kontinent. In gewisser Weise stand auch der Flottenbau, der von Admiral von Tirpitz als einem meisterhaften Organisator mit Hilfe einer geschickt orchestrierten Kampagne in die Wege geleitet wurde, im Widerspruch zu einer Politik kolonialer Expansionen. Tirpitz wies Bülow gelegentlich selbst darauf hin, daß alle koloniale Expansion einstweilen ruhen müsse, bis die Flotte stark genug sei, um einen Konflikt mit Großbritannien riskieren zu können; aller Wahrscheinlichkeit nach würde dies erst in zwanzig Jahren der Fall sein.

Volker Berghahn hat mit großem Nachdruck die These vertreten, daß die Politik des Flottenbaus primär dem Ziel gedient habe, die innere Krise des Reiches zu überwinden und eine Parlamentarisierung der Reichsverfassung zu verhindern. Obschon es unbezweifelbar richtig ist, daß Tirpitz und Bülow bemüht waren, den Einfluß des Parlaments in militärischen und politischen Fragen zu beschneiden, so ist doch unübersehbar, daß diese These zu weit geht. Ganz im Gegenteil konnte die neue Flottenpolitik ohne ein gewisses Maß an Entgegenkommen gegenüber den bürgerlichen Parteien, speziell den Nationalliberalen und der Zentrumspartei, überhaupt nicht durchgesetzt werden. Tatsächlich trug Tirpitz' Taktik des Verhandelns und Handelns mit den Parteien zu einem gewissen Grade dazu bei, das relative Gewicht des Reichstags innerhalb des konstitutionellen Systems zu stärken, auch wenn sich das Zentrum und die liberalen Parteien einstweilen dazu bequemten, sich mit den bestehenden Machtverhältnissen abzufinden.

Es ist demgemäß nicht überraschend, daß die Konservativen der Flottenpolitik mit tiefer Abneigung gegenüberstanden, wenngleich sie zögerten, der Regierung in dieser oder auch in anderen Fragen direkt entgegenzutreten. Sie erkannten rasch, daß die Weltpolitik unvermeidlich zu einer partiellen Erweiterung der parlamentarischen Basis der Regierung zur Mitte hin führen müsse, auf Kosten der Vorrangstellung der Konservativen Partei. In den vorhergehenden Jahren hatte diese, teilweise dank ihrer engen Verbindungen zu hohen Regierungskreisen, weitgehend den Ton angeben können. Der neue Kurs versetzte sie in einen Zustand der Unruhe und des Unbehagens, den sie nie wieder überwinden sollten. Dieser Umstand machte sie stärker denn je geneigt, alle parlamentarischen und verfassungsmäßigen Möglichkeiten auszuschöpfen, die ihnen zur Verfügung standen, um der Regierung Konzessionen für die Landwirtschaft abzupressen; sie sahen darin eine Art von Kompensation für ihre Zustimmung zur Flottenpolitik, lief die letztere doch auf eine Beschleunigung des industriellen Wachstums auf Kosten des agrarischen Sektors der deutschen Wirtschaft hinaus. Folglich machten sie die Unterstützung der Regierungspolitik in Flottenfragen zunehmend von solchen Konzessionen abhängig. Am Ende schreckten sie auch vor einem persönlichen Konflikt mit dem Kaiser über die Frage des Mittellandkanals nicht zurück, um ihre Unzufriedenheit mit den gesellschaftspolitischen Konsequenzen des neuen Kurses zu demonstrieren.

Neben diesem *gouvernementalen Imperialismus*, und zugleich mit diesem teilweise verzahnt, entwickelte sich ein neuer populistischer Imperialismus, und zwar vornehmlich im vorparlamentarischen Raum, der vor allem von den nationalistischen Agitationsverbänden, namentlich dem Alldeutschen Verband und dem Flottenverein, getragen wurde. Diese Vereinigungen erhoben den Anspruch, daß sie über eine eigenständige Legitimationsbasis in der Bevölkerung verfügten und faktisch für das ganze Volk zu sprechen berufen seien. Die Stoßkraft ihrer Agitation richtete sich vor allem gegen die etablierten Honoratiorenpolitiker, jedoch, zumindest teilweise, auch gegen die Reichsleitung, die bald zu der Auffassung gelangte, daß es sich hier um ziemlich zweifelhafte Verbündete handele, mit denen eine kohärente Außenpolitik nicht betrieben werden könne. Eley hat jüngst zeigen können, daß die Führungsgruppe dieser Verbände, obschon sie auf die aktive Unterstützung einer ganzen Zahl von Mitgliedern der traditionellen Eliten ebenso wie von früheren hohen Beamten und einer Reihe von Aristokraten zählen konnte, primär aus sozialen Aufsteigern mit bürgerlichem oder kleinbürgerlichem Hintergrund bestand, die ihren Weg nach oben in Entgegensetzung zu dem bestehenden Honoratiorensystem innerhalb der bürgerlichen Parteien zu finden hofften. Weder die kaiserliche Regierung noch die bestehenden Parteien hatten sich ausreichend auf die politischen Bedingungen einer Massengesellschaft eingestellt. Demgemäß waren die Agitationsverbände in der Lage, politische Unterstützung gerade bei solchen Gruppen zu mobilisieren, die bisher entweder unpolitisch gewesen waren oder aber am Rande der Politik gestanden hatten. Das bisherige politische System, das Max Weber mit Recht als ein pseudobürokratisches beschrieben hat, hatte, mit anderen Worten, eine Art von politischem Vakuum entstehen lassen, innerhalb dessen die Agitationsverbände ein bequemes Operationsfeld vorfanden. Dadurch war es ihnen möglich, sich auf die Unterstützung breiter Massen der Bevölkerung zu berufen und die Autorität der herrschenden politischen Eliten, sowohl auf parlamentarischer wie auf Regierungsebene, in Zweifel zu ziehen. Diese Konstellation erlaubte es ihnen, einen Einfluß auszuüben, der in keiner Weise dem faktischen Maß an Unterstützung entsprach, das sie in den breiten Schichten der Bevölkerung zu mobilisieren vermochten. Tatsächlich gelang es einer kleinen, selbsternannten Elite, die in diesen Organisationen an der Spitze stand, den größten Teil der Mitgliederschaft in einem erstaunlichen Grade politisch zu manipulieren. Deren Reihen waren in bezug auf ihre konkreten Ziele viel gespaltener, als die Führer dieser Gruppen jemals zugegeben haben.

Der neue Imperialismus, wie ihn vor allem der Alldeutsche Verband und der Flottenverein propagierten, war rücksichtslos, lautstark und radikal; ihm fehlte gleichsam naturwüchsig jegliches Augenmaß. Die ihn tragenden Gruppen neigten dazu, nicht nur die Regierung und die bürgerlichen Parteien, sondern auch, wenngleich in verringertem Maße, sich gegenseitig in ihren Zielsetzungen systematisch zu überbieten, angetrieben von dem Bedürfnis, breite Schichten der Bevölkerung für ihre Ziele zu gewinnen. Infolgedessen bildete sich ein Trend zur Propagierung von immer radikaleren Zielen heraus, die der Perspektive eines engstirnigen völkischen Nationalismus entstammten, der für die legitimen Interessen der anderen europäischen Nationen nicht das geringste Verständnis besaß, von jenen der betroffenen indigenen Bevölkerungen ganz abgesehen. Dieser Nationalismus war nicht im engeren Sinne des Wortes rassistisch, aber er operierte unübersehbar auf der Grenzlinie zu rassistischer Politik, und je weiter die Zeit voranschritt, desto häufiger wurde diese Grenzlinie überschritten. Seiner Natur nach war diese Spielart von Nationalismus außerstande, irgendeine Begrenzung der eigenen Zielsetzungen zuzulassen. In gewisser Weise betrieb die Neue Rechte eine Politik der »Expansion ohne jede angebbare Grenze« im Sinne Schumpeters: zumindest in dieser Hinsicht antizipierte der radikale Nationalismus die Faschismen. Angesichts einer solchen Grundeinstellung verlor diese Variante des deutschen imperialistischen Denkens zunehmend die Möglichkeiten und Grenzen der Durchsetzung einer solchen Politik in der gegebenen internationalen Situation immer mehr aus dem Auge. Es ist dementsprechend nicht erstaunlich, daß die Alldeutschen – und in verringertem Maße auch die Führungsgruppe des Flottenvereins – von den herrschenden politischen Eliten nicht als ebenbürtig empfunden wurden. Desungeachtet ließ man ihnen in ihrer Agitation weitgehend freie Hand, zumal sowohl die Regierung als auch die Konservativen und Nationalliberalen, von den jeweils unmittelbar interessierten industriellen Kreisen ganz zu schweigen, es immer wieder zweckmäßig fanden, mit diesen Verbänden in speziellen Fragen zusammenzuarbeiten. Ihr Anspruch, daß sie, und nicht die Regierung oder die bestehenden Parteien, den wirklichen Willen des Volkes zum Ausdruck brächten, wurde niemals wirklich auf die Probe gestellt; angesichts des halbkonstitutionellen Charakters des bestehenden politischen Systems waren dazu auch gar keine Möglichkeiten vorhanden.

Sowohl der offiziöse Imperialismus als auch der radikale nationalistische Imperialismus der Agitationsverbände beanspruchten, nicht zuletzt die Interessen des deutschen Außenhandels und der deutschen Industrie im Auge zu haben. Bei näherer Hinsicht erweist sich jedoch, daß weder die offiziöse imperialistische Politik noch der aggressive Imperialismus der Agitationsverbände mit den realen wirtschaftlichen Interessen Deutschlands viel gemein gehabt haben. Nur wenige Geschäftsleute konnten wirklich darauf hoffen, direkt von imperialistischen Unternehmungen zu profitieren, die über eine Förderung des deutschen Außenhandels im allgemeinen hinausgingen. Obwohl die Schwerindustrie anfänglich den Aktivitäten des Flottenvereins aus offensichtlichen Gründen starke Unterstützung zuteil werden ließ, wurden die Beziehungen bald gespannt. Es kann gezeigt werden, daß die meisten der nationalistischen Organisationen ihre Operationen primär aus Mitgliedsbeiträgen finanzierten, obwohl sie sich zu bestimmten Zeiten und für besondere Zwecke auch auf Spenden aus Industrie und Handel stützen konnten. Von der offiziösen »Weltpolitik« waren ebenfalls kaum unmittelbare wirtschaftliche Vorteile von signifikanter Größenordnung für die Industrie zu erwarten, von einzelnen Fällen abgesehen.

Während der hier zur Frage stehenden Periode machte die deutsche Wirtschaft einen Prozeß raschen Wandels und sprunghafter Expansion durch, mit nur vergleichsweise kurzen und begrenzt einschneidenden Rezessionen. Seit den frühen achtziger Jahren hatte sich ein starkes, hochgradig exportorientiertes industrielles System herausgebildet, das vor allem dank seiner fortgeschrittenen Technologie in der Lage war, sich mit nur geringer Unterstützung der Regierung auf den Weltmärkten eine zunehmend machtvolle Position zu erkämpfen. Die große Mehrheit der Industriellen – mit Ausnahme der Schwerindustrie, deren Interessen sich primär auf den Binnenmarkt richteten – war für eine Politik des Freihandels. Dies heißt freilich nicht, daß sie die wirtschaftliche Expansion Deutschlands überall in der Welt als unwichtig ansahen – ganz im Gegenteil. Jedoch neigten die Wirtschaftskreise überwiegend zu der Ansicht, daß die erfolgreiche Durchdringung der Weltmärkte mit deutschen Produkten und deutschem *know how* durch eine Politik des formellen Imperialismus eher beeinträchtigt als gefördert werden würde. In mancher Hinsicht läßt sich die deutsche wirtschaftliche Expansion in den letzten zwei Jahrzehnten vor 1914 als Spielart von informellem Imperialismus deuten, der wenig mit der offiziellen Kolonialpolitik gemeinsam hatte. Allerdings ist dies nur in einem begrenzten Sinne berechtigt insofern, als diese Expansion ganz überwiegend mit marktkonformen Mitteln erzielt worden ist und nicht etwa dank der Ausnutzung monopolistischer Chancen oder aber der massiven Unterstützung seitens der Regierung; letzteres läßt

sich nur für einige wenige Fälle sagen, zu denen insbesondere das Projekt der sogenannten Bagdadbahn gehört. Allerdings haben politische Rahmenbedingungen es der deutschen Wirtschaft vielfach erheblich erleichtert, auf den Weltmärkten Fuß zu fassen. Zum einen erlaubte das bestehende System der Hochschutzzölle für industrielle Güter ebenso wie für landwirtschaftliche Produkte der deutschen Industrie, sich im eigenen Binnenmarkt eine Vorrangstellung zu sichern, die es ihr ermöglichte, in Drittmärkten erfolgreich mit anderen Nationen zu konkurrieren. Dies trifft im besonderen Maße für die Schwerindustrie zu. Im Windschatten der Schutzzollmauern, die 1879 errichtet und dann von Caprivi teilweise abgebaut, aber 1902 in verstärktem Maße wieder aufgerichtet worden waren, verlegte sich die Schwerindustrie in großem Unfang auf eine Politik der vertikalen Konzentration von Bergbau sowie Eisen- und Stahlproduktion. Gleichzeitig begründete sie Kartelle, die es erlaubten, den Binnenmarkt einigermaßen sicher zu kontrollieren und die eigenen Produkte, zumindest zeitweise, zu erheblich höheren Preisen abzusetzen, als dies unter Weltmarktbedingungen möglich gewesen wäre. Dies erleichterte es ihr natürlich, sich in Drittmärkten gegenüber der Konkurrenz vergleichsweise gut zu behaupten, da sie es sich leisten konnte, zumindest zeitweise zu reinen Gestehungskosten oder gar zu darunterliegenden Preisen zu exportieren. Obschon es nur in vergleichsweise geringem Umfang echtes *dumping* gegeben hat – entgegen einer Legende, die sich namentlich in den englischsprachigen Handbüchern bis zum heutigen Tage gehalten hat –, so läßt sich doch die These vertreten, daß die deutsche Schwerindustrie dank ihrer privilegierten Position innerhalb des Binnenmarktes, die wiederum ohne eine entsprechende politische Unterstützung seitens des Staates nicht möglich gewesen wäre, eine vergleichsweise günstigere Ausgangsposition gehabt hat als etwa die britische Eisen- und Bergbauindustrie. Bereits um die Jahrhundertwende war es der deutschen Schwerindustrie möglich, sowohl Kohle wie Stahl nach Großbritannien zu exportieren.
Jedoch war es keineswegs in erster Linie die Schwerindustrie, sondern die Maschinenbau- und Fertigwarenindustrie und dann nach der Jahrhundertwende die Elektro- und die chemische Industrie, die Deutschland eine starke, wenn nicht gar führende Position auf den Weltmärkten verschafften. Alle diese Industrien profitierten nur in sehr geringem Maße von den Zollmauern. Ihre günstige Position leitete sich von echten technologischen und organisatorischen Innovationen her, nicht aber – oder nur zum geringen Teil – von politischen Vorteilen, gleich welcher Art. Es sei nebenbei bemerkt, daß die bestehenden deutschen Kolonien bei all dem einen völlig untergeordneten Platz einnahmen. Während der Außenhandel mit Kolonien dritter Mächte, so zum Beispiel mit Indien oder

späterhin mit Ägypten, eine nicht unbeachtliche Rolle spielte, war dies hinsichtlich der deutschen Kolonien nicht der Fall, weil deren wirtschaftliches Potential, zumindest zum damaligen Zeitpunkt, außerordentlich gering gewesen ist. Die Hauptstoßrichtung der deutschen ökonomischen Expansion richtete sich auf Länder mit bereits wohletablierten, weit fortgeschrittenen wirtschaftlichen Systemen, dagegen nicht, oder doch nur in sehr begrenztem Umfang, auf unterentwickelte oder halbentwickelte Länder. Der deutsche Wirtschaftserfolg beruhte im ganzen nicht auf der Ausbeutung monopolistischer Konzessionen, wie sie sich in unentwickelten und kolonialen Ländern zu bieten pflegen, sondern in erster Linie auf der erfolgreichen Ausnutzung von Marktchancen innerhalb eines zunehmend umkämpften internationalen Marktes.

Im übrigen muß gesagt werden, daß die deutsche Wirtschaft – mit Ausnahme der Schwerindustrie – niemals sonderlich an dem Erwerb exklusiver Rohstoffquellen interessiert gewesen ist, solange Rohstoffe auf den Weltmärkten relativ frei erhältlich waren. Desgleichen spielten überseeische Investitionen – Hobsons und Lenins große Antriebskraft für imperialistische Expansion sowohl formeller wie informeller Art – keine ausschlaggebende Rolle. Weder die deutschen Banken noch die deutsche Industrie waren sonderlich an spekulativen Unternehmungen in Übersee interessiert, die zwar hohe Gewinne versprachen, jedoch zugleich mit hohen Risiken verbunden waren. In Deutschland jedenfalls gab es niemals einen Überschuß an anlagesuchendem Kapital. Im Gegenteil, die deutsche Wirtschaft hatte mit einem beständigen Kapitalmangel zu kämpfen, der es notwendig machte, für größere Unternehmungen, gleichviel ob im Binnenmarkt oder in Übersee, die internationalen Geldmärkte in Anspruch zu nehmen. Schon diese Tatsache allein schränkte die Bereitschaft der Banken ein, Kapitalien für formelle imperialistische Unternehmungen bereitzustellen.

Das wilhelminische Deutschland gilt normalerweise als klassischer Fall eines finanzkapitalistischen Systems oder, genauer gesagt, als eine Form kapitalistischer Wirtschaft, die in starkem, wenn auch nicht in ausschließlichem Maße von der Hochfinanz beherrscht worden ist. Nach Gerschenkron ist diese Art der wirtschaftlichen Organisation typisch für alle jene Wirtschaftssysteme, die Nachzügler waren und demgemäß die spezifischen Vorteile voll ausschöpfen konnten, die sich aus der Tatsache ergaben, daß sie bereits voll entwickelte Technologien übernehmen und sogleich in großem Stil anwenden konnten. Hilferding hat bereits 1913 die Theorie entwickelt, daß die finanzkapitalistische Beherrschung der Industrie und der Politik die eigentliche Wurzel des modernen Imperialismus sei. Jedoch hat die neuere Forschung die Theorie von der Herrschaft der Hochfinanz innerhalb des deutschen wirtschaftlichen Systems vor 1914 in nicht unerheblichem Maße erschüttert. Tatsächlich waren die Großbanken keineswegs so mächtig, wie Hilferding und ebenso – allerdings von ganz anderen Voraussetzungen ausgehend – Gerschenkron behauptet haben. Die deutschen Universalbanken waren nicht, wie man vielfach angenommen hat, einfach die Herren der Industrie. Wenn man überhaupt in dieser Frage eine Entscheidung fällen will, so ist eher das Gegenteil richtig. Es gibt zwar Ausnahmen, doch bestätigen sie, wie man sagt, die Regel. So wurde beispielsweise Mannesmann 1893 von der Deutschen Bank übernommen und für beträchtliche Zeit von dieser direkt kontrolliert; aber dies ging weitgehend auf die Tatsache zurück, daß die Erfindung der Herstellung von nahtlosen Stahlrohren unausgereift war und anfänglich zu schweren wirtschaftlichen Rückschlägen geführt hatte. Im Regelfall waren die deutschen Banken viel zu knapp an Kapital, um in solcher Weise vorgehen zu können. Vielmehr konnten die großen industriellen Kombinate, die sich im Zuge der sogenannten »Zweiten Industriellen Revolution« entwickelt hatten, bis zu einem gewissen Grad den Banken ihre eigene Politik diktieren. Zumeist konnten sie sich jene Banken als Hausbanken aussuchen, die ihren Wünschen am ehesten entgegenzukommen geneigt waren. Nicht selten entsandten sie darüber hinaus Männer ihres Vertrauens in die Aufsichtsräte ihrer Hausbanken, die infolgedessen eine gewisse personelle Garantie dafür boten, daß jene auch künftighin ihre Geschäftspolitik unterstützen würden.

Im ganzen waren die Banken durchaus bereit, die für die industrielle Entwicklung notwendigen Kapitalien in großem Umfang bereitzustellen. Im Unterschied zu britischen und französischen Verhältnissen arbeiteten sie von vornherein als Universalbanken, mit anderen Worten, sie kombinierten die Funktionen des Depositen- und des Investitionsgeschäfts. Von Anfang an betrachteten sie es als eine wesentliche Aufgabe, den deutschen Exportindustrien in Übersee den Weg zu bahnen, sei es durch Gewährung entsprechender Kredite oder durch die Bereitstellung des notwendigen Kapitals, um Tochtergesellschaften oder Zweigstellen in Übersee zu begründen. Im Zuge dieser Entwicklung gingen sie zunehmend selbst dazu über, in den großen wirtschaftlichen Zentren des Welthandels eigene Zweigstellen zu begründen, und nach und nach taten sie das gleiche in der Mehrheit der Länder der Dritten Welt, unter Konzentration auf Südamerika. Der Aufbau eines Systems von Bankfilialen in Übersee trug wesentlich dazu bei, die Position des deutschen Handels und der deutschen Exportindustrien zu stärken. Allerdings sind die deutschen Banken nicht in der Lage gewesen, dem britischen überseeischen Bankensystem *pari* zu bieten; sie konnten niemals auch nur annähernd soviel Kapital für große industrielle Investitionen zur Verfügung stellen wie beispielsweise die französischen internationalen Banken.

Den deutschen Großbanken ist es demgemäß nahezu nirgends gelungen, über einen längeren Zeitraum hinweg effektive Formen formeller oder auch nur informeller Kontrolle hinsichtlich großer industrieller Unternehmungen in dritten Ländern zu begründen, allerdings mit wenigen, wenn auch zugestandenermaßen bedeutsamen Ausnahmen, zu denen insbesondere die Bagdadbahn gehört, die vielleicht das einzige bedeutende finanzimperialistische Unternehmen der deutschen Hochfinanz in jener Periode gewesen ist. Andererseits haben die deutschen Großbanken ihre eigene Variante eines informellen Bankimperialismus betrieben. Sie gründeten Banken in anderen europäischen Ländern wie etwa die Handelsbank in Wien, die schon bald eine der bedeutendsten Banken innerhalb der österreichischen Wirtschaft werden sollte, oder die *Banca Commerciale* in Mailand. Jedoch handelte es sich dabei weniger um Kapitalinvestitionen als um den Export von *know how* und banktechnischem Fachwissen, einschließlich des entsprechenden spezialisierten Personals. Nur selten behaupteten sie die Kontrolle über ihre Tochtergründungen über eine längere Zeit hinweg. Die *Banca Commerciale* z.B. wurde 1913 noch immer von Direktoren deutscher Abstammung geführt, aber ihre Kapitalmehrheit befand sich längst in französischer Hand, während deutsches Kapital nur noch eine untergeordnete Rolle spielte.
Ansonsten aber waren die deutschen Banken gegenüber imperialistischen Unternehmungen sowohl formellen wie informellen Charakters eher zurückhaltend. In aller Regel waren sie erst auf nachdrückliches Drängen der Regierung hin bereit, in bestimmten deutschen Interessensphären zu investieren, und normalerweise auch nur dann, wenn von vornherein zumindest ein maßvoller Zinsertrag in Form einer Reichsgarantie sichergestellt war. In dieser Hinsicht gab es eine große Ausnahme von dieser Regel, nämlich die Bagdadbahn. Die Bagdadbahngesellschaft war eine Tochtergesellschaft der Deutschen Bank und wurde von dieser durchgängig kontrolliert. Doch muß hinzugefügt werden, daß die Bagdadbahngesellschaft ohne enge Zusammenarbeit mit den internationalen Banken, insbesondere der *Banque Impériale Ottoman*, deren Kapital überwiegend in französischen Händen lag, ebenso wie die *Caisse de la Dette Publique Ottomane* (der internationalen Schuldenverwaltung, die das Steueraufkommen des Osmanischen Reiches zu erheblichen Teilen kontrollierte) – auch in dieser gab französisches und britisches Kapital den Ton an –, niemals so weit hätte kommen können. Nicht zufällig war die Deutsche Bank ursprünglich eher darum bemüht gewesen, hinsichtlich der Bagdadbahn nicht in einem engen nationalistischen Fahrwasser zu operieren, sondern nach Möglichkeit die Kooperation mit dem internationalen Finanzkapital zu suchen, einerseits, um angesichts der eigenen Kapitalknappheit Kapital aus anderen Ländern, insbesondere aus Frank-

reich, anzuziehen, und zum anderen, um möglichen politischen Konflikten, wie sie sich aus dem Bahnbau ergeben konnten, soweit es ging, aus dem Wege zu gehen. Die Tatsache, daß die Bagdadbahn nicht ohne Zutun der deutschen Diplomatie und der deutschen Öffentlichkeit zum Objekt rivalisierender nationaler Imperialismen wurde, war, vom Standpunkt der Deutschen Bank aus gesehen, eher bedauerlich. Obwohl die Bagdadbahngesellschaft naturgemäß die aktive Unterstützung seitens der deutschen Regierung begrüßte, waren die Beziehungen zwischen ihr und der Regierung demgemäß keineswegs immer gut.

Es wäre allerdings gänzlich irreführend, aus dem Vorherigen zu folgern, daß die deutsche Hochfinanz sich an anderen finanzimperialistischen Unternehmungen größeren Stils nicht beteiligt habe. So lassen sich z. B. erhebliche deutsche Investitionen in südafrikanischen Goldminen und in Bergbau- und anderen industriellen Unternehmungen in Südamerika nachweisen. Auch ins Ölgeschäft stieg das deutsche Kapital ein, wenngleich auch hier wiederum häufig nur als Juniorpartner Großbritanniens. So beteiligte sich die Deutsche Bank 1913 mit 25 Prozent des Aktienkapitals an der *Turkish Petroleum Company*, die sich um die Erschließung von Erdölfeldern in Mesopotamien und Anatolien bemühte und aus der später der Shell-Konzern hervorgegangen ist. Als Folge des Ersten Weltkrieges gingen diese deutschen Ansprüche verloren und wurden niemals wieder zurückgewonnen. In Rumänien hingegen stieß das deutsche Bankkapital auf die überlegene Konkurrenz nicht nur Frankreichs, sondern auch der USA. Günstiger ließ sich das gleichfalls in Zusammenarbeit mit englischen Banken betriebene Investitionsgeschäft in China an, doch kam es auch hier nicht zu einem System hegemonialer Kontrolle.

Hinsichtlich der Haltung der Industrie war die Lage keineswegs grundsätzlich anders. Abgesehen von sektoralen Wirtschaftsgruppen, die an bestimmten wirtschaftlichen Konzessionen in Übersee interessiert waren, gab es in industriellen Kreisen wenig Enthusiasmus für die Ausbeutung monopolistischer Konzessionen, zumindest so lange, wie Rohstoffe auf dem Weltmarkt zu angemessenen Preisen zu haben waren. Jedoch gab es auch hier durchaus bedeutsame Ausnahmen. So hatte die Schwerindustrie seit der Jahrhundertwende begonnen, sich im Zuge der vertikalen Konzentration von Bergbau und Stahlproduktion über die Grenzen des Deutschen Reiches nach Belgien und Nordfrankreich hinein auszudehnen. Nach und nach hatte sie in diesen Regionen eine beträchtliche Zahl von Mehrheitsbeteiligungen in Eisen- und Kohlebergwerken erworben. Wenn man sich den Umfang und die Intensität des Engagements der deutschen Schwerindustrie in Belgien und Nordfrankreich anschaut, so liegt der Schluß nahe, daß dies gleichsam die formelle territoriale Annexion dieser Gebiete, wie sie in den Kriegszielplänen des Ersten Weltkriegs auf-

tauchte, antizipierte. Andererseits darf man nicht übersehen, daß sich diese informelle ökonomische Expansion in voller Übereinstimmung mit den marktwirtschaftlichen Bedingungen vollzogen hatte, auch nachdem die französische Regierung seit 1909 dazu übergegangen war, dieser Entwicklung nach Maßgabe des Möglichen entgegenzuwirken; deutschen Investitionen in Frankreich, ebenso wie dem Erwerb von Anteilen französischer Gesellschaften durch Ausländer, wurden nun, soweit möglich, gesetzliche Hindernisse in den Weg gelegt.
Aus den angegebenen Gründen kann diese Art von Ausdehnung der deutschen Schwerindustrie nur mit Einschränkungen unter dem Begriff des informellen Imperialismus summiert werden. Es wäre ebenso möglich, darin den ersten Schritt auf dem Wege hin zur Errichtung von multinationalen Korporationen zu sehen, die die Fesseln eines ökonomischen Systems zu durchbrechen sich anschickten, das einstweilen noch gänzlich innerhalb der Grenzen der Nationalstaaten operierte.
Relevanter sind in unserem Zusammenhang die Bemühungen der Schwerindustrie, mit politischer Hilfe spezielle Exportchancen, insbesondere für Rüstungsgüter, zu erlangen, und zwar auf dem Wege der Gewährung von Anleihen an kleinere Länder, die nur unter solchen Umständen überhaupt dazu in die Lage versetzt wurden, eine ambitiöse Aufrüstungspolitik zu betreiben. Vor 1914 wurden staatliche Anleihen nahezu durchweg nur unter der formellen oder informellen Bedingung gewährt, daß zumindest der größte Teil der Importe, die damit bezahlt werden sollten, aus eben jenem Lande zu beziehen sei, das die entsprechende Anleihe gewährt hatte. Es ist jedoch bezeichnend, daß die deutschen Großbanken im allgemeinen nicht sonderlich große Neigungen zeigten, solche Anleihen zu emittieren, da diese unter rein kommerziellen Gesichtspunkten sowohl wenig ertragreich wie relativ risikoreich waren. Auch aktive Interventionen der Regierung konnten ihre Zurückhaltung nicht immer überwinden. Nicht zufällig waren daher die Beziehungen etwa der Firma Krupp zu den deutschen Großbanken, vor allem der Deutschen Bank selbst, nicht gerade herzlich.
Eine andere Situation bestand hinsichtlich der Elektroindustrie. Sie nämlich war der große Gewinner der sogenannten »Zweiten Industriellen Revolution«. Aufgrund ihres großen technologischen Vorsprungs war es ihr vielfach möglich gewesen, eine informelle Vorrangstellung in den Märkten von sowohl entwickelten wie vergleichsweise unentwickelten Ländern zu begründen. Da der Kapitalaufwand für den Aufbau einer Infrastruktur hinsichtlich der Versorgung mit elektrischer Energie in aller Regel außerordentlich hoch war, war die Elektroindustrie bestrebt, ausländische Konkurrenten nach Möglichkeit fernzuhalten, und zeigte sich insoweit an entsprechender diplomatischer Unterstützung oft sehr inter-

essiert. Dennoch war auch die Elektroindustrie keineswegs für Formen formeller Kontrolle zu haben.
Es ist demnach nicht überraschend, daß die Idee der Schaffung eines mitteleuropäischen Wirtschaftsverbandes mit gemeinsamen Außenzöllen gerade in diesen Kreisen Anklang fand. In den letzten Jahren vor dem Ersten Weltkrieg wurde das Modell einer exklusiven mitteleuropäischen Wirtschaftszone vielfach als die einzige realistische Alternative zu altmodischen kolonialen Erwerbungen, die mit den ökonomischen Notwendigkeiten der Gegenwart nicht mehr im Einklang standen, betrachtet. Bereits 1913 vertrat Walther Rathenau den Plan, eine mitteleuropäische Zollunion zu begründen, als Kern einer künftigen europäischen Wirtschaftsgemeinschaft. Letztere sollte als ein Bollwerk gegen die künftige wirtschaftliche Vorherrschaft der Vereinigten Staaten dienen und zugleich als eine konstruktive Alternative zu den traditionellen Formen des Kolonialismus, die sich überlebt zu haben schienen. Walther Rathenau sah darin allerdings keineswegs eine Form von indirektem Imperialismus. Er war vielmehr überzeugt, daß dies zu einer Verminderung der internationalen Konflikte führen werde. »Das ist nicht der Weltfriede, nicht die Abrüstung und nicht die Erschlaffung, aber es ist die Milderung der Konflikte, Kräfteersparnis und solidarische Zivilisation.«[2]
Es ist demgemäß festzuhalten, daß die deutsche Hochfinanz und die deutsche Industrie im großen und ganzen an formellen imperialistischen Erwerbungen nicht sonderlich großes Interesse zeigten. Dagegen waren sie vielfach durchaus bereit, sich an informellen imperialistischen Unternehmungen verschiedenster Art zu beteiligen, gleichviel, ob sie dabei auf aktive Unterstützung der Regierung rechnen konnten oder nicht. Bethmann Hollwegs Versuche, die Begründung eines deutschen Mittelafrikas in die Wege zu leiten – als konstruktive Alternative zu Bülows ziemlich diffuser »Weltpolitik« –, wurden seitens der Wirtschaft eher mit Skepsis betrachtet. In industriellen Kreisen sah man beispielsweise die eventuelle Erwerbung von Teilen Mozambiques und Angolas als wirtschaftlich relativ bedeutungslos an; diese Territorien, so hieß es gelegentlich, lägen »auf dem Monde«.[3] Die wirklichen Interessen der deutschen Industrie richteten sich auf andere Regionen, vor allem den Balkan, den Nahen Osten und in nicht unerheblichem Maße Südamerika. Insgesamt kann man daher der Wirtschaft kaum die Rolle einer Hauptantriebskraft der offiziellen deutschen Weltpolitik zuschreiben, die 1897 von Bülow inauguriert

2 Walther Rathenau, Deutsche Gefahren und neue Ziele, in: Ders., Gesammelte Schriften, Bd. 1, Berlin 1918, S. 278.
3 Zit. nach Fritz Fischer, Krieg der Illusionen. Die deutsche Politik von 1911–1914, Düsseldorf 1969, S. 340.

und dann seit 1909 von Bethmann Hollweg auf einer vergleichsweise rationaleren Basis fortgeführt worden ist.
Eines der Schlüsselprobleme für die Interpretation des deutschen Imperialismus vor 1914 besteht demgemäß darin, zu erklären, warum zwischen den Zielen des offiziösen Imperialismus, wie ihn die Regierungen Bülow und Bethmann Hollweg mit unterschiedlicher Akzentuierung betrieben, und den tatsächlichen Bedürfnissen der deutschen Wirtschaft ein tiefer Graben bestand, von dem aufgeregten, integralen Imperialismus der Agitationsverbände ganz zu schweigen.
Im letzten Jahrzehnt vor 1914 wurden zahlreiche Publizisten und Wissenschaftler, und mit ihnen nicht wenige Industrielle, von der Sorge erfaßt, daß das System eines im wesentlichen unbehinderten Welthandels, das sich seit den 1860er Jahren entwickelt hatte und, ungeachtet der Schutzzollpolitik einzelner Mächte, im großen und ganzen gut funktionierte, nicht mehr lange Bestand haben werde; sie rechneten mit einer Aufteilung der Welt in eine Mehrheit von wirtschaftlichen Interessensphären, die mittels hoher Zollmauern vor der Konkurrenz dritter Mächte mehr oder minder effektiv abgeschirmt sein würden. Insgesamt war die deutsche Geschäftswelt jedoch noch relativ zuversichtlich. Charakteristisch für diese Grundhaltung ist ein Gespräch, das Heinrich Class, der Führer des Alldeutschen Verbandes, im Herbst 1911 mit Hugo Stinnes führte. Während Class die Meinung vertrat, daß das Deutsche Reich über kurz oder lang gezwungen sein werde, die eigene Weltstellung gegenüber Frankreich und Großbritannien in einem Kriege durchzusetzen, plädierte Stinnes nachdrücklich für eine Politik der Geduld: »[...] Lassen Sie noch drei bis vier Jahre ruhiger Entwicklung, und Deutschland ist der unbestrittene wirtschaftliche Herr in Europa. Die Franzosen sind hinter uns zurückgeblieben; sie sind ein Volk der Kleinrentner. Und die Engländer sind zu wenig arbeitslustig und ohne den Mut zu neuen Unternehmungen. Sonst gibt es in Europa niemanden, der uns den Rang streitig machen könnte. Also drei oder vier Jahre Frieden, und ich sichere die deutsche Vorherrschaft in Europa im stillen.« Class selbst war entsetzt darüber, daß ein so bedeutender Vertreter der deutschen Wirtschaft »in derartigen Wahngedanken befangen« sei.[4]
Die großen Diskrepanzen zwischen den in nationalistischen Kreisen gehegten imperialistischen Plänen und Strategien wirtschaftlicher Expansion, die als informeller Imperialismus mit ökonomischen Mitteln bezeichnet werden kann, verschwanden nie, auch nicht in den letzten Jahren vor dem Krieg, in denen die Reichsleitung sich stärker bereit

4 Abgedruckt in: Wolfgang J. Mommsen, Der Imperialismus. Seine geistigen, politischen und wirtschaftlichen Grundlagen. Ein Quellen- und Arbeitsbuch, Hamburg 1977, S. 145.

zeigte, den Bedürfnissen und Wünschen der Wirtschaft entgegenzukommen. Nichtsdestoweniger konnte der extreme Nationalismus, wie er vom Alldeutschen Verband und den anderen nationalistischen Verbänden propagiert wurde, auf die aktive Unterstützung eines erheblichen Teils der Geschäftswelt zählen; er wurde weithin mit Sympathie beobachtet, wenn auch nicht mit Beifall bedacht. 1911 gelang es den Brüdern Mannesmann, beträchtliche politische Unterstützung für ihre Interessen in Marokko zu mobilisieren, indem sie den Alldeutschen Verband hinter sich brachten; ihre Schürfrechte und Konzessionen in Marokko seien in den Verhandlungen, die zu dem französisch-deutschen Vertrag über Marokko von 1910 geführt hatten, von der Reichsleitung gänzlich mißachtet worden. Diese Konstellation könnte in der Tat als verwirrend erscheinen. Sie kann nur im Hinblick auf die politischen und sozialen Bedingungen erklärt werden, unter denen die politischen Parteien und die nationalistischen Agitationsverbände im wilhelminischen Deutschland in diesem Zeitraum operierten, und unter Berücksichtigung der Hindernisse, die der politischen Entscheidungsfindung in dieser Periode des Übergangs von einem System der Honoratiorenpolitik und der bürokratischen Herrschaft zu einem System der aktiven Beteiligung breiter Schichten am politischen Prozeß im Wege standen.

Bevor näher darauf eingegangen werden kann, sei ein detaillierterer Blick auf die deutsche imperialistische Politik vor 1914 geworfen. Wenn Bismarcks »Imperialismus« als ein eigenständiges Phänomen beiseite gelassen wird, so lassen sich drei unterschiedliche Perioden deutscher »Weltpolitik« unterscheiden: die Ära Bülow von 1897 bis 1909, eine Periode des vorsichtigen Disengagements von 1909 bis 1911 und schließlich eine Periode verschärfter imperialistischer Tendenzen von 1911 bis 1914. Die Weltpolitik Bülows endete in einer Serie von mehr oder minder spektakulären Fehlschlägen, teils weil sie die objektiven Bedingungen des internationalen Systems ungenügend in Rechnung gestellt hatte, teils weil sie die jeweiligen Ziele, u. a. die Begründung einer Anwartschaft auf Teile Angolas und Mozambiques, die internationale Anerkennung einer exklusiven deutschen wirtschaftlichen Interessensphäre in China, die Wahrung deutscher Zukunftsmöglichkeiten in Marokko gegenüber Frankreich, mit nur geringer Energie verfolgt hatte. Das Abkommen mit Großbritannien über die Aufteilung von Angola und Mozambique zerschlug sich, was größtenteils dem Doppelspiel auf britischer Seite zuzuschreiben war. Auch die Chinapolitik Bülows erbrachte am Ende keine überzeugenden Resultate, teilweise deshalb, weil Bülow sich daraus zurückzog, als klar wurde, daß dies bedeutet hätte, das Schicksal des kaiserlichen Deutschlands direkt mit jenem Großbritanniens zu verknüpfen, auch auf das Risiko erschwerter Beziehungen zu Rußland hin. Das marokkanische Unternehmen von 1905 endete deshalb so desaströs, weil es nicht mit Entschlossenheit durchgeführt wurde, sondern eher als Versuch, die Tür für die Zukunft offenzuhalten. Es resultierte in der fast völligen deutschen Isolierung auf der Konferenz von Algeciras. Bis 1908 war auch klargeworden, daß die Flottenpolitik nicht in der Lage war, jemals die von Tirpitz erwünschten Resultate zu erbringen, namentlich die Schaffung einer deutschen Schlachtflotte, die stark genug wäre, Großbritannien zu zwingen, auf dem Verhandlungswege einen Teil der eigenen überseeischen Besitzungen herauszugeben. Die rosigen Erwartungen, die mit der Flottenpolitik verbunden gewesen waren, hatten sich als größtenteils unbegründet herausgestellt.

Theodor von Bethmann Hollweg, der 1909 zum Nachfolger Bülows bestimmt wurde, obschon er auf auswärtigem Felde nicht eigentlich über Erfahrungen verfügte, entschloß sich dann, in partieller Anerkenntnis der Lage, auf weltpolitischem Gebiete einstweilen zurückzustecken und eine Detente mit Frankreich und Großbritannien herbeizuführen. In dem deutsch-französischen Marokkoabkommen von 1910 wurde Frankreich praktisch die Vorherrschaft in Marokko zugestanden; dafür verpflichtete sich dieses allerdings, interessierte deutsche industrielle Unternehmen mit gleichen Rechten in Marokko tätig werden zu lassen. Dies entsprach objektiv den Interessen der Firma Friedrich Krupp, die sich ihrerseits mit einer französischen Gruppe zwecks Ausbeutung von Erzvorkommen in Marokko zusammengeschlossen hatte, während die Schürfrechte der Brüder Mannesmann einfach links liegengelassen wurden. Ferner unternahm Bethmann Hollweg den ziemlich unausgegorenen Versuch, Großbritannien für ein Neutralitätsabkommen ebenso wie für koloniale Konzessionen zu gewinnen, um den Preis einer mäßigen Verlangsamung des deutschen Flottenbaus. Letzteres wurde von der britischen Politik mit gutem Recht als bei weitem zu wenig angesehen, um eine derart radikale Neuorientierung ihrer Außenpolitik zu rechtfertigen.

Alle diese Bemühungen führten zu nichts, und das wenige, was zumindest an gutem Willen aufgebaut worden war, ging dann als Folge von Kiderlen-Wächters unzureichend geplantem und höchst unglücklichem »Panthersprung« nach Agadir im Jahre 1911 wieder verloren. Statt, wie Kiderlen-Wächter gehofft hatte, durch einen deutschen Vorstoß in der Marokkofrage die *Entente Cordiale* zu einem bedeutungslosen Stück Papier werden zu lasssen und Frankreich dazu zu zwingen, den ganzen Französischen Kongo an Deutschland abzutreten, führte die Marokkokrise zu einer entscheidenden Verschlechterung der internationalen Position des Deutschen Reiches. Zugleich aber erschütterte sie die ohnehin schon brüchige Stellung der Regierung gegenüber den Parteien und der Öffentlichkeit. Es kam zu einer Eruption nationalistischer Emotionen, die zu kontrollieren oder auch nur zu dämpfen sich die Regierung völlig außerstande erweisen sollte.

Fortan geriet die Regierung Bethmann Hollweg zunehmend in die Defensive; sie wurde durch die öffentliche Meinung – oder doch die veröffentlichte Meinung der politisch aktiven Schichten der deutschen Gesellschaft – durchaus entgegen ihren Neigungen in eine aggressive Außenpolitik hineingetrieben. Es kam hinzu, daß die internationale Situation sich infolge der Balkankriege und der durch die deutsche Aktivität im Osmanischen Reich verschärften Rivalitäten mit Rußland erheblich verschlechterte und die Schwierigkeiten der Regierung vergrößerte.

Nichtsdestoweniger versuchte die Regierung Bethmann Hollweg, ein Programm eines rationalen Imperialismus zu entwickeln, das sich von der irrationalen – und im engeren Wortsinne unverantwortlichen – nationalistischen Agitation der Neuen Rechten grundsätzlich unterschied, obschon diese zum Ärger der Regierung nun auch von den Konservativen aufgegriffen wurde, wenn auch vorwiegend aus taktischen Gründen. Das Regierungsprogramm war darauf ausgerichtet, den bestehenden deutschen Kolonialbesitz in Afrika durch den Erwerb von Teilen Angolas und Mozambiques sowie des Belgischen Kongos zu arrondieren und schließlich ein deutsches zentralafrikanisches Kolonialreich zu errichten. Daneben erhob die Regierung es zu einem ausdrücklichen Ziel ihrer Politik, die ökonomische Durchdringung des Osmanischen Reiches politisch abzusichern und gegen alle Interventionen dritter Mächte zu schützen. Dieses Programm hoffte Bethmann Hollweg vor allem mit britischer Hilfe verwirklichen zu können; in gewisser Weise glaubte man in Berlin, in diesen Fragen den Juniorpartner des britischen Imperialismus spielen zu können.

Die Verwirklichung eines solchen Programms erforderte sowohl Zeit als auch Geduld; die hierzu notwendigen geheimen diplomatischen Aktivitäten durften nicht durch lautstarke öffentliche Demonstrationen und populären Englandhaß gestört werden. Infolgedessen distanzierte sich die Regierung klar von den nationalistischen Agitationsverbänden und suchte sich im übrigen aus der öffentlichen Diskussion über imperialistische Fragen möglichst herauszuhalten. Obgleich diese Politik zu Anfangsresultaten führte, die die Aussicht realistisch erscheinen ließ, daß das Deutsche Reich auf lange Sicht doch noch zu imperialistischen Erwerbungen größeren Umfangs gelangen könne, ließen sich vorderhand keine spektakulären Ergebnisse vorweisen. Demgemäß gab es nur geringe Möglichkeiten, die ohnehin erregte öffentliche Meinung zu beschwichtigen oder zumindest eine Abschwächung der nationalistischen und imperialistischen Agitation zu bewirken, auf die sich nunmehr auch die Parteien der Rechten mehr und mehr eingelassen hatten, von der verantwortungslosen Demagogie der nationalistischen Agitationsverbände ganz zu schweigen.

Für diese Periode kann man ohne Einschränkung sagen, daß die verantwortlichen Staatsmänner in der Tat bestenfalls *reluctant imperialists* gewesen sind. Jedoch wurde die Regierung in zunehmendem Maße von einflußreichen politischen Gruppierungen und ebenso von der öffentlichen Meinung dazu gedrängt, eine vergleichsweise kraftvolle Außenpolitik zu verfolgen. Ungeachtet dieser Tatsache ging die Regierung Bethmann Hollweg nicht davon aus, daß ein Krieg ein geeignetes Mittel sei, um die eigenen imperialistischen Zielsetzungen zu verwirklichen. Sie war zwar entschlossen, gegebenenfalls zum Mittel des Krieges zu greifen, sofern es wider Erwarten zu einer Aufteilung des Osmanischen Reiches kommen sollte, bei der dem Deutschen Reich kein adäquates Äquivalent geboten würde; doch schien dergleichen wenig wahrscheinlich, zumal die Politik der Erhaltung des politischen status quo in der Türkei auch im englischen Interesse lag. Zumindest die »Zivilisten« innerhalb der Reichsleitung glaubten nicht, daß der deutsche Drang nach der Weltmacht, wie Fritz Fischer dies formuliert hat, mit kriegerischen Mitteln durchgesetzt werden müsse oder durchgesetzt werden könne, auch wenn sie sich zunehmend geneigt zeigten, die Berücksichtigung der deutschen Interessen durch dritte Mächte notfalls durch Hinweis auf das eigene militärische Potential zu erwirken.

Andererseits zeigte man sich in Berlin zunehmend beunruhigt über die wachsende Isolierung der Mittelmächte und die offensichtliche Schwäche Österreich-Ungarns, insbesondere aber über den raschen militärischen Wiederaufstieg Rußlands, das zu einer unmittelbaren Gefahr für die Sicherheit des Deutschen Reiches geworden zu sein schien. Befangen in engen militärischen Denkweisen, zugleich aber stark von der öffentlichen Propaganda beeinflußt, die in zunehmendem Maße die Meinung vertrat, daß Deutschland seinen Anspruch auf die Weltmachtstellung nicht ohne Krieg werde erreichen können, begannen nun auch höchste militärische Kreise dem Kanzler und dem Auswärtigen Amt die Vorteile eines Präventivkrieges nahezulegen. Bethmann Hollweg fand es zunehmend schwieriger, den wachsenden Einfluß des Militärs ebenso wie bestimmter konservativer Gruppen am kaiserlichen Hofe einzudämmen, und er tat sich um so schwerer darin, je prekärer sich seine eigene Position gegenüber dem Reichstag und den Parteien gestaltete. Der Abstand zwischen den Erwartungen der konservativen und bürgerlichen Gruppen in imperialen Fragen und den tatsächlichen Optionen, die einer Politik des Augenmaßes allenfalls offenstanden, wurde unter den gegebenen Umständen immer größer. Da die Regierung in weltpolitischen Fragen einstweilen keinerlei positive Ergebnisse vorzeigen konnte, versuchte sie gar nicht erst, an dieser bedrohlichen Tatsache etwas zu ändern. Vielmehr blieb sie der stetigen Steigerung der nationalistischen Erwartungen in der bürgerlichen Öffentlichkeit gegenüber tatenlos, und dies, obwohl dadurch der Spielraum für ihre eigene Politik zunehmend eingeengt wurde.

Diese Sachlage wurde durch den Umstand weiter verschärft, daß nunmehr nicht nur jene Bevölkerungsgruppen, die ursprünglich durch die radikale nationalistische Agitation des Alldeutschen Verbandes und anderer Agitationsverbände mobilisiert worden waren, sondern darüber hinaus auch erhebliche Teile der politischen Gefolgschaft der etablierten bürgerlichen Parteien und der Konservativen eine aktive imperialistische Politik forderten. Die erhitzte nationalistische Atmosphäre, die als Folge der Agadirkrise 1911 entstanden war, wurde durch Publizisten und Militärschriftsteller wie Friedrich von Bernhardi noch mehr angeheizt. Der Ende 1911 ins Leben gerufene »Wehrverein« ging unter der Führung von General von Keim ganz offen dazu über, die Militärpolitik der Regierung einer vernichtenden Kritik zu unterwerfen; er forderte nicht nur eine weitere Vermehrung der deutschen Armee, sondern lancierte darüber hinaus kaum verhüllt die Idee eines Präventivkrieges. Infolgedessen wurde die öffentliche Meinung mehr und mehr von extrem nationalistischen Strömungen erfaßt. Von 1912 an wurden alle politischen Parteien, allenfalls mit Ausnahme der Sozialdemokraten, zunehmend in deren Sog hineingezogen.

An dieser Stelle sei die eingangs gestellte Frage wieder aufgenommen, wie dieser sich ständig beschleunigende Radikalisierungsprozeß zu erklären ist. Die ältere Literatur neigte dazu, die Rolle des populären Nationalismus im Hinblick auf die Außenpolitik des Deutschen Reiches vor 1914 vergleichsweise gering einzuschätzen. Neuere Autoren, insbesondere Fritz Fischer, haben demgegenüber das enorme Gewicht betont, das diese Bewegung in den letzten Jahren vor 1914 erlangt habe. Ohne Frage läßt sich der neue Nationalismus nicht einfach als Produkt einer manipulativen Strategie der wilhelminischen Führungseliten erklären, wie dies u. a. von Wehler, Stegmann und Puhle in einer zuweilen etwas zu pauschalen Weise versucht worden ist. Die Unterschiede zwischen den verschiedenen imperialistischen Strömungen waren bei weitem zu groß, als daß sie mit einem solchen monokausalen Modell von begrenzter Reichweite zureichend erklärt werden könnten. Es war die relative Hilflosigkeit der traditionellen Führungseliten, und nicht etwa deren Meisterschaft in der Manipulation der öffentlichen Meinung, die zur Eskalation der imperialistischen Strömungen maßgeblich beigetragen hat.

In letzter Instanz geht die besondere Aggressivität des deutschen Imperialismus auf die mangelnde Anpassung des politischen Systems an die sich unter dem Einfluß der Prozesse der Modernisierung und Industrialisierung rapide ändernden soziopolitischen Verhältnisse zurück. Angesichts des enormen Wachstums der deutschen Wirtschaft in den letzten Jahrzehnten vor 1914 hatten die aufsteigenden Mittelklassen ein hohes Maß an Selbstbewußtsein gewonnen, das seinen Ausdruck insbesondere in der Idee eines starken Nationalstaates gefunden hatte. Auf der anderen Seite plagte die Konservativen der Alptraum kontinuierlichen Niedergangs. Einstweilen war ihr Einfluß innerhalb des Staatsapparates, insbesondere in der Armee und Bürokratie, noch überaus stark. Denn infolge des Dreiklassenwahlrechts waren die Sozialdemokraten ebenso wie die Fortschrittspartei im preußischen Abgeordnetenhaus quasi nur nominell repräsentiert, während die Nationalliberalen eine vergleichsweise sichere Position genossen, sofern sie sich nur zur Zusammenarbeit mit den Konservativen bereit fanden. Dadurch wurden die Konservativen in ihrer Neigung bestärkt, sich in der preußischen »Festung« gleichsam einzuigeln. Unter diesen Umständen kam der Gegensatz zwischen den aufsteigenden Mittelschichten und den konservativen Agrariern nur in gebrochener Form zur Austragung. Dies hing auch damit zusammen, daß sich die aufsteigenden Mittelschichten ihrerseits von seiten der Sozialdemokratie bedroht fühlten und daher geneigt waren, zumindest streckenweise mit den Konservativen zusammenzugehen, obschon sie mit deren politischen Ansichten in vieler Hinsicht nicht übereinstimmten. In einer solchen Situation bot sich die Propagierung nationalistischer und imperialistischer Zielsetzungen nur zu sehr an, um einen weiteren Aufstieg der Sozialdemokraten abzufangen.

Auch die Regierung tat alles, was in ihrer Macht stand, um die sozialistischen Vorurteile in den Mittel- und Oberschichten hochzuspielen. Der Vorwurf, daß man das Spiel der Sozialisten spiele, war vorderhand immer noch ein äußerst effektives Mittel, um widerspenstige Parteien in das Regierungslager zurückzuzwingen. Insoweit haben wir es hier in der Tat mit einer speziellen Version eines Sozialimperialismus zu tun. Die Zuspitzung der innenpolitischen Lage ergab sich jedoch gerade aus dem Umstand, daß diese Herrschaftstechniken nicht mehr genügten, um das bestehende System zu stabilisieren. Die Appelle an nationale und imperialistische Ideale reichten nicht länger aus, um die bürgerlichen und konservativen Parteien solide hinter der Regierung zu sammeln. Vielmehr eröffnete sich für die Sozialdemokraten zunehmend die Chance, von Fall zu Fall mit anderen Parteien zu kooperieren. Es wurde bald sichtbar, daß es Möglichkeiten gab, mit den Sozialdemokraten in Angelegenheiten von vitalem nationalen Interesse zu einer Zusammenarbeit zu kommen, ungeachtet ihrer prinzipiell internationalistischen Ausrichtung.

Es gab mancherlei Anzeichen dafür, daß eine neue politische Koalition der Nationalliberalen, des Zentrums und der gemäßigten Linken vor der Tür stand, die auf die Unterstützung oder doch die Tolerierung seitens der Sozialdemokraten würde zählen können; dann wären die Konservativen definitiv in die Isolation gedrängt worden. Dies veranlaßte die Konservativen, die Agitationsverbände in verstärktem Maße zu hofieren, um die Neue Rechte, die sich seit der Jahrhundertwende entwickelt hatte, wieder in das altkonservative Lager hinüberzuziehen. Dazu waren nationalistische Parolen nur zu gut geeignet. Schon 1911 hatten die Konservativen herausgefunden, daß sie eine gute Chance besaßen, mit Hilfe einer extrem nationalistischen Agitation ihre schwindende Basis in der Wählerschaft wieder zu stabilisieren und darüber hinaus neue Wähler aus den Kreisen des alten Mittelstandes und immerhin teilweise auch des neuen Mittelstandes vor allem in den westdeutschen Gebieten zu gewinnen. Darüber hinaus hofften sie, daß sie durch eine Identifizierung mit dem imperialistischen Zeitgeist die Tendenzen zur Demokratisierung und Parlamentarisierung wirksam abbremsen könnten. Es ist im übrigen kein Zufall, daß sich ihre aggressive Agitation in erster Linie gegen Großbritannien richtete, zumal das britische parlamentarische System von vielen deutschen Liberalen als Muster betrachtet wurde, dem auch Deutschland nachzufolgen habe, nicht zuletzt, um endlich eine erfolgreiche imperialistische Politik zu ermöglichen. Diese Strategie war allerdings nur begrenzt erfolgreich. Sowohl anläßlich des sogenannten *Wehrbeitrages* 1913 wie in der Zabern-Affäre fanden sich die Konservativen in politischer Isolierung und mit der Aussicht konfrontiert, auf Dauer aus dem täglichen parlamentarischen Geschehen ausgeschaltet zu werden. Dies verursachte verständlicherweise schwere Sorgen im konservativen Lager und machte sie um so bereitwilliger, die nationalistischen Propagandavereine und ihre Anhänger zu jedem Preis zu umwerben. Eine Wiedervereinigung der »alten« mit der neuen Rechten unter dem Banner einer unumwunden nationalistischen Politik schien für die Konservativen zwingend geboten, sofern sie auf Dauer politisch überleben wollten.

Die Nationalliberalen waren mit ähnlichen Problemen konfrontiert. Sie hatten ihre agrarische Wählerschaft weitgehend verloren und standen nun vor dem Problem, daß ihre Basis in der Wählerschaft rückläufig war. Bassermann, Stresemann und andere kamen zu dem Schluß, daß der einzige Weg, um ihre bisherige Schlüsselposition innerhalb des parlamentarischen Systems zurückzugewinnen, darin liege, jene Gruppen, die von den nationalistischen Agitationsverbänden politisch mobilisiert worden waren, in ihr Lager zu ziehen. Somit verlegten sie sich auf die konsequente Propagierung eines effizienten, nationalen Imperialismus, der mit einer angemessenen Modernisierung der politischen und gesellschaftlichen Institutionen des Deutschen Reiches verbunden sein müsse. Sie sahen darin das gegebene Mittel, um die Unterstützung jener Teile der alten Mittelschichten, die sie in den vergangenen zwanzig Jahren verloren hatten, zurückzugewinnen und ebenso jene Gruppen der unteren Mittelschichten und der bislang unpolitischen Intelligenz an sich zu binden, die vornehmlich der Neuen Rechten zuneigten, welcher vorderhand eine selbständige parlamentarische Vertretung fehlte. Eine imperialistische Politik, die mit der behutsamen Modernisierung des politischen Systems, nicht aber einer grundlegenden Umgestaltung desselben im parlamentarischen Sinne verbunden war, mußte aus ihrer Sicht früher oder später der Vorherrschaft der Aristokratie in Staat und Gesellschaft ein Ende setzen. Dann aber würden die Nationalliberalen wieder zur gleichsam »natürlichen« Regierungspartei des Landes werden. Im übrigen sprach einiges dafür, daß eine vorsichtige Modernisierung des politischen und sozialen Systems der einzige Weg war, um dem weiteren Anwachsen der Sozialdemokratie Einhalt zu gebieten.

Aus dieser Perspektive betrachtet war Imperialismus eine Emanzipationsstrategie der aufsteigenden Mittelschichten, die die Aufrechterhaltung des sozialen und politischen status quo beinhaltete, aber um den Preis maßvoller antikonservativer Reformen in der Staatsverwaltung und der Gesellschaft. Die Beseitigung von Ineffizienz und überlegten aristokratischen Privilegien im Auswärtigen Dienst und in der Armee erschien als eine unabdingbare Voraussetzung für die Schaffung einer politischen Ordnung, die imstande sein würde, eine effektive imperialistische Politik zu betreiben.

Auf lange Sicht hätte die Strategie der Nationalliberalen Erfolg haben können. Jedoch wurde dadurch kurzfristig den nationalistischen Agitationsverbänden die Chance eingeräumt, die naiven nationalistischen Gefühle großer Teile der deutschen Gesellschaft, die bislang nur unzulänglich in das politische System integriert gewesen waren, das in vieler Hinsicht nicht den Bedürfnissen des Zeitalters der Massenpolitik entsprach, für eine radikal imperialistische Politik zu mobilisieren. Es kam zwar zu einer Art von »stiller Parlamentarisierung«, aber die etablierten Parteien erwiesen sich als außerstande, die außerparlamentarischen Kräfte in das bestehende System einzubinden. Dies war teilweise durch die parlamentarische Situation bedingt, die nach den Wahlen von 1912 entstanden war. Der große Wahlsieg der Sozialdemokraten führte zu einer teilweisen Lahmlegung des parlamentarischen Prozesses. Weder eine nationalkonservative noch eine progressive Koalition verfügte über eine Mehrheit im Reichstag, ganz abgesehen von der Tatsache, daß die Fähigkeit der Parteien, positive Politik zu machen, statt aus der Opposition heraus negative Politik zu betreiben, noch begrenzt war. Die parlamentarische Pattsituation erlaubte es keiner der unterschiedlichen Parteigruppierungen, eine konstruktive Politik zu verfolgen. Auch die Reichsleitung war nicht gestärkt worden, obwohl es ihr ermöglicht wurde, im bisherigen autoritären Stil weiterzuregieren. Unter den gegebenen Bedingungen verfügte sie nicht länger über einen konsistenten Rückhalt bei den Parteien und war infolgedessen vom Kaiser und seiner Umgebung sowie von den traditionellen Säulen des Hohenzollernthrons, nämlich dem Offizierskorps und der Regierungsbürokratie, abhängiger denn je. Bethmann Hollweg wagte weder eine offen rechtsorientierte Politik zu führen, aus der Furcht heraus, dadurch die Wählerschaft noch weiter zu antagonisieren, noch, selbst wenn er das gewollt hätte, einen entschieden reformistischen Kurs einzuschlagen.

Unter solchen Bedingungen fand es die Neue Rechte, die größtenteils in der vorparlamentarischen Arena operierte, recht leicht, wirksam zu agitieren. Dabei übernahm der Wehrverein mit der Propagierung einer Vorwärtspolitik um jeden Preis die Führung, wobei er Friedrich von Bernhardis Argument aufnahm, daß ein Weltkrieg sowieso unvermeidlich sei, wolle Deutschland nicht auf seine imperialistischen Ziele ein für allemal verzichten. Die Neue Rechte schreckte nicht einmal vor direkten Angriffen auf das existierende politische System zurück, wegen seiner angeblichen Ineffektivität und seiner vorgeblichen Unfähigkeit, die als unverzichtbar angesehenen nationalistischen Interessen des kaiserlichen Deutschlands wirksam wahrzunehmen. Anfang 1913 versuchte der Alldeutsche Verband sogar, den Rücktritt Bethmann Hollwegs zu erreichen und statt dessen Tirpitz als neuen Kanzler in Vorschlag zu bringen. Dieser *»coup d'etat«*, der mit der Hilfe des Kronprinzen lanciert wurde, schlug allerdings völlig fehl; nichtsdestoweniger wurde das Ansehen des Kanzlers dadurch weiter beeinträchtigt.

Die Regierung war weitgehend hilflos, und die Konservativen hatten das Feld größtenteils radikalen Agitatoren bürgerlichen Ursprungs überlassen, insbesondere den Führern des Bundes der Landwirte. Die Nationalliberalen hingegen sahen sich zunehmend von rechts her überholt und fanden es demgemäß immer schwieriger, das Programm eines realistischen, nüchternen Imperialismus, in Abgrenzung gegenüber der nationalen Agitation der Neuen Rechten, durchzuhalten. Die verantwortlichen Staatsmänner hingegen wagten es gar nicht erst, den öffentlichen Erwartungen hinsichtlich der Aussichten einer Verwirklichung imperialistischer Ziele entgegenzuwirken, weil sie fürchteten, daß sie dann des Defätismus oder des Pazifismus geziehen würden. Angesichts der Tatsache, daß sie keine ausreichende politische Basis im Reichstag besaßen und ihnen die Kontrolle über die traditionellen Machtträger innerhalb des Kaiserreichs, insbesondere das Offizierskorps, die Hofgesellschaft und die preußische

Bürokratie, zunehmend entglitten war, verfügten sie auch gar nicht über die politischen Möglichkeiten, um der steigenden Flut nationalistischer Erwartungen wirksam entgegenzutreten. Nicht ohne Besorgnisse ließen sie den Dingen ihren Lauf. Dies aber bedeutete, daß der Abstand zwischen den Erwartungen in der deutschen Öffentlichkeit und der Realität mit jedem Tage größer wurde. Dadurch wurde ein irreversibler Prozeß in Gang gesetzt, der die führenden Gruppen der deutschen Gesellschaft von der Erkenntnis der realen Bedingungen immer weiter entfernte, unter denen eine jede Außenpolitik, die erfolgreich sein will, geführt werden muß.

Eine weitere Folge dieses Umstandes war, daß die kaiserliche Regierung immer mehr die Initiative in nationalen Fragen verlor. Der Kanzler selbst war sich seit langem darüber im klaren, daß die Politik der Konservativen unvermeidlich zu einer zunehmenden Entfremdung von der Masse der Bevölkerung führen werde. Unter den gegebenen Umständen war die Regierung in wachsendem Maße von den Parteien der politischen Rechten abhängig; diese aber fühlten sich ihrerseits einem verstärkten Druck von seiten der nationalistischen Agitation der neuen populistischen Rechten ausgesetzt. Statt der öffentlichen Meinung Ziel und Richtung zu geben, geriet die Regierung immer mehr in die Defensive. Bethmann Hollweg und Jagow waren sich durchaus bewußt, daß eine Außenpolitik, die die hochgereizten Erwartungen breiter Teile der Mittelschichten – und neuerdings auch der Konservativen – hätte befriedigen können, in der bestehenden internationalen Situation nicht möglich war, doch sahen sie sich außerstande, etwas dagegen zu tun. Statt dessen wurde die Regierung nach und nach über die Schwelle einer imperialistischen Politik gedrängt, die sich noch innerhalb der Grenzen bewegte, die die internationale Situation allenfalls erlaubt haben würde.

Unter diesen Voraussetzungen ist es nicht überraschend, daß sich die deutsche Regierung im Juli 1914, angesichts einer europäischen Krise, die durch das Attentat von Sarajewo am 28. Juni 1914 ausgelöst worden war, eigentlich gegen die eigene Überzeugung für einen politischen Kurs entschied, der nach Bethmann Hollwegs Eingeständnis einem »Sprung ins Dunkle« gleichkam und den Ausbruch des Ersten Weltkrieges unvermeidlich machte. Die Regierung stand dabei unter erheblichem Druck seitens des militärischen Establishments, das, besorgt über die sich verschlechternde strategische Position des Deutschen Reiches, zu der Meinung gekommen war, daß, wenn ein europäischer Krieg bevorstehe, dieser eher jetzt als später geführt werden müsse. Daneben wurde allerdings auch die zu erwartende Reaktion der Rechtsparteien einkalkuliert, besonders der Konservativen und der Nationalliberalen, aber auch, wenn auch in etwas geringerem Maße, der Zentrumspartei, die aus ideologi-

schen Gründen eine entschiedene Unterstützung Österreich-Ungarns erwartete.
Der Erste Weltkrieg war von der extremen Rechten seit Jahren als »unvermeidlich« vorhergesagt worden. Nichtsdestoweniger hätte er mit etwas mehr Mäßigung und Verhandlungsbereitschaft vermieden werden können, vielleicht um den Preis einer Prestigeeinbuße der Reichsleitung. Aber geschwächt wie diese ohnehin war, sowohl im Hinblick auf ihre Gegner innerhalb der Führungseliten als auch gegenüber den Parteien und der Öffentlichkeit, wagte sie es nicht, einen derartigen vorsichtigen Kurs einzuschlagen.
Der Ausbruch des Ersten Weltkrieges veränderte das innenpolitische Klima innerhalb Deutschlands über Nacht dramatisch. Sowohl die alte als auch die Neue Rechte vereinigten nun ihre Kräfte und propagierten Kriegsziele von einem Ausmaß und einer Radikalität, wie sie vor 1914 weithin als undenkbar angesehen worden waren. Obwohl die Regierung anfänglich einige Versuche machte, die Kriegszielagitation, die nichts mehr mit der Realität gemein hatte, zu unterbinden und sich jedenfalls dadurch nicht die Hände binden zu lassen, gab sie dieser am Ende freie Bahn. Damit war die Grundlage verloren, auf der es allenfalls möglich gewesen wäre, den Krieg auf dem Verhandlungswege zu einem erträglichen Ende zu bringen.
Die gigantischen Kriegszielkataloge, die bald sowohl innerhalb als auch außerhalb der Führungskreise des Reiches aufgestellt wurden, markierten den Höhepunkt einer imperialistischen Bewegung, die seit langem den Bezug zur Realität verloren hatte, aber nichtsdestoweniger die deutsche Politik des Ersten Weltkrieges hindurch maßgeblich bestimmte. Auf diese Weise wurde der schließliche Zusammenbruch des bestehenden politischen Systems unvermeidlich. Jedoch sogar nach der Niederlage von 1918 blieb die extreme nationalistische Agitation ungebrochen. Zwar vermochte sie anfänglich nicht das Zentrum des politischen Handelns zu beherrschen, aber spätestens mit dem Aufstieg des Nationalsozialismus nahm sie noch radikalere Formen an und entfernte sich noch weit stärker von der Realität, als dies der bürgerliche Nationalismus vor 1914 getan hatte.

# Österreich-Ungarn aus der Sicht des deutschen Kaiserreichs

Mit der Begründung des Deutschen Reiches im Spiegelsaal von Versailles, die der bereits zuvor weitgehend fiktiven Eigenständigkeit der süddeutschen Staaten ein Ende setzte, begann eine neue Periode in den Beziehungen zwischen der Habsburger Monarchie und der deutschen Staatenwelt.[1] Österreich-Ungarn hatte damit endgültig die Möglichkeit verloren, unmittelbar auf die Entwicklung der staatlichen Verhältnisse in Deutschland einzuwirken. Die am alten Heiligen Römischen Reich Deutscher Nation orientierten Träume waren ausgeträumt; die anfangs so bitter umstrittene »kleindeutsche« Lösung der deutschen Frage war Grundlage für die künftige politische Ordnung in Mitteleuropa geworden. Auch jene Gruppen der deutschen Gesellschaft, die bisher, aus vielfach höchst unterschiedlichen Gründen, für eine Neuordnung der deutschen Staatenwelt unter Einschluß Österreichs eingetreten waren, fanden sich vergleichsweise rasch damit ab, daß die großpreußische Linie Bismarcks unwiderruflich gesiegt hatte. Die Vertreter eines großdeutschen Kurses, wie beispielsweise die Historiker Julius Ficker und Onno Klopp, fanden sich alsbald in einer Außenseiterposition, während der Triumph der Vertreter einer kleindeutschen Linie, beispielsweise Heinrich von Sybel und Heinrich von Treitschke, vollständig war. In der inneren Politik der folgenden Jahrzehnte spielte Österreich-Ungarn demgemäß eine eher marginale Rolle; es schien wenig Anlaß zu bestehen, sich mit den politischen Verhältnissen in Österreich-Ungarn näher zu beschäftigen. Nur in der Zentrumspartei lebte die alte Tradition, die in Österreich-Ungarn die Schutzmacht des Katholizismus sah, in einem gewissen Maße fort und fand von

1 Dieses Thema ist bislang fast ausschließlich aus österreichischer Perspektive behandelt worden. Vgl. u. a. Heinrich Lutz/Helmut Rumpler (Hrsg.), Österreich und die deutsche Frage im 19. und 20. Jahrhundert, München 1982; ferner R. A. Kann/Friedrich A. Prinz (Hrsg.), Deutschland und Österreich, Wien/München 1980; hierin insbesondere die Abhandlung von R. A. Kann, Das Deutsche Reich und die Habsburger Monarchie 1871–1918, S. 143–160. Für eine tschechische Interpretation siehe Jiři Kořalka, Das Deutsche Reich und die nationalstaatlichen Bestrebungen in Zisleithanien, in: Richard Plaschka/Karl Heinz Mack (Hrsg.), Die Auflösung des Habsburgerreiches. Zusammenbruch und Neuorientierung im Donauraum, Schriftenreihe des österreichischen Ost- und Südosteuropa-Instituts, Bd. 3, Wien 1970, S. 209–218.

Fall zu Fall Eingang in deren politisches Kalkül, insbesondere in Gestalt des Eintretens für eine konsequente außenpolitische Unterstützung der Donaumonarchie durch das Deutsche Reich.[2]
Bismarck selbst hatte bekanntlich stets, auch in der Stunde des Sieges von Königgrätz, die Erhaltung Österreichs als einer europäischen Großmacht als Bedingung einer konservativen Politik in der Mitte Europas betrachtet. Den Gedanken einer Zertrümmerung der Donaumonarchie und einer Aufnahme der Deutsch-Österreicher in das Reich betrachtete er als eine Absurdität. Noch vor der Reichsgründung urteilte er, »die Aufnahme des sogenannten Deutschösterreichs mit seinen Tschechen und Slowenen in den Norddeutschen Bund wäre mit der Zersetzung des letzteren gleichbedeutend«.[3] Aus Bismarcks Sicht war die Erhaltung Österreichs als multinationaler Großstaat geradezu eine Voraussetzung für die Stabilität des künftigen Deutschen Reiches. »Zwischen uns und Österreich kann und wird mit der Zeit ein vertrauensvolles Verhältnis gegenseitiger Annäherung sich ausbilden, wenn Österreich in dem gegenwärtigen Bestande erhalten bleibt; mit den einzelnen Bruchstücken einer der Auflösung verfallenen österreichischen Monarchie« könne man sich hingegen »eine organische Beziehung gar nicht vorstellen, und selbst die waghalsigsten Kombinationspolitiker würden an praktischen Versuchen der Art Schiffbruch leiden«.[4] Dies blieb denn auch die Grundlinie seiner Politik in den kommenden zwei Jahrzehnten. Er betrachtete Österreich-Ungarn als eine konservative Großmacht, der für die Bündniskombinationen des Reiches besondere Bedeutung zukomme; andererseits aber war er peinlich darum bemüht, sich von Österreich-Ungarn auf diplomatischem Felde keinesfalls das »Leitseil« überwerfen zu lassen. Die Einbeziehung Österreich-Ungarns in Bismarcks »erstes Bündnissystem«, das im sog. »Dreikaiserverhältnis« seinen Niederschlag fand, zielte sowohl auf die äußere wie die innere Stabilisierung der bestehenden staatlichen Verhältnisse in Europa ab.
Eine besondere Präferenz für Österreich-Ungarn als politischen Partner lag dabei anfangs durchaus nicht vor; im Gegenteil, Bismarck betrachtete die österreichischen Interessen auf dem Balkan stets als eine Irritationsquelle erster Ordnung für seine mächtepolitischen Kombinationen. Dennoch sah Bismarck Österreich als eine »deutsche Macht« an, im Hinblick darauf, daß die entscheidenden Machtpositionen im cisleithanischen Teil

2 Vgl. Heinz Gollwitzer, Der politische Katholizismus im Hohenzollernreich und die Außenpolitik, in: Werner Pöls (Hrsg.), Staat und Gesellschaft im politischen Wandel, Stuttgart 1979, S. 224–257.
3 Erlaß an den deutschen Gesandten in Wien, von Schweinitz, vom 23. Juli 1870, in: Bismarck. Die gesammelten Werke, bearb. von Friedrich Thimme, Bd. 6b, Berlin 1931, S. 417.
4 Ebenda.

der Habsburger Monarchie, insbesondere aber die gemeinsame Außen- und Militärpolitik, in den Händen einer ganz überwiegend deutschstämmigen Führungselite lagen. Er hat sogar den deutschen Volksteil gelegentlich ausdrücklich als ein Element bezeichnet, das die Verbindung mit dem Reiche garantiere. Gleichwohl stand er allen Bestrebungen, die Vorrangstellung des deutschen Volksteils innerhalb der Monarchie oder doch ihres cisleithanischen Teils mit geeigneten politischen Mitteln zu zementieren, innerlich kühl gegenüber. Es ist fraglich, ob man ihm, wie Rothfels gemeint hat, tatsächlich die Ansicht zuschreiben kann, wonach die Deutschen der Donaumonarchie »die gegebenen Vertreter eines spezifischen Staatsgedankens, einer historischen ›Staatsnation‹« darstellten und dazu bestimmt seien, »die ethnischen Nationalitäten [...] zu überwölben«.[5] Allenfalls wird man sagen können, daß er die deutsche Volksgruppe als eine besonders starke Stütze der Dynastie gesehen hat. Allerdings wird man für die Führungsschichten des Deutschen Reiches insgesamt feststellen dürfen, daß diese den Deutschen der Monarchie die Funktion einer spezifisch staatstragenden Schicht zugemessen haben, ohne daß sie sich der Mühe unterzogen, die politischen und gesellschaftlichen Wandlungen, die in eine ganz andere Richtung wiesen, genauer in den Blick zu nehmen. Wie noch zu zeigen sein wird, betrachtete man in Berliner Regierungskreisen die Erhaltung des hegemonialen Status der deutschen Führungseliten auch späterhin, insbesondere seit dem Sturz Bismarcks, als eine wesentliche Voraussetzung für die Stabilität der Monarchie, insbesondere aber für den Bestand des deutsch-österreichisch-ungarischen Bündnisses.
Hinsichtlich der Einschätzung Österreich-Ungarns und insbesondere der Rolle der deutschen Volksgruppe in der deutschen Öffentlichkeit ergibt sich ein wesentlich differenzierteres Bild. Im Prinzip sah die große Mehrheit der Beobachter in Österreich-Ungarn ebenfalls eine »deutsche Macht« und begrüßte, wenn auch durchaus aus unterschiedlichen Motiven heraus, die engen Beziehungen, die zwischen den Deutschen im Reich und den Deutschen in der Monarchie bestanden. Allerdings ließ die allmähliche Ausbildung einer primär am Deutschen Reiche Bismarckscher Observanz orientierten nationalen Identität der Deutschen die Frage des Verhältnisses zu den Deutschen der Donaumonarchie einstweilen weitgehend in den Hintergrund treten. Der neue »integrale Nationalismus«, wie ihn in herausragender Weise Heinrich von Treitschke propagierte, zielte in erster Linie auf die Herstellung nationaler Homogenität innerhalb des Reiches ab, unter möglichster Assimilierung aller ethnischen oder kulturellen Minoritäten einschließlich der Juden. Dabei blieben die Deutschen Österreichs gleichsam außen vor. Im übrigen blieb

5 Hans Rothfels, Bismarck, der Osten und das Reich, Darmstadt 1960, S. 59.

die Vorstellung, daß in der Habsburger Monarchie die Deutschen weiterhin im *driving seat* säßen, gleichsam unhinterfragt weiterhin bestehen; sie stellt während des gesamten Zeitraums ein wesentliches Element des deutschen Bildes der Donaumonarchie dar.

Immerhin erhielt sich daneben, namentlich von den Kreisen des protestantischen Bildungsbürgertums und der Akademikerschaft getragen, also jenen Gruppen, die auch die ideologische Vorhut im sogenannten Kulturkampf gebildet hatten, die Idee einer die Grenzen des Deutschen Reiches überschreitenden deutschen Kulturnation, die es zu bewahren gelte. Die Auseinandersetzungen über den deutschen Schulverein 1881/82, der ja zur Unterstützung der deutschen Schulen in den gemischt-nationalen Gebieten Österreich-Ungarns ins Leben gerufen worden war, zeigen dies in besonders anschaulicher Weise.[6]

Dieser sollte, wie es in dem Gründungsaufruf von Ende 1881 hieß, die Bemühungen der Deutschen Österreich-Ungarns unterstützen, ihre nationale Kultur gegenüber dem Vordringen rivalisierender Nationalitäten zu verteidigen; seine Verfasser waren der Handelsrechtler Lewin Goldschmidt (übrigens einer der akademischen Lehrer Max Webers), der Jurist Rudolf von Gneist und der Historiker Theodor Mommsen. Darin wurde verlangt, daß den Deutschen Österreichs überall dort Schutz zuteil werden müsse, »wo sie in Gefahr stehen, durch eine der deutschen Kultur feindlichen Nation in ihrem heiligsten Erbteil, der deutschen Bildung, verkümmert zu werden«.[7] Diese Bestrebungen, die sich im konkreten Fall in erster Linie gegen die Magyarisierungspolitik in Ungarn und in Siebenbürgen richteten, kamen der deutschen Regierung durchaus ungelegen, hatte diese doch eigentlich von Anfang an auf die Unterstützung der beiden »Staatsnationen« der Deutschen in der cisleithanischen und der Ungarn in der transleithanischen Reichshälfte gesetzt. Auch fernerhin betrachtete man in den Führungskreisen des Reiches die Magyaren als einen geeigneten zweiten Partner gegenüber der slawischen Staatenwelt und späterhin der panslawischen Bewegung.[8] Der Aufruf fand gleichwohl insbesondere im Bildungsbürgertum erheblichen Anklang. Dies verweist darauf, daß immer noch eine starke Strömung fortbestand, die die Deutschen der Donaumonarchie als Teil einer deutschen Kulturnation anzusehen geneigt war.

Es ist charakteristisch, daß Fürst Bismarck, obschon er derartigen Bestre-

6 Vgl. hierzu und dem folgenden Gerhard Weidenfeller, VDA. Verein für das Deutschtum im Ausland. Allgemeiner Deutscher Schulverein (1881–1918), Frankfurt am Main 1976, S. 102ff.

7 Ebenda, S. 171f.

8 Vgl. dazu demnächst den Beitrag von Fritz Fellner in der Festschrift für Gerald Stourzh, Wien 1990 (im Druck).

bungen entschieden ablehnend gegenüberstand,[9] nicht zögerte, die besondere nationale Verbundenheit der Deutschen in Österreich-Ungarn und im Reich politisch auszunutzen, insbesondere im Zusammenhang der Anbahnung des Zweibundes, die ja eine Antwort auf die drohende Haltung der zaristischen Politik nach dem Berliner Kongreß gewesen war. Bismarck rechtfertigte seine Option für Österreich-Ungarn gegenüber seinem widerstrebenden Monarchen unter anderem mit dem Hinweis »auf die geschichtliche Tatsache [...], daß das ›Deutsche Vaterland‹ nach tausendjähriger Tradition sich auch an der Donau, in der Steiermark und in Tirol noch wiederfindet, in Moskau und Petersburg aber nicht«; diese Tatsache sei »für die Haltbarkeit und für die Popularität unserer auswärtigen Beziehungen im Parlamente und im Volke von wesentlicher Bedeutung«.[10] Mochte diese Äußerung auch vorwiegend taktisch motiviert sein, so ist sie doch ein indirekter Beleg für die überwiegend proösterreichische Einstellung großer Teile der öffentlichen Meinung. Es paßt dazu, daß der Kanzler nunmehr überraschend vorschlug, man solle das deutsch-österreichische Bündnis von den beiden Parlamenten absegnen lassen und ihm damit öffentlich bindende Kraft verleihen. Darüber hinaus spielte Bismarck mit dem Gedanken, dem Bündnis durch die Errichtung eines deutsch-österreichisch-ungarischen Zollbundes eine zusätzliche materielle Grundlage zu geben. Wenn auch aus diesen Planungen nichts geworden ist, so ist doch allein schon die Tatsache, daß der Kanzler ernstlich erwogen hatte, die Pfade eines deutsch-österreichischen Zollverbandes zu betreten und die Popularität der deutsch-österreichischen Bündnisbeziehungen für seine Zwecke auszunutzen, bemerkenswert.

In der Tat wurde der deutsch-österreichische Zweibund in den Augen der deutschen Parteien und der Öffentlichkeit keineswegs als ein reines Zweckbündnis betrachtet; vielmehr wurde ihm eine besondere Dignität zugemessen. Namentlich die Zentrumspartei sah in dem Abschluß des Zweibundes eine Art von Wiedergutmachung für den »Bürgerkrieg« von 1866.[11] Windthorst hat 1885 in einer Rede im Reichstag rückblikkend gemeint, »daß nach dem verhängnisvollen Jahre 1866 kein Akt

9 Vgl. dazu auch Heinrich Schnee, Bismarck und der deutsche Nationalismus in Österreich, in: Historisches Jahrbuch 81 (1962), S. 123ff., der freilich nur das vergebliche Werben Schönerers um Bismarck und späterhin die Ausnutzung des Bismarck-Kultes für seine politischen Ziele zum Gegenstand hat.

10 An Kaiser Wilhelm I. am 7. September 1879, in: Johannes Lepsius/Albrecht Mendelssohn Bartholdy/Friedrich Thimme (Hrsg.), Die Große Politik der Europäischen Kabinette 1871–1914, Bd. 3, Berlin 1927, S. 58.

11 So beispielsweise Matthias Erzberger, der im Zweibund eine teilweise Sühne für den »Bürgerkrieg von 1866« sah. Vgl. Klaus Epstein, Matthias Erzberger und das Dilemma der deutschen Demokratie, Berlin 1962, S. 91.

größer und glücklicher für uns war, als daß die äußere Verbindung mit Österreich zu einer inneren Freundschaft geworden« sei.[12] Aber auch die liberalen Parteien, insbesondere die Nationalliberalen, sahen im Zweibund durchaus mehr als nur ein Bündnis unter anderen; sie hielten ihn bei Lage der Dinge für die deutsche Politik unverzichtbar, ja für die natürliche Achse eines jeden deutschen Bündnissystems. Obschon Bismarck selbst immer strikt die Ansicht vertreten hat, daß mit dem Abschluß des Zweibunds keine besondere Option für Österreich-Ungarn verbunden gewesen sei, und vielmehr im Gegenteil gegenüber den Bestrebungen des Ballhausplatzes immer wieder die Rolle des Bremsers gespielt hat, näherte er sich in der öffentlichen Präsentation der Zweibundpolitik der herrschenden Meinung in der deutschen Öffentlichkeit an, die in diesem Bündnis eine unverzichtbare Konstante der deutschen Außenpolitik sah, welche durch die Gemeinsamkeit der Interessen der Deutschen im Reich und in Österreich diktiert werde. So ließ er Kaiser Wilhelm II. in dessen erster Thronrede nach seinem Regierungsantritt am 25. Juni 1888 folgendes erklären: »Unser Bündnis mit Österreich-Ungarn ist öffentlich bekannt: Ich halte an demselben in deutscher Treue fest, [...] weil Ich in diesem defensiven Bunde eine Grundlage des europäischen Gleichgewichts erblicke, so wie ein Vermächtnis der deutschen Geschichte, dessen Inhalt heut von der öffentlichen Meinung des gesammten deutschen Volkes getragen wird und dem herkömmlichen europäischen Völkerrechte entspricht, wie es bis 1866 in unbestrittener Geltung war.«[13] Dies hieß denn nun doch, dem Zweibund eine besondere Qualität zuzuschreiben. Das war ein neuer Zug, der im Grunde nicht dem Charakter der Außenpolitik Bismarcks entsprochen hat, aber offenbar im Auswärtigen Amt einflußreiche Befürworter fand.

Seit Bismarcks Sturz avancierte die politische Verbindung mit Österreich-Ungarn zur Achse der außenpolitischen Beziehungen des Reiches, nicht aus Not, sondern aus Neigung. Das Bündnis mit Österreich-Ungarn gewann nun eine besondere Qualität, weil es unterschwellig durch eine wiederauflebende gesamtdeutsche Gesinnung getragen wurde. Bei Caprivis Entscheidung, auf die Verlängerung des Rückversicherungsvertrags zu verzichten, spielte das Argument eine wesentliche Rolle, daß sich die Bündnispolitik des Reichs nach Möglichkeit in Übereinstimmung mit den großen Tendenzen der öffentlichen Meinung zu halten habe, wolle sie dauerhaft sein; da das deutsch-österreichische Bündnis bei den Parteien und in der Öffentlichkeit große Popularität genoß, fiel Caprivi und den

12 Stenographische Berichte über die Verhandlungen des Reichstages, Bd. 81, S. 1805.
13 Horst Kohl (Hrsg.), Die politischen Reden des Fürsten Bismarck, Bd. 12, Stuttgart 1894, S. 503.

verantwortlichen Diplomaten im Auswärtigen Amt die Option zugunsten des Dreibunds und gegen Rußland nicht schwer.

Selbst der alte Bismarck gab der öffentlichen Meinung, die die besondere Beziehung zwischen beiden Reichen als eine geschichtliche Notwendigkeit betrachtete, nach; anläßlich des Empfangs einer Abordnung der österreichischen Studentenschaft am 15. April 1895 erklärte er: »Wir mußten uns wieder zusammenfinden; wir haben eingesehn, daß das zu unserm Heile notwendig ist.« Zugleich aber verwies er auf die besondere Rolle des deutschen Elements in der Monarchie, freilich dieser zur Anlehnung an die Dynastie mahnend: »Je stärker der Einfluß der Deutschen in Östreich sein wird, desto sicherer werden die Beziehungen des Deutschen Reichs zu Östreich sein...«[14].

Unter Caprivis Nachfolgern, insbesondere seitdem Fürst Bülow 1897 effektiv die Leitung der deutschen Außenpolitik übernommen hatte, blieb die Tendenz, dem deutsch-österreichischen Bündnis eine besondere Qualität zuzumessen, unverändert bestehen. Bülow war ohnehin geneigt, den Stimmungen und Tendenzen in den bürgerlichen und akademischen Kreisen entgegenzukommen und damit sein Süppchen zu kochen. Er zögerte demnach nicht, bezüglich des deutsch-österreichischen Verhältnisses die romantisierende Formel von der »Nibelungentreue« aufzugreifen, die die Deutschen gegenüber Österreich-Ungarn zu üben hätten. Gleichzeitig aber plädierte er, stärker als Bismarck dies jemals für tunlich gehalten hatte, dafür, daß die österreichische Politik alles tun müsse, um die Vorrangstellung der Deutschen innerhalb der Monarchie weiterhin zu behaupten. Jedoch hielt sich die amtliche deutsche Politik konsequent von allen Tendenzen fern, die auf eine mögliche Auflösung des Vielvölkerstaats und die Angliederung des deutschen Volksteils an das Reich abzielten, wie dies die Schönererbewegung in Österreich forderte, mit zunehmendem Widerhall in alldeutschen Kreisen im Deutschen Reich. Vielmehr sah man in Berlin, und dies mit einigem Recht, in den österreichischen Deutschnationalen eher eine potentielle Gefahr für das deutsch-österreichische Bündnis. »In Cisleithanien brauchen wir als Verbündete Österreichs die Deutschen«, meinte 1897 der deutsche Botschafter in Wien, Graf Eulenburg, auf dem Höhepunkt der Auseinandersetzungen über die Badenischen Sprachverordnungen, »aber je größer ihr Geschrei in der Bedrängnis wird, je ›hochverräterischer‹ erscheint ihr Gebaren der Regierung und je feindlicher wird uns Österreich.«[15] Eine Intervention zugunsten des deutschen Elements in der Monarchie seitens der

14 Bismarck, Reden, Bd. 13, S. 342.
15 Zit. nach Brigitte Hamann, Die Habsburger und die deutsche Frage im 19. Jahrhundert, in: Österreich und die deutsche Frage, S. 228.

amtlichen Politik galt demnach auch unter den Nachfolgern Bismarcks als gänzlich ausgeschlossen. Bülow brachte die deutsche Haltung am 18. Juni 1898 auf die folgende Formel: »So sehr wir wünschen müssen, daß die österreichische Regierung rechtzeitig einsehen möge, ein wie gefährliches Spiel sie für die Zukunft Österreich-Ungarns spielt, indem sie dem Slaventum zum Siege über das Deutschtum verhilft, so sehr müssen wir alles vermeiden, was uns als offen zur Schau getragene Parteinahme für die Deutschnationalen ausgelegt werden könnte. Durch ein Aufgeben dieser Haltung würden wir das Mißtrauen der maßgebenden österreichischen Kreise – der Dynastie, der Regierungsorgane, der Armee – erwecken. Wir würden aber dadurch nicht nur selbst zu einer Erschütterung unseres Bündnisses mit dem Nachbarreiche beitragen, sondern auch Gefahr laufen, die Velleitäten derjenigen deutschen Kreise in Österreich zu unterstützen, welche sich nicht scheuen, neuerdings offen von der Notwendigkeit einer Angliederung der deutschen Landesteile an das Deutsche Reich zu sprechen.« Angesichts der außenpolitischen Notwendigkeiten hätten nationalpolitische Erwägungen zurückzutreten: »Unser politisches Interesse [...] geht dahin, daß Österreich-Ungarn in seiner selbständigen Großmachtstellung erhalten bleibt. Dieses Interesse verlangt von uns, daß wir uns davor hüten, zersetzende Tendenzen in Österreich, mögen diese von tschechischer, polnischer oder deutscher Seite kommen, zu ermutigen. Die Deutschösterreicher dürfen nicht im Zweifel darüber sein, daß, solange es sich bei ihrem Kampfe für die deutsche Sache darum handelt, das Deutschtum als Kitt für den inneren Zusammenhang und ferneren Bestand des österreichischen Staates in seiner jetzigen Gestalt zu retten, wir ihre Bestrebungen mit vollster Teilnahme verfolgen, daß aber, sobald dieser Kampf als letztes Ziel eine Lostrennung der deutschen Landesteile von Österreich [...] zum Ziele hat, die Deutschnationalen nicht auf die Förderung ihrer Pläne von hier aus zu rechnen haben.«[16]

Ungeachtet dieses eindeutigen Bekenntnisses zur Erhaltung Österreich-Ungarns als einer dem Reich eng verbündeten Großmacht, verbunden mit einer Distanzierung gegenüber den radikalen Bestrebungen der österreichischen Deutschnationalen, ging die deutsche Politik weiterhin von der Prämisse aus, daß nur die Dominanz des deutschen Elementes insbesondere bei Hofe, in der Verwaltung und im Heere den Großmachtstatus der Donaumonarchie auf Dauer sicherstellen könne. Insofern begannen in den Regierungskreisen seit der Jahrhundertwende Zweifel aufzutauchen, ob denn dem österreichischen Kaiserstaat angesichts der zunehmenden Nationalitätenkonflikte überhaupt noch eine

16 Bülow an Lichnowsky, 18. Juni 1898, Große Politik, Bd. 13, S. 120f.

Zukunft beschieden und es demgemäß sinnvoll sei, sich weiterhin an dieses zu binden.

In der Öffentlichkeit hingegen gingen die Meinungen über das künftige Verhältnis zu Österreich erheblich weiter auseinander. Im Zuge der Intensivierung der Nationalitätenkonflikte in Österreich-Ungarn, aber auch der Ausbildung eines nach außen aggressiven und im Innern integralistischen Nationalismus im Kaiserreich, der seinen Niederschlag vornehmlich in der Entstehung einer Vielzahl von Agitationsverbänden fand, rückte auch die Frage der Zukunft Österreich-Ungarns und insbesondere der deutschen Bevölkerung in Österreich stärker ins Blickfeld der öffentlichen Meinung. Insgesamt lassen sich in der österreichisch-ungarischen Frage vier unterschiedliche Lager unterscheiden:

1. Die Neue Rechte, repräsentiert zunächst vor allem vom Alldeutschen Verband,
2. die bürgerlich-liberale Mitte protestantischer Observanz,
3. der politische Katholizismus, repräsentiert insbesondere durch führende Politiker der Zentrumspartei,
4. die Sozialdemokratie.

Die Neue Rechte war alarmiert durch die Entwicklungen im cisleithanischen Österreich und wurde unmittelbar wie mittelbar beeinflußt durch die lautstarke Agitation der österreichischen Deutschnationalen.[17] Zwar führten Schönerers Bemühungen, für seine radikale Politik einer Stärkung der Machtstellung des deutschen Volksteils, mit dem Fernziel der Angliederung an das Deutsche Reich, bei der amtlichen deutschen Politik Unterstützung zu finden, zu keinerlei Ergebnis, aber in den Kreisen der extremen Rechten hinterließ die deutschnationale Agitation deutliche Spuren. Seit Mitte der 90er Jahre nahm sich der Alldeutsche Verband des Themas Österreich in verstärktem Maße an, namentlich im Hinblick auf die dem deutschen Volkstum in Österreich-Ungarn angeblich oder wirklich von seiten der slawischen Nationalitäten drohenden Gefahren. Damit verbanden sich in allerdings unterschiedlichem Maße pangermanische Zielvorstellungen, die an die ältere großdeutsche Idee anknüpften, diese freilich an Maßlosigkeit weit übertrafen. Die Ziele der Alldeutschen oszillierten zwischen einem alldeutschen pangermanischen Programm, das auf die Zerschlagung Österreich-Ungarns und die Angliederung der deutschen Gebiete der Donaumonarchie an das Deutsche Reich abzielte und mit den Bestrebungen des radikalen Flügels der österreichischen deutschnationalen Bewegung korrespondierte, und der Idee eines

17 Vgl. Gy. Tokody, Die Pläne des Alldeutschen Verbandes zur Umgestaltung Österreich-Ungarns, in: Acta Historica, Bd. 9, 1963, S. 39–66.

Großösterreichs unter Führung der deutschen Volksgruppe, das als enger Partner des Deutschen Reiches agieren und gleichsam als Instrument des deutschen informellen Imperialismus auf dem Balkan und in Kleinasien dienen sollte. Die Sicherstellung eines privilegierten Status der deutschen Volksgruppe sowie die Germanisierung eines großen Teils der slawischen Bevölkerung sowie auch jener Teile der transleithanischen Bevölkerung, die im Zuge der Magyarisierungspolitik Ungarns ihre ursprünglich deutsche oder den Deutschen zugeneigte nationale Identität verloren hatten, wurde durchweg als essentieller Bestandteil einer solchen Politik betrachtet.

Diese in ihren Einzelheiten phantastischen, die Realitäten in aller Regel weit hinter sich lassenden Planungen griffen ausdrücklich auf Paul de Lagardes Schrift »Die nächsten Pflichten deutscher Politik« aus dem Jahre 1885 zurück, dessen Auswirkungen nicht nur auf die extreme Rechte, sondern auch auf das deutsche Bildungsbürgertum im Kaiserreich nicht gering veranschlagt werden dürfen.[18] Lagarde schickte seinen Erwägungen schlankweg eine Prämisse vorweg, die der herrschenden Meinung in den bürgerlichen Kreisen des Kaiserreichs eine radikalere Form verlieh: »Österreich«, so hieß es dort, »bedarf einer herrschenden Rasse, und herrschen können in Österreich nur die Deutschen.«[19] Lagarde forderte als erstes die Umwandlung der bestehenden Bündnisbeziehungen in ein »unkündbares Schutz- und Trutzbündnis«, weiterhin den Abschluß eines Zollvereines zwischen den beiden Kaiserreichen, als Unterpfand künftiger enger politischer, wirtschaftlicher und kultureller Beziehungen. Vor allem aber forderte er, daß die deutsche Auswanderung künftighin ausschließlich in die Territorien des österreichisch-ungarischen Kaiserstaates gelenkt werden solle und daß den Deutschen bestimmte Siedlungsregionen zugewiesen werden sollten, innerhalb derselben den anderen Nationalitäten keinerlei Bürgerrechte zugestanden werden dürften. Dieses Programm lief darauf hinaus, Cisleithanien in eine Reihe von mehr oder minder präzis nach nationalen Kriterien abzugrenzenden Regionen aufzuteilen und die Position des deutschen Volksteils durch eine gezielte Einwanderungspolitik aus dem Reiche so zu stärken, daß dessen Vorrangstellung im Staate durch die anderen Nationalitäten nicht länger ernstlich in Frage gestellt werden könne. Auf diese Weise hoffte Lagarde, »das Band, welches die Einwohner Germaniens umschlingt, zu einem [...] unlösbaren zu machen«.[20]

Diese reichlich utopischen Ideen Lagardes standen Pate bei der Nieder-

18 Deutsche Schriften, Göttingen 1891², S. 385ff.
19 Ebenda, S. 397.
20 Ebenda, S. 411ff.

schrift des anonym erschienenen Pamphlets »Großdeutschland und Mitteleuropa um das Jahr 1950. Von einem Alldeutschen«, dessen Verfasser niemand anderes als der damalige Vorsitzende des Alldeutschen Verbandes Hasse war.[21] Hier wurde nachdrücklich die Zusammenfassung aller Deutschen in einem einheitlichen Staatsgebilde gefordert, das seiner geographischen Ausdehnung nach alle Territorien des ehemaligen mittelalterlichen Deutschen Reiches einschloß. Was Österreich anging, so machte Hasse den Fortbestand des Kaisertums Österreich von weitreichenden inneren Umgestaltungen abhängig, insbesondere der Schaffung von national abgegrenzten Territorien und von besonderen, rein deutsch besiedelten Markgrafschaften in Siebenbürgen.

In der Folge haben die Alldeutschen freilich an einem derartigen radikalen Programm, das die vollständige Umstrukturierung Österreich-Ungarns, die Umsiedlung großer Volksgruppen und vor allem die gewaltsame Assimilierung von mehreren Millionen von Slowenen, Slowaken und Magyaren in das »große und duldsame Kulturvolk der Deutschen« einbeschloß, nicht festgehalten. Seit der Jahrhundertwende stellte sich eine Abschwächung der deutschradikalen Bewegung in Österreich ein. Zugleich zeichnete sich ab, daß die Deutschen in Österreich-Ungarn dem Gedanken einer Angliederung an das Deutsche Reich keineswegs sonderlich zugeneigt waren.[22] Demgemäß steckten viele Alldeutsche um einiges zurück. Es kam zu erbitterten Richtungskämpfen innerhalb des Alldeutschen Verbandes. Während die Kerngruppe um Heinrich Class, dem Nachfolger Hasses, sich dem offiziellen Kurs annäherte, der die Erhaltung des Kaiserstaates als Großmacht als unabdingbar betrachtete, vertrat ein radikaler Flügel unter Reismann-Grone, die mit den Rheinisch-Westfälischen Nachrichten über ein einflußreiches Sprachrohr verfügte, weiterhin einen konsequent pangermanischen Kurs, der die bevorstehende Auflösung des Vielvölkerstaates kühl in seine Rechnung einstellte.[23] Reismann-Grone hat demgemäß auch im Juli 1914 die Politik der Reichsleitung, Österreich-Ungarn in der serbischen Frage Unterstützung zu gewähren, entschieden abgelehnt und einen Krieg für die Erhaltung der Großmachtstellung Österreich-Ungarns für schlechthin verfehlt erklärt.

Eine ganz andere Haltung bestand im Lager der bürgerlichen Mitte. Auch diese blieb von den nationalistischen Aufwallungen der neunziger

21 Anonym [Ernst Hasse], Großdeutschland und Mitteleuropa um das Jahr 1950. Von einem Alldeutschen, Berlin 1895², S. 19–31.
22 Vgl. Andrew G. Whiteside, Georg Ritter von Schönerer. Alldeutschland und sein Prophet, Wien 1981, S. 237ff.
23 Siehe dazu auch Arnim Mitter, Rechtsradikale und Kriegshysterie, in: Jahrbuch für Geschichte der sozialistischen Länder Europas 31 (1988), S. 343ff.

Jahre keineswegs unberührt; aber hier dachte man keinesfalls an politische Lösungen, die den Bestand des Vielvölkerstaats in Frage stellten, wohl aber forderte man eine energische Stützung des deutschen Elements in der Donaumonarchie gegenüber den Emanzipationsbestrebungen der slawischen Völker. Max Weber beispielsweise vermochte sich die seinerzeitige Option Bismarcks für eine kleindeutsche Lösung nur unter machtpolitischen Gesichtspunkten zu erklären; späterhin meinte er, das dynastische Österreich sei »von Bismarcks Standpunkt aus eine Veranstaltung« gewesen, »welche die Zugehörigkeit von 10 Millionen Deutschen zum Reich opferte, um 30 Millionen Nichtdeutsche politisch zu neutralisieren«.[24] Den Deutschen der Monarchie habe Bismarck, so wird man diese Aussage zu lesen haben, gleichsam die Rolle eines Bollwerks gegenüber den Slawen zugedacht.
Die Dinge erreichten einen Siedepunkt anläßlich der Badenischen Sprachenverordnungen im Jahre 1897, die die Stellung der Deutschen in Böhmen und Mähren ernstlich in Frage zu stellen schienen. Die große Erregung unter den Deutschen Cisleithaniens schlug auch auf das Deutsche Reich über. Eine Petition der Professoren der deutschen Universität Prag an den österreichischen Reichsrat, in der vorgetragen wurde, daß durch die Sprachenverordnungen der nationale Friede, der bisher durch die Abgrenzung »der nationalen Rechts- und Wirkungssphären« gewährleistet worden sei, ernstlich untergraben und zudem die Rolle des deutschen Elements in Verwaltung und Gesellschaft einschneidend geschmälert würde, fand die entschiedene Unterstützung ihrer Kollegen im Deutschen Reiche.[25] Nicht weniger als 815 Professoren, vier Fünftel aller an den deutschen Universitäten lehrenden ordentlichen Professoren, unterzeichneten einen von der Universität Heidelberg veranlaßten Aufruf, in dem »auf die großen Gefahren« hingewiesen wurde, »welche hier der uralten Stätte deutscher Wissenschaft und dem ganzen deutschen Volksthum in Böhmen und Mähren drohen«.[26] Noch ungleich schärfer äußerte sich der eben vor seinem 80. Geburtstag stehende Theodor Mommsen, der damit gleichsam seine kämpferische Leidenschaft für die Verteidigung des Deutschtums in Schleswig-Holstein gegenüber der dänischen Krone wieder reaktivierte, in einem »Brief an die

24 Max Weber, Deutschlands künftige Staatsform (1918), in: Max Weber-Gesamtausgabe, Bd. I/16, hrsg. von Wolfgang J. Mommsen in Zusammenarbeit mit Wolfgang Schwentker, Tübingen 1988, S. 99.
25 Vgl. dazu Max Weber-Gesamtausgabe, Bd. I/4, Landarbeiterfrage, Nationalstaat und Volkswirtschaftspolitik. Schriften und Reden 1892–1899, hrsg. von Wolfgang J. Mommsen in Zusammenarbeit mit Rita Aldenhoff, Tübingen 1990 (im Druck).
26 Nach dem Abdruck im Heidelberger Tageblatt, Nr. 165, vom 18. Juli 1897, 1. Bl., S. 2.

Deutschen in Österreich«.[27] Dieser enthielt ein leidenschaftliches Plädoyer für die Bewahrung der deutschen Kulturnation, ungeachtet der 1867 erfolgten staatlichen Trennung: »Daß die Alpen von Salzburg bis Tirol der Gesamt-Nation auch ferner gehören würden, daß die Donau so deutsch bleiben werde wie der Rhein, die Gräber von Mozart und Grillparzer so deutsch wie die von Schiller und Goethe, daran hat auch im heißesten Ringen bei uns kühlen Norddeutschen Niemand gezweifelt [...]. Deutschlands und Österreichs Zusammengehörigkeit glaubten wir felsenfest gesichert. Und nun sind die Apostel der Barbarisierung am Werke, die deutsche Arbeit eines halben Jahrtausends in dem Abgrund ihrer Unkultur zu begraben.«[28] Diese Äußerungen Mommsens, die in der Aufforderung zur Härte und zur Anwendung von Gewalt gegenüber den Tschechen gipfelten, beruhten auf unzureichender Kenntnis der inneren Verhältnisse in den cisleithanischen Ländern der Monarchie; sie haben in der Sache den Deutschen Österreichs gewiß keinen guten Dienst erwiesen. Sie fanden im übrigen selbst in der liberalen Presse im Deutschen Reich nur beschränkt Zustimmung, während sich die Regierung durchaus ablehnend verhielt. Gleichwohl kam in ihnen jener gesamtdeutsche Kulturnationalismus zum Ausdruck, wie er für weite Teile der gebildeten Schichten im Reiche selbstverständlich war und auch die Aktivität des Deutschen Schulvereins bestimmte, aus dem späterhin der Verein zur Förderung des Deutschtums im Ausland hervorgehen sollte.

Freilich mangelte es dem bürgerlichen Liberalismus im Kaiserreich im allgemeinen an konkreter Kenntnis und an Verständnis für die tatsächlichen Verhältnisse in der Donaumonarchie. Als sich Friedrich Naumann 1899 in einem kleinen Büchlein über »Deutschland und Österreich« erstmals dem Thema des deutsch-österreichischen Verhältnisses zuwandte, stützte er sich, abgesehen von wenigen persönlichen Eindrücken anläßlich eines Aufenthalts in Wien, gutenteils auf alldeutsche Literatur, sich selbst eingestehend: »Bis jetzt war es so, daß die Deutschen in Österreich viel mehr von uns wußten als wir Reichsdeutsche von ihnen.«[29] Ungeachtet großer Sympathien für den Kampf der Deutschösterreicher für die Erhaltung ihrer traditionellen Vorrangstellung innerhalb der cisleithanischen Reichshälfte unterwarf sich Naumann gleichwohl dem Prinzip der Staatsräson, das aus deutscher Sicht »die Staatserhaltung« Österreich-

27 Vgl. dazu und für das Folgende Berthold Sutter, Theodor Mommsens Brief »An die Deutschen in Österreich« (1897), in: Ostdeutsche Wissenschaft. Jahrbuch des Ostdeutschen Kulturrates 10 (1963), S. 152–225.

28 Ebenda, S. 159.

29 Friedrich Naumann, Werke, Bd. 4: Schriften zum Parteiwesen und zum Mitteleuropaproblem, bearbeitet von Thomas Nipperdey und Wolfgang Schieder, Köln/Opladen 1964, S. 401.

Ungarns zum obersten Gebot erklärte.[30] Einer Aufsplitterung der Donaumonarchie unter Aufsaugung ihrer deutschsprachigen Bevölkerung durch das Reich vermochte er im übrigen schon deshalb nichts Positives abzugewinnen, weil dann die politische Vormacht im Reiche in katholisch-klerikale Hände fallen würde.[31] Im übrigen stellte er mit einiger Nüchternheit fest, daß es »ein deutsches Herrenvolk, das von Prag bis Belgrad herrschen könnte«, in der Donaumonarchie nicht mehr gebe.[32] Von einer Germanisierung von Teilen der nichtdeutschen Bevölkerung Österreich-Ungarns versprach er sich gar nichts, eher schon von einer konsequenten Missionierung zugunsten des Protestantismus, wie sie damals die »Los-von-Rom«-Bewegung mit alldeutscher Unterstützung in Cisleithanien propagierte. Hingegen empfahl er die Errichtung eines Mitteleuropäischen Zollvereins, vornehmlich zu dem Zwecke, der darniederliegenden Monarchie wirtschaftlich und politisch zu neuem Auftrieb zu verhelfen.

Im Grunde war diese Stellungnahme tastend und unsicher; sie verriet, daß man im liberalen Lager keine Rezepte besaß, wie man mit Österreich verfahren solle. Der Bestand Österreich-Ungarns als Großmacht lag – so sah man dies – im deutschen Interesse und insofern auch die Förderung des Deutschtums in der Monarchie; hingegen schien weder eine großdeutsche noch eine dynastisch-autoritäre Strategie aussichtsreich zu sein. So blieb nur die Verteidigung der deutschen Kulturnation und gegebenenfalls, wesentlich als Instrument zu diesem Behufe, die Idee der Schaffung eines deutsch-österreichischen Zollverbandes, der beide Staaten auf Dauer eng aneinanderbinden und den deutschen Einfluß verstärken würde.

Im katholischen Lager waren dergleichen kulturnationale Erwägungen, verbunden mit vagen Sympathien für die österreichischen Deutschnationalen, hingegen aus naheliegenden Gründen nicht akzeptabel. Theodor Mommsens bissige Bemerkung über »die Entmannung derjenigen Katholiken [in der Donaumonarchie, d. Vf.], denen der Rosenkranz über das Vaterland geht«, erfuhren in der katholischen Presse schärfste Verurteilung; diese sei »eine Ungezogenheit gröbster Art«.[33] Auf katholischer Seite sah man darin, keineswegs gänzlich zu Unrecht, einen Ausfluß kulturkämpferischer Gesinnung. Ungeachtet einer deutlichen Linksschwenkung und einer schrittweisen Annäherung an den Nationalstaat blieb der politische Katholizismus seiner bisherigen politischen Linie treu, nämlich

30 Ebenda, S. 408.
31 Ebenda, S. 404.
32 Ebenda, S. 417.
33 Vgl. die Äußerung der Kölnischen Volkszeitung vom 6. November 1897 bei Sutter, Theodor Mommsens Brief, S. 162.

einer entschiedenen Verteidigung des dynastischen Österreichs gegen die nationalrevolutionären Bestrebungen der Schönerer-Bewegung und ihrer reichsdeutschen Gesinnungsgenossen. Sofern und soweit die katholische Presse überhaupt einräumte, daß es so etwas wie einen »Verslawungsprozeß Österreichs« gebe, schob sie diesen der Politik Bismarcks in die Schuhe, die »an Stelle eines großen Deutschland ein Großpreußen, an Stelle eines Reiches mit stark katholischer Bevölkerung ein protestantisches Reich zu setzen« gesucht habe, die Österreich aus Deutschland abgedrängt und durch die Anbahnung des Dualismus den österreichischen Kaiserstaat gespaltet, geschwächt »und, was darin deutsch war, dem Slawentum« überantwortet habe.[34] Grundsätzlich vertrat das Zentrum eine Politik der Nichteinmischung in österreichische Angelegenheiten, zugleich aber eine entschiedene Unterstützung des Kaiserstaates auf außenpolitischem Gebiete. Dies kam besonders anläßlich der Bosnischen Krise im Jahre 1908[35] und dann erneut auf dem Höhepunkt der Balkankrise im Dezember 1912 zum Tragen. Damals verteidigte Martin Spahn in einem einflußreichen Artikel in der Wochenzeitung »Tag« vom 15. Dezember 1912, der den bezeichnenden Titel »Österreichs Sache, unsere Sache« trug, die Unterstützung Österreich-Ungarns gegenüber Rußland durch die Reichspolitik, eine Linie, die uneingeschränkt der Einstellung des katholischen Volksteils entsprochen haben dürfte.[36]

Die Haltung der deutschen Sozialdemokratie gegenüber allen diesen Fragen blieb hingegen merkwürdig blaß.[37] Sie hegte zwar große Sympathien für die österreichische Bruderpartei, und regelmäßig nahmen Vertreter der deutschen Sozialdemokratie an deren Parteitagen teil. Aber man legte wenig Neigung an den Tag, sich mit den konkreten Problemen, die die österreichische Sozialdemokratie auf die Seite des bestehenden Staates drängten, wirklich eingehender zu befassen. Mit dem aufgeregten Nationalismus der Alldeutschen wollte man selbstverständlich nichts zu tun haben. Aber gelegentlich schlugen auch hier vage Anklänge an die ehemals großdeutsche Tradition der Sozialdemokratischen Arbeiterpartei durch, so beispielsweise, wenn man Bismarck noch nachträglich wegen des angeblichen »Bruderkampfes von 1866« die Leviten las.[38]

Insgesamt ergibt sich demgemäß ein recht diffuses Bild. Die Kenntnis der

34 Kölnische Volkszeitung, 7. August 1896, zit. nach Gollwitzer, Der politische Katholizismus, S. 243.

35 Vgl. auch Epstein, Erzberger, S. 91.

36 Zit. nach Gollwitzer, Der politische Katholizismus, S. 244.

37 Vgl. dazu Hans Mommsen, Die Arbeiterbewegung in Deutschland und Österreich. Eine vergleichende Betrachtung, in: Deutschland und Österreich, S. 424–449.

38 Diesbezügliche Äußerungen im sozialdemokratischen »Vorwärts« sind zit. bei Sutter, Theodor Mommsens Brief, S. 162.

inneren Verhältnisse in Österreich-Ungarn war begrenzt, und die Urteile darüber waren im allgemeinen reichlich unrealistisch. Als Konstante läßt sich festhalten, daß man nach wie vor davon ausging, daß den Deutschösterreichern im cisleithanischen Teil der Monarchie eine Vorrangstellung zustehe und die Donaumonarchie ungeachtet des Aufstiegs der nichtdeutschen Nationalitäten weiterhin eine »deutsche Macht« bleiben müsse.

Dies gilt, aller amtlichen Zurückhaltung ungeachtet, auch für die offizielle Reichspolitik. Die engere Führungselite des Deutschen Reichs wußte sich einig in dem Bedauern, daß das deutsche Element im österreichischen Kaiserstaate an Gewicht verloren habe, und richtete die eigene Politik nicht zuletzt an der Frage aus, auf welche Weise dieser Entwicklung Einhalt geboten werden könne. Auf dem Höhepunkt der Balkankrise im Dezember 1912, wenige Tage nach der Zusicherung uneingeschränkter Unterstützung Österreich-Ungarns in der Balkanfrage durch das Deutsche Reich in einer aufsehenerregenden Rede Bethmann Hollwegs im Reichstag, erklärte der Kaiser in höchster Erregung: »Österreich stand am Wendepunkt, und es wurde zur *Existenz*frage, ob es *deutsch* bleiben und *deutsch* regiert werden – damit *bündnis*fähig bleiben – konnte oder vom Slawentum überschwemmt werden und damit *bündnisunfähig*.«[39] Diese Ansicht wurde, wenn auch vielleicht nicht in dieser sanguinischen Weise, im Auswärtigen Amt im Prinzip durchaus geteilt, zumal sich auch hier immer stärker die Auffassung festsetzte, daß man über kurz oder lang mit einer kriegerischen Auseinandersetzung zwischen den »Slawen und den Germanen« zu rechnen haben werde. Es schien nunmehr nicht mehr sicher, ob Österreich-Ungarn dann noch dem »germanischen Lager« zugerechnet werden könne.

Im übrigen wurden die leitenden Politiker zunehmend von Skepsis erfaßt, ob denn dem Habsburger Reich überhaupt noch eine dauerhafte Zukunft beschieden sei oder ob es früher oder später auseinanderbrechen werde. Einflußreiche Wissenschaftler, wie etwa der Berliner Historiker Max Lenz, gingen damals ohnehin davon aus, daß im Zeitalter des Nationalstaats Vielvölkerstaaten wie Österreich-Ungarn nur geringe innere Stabilität zugemessen werden müsse, im Unterschied zu national geschlossenen Machtstaaten wie dem Deutschen Reiche. Auch wenn er »nicht sogleich in die Prophezeiungen des Untergangs jener alten Monarchie einstimmen« wolle, »die heute laut werden«, vermeinte Lenz auf die verbreitete Meinung hinweisen zu müssen, daß die »Anziehungskraft, welche die kompakte Masse unseres von nationalem Hochbewußtsein geschwellten Reiches auf die Millionen unserer bedrängten Brüder in dem Nachbar-

39 Zit. nach Bernhard Huldermann, Albert Ballin, Oldenburg/Berlin 1922, S. 272f.

staat ausübt, wirken werde wie der Magnetberg der Sage, der alle Nägel aus dem nahen Schiff herauszog«.[40] Der deutsche Botschafter in London, Fürst Lichnowsky, riet schon seit geraumer Zeit, sich mit dem Gedanken eines Auseinanderbrechens Österreich-Ungarns vertraut zu machen und nicht länger blind auf das deutsch-österreichische Bündnis als das Rückgrat des Bündnissystems des Reiches zu setzen.[41] Der Staatssekretär des Auswärtigen, von Jagow, hielt es im Frühjahr 1914 immerhin für angebracht, Sir Edward Grey auszuhorchen, wie man sich in Großbritannien für den Fall verhalten würde, daß sich die deutsche Außenpolitik von ihrer bisherigen Linie der Erhaltung des österreichisch-ungarischen Kaiserstaates »um jeden Preis« abwenden würde.[42] Und noch unmittelbar vor Ausbruch der Julikrise 1914 fragte sich auch der deutsche Botschafter in Wien, von Tschirschky, »ob es wirklich noch lohnt, uns so fest an dieses in allen Fugen krachende Staatsgebilde anzuschließen, und die mühsame Arbeit weiter zu leisten, es mit fortzuschleppen«.[43]

Doch sah man vorderhand keine andere Alternative, als an dem einzig verbliebenen, zuverlässigen Bundesgenossen festzuhalten und für die Erhaltung seiner Großmachtstellung einzutreten. Der deutsche Blankoscheck im Juli 1914 war bekanntlich zu einem wenn auch geringen Teil durch die Erwägung motiviert, daß die Donaumonarchie durch ein energisches militärisches Vorgehen gegen Serbien, den Hort der südslawischen nationalrevolutionären Bestrebungen, ihr angeschlagenes Prestige wiederherstellen und damit zugleich die Stellung des deutschen Elements gegenüber den slawischen Nationalitäten wieder festigen könne, während anderenfalls »der Prozeß seines Dahinsiechens und inneren Zerfalls« noch beschleunigt würde.[44]

Bei diesem Kalkül spielten freilich fatale Fehleinschätzungen hinsichtlich der Möglichkeiten, die hier allenfalls bestanden, eine erhebliche Rolle. Tatsächlich wäre die Lage nur zu retten gewesen, wenn sich die Donaumonarchie konsequent in einen Vielvölkerstaat umgewandelt hätte, in welchem den einzelnen Nationalitäten unter der Herrschaft der Dynastie und der angestammten Bürokratie Gleichberechtigung und weitgehende

40 Vgl. Max Lenz, Die Großen Mächte. Ein Rückblick auf unser Jahrhundert, Berlin 1900, S. 143f.

41 Vgl. dazu John C. G. Röhl, 1914: Delusion or Design. The Testimony of Two German Diplomats, New York 1973, S. 43f.; siehe ferner Lichnowskys Bericht für Bethmann Hollweg vom 16. Juli 1914, in: Imanuel Geiss (Hrsg.), Julikrise und Kriegsausbruch 1914, Bd. 1, Hannover 1963, S. 190–192.

42 Vgl. Goschen an Nicolson, 27. März 1914, Die Britischen Amtlichen Dokumente über die Ursprünge des Weltkrieges 1898–1914, aut. deutsche Ausgabe, Bd. X/2,2, Berlin/Leipzig 1938, S. 1253–1255; ebenso Nicolson an Goschen vom 30. März 1914, ebenda, S. 1255f.

43 Tschirschky an Jagow, 22. Mai 1914, Große Politik, Bd. 39, S. 364.

44 Vgl. Jagow an Lichnowsky, 18. Juli 1914, in: Geiss, Julikrise 1914, Bd. 1, S. 207f.

Autonomie gewährt worden wäre. Dem aber stand die deutsche politische Strategie, die sich weiterhin auf die beiden sog. Staatsnationen der Deutschen in Cisleithanien und der Ungarn in Transleithanien zu stützen bestrebt war, diametral entgegen.
Einen derartigen Umbau Österreich-Ungarns in Richtung auf ein kaiserliches Großösterreich, im Sinne der Pläne des Erzherzogs Franz Ferdinand, hatte der junge Historiker Wilhelm Schüßler bereits 1913 in den »Preußischen Jahrbüchern« zur Diskussion gestellt. Schüßler stellte seinen Darlegungen die bemerkenswerte Feststellung voran, daß man »zuerst mit dem alten Glaubenssatz brechen« müsse, »daß Österreich-Ungarn ein deutscher Staat ist oder es wenigstens sein sollte, daß nur bei der künstlich erhaltenen Herrschaft der Deutschen das Bündnis möglich, der deutsche Einfluß im Habsburgerreich genügend gesichert und die deutsche Kultur für alle Zukunft die führende sein könne«.[45] Nur als »Völkerstaat«, als »die vereinigten Staaten von Großösterreich unter Habsburgs Zepter« könne der Kaiserstaat eine Zukunft haben. Und nur von einem im Innern befriedeten, einheitlichen österreichischen Kaisertum könne das Deutsche Reich das erhalten, was es erwarte, nämlich als eine Brücke hinüber zum Balkan und nach Kleinasien zu dienen. Solche Gedanken fanden jedoch vor 1914 so gut wie keinerlei Eingang in die Erwägungen der maßgebenden Kreise. Hier herrschte weiterhin die Meinung vor, daß man darauf sehen müsse, das deutsche Element in der Monarchie tunlichst zu stärken. In diesem Sinne suchte die deutsche Diplomatie auch auf die Verantwortlichen am Ballhausplatz einzuwirken. Zugleich aber wurde die Versuchung übermächtig, der österreichisch-ungarischen Politik, wo immer möglich, ganz und gar die Hand zu führen.
Dies fand auch in den zunehmenden Divergenzen zwischen der deutschen und der österreichischen Balkanpolitik in den Jahren 1913 und 1914 einen Niederschlag. In Berlin war man der Meinung, daß sich Österreich-Ungarn im Rahmen des Möglichen mit Serbien arrangieren möge, statt der Fata Morgana einer Revision des Friedens von Bukarest nachzujagen, während auf österreichischer Seite vergeblich geltend gemacht wurde, daß dies nicht im Bereiche des Erreichbaren liege. Namentlich in militärischen Kreisen wuchs die Neigung, die Probleme mit kriegerischen Mitteln zu lösen. Die deutsche Diplomatie hoffte, daß es gelingen könnte, eine Koalition der nichtslawischen Staaten, insbesondere Rumäniens, Griechenlands und der Türkei, gegen Rußland zustande zu bringen, und die abweichenden Vorstellungen am Ballhausplatz wurden reichlich unwirsch beiseite geschoben. In diesem Zusammenhang tauchte demgegen-

45 Wilhelm Schüßler, Neudeutschland und Österreich, in: Preußische Jahrbücher 153 (1913), S. 400–412, Zit. S. 405.

über bereits im Juni 1914, auf Anregung Walther Rathenaus, der alte Gedanke eines mitteleuropäischen Zollverbandes aufs neue auf; die Neigung, durch einen engeren Verbund auf wirtschaftlichem Gebiete die Donaumonarchie unwiderruflich an das Deutsche Reich zu binden, war aus vielerlei Gründen groß. Im sogenannten Septemberprogramm Bethmann Hollwegs nahm die Idee eines mitteleuropäischen Zollverbandes eine zentrale Stellung ein; die Errichtung eines stabilen mitteleuropäischen Blocks unter der Führung des Deutschen Reichs bildete den Kern des – immerhin noch vergleichsweise gemäßigten – Kriegszielprogramms der deutschen Regierung in den Jahren 1914/15. Seine Verwirklichung wäre de facto auf eine Mediatisierung der Donaumonarchie hinausgelaufen. Bei den Mitteleuropaplänen spielten politische Erwägungen eine zentrale Rolle; in rein ökonomischer Hinsicht war die Herstellung eines einheitlichen Zollgebiets für die deutsche Wirtschaft keineswegs sonderlich anziehend. Im Hintergrund stand die bereits erwähnte Vorstellung von der besonderen Qualität der deutsch-österreichischen Beziehungen, die gleichsam einen Ersatz für die 1867 verlorengegangene nationale Einheit aller Deutschen zu bilden versprach.

Die Ambivalenz der Politik des Deutschen Reiches gegenüber der Donaumonarchie während des Ersten Weltkrieges läßt sich im übrigen besonders gut ablesen an den Verhandlungen, die im Sommer und Herbst 1915 über eine eventuelle »austro-polnische Lösung«, d. h. die Angliederung eines neu zu schaffenden polnischen Staates unter Einschluß Galiziens an Österreich-Ungarn – in Form einer Personalunion – geführt wurden.[46] Auf deutscher Seite spielte dabei die Erwägung eine wesentliche Rolle, daß durch die Herausnahme Galiziens aus dem Verband der cisleithanischen Länder indirekt eine Stärkung des deutschen Elements bewirkt werden könnte. In seiner entscheidenden Unterredung mit Baron Burian über die »austro-polnische Lösung« am 14. November 1914 erklärte Jagow es für Deutschland als »eine Lebensfrage, daß dem deutschen Element seine alte berechtigte Stellung zurückgegeben und der weiteren Slawisierung Einhalt geboten würde«, insbesondere dann, wenn die Angliederung Polens an die Monarchie einen Zuwachs von weiteren 12 Millionen Slawen bringen werde.[47] In diesem Zusammenhang sprach Jagow, wie schon zuvor, davon, daß Österreichs Rolle als »germanische Ostmark« gesichert werden müsse. Was half es, daß Burian diese reichlich

46 Vgl. dazu Wolfgang J. Mommsen, Max Weber und die deutsche Politik, Tübingen 1974², S. 229. Ferner Joachim Lilla, Innen- und außenpolitische Aspekte der austro-polnischen Lösung 1914–1916, in: Mitteilungen des Österreichischen Staatsarchivs 30 (1977), S. 221–250.
47 Aufzeichnung über die Unterredungen mit Baron Burian in Berlin am 10. und 11. November 1915, in: André Schérer/Jacques Grunewald, L'Allemagne et les problèmes de la paix pendant la première guerre mondiale, Bd. 1, Paris 1962, S. 219.

utopischen Argumente sogleich zurückwies? Im übrigen wurde aus dem – gesamtpolitisch gesehen – durchaus sinnvollen Plan eines an Österreich-Ungarn angegliederten polnischen Staates nichts, vor allem wegen der leidenschaftlichen Proteste des nationalen Lagers, das die Verteidigung der Ostgrenze des Reiches nicht den als unzuverlässig angesehenen Österreichern überlassen sehen wollte, eine Argumentation, die innerhalb der Regierungskreise von der OHL sogleich aufgenommen und mit äußerster Schärfe vertreten wurde.
Die Verhandlungen über eine »austro-polnische Lösung« der polnischen Frage waren gleichsam die letzten Zuckungen der klassischen, in der Tradition Bismarcks stehenden deutschen Österreichpolitik, die grundsätzlich an der gleichberechtigten Stellung der verbündeten Donaumonarchie festhalten wollte. Wohin die Reise ging, verraten die gleichzeitigen Äußerungen Ludendorffs, der als eine der entscheidenden Figuren der deutschen militärischen Führung wesentlich dazu beigetragen hat, die »austro-polnische Lösung« zu Fall zu bringen. Er erging sich in den aggressivsten Tiraden über »die Jämmerlichkeit Österreichs«.[48] Nach seiner Ansicht war von Österreich-Ungarn nichts mehr zu erhoffen: »Ein Volk, das keinen Staatsgedanken hat, das den Begriff Vaterland nicht kennt, das richtet sich nicht auf, das ist verloren.« Im übrigen faßte er die Annexion der deutsch-österreichischen Gebiete der Monarchie zu einem späteren Zeitpunkt konkret ins Auge. »Wir müssen über diesen Staat mit möglichst großem Gewinn für uns zur Tagesordnung übergehen [...] Wir sind die stärkeren, wir haben uns das Leben verdient und wollen leben.«[49]

48 Ludendorff an Moltke, 5. April 1915, zit. nach Egmond Zechlin, Ludendorff im Jahre 1915, in: Krieg und Kriegsrisiko. Zur deutschen Politik im Ersten Weltkrieg. Aufsätze, Düsseldorf 1979, S. 212.
49 Ludendorff an Zimmermann, 1. April 1915, ebenda, S. 211.

# Wirtschaft, Gesellschaft und Staat im deutschen Kaiserreich 1870–1918

Seit der Fischer-Kontroverse in den sechziger Jahren, die – aller Polemik gegen Fischers weitreichende Thesen vom aggressiven Charakter der deutschen Politik vor 1914 ungeachtet – in der Folge zu einer grundlegenden Revision älterer Auffassungen über das Kaiserreich geführt hat, wandte sich die Forschung in der Bundesrepublik in einem bisher nicht üblichen Maße den Fragen der wirtschaftlichen und gesellschaftlichen Entwicklung im Deutschen Reich zu. Nur auf diese Weise waren, so schien es, Antworten auf die Frage zu finden, weshalb sich im Deutschen Reich, auch im Vergleich mit anderen europäischen Staaten, ein so großes Maß an aggressiven nationalistischen Energien aufgestaut hatte, die dann 1914 zu einer kriegerischen Entladung führten. Die Analyse der diplomatiegeschichtlichen Abläufe, auf die die ältere Forschung sich konzentriert hatte, schien auch Historikern, die von marxistischen Fragestellungen unberührt waren, nicht mehr zureichend zu sein. Demgemäß wurden die Fragen der wirtschaftlichen und gesellschaftlichen Entwicklung im Kaiserreich weniger, als dies bislang üblich war, den Wirtschaftshistorikern überlassen, obschon viele der Analysen der Sozialhistoriker auf den Fundamenten aufbauten, die seitens der Nationalökonomie – hier sind insbesondere die grundlegenden Forschungen Walter G. Hoffmanns zu nennen – gelegt worden waren.
Jüngsthin hat sich darüber hinaus aus ganz unterschiedlichen Gründen ein neues Interesse gerade an den wirtschaftlichen und sozialen Entwicklungen im Kaiserreich gezeigt. Denn im wirtschaftlichen und gesellschaftlichen Bereich bestehen, so scheint es, ungebrochenere Kontinuitäten der geschichtlichen Entwicklung bis in unsere Gegenwart hinein, als dies im politischen Bereich der Fall ist. Im Sinne von Thomas Nipperdeys Forderung, daß die Geschichtswissenschaft stets eine Mehrzahl von Kontinuitäten im Auge haben sollte, nicht nur jene, die idealiter auf das Jahr 1933 bzw. 1945 hinführen, ist den wirtschaftlichen, gesellschaftlichen und kulturellen Aspekten des Kaiserreichs jüngst wieder vermehrte Aufmerksamkeit geschenkt worden. In der Tat lassen sich eine Reihe von Entwicklungslinien erkennen, die im Kaiserreich ihren Anfang nehmen und bis in unsere unmittelbare Gegenwart führen. Über die politische

Wertigkeit dieser Ansätze sei hier nichts ausgeführt: es möge genügen, darauf hinzuweisen, daß solche Ansätze prinzipiell sowohl eine »progressive« wie eine »konservative« Tendenz haben können. Nichtsdestoweniger tappen wir in vielen Fragen, die hier große Relevanz besitzen, wie etwa jene nach dem Grad der sozialen Mobilität im Kaiserreich, trotz der Arbeiten von Jeck, Kaelble, Volkmann u. a.[1] noch weitgehend im dunkeln, und ebenso ist die Diskussion über die relative Offenheit oder relative Exklusivität des Bildungssystems im Kaiserreich noch keineswegs abgeschlossen.

Gemeinhin wird die wirtschaftliche und gesellschaftliche Entwicklung in Deutschland von 1850 bis 1914 unter dem Stichwort des Übergangs vom Agrar- zum Industriestaat behandelt. Es kann kein Zweifel darüber bestehen, daß in diesen 70 Jahren eine außerordentliche gesellschaftliche Umwälzung stattgefunden hat. Während Preußen/Deutschland um 1850 noch in den Anfängen seiner industriellen Entwicklung stand, war das Deutsche Reich 1913 in die Spitzengruppe der Industrienationen aufgerückt. Zumindest auf dem Gebiet der industriellen Produktion hatte es Großbritannien definitiv überholt, auch wenn es im allgemeinen Wohlstandsniveau weiterhin beträchtlich hinter diesem zurücklag. Die deutsche Wirtschaft war zu einem integralen Bestandteil eines sich ausbildenden multilateralen Weltwirtschaftssystems geworden, und die deutsche Exportwirtschaft trug zu einem Fünftel zum Nationalprodukt bei.

Augenscheinlich und unübersehbar stellte sich die wirtschaftliche Entwicklung seit 1850, trotz zeitweiliger erheblicher Rückschläge, im internationalen Maßstab gemessen, schon den Zeitgenossen als eine Erfolgsstory dar. Dies spiegelte sich in dem ausgeprägten Selbstbewußtsein der bürgerlichen Schichten, wie es beispielsweise Karl Helfferich, damals Direktor der Deutschen Bank, 1913 in seinem zu Ehren des 25jährigen Regierungsjubiläums Wilhelms II. erschienenen Buch »Deutschlands Volkswohlstand 1888–1913«[2] zum Ausdruck brachte.

Die Wirtschafts- und Sozialhistoriker der Bundesrepublik tendieren mehr oder minder zu einer verhalten kritischen Beurteilung der wirtschaftlichen und gesellschaftlichen Entwicklung des Kaiserreichs, ob-

1 Albert Jeck, Wachstum und Verteilung des Volkseinkommens. Untersuchungen und Materialien zur Entwicklung der Volkseinkommensverteilung in Deutschland, 1870–1913, Tübingen 1970; Hartmut Kaelble, Sozialer Aufstieg in Deutschland 1850–1914, in: Vierteljahresschrift für Sozial- und Wirtschaftsgeschichte 60 (1973), S. 40–71; ders., Social Stratification in Germany in the 19th and 20th Centuries. A Survey of Research since 1945, in: The Journal of Social History 10 (1976); ders. u. a., Probleme der Modernisierung in Deutschland. Sozialhistorische Studien zum 19. und 20. Jahrhundert, Opladen 1978; Jürgen Kocka (Hrsg.), Soziale Schichtung und Mobilität in Deutschland im 19. und 20. Jahrhundert. Deutschland im internationalen Vergleich, Göttingen 1983.

2 Berlin 1913.

schon dessen große wirtschaftlichen Erfolge insgesamt außer Zweifel stehen. Das bislang herrschende Paradigma, das, wie wir noch darlegen werden, allerdings gegenwärtig von verschiedener Seite unter Beschuß geraten ist, geht von einem grundlegenden Mißverhältnis der wirtschaftlichen Entwicklung einerseits, der politischen Verhältnisse andererseits aus. Während im Bereich von Wirtschaft und rechtlich verfaßter gesellschaftlicher Ordnung sich ein weitreichender Modernisierungsprozeß erfolgreich habe durchsetzen können, sei dieser vor den Toren des politischen Systems stehengeblieben. Politische Kultur und wirtschaftliches System seien im Kaiserreich mit zunehmender Entfaltung des industriellen Sektors immer stärker in Widerspruch miteinander geraten; aus diesem Widerspruch resultierten krasse Fehlentwicklungen im politischen Bereich, nicht zuletzt die von lärmenden nationalistischen Parolen begleitete expansive Außenpolitik des Kaiserreichs, die im Ausbruch des Ersten Weltkriegs terminierte und indirekt auch die schwachen Chancen für einen demokratischen Neubeginn nach 1918 überschattete.
Freilich finden sich auch innerhalb dieses – bisher ziemlich ungebrochen herrschenden – Paradigmas unterschiedliche Sichtweisen und Beurteilungen der wirtschaftlichen Entwicklung im Kaiserreich und der davon ausgehenden Wirkungen auf Gesellschaft und Politik. Bereits die Frage der Periodisierung ist nicht unumstritten und mehr noch die Frage nach den politischen Konsequenzen der Wechsellagen wirtschaftlichen Wachstums. Noch ungleich vielgestaltiger sind die Meinungen hinsichtlich der Frage, wie weit die strukturellen Änderungen im wirtschaftlichen System im Gefolge der rapiden Industrialisierung dann auch die gesellschaftlichen Strukturen in bestimmter Richtung verändert und die politische Kultur in einer Weise geprägt haben, die die schrittweise Durchsetzung demokratischer Formen der politischen Willensbildung abgebremst oder gar verhindert haben.
Insgesamt lassen sich drei Hauptphasen der wirtschaftlichen Entwicklung im Kaiserreich unterscheiden:

1. eine Phase des »take off into sustained growth« von 1850–1873
2. die Phase der sogenannten »Großen Depression« von 1873–1896, die eingeleitet wurde durch die sogenannte »Gründerkrise«
3. eine Phase beschleunigten wirtschaftlichen Aufschwungs von 1896–1913, die man wegen der bedeutsamen Rolle, die dabei die neuen Führungssektoren der Elektroindustrie und der chemischen Industrie gespielt haben, gelegentlich auch als »Zweite industrielle Revolution« bezeichnet hat.

Es ist im allgemeinen unbestritten, daß der preußische Staat in der Periode von 1850–1873 eine Schlüsselrolle gespielt hat. Die preußische Politik setzte, wie Böhme in einer großen, sich freilich ein wenig in Detailanalysen der politischen Akteure verlierenden Darstellung gezeigt hat, seit Anfang der 50er Jahre konsequent auf eine Politik des Freihandels, und es gelang ihr, im Rivalitätskampf mit dem ökonomisch zurückliegenden Österreich die wirtschaftliche Führung in Deutschland an sich zu reißen und den Zollverein schrittweise in eine von Preußen beherrschte Institution umzugestalten.[3] Die Hegemonialstellung Preußens im Zollverein, gestützt durch freihändlerische Handelsverträge mit dritten Mächten, antizipierte bereits die politische Hegemonialstellung, die ihm dann im späteren Deutschen Reich zuwachsen sollte.

Wie weit die wirtschaftliche Entwicklung unmittelbar geholfen hat, den Weg zur Reichseinigung zu bahnen, ist in der Forschung freilich weiterhin strittig; Zorn hat darauf hingewiesen, daß, rein ökonomisch gesehen, sich die für künftiges Wirtschaftswachstum so wichtige Wirtschaftsgesetzgebung auch im Rahmen des erneuerten Zollvereins hätte erreichen lassen.[4] Dennoch ist der Befund unübersehbar und insbesondere von Hamerow mit zahlreichen Detailanalysen weiter untermauert worden,[5] daß das politische Selbstbewußtsein der bürgerlichen Schichten, das nach 1849 einigermaßen darniedergelegen hatte, durch den wirtschaftlichen Aufschwung erheblich gestärkt wurde. Damit war eine Situation entstanden, in der auch die konservativen Kräfte nicht mehr an den wirtschaftlichen und sozialen Interessen des aufsteigenden Bürgertums, das sich insbesondere im Nationalverein, dann aber auch in zahlreichen Fachverbänden, wie dem Kongreß Deutscher Volkswirte, öffentlichkeitswirksame Foren geschaffen hatte, einfach vorbeiregieren konnten. Dies erklärt wesentlich den Kompromißcharakter der Verfassung des Deutschen Reiches, welches einer »Revolution von oben« seine Existenz verdankte; sie gewährte den bürgerlichen Forderungen immerhin soviel Raum, daß die altkonservativen Kräfte zunächst in erbitterte Opposition gegen die neugeschaffenen Verhältnisse eintraten.[6]

Umgekehrt befand sich die Landwirtschaft und insbesondere die ostelbische Großgüterwirtschaft noch in einer vergleichsweise günstigen Entwicklungsphase. Abel hat die Periode von 1830–1870 nicht unzutreffend

3 Helmut Böhme, Deutschlands Weg zur Großmacht, Köln 1966.

4 Wolfgang Zorn, Die wirtschaftliche Integration Kleindeutschlands in den 1860er Jahren und die Reichsgründung, in: Historische Zeitschrift 216 (1973), S. 304–334; ders., Wirtschafts- und sozialgeschichtliche Zusammenhänge der Reichsgründungszeit (1850–1879), in: HZ 197 (1963), S. 313–342.

5 Theodore S. Hamerow, Restoration, Revolution, Reaction: Economics and Politics in Germany 1815–1871, Princeton 1958.

6 Vgl. Wolfgang J. Mommsen, Die Verfassung des Deutschen Reiches als dilatorischer Herrschaftskompromiß, in: Otto Pflanze (Hrsg.), Innenpolitische Probleme des Bismarck-Reiches, München 1983, S. 200f. (Siehe auch in diesem Band, S. 44ff.).

die »goldenen Jahrzehnte« der Landwirtschaft genannt; noch war diese in der Lage, zu relativ günstigen Bedingungen zu produzieren und wie bisher einen erheblichen Teil der Getreideproduktion ins Ausland zu exportieren; erst seit der Mitte der 70er Jahre machte sich dann, freilich nun in zunehmendem Maße, die überseeische Konkurrenz bemerkbar. Wenn die Großgüterwirtschaft sich in jener Periode gleichwohl nicht uneingeschränkt in einer gesicherten wirtschaftlichen Position befand, so lag dies daran, daß die Güterpreise aus sozialen Gründen sich zunehmend oberhalb jenes Niveaus bewegten, das bei marktkonformer Kalkulation der allenfalls erreichbaren Renditen gerechtfertigt gewesen wäre. Angesichts des vergleichsweise hohen sozialen Status, der sich mit dem Besitz von Rittergütern verband, überschritten die Güterpreise beträchtlich den Verkehrswert. Der Umschichtungsprozeß, den Hans Rosenberg ein wenig polemisch und zugleich etwas mißverständlich als »Pseudodemokratisierung« der Klasse der Rittergutsbesitzer beschrieben hat, war damals bereits in vollem Gange.[7] Kurzfristig gesehen stabilisierte dieser Prozeß jedoch die politische und gesellschaftliche Position der großgrundbesitzenden Aristokratie, obschon der Anteil bürgerlicher Besitzer steil nach oben wies. Einstweilen jeweils befanden sich die Großagrarier noch in einer wirtschaftlich konsolidierten Position, und die indirekten Auswirkungen dieses Faktors auf das politische System dürfen nicht zu gering eingeschätzt werden, obschon im neugeschaffenen Deutschen Reich die Initiative auf wirtschaftspolitischem und sozialpolitischem Gebiet weitgehend, wenn nicht ausschließlich, auf die insbesondere von der Nationalliberalen Partei repräsentierten Schichten des gehobenen Bürgertums und die – ihm vielfach eng verbundene – höhere Beamtenschaft im Reich und in Preußen überging.

Über die Beurteilung des 1867 bzw. 1871 geschaffenen politischen Systems in sozialgeschichtlicher Perspektive klaffen die Ansichten in der Forschung immer noch weit auseinander. Während insbesondere Wehler, Berghahn und, aus marxistischer Sicht, Engelberg den autoritär-repressiven Charakter des neugeschaffenen Systems, als einer Veranstaltung zur Sicherstellung der überkommenen Vorrangstellung der traditionellen Führungseliten, akzentuieren, wird von anderer Seite, so von dem Verfasser selbst, der Kompromißcharakter dieses Systems in gesellschaftspolitischer Hinsicht stärker betont, während Gall wiederum die Angepaßtheit an den »Geist der Zeit« besonders hervorhebt.[8] Jüngsthin hat Geoff Eley demgegenüber den Standpunkt vertreten, daß die von Bismarck ge-

7 Hans Rosenberg, Die Pseudodemokratisierung der Rittergutsbesitzerklasse, in: ders., Machteliten und Wirtschaftskonjunkturen, Göttingen 1978, S. 83–101.
8 Für Literaturhinweise siehe den in Anm. 6 zitierten Aufsatz des Vfs.

schaffene politische Ordnung als die deutsche Variante der »bürgerlichen Gesellschaft« zu gelten habe, da dem Bürgertum, ungeachtet mancher feudalgesellschaftlicher Relikte, in den entscheidenden Fragen – nämlich jenen im wirtschaftlichen und gesellschaftlichen Raum – weitgehend freie Hand gegeben worden sei.[9] Dies stellt eine Herausforderung an die bislang herrschende Meinung in der deutschen und internationalen Forschung dar, wonach die deutsche Gesellschaft des Kaiserreichs in ausgeprägter Weise von politischen und gesellschaftlichen Kräften spezifisch vormodernen, d. h. feudalen Ursprungs, geprägt worden sei. Das Bürgertum, so Eley, sei grundsätzlich in der Lage gewesen, sich sein Haus in wirtschaftlicher und gesellschaftlicher Hinsicht weitgehend nach eigenen Vorstellungen einzurichten, und dies vor allem erkläre die großen Leistungen des Deutschen Reiches auf wirtschaftlichem Gebiete. Namentlich der aggressive Nationalismus der Neuen Rechten sei ein bürgerliches Produkt oder, um dies zugespitzt auszudrücken, ein Produkt des kapitalistischen Systems selbst gewesen und nicht seiner aristokratischen Widersacher und deren Mitläufer. Darauf wird noch zurückzukommen sein.
Damit stehen wir freilich bereits mitten in der Beurteilung der Trendperiode von 1873–1896. Insbesondere Hans-Ulrich Wehler und, in mancher Hinsicht noch entschiedener, Hans Rosenberg haben einen unmittelbaren Zusammenhang zwischen den konjunkturellen Entwicklungen und den politischen und sozialen Strukturen behauptet, wie sie sich in der Periode nach 1873 entwickelten. Sie sahen die Periode der sogenannten »Great Depression« als eine sozialpolitische Krisenzeit an, in der sich angesichts verminderten Wachstums und wiederholter schwerer wirtschaftlicher Krisen ein ideologischer Konsensus unter den herrschenden Schichten, die Klasse des Bürgertums eingeschlossen, ausgebildet habe, wonach es zwecks Abwendung der Gefahr schwerer sozialer Krisen als Folge verminderten oder stark fluktuierenden wirtschaftlichen Wachstums darauf ankommen müsse, eine Politik der wirtschaftlichen und, soweit dies notwendig sei, der kolonialen Expansion in Übersee zu betreiben. Wehler hat dieses Syndrom sozialimperialistischer Tendenzen, wie er es seit der Mitte der 70er Jahre zunehmend verstärkt nachzuweisen vermochte, dann insbesondere als entscheidenden Antriebsfaktor der Kolonialpolitik Bismarcks auszumachen gesucht. Späterhin hat er das Modell des Sozialimperialismus in verallgemeinerter Form auf die politisch-soziale Formation des deutschen Kaiserreichs in seiner Gesamtheit angewendet.[10]

9 David Blackbourn/Geoff Eley, The Peculiarities of German History. Bourgeois Society and Politics in 19th Century Germany, Oxford 1984.
10 Hans-Ulrich Wehler, Bismarck und der Imperialismus, München 1976; ders., Das Deut-

Die wirtschaftsgeschichtliche Forschung ist in ihrer überwiegenden Mehrheit dieser vergleichsweise pessimistischen Interpretation der Konjunkturperiode von 1873–1896 nicht gefolgt, sondern hat, gestützt auf S. B. Sauls Studie über »The Myth of the Great Depression«[11], die konjunkturellen Schwankungen, insbesondere der Jahre 1882/84 und 1891/94 vergleichsweise als weniger schwerwiegend eingestuft und demgegenüber einen durchgängigen Trend relativ stetigen Wirtschaftswachstums betont. Insbesondere Wolfram Fischer sowie jüngst Karl Erich Born neigen eher zu einer günstigen Beurteilung der wirtschaftlichen Entwicklung jener Periode und einer Betonung der durchgehend positiven Wachstumsfaktoren.[12] Andererseits verschleiern die hoch aggregierten Daten des Wirtschaftswachstums jener Periode die tatsächlichen Dislokationen in zahlreichen Bereichen der Wirtschaft, wie sie im Zeichen einer Phase ausgesprochener Mengenkonjunktur mit sinkenden Preisen, bei gleichzeitiger wachsender Integration der deutschen Wirtschaft in das internationale System, auf breiter Front aufgetreten sind. Dies gilt selbst für jene Bereiche, die als Führungssektoren des wirtschaftlichen Wachstumsprozesses anzusprechen sind, wie die metallerzeugende und die metallverarbeitende Industrie. Borchardt weist darauf hin, daß die Erzeugung von Eisen und Stahl mit Hilfe des älteren, technologisch dann hoffnungslos in den Hintergrund tretenden Holzkohleverfahrens noch in den 60er Jahren ihren Höhepunkt erreichte, und das Schicksal der von Schomerus analysierten, in der Anlaufphase der industriellen Entwicklung überaus erfolgreichen Maschinenfabrik Esslingen weist in die gleiche Richtung, nämlich daß der industrielle Fortschritt nur unter großen Anpassungszwängen und mit erheblichen wirtschaftlichen und menschlichen Verlusten erkauft worden ist.[13] Auch auf dem Textilsektor ist die Einführung der neuen Technologien nur zögerlich und mit großen Phasenverschiebungen erfolgt. Im übrigen hat dies keinesfalls auf breiter Front zur Durchsetzung fabrikmäßiger Produktion, sondern zumindest zeitweilig zu einer erheblichen Zunahme des Systems der Heimarbeit und des »putting out systems« geführt. Wie Hartmut Kaelble jüngsthin dargelegt hat, war das Wachstum der deutschen Industrie im internationalen Vergleich keineswegs so rapide, wie man bei einer isolierten Betrachtung der entsprechen-

sche Kaiserreich 1871–1918, Göttingen 1983$^5$; Hans Rosenberg, Wirtschaftskonjunktur, Gesellschaft und Politik in Mitteleuropa, 1873–1918, in: ders., Machteliten, S. 173–197.

11 S. B. Saul, The Myth of the Great Depression 1873–1896, London 1969.

12 Knut Borchardt, Die industrielle Revolution in Deutschland, München 1972; Karl Erich Born, Wirtschafts- und Sozialgeschichte des deutschen Kaiserreichs (1867/71–1914), Wiesbaden 1982.

13 Heilwig Schomerus, Die Arbeiter der Maschinenfabrik Esslingen. Forschungen zur Lage der Arbeiterschaft im 19. Jahrhundert, Stuttgart 1977.

den Aggregat-Datenreihen annehmen könnte. Insgesamt haben wir für die ganze Periode davon auszugehen, daß einige wenige überaus erfolgreiche und zahlreiche andere, technologisch vergleichsweise rückständige Betriebe weiterhin nebeneinander existierten und, auch wenn die Entwicklung insgesamt überaus positiv verlief, dies doch mit schweren wirtschaftlichen Problemen verbunden gewesen ist, die subjektiv als Symptome der Krise gedeutet wurden. Dazu gehörte natürlich auch, daß im Zeichen schärferer Konkurrenz auf dem Markt und stark sinkenden Preisen die für die Frühindustrialisierung vorherrschende Methode der Eigenfinanzierung über die Preise immer weniger möglich war bzw. eine rasche Amortisierung von investierten Kapitalien nicht mehr im gleichen Maße zu erwarten stand wie in der voraufgegangenen Periode. Auch in der Periode von 1873–1896 stieg das reale Volkseinkommen pro Kopf, mit Ausnahme der Stockungsjahre nach 1873, erheblich, aber vorwiegend dank sinkender Preise, nicht so sehr steigender Einkommen.
Gerade die Sozialgeschichte tut gut daran, nicht nur nach den Gewinnern, sondern auch nach den Verlierern im Kontext säkularer ökonomischer Umschichtungsprozesse zu fragen, obschon gerade Historiker allzuleicht geneigt sind, die Geschichte der ersteren und nicht jene der letzteren zu schreiben. In diesem Zusammenhang hat die deutsche Forschung sich seit geraumer Zeit insbesondere dem Handwerk zugewandt, jener Sozialgruppe, deren Wurzeln in besonderem Maße in vorindustriellen Verhältnissen zu suchen sind. Angesichts der Tatsache, daß die statistischen Daten im 19. Jahrhundert nicht zwischen Industrie und Handwerk differenzieren, sind hier bis heute zuverlässige Ergebnisse auf nationaler Basis nicht wirklich zu erbringen. Jedenfalls ist sicher, daß von einem Absterben des Handwerks, gemäß den Prognosen aus marxistischer Sicht, aber auch den verbreiteten Befürchtungen im Lager des Handwerks selbst, insgesamt nicht die Rede sein kann. Vielmehr ist die Zahl der Handwerker in der Anlaufphase der industriellen Entwicklung zunächst noch erheblich gestiegen und hat auch im späteren Verlauf der Entwicklung, gemessen an der Gesamtbevölkerung, weiterhin zugenommen. Wolfram Fischer, der freilich eher zu einer optimistischen Deutung der Verhältnisse tendiert, kommt zu dem Schluß, daß das Handwerk »insgesamt annähernd im Gleichschritt mit der Gesamtwirtschaft, wenn auch wohl nicht ganz mit dem des sekundären Sektors« gewachsen sei.[14] Freilich verbergen sich hinter dieser, global fraglos zutreffenden Beobachtung

14 Wolfram Fischer, in: Hermann Aubin/Wolfgang Zorn (Hrsg.), Handbuch der deutschen Wirtschafts- und Sozialgeschichte, Bd. 2: 1800–1970, Stuttgart 1976, S. 408; siehe ferner Adolf Noll, Sozio-ökonomischer Strukturwandel des Handwerks in der zweiten Phase der Industrialisierung, unter besonderer Berücksichtigung der Regierungsbezirke Arnsberg und Münster, Göttingen 1975.

ganz erhebliche Umschichtungen innerhalb des Handwerks, die in vielen Fällen mit bitterster Not und schwerer Depression einhergegangen sein dürften.
Für die Anlaufphase der industriellen Entwicklung bis in die 70er Jahre hinein beobachten wir eine starke Zunahme insbesondere der Handwerksmeister, in geringerem Maße der Gesellen, bei tendenzieller Angleichung der ökonomischen Lage beider Gruppen. Obschon wir es hier, von Ausnahmen abgesehen, mit einem relativen Verarmungsprozeß zu tun haben, der sich u. a. in äußerst bedrückenden Wohnverhältnissen niederschlug, blieb die traditionelle soziale Barriere gegenüber der Industriearbeiterschaft offenbar weitgehend bestehen (wie etwa Friedrich Lenger für den Fall Düsseldorf belegen konnte),[15] während umgekehrt die neuen industriellen Unternehmungen ihre Arbeiterschaft überwiegend nicht aus der lokalen oder regionalen Handwerkerschaft, sondern aus den vom Lande abströmenden Arbeitssuchenden rekrutiert haben. Im Zuge der weiteren Entwicklung kam es dann zu größeren Umstrukturierungen innerhalb der Handwerkerschaft, ohne doch deren traditionelles gesellschaftliches Eigenbewußtsein zu brechen. Die Nahrungsmittelhandwerke profitierten unmittelbar von der anlaufenden Industrialisierung und der Zunahme des Volkswohlstandes; das Baugewerbe wurde gar zu einem äußerst bedeutsamen Führungssektor im Zuge der großen Bautätigkeit, die mit dem rapiden Wachstum der Städte seit den 80er Jahren verbunden war. Andere Handwerke vermochten sich zu behaupten, indem sie sich von Produktions- zu Dienstleistungsbetrieben umorientierten. Zahlreiche andere jedoch, wie das Schuhmacherhandwerk und das Schneiderhandwerk, verloren zunehmend an Terrain gegenüber der wachsenden Konkurrenz industrieller Betriebe und darüber hinaus des Einzelhandels, der nunmehr Reparaturleistungen in eigener Regie anbot, statt diese dem Handwerk zu überlassen; letzteres gab zu erbitterten Konflikten innerhalb des Kleingewerbes und Kleinhandels Anlaß und führte zu Versuchen, dieses Problem rechtlich zu regeln, die aber ergebnislos blieben. Insgesamt wird man die nachteiligen Folgen der industriellen Entwicklung für das Handwerk gerade in der Periode von 1783–1896 nicht gering einschätzen dürfen, auch wenn die Aggregatdaten letztendlich ein positives Abschneiden des Handwerks, ja eine gewisse Konsolidierung desselben seit den späten 90er Jahren signalisieren.
Sozialgeschichtlich war für die Entwicklung der gesellschaftlichen und politischen Ordnung entscheidender, daß die Landwirtschaft seit der

15 Friedrich Lenger, Zwischen Kleinbürgertum und Proletariat. Studien zur Sozialgeschichte der Düsseldorfer Handwerker 1816–1878, Göttingen 1987.

Mitte der 1870er Jahre von einer Agrarkrise erfaßt wurde, die allerdings erst 1894 ihren Höhepunkt erreichen sollte. Durch den Übergang zu Schutzzöllen seit 1879, die dann 1885 eine weitere Erhöhung erfuhren, konnte die Wirkung der überseeischen Konkurrenz auf den Agrarmärkten zwar abgemildert, aber nicht wirklich aufgehoben werden. Allerdings sollte, wie ich meine, die Notlage der Landwirtschaft nicht überbewertet werden; tatsächlich stieg die Produktivität der Landwirtschaft in der Folgezeit erheblich, wenn auch nicht in gleichem Maße wie in Industrie und Handwerk, und, was noch wichtiger ist, auch die Zahl der Beschäftigten stieg weiterhin leicht an. Insgesamt vermochte sich der agrarische Sektor bis 1914 auf relativ hohem Niveau zu behaupten, obschon dieser längst nicht mehr dazu imstande war, die Ernährung des deutschen Volkes aus eigener Kraft zu sichern.

Zwar überholten Industrie und Handwerk den Sektor Landwirtschaft, Forsten und Fischerei hinsichtlich der Wertschöpfung definitiv um die Jahrhundertwende, und wenn man ersterem den Bergbau hinzurechnet, schon etwa um 1885. Ebenso waren es Industrie, Handwerk, Handel und Dienstleistungen, die fast ausschließlich die erheblichen Zuwächse an Beschäftigungssuchenden aufnahmen; aber im Vergleich etwa mit Großbritannien stand die Landwirtschaft insgesamt nach wie vor gut da, wenn auch teilweise dank der direkten und indirekten Begünstigungen seitens der staatlichen Wirtschafts- und Steuerpolitik. Demgemäß scheint uns die verbreitete Redeweise des Übergangs vom Agrar- zum Industriestaat oder, mit Hentschel, vom »überwiegenden Agrarstaat« zum »überwiegenden Industriestaat«[16] irreführend zu sein. Das Deutsche Reich blieb bis 1914 sowohl ein Agrar- wie ein Industriestaat, und beide Sektoren standen relativ unvermittelt nebeneinander, mit sozialen und politischen Konsequenzen, die uns noch beschäftigen müssen. Neben dem zahlenmäßig kleinen, aber ca. 22% des agrarisch genutzten Bodens bebauenden Sektor des Großgrundbesitzes, den man für 1880 auf ca. 17500 Gutsbezirke geschätzt hat, stand eine in sich äußerst differenzierte Bauernschaft, die von den Schwankungen der Getreidepreise vergleichsweise weniger betroffen wurde. Diese profitierte zwar partiell und indirekt von der industriellen Entwicklung, stellte aber gleichwohl ein Reservoir antiindustrieller und konservativer Tendenzen in Staat und Gesellschaft dar, das nicht gering eingeschätzt werden darf.

Damit stellt sich uns die Frage nach dem Charakter der Aufschwungperiode von 1896–1914. Sie war insgesamt außerordentlich erfolgreich, ungeachtet eines einschneidenden konjunkturellen Rückschlags

16 Volker Hentschel, Wirtschaft und Wirtschaftspolitik im wilhelminischen Deutschland. Organisierter Kapitalismus und Interventionsstaat, Stuttgart 1978, S. 62.

1901–1904, der teilweise die Züge einer zweiten Gründerkrise aufwies; allerdings mündete sie seit 1913 in eine Stagnationsphase ein, die dann erst durch die artifizielle Rüstungskonjunktur des Ersten Weltkriegs aufgefangen wurde. Karl Helfferich hat 1913 mit einigem Stolz von einer Verdreifachung der wirtschaftlichen Leistung Deutschlands seit 1888 gesprochen. In der Tat läßt sich diese Phase der Entwicklung in mancher Hinsicht mit dem sogenannten »westdeutschen Wirtschaftswunder« seit Anfang der 50er Jahre vergleichen. Jedenfalls bemächtigte sich der wirtschaftlich führenden Kreise ein bemerkenswertes Selbstbewußtsein und eine optimistische Zuversicht in die wirtschaftliche Entwicklung, das der vorangehenden Generation weitgehend gefehlt hatte. Über die Bewertung jener Periode bestehen seitens der Forschung in der Bundesrepublik freilich erhebliche Differenzen. Hans-Ulrich Wehler, Jürgen Kocka und Heinrich August Winkler haben in den 70er Jahren das Modell des sogenannten »organisierten Kapitalismus« entwickelt, als einer sozialökonomischen Formation, die der Formation eines primär marktorientierten individualistischen Kapitalismus klassischer Spielart gefolgt sei, verbunden mit dem Aufstieg des modernen »Interventionsstaates«.[17] Sie griffen damit Interpretationen auf, wie sie einerseits im sozialistischen Lager, namentlich von Rudolf Hilferding, bereits in den 20er Jahren entwickelt worden waren, wesentlich im Hinblick auf die Tatsache, daß es nicht zu den seinerzeit von Marx prognostizierten, sich stetig verschärfenden Wirtschaftskrisen gekommen war. Andererseits handelt es sich um eine Fortentwicklung und Systematisierung von Beobachtungen, wie sie Alexander Gerschenkron als typisch für jene Industriewirtschaften bezeichnet hat, die erst in einer zweiten Phase der Entwicklung in einen intensiven Industrialisierungsprozeß eintraten, namentlich die These von der besonderen Rolle der Banken als Wegbereiter industrieller Zusammenschlüsse sowohl vertikaler wie horizontaler Art und als Initiativfaktoren für technologische Innovationen. Darüber hinaus waren die Banken hilfreich bei der Übernahme von technisch bereits ausgereiften Produktionsverfahren und deren Anwendung in vergleichsweise großräumigen, demgemäß effizienteren Produktionseinheiten in der Absicht, die »advantages of backwardness« optimal auszunutzen. Nach Wehler ist freilich die beschleunigte Kapitalkonzentration und, verbunden mit dieser, die Bildung von Kartellen und Kombinaten aller Art als solche typisch für die Phase des sogenannten organisierten Kapitalismus. In der Tat kam es namentlich im Bereich der Grundstoffindustrien vor 1914 auf breiter Basis zur Bildung von Kartellen und Syndikaten, von denen das Rheinisch-

17 Heinrich August Winkler (Hrsg.), Organisierter Kapitalismus. Voraussetzungen und Anfänge, Göttingen 1974.

Westphälische Kohlensyndikat vom Jahre 1893 am bekanntesten ist. Dies wurde begünstigt durch die staatliche Schutzzollpolitik. Zumindest insofern ist es berechtigt, mit Wehler für diese Periode von einer Kombination von »organisiertem Kapitalismus« und »Interventionsstaat« zu sprechen.

Allerdings ist es zweifelhaft, ob der »organisierte Kapitalismus« wirklich die Fähigkeit gehabt hat, auf die Schwankungen der konjunkturellen Entwicklung mäßigend oder gar ausgleichend einzuwirken. Und ebenso ist vor 1914 mangels Masse von einem »Interventionsstaat«, so wie wir ihn nach dem Zweiten Weltkrieg, etwa in Großbritannien, gehabt haben, nicht sonderlich viel zu bemerken; jedenfalls war der Gedanke einer konsequenten staatlichen Konjunkturpolitik noch nicht geboren, und die Strategie der Umverteilung des Sozialprodukts mit Hilfe eines progressiven Steuersystems stand vor 1914 bestenfalls in ersten Anfängen. So ist denn von Anfang an starke Kritik am Modell des »organisierten Kapitalismus« laut geworden. Selbst im Lager der Befürworter des Modells bestanden von vornherein Meinungsverschiedenheiten hinsichtlich der Frage, auf welche Periode der Entwicklung man dieses sinnvollerweise anwenden könne; während Wehler den »organisierten Kapitalismus« bereits 1873 einsetzen ließ, plädierte Winkler, der sich allerdings inzwischen von diesem Konzept distanziert hat, von vornherein für eine Anwendung allein auf die Periode des Wilhelminismus. Volker Hentschel seinerseits unternahm einen systematischen Versuch, das Modell des »organisierten Kapitalismus«, jedenfalls für die Ära Wilhelms II., als unanwendbar zu erweisen; seine Untersuchung zeigt freilich, wenn auch unfreiwillig, wie fruchtbar der Versuch einer Systematisierung der verwirrenden Entwicklungen der Periode seit 1896 mit Hilfe derartiger idealtypischer Modelle sein kann.[18] Eine besondere Schwäche des Modells des »organisierten Kapitalismus« besteht allerdings darin, daß er die außenwirtschaftlichen Probleme, insbesondere aber den Prozeß der imperialistischen Expansion nicht zu berücksichtigen vermag, da er rein binnenwirtschaftlich ausgerichtet ist.

Im übrigen dürfte es unstrittig sein, daß sich insbesondere in der Periode seit 1896, in Ansätzen schon zuvor, ökonomische Strukturen ausgebildet haben, die sich allen politischen Wechselfällen zum Trotz vielfach bis in unsere Gegenwart hinein erhalten haben. Besondere Aufmerksamkeit verdient in dieser Hinsicht die Rolle der Großbanken, gleichviel, ob man die zeitgenössische Formel von der Herrschaft des »Finanzkapitals« (die ja bekanntlich auch für Lenin für die Entwicklung seiner eigenen Theorie des kapitalistischen Systems als des höchsten Stadiums des Kapitalismus

18 Hentschel, S. 62.

von einiger Bedeutung gewesen ist) für angemessen hält oder nicht. Ihre bedeutsame Funktion bei der Finanzierung insbesondere der industriellen Unternehmungen der neuen Sektoren der Elektro- und der chemischen Industrie, die ja besonders kapitalintensiv waren, ist unübersehbar. Ebenso dienten sie als Wegbereiter für die deutsche Exportwirtschaft, entweder durch Übernahme der nicht selten beträchtlichen Exportrisiken oder durch Unterstützung bei der Begründung von Tochtergesellschaften großer industrieller Unternehmungen im europäischen Ausland und in Übersee. Faktisch kam es auf diese Weise schon vor 1914 verbreitet zur Ausbildung von *multinationals*, wenn man diese auch noch nicht so nannte. Ob man freilich generell sagen kann, daß die Banken im Zuge des industriellen Expansionsprozesses seit der Jahrhundertwende, verbunden mit der verbreiteten Bildung von horizontalen wie vertikalen industriellen Zusammenschlüssen zunehmend über die Grenzen des Nationalstaats hinweg, stets im *driving seat* gesessen haben, steht dahin. Uns will scheinen, daß ungeachtet der vielfach engen Zusammenarbeit der Großbanken mit der Industrie klare Demarkationslinien bestanden; die Banken standen politisch einem liberalen Kurs weit näher und wollten überwiegend über die Linie eines informellen Imperialismus nicht hinausgehen, während zumindest die Schwerindustrie und teilweise auch die Elektroindustrie stärker in Begriffen imperialistischer Expansion dachten und sich zugleich politisch weit stärker der nationalistischen Rechten verbunden fühlten – aus ersichtlichen Motiven teils direkt interessengeleiteter, teils gesellschaftspolitischer (d. h. antisozialistischer) Natur.

Die Forschung hat sich darüber hinaus in besonderem Maße der Entwicklung des Verbandswesens, die zwar schon in der Bismarck-Zeit einsetzte, aber im Wilhelminischen Reich eine ausgesprochene Blüte erfuhr, zugewandt. In der Tat wird man sagen dürfen, daß die organisierten Interessen in dieser Phase stärker als je zuvor in den Gang der Entwicklung einzugreifen und auf die politischen Entscheidungen Einfluß zu nehmen versucht haben. Allerdings ist bis heute umstritten, wie weit dies wirklich erfolgreich gewesen ist; die Industrie selbst hat wiederholt ihren Unmut über die vergleichsweise geringen Einflußmöglichkeiten auf die Gesetzgebung geäußert, obschon selbst Bismarck und teilweise auch seine Nachfolger durchaus bereit waren, in wirtschaftlichen Fragen enge Fühlungnahme mit den Interessenten zu pflegen. Auf die Dauer erschien auch der Industrie der Weg über die Einflußnahme auf die Entscheidungen im Parlament unverzichtbar. Namentlich der rechte Flügel der Nationalliberalen machte sich seit der Jahrhundertwende bis zu einem gewissen Grade zu einem Sprecher industrieller Interessen, wenn auch letztlich mit nur begrenztem Erfolg. Insgesamt wird man, auf den deutschen Fall bezogen, Max Weber durchaus darin zustimmen dürfen, daß die Durchsetzung

liberaler und demokratischer Prinzipien unter den Bedingungen des Hochkapitalismus schwieriger und nicht etwa leichter geworden sei.
Die Erfolgsbilanz des industriellen Sektors in den letzten zweieinhalb Jahrzehnten – und damit verbunden die Entwicklung von Großunternehmen vor allem in den Grundstoffindustrien, dann aber auch in der Elektroindustrie und der chemischen Industrie, vereinzelt auch im Bereich des Maschinenbaus – ist freilich geeignet, den Blick zu trüben für die tatsächlich höchst differenzierte Struktur der deutschen Wirtschaft während der Ära des Wilhelminismus. Die Großunternehmen waren wirtschaftlich und überwiegend auch technologisch marktführend, aber es wäre verfehlt, ihre Rolle innerhalb des wirtschaftlichen Systems zu überschätzen. Die Statistiken über die Betriebsgrößen im Deutschen Reich zeigen zwar, daß die Entwicklung tendenziell zu größeren Betriebseinheiten hinführte; die Zahl der Betriebe mit mehr als 50 Beschäftigten, die nach der Sprachregelung der Zeit noch als Riesenbetriebe galten, stieg zwar von 22,8% im Jahre 1882 auf 33,5% 1895 und 42,4% 1907, aber die ausgesprochenen Großbetriebe (nach unseren heutigen Maßstäben) von mehr als 1000 Beschäftigten machten 1882 nur 1,9% und 1907 nur 4,7% aller Betriebe aus, während die Betriebe mit 1–5 Beschäftigten sich zwar um die Hälfte verminderten, aber 1907 immer noch 31,2% aller Betriebe ausmachten (BRD 16,2%). Außerdem waren die Großbetriebe in einigen wenigen Branchen, vor allem der Grundstoffindustrie, konzentriert und ebenso auf ganz wenige geographische Regionen, nahezu ausschließlich Rheinland-Westfalen, beschränkt. Demgemäß wird man gesamtgesellschaftlich die Rolle des typischen Großbetriebes – mit seiner meist patriarchalischen Binnenstruktur (Max Weber: »Diesen Herren steckt eben die Polizei im Leibe«)[19] – nicht überschätzen dürfen.
Vielmehr war das besondere Charakteristikum der wirtschaftlichen Ordnung im wilhelminischen Deutschland der vergleichsweise hohe Grad der Segmentierung der wirtschaftlichen Sektoren und Interessen: Die Banken, die Schwerindustrie, die Konsumgüterindustrie, von der sozio-ökonomischen Sonderstellung der Landwirtschaft ganz zu schweigen, sie alle standen in unterschiedlichen gesellschaftspolitischen Lagern. Es ist weiterhin bedeutsam, daß das Handwerk trotz der bereits erwähnten weitreichenden strukturellen Umschichtungen, denen es im Verlaufe der industriellen Entwicklung unterworfen war, sein gesellschaftliches Sonderbewußtsein nicht nur behaupten, sondern dieses seit 1897 durch staatliche Gesetzgebung, die auf die Wiedereinrichtung der Zwangsinnungen und des Befähigungsnachweises hinauslief, auch noch rechtlich absichern konnte.

19 Max Weber, Gesammelte Aufsätze zur Soziologie und Sozialpolitik, Tübingen 1924, S. 396.

Dies lenkt unseren Blick auf die gesellschaftlichen Auswirkungen der wirtschaftlichen Entwicklung seit der Mitte des 19. Jahrhunderts. Hier sind generelle Aussagen, die über bloße Selbstverständlichkeiten hinausgehen, im Rahmen eines Essays kaum möglich. Insgesamt hat sich der Lebensstandard *aller* Bevölkerungsschichten während dieses Zeitraums erheblich verbessert, wenngleich – und spätestens an diesem Punkte ergeben sich erhebliche Differenzen – in durchaus unterschiedlichem Maße. Fest steht zunächst, daß es im Verlaufe der Entwicklung gelungen ist, nicht nur die Auswanderung nahezu zum Erliegen zu bringen, sondern darüber hinaus die große Mehrzahl der aus den ländlichen Gebieten abströmenden Menschen in den neuen Sektoren von Industrie und Handwerk, Handel und Dienstleistungen zu beschäftigen; ungeachtet beträchtlicher Zuwachsraten der Bevölkerung, die in der letzten Phase der Entwicklung nicht mehr auf steigende Geburtenzahlen, sondern sinkende Sterberaten zurückzuführen sind. Dies ist ein gewiß einigermaßen zuverlässiges Indiz für eine insgesamt fühlbare Verbesserung der wirtschaftlichen Verhältnisse der breiten Massen der Bevölkerung und ebenso der medizinischen Versorgung. In diesem Zusammenhang sollte darüber hinaus auch auf die Binnenwanderung und das Phänomen der transnationalen Wanderungsbewegungen hingewiesen werden, die ihrerseits bedeutsame Quellen wirtschaftlicher Dynamik dargestellt haben dürften,[20] auch wenn sie mit erheblichen Dislokationsproblemen einhergingen. Verglichen mit englischen Verhältnissen vollzog sich der große Urbanisierungsprozeß, der seit 1890 zeitweilig spektakuläre Ausmaße annahm, relativ reibungslos, ohne daß es zu Deprivationsphänomenen ähnlicher Größenordnung gekommen ist.

Dieses vergleichsweise optimistische Bild der sozialen Verhältnisse im Kaiserreich bedarf freilich unbedingt einer Qualifizierung. Gemessen an den kargen Lebensbedingungen der breiten Massen, wie sie vor dem Einsetzen der industriellen Entwicklung namentlich auf dem Lande, aber auch in den Städten bestanden, waren in der Tat wesentliche Fortschritte zu verzeichnen. Auch blieb dem Deutschen Reich im Zuge des Durchbruchs der Industrialisierung die Phase außerordentlicher Massenarmut und Deprivation in den industriellen Ballungszentren, die sich in Großbritannien mit dem Stichwort der »hungry forties« verbindet, weitgehend erspart, was nicht heißen will, daß in den neuen, seit der Jahrhundertwende rapide wachsenden Industriestädten des Westens und Berlins nicht ebenfalls schwere Wohnungsprobleme bestanden. Aber es sollte nicht übersehen werden, daß die soziale Lage der Unterschichten dennoch eine

20 Dazu autoritativ Klaus J. Bade, Vom Auswanderungsland zum Einwanderungsland? Deutschland 1880–1980, Berlin 1983.

immer noch äußerst gedrückte war. Es scheint, daß die industrielle Arbeiterschaft im engeren Sinne ihre Lage vergleichsweise stärker verbessern konnte als andere Gruppen der Unterschichten. Zwar sind die statistischen Grundlagen, auf denen die diversen Berechnungen der Entwicklung der Reallöhne, wie sie von Kuczynski, Bry und Desai vorgelegt worden sind, nichts weniger als wirklich gesichert; aber daß sich die Reallöhne, anfänglich überwiegend wegen des fallenden Preisniveaus indirekt, später (im Zeitraum von 1870–1913) direkt, erheblich gehoben haben – nach Desai um ca. 57% –, ist wohl unstrittig; allerdings dürfte das Lohnniveau, wenn auch mit allmählich aufholender Tendenz, noch immer etwa 30% hinter jenem der englischen Industriearbeiterschaft zurückgelegen haben. Jedoch gibt die Entwicklung der Löhne als solche für die tatsächliche Lage der Arbeiterschaft nicht allzuviel her; es bedarf, wie Heilwig Schomerus aufgrund englischer Vorbilder gezeigt hat, einer Analyse des durchschnittlichen Lebenszyklus eines Fabrikarbeiters und seiner Familie, mit seinen typischen Phasen akuter Notlage, die mit den verschiedenen Stadien der familiären Entwicklung korrelieren, insbesondere im Alter; als weiterer Faktor kommt Arbeitslosigkeit hinzu, über deren soziale Auswirkungen wir im allgemeinen für diese Periode der Entwicklung der deutschen Gesellschaft noch wenig wissen. Aber immerhin dürfte mit der Einführung der Sozialversicherung und der allmählichen Erhöhung ihres Leistungsniveaus und der Erweiterung der in sie einbezogenen Arbeitergruppen eine gewisse Abflachung der typischen Zyklen relativer Deprivation erreicht worden sein, insbesondere was die Vorsorge für das Alter und die Folgen von Betriebsunfällen angeht. Zudem ist zu vermuten, daß die ungewöhnlich hohe Mobilität der Arbeiterschaft, die eine Nebenfolge der großen transnationalen und Binnenwanderungsbewegungen war, die Chancen, die sich auf dem Arbeitsmarkt boten, verbessert hat. Sie sind von manchen Arbeitergruppen durchaus genutzt worden, ungeachtet der Beschränkungen gewerkschaftlicher Tätigkeit und zahlreicher indirekter Instrumente, die die Unternehmerschaft benutzte, um die Arbeiter an die jeweiligen Betriebe zu ketten und deren Mobilität zu beschränken. Für andere Sozialgruppen, insbesondere die Landarbeiterschaft, das ländliche Gesinde und dergleichen, sind vergleichbare Daten bislang nicht zureichend erschlossen. Es dürfte insgesamt gewiß zutreffend sein, auch innerhalb der in Industrie und Handwerk Tätigen, insbesondere aber für die anderen Gruppen der Unterschichten, große Einkommensunterschiede je nach den individuellen, aber auch nach den regionalen Verhältnissen anzusetzen.

Die industrielle Arbeiterschaft bildete, ungeachtet der behördlichen und politischen Repressionen, die eine wirksame Vertretung ihrer Interessen gegenüber den Unternehmern behinderten, innerhalb der Unterschichten vermutlich noch eine vergleichsweise privilegierte Gruppe. Eine eingehende Analyse der beträchtlichen Differenzierungen innerhalb der industriellen Arbeiterschaft selbst, wie sie gewiß lohnend wäre, insbesondere unter Zuhilfenahme englischer Vergleichsmodelle, ist hier nicht möglich. Aber fraglos dürfte die große Mehrheit der Heimarbeiter, der Landarbeiter und des ländlichen Gesindes sowie ein erheblicher Teil der im Kleingewerbe Beschäftigten wirtschaftlich weit weniger günstig dagestanden haben als die Masse der gelernten Arbeiter. Für die Lebensverhältnisse der breiten Massen der Bevölkerung wird man gewiß Hentschels Befund zustimmen können: »Am Vorabend des Weltkriegs lebten im Deutschen Reich noch etwa 30% aller Familienhaushalte in materiell ›gedrückten‹, ein weiteres Drittel in nicht viel mehr als ›auskömmlichen‹ Verhältnissen.«[21] Dieser Befund stützt sich auf eine Analyse der preußischen und der sächsischen Einkommensstatistik, die auch sonst, so von Albert Jeck und Wolfram Fischer,[22] zur Analyse der Einkommensschichtung im Kaiserreich und ihrer Verschiebungen herangezogen worden sind. Allerdings steht jeder Versuch, eine Pyramide der gesellschaftlichen Schichtung nach Einkommenskriterien zu rekonstruieren, vor schwerwiegenden methodischen Problemen, ganz abgesehen von den Fehlerquellen, die die Steuerstatistik als solche enthält, und von der Tatsache, daß Steuerleistung und tatsächlicher sozialer Status innerhalb des gesellschaftlichen Systems, über einen längeren Zeitverlauf hinweg gesehen, nur teilweise korrelieren.

Insgesamt ergibt sich für das Kaiserreich eine soziale Schichtung, die einer nach oben hin außerordentlich steil zulaufenden Pyramide gleicht, und es scheint, als ob sich daran im Zeitraum von 1850–1914 im Prinzip wenig geändert hat. Wenn überhaupt, dann ergibt sich eine leichte Verschärfung des plutokratischen Charakters des Systems nach oben hin, bei gleichzeitiger erheblicher Verbreiterung der unteren und untersten Einkommensschichten und einer mäßigen Stärkung der oberen Mittelschicht. Eine fundamentale Veränderung der Einkommensschichtung ist durch die industrielle Entwicklung in Deutschland bis 1913 eigentlich nicht erreicht worden. Es kam nur zu einer Streckung des Spektrums der Einkommensverhältnisse, d. h. einer zunehmenden Differenzierung, zugleich zu einer erheblichen Verbreiterung der Basis, die dabei mäßig angehoben wurde, einer Ausweitung der unteren und einer erheblichen Stärkung der anfänglich äußerst schmalen Oberschicht. Die Zunahme der Einkommen der untersten Einkommensteuerklasse von 900 bis 1650

21 Hentschel, Wirtschaft, S. 74.
22 Vgl. Anm. 1 und für Wolfram Fischer dessen Beitrag zum Handbuch der Wirtschafts- und Sozialgeschichte (Anm. 14).

Mark um ca. 2 Millionen in Preußen zwischen 1895 und 1912 wurde aufgewogen durch die gleichfalls erhebliche Zunahme jener Bevölkerungsgruppen, die außerhalb der steuerlichen Veranlagung blieben, weil sie als minderbemittelt galten. Die Entwicklung der Einkommensverhältnisse der breiten Massen der Bevölkerung kann demnach nicht uneingeschränkt positiv bewertet werden; die Auswertung der statistischen Daten läßt jedoch einen weiten Spielraum sowohl für »optimistische« wie auch für »pessimistische« Interpretationen.
Mit einiger Vorsicht lassen sich aus diesen sozialstatistischen Analysen Folgerungen auch für die gesellschaftliche Ordnung im Kaiserreich als solche ziehen und daran Hypothesen über die politischen Konsequenzen knüpfen, die sich hieraus ergeben. Dies gibt uns zugleich Gelegenheit, die Frage wieder aufzugreifen, ob wir es im Falle des deutschen Kaiserreichs mit einer bürgerlichen Gesellschaft oder aber, wie die bisherige Forschung überwiegend urteilte, mit einer aristokratisch verformten Gesellschaft zu tun haben. Gewiß wird man nicht fehl darin gehen, der preußisch-deutschen Aristokratie, also einer zahlenmäßig kleinen Gruppe von maximal 15000–17000 Familien, eine gesellschaftliche Führungsstellung innerhalb des Systems zuzuweisen. Aber die ökonomische Basis der traditionellen Vorrangstellung der Aristokratie in Gesellschaft und Staat war bereits seit längerem einem Erosionsprozeß ausgesetzt, der sich auch durch den Zufluß eines erheblichen Anteils bürgerlicher Elemente, sei es durch Konnubium, sei es durch das Hineinwachsen der Spitzen des Besitzbürgertums in die grundbesitzende Aristokratie – im Sinne der bekannten Thesen Hans Rosenbergs –, nicht auf Dauer hat aufhalten lassen. Die Bevorzugung der Hocharistokratie im Offizierskorps und in der preußischen Verwaltung, teilweise auch in der Verwaltung der anderen Einzelstaaten, war, wie wir heute wissen, tendenziell rückläufig und stellte kaum einen vollwertigen Ersatz für die schon in den 70er Jahren dramatisch beschnittene und seit 1891 gänzlich verlorengegangene Machtbasis in der ländlichen Selbstverwaltung dar. Im Unterschied etwa zu englischen Verhältnissen ist es nur in begrenztem Maße zu einer wirklichen Verschmelzung der oberen Strata der aufsteigenden Mittelschichten mit der grundbesitzenden Aristokratie, mit anderen Werten zur Bildung einer neuen *upper class*, gekommen, wenn auch gewisse Ansätze dazu nicht zu übersehen sind. Vielmehr scheint es eine der sozialen Signifikanten des Kaiserreichs gewesen zu sein, daß eine Symbiose von alter und aufsteigender neuer Oberschicht eben nicht gelang und allenfalls in Form des Surrogats des Bündnisses von »Rittergut und Hochofen« eine gewisse soziale und politische Geltung erlangt hat.
Komplexer sieht die Situation im Bereich der Entwicklung der mittleren Schichten der Gesellschaft aus. Die Lage des sogenannten Mittelstandes

hat die Forschung schon lange besonders beschäftigt, und dies ist durch die Beobachtung, daß der Mittelstand späterhin zu einem bevorzugten Wählerreservoir des Nationalsozialismus geworden ist, noch weiter verstärkt worden. Insgesamt weisen die Statistiken auf eine mäßige Verbesserung, zugleich aber auch auf eine zunehmende Diversifikation ihrer ökonomischen Lage hin, wie eigentlich nicht anders zu erwarten ist. Ob dies den – unter politischen Gesichtspunkten naheliegenden – Schluß statistisch untermauert, daß es stufenweise zu einer Dekomposition des klassischen, liberalen politischen Einstellungen zugewandten, Bürgertums gekommen ist, sei hier zunächst dahingestellt. Die Forschung hat sich in den letzten Jahren vorzugsweise der Gruppe der leitenden Angestellten als einer neuen, sich vom Arbeiterstand emanzipierenden Sozialgruppe – und im weiteren Sinne den unteren Mittelschichten – zugewandt.[23] Es scheint, daß die unteren Mittelschichten sich vom liberalen Lager, dem sie nach den Erwartungen der Zeit eigentlich hätten zuwachsen müssen, zunehmend abwandten und zu einem Reservoir von politischen Bewegungen wurden, die sich überwiegend gegen die Modernisierung und die industrielle Entwicklung stellten und insofern auf die beschleunigten gesellschaftlichen Wandlungsprozesse retardierend reagierten.
Ein Teil der aufsteigenden unteren Mittelschichten, und mit ihnen ein erheblicher Teil der sogenannten Intelligenz, wurde zum Rekrutierungsreservoir der sogenannten Neuen Rechten. Diese distanzierte sich zwar von der einseitig auf die Verteidigung agrarischer Interessen ausgerichteten, rein defensiven Politik der Konservativen, neigte aber zu einer Option für die bestehenden Gewalten, teilweise aus einem antisozialistischen Ressentiment heraus, das sich leicht aus ihrer besonderen sozialen Lage erklären läßt. Für diese Gruppen war die Identifikation mit dem nationalen Machtstaat besonders bedeutsam, weil dies ihre Emanzipation innerhalb des traditionellen gesellschaftlichen und parteipolitischen Gefüges begünstigte und geeignet war, durch Ineinssetzung ihres persönlichen Lebensschicksals mit jenem der Gesamtnation eine psychologisch bedeutsame Stärkung ihres Selbstgefühls zu erreichen. Nicht zufällig fanden die außerparlamentarischen Agitationsvereine, die seit den 90er Jahren entstanden waren, in dieser Sozialschicht den Kern ihrer Anhänger, obschon es an Mittätern aus den sogenannten höheren Kreisen nicht mangelte.[24]

23 Vgl. Jürgen Kocka, Unternehmensverwaltung und Angestelltenschaft am Beispiel Siemens 1847–1914, Stuttgart 1969; Heinrich August Winkler, Mittelstand, Demokratie und Nationalsozialismus, Köln 1972.
24 Vgl. Geoff Eley, Reshaping the German Right. Radical Nationalism and Political Change after Bismarck, New Haven 1980; Roger Chickering, We Man who feel most German. A Cultural Study of the Pan-German League, 1886–1914, Boston 1984. Chickering betont be-

Im katholischen Milieu hingegen wurden diese Gruppen vom Zentrum politisch aktiviert. Dieses sah sich zunehmend gezwungen, als Sprachrohr von oft miteinander schwer zu vereinbarenden sozialkonservativen Bestrebungen zu agieren, wie David Blackbourn jüngst am Beispiel Württembergs gezeigt hat.[25] Dies trifft natürlich insbesondere für den sogenannten älteren Mittelstand zu, mit anderen Worten jenes Konglomerat von Handwerkern und kleinen Gewerbetreibenden, die von der industriellen Entwicklung kurzfristig überwiegend nur Nachteile zu erwarten hatten. Es kommt hinzu, daß mit dem Vordringen der Industrialisierung und den damit verbundenen Modernisierungsmaßnahmen auch das spezifisch katholische Sozialmilieu untergraben wurde, das die Grundlage einer weitgespannten katholischen Vereins- und Parteibewegung war. Insofern wurde das Zentrum zu einem Sammelbecken aller sozialkonservativen Bestrebungen, die sich gegen das Vordringen des industriellen Systems und des damit verbundenen säkularisierten gesellschaftlichen Wertesystems wandten.
Dies alles macht es verständlicher, weshalb die liberalen Parteien im Kaiserreich, von der vergleichsweise kurzen Periode von 1867–1879 abgesehen, es nicht vermocht haben, ihre zumindest anfänglich unzweifelhaft starke Position in eine dauerhafte politische Hegemonie innerhalb des Systems umzumünzen. Dies liegt nicht nur an den Widerständen von konservativer Seite und von seiten der überwiegend konservativ eingestellten höheren Bürokratie, sondern auch daran, daß die potentiell konservativen Gegenkräfte gegen eine konsequente Liberalisierung von Staat und Gesellschaft, als der angeblichen oder wirklichen Vorbedingung langfristigen wirtschaftlichen Wachstums, noch überaus stark waren und sich seit der Jahrhundertwende sogar noch vermehrten. Die Industrialisierung erfaßte die deutsche Gesellschaft des Kaiserreichs in einer sowohl in regionaler wie in branchenspezifischer Hinsicht durchaus unterschiedlichen Weise; in gewissem Sinne bildeten die Zentren der industriellen Entwicklung – das Ruhrgebiet, das Rheinland, überhaupt die industriellen Ballungszentren entlang der Rheinschiene, der Großraum Berlin, Hamburg und schließlich Sachsen, das ab der Jahrhundertwende bereits wieder an Terrain verloren hatte – Inseln innerhalb einer noch weitgehend traditionalistischen Gesellschaft. Diese reagierte infolgedessen auf die industrielle Entwicklung in höchst unterschiedlicher Weise. Dem entspricht denn auch, daß die Gegenkräfte gegen diese Entwicklung zwar in

sonders die Rolle der höheren Beamtenschaft im Prozeß der Formierung des Alldeutschen Verbandes.
25 David Blackbourn, Class, Religion and Local Politics in Wilhelmine Germany. The Center Party in Württemberg before 1914, Wiesbaden 1980.

sich wenig einig, aber insgesamt doch relativ stark waren, ja, seit dem Ende der 80er Jahre wieder an Gewicht gewannen. Dabei ist es, wie gesagt, noch nicht einmal notwendig, besonders auf die Landwirtschaft als ein quasi natürliches Reservoir konservativer, tendenziell antiindustrieller Politik zu rekurrieren. Noch bei den Debatten über die deutschen Kriegsziele während des Ersten Weltkriegs innerhalb der wirtschaftlichen Verbände spielte der Gedanke eine wichtige Rolle, daß das delikate Gleichgewicht von industriellem und agrarischem Sektor (man ist versucht zu sagen, von gewerblich-industrieller und ländlich-bäuerlicher bzw. großagrarischer Kultur) durch Annexionen nicht gestört werden dürfe und demgemäß Annexionen von überwiegend industriellen Regionen wie Belgien durch entsprechende Annexionen agrarischer Gebiete im Osten austariert werden müßten.

Nach allem wäre es gleichwohl verfehlt, die Rolle des Bürgertums im Kaiserreich gering einzuschätzen. Namentlich das aufsteigende, selbstbewußte Wirtschaftsbürgertum und das diesem in vieler Hinsicht eng verbundene Bildungsbürgertum, aus dem sich die »freien Berufe«, aber auch die Beamtenschaft in Staats-, Regional- und Gemeindeverwaltungen in zunehmendem Maße rekrutierten, bei tendenziell immer stärkerem Rückgang des Anteils adeliger Amtsinhaber, waren einstweilen hinter der Barriere des Dreiklassenwahlrechts in den Städten politisch gut abgesichert. Sie verfügten nahezu über ein Meinungsmonopol in der Presse und dank des von ihnen weitgehend beherrschten Bildungswesens über großen indirekten Einfluß auf die öffentliche Meinung. Auf der Ebene des Reichs und der Länder war der Liberalismus seit dem Ende der vergleichsweise kurzen »liberalen Ära« von 1867–1879 seines politischen Einflusses weitgehend verlustig gegangen, vielleicht mit Ausnahme des deutschen Südwestens. Aber auf der Ebene der städtischen Kommunalverwaltungen hat dieser seine Position bis zum Ersten Weltkrieg, wenn auch zumeist nur mit Hilfe des gegen die Sozialdemokratie einseitig diskriminierenden Dreiklassenwahlrechts, weitgehend zu behaupten vermocht. Angesichts des dramatischen Fortschreitens der Urbanisierung verschoben sich die Gewichte im gesellschaftlichen Raum zunehmend hin zu den alten oder neuen städtischen Zentren. In der sich rapide entwikkelnden städtischen Kultur aber gaben das gebildete und das besitzende Bürgertum eindeutig den Ton an, während der Einfluß der aristokratischen Schichten im ganzen verschwindend gering oder doch zumindest stark rückläufig war. Auf den unteren Ebenen der Gesellschaft bildete sich demgemäß, ungeachtet der halbkonstitutionellen Struktur des Deutschen Reiches, die den traditionellen Eliten ein Übergewicht sicherte, eine spezifische bürgerliche Kultur aus, die sich ihrer Entgegensetzung gegen die aristokratische Kultur und ihrer Derivate bei Hofe durchaus

bewußt war. Zumindest in diesem Sinne war die deutsche Gesellschaft vor 1914 eine bürgerliche Gesellschaft, und die feudalen Verformungen derselben hielten sich in engeren Grenzen, als man gemeinhin, ziemlich ungeprüft, angenommen hat.
Diese bürgerliche Kultur fand ihre ökonomische Basis im Wirtschaftserfolg des aufsteigenden industriellen Systems und zunehmend auch des damit verknüpften Dienstleistungssektors. Sie war zugleich in einem spezifischen Sinne nationalistisch, in potentieller und gelegentlich offener Entgegensetzung zu den politischen Positionen des agrarischen Konservatismus, bis dieser es dann seit 1911 für unabweisbar hielt, in das gleiche Horn zu blasen. Nationalismus fungierte hier als eine bürgerliche Emanzipationsideologie gegenüber aristokratischer Bevormundung, zugleich aber als effektive Waffe gegen den vermeintlichen Internationalismus der Sozialdemokratie. Auch die entschiedene Unterstützung einer deutschen »Weltpolitik« gründete sich weniger auf konkrete ökonomische Interessen, sondern muß in erster Linie als Folge eines Syndroms von politischen und sozialen Interessen gesehen werden, die von einer energischen imperialistischen Politik eine Reduzierung der Spannungen im Innern erwarteten; wenn es zur Frage der Finanzierung imperialistischer Aktionen kam, reagierten die gleichen Gruppen durchweg zurückhaltend, von einzelnen, unmittelbar interessierten Firmen abgesehen.
Unzweifelhaft war das Kaiserreich, zumindest auf den ersten Blick, eine ausgeprägt autoritäre Gesellschaft. Das Erbe des preußischen Militärstaates lastete auf ihm ebenso wie die bürokratischen Traditionen, die sich aus der Ära des Aufgeklärten Absolutismus und der ihr folgenden Ära der Reformen herleiteten. Die bürokratischen Züge dieser Gesellschaft wurden im Laufe der Industrialisierung noch verstärkt, teilweise auf Kosten des politischen Einflusses der aristokratischen Schichten. Dies wurde durch die vergleichsweise späte Industrialisierung des Systems im Sinne der Theoreme Gerschenkrons erheblich begünstigt. Die Politik der Repression der politischen Arbeiterbewegungen und der Behinderung der Gewerkschaften hat die hegemoniale Position der bürokratischen Eliten flankierend unterstützt. Nur der Obrigkeitsstaat, nicht der für die politische Partizipation der breiten Massen offene Staat konnte, so schien es, Schutz gegen die sogenannte »rote Gefahr« bieten. Die starke Segmentierung der Gesellschaft hat ein übriges getan, um deren autoritäre Züge indirekt abzustützen.
Auf der anderen Seite aber entfaltete eben diese Gesellschaft ein ungewöhnliches Maß von wirtschaftlicher und in der Folge auch gesellschaftlicher Dynamik. Zumindest seit der Jahrhundertwende begannen sich die Chancen für sozialen Aufstieg innerhalb dieses Systems nicht nur für die einkommensstarken Gruppen, sondern auch für die Gesellschaft in ihrer

Gesamtheit, schrittweise zu verbessern. Dabei spielt, soweit wir sehen, insbesondere das Bildungssystem eine Rolle, das zwar immer noch überaus elitär strukturiert war, aber doch um einiges offener gewesen ist als jene vergleichbarer westlicher Gesellschaften wie Großbritannien oder Frankreich.[26] Dies weist ebenfalls darauf hin, daß das Deutsche Reich, ungeachtet seiner rückständigen politischen Verfassung, bürgerlicher geworden war.[27] Insgesamt war das Deutsche Reich vor 1914 immer noch eine autoritäre Gesellschaft; jedoch lassen sich erste Ansatzpunkte für die Zunahme vertikaler Mobilität ausmachen, die es erlauben, hier die Anfänge der Entwicklung einer »offenen Gesellschaft« modernen Typs zu sehen. Dennoch hat das ungeklärte Verhältnis von aristokratischen und bürgerlichen, von autoritären und liberalen Bauprinzipien der Gesellschaft des Kaiserreichs, das, wie wir gesehen haben, in den spezifischen Zügen des Industrialisierungsprozesses einerseits, der Stärke des agrarischen Sektors andererseits, eine direkte Entsprechung besaß, zum Niedergang und schließlich zum Zusammenbruch dieses Systems geführt.

26 Dies richtet sich gegen die u. E. unhaltbare Grundthese von F. K. Ringer, The Decline of the German Mandarins. The German Academic Community, 1890–1933, Cambridge/Mass. 1969.

27 Dies gilt nicht zuletzt für die Führungsschichten im Reich und in Preußen selbst. Die hohe Beamtenschaft war seit 1850 einem Prozeß zunehmender Verbürgerlichung ausgesetzt, und die personellen Verbindungen zwischen dieser und dem Bildungsbürgertum waren erheblich, auch wenn die Beamtenschaft die Erhaltung des bestehenden halbkonstitutionellen Systems als ihre Aufgabe betrachtete, bis zu einem gewissen Grade sogar im Gegensatz zu der engstirnigen Interessenpolitik der Konservativen. Vgl. Wolfgang J. Mommsen, Preußisches Staatsbewußtsein und deutsche Reichsidee. Preußen und das Deutsche Reich in der jüngeren deutschen Geschichte (siehe in diesem Band, S. 66–85).

## Kultur und Politik im deutschen Kaiserreich

Max Weber hat einmal, gleichsam mit einem gewissen Erschrecken, festgestellt, daß reine Kunst und Literatur von deutscher Eigenart nicht im politischen Zentrum Deutschlands entstanden seien, obschon er als Soziologe urteilte, daß der Begriff der Nation in der Regel »an der Überlegenheit oder doch der Unersetzlichkeit der nur kraft der Pflege der Eigenart der zu bewahrenden und zu entwickelnden ›Kulturgüter‹« verankert zu werden pflege.[1] Noch ungleich schärfer hat Friedrich Nietzsche über die Auswirkungen der Reichsgründung auf die kulturelle Entwicklung in Deutschland geurteilt: »In der Geschichte der europäischen Kultur bedeutet die Heraufkunft des ›Reichs‹ vor allem eins: eine Verlegung des Schwergewichts. Man weiß es überall bereits: In der Hauptsache – und das bleibt die Kultur – kommen die Deutschen nicht mehr in Betracht.«[2] Auch wenn man diese Urteile als allzu hart und überspitzt betrachten mag, so ist doch nicht zu übersehen, daß das politische Machtzentrum des Kaiserreichs zumeist eher abseits der bahnbrechenden zeitgenössischen Entwicklungen auf dem Gebiete der Kunst, Literatur und Musik gestanden hat. Mehr noch, es bestand von Anfang an eine deutliche Spannung zwischen der offiziösen Politik in Sachen von Kunst, Kultur, Musik und Wissenschaft und jenen, die im engeren Sinne als deren Träger zu gelten haben, die Künstler, Schriftsteller, Komponisten und Wissenschaftler, und ihren Sympathisanten und Mäzenen im gesellschaftlichen Raum.
Davon abgesehen ist die Vielgestaltigkeit der Staatenwelt des 18. und früheren 19. Jahrhunderts, die dann in der föderalistischen Struktur des Reiches in freilich abgeschwächter Form weiterbestand, für die Entwicklung von Kunst, Literatur und Wissenschaft in Deutschland von großem Vorteil gewesen; sie begünstigte die Entstehung einer Vielzahl von kulturellen Zentren, die im Regelfall auf fürstliche Residenzen zurückgingen, aber vielfach durchaus unabhängig davon eine eigenständige Existenz als Vororte von Kunst und Kultur zu erhalten vermochten, wie beispiels-

1 Wirtschaft und Gesellschaft, Tübingen 1922, S. 629.
2 Unzeitgemäße Betrachtungen, Erstes Stück. David Friedrich Strauß, der Bekenner und Schriftsteller, in: Friedrich Nietzsche, Werke in drei Bänden, Darmstadt 1958, Bd. 2, S. 986.

weise Mannheim oder Düsseldorf, oder in anderer Weise ehemalige Reichsstädte wie Hamburg oder Köln.[3] Insgesamt läßt sich mit einiger Berechtigung sagen, daß, im Unterschied zu Frankreich, die großen Impulse auf künstlerischem, literarischem und musikalischem Gebiet nicht eigentlich von Berlin, sondern eher von einer Vielzahl konkurrierender regionaler Metropolen ausgegangen sind, allerdings mit einer gewichtigen Ausnahme, nämlich der modernen Wissenschaft. Desgleichen wird man sagen dürfen, daß auch die sozialen Trägerschichten der geistigen, künstlerischen und literarischen Entwicklungen in einer deutlichen Distanz zu den politischen Führungseliten gestanden haben. Dieser Befund führt unabweislich zu der Frage, welche politische Dimension, wenn nicht gar welche politische Rolle Kultur im Kaiserreich gespielt hat.[4] In gewissem Betracht lassen sich im Kaiserreich vier verschiedene kulturelle Milieus unterscheiden. Die überkommene *höfisch-aristokratische Kultur* hatte den Höhepunkt ihrer Geltung im 18. Jahrhundert überschritten; überdies hatte sie schon in den aristokratischen Salons der Epoche der Aufklärung in zunehmendem Maße bürgerliches Bildungsgut und bürgerliche Bildungsideale in sich aufgenommen. Doch war ihr Status unübersehbar rückläufig. Theodor Fontane, der in seinen Werken, vornehmlich seinen »Wanderungen in der Mark Brandenburg«, der altpreußischen Hocharistokratie ein bleibendes Denkmal gesetzt hat, bescheinigte seinen aristokratischen Zeitgenossen, daß sie ihren ehemals hohen Bildungsstand verloren und zu engstirnigen Interessenvertretern herabgesunken seien; wesentlich deshalb hätten sie ihren vormaligen Führungsanspruch in Staat und Gesellschaft eingebüßt. Die Erstarrung des

3 Vgl. dazu Wolfgang J. Mommsen, Stadt und Kultur im deutschen Kaiserreich, in: Thilo Schabert, Die Welt der Stadt (im Druck).

4 Einstweilen fehlt eine zusammenfassende Darstellung zu diesem Problem. Siehe aber Gordon A. Craig, Germany 1866–1914, Oxford 1978, S. 180–213; Eric J. Hobsbawm, Das imperiale Zeitalter 1875–1915, Frankfurt 1989, S. 275–328; Thomas Nipperdey, Wie das Bürgertum die Moderne fand, München 1988; ders., Religion im Umbruch, München 1988; Hermann Glaser, Die Kultur der Wilhelminischen Zeit. Topographie einer Epoche, Frankfurt 1984; und, für den engeren Bereich des Durchbruchs der modernen Kunst, Peter Paret, Die Berliner Sezession. Moderne Kunst und ihre Feinde im Kaiserlichen Deutschland, Berlin 1981; ferner Birgit Kulhoff, Bürgerliche Selbstbehauptung im Spiegel der Kunst. Untersuchungen zur Kulturpublizistik der Rundschauzeitschriften im Kaiserreich (1871–1914), Phil. Diss. Bochum 1988 (Manuskript). Die Darstellung von Corona Hepp, Avantgarde. Moderne Kunst, Kulturkritik und Reformbewegungen nach der Jahrhundertwende, München 1987, ist allzu impressionistisch und wenig überzeugend. Grundlegend sind ferner die Publikationen des Projekt-Kreises der Fritz-Thyssen-Stiftung über: Kunst, Kultur und Politik im Deutschen Kaiserreich, insbesondere Kunstverwaltung, Bau- und Denkmal-Politik im Kaiserreich, hrsg. von Ekkehard Mai und Stephan Waetzoldt, Berlin 1981; dies./Hans Pohl (Hrsg.), Kunstpolitik und Kunstförderung im Kaiserreich, Berlin 1982, sowie Ekkehard Mai/Jürgen Paul/Stephan Waetzoldt (Hrsg.), Das Rathaus im Kaiserreich. Kunstpolitische Aspekte einer Bauaufgabe im 19. Jahrhundert, Berlin 1982.

Lebensstils der preußischen Aristokratie in enger gesellschaftlicher Konvention und überholtem Standesdünkel ist eines der wesentlichen Themen seiner Romane, namentlich des »Stechlin« und der tragischen Geschichte der »Effi Briest«. Fontane kann durchaus nicht als Feind aristokratischer Kultur und aristokratischer Lebensweise eingestuft werden, aber er kam gleichwohl zu der resignierten Schlußfolgerung, daß »über den Adel hinweggegangen werden« müsse.[5] Jedoch wäre es verfehlt, die große Anziehungskraft aristokratischer Lebensformen und kultureller Ideale insbesondere auf die aufsteigenden bürgerlichen Schichten gering einschätzen zu wollen. Davon abgesehen darf die Patronage, die auch in einem Zeitalter, in dem die Förderung von Kunst und Kultur zunehmend an den Staat, die städtischen Korporationen und vor allem an private Mäzene übergegangen war, von den fürstlichen Höfen Deutschlands und nicht zuletzt auch dem kaiserlichen Hofe ausging, nicht außer acht gelassen werden. Allerdings zeigte sich bald, daß fürstliche Mäzene, sofern und soweit sie sich erfolgreich an die Spitze der künstlerischen oder kulturellen Bewegungen der Zeit setzen wollten, zunehmend gezwungen waren, sich den bürgerlichen Kulturidealen und den Usancen des bürgerlichen Kunstbetriebs anzupassen. Die Zeiten, in denen König Ludwig I. von Bayern von sich sagen konnte: »Die Kunst bin ich«,[6] waren vorbei, auch wenn sich gewisse Reminiszenzen eines derartigen kunstabsolutistischen Gebarens noch nach der Jahrhundertwende bei Wilhelm II. finden lassen.

Das *dominante Kulturmilieu* im Kaiserreich war unzweifelhaft *bürgerlich-protestantischer Prägung*. Schon seit dem späten 18. Jahrhundert hatte sich der unaufhaltsame Aufstieg des Bürgertums als dominante Sozialgruppe im ökonomischen, aber ebenso auch im kulturellen Bereich angekündigt. Die für das frühere 19. Jahrhundert typische enge Verbindung von Bildungs- und Besitzbürgertum, die teilweise der relativen Verspätung des Industrialisierungsprozesses zu verdanken ist, löste sich zwar spätestens seit der Mitte der achtziger Jahre zunehmend auf; aber sie blieb für das bürgerlich-protestantische Kulturmilieu weiterhin bestimmend.[7] In einem vergleichsweise hochentwickelten Schulwesen, in dem spezifisch religiöse Einflüsse zugunsten eines partiell säkularisierten pro-

5 Vgl. Katharina Mommsen, Gesellschaftskritik bei Theodor Fontane und Thomas Mann, Heidelberg 1973, S. 19–29.

6 Zit. nach Winfried Neudinger, Akademiebeschimpfung – Anti-Festrede zur 175-Jahr-Feier, in: Thomas Zacharias (Hrsg.), Tradition und Widerspruch. 175 Jahre Kunstakademie München, München 1985, S. 50. Siehe für das Zitat Paul Böckmann, Der Zeitroman Fontanes, in: Wolfgang Preisendanz (Hrsg.), Theodor Fontane, Darmstadt 1973, S. 92.

7 Siehe dazu grundlegend Jürgen Kocka (Hrsg.), Bürgertum im 19. Jahrhundert. Deutschland im europäischen Vergleich, 3 Bde., Stuttgart 1988/89; ferner Ulrich Engelhard, »Bildungsbürgertum«. Begriffs- und Dogmengeschichte eines Etiketts, Stuttgart 1986, sowie Jürgen Kocka

testantischen Weltbildes zurückgedrängt wurden, ebenso wie in dem sich mit großer Geschwindigkeit entwickelnden System der modernen rationalen Wissenschaft und dem damit verknüpften Vertrauen in den wirtschaftlichen und gesellschaftlichen Fortschritt besaß das bürgerliche Kulturmilieu feste Stützen. Max Webers bekannte Herleitung des modernen, arbeitsteiligen, marktorientierten Kapitalismus aus dem »Geist des Kapitalismus« beschrieb in geradezu klassischer Weise die dominanten Elemente des neuen bürgerlichen Bewußtseins. Dieses forderte eine streng rationale Lebensführung im Sinne innerweltlicher Askese und suchte die Lebenserfüllung des einzelnen in erfolgreicher beruflicher Leistung, in schroffer Entgegensetzung zu traditionellen Lebensformen, die an dem Ideal einer standesgemäßen, auskömmlichen Lebensführung und dem Prinzip der Respektabilität ausgerichtet waren. Allerdings unterschied sich das bürgerliche Ethos, wie wir es in der deutschen Gesellschaft finden, insofern von dem puritanischen Grundmuster bürgerlicher Lebensführung, das Max Weber seiner Analyse zugrunde legte, als hier die dem Puritanismus spezifische antiästhetische Grundhaltung weitgehend fehlte; vielmehr war im deutschen bürgerlichen Milieu das Ideal rationaler ökonomischer Lebensführung nahezu durchweg gekoppelt an die Ideale des Neuhumanismus, die sich insbesondere mit Schiller und Goethe, aber auch mit Winckelmanns idealisiertem Bild der griechischen Antike und einem romantisch verklärten Bild des deutschen Mittelalters verbanden.

Die enge Verzahnung des Bildungsbürgertums überwiegend akademischer Herkunft mit der hohen Staatsbeamtenschaft, ihre einstweilen noch intakte Verbindung zum Wirtschaftsbürgertum im engeren Sinne, bei der die sogenannten »freien Berufe« eine Brückenfunktion wahrnahmen, verschaffte den bürgerlichen Schichten in der Anlaufphase der Industrialisierung eine hegemoniale Stellung im wirtschaftlichen und gesellschaftlichen Raum. Bürgerliches Bewußtsein verband sich bis zur Reichsgründung in einem ausgeprägten Maße mit einem nationalpolitischen Bewußtsein, das seinen vornehmlichen Ausdruck im Ruf nach dem einheitlichen Nationalstaat und der Forderung nach konstitutioneller Regierungsform fand, durch die den bürgerlichen Schichten, dem eigentlichen Kern der Nation, eine angemessene Mitsprache an den politischen Entscheidungen gewährt werden sollte. Die sich in der deutschen Staatenwelt ausbildende bürgerliche Kultur war demgemäß ausgesprochen national geprägt; bürgerliches Kulturbewußtsein und das Eintreten für die Forderungen eines konstitutionellen Liberalismus ausgeprägt natio-

(Hrsg.), Bildungsbürgertum im 19. Jahrhundert, Teil I. Bildungssystem und Professionalisierung in internationalen Vergleichen, Stuttgart 1985.

naler Gebärde waren zwei Seiten der gleichen Münze. Die Schillerfeiern des Jahres 1859, die die enthusiastische Verehrung des großen Dichters mit dem Bekenntnis zu einer freiheitlichen Ordnung nationalen Zuschnitts kombinierten, bilden dafür ein besonders anschauliches Beispiel. Die moderne individualistische Kultur liberalen Zuschnitts, eng assoziiert mit Bildung und Wissenschaft, bildete eine wesentliche Waffe im Arsenal des liberalen Bürgertums einerseits in seinem Kampf gegen fürstliche Willkür und aristokratische Bevormundung, andererseits aber auch der Verteidigung der eigenen politischen und gesellschaftlichen Vorrangstellung gegen die aus den Tiefen der Gesellschaft heraufkommenden politischen Kräfte, sei es der Demokratie, sei es der Arbeiterschaft. Friedrich Hecker gab 1868 einer in bürgerlichen Kreisen weitverbreiteten Überzeugung Ausdruck, wenn er schrieb: »Handel und Industrie, Kunst und Wissenschaft, sie machen jeden Absolutismus auf die Dauer unmöglich.«[8]

Bismarcks Politik der »Revolution von oben« kam einer herben Enttäuschung für das liberale Bürgertum gleich. Zwar wurde der lange ersehnte Nationalstaat gegründet, aber den bürgerlichen Schichten wurde der Zugang zu den Kommandohöhen des politischen Systems auf Dauer verwehrt, auch wenn ihnen auf wirtschaftlichem und gesellschaftlichem Gebiet zunächst weitgehend freie Hand für die Neugestaltung der Verhältnisse in nationalem Rahmen gegeben wurde. Obgleich das halbkonstitutionelle Verfassungssystem hinter den Idealen des bürgerlichen Liberalismus weit zurückblieb, beanspruchte das Bürgertum gleichwohl einen »moralischen Führungsanspruch [...] im fortschrittsverbürgenden Nationalstaat«.[9] Der Kampf gegen die überkommenen Privilegien der katholischen Kirche im modernen säkularisierten Nationalstaat wurde von den Liberalen mit innerer Überzeugung und nicht lediglich aus taktischen Gründen als »Kulturkampf« geführt. Sie waren der Meinung, daß der modernen individualistischen Kultur rationalen Zuschnitts die Zukunft gehöre und die Durchsetzung ihrer Grundsätze im allgemeinen Interesse liege. Im Deutschen Reich und in den größeren Bundesstaaten erwies sich freilich die Ära bürgerlich-liberaler Vorherrschaft als kurzlebig. Hingegen vermochten die bürgerlichen Schichten auf den unteren Ebenen des politischen Systems, namentlich in den städtischen Korporationen, ihre hegemoniale Position nahezu bis zum Ende des Kaiserreichs zu behaupten, allerdings gutenteils dank des dort weiterhin gültigen Dreiklassenwahlrechts, das die besitzenden Schichten einseitig begünstigte. Das

8 Lothar Gall, Bürgertum in Deutschland, Berlin 1989, S. 379.
9 So Dieter Langewiesche, Bildungsbürgertum und Liberalismus im 19. Jahrhundert, in: Kocka (Hrsg.), Bildungsbürgertum, Teil IV, Stuttgart 1989, S. 101.

die Unterschichten nahezu ausschließende Kommunalwahlrecht aber wurde von den bürgerlichen Parteien vor allem mit dem Argument verteidigt, daß hier »hauptsächlich Kulturaufgaben zu erfüllen sind, deren materielle und ideelle Träger das leistungsfähige, reife und gebildete Bürgertum« sei.[10] In der Tat hatten die Städte schon seit der Mitte des Jahrhunderts die Nachfolge der ehemals fürstlichen Residenzen angetreten; die kommunalen Körperschaften wurden, zumeist in enger personaler Verflechtung mit den Spitzen der bürgerlichen Honoratiorenschaft, zu vornehmlichen Trägern der bürgerlichen Kultur. Durchweg in Verbindung mit privaten Fördervereinen entstanden in schneller Folge und reicher Zahl städtische Theater, Kunst- und Gewerbemuseen, Konzerthallen, zoologische Gärten, naturwissenschaftliche Sammlungen aller Art und schließlich auch städtische wissenschaftliche Lehrinstitutionen, Forschungseinrichtungen und zuweilen sogar regelrechte Handelshochschulen. Diese Einrichtungen bildeten die institutionelle Grundlage für die Entfaltung eines reichen kulturellen Betriebs bürgerlichen Zuschnitts.

Gegenüber dem bürgerlich-protestantischen Kulturmilieu, das seinen Geltungsbereich angesichts der sprunghaft voranschreitenden wirtschaftlichen Entwicklung noch erheblich ausbauen konnte, vermochte sich das *katholische Kulturmilieu*, das seine Klientel überwiegend in den kleinbürgerlichen Schichten katholischer Observanz besaß und in erster Linie beim katholischen Klerus Rückhalt fand, nur schwer zu behaupten. Die krasse Unterrepräsentanz des katholischen Volksteils im kulturellen und wissenschaftlichen System des Kaiserreichs ist hinlänglich bekannt; sie wurde durch die amtliche Politik, die Katholiken nur in sehr wenigen Fällen Zugang zu politischen oder gesellschaftlichen Schlüsselpositionen in Staat und Gesellschaft gewährte, noch weiter verstärkt. Erst seit der Jahrhundertwende, unter anderem mit der Gründung des »Volksvereins für das katholische Deutschland«, begannen sich die Verhältnisse in dieser Hinsicht zum Besseren zu wenden. Nunmehr ergab sich gelegentlich die Möglichkeit eines Zusammenspiels der katholischen Interessen mit den konservativen Kräften, etwa anläßlich der preußischen Schulvorlage von 1892 oder der Umsturzvorlage von 1895 oder gar bei spezifisch kulturpolitischen Auseinandersetzungen, wie jenen über das Aufführungsverbot von Gerhart Hauptmanns »Die Weber«; dergleichen löste freilich regelmäßig eine gewaltige Protestwelle des liberalen Lagers aus, der sich die Regierungen am Ende meist dann doch nicht direkt entgegenzustellen wagten.

Komplexer liegen die Verhältnisse hinsichtlich der sogenannten *Arbeiterkultur*, die sich insbesondere unter dem Sozialistengesetz abseits der bür-

10 Ebenda, S. 83.

gerlichen Kultur ausbildete und ihre institutionelle Basis in einem weitverzweigten System von proletarischen Vereinen aller Art besaß. In der qualifizierten Arbeiterschaft, die vielfach noch aus handwerklichen Verhältnissen stammte, waren die Traditionen der liberalen Arbeiterbildungsvereine, die den Arbeitern vermittels des Erwerbs von bürgerlicher Bildung – einschließlich gewerblicher Fähigkeiten – aus ihrer gedrückten Lage herauszuhelfen versprach, nie gänzlich verlorengegangen; selbst August Bebel erinnerte sich mit Stolz und beträchtlichem Selbstbewußtsein an seinen frühen Lebensweg im Schatten liberaler Arbeiterbildungsideale. Später, unter dem Sozialistengesetz und danach, wurde diese ältere Tradition überlagert durch die mächtige, Zuversicht schaffende Ideologie des Marxismus, freilich überwiegend in der von Engels in evolutionstheoretischer Richtung gedeuteten Version, die den Sieg des Sozialismus gleichsam zu einem Naturgesetz ähnlich jenem der Evolutionstheorie Darwins verbog. Aber hinter dieser pathetischen Fassade fanden sich durchweg Kulturideale bürgerlicher Herkunft, allem voran ein durchaus bürgerlicher Fortschrittsglaube und ein fast sklavisches Vertrauen in die Segnungen der modernen Wissenschaft. Eine genauere Analyse der Inhalte der Arbeiterkultur des Kaiserreichs ergibt, daß diese weitgehend ein Substrat der hegemonialen bürgerlichen Kultur darstellte, wenn auch mit einer gewissen Gewichtung zugunsten aufklärerischer und emanzipatorischer Ideale. Freilich zogen die Anwälte der kulturellen Interessen der Arbeiterschaft, wie beispielsweise Franz Mehring mit seiner Neuen Freien Volksbühne in Berlin, im Zweifelsfall die konventionellen Inhalte bürgerlicher Kultur spezifisch moderner Kunst und Literatur vor. Nach anfänglicher Begeisterung für den Naturalismus, im Zusammenhang mit den öffentlichen Auseinandersetzungen über Gerhart Hauptmanns »Die Weber«, kam Franz Mehring zu dem Schluß, daß dieser in die feudale Romantik zurückfalle.[11] Mehring zog es demgemäß seit der Jahrhundertwende vor, den Berliner Arbeitern in erster Linie bürgerliche Klassiker wie Lessing und Schiller zu präsentieren![12] In der Debatte über den Naturalismus auf dem Gothaer Parteitag der Sozialdemokratie 1896 wurden gar Meinungen laut, die den Naturalismus mit den anarchistischen Tendenzen der einige Jahre zuvor aus der Partei ausgestoßenen sogenannten »Jungen« identifizierten.[13] In ihren kulturellen Werten verharrte die Arbeiterschaft, ungeachtet ihres radikalen Vokabulars, im Grunde auf orthodox-bürgerlichen Positionen, obschon diese im Be-

11 Vgl. Franz Mehring, Aufsätze zur deutschen Literatur von Hebbel bis Schweichel, hrsg. von Hans Koch, Berlin 1961, S. 221.
12 Vgl. dazu Peter Sprengel, Gerhart Hauptmann. Epoche – Werk – Wirkung, München 1984, S. 52f.
13 Ebenda, S. 46f.

griff waren, von der modernen Entwicklung in Kunst und Literatur überholt zu werden. Dennoch hatte die hegemoniale bürgerliche Kultur des Kaiserreichs keinerlei Anlaß, sich über diesen »Triumph« zu freuen. Denn materialiter gesehen wurde eine Akkulturation des kulturellen Subsystems, in dem die Arbeiterschaft sich geistig orientierte, in wesentlich geringerem Grade erreicht, als dies unter freiheitlicheren Bedingungen möglich gewesen wäre, wie etwa ein Vergleich mit den gleichzeitigen englischen Verhältnissen zu lehren vermag.

Im folgenden soll unser Augenmerk freilich in erster Linie der *bürgerlichen Kultur* und ihrem Verhältnis zum Staat gelten, die, gestützt auf die Schichten von Bildung und Besitz und verbündet mit der modernen Wissenschaft, im Kaiserreich eine hegemoniale Position behauptete. Obschon die bürgerliche Kultur sich ursprünglich in durchaus enger Verbindung mit den Idealen des konstitutionellen Liberalismus entfaltet hatte, vornehmlich in den neuen, nunmehr rasch wachsenden Städten, richtete sie sich, wenn man so will, gleichwohl im Kaiserreich durchaus häuslich ein; dabei bildete eine ausgeprägt nationale Gesinnung, die sich in erster Linie am Kaisertum als dem Symbol des neuen Nationalstaats orientierte, eine Brücke zwischen Kultur und Staat. Künstler, Musiker und Literaten zögerten nicht, den Triumph der preußischen Waffen über Frankreich in ihren Werken zu idealisieren. Theodor Fontane hielt die Ereignisse des deutsch-französischen Krieges in liebevoll gezeichneten Berichten für die Neue Preußische Zeitung fest. Richard Wagner verfaßte noch im Januar 1871 ein Gedicht »An das deutsche Heer vor Paris«, das einer brutalen Niederwerfung der Kommune das Wort redete; wenig später komponierte er einen »Kaiser-Marsch« zur Feier des deutschen Sieges über Frankreich. Auch Richard Brahms schrieb eine Ode zur Erinnerung an diese Ereignisse. Gustav Freytag schließlich pries die Reichsgründung als Beginn einer neuen Ära auch im kulturellen Leben Deutschlands. Und Anton von Werners historische Riesengemälde, die nahezu alle großen politischen Ereignisse dieser Jahre, beispielsweise Moltke auf dem Schlachtfeld von Sedan oder den feierlichen Reichsgründungsakt im Spiegelsaal von Versailles, mit peinlicher Genauigkeit festgehalten haben – bis in die letzten Details korrekter Uniformgestaltung –, sind exemplarische Beispiele einer historistischen Malerschule, die sich die künstlerische Verklärung der Höhepunkte der deutschen Nationalgeschichte zur vornehmlichsten Aufgabe setzte.[14]

Anton von Werner avancierte denn auch bald zum Direktor der königlichen Akademie der Künste in Berlin und zum mächtigsten Mann in der

14 Vgl. dazu Dominik Bartmann, Anton von Werner. Zur Kunst und Kunstpolitik im Deutschen Kaiserreich, Berlin 1985, S. 35ff.

deutschen Kunstszene. Die Kunstakademien wurden, auch soweit sie sich in den vergangenen Jahrzehnten von den Zwängen eines engen höfischen Kunstgeschmacks freigemacht hatten, wieder mehr und mehr zu Stätten einer konventionellen historistischen Malweise, die ihre Sujets vornehmlich der Antike und dem Mittelalter, vor allem aber der deutschen Nationalgeschichte entnahm. Sie verstanden sich selbst als Sachwalter eines offiziösen Stils, der in erster Linie in einer im Detail realistischen, im Gesamtentwurf theatralischen und pathetischen Monumentalmalerei Niederschlag fand. Die idealisierende Darstellung von ikonologisch bedeutungsvollen Sujets vornehmlich historischen, bisweilen auch religiösen oder klassischen Inhalts blieb auf lange hinaus ein bevorzugtes Tätigkeitsfeld der Kunstakademien, aber auch der freien Künstler, nicht zuletzt auch dank der reich fließenden Aufträge der Kommunen und der öffentlichen Hände. In den historischen Gemäldezyklen, die die Repräsentationsräume der neuen Rathäuser zahlreicher deutscher Städte zierten, dominierten neben der jeweiligen Stadtgeschichte ebenfalls die großen Themen der deutschen Nationalgeschichte. Besonders häufig begegnen uns dabei Zyklen der großen mittelalterlichen Kaiser, die als Vorläufer des Hohenzollernkaisertums, vor allem aber als Garanten städtischer Freiheit in der mittelalterlichen Gesellschaft gefeiert wurden, nicht selten, wenn auch keineswegs immer, gefolgt von Konterfeis Wilhelms I. und – seltener – auch Wilhelms II.[15]

Dennoch gab es einen – vorerst latenten – Gegensatz zwischen der bürgerlichen und der offiziösen Kunst, ungeachtet grundsätzlicher Gemeinsamkeiten, vor allem der Vorliebe für historistische Sujets und mehr noch der durchgängigen Orientierung an den unverändert für gültig erachteten Stilformen des Neuklassizismus und der Auffassung, daß Kunst »das Edle, Schöne, Wahre« zur Darstellung zu bringen habe. Wilhelm von Kaulbach, einer der bedeutendsten Vertreter der historischen Monumentalmalerei jener Jahre, führte die erneute Blüte des Kunstlebens in der Reichsgründungszeit auf »die Pflege der Kunst um ihrer selbst, der Schönheit willen« zurück; »denn nur, wenn in ihr das Ideale Gestalt annimmt, kann sie zum Vorbilde für das Leben werden [...]«.[16] Ebenso darf jene zugleich realistische wie tief unwahre theatralische Kunstrichtung, wie sie Anton von Werner in exemplarischer Weise vertrat, als durchaus dem bürgerlichen Zeitgeschmack entsprechend betrachtet werden.

Dennoch lassen sich deutliche Akzentunterschiede zwischen jenen

15 Vgl. dazu Wolfgang J. Mommsen, Stadt und Kultur, S. 11ff. Zahlreiche Belege bei Mai/Paul/Waetzoldt (Hrsg.), Das Rathaus im Kaiserreich, passim.

16 Ekkehard Mai, Die Düsseldorfer Malerschule und die Malerei des 19. Jahrhunderts, Katalog der Ausstellung »Die Düsseldorfer Malerschule« im Kunstmuseum Düsseldorf vom 13. Mai bis 8. Juli 1979, Düsseldorf 1979, S. 35.

Kunstrichtungen, die sich der Gunst der offiziösen Instanzen erfreuten, und der Entwicklung der Kunst im Schoß der bürgerlichen Gesellschaft selbst ausmachen. Dies kam namentlich in der Architektur zum Ausdruck. Die architektonische Gestaltung der zahlreichen Rathäuser, die in der zweiten Hälfte des 19. Jahrhunderts und im ersten Jahrzehnt vor 1914 entstanden, unterschied sich merklich von den repräsentativen Bauten der fürstlichen Residenzen des 18. Jahrhunderts, die durchweg in schwülstigem Barock gehalten waren, aber auch von dem Neubarock, in dem viele der staatlichen Repräsentationsbauten, vor allem die Gerichtsgebäude, gehalten waren. Der Rückgriff auf historistische Stilelemente vornehmlich der Gotik oder der deutschen Renaissance, beziehungsweise was man für solche hielt, hatte zumindest anfänglich durchaus eine symbolische Bedeutung, ebenso wie der architektonische Grundtypus, mit einem beherrschenden Turm und großen Giebeln, die der mittelalterlichen Tradition entlehnt waren. Diese Bauten sollten den Rang und die Stellung der städtischen Korporationen in gebührender Weise zur Schau stellen und deren Eigenständigkeit innerhalb der politischen Ordnung zur Darstellung bringen, freilich kombiniert mit dem Bekenntnis zum Kaisertum als dem Symbol nationaler Einheit. Erst nach und nach verblaßten diese ursprünglich durchaus bewußt vorgetragenen Motive im Zuge der fortschreitenden Professionalisierung der städtischen Verwaltung und des städtischen Kulturlebens.

Ungeachtet dieser Akzentunterschiede war die bürgerliche Kunst im zweiten Drittel des 19. Jahrhunderts in kaum geringerem Maße affirmative Kunst als jene, die an den staatlich beeinflußten Kunstakademien gepflegt wurde. Die realistischen Gemälde eines Menzel oder die neoromantische Malerei eines Trübner oder Leibl fielen nicht aus dem Rahmen des gängigen bürgerlichen Verständnisses von bildender Kunst heraus. Menzel wandte sich zwar erstmals auch Sujets der modernen industriellen Arbeitswelt zu, aber er stellte diese in einer so distanzierten, deren dunkle Seiten sublimierenden Weise dar, daß dies nicht als Herausforderung an den herrschenden Kunstgeschmack empfunden wurde. Leibls Genrebilder schilderten zwar die Alltäglichkeit des Volkslebens in einer neuen, eindringlicheren Weise, aber nicht zufällig kamen seine Objekte stets in sonntäglicher Tracht und in einem festlichen Ambiente daher. Typisch für die 70er und 80er Jahre war jene Kunsttendenz, die sich vor allem mit dem Namen Hans Makarts verknüpft, der seine Zeitgenossen in der virtuosen Verwendung historistischer Stilelemente unterschiedlicher Herkunft sämtlich weit in den Schatten stellte, zum Zwecke der Schaffung von Kunstwerken von grandioser Prachtentfaltung und üppigem Formenreichtum. Sie wird gemeinhin, mit Richard Hamann, mit dem Lebensgefühl der »Gründerzeit« in Verbindung gebracht, welche über

Nacht riesige Vermögen entstehen ließ, zugleich aber ein neues Stilwollen repräsentierte, das auf die Hervorbringung von »bedeutenden, unvergänglichen Werken« abzielte, die ihren neureichen Besitzern das Gefühl vermitteln sollten, nun auf Dauer zu den Arrivierten der bürgerlichen Gesellschaft zu gehören.[17] Nicht zufällig wurde nun das Portrait zu einem neuen, besonders beliebten Genre, bot sich doch hier die Möglichkeit, die ästhetische Bedeutsamkeit des Kunstwerks durch den gesellschaftlichen Rang des Konterfeiten noch zu erhöhen. Bedeutende Portraitmaler wie Franz von Lenbach oder Bildhauer wie Reinhold Begas hatten mit einem Male Konjunktur. Am ausgeprägtesten aber kam der eklektische Historismus der Gründerzeit in der Gestaltung der bürgerlichen Wohnpaläste der neuen Metropolen zum Ausdruck; hier, in den Prachtbauten auf dem Kurfürstendamm in Berlin oder der Maximilianstraße in München oder der Ringstraße in Wien, entstanden jene Bauten, die das Selbstbewußtsein des zu Reichtum und gesellschaftlichem Einfluß aufgestiegenen Großbürgertums vornehmlich repräsentierten. Die Villa, die sich Ernst Bassermann, der spätere langjährige Führer der Nationalliberalen Partei, 1886 in repräsentativer Lage Mannheims am Markt erbauen ließ, hatte wenig gemein mit den streng neoklassizistischen Formen seines großväterlichen Hauses; sie entsprach ganz dem Geist der frühen Gründerzeit.[18] Überhaupt wird man sagen können, daß das zu Wohlstand gelangte Bürgertum zumeist die Stilformen der italienischen Renaissance, als einer der bürgerlichen individualistischen Leistungsgesinnung nahekommenden Kulturepoche, so wie sie wenigstens Jacob Burckhardt in seiner damals populär werdenden »Kultur der Renaissance in Italien« beschrieben hatte, und nicht jene des Neubarock oder Neurokoko bevorzugte. Die bürgerliche Kunstauffassung der Zeit hatte freilich mit den stärker offiziös beeinflußten akademischen Kunstrichtungen grundsätzlich die Tendenz gemein, zur würdigen Ausstaffierung der bürgerlichen Lebenswelt eklektizistisch auf ein Konglomerat von unterschiedlichen historischen Stilformen zurückzugreifen, die dazu bestimmt waren, den nüchternen Zweckbauten bzw. der Nüchternheit des bürgerlichen Lebensstils eine bereits als legitimiert geltende ästhetische Würde zu verleihen.
In der bildenden Kunst jener Jahrzehnte lassen sich vergleichbare Tendenzen ausmachen. Sie war in ihren künstlerisch bedeutendsten Ausprägungen bewußt theatralische Kunst, die vor allem die Realisierung des »Ideals der Vornehmheit« (Hamann) anstrebte, zugleich aber vornehmlich auf die große Persönlichkeit bzw. auf heroische Mythengestalten fi-

17 Vgl. Richard Hamann/Jost Hermand, Deutsche Kunst und Kultur von der Gründerzeit bis zum Expressionismus, Bd. 1, München 1971, S. 34.
18 Gall, Bürgertum in Deutschland, S. 417f., 449.

xiert war. Die Malerei eines Arnold Böcklin oder eines Hans von Marées zielte auf die pathetische Präsentation von idealen Welten, die mit der alltäglichen Wirklichkeit der anlaufenden Industrialisierung nicht das geringste gemein hatten; in der Themenwahl blieben sie gutenteils der Mythologie der Antike verhaftet, die sie freilich mit romantischen Elementen vermischten und vielfach in höchst dramatischer Weise in Szene setzten. Die Werke eines Anselm Feuerbach waren in besonderem Maße der Repräsentation des Erhabenen und Würdigen gewidmet; hier spielte der Rückgriff auf die Sujets und die Stilformen der italienischen Renaissance eine besonders große Rolle.

Schwieriger und weit weniger leicht auf den Begriff zu bringen sind die zeitgleichen Entwicklungen auf dem Gebiet der Musikkultur. Musik spielte für die kulturelle Emanzipation des Bürgertums von fürstlicher Bevormundung im 19. Jahrhundert eine besondere Rolle. Schon seit den Anfängen des 19. Jahrhunderts hatte sich jenseits von Kirche und fürstlicher Residenz eine unabhängige bürgerliche Musikkultur ausgebildet. »Musikfest und Konzert waren«, wie Fellerer dies unübertrefflich formuliert hat, »der gesellschaftliche Rahmen für die Entwicklung der großen Formen des Musiklebens im kulturbewußten Bürgertum.«[19] Musikfeste waren nicht selten zugleich Volksfeste und als solche Stätten gesellschaftlicher Begegnung, oft mit erheblichen politischen Nebenwirkungen. Die bürgerliche Musikkultur war zu einem nicht geringen Teil ebenfalls historistisch ausgerichtet; ihr war beispielsweise die Wiederentdeckung der großen Oratorienwerke des späten 18. Jahrhunderts zu danken. Klassische und romantische Werke deutscher Komponisten dominierten; daneben nahm die Chormusik einen für heutige Verhältnisse bemerkenswert großen Raum ein. Dabei spielte die Aufführung von oratorischen Werken, die vielfach historischen oder vaterländischen Sujets gewidmet waren, eine erhebliche Rolle.

In mancher Hinsicht stellte das Werk Richard Wagners eine Herausforderung an die bisherige Tradition der Musikkultur im Deutschen Reich dar.[20] Wagner stand in vieler Hinsicht quer zum bürgerlichen Kulturbegriff seiner Zeit; seine pessimistisch gestimmte, an Schopenhauer orientierte Weltsicht vertrug sich nur schwer mit dem liberalen Fortschrittsbegriff bürgerlichen Zuschnitts, und seine Musik kam einer Revolutionierung der herrschenden Musiktradition gleich, die er gleichzeitig in einer Flut von Broschüren und Schriften attackierte. Wagner war tief davon

19 Karl Gustav Fellerer, Studien zur Musik des 19. Jahrhunderts, Bd. 1, Musik und Musikleben im 19. Jahrhundert, Regensburg, 1984, S. 241.
20 Vgl. dazu die an Eindringlichkeit unübertroffene Studie von Hans Mayer, Richard Wagner, Hamburg 1959.

überzeugt, daß seine Kunst dazu berufen sei, das wahre und wirkliche Deutschland zum Ausdruck zu bringen; die Begründung von Bayreuth als einer nationalen Weihestätte war gemeint als eine Alternative zu den angeblich flachen, äußerlichen Formen, die das Deutschtum im Bismarckschen Staate gefunden habe. Sein musikalisches und in gewissem Betracht durchaus auch politisches Programm war gedacht als eine Alternative zu den künstlerischen Verwirklichungen, die die Nationalkultur der Deutschen in einem sich in pompöser militaristischer Drapierung präsentierenden Nationalstaat und einem auf materielle Gewinnsucht ausgerichteten kapitalistischen System gefunden hatte. In der musikalischen Beschwörung der historischen Archetypen des deutschen Nationalcharakters, die er in den Epen des germanischen Mittelalters und dem altdeutschen Milieu der Nürnberger Meistersinger fand, hoffte Wagner, »das Wesen des deutschen Geistes«, welcher »von innen baut«, neu zu beleben.
Friedrich Nietzsche hat 1884 einmal gesagt, daß Richard Wagner, »in Hinsicht auf seinen Wert für Deutschland und deutsche Kultur abgeschätzt, ein großes Fragezeichen, ein deutsches Schicksal, ein Schicksal in jedem Falle« gewesen sei. Er fügte freilich sogleich hinzu, daß »der deutsche Geist«, der »heute unter dem Hochdruck der Vaterländerei und Selbstbewunderung« stehe, »dem Problem Wagner« unmöglich gewachsen sein könne. In der Tat ist das Problem Richard Wagner in erster Linie ein Problem seiner Rezeption. Wagner wurde teils kanonisiert durch die Institution der von Cosima Wagner mit fester Hand im vermuteten Sinne des »Meisters« gelenkten Bayreuther Festspiele, teils in eigenwilliger Weise appropriiert durch die Wagnervereine, die seit den 70er Jahren in ganz Deutschland aus dem Boden schossen. Am Ende wurde sein Werk zum Unterpfand einer romantisch-mystischen Gegenkultur zur bürgerlich-rationalen Weltanschauung, die dann ein Pendant in Langbehns wortreichem Plädoyer für eine Erneuerung der deutschen Kultur durch die Rückkehr zu bodenständigen Lebensformen und radikal individualistischen ästhetischen Idealen und schließlich auch in dem durch die Verfälschungen von Nietzsches »Wille zur Macht« beförderten Nietzschekult der 90er Jahre finden sollte.[21]
Nicht zuletzt der Erfolg des »unzeitgemäßen«, weil eigentlich einer verblichenen Epoche der Neoromantik und des Kulturpessimismus angehörenden Werks Richard Wagners signalisierte, daß es für einen Ausbruch aus dem vorherrschenden Grundschema eines Literatur- und Kunstbetriebs überwiegend rückwärtsgewandter Ausrichtung und primär affirmativen

21 Vgl. dazu Ferdinand Tönnies, Der Nietzsche-Kultus. Eine Kritik, Leipzig 1897, S. 11ff., sowie Walter Kaufmann, die Nietzsche-Legende, in: ders., Nietzsche. Philosoph – Psychologe – Antichrist, Darmstadt 1988, S. 9ff.

Charakters in den 80er Jahren hoch an der Zeit war. Im Vergleich mit den Entwicklungen etwa in Frankreich, aber auch in Großbritannien, war die deutsche Kultur um 1880 in stehendes Wasser geraten; weder der literarische Naturalismus eines Zola noch der Impressionismus eines Courbet oder eines Manet hatten bislang eine auch nur annähernde Entsprechung in Deutschland gefunden. Die Abbremsung der gesellschaftlichen Dynamik, wie sie mit der Gründung des halbkonstitutionellen Deutschen Reichs im politischen Bereich erfolgt war, hatte durchaus eine Entsprechung auf dem Gebiet der Kultur gefunden, vielleicht mit Ausnahme der Musik.[22]

Seit der Mitte der 80er Jahre setzte sowohl auf dem Gebiet der Literatur wie auf dem Gebiet der bildenden Kunst ein Innovationsprozeß ein. Conrad Ferdinand Meyer war mit seinen Romanen auf der Ebene der Schilderung eines idealen Weltbildes anhand exemplarischer historischer Geschehnisse geblieben. Gustav Freytag hatte in seinen Schriften, insbesondere in seinem damals einflußreichen Roman »Soll und Haben«, den Triumph der bürgerlich-kommerziellen über die niedergehende ländlich-aristokratische Welt gefeiert. Theodor Fontane hatte weit behutsamer mit den Mitteln einer dem verstehenden Historismus nahekommenden, sorgfältig recherchierten Darstellungsweise eine Gesellschaft im Übergang beschrieben.[23] Der Niedergang der Aristokratie, die erstarrt und in moralischer Hinsicht einen innerlich unhaltbaren *double standard* praktizierte, schien ihm ebenso unvermeidlich wie der Triumph »des neureichen Bourgeois« verabscheuungswürdig; am Ende fand er die Lebensformen des Vierten Standes »echter, wahrer, lebensvoller« als jene des Bürgertums.[24]

Fontanes Schriften reflektierten die deutsche Gesellschaft in ihren Zuständen mit großem Einfühlungsvermögen, zugleich aber mit behutsamer, sorgfältig versteckter Kritik;[25] er versagte sich bewußt, über diese Linie hinauszugehen, auch wenn sein Briefwerk voller bitterer zeitkritischer Beobachtungen ist. Aber Fontane war begeistert, als er Gerhart Hauptmanns »Vor Sonnenuntergang« zu Gesicht bekam, das eine scharfe, wenn auch nicht parteinehmende sozialkritische Schilderung des Lebens einer Proletarierfamilie darstellte. Es war dies das erste bahnbrechende Werk des deutschen Naturalismus.

22 Vgl. Nietzsches fraglos bittere und überspitzte Bemerkung in seinem Pamphlet »Der Fall Wagner«, hrsg. von Dieter Borchmeyer, Frankfurt 1983, S. 126: »Die Deutschen, die Verzögerer par excellence, sind heute das zurückgebliebenste Kulturvolk Europas.«
23 Vgl. Hermann Lübbe, Fontane und die Gesellschaft, in: Wolfgang Preisendanz (Hrsg.), Theodor Fontane, Darmstadt 1983, S. 360.
24 Zit. nach Katharina Mommsen, Fontane, S. 44.
25 Lübbe, Fontane, S. 366.

Der Naturalismus war nach dem Urteil von Richard Hamann eine Rebellion gegen die oberflächliche und pseudoidealistische Salonkultur der Gründerära. Hier wurde erstmals die soziale Wirklichkeit in ihrer ganzen Härte und Unerbittlichkeit zum Thema literarischer Gestaltung gemacht. Diese Bewegung hatte sich seit geraumer Zeit angebahnt; eine Schlüsselrolle hatten dabei neben Arno Holz, Max Halbe und Paul Ernst die Brüder Hart gespielt; der 1886 gegründete Verein »Durch« war einer der Erstlinge der zahlreichen literarischen und künstlerischen Zirkel, die späterhin der ästhetischen Avantgarde als Basis dienten. Die Uraufführung des Dramas »Vor Sonnenaufgang« durch den Berliner Verein »Freie Bühne« vor einem geladenen Publikum – ein Weg, um die in Preußen immer noch bestehende Theaterzensur zu unterlaufen – im Jahre 1889 kam einem weitreichenden Signal gleich. Die Reaktion der Öffentlichkeit war erwartungsgemäß zunächst äußerst negativ; das auf Wilhelm II. zurückgehende Wort, daß es sich hier um »Rinnsteinkunst« handele,[26] gab einer auch in bürgerlichen Kreisen zunächst ganz überwiegend vertretenen Meinung spektakulären Ausdruck.
Der Höhepunkt der öffentlichen Auseinandersetzungen kam dann im Frühjahr 1892 im Zusammenhang des Verbots einer öffentlichen Aufführung von Hauptmanns Drama »Die Weber« in Berlin, welches den schlesischen Weberaufstand vom Jahre 1844 dramatisch in Szene gesetzt hatte. Zwar konnte die mehrmalige Aufführung der »Weber« in geschlossenen Veranstaltungen der »Freien Bühne« und dann auch der der Sozialdemokratie nahestehenden »Neuen Freien Volksbühne« nicht verhindert werden, aber das Deutsche Theater, das damals unter der Leitung von Herbert Brahm stand, entschloß sich gleichwohl, beim preußischen Oberlandesgericht gegen das Verbot Klage zu erheben. Das Gericht entschied, daß eine Aufführung des Werks, allerdings mit bestimmten Kautelen, insbesondere einem vergleichsweise hohen Eintrittspreis, wodurch Arbeitern der Zugang verwehrt werden würde, statthaft sei. Darüber kam es am 21. Februar 1895 zu einer Debatte im preußischen Abgeordnetenhaus, die ihren Ausgangspunkt davon genommen hatte, daß der preußische Innenminister von Köller die Entscheidung des Oberverwaltungsgerichts öffentlich gerügt hatte. Der preußische Innenminister von Köller brachte den offiziösen, freilich durchaus von breiten Kreisen des Bürgertums und insbesondere auch des katholischen Volksteils geteilten Standpunkt zum Ausdruck, daß »die Theater das, was sie im Laufe der letzten

26 Wilhelm II. hatte in seiner Rede vom 18. Februar 1901 unter anderem gesagt: »[...] soll die Kultur ihre Aufgabe voll erfüllen, dann muß sie bis in die untersten Schichten des Volkes hindurchgedrungen sein. Das kann sie nur, wenn sie erhebt, statt daß sie in den Rinnstein niedersteigt.« Zit. nach Bartmann, Anton von Werner, S. 177.

Jahrzehnte sein sollten – eine Bildungsstätte zur Förderung historischer Erinnerungen, zur Förderung, kurz gesagt, alles Guten und Edlen–, schon lange nicht mehr sind«.[27] Der freisinnige Abgeordnete Heinrich Rickert verteidigte dagegen die grundsätzliche Freiheit moderner Theaterkunst gegenüber behördlicher Willkür und obrigkeitlicher Bevormundung.

Bei dieser Gelegenheit kamen die unterschiedlichen Standpunkte, die die Öffentlichkeit entzweiten, aber auch die Position der preußischen Staatsbehörden, die die vom Kaiserhofe ausgehenden Diktate hinsichtlich akzeptabler und inakzeptabler Literatur gleichsam mit gebrochenem Bewußtsein zu exekutieren suchten, ohne doch selbst voll davon überzeugt zu sein, öffentlich zum Ausdruck. Im Anschluß an diese Debatte kündigte Wilhelm II. demonstrativ die kaiserliche Loge im Deutschen Theater in Berlin, was für dieses einen Einnahmeverlust von 4000 Mark im Jahr bedeutete. Diese königliche Demonstration konnte aber ebensowenig wie weitere Verbote in der Provinz den Publikumserfolg der »Weber« verhindern. Die offiziösen Einwirkungen auf die Theaterrepertoires – und damit indirekt auf die moderne Literatur, haben angesichts der Vielgestaltigkeit der deutschen Theaterlandschaft weder die Durchsetzung des naturalistischen Dramas noch zahlreicher anderer avantgardistischer Autoren des In- und Auslandes auf deutschen Bühnen aufhalten können, seien dies Ibsen und Strindberg, die anfangs ganz besonders als »rotes Tuch« galten, oder Wedekind, Sternheim und Schnitzler. Und die Zeit erwies sich als ungemein schnelläufig. Für den Expressionisten Max Halbe schien auch das naturalistische Drama bereits eine frigide Version der traditionellen Gesellschaft zu sein.

Die Debatte im preußischen Abgeordnetenhaus über Hauptmanns »Die Weber« und die Praxis der staatlichen Theaterzensur, deren Rechtsgrundlagen noch aus den Zeiten des reaktionären Innenministers von Hinckeldey aus dem Jahre 1851 stammten, stand bereits im Schatten der erbitterten Auseinandersetzungen über die sogenannte *Zuchthausvorlage* im Reichstag, die sich primär gegen die Sozialdemokratie richtete, der aber namentlich das Zentrum, aber auch konservative Kreise zugleich eine Stoßrichtung gegen alle modernen libertinistischen Tendenzen zu geben suchten, die Religion und Staatsautorität gleichermaßen in Zweifel zogen. Demgemäß brach in der Öffentlichkeit eine leidenschaftliche Agitation los, die sich gegen die beabsichtigte oder vermutete Beschneidung

27 Stenographische Berichte des preußischen Abgeordnetenhauses, 1895, Bd. 1, 25. Sitzung vom 21. Februar 1895, Sp. 790. Vgl. auch Manfred Brauneck, Literatur und Öffentlichkeit im ausgehenden 19. Jahrhundert. Studien zur Rezeption des naturalistischen Theaters in Deutschland, Stuttgart 1974, sowie Helmut Praschek (Hrsg.), Gerhart Hauptmanns Weber. Eine Dokumentation. Mit einer Einleitung von Peter Wruck, Berlin/DDR 1981.

der Freiheit der Wissenschaft und der Künste durch das Gesetz wandte, mit dem Ergebnis, daß dieses schließlich kläglich scheiterte.[28]
Insgesamt wird man der staatlichen Politik Preußens, von jener der anderen Bundesstaaten zu schweigen, auf dem Gebiete von Literatur und Drama bestenfalls eine bremsende Wirkung auf die neueren Entwicklungen zuschreiben können. Zwar kam es auch in Bayern vielfach zu Behinderungen und zu strafrechtlichem Vorgehen gegen mißliebige Literaten und Autoren, wie beispielsweise gegen den Herausgeber des Simplizissimus, Hans Thoma, aber am Ende tendierte die Justiz, insbesondere wenn dabei Laienrichter beteiligt wurden, dazu, den Dingen ihren Lauf zu lassen.[29] Überhaupt wirkte sich die föderalistische Struktur des Reiches in einem liberalisierenden Sinne aus; was in Berlin streng verpönt war, wurde vielfach bereits in den Provinzen toleriert und schon gar in den süddeutschen Bundesstaaten, die sich vielfach auf ihre größere Aufgeschlossenheit gegenüber künstlerischen Bewegungen einiges zugute hielten. Insgesamt war das politische Klima im Kaiserreich nicht eben günstig für die Entfaltung eines modernen, hochgradig differenzierten Literaturbetriebs, aber wirklich aufhalten konnte es diesen Prozeß nicht.
Gleiches läßt sich auch für den Bereich der bildenden Kunst feststellen. Hier war der Druck der traditionellen Strömungen angesichts der Schlüsselstellung, die die Kunstakademien weiterhin in der Ausbildung von jungen Künstlern einnahmen, und der führenden Rolle der Akademieprofessoren und ihres Anhangs in der Deutschen Künstlergenossenschaft, die die jährlichen großen Kunstausstellungen ausrichtete, von denen Erfolg oder Mißerfolg von jungen, noch nicht etablierten Künstlern in eminentem Maße abhing, besonders stark. Gleiches gilt von der Ankaufspolitik der staatlichen Kunstsammlungen, insbesondere der Berliner Museen, bei der formell der sogenannten *Preußischen Landeskunstkommission* ein weitreichendes Mitspracherecht eingeräumt war.[30] In diesem System, in dem sich offiziöse Politik mit den Interessen der Mehrheit der konventionalistischen Idealen verpflichteten und demgemäß zum Konservativismus neigenden Künstlerschaft vermischte, nahm Anton von Werner einmal mehr eine Schlüsselstellung ein, zumal allgemein bekannt war, daß er das persönliche Vertrauen des Kaisers genoß. Alfred Licht-

28 Vgl. dazu demnächst Max Weber – Gesamtausgabe I/4, Landarbeiterfrage, Nationalstaat und Volkswirtschaftspolitik. Schriften und Reden 1892–1899, hrsg. von Wolfgang J. Mommsen in Verbindung mit Rita Aldenhoff-Hübinger, Tübingen 1991, Anhang I, Erklärung zur Umsturzvorlage (im Druck).
29 Vgl. dazu Robin Lenman, Politics and Culture: The State and the Avant-Garde in Munich 1886–1914, in: Richard Evans (Hrsg.), Society and Politics in Wilhelmine Germany, London 1978, S. 90–111.
30 Vgl. Christopher B. With, The Prussian Landeskunstkommission 1862–1911. A Study in State Subvention of the Arts, Berlin 1986.

wark, der den modernen Kunstrichtungen gegenüber aufgeschlossen und darum bemüht war, sein ebenfalls konventionelle Kunst präferierendes Publikum behutsam für die Moderne aufgeschlossener zu machen, wetterte sarkastisch über »die festangestellten Genies an den Akademien, Kunst- und Kunstgewerbeschulen, eine Priesterkaste mit Priesterneigungen, -interessen, -intriguen und -ambitionen, mit Priesterherrschsucht vor Allem«, die beanspruchten zu sagen, was Kunst sei und was nicht, und er fügte hinzu: »Denn was sich als Kaste etabliert, will und muß herrschen.«[31] Wichtiger war freilich, daß die Kunstprofessoren an den Akademien sich der öffentlichen Unterstützung der Staatsbehörden, damit zugleich beachtlicher staatlicher oder kommunaler Aufträge für öffentliche Gebäude oder Denkmäler, und nicht zuletzt der allerhöchsten Protektion des Kaisers sicher sein konnten, der auf dem Gebiet der staatlichen Förderung von Kunst und Wissenschaft ein nach Ansicht der zeitgenössischen Juristen verfassungsrechtlich legitimes Betätigungsfeld des »persönlichen Regiments« entdeckt hatte. Zumindest in Preußen stand der offizielle Kunstbetrieb noch in den 90er Jahren weithin unter dem Diktat eines obrigkeitlich verordneten Kunstgeschmacks, der in den Historiengemälden Anton von Werners sein ideales Maß sah.[32]

Unter diesen Umständen gestaltete sich die Überwindung des herrschenden Schemas einer affirmativen Kunst, die dem »Guten, Edlen und Schönen« zugewandt war und seine »erbaulichen« Themen vornehmlich aus der Geschichte oder der Mythologie der Antike bzw. der Sagenwelt des Mittelalters entnahm, nicht eben einfach.

Nicht zufällig ging diese Bewegung nicht vom Zentrum des Reiches, sondern eher von der Peripherie aus.[33] Paula Modersohn-Becker und Heinrich Vogeler schufen sich in Worpswede eine Basis für ihre neuartige, zwar romantische Elemente aufgreifende, aber zugleich vom französischen Impressionismus stark beeinflußte Naturmalerei. In München bildete sich schon 1892 eine sezessionistische Gruppe, die ihre künstlerische Zukunft abseits des offiziellen Kunstbetriebs suchte. In Berlin waren es Liebermann und Leistikow, die im gleichen Jahre die »Gruppe der Elf« bildeten, mit dem Ziel, hinfort außerhalb des jährlichen offiziellen Salons des »Vereins Berliner Künstler«, dessen Ausstellungsräume von den Aussteigern respektlos »Totenkammern« genannt wurden, eigenständige Ausstellungen durchzuführen, für die nun private Kunstgalerien ihre Räumlichkeiten zur Verfügung stellten. Die erste Ausstellung der »Elf« wurde

31 Brief an Liebermann vom 2. März 1909, in: Alfred Lichtwark, Briefe an Liebermann, Hamburg 1947, S. 205.

32 Vgl. Anton von Werner, Erlebnisse und Eindrücke 1870–1890, Berlin 1913, die ein eindrucksvolles Dokument wilhelminischer Selbstzufriedenheit darstellen.

33 Vgl. Werner Haftmann, Malerei im 20. Jahrhundert, München 1954, S. 74ff.

freilich von der Kritik als »extrem wüster Naturalismus« und als herausragendes Beispiel der »Arme-Leute und Elends-Malerei« scharf attakkiert.[34] Im gleichen Jahre führte eine Ausstellung von Werken Edvard Munchs in Berlin zu einem öffentlichen Skandal und mußte auf Drängen des »Vereins Berliner Künstler« vorzeitig geschlossen werden; aber nicht zufällig fand sich sogleich eine private Galerie in Düsseldorf dazu bereit, die Ausstellung zu übernehmen. Der Eklat kam freilich erst 1898 mit der Ablehnung des Gemäldes »Der Grunewaldsee« von Walter Leistikow für die jährliche Berliner Kunstausstellung des »Vereins Berliner Künstler«. Daraufhin bildeten Max Liebermann, Max Slevogt, Lovis Corinth, Walter Leistikow, Heinrich Zille, Käthe Kollwitz und eine Reihe anderer Künstler, die die gemeinsame Ablehnung des offiziösen Kunstbetriebs einigte, die aber sonst durchaus verschiedene künstlerische Tendenzen vertraten, die Berliner Secession. Bereits die erste noch einigermaßen improvisierte Ausstellung der Secession 1899 erwies sich als ein riesiger Erfolg. Das Berliner Publikum, das eben noch mehrheitlich die künstlerische Avantgarde verworfen hatte, strömte in großen Massen in die Ausstellungen der Sezessionisten und votierte so selbst für eine Öffnung der Kunst für die Moderne. Künstlerisch gesehen vertraten die Sezessionisten, vielleicht mit Ausnahme des sozialkritischen Programms von Käthe Kollwitz, eine eher zahme Variante der modernen Kunst; in europäischer Perspektive waren sie wenig mehr als ein »verspätetes Anhängsel des französischen Impressionismus«.[35] Im hauptstädtischen Milieu Berlins behielten sie gleichwohl bis kurz vor dem Ausbruch des Ersten Weltkriegs alle Trümpfe in der Hand, während sich in der »Provinz«, insbesondere in Süddeutschland, bereits neue avantgardistische Gruppen formierten.

Gleichwohl blieb die Secession der offiziellen Kunstpolitik – und insbesondere Wilhelm II., der sich in diesen Dingen als oberster Kunstrichter der Nation fühlte – weiterhin ein Dorn im Auge. Es war Wilhelm II. persönlich, der sich angelegentlich der Einweihung der Siegesallee 1901, die schon bei den Zeitgenossen als ein Paradebeispiel mißglückter offiziöser Kunstdarstellung galt, öffentlich über die neueren Kunstrichtungen echauffierte: »Noch ist die Bildhauerei zum größten Teil rein geblieben von den sogenannten modernen Richtungen und Strömungen, noch steht sie hoch und hehr da – erhalten Sie sie so [...] eine Kunst, die sich über die von Mir bezeichneten Gesetze und Schranken hinwegsetzt, ist

34 Siehe dazu Peter Paret, Die Berliner Secession, S. 41ff.; Werner Doede, Die Berliner Secession. Berlin als Zentrum der deutschen Kunst von der Jahrhundertwende bis zum Ersten Weltkrieg, Frankfurt/M./Berlin/Wien 1977, S. 10f. (zit. ebenda).
35 Haftmann, Malerei im 20. Jahrhundert, S. 76.

keine Kunst mehr, sie ist Fabrikarbeit, sie ist Gewerbe [...]. Wer sich [...] von dem Gesetz der Schönheit und dem Gefühl für Ästhetik und Harmonie, die jedes Menschen Brust fühlt, [...] entfernt, der versündigt sich an den Urquellen der Kunst [...]. Wenn nun die Kunst, wie es jetzt vielfach geschieht, weiter nichts tut, als das Elend noch scheußlicher darzustellen, wie es schon ist, dann versündigt sie sich damit am deutschen Volke. Die Pflege der Ideale ist zugleich die größte Kulturarbeit [...].«[36]

Die kaiserlichen Bemühungen, die deutsche Kunst auf dem rechten Kurs eines traditionalistischen Kunstverständnisses festzuhalten, erwiesen sich jedoch als vergeblich. Davon abgesehen war in dem freieren politischen Klima insbesondere Süddeutschlands, aber auch des Rheinlandes eine ernstliche Gängelung der modernen Kunstrichtungen immer weniger möglich. Dies hing nicht zuletzt mit einer grundlegenden Veränderung der Bedingungen künstlerischer Tätigkeit unter den Verhältnissen des modernen marktorientierten industriellen Systems zusammen. Die Künstlerschaft wurde zunehmend unabhängiger von der direkten oder indirekten Förderung durch staatliche oder kommunale Instanzen; auch die Kunstvereine, die bisher eine unverzichtbare Rolle im bürgerlich-liberalen Kunstbetrieb gespielt hatten, verloren an Bedeutung. An ihre Stelle trat ein sich rasch ausweitender Kunstmarkt, der schon bald internationale Dimensionen annahm, und mit ihm eine neue Gruppe professioneller Förderer der Kunst, Kunsthändler wie Cassirer oder Verleger wie Diederichs oder Piper, sowie schließlich eine neue Gruppe von Mäzenen aus den Kreisen des Handels und der Großindustrie.

Unter diesen neuen Umständen fanden die Appelle von offizieller Seite, die sich gegen die moderne Kunst richteten, immer weniger Widerhall in der breiteren Öffentlichkeit. Wilhelms II. Forderung, daß die Kunst sich nicht »von dem Gesetz der Schönheit und dem Gefühl für Ästhetik und Harmonie, die jedes Menschen Brust fühlt«, loslösen dürfe, stieß auf immer weniger Gegenliebe.[37] Das verbreitete Mißbehagen an der preußischen Kunstpolitik kam im Jahre 1904 in einer explosiven Form zum Ausdruck, als sich herausstellte, daß die preußischen Behörden unter dem Einfluß des Kaisers den Versuch gemacht hatten, bei der Vorbereitung einer Ausstellung über zeitgenössische deutsche Kunst anläßlich des Congress of the Arts and Science in St. Louis die Sezessionisten zu benachteiligen.[38] Ein Sturm der Entrüstung brach los, und Harry Graf Kessler grün-

36 Werner Doede, Berlin. Kunst und Künstler seit 1870. Anfänge und Entwicklungen, Recklinghausen 1961, S. 82.
37 Die Reden Kaiser Wilhelms II., hrsg. von Johannes Penzler, Bd. 3, Leipzig 1907, S. 61.
38 Dazu Peter Paret, Art and the National Image: The Conflict over Germany's Participation in the St. Louis Exhibition, in: Central European History XI (1978), S. 173ff.; ders., Die Berliner Secession, S. 135–152; Bartmann, Anton von Werner, S. 194–211.

dete ungeachtet einer preußischen Intervention beim Großherzog von Sachsen-Weimar am 17. Dezember 1903 in Weimar den »Deutschen Künstlerbund«, als eine Gegenorganisation zur offiziell geförderten »Deutschen Kunstgenossenschaft«, der Dachorganisation des »Vereins Berliner Künstler«, in der Anton von Werner maßgeblichen Einfluß besaß.[39] Nicht ohne Grund vermutete die Öffentlichkeit, daß Wilhelm II. dabei seine Hand maßgeblich im Spiele gehabt habe. Im Februar 1904 kamen diese Vorgänge im Reichstag zur Sprache. Die Vertreter der Reichsleitung, die in der Budgetkommission zunächst erklärt hatte, daß die Secession nicht der Weg zur Veredelung der Kunst sei und man sich deshalb auf die Deutsche Kunstgenossenschaft habe verlassen müssen, hatten in der Debatte einen schweren Stand. Die Parlamentarier mißbilligten einhellig die einseitige Einflußnahme der Staatsbehörden auf künstlerische Fragen zugunsten der traditionalistisch eingestellten »Kunstgenossenschaft« im Zeichen des »persönlichen Regiments«. Auch im Reichstag herrschte keineswegs Einhelligkeit hinsichtlich der Einschätzung der modernen Kunst; der Zentrumsabgeordnete Spahn äußerte sich sehr zurückhaltend über die modernen Kunstrichtungen, die auch er als Fehlentwicklungen eines libertinistischen Zeitgeistes ansah. Und der konservative Abgeordnete von Henning bezeichnete die moderne Kunst als »deprimierend häßlich« und beklagte »den künstlerischen Nihilismus«, der sich unter den Künstlern breitgemacht habe. »Überhaupt hat, wie im politischen Leben, durch den Drang nach Freiheit auch im literarisch-künstlerischen Leben die weiteste Ungebundenheit, ein übertriebener Individualismus, ein Übermenschentum in bedenklichem Maße Platz gegriffen.«[40] Aber nahezu übereinstimmend wurde die amtliche Politik in Fragen der internationalen Kunstausstellungen der letzten Jahre scharf angegriffen und deren autokratischer Grundzug mißbilligt, nicht zuletzt auch im Hinblick auf die Differenzen, die zwischen der preußischen Staatsregierung und den süddeutschen Regierungen über diese Frage aufgebrochen waren. Der sozialdemokratische Abgeordnete Singer wurde zwar vom Präsidenten gerügt, als er erklärte: »[...] wir danken gefälligst für eine Kunstrepublik mit Wilhelm II. an der Spitze«,[41] aber der Stimmung der großen Mehrheit des Reichstags entsprach diese Äußerung durchaus. Die Verdrossenheit über die preußische Kunstpolitik war allgemein; demgemäß forderte man die Respektierung des Prinzips der uneingeschränkt freien Entfaltung der künstlerischen In-

39 Vgl. Paret, Die Berliner Secession, S. 134f.
40 Siehe die Debatte vom 16. Februar 1904 im Reichstag, Stenographische Berichte über die Verhandlungen des Reichstages, 11. Leg. per., I. Sess. 1904/1905, Bd. 198, S. 1001 A.
41 Ebenda, S. 1026. Singer verbesserte sich daraufhin: »Ich wollte sagen: mit Anton v. Werner an der Spitze.«

dividualität und eine streng unparteiliche Handhabung dieser Fragen durch die Staatsbehörden.[42]

Die Auswirkungen dieser ersten großen öffentlichen Debatte über Kunst und Politik im Reichstag sind schwer abzuschätzen. Aber sie dürften durchaus zu einer indirekten Abschwächung der Einflußnahme des Monarchen und seiner Umgebung auf die Anschaffungspolitik der preußischen Museen geführt haben. In dieser Hinsicht hatte die zunehmende Professionalisierung des Museumsbetriebs, in Verbindung mit privatem Mäzenatentum, ohnehin schon einen gewissen Kurswechsel herbeigeführt. Die Direktoren der öffentlichen Kunstmuseen, unter ihnen auch von Tschudi, der Direktor der Nationalgalerie, hatte – selbst der »öden Parademalerei« müde, wie sie bei Hofe in höchstem Ansehen stand – begonnen, Werke der modernen Kunst zu sammeln; dabei mußten freilich die offiziösen Gremien, die über Neuanschaffungen zu befinden hatten und in denen weithin traditionalistische und konventionelle Vorstellungen dominierten, umgangen und die Hilfe privater Mäzene bemüht werden. Gleichwohl führte dies am Ende zu einem schweren Konflikt mit Wilhelm II., der zu Tschudis Rücktritt und zur Ernennung eines vergleichsweise gefügigeren Direktors führen sollte. Als interimistischer Direktor wurde niemand anders als des Kaisers Protegé Anton von Werner ernannt, doch zerschlug sich die offenbar definitiv vorgesehene Berufung Werners zum Direktor der Nationalgalerie dann im Gefolge der Schockwellen, die die *Daily Telegraph Affäre* ausgelöst hatte.[43] Es war freilich für die allgemeine Lage charakteristisch, daß von Tschudi sogleich die Leitung der Münchener Gemäldegalerie übernahm; einmal mehr wirkte sich der Föderalismus zugunsten einer Liberalisierung der Kunstpolitik im Kaiserreich aus.

Es gehört in den gleichen Zusammenhang, daß die süddeutschen Dynastien, in richtiger Einschätzung des Zugs der Zeit, sich persönlich für moderne Kunstrichtungen einsetzten, in mehr oder minder offener Entgegensetzung zu den Vorstellungen Wilhelms II. Die Rolle des Großherzogs von Weimar im Zusammenhang der Auseinandersetzungen über die preußisch-deutsche Ausstellungspolitik lag in der Linie der Bemühungen, die historische Rolle Weimars als eines Vororts deutscher Kultur neu zu beleben. In der Folge kam es in Weimar zur Begründung einer neuen Kunstakademie, an der Henry van de Velde maßgeblich beteiligt war, die allerdings schon wenige Jahre später infolge von Differenzen zwischen der Künstlerschaft und der weimarischen Staatsregierung wieder zum Erliegen kam.

Bedeutsam sind in unserem Zusammenhang insbesondere die Bemühun-

42 Für die Reaktion der führenden kunstkritischen Zeitschriften vgl. Kulhoff, Bürgerliche Selbstbehauptung, S. 215 ff.

43 Zur Tschudi-Affäre siehe Bartmann, Anton von Werner, S. 213–246.

gen des Großherzogs von Hessen, der vor der Jahrhundertwende aufblühenden künstlerischen Erneuerungsbewegung, dem sogenannten »Jugendstil«, der vor allem in Wien und Paris seit dem Anfang der 90er Jahre einen kometenhaften Aufstieg genommen hatte, in Deutschland auch außerhalb Münchens die Möglichkeit zu freier Entfaltung zu verschaffen.[44] Zu diesem Zweck zog der Großherzog eine Reihe von führenden Architekten, unter ihnen Joseph Maria Olbrich und Peter Behrens, nach Darmstadt; dort entstand auf der Mathildenhöhe eine Mustersiedlung der Jugendstilarchitektur, die als Markstein auf dem Wege zur modernen Architektur in Deutschland gelten darf. Allerdings erwies sich der Jugendstil, auch international gesehen, schon bald eher als ein Nachklang klassischer historistischer Kunst, mit seiner Neigung zu bloß dekorativer Drapierung und schließlich der Absolutsetzung des Ornaments. Die weitere Entwicklung wies hin zur »Neuen Sachlichkeit«.
Joseph Maria Olbrichs Neubau des Kaufhauses Tietz und Peter Behrens' Bau des Verwaltungsgebäudes der Gebrüder Mannesmann in Düsseldorf, Walter Gropius' Faguswerk in Alfeld/Leine und Hans Poelzigs Ausstellungshalle in Posen erwiesen sich als Marksteine einer Entwicklung zum modernen Bauen, die bis in unsere Gegenwart hinein nichts von ihrer Aktualität verloren hat. Diese neuen Tendenzen wurden im Kaiserreich insbesondere vom »Deutschen Werkbund« aufgegriffen, der 1907 unter führender Beteiligung von Hermann Muthesius und Fritz Schumacher im Anschluß an die 3. Deutsche Kunstgewerbeausstellung in Dresden im Oktober 1907 in München gegründet wurde; ihm gehörten nahezu alle der damals führenden Architekten in Deutschland an, unter ihnen Peter Behrens, Henry van de Velde, Hans Poelzig und Walter Gropius. Seine Ziele waren hochgesteckt; durch die »Durchgeistigung« und künstlerische Gestaltung der handwerklichen und der industriellen Produktion sollte der gefährlich weite Spalt, der sich zwischen der bildenden Kunst und der modernen industriellen Welt geöffnet hatte, wieder geschlossen werden.[45] Kunst sollte nicht nur den Luxusbedürfnissen der oberen Klassen dienen, sondern durch »die Veredelung der Arbeit« und ihrer Erzeugnisse die ganze Gesellschaft durchdringen und auch die Lebensverhältnisse der breiten Massen der Arbeiterschaft befriedigender gestalten. Fritz Schumacher gab diesen Idealen in exemplarischer Weise Ausdruck: »Wir sehen die nächste Aufgabe, die Deutschland nach einem Jahrhun-

44 Siehe Gerhard Bott, Jugendstil. Vom Beitrag Darmstadts zur internationalen Kunstbewegung um 1900, Darmstadt 1969, sowie die zeitgenössische Abhandlung von Alexander Koch und Victor Zobel, Darmstadt. Eine Stätte moderner Kunst-Bestrebungen, Darmstadt 1905.
45 Vgl. Kurt Junghans, Der Deutsche Werkbund. Sein erstes Jahrzehnt, Berlin 1982, S. 21ff. und passim. Das Jahrbuch des Deutschen Werkbundes trug den Obertitel: »Die Durchgeistigung der deutschen Arbeit.«

dert der Technik und des Gedankens zu erfüllen hat, in der Wiedereroberung einer harmonischen Kultur.«[46] Damit verband sich zugleich die Erwartung, der deutschen Kunst eine Führungsstellung in der westlichen Welt zu erringen, nicht zuletzt auch im Interesse der Stärkung der wirtschaftlichen Weltstellung des Deutschen Reiches.

Im letzten Jahrzehnt vor 1914 kam es dann auf breiter Front zum Durchbruch neuer Kunstrichtungen, die sich, ermutigt durch das Vorbild der Kunst Edvard Munchs und der modernen Malerei in Frankreich, weit über die Grenzen des bisher für akzeptabel Geltenden hinauswagten. »Die Brücke« mit Erich Heckel, Ernst Rudolf Kirchner und Karl Schmidt-Rottluff in Dresden, die »Neue Künstlervereinigung« mit Wassily Kandinski und Franz Marc in München, die wenig später den Namen »Der Blaue Reiter« annahm, die »Neue Sezession« in Berlin, die sich unter Führung von Emil Nolde in schweren Auseinandersetzungen von der »Secession« löste, die längst Respektabilität gewonnen hatte und eine hegemoniale Rolle im Berliner Kunstleben spielte, der »Sonderbund« in Düsseldorf, dessen Ausstellungen in Düsseldorf und Köln den endgültigen Durchbruch der modernen Kunst in Deutschland brachten, sie alle sprengten die herkömmlichen Formen des bürgerlichen Kunstbetriebs. Allerdings blieb der Aufstieg dieser avantgardistischen Kunstrichtungen nicht ohne Widerspruch aus dem Publikum – nicht zuletzt mit nationalistischen Argumenten wurde gegen die künstlerische Avantgarde zu Felde gezogen. Vergleichbare Entwicklungen vollzogen sich auch auf literarischem Gebiet, ohne daß diese hier im einzelnen geschildert werden können.

Eine der entscheidenden Voraussetzungen für den Triumph der künstlerischen Avantgarde über die traditionellen Kunstrichtungen und insbesondere über jene Kunstrichtungen, die sich der besonderen Gunst und der aktiven Förderung der höfischen Kreise erfreuten, bildete die Entstehung eines modernen Kunstmarktes. Ohne die aktive Förderung einer rasch wachsenden Zahl von Kunsthändlern und Verlegern von Kunstzeitschriften, Reproduktionen von oft hoher Qualität und schließlich der Entwicklung einer zunehmend professionalisierten Kunstwissenschaft wären diese Entwicklungen nicht denkbar gewesen. Darüber hinaus trat nun zunehmend eine neue Gruppe von potenten Mäzenen und Käufern moderner Kunst auf den Plan, vornehmlich aus den Kreisen von Industrie und Handel, die bereit war, schon damals beachtliche Summen für Werke moderner Kunst auszuwerfen.[47] Dadurch wurde die allerdings immer

46 Ebenda, S. 141.

47 Zu diesem Komplex grundlegend der Aufsatz von Robin Lenman, Painters, Patronage and the Art Market in Germany 1850–1914, in: Past and Present 125 (1989), S. 109ff., sowie neuer-

noch bedeutsame Rolle der öffentlichen Hand um einiges zurückgedrängt.

Der Siegeszug der Moderne bedeutete zugleich das endgültige Debakel der offiziösen Kunstpolitik im kaiserlichen Deutschland. Zwar darf man füglich davon ausgehen, daß Wilhelms II. emotionale Ausbrüche gegen die moderne Kunst von der großen Mehrheit der bürgerlichen Schichten geteilt wurden; insofern waren diese nicht bloß nur Ausdruck höfisch-aristokratischen Kunstwollens, sondern in vieler Hinsicht Anbiederungen an den Zeitgeist. Die offiziöse Kunstpolitik insbesondere in Preußen hatte ihren Niederschlag in zahllosen öffentlichen Gebäuden und insbesondere in zahlreichen Monumenten gefunden, von denen die Denkmäler zu Ehren »Wilhelms des Großen«, die allerorten die deutsche Landschaft zu verschönern bestimmt waren, oder auch das Völkerschlachtdenkmal in Leipzig in besonderem Maße wilhelminischen Größenwahn zum Ausdruck brachten. Zu erinnern sei hier nur an das monströse Ehrenmal an der Porta Westfalica oder das zerstörte Monument Wilhelms I. am »Deutschen Eck« in Koblenz, dessen Wiedererrichtung im Zeichen historischer Nostalgie gegenwärtig erneut betrieben wird. All dies repräsentierte, mit Eric Hobsbawm zu sprechen, »eine sterbende und nach 1918 endgültig tote Vergangenheit«.[48] Zugleich hat die amtliche Kunstpolitik auf lange Zeit hinaus erhebliche künstlerische Ressourcen gebunden und die kreativen Energien eines großen Teils der Künstlerschaft in eine abseitige Richtung gelenkt. Jedenfalls in diesem Bereich trifft Nietzsches bitteres Wort zu: »Die Deutschen, die Verzögerer *par excellence*, sind heute das zurückgebliebenste Kulturvolk Europas.«[49] Dem muß jedoch hinzugefügt werden, daß die deutschen Bundesstaaten eine durchaus eigenständige Kunstpolitik verfolgt haben, die vielfach von jener Preußens erheblich abwich, und sich auch von Interventionsversuchen des Kaisers davon nicht haben abbringen lassen. Überhaupt kann gesagt werden, daß sich gerade im Lager der Hocharistokratie eine ganze Reihe von Persönlichkeiten, wie beispielsweise Harry Graf Kessler, fand, die sich die Förderung moderner Kunstrichtungen angelegen sein ließen, in der richtigen Erkenntnis, daß nur aktives Engagement für kreative Innovation, nicht starres Festhalten an überlebten Traditionen den herkömmlichen Führungsanspruch des Adels in der Gesellschaft des Kaiserreichs weiterhin rechtfertigen könne.

Läßt sich aus der Perspektive der bürgerlichen gesellschaftlichen Ent-

dings Horst Ludwig, Kunst, Geld und Politik um 1900 in München. Formen und Ziele der Kunstfinanzierung und Kunstpolitik während der Prinzregentenära (1886–1912), Berlin 1986.

48 Vgl. Hobsbawm, Das imperiale Zeitalter, S. 291.

49 Nietzsche, Der Fall Wagner, S. 126 (vgl. Anm. 22).

wicklungen im Kaiserreich eine günstigere Bilanz ziehen? Thomas Nipperdey hat im Aufbruch der künstlerischen Avantgarde im letzten Jahrzehnt vor 1914 einen Beleg dafür gesehen, daß das Bürgertum in Deutschland den Weg zur Moderne gefunden habe: »Die moderne Kunst hat sich nicht trotz der Bürger, sondern mit ihnen durchgesetzt.«[50] Daran ist soviel richtig, daß die eigentliche Trägergruppe dieser neuen, sich in einer verwirrenden Vielfalt in höchst unterschiedliche Richtungen entfaltenden Kunst, die Naturalismus und Impressionismus weit hinter sich ließ und ihre Aufgabe in der künstlerischen Gestaltung höchst individueller Erfahrungen sah, »die Jugend der großen Bourgeoisie« war. Ansonsten aber wäre es gewiß verfehlt, eine innere Korrelation zwischen den avantgardistischen Kunstrichtungen des Expressionismus, des Kubismus, des Futurismus, des Konstruktivismus, der rein abstrakten Malerei und was der anderen Richtungen mehr war, und bürgerlichen Lebensidealen anzunehmen. Das einzige, was von diesen übriggeblieben war, war ein rückhaltloser Individualismus, verbunden mit der Infragestellung aller sogenannten »objektiven Kulturwerte«, wie sie damals Rickert noch einmal als Widerlager einer Erkenntnistheorie der Kulturwissenschaften bemühte, obschon dieser Weg eigentlich bereits seit Nietzsches Lehre von der »Umwertung aller Werte« versperrt war. Max Weber hat die Konsequenz dieser Entwicklung für das Kulturverständnis einer postbürgerlichen Welt damals in der ihm eigenen begrifflichen Schärfe zum Ausdruck gebracht. »›Kultur‹«, so argumentierte er, »ist ein vom Standpunkt des Menschen aus mit Sinn und Bedeutung bedachter endlicher Ausschnitt aus der sinnlosen Unendlichkeit des Weltgeschehens«, welcher sich nur jenen erschließt, »die Kulturmenschen sind, begabt mit der Fähigkeit und dem Willen, bewußt zur Welt *Stellung* zu nehmen und ihr einen *Sinn* zu verleihen«.[51] Die subjektive Wertwahl der Persönlichkeit in einer entzauberten Welt und die subjektive Sichvergewisserung des Individuums im Kunstwerk traten an die Stelle, die bis dahin für objektiv erachtete, und, wie man meinte, sich im Geschichtsprozeß selbst realiter verwirklichende »objektive Kulturwerte« eingenommen hatten. Noch war dies nur die Überzeugung einer kleinen Minderheit, aber sie repräsentierten die Zukunft einer postbürgerlichen Gesellschaft, welche auf dem Prinzip unbegrenzter Pluralität möglicher Lebensformen in einer immer stärker sich differenzierenden Gesellschaft aufgebaut ist.

Insofern ist es verfehlt, den Durchbruch der Moderne in Deutschland, der sich zudem mit einer nicht unerheblichen zeitlichen Versetzung gegenüber Westeuropa vollzog, einfach als reifste Form des bürgerlichen

50 Wie das Bürgertum die Moderne fand, S. 63.
51 Max Weber, Gesammelte Aufsätze zur Wissenschaftslehre, Tübingen 1968³, S. 180.

Bewußtseins deuten zu wollen. Vielmehr signalisierte die ästhetische Revolution der Avantgarde, der im wissenschaftlichen Bereich die Entdeckung des prinzipiellen Relativismus aller wissenschaftlichen Erkenntnis entsprach, die Krise der bürgerlich-liberalen Gesellschaft des 19. Jahrhunderts. Die literarische und künstlerische Avantgarde schickte sich an, »ihre Existenzgrundlagen zu zerstören, ihre Wert-, Normen- und Denksysteme, denen sie ihren inneren Zusammenhalt und ihre Ordnung verdankte«.[52] Die künstlerische Revolution um die Wende vom 19. zum 20. Jahrhundert, verbunden mit der radikalen Infragestellung des Fortschrittsbegriffs und der Wissenschaftsgläubigkeit des 19. Jahrhunderts, ging einher mit der Dekomposition des Bürgertums als einer einheitlichen Klasse mit einem eigenständigen Ethos und einem spezifischen Lebensstil. Die künstlerische Avantgarde fand ihre Trägerschicht in Teilen der neuen Bildungsschicht, die sich auf ihre Unabhängigkeit von bürgerlichen Kulturwerten einiges zugute hielt, ja mehr noch, ihre Legitimität als Repräsentanten einer postbürgerlichen Kultur aus der Entgegensetzung zu den kapitalistischen Verwertungsmechanismen und bürokratischen Ordnungsstrukturen des hochkapitalistischen Systems, und der ihnen immanenten leistungsorientierten Berufsethik, ableiteten. Dies hinderte die Repräsentanten der zukunftsweisenden Großindustrie freilich ebensowenig wie eine, mit dem sich rapide entfaltenden kommerziellen Kunstmarkt eng verflochtene, neue Mäzenatenschicht daran, diese neuen Kunstrichtungen aktiv zu fördern. Niemand hat die Ablösung der avantgardistischen Kultur im Kaiserreich von herkömmlichen bürgerlichen Lebensidealen im Rückblick klarer beschrieben als Thomas Mann, der 1919, seinen Blick nachdenklich zurückwendend auf seine eigene Herkunft aus der hanseatischen Bürgerstadt Lübeck, meinte: »Ich empfinde sehr deutlich, daß eine im Kampfe der Jahrhunderte erworbene Kultur der Lebensführung im Absterben begriffen ist.«[53]

Noch ein weiteres Moment der Kultur der Avantgarde, wie sie sich im letzten Jahrzehnt des Bestehens des Kaiserreichs durchsetzte, läßt sich am Beispiel von Thomas Mann deutlich machen, nämlich die Entfernung der Künstler und Schriftsteller von dem bürgerlich-liberalen Politikbegriff, wie er noch in den letzten Jahrzehnten des 19. Jahrhunderts eigentlich selbstverständlich gewesen war. »Ja, ich bin Bürger«, bekannte Thomas Mann in den »Betrachtungen eines Unpolitischen«, »und das ist in Deutschland ein Wort, dessen Sinn so wenig fremd ist dem Geiste und der Kunst wie der Würde, der Gediegenheit und dem Behagen [...]. Bin ich

52 Hobsbawm, Das imperiale Zeitalter, S. 295.
53 Volkmar Hansen/Gert Heine (Hrsg.), Frage und Antwort. Interviews mit Thomas Mann 1909–1950, Heidelberg 1983, S. 51.

liberal, so bin ich es im Sinne der Liberalität und nicht des Liberalismus, denn ich bin [...] national, aber unpolitisch gesinnt, wie der Deutsche der bürgerlichen Kultur.«[54] Die traditionellen engen Verbindungen des bürgerlichen Kulturbegriffs mit einer liberalen politischen Orientierung sind hier aufgelöst zugunsten des Rückzugs von der Tagespolitik. Politik, insbesondere Parteipolitik, wurde nunmehr als Teil jenes funktionalistischen Gehäuses der modernen industriellen Zivilisation betrachtet, aus dem die künstlerische Avantgarde ja gerade auszubrechen suchte, indem sie auf die rückhaltlose Entfaltung der eigenen Individualität und deren expressive Verdinglichung im Kunstwerk setzte. Diese Entwicklung verhinderte zwar zunehmend eine Instrumentalisierung von Kunst und Literatur zugunsten der Interessen der herrschenden Eliten oder politischer Massenbewegungen, jedoch entstanden dadurch weitgehend entpolitisierte Subsysteme innerhalb der wilhelminischen Gesellschaft. Dies aber trug, obschon dies von den primär Betroffenen gewiß nicht angestrebt worden sein dürfte, zu einer einstweiligen Stabilisierung der bestehenden Ordnung bei.

In die gleiche Richtung wies die zunehmende Professionalisierung des Kulturlebens in allen seinen Bereichen, von der Musik bis hin zur bildenden Kunst und dem Museumswesen. Kultur wurde zunehmend ein Subsystem der modernen Gesellschaft, das von einer Klasse von professionellen Fachleuten gehandhabt und kontrolliert wurde, während der Einfluß des allgemeinen Publikums auf den Gang der Dinge immer mehr zurückging. Formal gesehen wurde dabei im Rahmen eines immer differenzierteren Kulturbetriebs ein immer höheres Niveau erreicht, insbesondere auf der Theaterbühne und im Konzertsaal. Freilich verwandelte sich das Theater zunehmend zur Schau, zur Gegenwelt der Alltäglichen, beispielsweise in Max Reinhardt glanzvollen Theateraufführungen am Deutschen Theater in Berlin. Gleiches gilt in gewissem Sinne auch für die Musik Richard Strauss' und Gustav Mahlers, während die zukunftsweisende Zwölftonmusik Arnold Schönbergs oder Alban Bergs vom breiteren Publikum nicht angenommen wurde.

Sowohl die darstellenden wie auch die praktizierenden Künste vernachlässigten, zumindest vordergründig gesehen, die politische Dimension von Kultur, im Positiven wie im Negativen. Gleiches gilt für einen großen Teil der zeitgenössischen Dichtung, die den Rückzug auf die Innerlichkeit des Individuums als letzte Antwort auf die Herausforderung durch die moderne industrielle Zivilisation ansah. Prophetische Schau, gültig allein für einen kleinen, auserwählten Kreis von Eleven, fernab der Alltäglichkeit der bürgerlichen Welt, war die persönliche Lösung Stefan Georges.

54 Thomas Mann, Betrachtungen eines Unpolitischen, Berlin 1918, S. 84.

Rainer Maria Rilke hingegen sah den vorgegebenen Weg des Dichters in der Flucht »in die Schluchten seiner Seele, die, obgleich er sie nie erforschen wird, ihm doch unaussprechlich nähergehen« als die ihn umgebende Welt.[55]
Georg Simmel hat diesen Prozeß des Auseinandertretens der objektiven Kultur, die sich in Kunst, Sitte, Wissenschaft, Religion, Recht, Technik und anderem mehr, als verdinglichten Objektivierungen des Geistes, niedergeschlagen hat, und der subjektiven Aneignung von Kultur in Form einer extrem individualistischen Lebensführung eindrucksvoll beschrieben und analysiert.[56] Die auf solche Weise konstituierte »Innerlichkeit« des Individuums wurde zunehmend weniger von verbindlichen gesellschaftlichen Zielsetzungen bestimmt und ließ demgemäß Freiräume entstehen, in die rastlose Unruhe, zielloses Drängen und am Ende ein inhaltsleerer Dezisionismus Einzug halten konnten.[57]
In diese Freiräume, die angesichts einer teils zur Schau verkommenen, teils in eine Pluralität von in politischer und gesellschaftlicher Hinsicht als unverbindlich empfundenen »Innerlichkeiten« zerfallenen Kultur entstanden waren, drängten seit Beginn der 90er Jahre immer stärker irrationale Strömungen hinein. Hier ist besonders der Nietzsche-Kult zu nennen, der den Kern der philosophischen Botschaft Friedrich Nietzsches in der Abhebung des Individuums gegenüber den »Viel-zu-Vielen« und der Pflege eines aristokratischen Individualismus sah, sowie die zahlreichen, allerorten aus dem Boden schießenden sektiererischen Bewegungen pseudoreligiöser Natur, von denen der Monismus eines Ernst Haeckel am erfolgreichsten war.[58] Vor allem aber ist hier zu denken an die verschiedenen Spielarten eines mystisch übersteigerten Nationalismus, der sich vor allem auf die Schriften Paul de Lagardes und des »Rembrandtdeutschen« Julius Langbehns berief.[59] Eugen Diederichs richtete 1913 in seinen Verlagsräumen eine nationale Weihestätte ein, die ausschließlich dem Gedenken Lagardes und seiner Schriften gewidmet war! Dies hat die Anfälligkeit des politischen Systems des Kaiserreichs für Imperialismus und Krieg in einer im einzelnen schwer zu gewichtenden Weise gesteigert. Die vage Symbiose von Kultur und Nationalität, bei gleichzeitiger Ausblendung aller politischen Gehalte, wie sie für das Denken des deutschen Bür-

55 Vgl. Rainer Maria Rilke, Über den jungen Dichter. Werke in sechs Bänden, Bd. II/2, Frankfurt/M. 1982, S. 561.
56 Philosophie des Geldes, hrsg. von David B. Frisby und Klaus Christian Köhnke (= Gesamtausgabe, Bd. 6), S. 627ff.
57 Ebenda, S. 675f.
58 Vgl. Alfred Kelly, The Descent of Darwin. The Popularization of Darwinism in Germany, 1860–1914, University of North Carolina Press 1981, S. 101f., 106ff.
59 Siehe dazu Fritz Stern, Kulturpessimismus als politische Gefahr. Eine Analyse nationaler Ideologie in Deutschland, Bern 1963, S. 148ff.

gertums während der Epoche des Wilhelminismus herrschend wurde, hat schließlich den Boden bereitet für eine besonders aggressive Form des Kulturimperialismus, wie sie exemplarisch in Friedrich von Bernhardis »Deutschland und der nächste Krieg« aus dem Jahre 1912 zu finden ist, in dem ein Präventivkrieg gegen Frankreich und England als letzter Ausweg beschrieben wurde, um die deutsche Kultur davor zu bewahren, im heraufziehenden Weltstaatensystem von den imperialen Großmächten England, Frankreich und Rußland erdrückt zu werden. Insofern hat die entpolitisierte Kultur des späten Kaiserreichs dazu beigetragen, daß sich dieses auf den Ersten Weltkrieg einließ und schließlich daran zugrunde gehen sollte.

# Die latente Krise des Wilhelminischen Reiches: Staat und Gesellschaft in Deutschland 1890–1914

In der älteren Forschung hat man die Schwächen der Epoche des Wilhelminismus, die gemeinhin mit den Regierungsjahren Kaiser Wilhelms II. von 1889–1918 zusammenfällt, überwiegend auf außenpolitischem Felde gesucht. Im Abgehen von der Strategie Bismarcks, in der Aufgabe des »Drahtes nach Petersburg« und in noch viel weitergehendem Maße im Übergang zu einer lautstarken, ambitiösen »Weltpolitik«, die nicht maßzuhalten verstand und sich der Grenzen der Möglichkeiten deutscher Machtpolitik nicht bewußt blieb, sah man zumeist das eigentliche Übel der Zeit. Die offensichtlichen Mißerfolge der deutschen Diplomatie wurden dabei nicht zuletzt dem »persönlichen Regiment« Wilhelms II. angelastet, d. h. dem extrakonstitutionellen Hineinregieren des Kaisers in die äußere Politik des Deutschen Reiches. Dagegen lautete das Urteil über die innere Politik in der Zeit Wilhelms II. im allgemeinen günstiger, auch wenn man sich der Mängel und Schwächen des Systems durchaus bewußt war. Mit der schrittweisen Aufgabe der Bismarckschen Praxis, die Parteien rücksichtslos gegeneinander auszuspielen, und dem Verzicht auf den Versuch, die Sozialdemokratie mit außerkonstitutionellen Ausnahmegesetzen zu bekämpfen, habe man im Wilhelminischen Reich allmählich eine weitgehende Ausgleichung der politischen Gegensätze erreicht. Im Wege stillen Verfassungswandels, so heißt es, habe sich das Deutsche Reich bis zum Jahre 1914 einem parlamentarischen System erheblich angenähert. Nicht nur sei der »Bülow-Block« ein bedeutsamer Schritt in Richtung auf das parlamentarische System gewesen; insbesondere sei die Politik der Regierungen gegenüber der Sozialdemokratie allmählich sachlicher geworden und habe der Integrierung der Arbeiterschaft in den Staat behutsam vorgearbeitet.
Schon Theodor Schieder hat demgegenüber auf die tiefgehenden inneren Bruchlinien im politischen System des Deutschen Reiches hingewiesen und darauf aufmerksam gemacht, daß die Integrationskraft des nationalen Gedankens erst nach und nach voll zum Zuge gekommen sei.[1] Wenn

1 Theodor Schieder, Bismarck – gestern und heute, in: Lothar Gall (Hrsg.), Das Bismarck-Problem in der Geschichtsschreibung nach 1945, Köln/Berlin 1971, S. 364f.; ähnlich ders.,

dem Deutschen Reich zum Zeitpunkt der feierlichen Kaiserproklamation im Spiegelsaal zu Versailles am 18. Januar 1871 die Qualitäten eines Nationalstaates noch weitgehend gefehlt hatten, was sich nicht zuletzt an seiner dürftigen Herrschaftssymbolik ablesen ließe, so ist dieses im Laufe der weiteren Entwicklung stufenweise zu einem weitgehend an der staatlichen Realität orientierten modernen Nationalstaat geworden, ein Faktor, der zu einer nicht unwesentlichen Milderung der inneren Gegensätze bis zum Ersten Weltkriege beigetragen habe.[2] In der Tat hat das sich am Bismarckschen Staate orientierende nationale Denken in der Folge beträchtliche politische Bindekräfte entfaltet, die schließlich auch die Arbeiterschaft erfaßt haben und in ihrer Zustimmung zu den Kriegskrediten am 4. August 1914 ihren deutlichsten Niederschlag fanden.

Jedoch neigt auch diese Deutung der Ära des Wilhelminismus noch zu sehr zu einer Harmonisierung der bestehenden gesellschaftlichen Gegensätze. Auf der anderen Seite bedarf die in der jüngeren Literatur vielfach vertretene These ebenfalls kritischer Prüfung, wonach dem Deutschen Reich jegliche Entwicklungsfähigkeit überhaupt gefehlt habe und die Erhaltung des bestehenden Systems ausschließlich der Anwendung einer Vielzahl von Strategien »sekundärer Integration« seitens der Herrschenden bzw. der Ablenkung der emanzipatorischen Energien auf äußere oder innere Gegner zu danken sei.[3] In diesem Zusammenhang wird häufig insbesondere auf die Verteufelung bestimmter Bevölkerungsgruppen als »Reichsfeinde«, zunächst des Zentrums, späterhin immer ausschließlicher der Sozialdemokraten, verwiesen.[4] Besonderes Gewicht wird dabei dem sogenannten »Imperialismus« Bismarcks, der sogenannten »Sammlungspolitik« seit 1893, wie dann vor allem der deutschen Weltpolitik seit 1897 und in einem spezielleren Sinne der Flottenpolitik des Großadmirals v. Tirpitz zugemessen.[5] Am weitesten in dieser Richtung ist bekanntlich Hans-Ulrich Wehler gegangen, der das Bismarcksche System als eine

Das Reich unter der Führung Bismarcks, in: Peter Rassow (Hrsg.), Deutsche Geschichte im Überblick. Ein Handbuch, Stuttgart 1962[2]; ders., Das Deutsche Kaiserreich von 1871 als Nationalstaat (= Wissenschaftliche Abhandlungen der Arbeitsgemeinschaft für Forschung des Landes Nordrhein-Westfalen, Bd. 20), Köln 1961, S. 40f.

2 Schieder, Kaiserreich, S. 86f.

3 So insbesondere Wolfgang Sauer, Das Problem des Nationalstaats, in: Helmut Böhme (Hrsg.), Probleme der Reichsgründungszeit 1848–1879, Köln/Berlin 1968, S. 468ff.

4 Ebenda; Michael Stürmer, Konservativismus und Revolution in Bismarcks Politik, in: Ders. (Hrsg.), Das kaiserliche Deutschland. Politik und Gesellschaft 1870–1918, Düsseldorf 1970, S. 156f.; Dieter Groh, Die mißlungene »Innere Reichsgründung«, in: Revue d'Allemagne 4 (1972), und ders., Negative Integration und revolutionärer Attentismus. Die deutsche Sozialdemokratie am Vorabend des Ersten Weltkrieges, Frankfurt/M. 1973, S. 27ff.

5 Hans-Ulrich Wehler, Bismarck und der Imperialismus, Köln/Berlin 1969; vgl. auch Militär-

neoabsolutistische Kanzlerdiktatur beschreibt, die nur durch eine geschickte Politik des Sozialimperialismus nach innen und nach außen entgegen den Tendenzen einer sich unter dem Einfluß der Industrialisierung rasch wandelnden Gesellschaft aufrechterhalten worden sei. Wehler definiert das Bismarcksche System als eine »bonapartistische Diktatur, d. h. ein labiles, von starken Kräften der gesellschaftlichen und politischen Veränderung bedrohtes traditionelles Herrschaftsgefüge«, das »durch Ablenkung der Interessen von der Verfassungspolitik auf die Wirtschaft, von der inneren Emanzipation auf äußere Ersatzerfolge, durch unverhüllte Repression, aber auch durch begrenztes Entgegenkommen im Innern« verteidigt worden sei.[6]

Derartige Interpretationsversuche, wie sie insbesondere von Sauer, Groh, Stürmer und Wehler vorgelegt wurden, sind sämtlich Eckhart Kehrs These vom »Primat der Innenpolitik« verpflichtet. Sie erlauben es, die vielfachen Widersprüche im politisch-gesellschaftlichen System des Deutschen Reiches auf bestimmte gesellschaftliche Grundtendenzen zu reduzieren. Andererseits aber stehen sie beständig in der Gefahr, den herrschenden Schichten und Führungsgruppen ein Maß an Möglichkeiten und Gelegenheiten für eine aktive Manipulation der politisch-gesellschaftlichen Entwicklungen zuzumessen, das tatsächlich nur in Ausnahmefällen gegeben war. Wider Willen erscheint Bismarck als der große Dämon, der das Schicksal der Deutschen in der Hand gehalten habe. Es wird demgegenüber notwendig sein, die objektiven Komponenten dieses Prozesses, der durch das partielle Auseinanderfallen von politischer und gesellschaftlicher Verfassung erklärt werden kann, stärker zu berücksichtigen.

Zwei Gesichtspunkte stehen dabei im Vordergrund. Einmal die Tatsache, daß das von Bismarck geschaffene politische System relativ immobil und unelastisch gewesen ist und sich den raschen Wandlungen im gesellschaftlichen Raum nicht zureichend hat anpassen können, und dies nicht nur deshalb, weil starke konservative Kräfte sich einer solchen Anpassung widersetzten. Zum anderen wurde im Zuge des raschen Vordringens der Industrialisierung die soziale Landschaft grundlegend verändert; dazu gehört vor allem die Aufsplitterung des Bürgertums in eine diffuse Menge von Gruppen mit sehr verschiedenen ökonomischen und letztlich auch politischen Interessen, zum anderen der Aufstieg der Arbeiterschaft zu einer selbständigen politischen Kraft von wachsendem Gewicht und nicht

geschichtliche Mitteilungen 9 (1971), S. 197 ff.; ders., Bismarcks Imperialismus und späte Rußlandpolitik unter dem Primat der Innenpolitik, in: Stürmer (Hrsg.), Das kaiserliche Deutschland, S. 237 ff.

6 Wehler, Bismarck, S. 137.

zuletzt die zunehmende Bedrohung der ökonomischen Basis der alten konservativ-agrarischen Herrenschichten, vor allen Dingen in Preußen.

In den folgenden Darlegungen sollen vor allem das Verfassungssystem, sein Funktionieren und die faktischen Verschiebungen innerhalb desselben, bei formal unveränderter Geltung der Grundnormen, als Ansatzpunkt einer Interpretation dienen. Verfassungssystem und Verfassungswirklichkeit fallen zwar, wie schon Lassalle bemerkt hat, auseinander, und dies gilt in sehr hohem Maße gerade für die Wilhelminische Zeit; auf der anderen Seite aber stellt das jeweils bestehende Verfassungssystem in nicht unerheblichem Maße die Weichen dafür, in welchen Formen und in welchem Umfang vorhandene oder neu auftauchende Konflikte ausgefochten und entschieden werden. Ausgangspunkt aller Überlegungen muß daher eine kurze Betrachtung des Bismarckischen Verfassungssystems selbst sein. Dieses ist seit längerem unter erheblichem Beschuß. Schon Wolfgang Sauer hat, unter Bezug auf die »mißbräuchliche Verkoppelung widerstreitender Prinzipien in der Verfassung«, von einer »inneren Dauerkrise« nicht erst des Wilhelminischen Reiches, sondern schon des Deutschen Reiches der Bismarckzeit gesprochen,[7] allerdings unter wohl unbewußter Wiederaufnahme von Argumenten, mit denen Carl Schmitt 1934 das von Bismarck geschaffene System der »umgangenen Entscheidungen« zugunsten des soldatischen Führerstaates faschistischen Typs geistig aus den Angeln zu heben versucht hat.[8] Stürmer hat Sauers Urteil noch wesentlich verschärft zu der These, daß während des gesamten Bismarck-Reiches der Staatsstreich als extra-konstitutionelle Alternative beständig bereitgestanden habe und daher das bestehende pseudokonstitutionelle System niemals die volle Verfassungswirklichkeit repräsentiert habe.[9] So berechtigt diese Kritik unter liberalen und demokratischen Gesichtspunkten, denen wir uns heute sämtlich verpflichtet fühlen, auch erscheint, sie verkennt, daß die zwischen Bismarck und den Nationalliberalen ausgehandelte Verfassung von 1867/1871 nicht einfach nur einen Oktroi der herrschenden preußisch-deutschen Elite, sondern in weitem Umfang einen durch die damaligen gesellschaftlichen und politischen Verhältnisse bedingten Kompromiß darstellte. Eine Untersuchung der Verankerung der Machtstellung des entschiedenen Liberalismus in den breiten Massen vor 1867, wie sie Eugene N. Anderson vorgenommen hat, erweist deutlich, daß der bürgerliche Liberalismus damals, in einer

7 Sauer, S. 473ff.
8 Carl Schmitt, Staatsgefüge und Zusammenbruch des 2. Reiches, in: ders. (Hrsg.), Der Deutsche Staat der Gegenwart, Bd. 6, Hamburg 1934, S. 25ff.
9 Michael Stürmer, Staatsstreichgedanken im Bismarck-Reich, in: Historische Zeitung 209 (1969), S. 566ff.

im wesentlichen noch vorindustriellen Gesellschaft, nur eine begrenzte gesellschaftliche Machtbasis besaß; allein dank des ihn damals überaus begünstigenden preußischen Dreiklassenwahlrechts hat er überhaupt eine so prononcierte Position gewinnen können.[10] Desgleichen waren die Nationalliberalen der Ära der inneren Reichsgründung 1871 bis 1878, denen allzu leichthin der Vorwurf gemacht wird, sie hätten gegenüber Bismarck kapituliert, sich der Tatsache fast schmerzhaft bewußt, daß sie es eben nur begrenzt zu einer Konfrontation mit Bismarck kommen lassen durften, da sie bei einem erneuten Verfassungskonflikt fürchten mußten, daß die Massen Bismarck und nicht ihnen nachlaufen würden. Für die erste Phase der Reichsgründung jedenfalls bedurfte es nicht der neuerdings so vielbeschworenen Ablenkungsstrategien, um die fortschrittlichen Kräfte im Zaum zu halten. In eine wirkliche Krise trat das System erst seit dem Ende der 1870er, oder genauer erst dem Beginn der 1880er Jahre, ein, als sich erwiesen hatte, daß dem Aufstieg neuer Massenparteien, nämlich des Zentrums und dann vor allem der Sozialdemokratie, mit staatlichen Machtmitteln nicht Einhalt geboten werden könne, und darüber hinaus klargeworden war, daß die Machtstellung des Reichstages innerhalb dieses komplizierten Systems pluralistischer Machtverteilung erheblich größer war, als Bismarck, und mit ihm große Teile der konservativen preußischen Führungsschicht, ursprünglich angenommen hatten, und überdies eine steigende Tendenz aufwies. Es ist leicht nachzuweisen, daß die Reichsverfassung von 1867/1871 hinter den Idealen eines liberalen Parlamentarismus weit zurückblieb. Man sollte heute nicht mehr der liberalen Legende nachlaufen, als ob der Liberalismus Ende der 1860er Jahre in der deutschen Gesellschaft bereits politisch die Oberhand gewonnen hätte und nur durch Bismarck an der Vollendung seines Werks gehindert worden wäre. Vermutlich hat der Kompromiß von 1867 inhaltlich in weit höherem Maße den gesellschaftlichen Interessen der verschiedenen Gruppen der deutschen Gesellschaft entsprochen, unter Einschluß auch des katholischen Volksteils, als heute vielfach angenommen oder behauptet wird. Es kann auch nicht einfach Bismarck und den manipulatorischen Machenschaften der konservativen Führungsschicht allein zugeschrieben werden, daß es eine wirklich schlagkräftige liberal-demokratische Bewegung nicht gab und plebiszitäre Herrschaftstechniken nach Art Napoleons III. oder Disraelis zunächst relativ gut funktionierten.

Von entscheidender Bedeutung ist vielmehr die relativ hohe Immobilität des von Bismarck geschaffenen Systems mit seiner höchst komplizierten

10 Eugene N. Anderson, The Social and Political Conflict in Prussia 1858–1864, Lincoln/Nebraska 1954.

pluralistischen Machtverteilung auf eine ganze Reihe von konkurrierenden Institutionen: den Kaiser und den von ihm abhängigen Kanzler, den Bundesrat und die in ihm vertretenen einzelstaatlichen Regierungen, den Staat Preußen mit allein zwei Dritteln des Territoriums des Reiches, repräsentiert durch das Kollegium der mit Immediatrecht ausgestatteten preußischen Minister, unter denen auch der preußische Ministerpräsident nur *primus inter pares* war, den Reichstag, die beiden Häuser des preußischen Parlaments und, vielleicht mit minderer Bedeutung, die übrigen einzelstaatlichen Parlamente. Dieses System konnte effektiv nur regiert werden, wenn der Kanzler mit dem ganzen Gewicht, das die preußische Staatsregierung als solche innerhalb des Systems innehatte, den übrigen Institutionen des Reiches gegenübertreten konnte. Dies war während der Bismarck-Zeit im wesentlichen der Fall, späterhin nicht mehr. Darüber hinaus verfügte Bismarck über ein so großes personalplebiszitäres Prestige, daß er die übrigen Instanzen des Reiches nach Belieben zur Räson bringen konnte. Wie schon Max Weber hervorgehoben hat, blockierte die komplizierte föderalistische Struktur, die das Deutsche Reich 1867 erhalten hatte, eine echte Parlamentarisierung. Entscheidender war freilich noch, was indes erst nach dem Sturz Bismarcks mit letzter Deutlichkeit hervortrat: die Aufspaltung der Exekutive zwischen den Reichsinstanzen und den preußischen Ministerien. Ursprünglich hatte Bismarck, indem er dem Reichskanzler keinen eigenständigen verwaltungsmäßigen Unterbau gab, die parlamentarische Kontrolle des Reichstages über die Exekutive beschneiden wollen, wie dies im Bereich des Kriegsministeriums ja auch bis 1917 mit Erfolg gelungen ist. Jedoch konnte auch er nicht verhindern, daß die Parteien innerhalb dieses Systems zunehmend an Gewicht gewannen, zum Teil deshalb, weil sich im Zuge der Ausweitung der Staatstätigkeit in den gesellschaftlichen Raum hinein immer größere Ansatzpunkte für politische Mitwirkung und Aktivität des Reichstages ergaben.

Schon Ende der 1870er Jahre sah Bismarck sich selbst zu einer partiellen Umfundamentierung der Grundlagen des Reiches durch die Politik des sogenannten »Solidarprotektionismus« gezwungen. Diese von Böhme[11] als »zweite oder eigentliche Reichsgründung« bzw. als »Abschluß der Einigungsepoche« bezeichnete Umstrukturierung, die im Zeichen des

11 Helmut Böhme, Deutschlands Weg zur Großmacht. Studien zum Verhältnis von Wirtschaft und Staat während der Reichsgründungszeit 1848–1881, Köln/Berlin 1966; ders., Thesen zur Beurteilung der gesellschaftlichen, wirtschaftlichen und politischen Ursachen des deutschen Imperialismus, in: Der moderne Imperialismus, hrsg. und eingel. von Wolfgang J. Mommsen, Stuttgart 1971, S. 38; ferner insbesondere in Helmut Böhme (Hrsg.), Probleme der Reichsgründungszeit, S. 14; dort wird das Jahr 1879 als »Abschluß der Reichseinigungsepoche« bezeichnet.

Schutzzolls den Zusammenschluß der alten preußisch-aristokratischen Führungsschicht mit der neudeutsch-großbürgerlich-industriellen Führungsschicht bringen sollte, ist jedoch weit weniger erfolgreich gewesen, als vielfach vorausgesetzt wird. Es gelang nicht, eine wirklich krisenfeste Zusammenarbeit der von Bismarck sogenannten »produktiven Stände« zu erreichen. Ebensowenig konnten dadurch weitere Machtverschiebungen innerhalb des verfassungspolitischen Systems aufgehalten werden, wie das Schicksal des 1887 so mühsam zusammengeschmiedeten »Kartells der reichstreuen Parteien« beweist. Es ist übrigens eine rückwärtsprojizierende Konstruktion, schon hier in erster Linie die Furcht vor den Sozialdemokraten am Werke zu sehen. Gerade die Frage, ob man gegenüber der Sozialdemokratie weiterhin zum Mittel äußerster Repression greifen, oder sich vielmehr um verfassungskonforme, d.h. rechtsstaatliche Waffen bemühen solle, brachte bekanntlich 1890 das Kartell zum Platzen und machte Bismarcks Sturz unvermeidlich.
Allein das große plebiszitäre Prestige, über das Bismarck zeitlebens verfügte – es läßt sich dessen Stärke u. a. an der außerordentlichen Zahl der Fälle ablesen, in denen er die Drohung seines Rücktritts als innenpolitische Waffe erfolgreich anwendete –, hat es ihm ermöglicht, die zentrifugalen Tendenzen innerhalb des bestehenden politischen Systems während seiner Amtszeit einigermaßen zu bändigen. Doch geschah dies seit Mitte der 1880er Jahre mit sinkendem Erfolg, ungeachtet des Einsatzes der u. a. von Wehler ausführlich beschriebenen, freilich in ihrer Bedeutung doch wohl überschätzten sozialimperialistischen Techniken. Wenn die Germania 1889 triumphierend feststellte: »Es gelingt nichts mehr«, so bezog sich dies konkret auf eine mißratene außenpolitische Aktion, die Bismarck innenpolitisch hatte nutzbar machen wollen, beleuchtet aber treffend die gesamte innenpolitische Lage. Der Sturz Bismarcks war demnach nicht die Folge persönlicher Willkür Wilhelms II., wie man nach oberflächlicher Analyse der Vorgänge glauben könnte, sondern die einfache Folge der Tatsache, daß seine innenpolitische Machtbasis zusammengebrochen war. Bismarcks Abgang im Jahre 1890 bedeutet nur insofern einen grundlegenden Einschnitt, als nunmehr die strukturellen Mängel des preußisch-deutschen Systems manifest hervortraten.
Dies will heißen, daß sich im Herrschaftsprozeß des Deutschen Reiches seit dem Anfang der 1870er Jahre, trotz formell nahezu gleichgebliebener verfassungsrechtlicher Struktur (hier wäre allerdings einschränkend zu verweisen auf die Errichtung der Reichsämter, auf das Stellvertretungsgesetz und auf die formell nicht fixierte, aber faktisch weitgehend durchgesetzte Exemption des Kriegsministers und der militärischen Angelegenheiten von parlamentarischer Kontrolle), wesentliche Veränderungen ergeben hatten, die dessen Funktionieren erschwerten. Zum anderen

aber – und dies ist noch bedeutsamer – hatten sich die gesellschaftlichen Grundlagen, auf denen dieses System ursprünglich aufgebaut war, erheblich verändert.

Die gesellschaftlichen Bruchlinien innerhalb des deutschen Staates hatten sich infolge der Industrialisierung, die streckenweise mit einer schweren Agrarkrise zusammenfiel, außerordentlich vertieft, und dies nicht zuletzt aufgrund der Innenpolitik Bismarcks. Die Arbeiterschaft stand trotz einer an und für sich genommen fortschrittlichen, aber prinzipiell nur die kranken, alten oder arbeitsunfähigen Arbeiter ansprechenden Sozialpolitik dem bestehenden System unversöhnlicher gegenüber denn je. Das liberale Bürgertum war, teils unter den Schlägen der Politik Bismarcks, vornehmlich aber als Folge der relativ spät, sich dann aber überaus hektisch vollziehenden industriellen Entwicklung und nicht zuletzt infolge von nicht unerheblichen konjunkturellen Schwankungen als einheitliche gesellschaftliche Schicht zerschlagen und in eine Vielzahl von gesellschaftlichen Gruppen zersprengt worden, die sich weitgehend in politischen Rivalitäten untereinander erschöpften. Die konservativen Agrarier und ihre Mitläufer im unteren Mittelstand aber standen trotz hohen Zollschutzes wirtschaftlich unter Druck und waren geneigt, mit allen Mitteln Schutzmaßnahmen vom Staate zu erpressen. Eine solche gesellschaftliche Konstellation förderte, auch ohne jegliche »Sammlungspolitik«, die Flügelbildung auf der Rechten ebenso wie auf der Linken, bei Schwächung und relativer Neutralisierung der Mittelgruppen. Demgemäß kam es auf politischer Ebene zur Ausbildung relativ gleichstarker politischer Gruppierungen sowohl auf der Rechten wie auf der Linken und auch in der Mitte, die sich gegenseitig weitgehend neutralisierten. Gleichzeitig aber waren die Möglichkeiten für die Regierung, sich innerhalb eines solchen Systems von Fall zu Fall genehme Mehrheiten zu schaffen und die Parteien gegeneinander auszuspielen, erheblich zurückgegangen.

Diese Verschiebung der Gewichte innerhalb des Herrschaftsprozesses als solchem erschwerte eine konstruktive Politik. Infolge der Ausweitung der Staatstätigkeit und zugleich auch als Resultat des stillen Nationalisierungsprozesses hatten die Reichsinstanzen, das hieß sowohl Reichskanzler und Reichsämter wie auch der Reichstag, außerordentlich an Bedeutung gewonnen. Dadurch aber wurde die Funktionsfähigkeit des Systems keineswegs gesteigert, sondern vielmehr verringert. Insbesondere der Dualismus zwischen Reich und Preußen, der ursprünglich ein Mittel zur Beschränkung der Macht des Reichstags gewesen war, produzierte nun steigende politische Probleme. Hinter dem Konflikt zwischen Reich und Preußen formierten sich starke, jeweils divergierende gesellschaftliche Kräfte, die sich durch eine Politik der »Sammlung der staatstragenden

Parteien« nicht dauerhaft überbrücken ließen. Was zuvor Quell der Stärke des Reichskanzlers gegenüber dem Reichstag gewesen war, nämlich seine Verankerung in einem hochkonservativen preußischen Staatsministerium mit nur begrenzten Weisungsbefugnissen gegenüber den Kollegen und nur begrenzter Verfügung über die Besetzung der zentralen Positionen der preußischen Staatsverwaltung, schlug nun zu seinem Nachteil aus. Es war eine strukturelle Schwäche des Systems, daß sich neben dem Reichskanzler potentiell eine Nebenregierung in Preußen bilden und halten konnte, mit womöglich alternativer politischer Zielsetzung.

Die Reichskanzler, die Bismarck nachfolgten, waren gezwungen, sowohl mit dem demokratischen Reichstag wie auch mit dem infolge der zunehmenden Einkommensdifferenzierung, die die plutokratischen Effekte des preußischen Dreiklassenwahlrechtes außerordentlich verstärkte, immer reaktionärer zusammengesetzten preußischen Abgeordnetenhaus zu regieren und dabei stets mehr oder minder ihre Glaubwürdigkeit aufs Spiel zu setzen. Ihre Lage wurde noch weiter dadurch erschwert, daß es nicht immer leicht war, die übrigen bundesstaatlichen, insbesondere die süddeutschen Regierungen in innenpolitischen Fragen auf die preußische Linie zu bringen.

Unter diesen Umständen ist es nicht unberechtigt, zu sagen, daß das Deutsche Reich im Prinzip bereits Anfang der 1890er Jahre ein nahezu unregierbares Gebilde geworden war, sofern dabei die verfassungsmäßig vorgesehene gleichmäßige Beteiligung aller Verfassungsorgane Beachtung fand. Diese Unregierbarkeit wurde nur dadurch nicht zu einer manifesten Realität, weil es im Reiche bis 1914 nicht zur Bildung einer reformwilligen Parteienmajorität gekommen ist, eine Tatsache, die freilich durch die Politik der Regierungen, die eben solches mit allen Mitteln zu verhindern trachteten, mit verursacht worden ist. Zu diesem Zweck bedienten sich die Regierungen einer Reihe von Ablenkungsstrategien, insbesondere des Imperialismus und der Flottenpolitik.[12] Allerdings wird man die Verantwortung dafür, daß es zur Bildung einer echten reformwilligen Mehrheit im Reichstag bis 1914 nicht gekommen ist, nicht ausschließlich bei den Regierungen suchen dürfen. Auch die Parteien waren, wie Lepsius gezeigt hat, traditionellen politischen Verhaltensmustern verhaftet, die ihre politische Schlagkraft und Integrationsfähigkeit in einer

12 Am eindeutigsten trifft dies für die Regierungszeit Bülows zu, der gelegentlich offen bekannte, daß eine erfolgreiche Außenpolitik als Mittel zur innenpolitischen Beruhigung dienlich sei. Für die Flottenpolitik Alfred v. Tirpitz' hat dies eindrucksvoll nachgewiesen Volker R. Berghahn, Der Tirpitz-Plan. Genesis und Verfall einer innenpolitischen Krisenstrategie unter Wilhelm II., Düsseldorf 1971 (= Geschichtliche Studien zu Politik und Gesellschaft, Bd. 1); vgl. die Bespr. in Militärgeschichtliche Mitteilungen 11 (1972), S. 196ff.

Ära des Übergangs erheblich beeinträchtigten.[13] Entscheidend ist jedoch, daß die durch die Verfassung von 1867/71 weitgehend festgeschriebene Machtverteilung zwischen den einzelnen sozialen und politischen Gruppen eine wirklich fortschrittliche Politik verhinderte.

Dieses Dilemma des deutschen politischen Systems trat mit aller Schärfe bereits während der kurzen Regierungszeit Caprivis hervor. Caprivis »neuer Kurs« war innen- wie außenpolitisch auf den Abbau extremer Engagements und die Abmilderung von bestehenden Spannungen ausgerichtet. Im Reiche bemühte sich der neue Kanzler um Zusammenarbeit mit den bürgerlichen Parteien, insbesondere dem Zentrum, das eine Schlüsselposition im Reichstag innehatte, ohne daß er sich dadurch die Prärogativen der kaiserlichen Regierung schmälern ließ. In Preußen versuchte Caprivi, eine behutsame Zurückschneidung der extremsten Positionen konservativer Vorherrschaft einzuleiten. Doch gelang es ihm nicht, Preußen wirksam am Zügel zu halten, und er ging bald dazu über, den preußischen Ministern freie Hand zu lassen, um für deren Politik nicht mehr selbst die Verantwortung übernehmen zu müssen. In Preußen dominierte Miquel, der Caprivis Forderung nach einer Einigung der staatstragenden Kräfte eine eindeutig sozialkonservative Tendenz verlieh. Miquels Sammlungspolitik, die an die Bemühungen Bismarcks seit 1879 anknüpfte, war nicht so sehr liberal-konservativ als vielmehr offen reaktionär. Schon 1890 hatte Miquel in einem Brief an den Großherzog von Baden erklärt,[14] daß es die große Aufgabe der Gegenwart sei, »ohne Vorurteil und Befangenheit durch die Kämpfe der Vergangenheit alle staatserhaltenden Elemente zu sammeln und sich dadurch auf den möglicherweise unvermeidlichen Kampf gegen die oft mißkannte, fast immer noch unterschätzte sozialdemokratische Bewegung vorzubereiten«. Seit 1893 propagierte Miquel in aller Form eine Politik der »Sammlung aller produktiven Stände«, welche auf die Zusammenarbeit von Großindustrie und von Feudalaristokratie abzielte. Diese hatte nicht nur die Erhaltung des bestehenden politischen und sozialen Systems zum Ziele, sondern faßte darüber hinaus dessen konservative Rückwärtsrevidierung ins Auge, insbesondere die Eindämmung der demokratischen und sozialpolitischen Tendenzen.

Während Caprivi sich darum bemühte, mit Hilfe seiner Wirtschafts- und Sozialpolitik eine behutsame Liberalisierung der Verhältnisse im Reiche

13 Rainer Lepsius, Parteiensystem und Sozialstruktur. Zum Problem der Demokratisierung der deutschen Gesellschaft, in: Wilhelm Abel (Hrsg.), Wirtschaft, Geschichte und Wirtschaftsgeschichte. Festschrift zum 65. Geburtstag von Friedrich Lütge, Stuttgart 1966, S. 371 ff.

14 Zit. nach Hans Herzfeld, Johannes v. Miquel. Sein Anteil am Ausbau des Deutschen Reiches bis zur Jahrhundertwende, Bd. 2, Detmold 1938, S. 183.

herbeizuführen und die Beziehungen zwischen der Reichsregierung und den Parteien zu verbessern, verwandelte sich Preußen in eine Bastion sozialkonservativer Politik, von der aus dem Kanzler zunehmend Knüppel zwischen die Beine geworfen wurden. Caprivi hat damals den Versuch gemacht, Preußen gleichsam abzukoppeln und nicht anders als die anderen Bundesstaaten zu behandeln. Er verzichtete auf das Vorrecht des Reichskanzlers, die preußischen Stimmen im Bundesrat zu instruieren, und gab schließlich sogar die Ministerpräsidentschaft an den hochkonservativen Politiker Botho v. Eulenburg ab. Dieser Versuch, Preußen gleichsam im eigenen Saft schmoren zu lassen, erwies sich indes als vollständiger Fehlschlag. Unter den gegebenen Verfassungsverhältnissen ließ es sich nicht einfach an Preußen vorbeiregieren.

Die Situation wurde insofern verschärft, als Caprivi mit seiner Handelsvertragspolitik grundsätzlich auf eine Prioritätenentscheidung zusteuerte, nämlich ob Deutschland ein moderner Industriestaat werden oder ein protektionistischer Agrarstaat mit feudalindustriellen Zusätzen bleiben solle. Die Auseinandersetzung über diese Frage wurde vor dem Hintergrund einer internationalen Agrarkrise und zugleich einer schweren wirtschaftlichen Rezession geführt, und demgemäß gingen die Wogen von Anfang an außerordentlich hoch. Caprivi selbst hatte sich für diese Politik vorwiegend aus pragmatischen Gründen entschieden, aber mit dem Für und Wider hinsichtlich der Handelsverträge verknüpfte sich die Grundsatzfrage, ob das Deutsche Reich eine gemäßigt-liberale Gesellschaftsordnung haben solle oder ob es vor allem auf die Konservierung der Vorherrschaft der alten Eliten ankomme, selbst auf Kosten andauernder sozialer Notlagen breiter Unterschichten. Caprivi selbst sah in dem System langfristiger Handelsverträge einen Hebel zur Steigerung des Exports, zur Ankurbelung der Wirtschaft und insofern ein indirektes Heilmittel gegen die Krankheitssymptome im sozialen Bereich. Es ist jedoch charakteristisch, daß seine Politik, die langfristig gesehen ohne jede Frage das für das Deutsche Reich einzig richtige wirtschaftspolitische Konzept gewesen ist und sich späterhin trotz aller Widerstände dann auch im wesentlichen durchgesetzt hat, von den dominierenden politisch-gesellschaftlichen Gruppen zunächst zu Fall gebracht wurde. Dies hing zum Teil damit zusammen, daß er sich durch seine Sozialpolitik die Großindustrie – oder doch Teile derselben – entfremdet und den Konservativen zugetrieben hatte.

Die Handelsvertragspolitik richtete sich bekanntlich, zumindest indirekt, gegen die ökonomische Vorrangstellung des agrarischen Großgrundbesitzes. Es gelang diesem, binnen kürzester Zeit eine Protestbewegung zu inszenieren, die dank des »Bundes der Landwirte« eine erhebliche gesellschaftliche Durchschlagskraft entfaltete. Die Regierung Caprivi hatte dieser kaum etwas entgegenzusetzen. Caprivis Scheitern ist von weittragender Bedeutung gewesen. Es deutete an, daß eine Politik gemäßigt-konservativer Reformen zwecks Fortentwicklung und Anpassung des politischen Systems an die sich rasch ändernden gesellschaftlichen Verhältnisse äußerst schwierig, wenn nicht gar undurchführbar war. Erstens tendierte das System pluralistischer Machtverteilung zum Immobilismus, da es den preußischen Konservativen ebenso wie dem Reichstag – und natürlich auch dem Bundesrat – eine Sperrfunktion zuwies, die sich jederzeit aktivieren ließ. Zum anderen verstärkten sich die Klassengegensätze, die nicht allein durch die ökonomische Interessenstruktur, sondern vor allem auch durch traditionalistische Verhaltensmuster bedingt waren, insbesondere das Bestreben, jegliche grundlegende Änderung im politisch-gesellschaftlichen Raum zu blockieren. Als Drittes kam hinzu, daß die in den bürgerlichen Schichten verbreitete, im Grunde törichte Furcht vor der Sozialdemokratie einen fruchtbaren Nährboden für die Ausbreitung von »Sammlungsideologien« verschiedenster Art gab, die in der Quintessenz darauf hinausliefen, ein bürokratisch-autoritäres Regiment, koste es was es wolle, an der Macht zu halten, mochte dieses auch innerlich bereits überlebt und ohne politische Zukunft sein.

Zur Lösung dieser Strukturkrise standen prinzipiell drei Möglichkeiten offen:

1. Eine Politik mehr oder minder offener Repression, die die Unterdrükkung und womöglich Zerschlagung der Sozialdemokratie sowie eine wesentliche Beschneidung der Macht des Reichstages innerhalb des politischen Systems anvisierte, gegebenenfalls mit dem Mittel des Staatsstreiches. Im Mittelpunkt einer solchen Politik hätte notgedrungen die Beseitigung des allgemeinen, gleichen, direkten und geheimen Reichstagswahlrechts stehen müssen, um den bestehenden politischen Gegensatz zwischen Preußen und dem Reich zugunsten der Vorherrschaft der preußisch-aristokratischen Herrenschichten zu beseitigen.
2. Die Inszenierung eines populären Imperialismus im doppelten Wortsinne. Die persönliche Herrschaft Wilhelms II. als Symbol des neudeutschen Nationalismus, wie dies damals u. a. Friedrich Naumann propagierte,[15] und als Führer des Deutschen Reiches in eine große weltpolitische Zukunft sollte den parlamentarischen Tendenzen entgegengesetzt werden. An Männern, die bereit waren, dazu Hilfestellung zu leisten, fehlte es nicht; Bülow selbst empfahl sich »als ausführendes

15 Vgl. Wolfgang J. Mommsens Einleitung zu Friedrich Naumann: Schriften zur Verfassungspolitik, hrsg. von Theodor Schieder im Auftrag der Friedrich-Naumann-Stiftung, Köln/Opladen 1964 (= Friedrich Naumann: Werke, Bd. 2).

Werkzeug seiner Majestät« für einen solchen Zweck, gewissermaßen als dessen »politischer Chef des Stabes«.[16]

3. Sofern aber dies beides sich nicht würde durchführen lassen oder nicht auf die Dauer Abhilfe bringen würde, blieb nur ein Drittes, nämlich Fortwursteln im Rahmen des bisherigen Systems, verbunden mit dem Bemühen, die Risse und Fugen innerhalb der regierenden Elite nach Möglichkeit zu verkleistern. Dies schloß die Notwendigkeit ein, aller Gegensätze innerhalb der Regierung ungeachtet, gegenüber der Öffentlichkeit nach Möglichkeit einheitlich aufzutreten. Es galt, durch eine Strategie begrenzter Kompromisse die Zeit zu gewinnen, die nötig sein werde, um die bürgerlichen und konservativen Parteien auf der Linie eines gemäßigten Reformkonservativismus, der zugleich die Bekämpfung der Sozialdemokratie auf seine Fahnen schrieb, zu einigen. Nur so konnte man hoffen, auf längere Sicht wieder eine solide Basis für große Politik im Rahmen eines im wesentlichen unveränderten politischen Systems zu gewinnen.

Diese drei Wege sind seit 1894 nacheinander, freilich mit unterschiedlicher Intensität und nicht immer mit letzter Konsequenz, beschritten worden, ohne daß es gelungen wäre, das grundlegende Dilemma der deutschen Verfassungsordnung auf Dauer zu lösen.

Bekanntlich hatte Caprivi 1894 seinen Abschied genommen, weil er mit den Plänen für ein neues Sozialistengesetz, wie es im Umkreise Botho v. Eulenburgs geplant wurde, nichts zu tun haben wollte, da dieses der Sache nach nur der Anfangspunkt für eine umfassende Staatsstreichpolitik hätte sein können. Von 1893–1897 sind im engsten Kreise Wilhelms II. immer wieder Staatsstreichabsichten gehegt worden, und Graf Waldersee, der Chef des großen Generalstabs, befürwortete 1898 gar eine offensive Lösung der Sozialistenfrage. Doch blieb es dann bei so dürftigen gesetzgeberischen Rohrkrepierern wie der »Umsturzvorlage« und dem preußischen Vereinsgesetz von 1898. Nicht zuletzt infolge des Widerstandes Hohenlohes gegen eine Konfliktpolitik schreckten Wilhelm II. und seine hochkonservativen Berater vor dem Äußersten zurück.

Mit dem Aufstieg Bernhard v. Bülows und des späteren Großadmirals v. Tirpitz kam dann eine modernere, zugleich elastischere Linie zum Zuge. Bülows Politik zielte zumindest in ihrer Anfangsphase darauf ab, jenes »persönliche Regiment [...] im guten Sinne« zu verwirklichen, als dessen

16 Zit. nach John C. G. Röhl, Deutschland ohne Bismarck. Die Regierungskrise im zweiten Kaiserreich 1890–1900, Tübingen 1969, S. 179. Vgl. die Bespr. in Militärgeschichtliche Mitteilungen 10 (1971), S. 217ff.

ausführendes Werkzeug er sich am 23. Juli 1896 gegenüber Eulenburg als künftigen Reichskanzler empfohlen hatte.[17] Die systematische Heraushebung der Person des Kaisers und die Betonung seiner Führungsstellung in Europa, wie sie Bülow bei jeder sich bietenden Gelegenheit betrieb, war weit mehr als nur eine psychologische Taktik, um Wilhelm II. persönlich für sich einzunehmen. Darin lag vielmehr Methode. Es handelte sich um eine in mancher Hinsicht meisterhaft durchgeführte, wenn auch in der Substanz dürftige Nachahmung von Disraelis »Imperialismus« der 1870er Jahre. Daß für dergleichen in breiten Kreisen des Bürgertums starke Rezeptionsbereitschaft bestand, zeigt der große publizistische Erfolg von Friedrich Naumanns Buch »Demokratie und Kaisertum«, das im Jahre 1900 in erster Auflage erschien. Darin wurde dem Aufgreifen napoleonischer Herrschaftstechniken durch Wilhelm II. in aller Form Beifall gezollt: »Als Preußenkönig hatte er das Erbe der alten Tradition übernommen, als Kaiser ist er nationaler Imperator, Verkörperer des Gesamtwillens, persönlicher Führer aus einer alten in eine neue Zeit.«[18] In eben diese Richtung zielte Bülows pathetische Inaugurierung der deutschen »Weltpolitik«; sie war vor allem eine systemstabilisierende Herrschaftstechnik. Das ist von Bülow gelegentlich selbst angedeutet worden: »Ich lege den Hauptakzent auf die äußere Politik. Nur eine erfolgreiche Außenpolitik kann helfen, versöhnen, beruhigen, sammeln.«[19] In einer Weltpolitik der großen Gebärde und der pathetischen Worte, bei welcher Wilhelm II. nach außen hin auch die Rolle des Führers zugeschoben wurde, sah Bülow die Möglichkeit, die mit der Regierung auf weiten Strecken hoffnungslos überworfenen bürgerlichen Parteien wieder auf gouvernementalen Kurs zu bringen.

Noch erfolgreicher in dieser Hinsicht war die von Tirpitz auf Drängen Wilhelms II. hin inaugurierte Flottenpolitik, deren antiparlamentarische Grundtendenz und systemstabilisierende Zielsetzung von Volker R. Berghahn überzeugend nachgewiesen worden ist. Tirpitz brachte das Kunststück fertig, den Bau einer großen Schlachtflotte, von der jahrelang alle Politiker abgeraten hatten, weil sie ohne einen schweren Konflikt mit dem Reichstag und ohne substantielle Konzessionen an die Parteien nicht realisiert werden könne, binnen weniger Jahre in Deutschland so populär zu machen, daß die Flottenidee zu einem hervorragenden Instrument »sekundärer Integration« gemacht werden konnte.

Diese Periode eines ostentativen kaiserlichen Imperialismus, der mit

17 Ebenda.
18 Naumann, Verfassungspolitik, S. 267.
19 Zit. nach Röhl, S. 229.

sichtlichen Anleihen bei Disraeli und bei Napoleon III. betrieben wurde, brachte zunächst eine erstaunliche Stabilisierung der innenpolitischen Verhältnisse zuwege, zumal es sich die Regierung leisten konnte, angesichts der Rückkehr zum Schutzzoll in den neuen Handelsverträgen von 1901 und 1902, mit dem extremen Konservativismus zu brechen. Die Führer der Konservativen Partei wurden wegen ihres Verhaltens anläßlich der erneuten Ablehnung der Vorlage für den Bau des Mittellandkanals von 1901 von Wilhelm II. öffentlich als *personae non gratae* bezeichnet, konservative Beamte, die gegen die Vorlage gestimmt hatten, gemaßregelt. Dies wurde in den bürgerlichen Schichten als Signal dafür gewertet, daß die kaiserliche Regierung nunmehr definitiv mit dem reaktionären Kurs der frühen 1890er Jahre zu brechen bereit sei.

Die Politik des Sozialimperialismus, die schon während des Burenkrieges erhebliche innenpolitische Kritik nicht hatte abfangen können, verlor jedoch nach dem Fiasko der ersten Marokkokrise von 1905 erheblich an Wirkung. Die öffentlichen Auftritte Wilhelms II. weckten immer weniger Stolz und Begeisterung für den »neudeutschen Imperator« (Friedrich Naumann). Im Gegenteil, sie riefen nun heftige Kritik am »persönlichen Regiment« des Kaisers hervor. Diesem wurden die Fehlschläge der deutschen auswärtigen Politik nunmehr direkt angelastet, obgleich Bülows Schmeichelei und die Taktik des Auswärtigen Amtes dafür in viel höherem Maße verantwortlich waren als Wilhelm II. selbst. Das Debakel der Daily-Telegraph-Affäre vom Jahre 1908 – um hier an einer Stelle vorzugreifen – leitete insofern mit innerer Berechtigung das Ende der Regierung des genialen Spielers Bülow ein. Mochte er auch an dem Vorkommnis selbst formal unschuldig gewesen sein, so hatte er doch den Stil des Hervortretens des Kaisers in auswärtigen Fragen selbst herangezüchtet und ursprünglich darin ein probates Mittel der Herrschaftsstabilisierung gesehen. Um so mehr kann man Wilhelm II. verstehen, wenn er in Bülows Rede im Reichstag, in der dieser entgegen ursprünglichen Absichten Wilhelm II. angesichts einer Phalanx von Kritikern von rechts bis links preisgab, schnöden Verrat gesehen hat.

Doch zurück zum Jahre 1906. Nicht nur die auswärtige Politik, auch die Flottenpolitik verloren seit 1906 ihre ursprüngliche Attraktivität als Technik der »sekundären Integration«. Beide wollten so recht nicht mehr als Instrumente innenpolitischer Stabilisierung taugen. Im Gegenteil, trotz aller Anglophobie der deutschen öffentlichen Meinung wollte man sich durch eine allzu forsche Politik nicht die Möglichkeiten einer Verständigung mit England verbauen. Tirpitz selbst vermochte seine Popularität schließlich nur durch die Flucht nach vorn zu retten, indem er sich den Parlamentariern wahrheitswidrig als ein grundsätzlich zur Verständigung mit England bereiter Staatsmann präsentierte.[20] Langsam, aber sicher gewann die Armee in Regierung und Öffentlichkeit jene Priorität, die sie vor 1895 selbstverständlich genossen hatte, wieder zurück, und damit verschob sich auch das innenpolitische Gleichgewicht wieder zugunsten der Konservativen.

Schon seit geraumer Zeit hatte Bülow, um mit den steigenden innenpolitischen Widerständen fertig zu werden, nach einer alternativen politischen Strategie Ausschau gehalten. Diese bot sich 1906, als wegen der scharfen Kritik des Zentrums an der Kolonialpolitik des Reiches überraschend Reichstagswahlen angesetzt wurden. Bülow griff nun zu dem kühnen, freilich nur oberflächlich fortschrittlichen Mittel der Bildung eines förmlichen parlamentarischen Mehrheitsblocks, des sogenannten »Bülowblocks« der konservativ-liberalen Parteien, mit denen zu regieren er sich fortan förmlich verpflichtete. Die Beurteilung der Periode des Bülowblocks schwankt in der historischen Forschung außerordentlich. War dies ein erster, echter Schritt zum parlamentarischen System hin, wie damals Friedrich Naumann gemeint und späterhin Theodor Eschenburg in seinem bekannten Buche »Das Kaiserreich am Scheidewege« (Berlin 1926) geurteilt hat? Oder war dies nur ein neuer genialer Schachzug Bülows, dem die fortschrittlichen Liberalen, weil sie sich ihrer kulturkämpferischen Kleider noch nicht restlos begeben hatten, auf den Leim gingen? Es besteht begründeter Zweifel, ob der Kanzler wirklich jenes Maß an innenpolitischen Reformen, das er den liberalen Parteien bei der Bildung des Bülowblocks zugesagt hatte, aufrichtig und unverzüglich durchzuführen im Sinn gehabt hat. Doch hat Bülow die Liberalen nicht einfach betrügen wollen; die Konservativen haben ihn in Zusammenarbeit mit dem Zentrum eben deshalb zu Fall gebracht, weil er in dem Ruf stand, ernstliche Konzessionen an die bürgerliche Linke, namentlich in der preußischen Wahlrechtsfrage, zu planen. Die Zielsetzung, die Bülow mit der Bildung des sogenannten Bülowblocks verband, war freilich von vornherein eindeutig. Es ging ihm darum, die bürgerlichen Parteien unter Ausnutzung der anti-katholischen Kulturkampfkomplexe im deutschen Bürgertum, bei einem Minimum an Konzessionen, wieder auf eine gemäßigte, systembejahende Linie zu bringen. Und dies ist ihm, wie u. a. der Ausgang der Debatten anläßlich der Daily-Telegraph-Affäre belegt, zunächst weitgehend gelungen.

Der Zerfall des Bülowblocks über der Reichsfinanzreform von 1909 und

20 Am 6. Februar 1913 identifizierte sich Tirpitz im Haushaltsausschuß des Reichstages mit Churchills Vorschlag eines Flottenverhältnisses von 10 : 16. Doch ließ die Reichsleitung zur gleichen Zeit Sir Edward Grey wissen, daß man an der Aufnahme entsprechender Verhandlungen nicht interessiert sei.

der damit verbundene Rücktritt Bülows bedeuteten unter diesen Umständen eine akute Bedrohung der Stabilität des bestehenden politischen Systems. Die außerordentlich tiefgehende Antagonisierung zwischen den konservativ-agrarischen und den bürgerlich-liberalen Parteien ließ nichts Gutes erhoffen. Im Regierungslager bestand die begründete Besorgnis, daß die politische Linke, in erster Linie die Sozialdemokraten, aber auch die Linksliberalen, eine solche Situation ausnutzen könnten. Die bislang angewandten Herrschaftstechniken zur Überbrückung der latenten Krise des Systems des Wilhelminischen Reiches hatten sich weitgehend verbraucht. Es stellte sich nunmehr die schwere Frage, wie denn nun fernerhin zu verfahren sei.

Schon die Umstände der Wahl des neuen Kanzlers signalisieren, daß die Krise des Wilhelminischen Reiches in ein akuteres Stadium eingetreten war. Sollte man einen erzreaktionären Konfliktminister (v. Eulenburg), einen General (von der Goltz), einen gemäßigt-progressiven Mann, der mit den Parteien umzugehen verstand (v. Marschall), oder einen innenpolitisch versierten Bürokraten (v. Bethmann Hollweg) zum Kanzler berufen? Nach einigem Hin und Her entschied sich Wilhelm II., auf Anraten Bülows, für Bethmann Hollweg, obschon er anfänglich gesagt haben soll: »Solchen liberalisierenden Parlamentarier nehme ich nicht.«[21] Es ist jedenfalls klar, daß von dem neuen Kanzler in erster Linie erwartet wurde, den Reichstag energisch in die Schranken zu verweisen. In Fragen der auswärtigen Politik hingegen scheint Wilhelm II. anfänglich geneigt gewesen zu sein, wieder in höherem Maße persönlich auf den Gang der Dinge Einfluß zu nehmen; jedenfalls widersetzte er sich Bethmann Hollwegs Verlangen, mit Kiderlen-Wächter einen versierten Berufsdiplomaten zum Staatssekretär des Auswärtigen zu machen, wesentlich aus persönlichen Gründen.

Bethmann Hollwegs Politik »oberhalb der Parteien« war von Anfang an darauf ausgerichtet, Zeit zu gewinnen und durch die Anwendung von kleinen Palliativmitteln über die Schwierigkeiten des Augenblicks hinwegzukommen, bis der Riß zwischen den Konservativen und den liberalen Parteien, der in der Gründung des sogenannten Hansabundes eine massive materielle Unterlage gefunden hatte, wieder geheilt sein würde. Demnach verzichtete die Regierung von vornherein, in einer bestimmten Parteienkombination des Reichstages eine politische Stütze zu suchen, wie dies Bülow erstmalig getan hatte. Man griff zurück auf die alte Bismarcksche Taktik, sich für die eigenen Vorlagen von Fall zu Fall Mehrhei-

21 Nach dem Bericht der Baronin Spitzenberg. Siehe das Tagebuch der Baronin Spitzenberg, geb. Freiin von Varnbüler. Aufzeichnungen aus der Hofgesellschaft des Hohenzollernreiches, hrsg. von Rudolf Vierhaus, Göttingen 1960, S. 509.

ten zu suchen. Dabei war die Regierung grundsätzlich darum bemüht, den Einfluß der Parteien auf die Gesetzgebung möglichst wieder zu reduzieren und, wie sich Bethmann Hollweg 1911 ausdrückte, »das bedenkliche Abgleiten in den Parlamentarismus, welches einzureißen drohte«, tunlichst zu verhindern.[22]

Demgemäß glaubte man in innenpolitischen Fragen gegenüber dem Reichstag, koste es was es wolle, die Führung behalten zu müssen. Das zeigte sich erstmals konkret anläßlich der preußischen Wahlrechtsreformvorlage von 1910. Die Regierung zog ihren von vornherein äußerst mager gehaltenen Wahlrechtsreformentwurf nach monatelangen Verhandlungen in beiden preußischen Kammern zurück, als die Konservativen, im Bunde mit dem Zentrum, wesentliche Änderungen an der Vorlage beschlossen. Bethmann Hollweg begründete diesen ungewöhnlichen Schritt mit dem Argument, daß die Regierung sich aus Gründen der Erhaltung ihrer Autorität nicht dem Diktat einer Gruppe von Parteien, gleichviel welcher politischen Richtung, beugen dürfe.

Im übrigen bemühte sich die Regierung Bethmann Hollweg, parlamentarische »Sammlungspolitik« zu treiben, d. h. die konservativen und die liberalen Parteien allmählich wieder zusammenzuführen, und zwar im Zeichen eines gemäßigt-konservativen gouvernementalen Kompromißkurses. Angesichts der Intransigenz der Konservativen hieß dies freilich zunächst, diese »gegen sich selbst zu schützen«, d. h. davon Abstand zu nehmen, irgendwelche Vorlagen in den Reichstag einzubringen, bei denen zu erwarten stand, daß die Konservativen darüber in die Isolierung geraten würden. Die innere Politik der Regierung Bethmann Hollweg war seit 1909 durchgängig von dem Bemühen diktiert, keinerlei Gesetzgebungsvorhaben in Angriff zu nehmen, für die die Zustimmung der Konservativen nicht im vorhinein zu erwarten stand, weil, wie man im Umkreis des Kanzlers befürchtete, dadurch die Tendenzen zur Bildung einer Koalition von »Bassermann bis Bebel« erneut Auftrieb erhalten würden. Die gesamte innere Politik der Jahre 1909 bis 1911 zielte darauf ab, das Eintreten einer derartigen politischen Konstellation zu verhindern.

Dies ist in der Wirtschafts- und Finanzpolitik jener Jahre am deutlichsten ablesbar.[23] Bethmann Hollweg widersetzte sich der Einführung der Reichserbschaftsteuer, obwohl diese unter finanziellen und steuerpolitischen Gesichtspunkten schlechterdings unumgänglich war, weil dies zu

22 Am 4. Juni 1911 an Eisendecher in: Nachlaß Eisendecher, 1/1–7, Politisches Archiv des Auswärtigen Amtes, Bonn.

23 Dies, ungeachtet der spröden Materie, im einzelnen nachgewiesen zu haben ist das Verdienst der Untersuchungen von Peter-Christian Witt, Die Finanzpolitik des Deutschen Reiches von 1903 bis 1913. Eine Studie zur Innenpolitik des Wilhelminischen Deutschland, Lübeck/Hamburg 1970 (= Historische Studien, 415).

einem neuen Konflikt zwischen den bürgerlichen und den konservativen Parteien führen mußte. Statt dessen zog er es vor, einstweilen von der Substanz zu leben und die Staatsausgaben zu beschränken. Selbst der Flottenetat, der bislang tabu gewesen war, mußte Abstriche hinnehmen. Die Regierung Bethmann Hollweg ordnete ihre gesamte Gesetzgebungsarbeit dem Ziel der »Sammlung der bürgerlichen Parteien« unter. Gleichzeitig arbeitete sie zielbewußt auf die Beibehaltung der politischen Isolierung der Sozialdemokraten hin. Dies bedeutet jedoch nicht, daß Bethmann Hollwegs Politik schlechterdings reaktionär gewesen wäre. Die Vorwürfe der Linken, insbesondere der Sozialdemokratie, daß die Regierung im Solde der Konservativen stehe, waren, soviel Rücksicht der Kanzler auch auf die Konservativen nahm, bei Lage der Dinge nicht begründet. Bethmann Hollweg wollte keine »Sammlungspolitik« à la Miquel betreiben, um eine politische Basis für eine Rückwärtsrevidierung der Verfassung und des Wahlrechts zu gewinnen, sondern »Sammlungspolitik« auf der Basis und unter Anerkennung des bestehenden politischen Systems.[24] Die Verhältnisse aber diktierten vorerst eine fast quietistische Politik, die es eigentlich keinem politischen Lager recht machen konnte.

Nur so wurde es verständlich, daß die extremen Sammlungspolitiker im Lager des »Bundes der Landwirte« und des »Centralverbandes deutscher Industrieller« seit 1911 in einen immer heftigeren Gegensatz zur Regierung gerieten. Die reaktionäre »Sammlungspolitik« der Konservativen und ihrer Gefolgsleute im Lager der Schwerindustrie und des alten Mittelstandes war nicht nur gegen das bestehende halbparlamentarische System als solches gerichtet und mit der Forderung nach neuen, rigorosen Ausnahmegesetzen gegen die Sozialdemokratie verbunden, sondern bewegte sich in einem sich verschärfenden Gegensatz zu der gouvernemental-konservativen Politik Bethmann Hollwegs, die auf Erhaltung des status quo gerichtet war. Der Kanzler bekannte sich im Gegensatz zu den Konservativen zu einer behutsamen Reformpolitik, die gerade aus Gründen der Systemstabilisierung einige allzu offensichtliche Mängel des Systems zu beseitigen bestrebt war. Er handelte sich dafür gleichwohl die erbitterte Feindschaft der Konservativen ein.

24 Auf diesen Unterschied ist gegenüber der materialreichen und ansonsten höchst instruktiven Darstellung von Dirk Stegmann, Die Erben Bismarcks. Parteien und Verbände in der Spätphase des wilhelminischen Deutschland. Sammlungspolitik 1897–1918, Berlin/Köln 1970, ausdrücklich hinzuweisen. Es besteht ein qualitativer Unterschied zwischen einer Sammlungspolitik, die auf die Einbindung der bürgerlichen Parteien in das bestehende halbkonstitutionelle System hinarbeitete und sie gegenüber der Sozialdemokratie auf eine gemeinsame Linie zu bringen suchte, und einer Sammlungspolitik, wie sie dann insbesondere von den Konservativen und dem CVdI propagiert wurde, die mit Repressivgesetzen gegen die Sozialdemokratie, einer Rückwärtsrevidierung des Allgemeinen Wahlrechts und ständischen Ideen spielte und sich notwendig auch gegen die Regierung selbst richtete.

Die innenpolitische Entwicklung wurde im Sommer 1911 durch Kiderlen-Wächters ehrgeizige und in ihrer strategischen Konzeption höchst machiavellistische Marokkoaktion zugleich durchbrochen und aufs äußerste verschärft. Der sogenannte »Panthersprung« nach Agadir war nicht zuletzt unter dem Gesichtspunkt unternommen worden, die Regierung für die bevorstehenden, im konservativen Lager allgemein gefürchteten Reichstagswahlen – der Kanzler selbst rechnete mit 110–120 sozialdemokratischen Mandaten – eine zugkräftige nationale Wahlparole zu liefern. Doch führte Kiderlen-Wächters Politik in der Folge nicht nur mehrfach bis hart an den Rand eines europäischen Krieges, sondern zugleich zu einer außerordentlichen Verschärfung der Spannungen innerhalb des deutschen politischen Systems. Die, gemessen an den Erwartungen, die Kiderlen-Wächter selbst in den Anfängen der Krise in der deutschen öffentlichen Meinung geschürt hatte, enttäuschenden Ergebnisse der Marokkopolitik lösten eine nationalistische Flutwelle aus, die zwar in den folgenden Jahren wieder etwas abebbte, die aber doch die Kriegsbereitschaft in den bürgerlichen Schichten Deutschlands erheblich verstärkte. Nahezu alle bürgerlichen Parteien verlangten nunmehr von der Regierung eine forsche Außenpolitik, die, sofern sich eine angemessene Berücksichtigung der deutschen weltpolitischen Interessen mit anderen Mitteln nicht werde erreichen lassen, gegebenenfalls das Risiko eines europäischen Krieges nicht scheuen dürfe.
Die innenpolitischen Verhältnisse entsprachen freilich weniger denn je der imperialistischen Begehrlichkeit breiter Teile der bürgerlichen Schichten. Die Wahlen von 1912, bei denen die Regierung nicht einmal agitatorisch hervorzutreten gewagt hatte, brachten den allseits erwarteten Linksrutsch. Sie zeigten, in welchem Maße das überkommene halbkonstitutionelle gouvernemental-bürokratische Regime das Vertrauen des Volkes verloren hatte. Die Sozialdemokratie wurde zur stärksten Partei, bei einer fairen Wahlkreisziehung wäre ihr Wahlsieg noch weit eindrucksvoller ausgefallen. Der Linksliberalismus, seit 1911 wieder in der Fortschrittspartei vereint, war trotz erheblicher Erfolge im 1. Wahlgang hingegen im Reichstag stark unterrepräsentiert. Doch auch dann, wenn das Wahlsystem gerechter gewesen wäre und die Linksparteien weniger benachteiligt haben würde, hätte es weder für eine konservativ-gouvernementale noch für eine fortschrittliche Politik eine Mehrheit im Reichstage gegeben. Unter den gegebenen Umständen führte das Wahlergebnis zu einem innenpolitischen Patt. Die einzelnen politischen Lager, die Konservativen auf der Rechten, die Nationalliberalen und das Zentrum in der Mitte und der Linksliberalismus und die Sozialdemokratie auf der Linken, blockierten sich gegenseitig und machten jeden wirklichen politischen Fortschritt unmöglich.

Die Tatsache, daß weder für noch gegen die Regierung eine klare Mehrheitsbildung möglich war, erlaubte es Bethmann Hollweg weiterzuregieren, als sei überhaupt nichts geschehen. Zwar bekannte er, daß das Reich »weder reaktionär noch radikal regiert werden« könne, wolle man »nicht die besten Teile des Volkes von der Mitarbeit ausschließen«;[25] doch sollte sich bald zeigen, daß für einen echten Kurs der Mitte die innenpolitischen Voraussetzungen fehlten. Vielmehr sah sich die Regierung hinfort gezwungen, in verstärktem Maße auf Zeitgewinn hinzuarbeiten, verbunden mit dem Bemühen, auftretende Risse im Reichsbau möglichst zu verkleistern. Dies kam anläßlich der Zabern-Krise vom Herbst 1913 besonders deutlich zum Vorschein. Obwohl Bethmann Hollweg als verantwortlicher Kanzler die Übergriffe der Militärs selbst mißbilligte, wagte er es doch nicht, dem Standpunkt der großen Mehrheit der Parteien öffentlich beizutreten; vielmehr glaubte er sich dazu verpflichtet, sich im Reichstage in aller Form vor die Armee zu stellen: »Der Rock des Königs und Kaisers muß unter allen Umständen respektiert werden.«[26]

Der Reichsstatthalter v. Wedel wurde daran gehindert, mit seinem Rechenschaftsbericht an die Öffentlichkeit zu treten, weil man »Fehler unserer staatsrechtlichen Construktion nicht vor der uns feindlichen Öffentlichkeit zugeben« dürfe, wie sich der Chef des kaiserlichen Civilkabinetts v. Valentini ausdrückte.[27] In der Tat erwies sich diese Strategie kurzfristig als erfolgreich. Der Kanzler konnte das Mißtrauensvotum einer übergroßen Mehrheit des Reichstages unter den gegebenen Machtverhältnissen unbesehen vernachlässigen; es gelang ihm verhältnismäßig leicht, die bürgerlichen Parteien wieder zur Räson zu bringen, indem er darauf hinwies, daß diese mit ihrer antigouvernementalen Haltung das Spiel der Sozialdemokratie gespielt hätten. Der Erlaß einer neuen gesetzlichen Regelung des Verhältnisses von ziviler und militärischer Gewalt, die weitgehend den rechtsstaatlichen Argumenten der bürgerlichen Parteien Rechnung trug, wenn auch mit beträchtlicher Verzögerung, war das einzige positive Ergebnis der Zabern-Krise.

Ebenso war die Taktik der Regierung, weiterhin an der Sozialdemokratie vorbeizuregieren, mochte sie nun auch die stärkste Partei im Reichstag sein, im wesentlichen erfolgreich. Nur in wenigen Ausnahmefällen vermochte die Sozialdemokratie ihr politisches Gewicht in der konkreten gesetzgeberischen Arbeit jener Jahre zur Geltung zu bringen. Doch war

25 Stenographische Berichte über die Verhandlungen des Deutschen Reichstages, Bd. 283, S. 67 D.

26 Verhandlungen des Deutschen Reichstages, Bd. 291, S. 6157 D.

27 Zit. nach Hans-Günter Zmarzlik, Bethmann Hollweg als Reichskanzler 1909–1914 (= Beiträge zur Geschichte des Parlamentarismus und der politischen Parteien, Bd 11), Düsseldorf 1957, S. 131.

die Bilanz vom Standpunkt der Sozialdemokratie mehr als mager. Man kann geradezu sagen, daß der tatsächliche politische Einfluß der Sozialdemokratie in umgekehrtem Verhältnis zu ihrer numerischen Stärke stand. Es war deutlich, daß gerade die starke Stellung der Sozialdemokraten im Reichstag die anderen Parteien dazu veranlaßte, im Zweifelsfall auf die Seite der Regierung zu treten. Demgemäß kam es innerhalb der Sozialdemokratie seit 1913 erneut zu heftigen Auseinandersetzungen über die Frage, ob der parlamentarische Kurs der Parteizentrale richtig sei.[28] Diese wurden zusätzlich dadurch angeheizt, daß sich erstmals Stagnationserscheinungen zeigten; die Mitgliederzahl der Partei war 1913 erstmals nicht weiter angestiegen.
Die offizielle Politik des Zeitgewinns, bei konsequenter Isolierung der Sozialdemokratie, war freilich der Konservativen Partei sowie deren Mitläufern, insbesondere im Reichsdeutschen Mittelstandsverband und im Bund der Landwirte, vom Centralverband deutscher Industrieller und den ihm nahestehenden hochkonservativen Gruppen der Schwerindustrie ganz abgesehen, bei weitem nicht reaktionär genug. Auch im Offizierskorps mehrten sich kritische Stimmen über die Haltung der Regierung; diese habe anläßlich der Behandlung der Militärvorlagen im Reichstag 1913 die Rechte der Armee ungenügend gewahrt. Die Militärs sahen in den Eingriffen des Reichstags in die Organisation des Heeres, insbesondere in der Streichung einer Reihe von traditionellen Privilegien des hohen Offizierskorps, die Absicht, das unmittelbare Verhältnis zwischen Armee und Krone planmäßig zu unterminieren, und machten aus ihrer Abneigung gegenüber dem angeblich schwächlichen Kurs der Regierung kaum einen Hehl. Rückwirkungen auf die Stellung Bethmann Hollwegs beim Kaiser blieben nicht aus. Im Sommer 1913 zweifelte Bethmann Hollweg selbst, ob er noch lange Kanzler bleiben werde.
In Preußen formierte sich 1913 eine innenpolitische Fronde, die sich vor allem gegen die angeblich gegenüber dem Reichstag und insbesondere gegenüber der Sozialdemokratie viel zu nachgiebige Politik der angeblich entschlußlosen Regierung Bethmann Hollweg richtete. Ihr Kern bestand aus der Konservativen Partei und dem Bund der Landwirte, ihrem interessenpolitischen Anhängsel, sowie der im Centralverband deutscher Industrieller vorherrschenden konservativen Gruppe. Weiterhin gehörte dazu der Reichsdeutsche Mittelstandsverband, der gleichsam eine gemeinsame Tochtergesellschaft beider Verbände darstellte. Darüber hinaus konnten die Gegner Bethmann Hollwegs auf indirekte Unterstützung erheblicher Teile des Offizierskorps rechnen. Eine extreme Ausprägung fanden diese Tendenzen 1914 in der Gründung des sogenannten Preußen-

28 Vgl. dazu auch Groh, Negative Integration, S. 471 ff.

bundes, einer Vereinigung, die angesichts des Vordringens des demokratischen Zeitgeistes die altpreußischen Traditionen zu reaktivieren bemüht war. Die Politik des Preußenbundes zielte darauf ab, sich in Preußen, als einem vorläufig sicheren Hort des Konservatismus, eine feste Position zu schaffen und von hier aus die Machtansprüche des demokratischen Reichstags energisch zu bekämpfen.

Darüber hinaus kam es, teilweise infolge der Selbstparalysierung des Reichstags, in dem sich die verschiedenen politischen Lager gegenseitig blockierten, zu einer Verlagerung der politischen Auseinandersetzung in den vorparlamentarischen Raum. Angesichts des festgefahrenen Parteienstreits ging die politische Initiative nunmehr in nicht unerheblichem Umfang auf die außerparlamentarischen Agitationsverbände über. Eine besondere Rolle spielten unter ihnen der »Alldeutsche Verband«, der 1912 neugegründete »Wehrverein« und, wenngleich in geringerem Umfang, der »Flottenverein«, der trotz weiterhin riesiger Mitgliederzahlen nicht mehr den alten Glanz zu entfalten vermochte. Daneben spielten die Interessenverbände nach wie vor ihr Spiel; allerdings vermochten sie in weit geringerem Maße direkt auf die Regierung einzuwirken, als ihnen lieb gewesen wäre. Ihre Versuche, statt dessen in den Parteien Fuß zu fassen, waren ebenfalls nicht sonderlich erfolgreich; so blieb nur der Weg der publizistischen Einwirkung auf die öffentliche Meinung.

Für die weitere Entwicklung war es entscheidend, daß die Regierung Bethmann Hollweg, die im Reichstag von nahezu allen Parteien bekämpft oder bestenfalls toleriert wurde und jeden konkreten Rückhalts entbehrte, in höherem Maße als jede kaiserliche Regierung zuvor auf das Wohlwollen der im engeren Sinne staatstragenden Gruppen des Wilhelminischen Reiches und der Hohenzollern-Monarchie angewiesen war. Nur mit der Unterstützung der hohen konservativen Bürokratie, und in weiterem Sinne der Spitzen der Gesellschaft, vermochte sich die Regierung Bethmann Hollweg überhaupt zu halten. Andererseits appellierte Bethmann Hollweg nicht ohne Erfolg an die nicht unmittelbar parteipolitisch gebundenen Teile des deutschen Bildungsbürgertums, seine Politik oberhalb der Parteien zu unterstützen, namentlich im Zusammenhang mit dem sogenannten Wehrbeitrag von 1913. Auch wenn das Gewicht dieses Faktors sich einer genaueren Bestimmung entzieht, dürfte er nicht ohne Bedeutung gewesen sein. Dennoch vermochte die Regierung die fortschreitende Verschiebung des Kräfteparallelogramms innerhalb des Regierungssystems zugunsten der hochkonservativen Richtung nicht aufzuhalten. Die »Zivilisten«, bar eines zuverlässigen Rückhalts im Lande und ohne eigentliche Hausmacht, verloren seit 1913 zunehmend an Terrain. In der näheren Umgebung Wilhelms II. sah man die Aufgabe des Reichskanzlers auf dem Felde der inneren Politik vorwiegend darin, den

Reichstag und seine Machtansprüche in Schach zu halten, nicht aber darin, eine positive, weitsichtige Reformpolitik zu betreiben. Letzteres war ja allerdings auch kaum möglich. Die bedeutsamste Machtquelle des Reichskanzlers lag in den letzten Jahren vor dem Kriege in seiner Befugnis, die Außenpolitik des Reiches zu leiten. Bethmann Hollwegs Ansehen außerhalb Deutschlands war in dieser Hinsicht ein positiver Faktor, der Wilhelm II. zögern ließ, der sich steigernden Zahl von Vorstößen aus konservativen und alldeutschen Kreisen nachzugeben, die auf die Entlassung des angeblich schwächlichen Kanzlers drängten. Das Hauptmotiv des Kaisers, Bethmann Hollweg zumindest vorläufig im Amte zu halten, lautete folgendermaßen: »Habe ich einen Mann, zu dessen ehrlicher Politik das Ausland Vertrauen hat und hierin meiner Leitung folgt, so muß ich um deswillen schon manche Schwächen seiner inneren Politik in Kauf nehmen.«[29]
Angesichts einer solchen Situation stand die Regierung Bethmann Hollweg außenpolitisch unter Erfolgszwang; ernste außenpolitische Rückschläge mußten für die innenpolitische Machtstellung des Kanzlers fatale Folgen haben. Je stärker der innenpolitische Druck auf die Regierung wurde, desto weniger konnte sich die Regierung eine angeblich schwächliche Außenpolitik leisten. In diesem Zusammenhang gewann das Syndrom von Kriegsgeneigtheit, das sich in nicht unerheblichen Teilen der deutschen Führungsschichten nachweisen läßt, erheblich an Gewicht. Die Tatsache, daß man in weiten Kreisen begann, nahezu fatalistisch mit einem großen europäischen Kriege früher oder später zu rechnen, war Wasser auf die Mühlen der militaristischen Tendenzen in der deutschen Gesellschaft. Vielerorts neigte man dem Gedanken zu, daß der Krieg eine Art Stahlbad für die Nation sein würde, der sie aus ihrer satten Selbstgenügsamkeit herausreißen und ihr neue Energien und neue Vitalität zuführen würde. Damit vermischte sich, namentlich in konservativen Kreisen, die Vorstellung, daß der Krieg eine ideale Gelegenheit sei, die Sozialdemokratie zu zertrümmern und die Uhr innenpolitisch wieder zurückzustellen. Für den Kriegsfall war bekanntlich die Verhaftung der gesamten sozialdemokratischen Führungsschicht vorgesehen, und man rechnete sich einige Aussichten dafür aus, in der nationalen Aufwallung des Kriegsausbruchs die Massen der Arbeiterschaft von ihren politischen Führern trennen zu können. Vergleichsweise bedeutsamer – und wohl am weitesten verbreitet – war die Ansicht, daß das Deutsche Reich zwar nicht auf einen Krieg hinarbeiten solle, ihn aber doch nicht scheuen dürfe, falls

29 Wilhelm II. an den Kronprinzen, 22. November 1913; abgedruckt bei Hartmut Pogge von Strandmann, Anhang II, in: ders., Imanuel Geiss, Die Erforderlichkeit des Unmöglichen. Deutschland am Vorabend des Ersten Weltkrieges (= Hamburger Studien zur neueren Geschichte, hrsg. von Fritz Fischer, Bd. 2), Frankfurt/M. 1965, S. 38.

konkrete weltpolitische Ziele auf anderem Wege schließlich doch nicht durchzusetzen seien.
Hinzu kam schließlich, im Einzelfall in unterschiedlichem Umfang mit den genannten Motiven verquickt, die insbesondere in hohen militärischen Kreisen, namentlich des Generalstabs und jedenfalls von Moltke vertretene Meinung, daß sich die militärstrategischen Probleme Deutschlands am besten durch einen Präventivkrieg würden lösen lassen. Die rasch voranschreitenden russischen Rüstungsanstrengungen ließen erwarten, daß der Schlieffenplan, der ja eine langsame russische Mobilisierung voraussetzte, bereits in wenigen Jahren nicht mehr durchführbar sein würde. Die Befürchtungen militärischer Kreise hinsichtlich der Kriegsgeneigtheit Rußlands verdichteten sich 1914 zu der Annahme, daß nach Beendigung der laufenden russischen Rüstungsmaßnahmen, also etwa 1916/17, mit einem kriegerischen Zusammenstoß beider Mächte zu rechnen sei. Moltke selbst hatte schon seit 1912 – und seit Ende 1913 in verstärktem Maße – der Ansicht zugeneigt, daß, wenn die deutsche Politik schon nicht einen europäischen Krieg ihrerseits herbeiführen wolle, so doch keinesfalls einem Kriege aus dem Weg gehen dürfe, sofern sich dieser anbieten sollte. Dabei standen rein militärtechnische Überlegungen im Vordergrund, insbesondere die Überzeugung, daß das Deutsche Reich einen europäischen Krieg jetzt noch mit Sicherheit gewinnen könne, nicht aber in wenigen Jahren.
Bethmann Hollweg und der Staatssekretär des Auswärtigen Amtes, v. Jagow, waren Gegner eines Präventivkriegs, auch wenn sie diesen grundsätzlich nicht völlig als Mittel der Politik ausschlossen. Seit dem Frühjahr 1914 gerieten sie jedoch, wie aus den Quellen indirekt zu entnehmen ist, in dieser Frage zunehmend unter Druck, insbesondere von seiten der Militärs und zeitweilig anscheinend wohl auch des Kaisers; eine Situation, die sie zwang, den Präventivkrieg als ernsthafte Alternative zumindest in Erwägung zu ziehen. Lerchenfeld, der bayerische Bundesratsbevollmächtigte, sprach Bethmann Hollweg am 4. Juni 1914 darauf an, daß von vielen Militärs ein Präventivkrieg gefordert würde, und notierte sich die Antwort des Kanzlers: »[...] Der Kaiser habe keinen Präventivkrieg geführt und werde keinen führen. Es gäbe aber Kreise im Reich, die von einem Krieg eine Gesundung der inneren Verhältnisse in Deutschland erwarten, und zwar im konservativen Sinne. Er – der Reichskanzler – denke aber, daß ganz im Gegenteil ein Krieg mit seinen gar nicht zu übersehenden Folgen die Macht der Sozialdemokratie, weil sie den Frieden predigt, gewaltig steigern und manche Throne stürzen könnte.«[30] Dem-

30 Pius Dirr (Hrsg.), Bayerische Dokumente zum Kriegsausbruch und zum Versailler Schuldspruch. Im Auftrage des bayerischen Landtags, München 1928[4], S. 111.

nach scheidet das von Arno Mayer entwickelte Modell, wonach die zum Kriege führende Politik der deutschen Regierung im Juli 1914 ein Versuch gewesen sei, die eigenen innenpolitischen Schwierigkeiten gleichsam nach außen zu transponieren und dergestalt zu überbrücken, soweit es das Kalkül der politischen Leitung angeht, aus. Dennoch wird man sagen dürfen, daß der so folgenreiche Entschluß der deutschen Regierung vom Anfang Juli 1914, Österreich-Ungarn in Umkehrung der bisherigen Linie ihrer Balkanpolitik für eine Aktion gegen Serbien rückhaltlos Unterstützung zuzusagen, auch für den Fall, daß diese, wie man sehr wohl für möglich hielt, zu einem allgemeinen europäischen Krieg führen werde, wesentlich auf die innenpolitischen Verhältnisse zurückgeführt werden muß. Wenn man alle Faktoren, die zu der folgenschweren Ermunterung Österreich-Ungarns führten, das serbische Problem mit Waffengewalt zu lösen, zusammennimmt, so war dies weniger das Resultat eiskalten imperialistischen Machtwillens als vielmehr die Folge einer innenpolitischen Führungskrise, die letzten Endes nur ein Reflex der schon lange bestehenden latenten Krise des Regierungssystems war.

Die Grundhaltung der wichtigsten Gruppen innerhalb der engeren Führungsschicht des Deutschen Reiches im Frühsommer 1914 läßt sich heute, obwohl es immer noch an Quellen fehlt, einigermaßen zuverlässig umreißen. Die Militärs – und mit ihnen ein wesentlicher Teil der Konservativen – waren für einen harten außenpolitischen Kurs, und der Gedanke eines Präventivkrieges, der sich ja als solcher defensiv interpretieren ließ, gewann hier zunehmend an Boden. Man war sich darin einig, daß die deutsche Politik einem europäischen Kriege, sofern dieser sich anböte, jedenfalls nicht schwächlich aus dem Wege gehen dürfe, womöglich unter Verzicht auf die Ausspielung eigener Trumpfkarten. Bei diesen Erwägungen vermischte sich das erwähnte innenpolitisch bedingte Syndrom von Kriegsneigungen mit der Besorgnis vor der wachsenden Stärke Rußlands, das ja seit der Revolution von 1905 wieder zu einer imponierenden europäischen Macht aufgestiegen war; Rußlands allgemeine politische Ausrichtung aber konnte spätestens seit der Liman von Sanders-Krise nicht eben als deutschfreundlich gelten.

Die politische Leitung vertrat demgegenüber ein weit elastischeres Konzept. Sie rechnete zumindest vorderhand zuverlässig damit, daß ein europäischer Krieg vermieden werden könne. Die amtliche Politik bemühte sich vor allem darum, durch eine Annäherung an Großbritannien die bestehende mächtepolitische Krisensituation zu entschärfen und zugleich auf längere Sicht in Anlehnung an Großbritannien substantielle weltpolitische Erwerbungen anzubahnen. Zwar zeigte man sich auch in Kreisen der politischen Führung besorgt über die angebliche Zunahme aggressiver Tendenzen in Rußland; gleichwohl war Bethmann Hollweg überzeugt, daß man die schwierige Periode, vor der die deutsche Außenpolitik angesichts der Schwäche Österreich-Ungarns und der unsicheren Haltung Italiens stand, dank der verbesserten Beziehungen zu Großbritannien werde durchstehen können, ohne einen europäischen Krieg befürchten zu müssen. Darüber hinaus bestand nicht unbegründete Aussicht, auf lange Frist doch noch zu imperialistischen Erwerbungen nennenswerten Umfangs zu gelangen, und zwar sowohl in Afrika wie insbesondere im Nahen Osten.

Durch die geheimen Nachrichten von britisch-russischen Verhandlungen über ein Flottenabkommen, die Berlin Ende Mai 1914 erreichten, erhielt die pro-britische Orientierung der Außenpolitik Bethmann Hollwegs – und dies war gleichsam das Rückgrat seiner relativ optimistischen Beurteilung der Lage – jedoch einen schweren Schlag.[31] Der Ring um die Mittelmächte schien sich nun doch zu schließen, entgegen den optimistischen Voraussagen des Kanzlers. Dies bedeutete bei Lage der Dinge eine schwerwiegende Beeinträchtigung der innenpolitischen Machtstellung des Kanzlers. In gewissem Sinne wiederholte sich nun das, was sich Anfang Dezember 1912 schon einmal abgespielt hatte: Der Einfluß der Militärs auf den Kaiser stieg schlagartig, während die »Zivilisten« ins zweite Glied abgedrängt wurden. Damit aber gewannen die Präventivkriegsideen Moltkes in den Erwägungen der engeren Führungsschicht des Deutschen Reiches erneut an Aktualität.

In diese gespannte Situation platzte das Attentat von Sarajewo hinein und stellte die deutsche Regierung vor die bisher nur akademisch erörterte Frage, ob man gegebenenfalls einen europäischen Krieg suchen, hinausschieben oder aber prinzipiell vermeiden solle, selbst wenn dies eine Beeinträchtigung der Position des eigenen bündnispolitischen Lagers mit sich bringen würde. Nach einigen Tagen des Zögerns entschied sich der Kanzler für einen Kompromißkurs, der in gewisser Hinsicht ein unmittelbarer Reflex der Spannungen innerhalb der Führungsschicht des Deutschen Reiches war. Die Entschlüsse der politischen Führung, die prinzipiell schon vor der österreichischen Anfrage vom 5. Juli, ob für den Fall

31 Vgl. dazu Wolfgang J. Mommsen, Domestic Factors in German foreign policy before 1914, in: Central European History 6 (1973), S. 37f. (Vgl. die dt. Übersetzung in diesem Band, S. 316–357). Die jüngst von Erwin Hölzle vorgenommene Dramatisierung dieses längst bekannten Sachverhalts verkennt völlig, daß die englisch-russischen Marine-Verhandlungen in erster Linie zufolge ihrer innenpolitischen Rückwirkungen bedeutsam geworden sind, ihr außenpolitisches Gewicht hingegen begrenzt war, da Bethmann Hollweg im Kriegsfall ohnehin nicht mit der Neutralität Englands rechnete. Die These Hölzles, wonach die Ergebnislosigkeit der Demarche Ballins in Berlin die Entscheidungen der Reichsleitung seit dem 27. Juli 1914 maßgeblich beeinflußt hätte, ist unhaltbar und nicht zu belegen. Vgl. Erwin Hölzle, Landung in Pommern, in: Frankfurter Allgemeine Zeitung, Nr. 160, 13. 7. 1973, sowie ders., Geheimnisverrat und der Kriegsausbruch 1914, Göttingen 1973.

einer Aktion gegen Serbien mit deutscher Unterstützung zu rechnen sei, gefallen sein dürften, waren mehr auf die widerstreitenden Positionen im eigenen Lager als auf die tatsächliche außenpolitische Lage abgestellt, obgleich man die zu erwartende Reaktion der anderen Großmächte kühl, und wie man im nachhinein sagen darf, durchaus nicht ganz unrichtig in das eigene Kalkül einbezog.

Dies gilt auch hinsichtlich der Haltung Großbritanniens. Im Gegensatz zu der verbreiteten, insbesondere von Luigi Albertini und dann von Fritz Fischer erneut vertretenen Ansicht spielte die Hoffnung auf die britische Neutralität keine nennenswerte Rolle. Im Gegenteil, man hielt es zwar nicht für ausgeschlossen, daß sich Großbritannien in der Anfangsphase eines europäischen Krieges zunächst neutral verhalten werde, ging jedoch von vornherein davon aus, daß Großbritannien eine Niederwerfung Frankreichs nicht hinnehmen werde und demgemäß mit England als Gegner gerechnet werden müsse, sofern es zum großen Kriege kommen werde. Man rechnete keineswegs mit der britischen Neutralität, wohl aber erwartete man eben deshalb entsprechende Einwirkungen auf Rußland und Frankreich.

Die deutsche politische Strategie lief darauf hinaus, Rußland über der serbischen Frage vor die Entscheidung zu stellen, ob es Krieg wolle oder nicht. Dies war nicht nur unter innenpolitischen Aspekten, sondern insbesondere auch aus außenpolitischen Gründen erwünscht, denn man rechnete sich in Berlin gute Chancen dafür aus, daß ein von Großbritannien und Frankreich im Stich gelassenes, oder doch nur höchst widerwillig unterstütztes, Rußland schließlich zurückstecken werde und daß dann gute Aussicht bestehe, den Ring der Entente zu durchbrechen und eine Neugruppierung des europäischen Bündnissystems zu erreichen, unter Umständen gar ein deutsch-russisches Bündnis, auf der Grundlage einer teilweisen Preisgabe der Interessen Österreich-Ungarns. Sofern Rußland aber unverzüglich, ohne eventuelle Mächteverhandlungen abzuwarten, losschlagen sollte, wäre dies einer indirekten Bestätigung der These der Militärs gleichgekommen, daß es ohnedies den Krieg wolle. Für den Fall schien es auch der politischen Leitung richtiger, den dann ohnehin unvermeidlichen Krieg besser jetzt als später zu führen.

Das politische Kalkül der deutschen Regierung war ein Spiel mit einem sehr hohen Einsatz. Bethmann Hollweg sprach von »einem Sprung ins Dunkle und dieser schwersten Pflicht«.[32] Doch war der Kanzler nicht

32 Tagebuch-Eintragung von Kurt Riezler am 14. Juli 1914 (Kurt Riezler, Tagebücher, Aufsätze, Dokumente, eingel. und hrsg. von Karl-Dietrich Erdmann, Göttingen 1972 (= Deutsche Geschichtsquellen des 19. und 20. Jahrhunderts, Bd. 48); vgl. die Besprechung in Militärgeschichtliche Mitteilungen 14 (1973), S. 236ff.

mehr stark genug, um einen alternativen Plan innerhalb der engeren Führungsschicht des Deutschen Reiches durchsetzen zu können. Die deutsche Politik zielte nicht direkt auf die Auslösung eines großen europäischen Krieges ab, obwohl man sich des hohen Risikos durchaus bewußt war, das man mit der uneingeschränkten Unterstützung der Donaumonarchie einging. Damit wurde der Forderung der Militärs Genüge getan, daß das Deutsche Reich jedenfalls nichts tun solle, um einen europäischen Krieg zu verhindern, wenn dieser sich anböte. Das heißt aber noch nicht, daß man dem Krieg den Vorzug vor einer diplomatischen Lösung gab. Bethmann Hollweg und Jagow scheinen zuversichtlich angenommen zu haben, daß gute Aussichten dafür bestünden, einen eventuellen österreichisch-serbischen Konflikt sowohl isolieren wie auch diplomatisch nutzbar machen zu können. Dabei wäre dann gleichsam als Nebenertrag der positive Beweis erbracht worden, daß die extremen Befürchtungen des deutschen Generalstabs hinsichtlich der Kriegsneigungen Rußlands unbegründet seien.
Die deutsche Politik in der Juli-Krise 1914 trägt objektiv einen erheblichen Anteil an der Verantwortung für den Ausbruch des Ersten Weltkrieges. Sie war jedoch weniger die Folge ungehemmten Weltmachtstrebens als vielmehr innerer Schwäche und Verwirrung innerhalb der engeren Führungsschichten des Deutschen Reiches. Die Risse und Spannungen innerhalb der engeren Führungselite fanden ihren außenpolitischen Niederschlag in einem manieristischen außenpolitischen Kalkül, das die eigenen Entscheidungen in bemerkenswert hohem Umfang von den Entscheidungen dritter Mächte, insbesondere Rußlands und Österreich-Ungarns, abhängig machte. Nur in diesem Sinne ist das Wort Bethmann Hollwegs im Preußischen Staatsministerium am 29. Juli 1914 zutreffend: »Es sei die Direktion verloren und der Stein ins Rollen gekommen.« Die außerordentlich geschickte Regie bei Kriegsausbruch, die im deutschen Volk mit bemerkenswerter Einhelligkeit den Eindruck entstehen ließ, daß Deutschland einen ihm von Rußland und den Westmächten aufgezwungenen Verteidigungskrieg führe, verschleierte zwar im Augenblick die Führungskrise des deutschen politischen Systems, doch sollte diese in der Folge, unter den zunehmenden Schwierigkeiten des Krieges selbst, Schritt für Schritt deutlicher hervortreten. Walther Rathenau hat dies schon 1914 gesehen. Im November 1914 schrieb er an seine Freundin Fanny Künstler: »In diesem Kriege klingt ein falscher Ton. Es ist nicht 1815, nicht 1866, nicht 1870. So wie es hier geschah, mußte es nicht geschehen.«[33]

33 Walther Rathenau, Ein preußischer Europäer. Briefe, hrsg. und eingel. von Margarete v. Eynern, Berlin 1955, S. 134.

# Innenpolitische Bestimmungsfaktoren der deutschen Außenpolitik vor 1914*

Unlängst beklagte Gordon Craig den Umstand, daß die politische Geschichte, insbesondere die Diplomatiegeschichte, die Aufmerksamkeit der Historiker und der Öffentlichkeit nicht mehr in dem gleichen Maße auf sich zöge, wie dies in der Vergangenheit der Fall war. In seinen Augen gibt es dafür keinen überzeugenden Grund: Die internationalen Beziehungen und die Diplomatie seien von großer Bedeutung und stellten – zumindest bis zu einem gewissen Punkt – ein eigenständiges Gebiet der historischen Forschung dar.[1] Indessen lassen sich gewichtige Gründe nennen, warum sich die Diplomatiegeschichte gegenwärtig in einer Art Krise befindet und warum eine wachsende Zahl von Historikern der Überzeugung zuneigt, daß eine wie auch immer sorgfältig vorgenommene Untersuchung der diplomatischen Akten sowie der Handlungen und Motive derjenigen Personengruppen, die ein Monopol am außenpolitischen Entscheidungsprozeß besitzen, letztendlich unbefriedigend bleibt. Gegenwärtig dürfte die Mehrheit der Historiker in dem Postulat übereinstimmen, daß die auswärtigen Beziehungen nicht nur im Lichte des Entscheidungshandelns auf der Ebene der »Großen Politik« untersucht werden müssen, sondern daß deren sozialökonomische Bedingungsfaktoren in gleichem Maße zu berücksichtigen sind.

Für die deutsche Forschung darf man von der Annahme ausgehen, daß für mehr als ein Jahrhundert der Grundsatz vom Primat der Außenpolitik als Basisannahme galt, bei den professionellen Historikern ebenso wie in der gebildeten Öffentlichkeit. Rankes berühmte These, daß die innere Struktur eines jeden Staates eine Funktion seiner auswärtigen Beziehungen sei, blieb lange *communis opinio*, zumal das Beispiel Bismarcks diesen Topos nachgerade zu bestätigen schien.[2] Indessen gab es stets eine

* Überarbeitete und erweiterte Fassung eines Vortrages vom 13. November 1971 vor dem englisch-deutschen Historikerkreis im Institute of Historical Studies in London. Für hilfreiche Anregungen danke ich Volker R. Berghahn, Paul Kennedy, Anthony Nicholls, Hartmut Pogge, von Strandmann und John C. G. Röhl.

1 Gordon A. Craig, Political and Diplomatic History, in: Felix Gilbert/Stephen R. Graubard (Hrsg.), Historical Studies Today, New York 1972, S. 356ff.

2 Eine systematische Behandlung dieses Problems bei Hans Rothfels, Gesellschaftsform und

liberale Tradition in der deutschen Geschichtsschreibung, die zögerte, sich dem Dogma vom Primat der Außenpolitik vorbehaltlos anzuschließen; hier sind vor allem Namen wie Droysen, Eyck, Ziekursch und Valentin zu nennen. Selbst Meinecke, der Theoretiker der »Staatsräson«, wollte sich ihm nur zögernd verschreiben. Jedoch wurde die Gültigkeit jenes Dogmas erst von Eckart Kehr grundsätzlich in Frage gestellt, indem dieser es – zuerst in seiner Untersuchung über die gesellschaftlichen Hintergründe der deutschen Flottenpolitik in den späten 90er Jahren und sodann ausführlicher in seinem Aufsatz »Englandhaß und Weltpolitik« vom Jahre 1928 – als integralen Bestandteil des konservativen Erbes in der deutschen Historiographie herausstellte. Dieser Aufsatz muß – zumindest teilweise – als kritischer Gegenentwurf zu Friedrich Meineckes nur ein Jahr zuvor veröffentlichter »Geschichte des deutsch-englischen Bündnisproblems« gelesen werden. Kehr stellte ohne Umschweife fest, daß die Rankesche These vom Primat der Außenpolitik ein wesentliches Element »in der offiziösen und offiziellen Machtphilosophie und politischen Theorie des deutschen Kaiserreichs« geworden war; galt sie doch als willkommenes Instrument, um das Bürgertum auf die Seite der konservativen Führungsschichten zu ziehen, um dann mit vereinten Kräften die Arbeiterschaft zu unterdrücken.[3] Weiterhin schrieb Kehr, daß die Feindseligkeit der deutschen öffentlichen Meinung gegenüber Großbritannien sowie der vorsätzliche Abbruch der deutsch-englischen Bündnisverhandlungen in den Jahren 1898 und 1901 aus sozialökonomischen Ursachen erklärt werden müßten. Angesichts dieses Befundes proklamierte Kehr – zumindest was die Beziehungen zu England und Rußland betraf – den »Primat der Innenpolitik«.[4] In den späten 20er Jahren blieb Kehrs These nahezu unbeachtet. Der Aufstieg des Nationalsozialismus setzte damals jeder ernsthaften zeitgeschichtlichen Forschung vorläufig ein Ende. Erst in den 50er Jahren wurde die Diskussion wieder aufgenommen; ein entscheidender Grund dafür war wohl die Einsicht, daß alle Versuche, die nationalsozialistische Außenpolitik mit den Methoden der überkommenen Diplomatiegeschichte zu interpretieren, völlig unzulänglich erschienen. Allerdings wurde Kehr erst in den 60er Jahren wiederentdeckt, aus einer Vielzahl von Gründen, denen ich in diesem Zusammen-

auswärtige Politik, Laupheim 1956, sowie in den Beiträgen: Die anachronistische Souveränität. Zum Verhältnis von Innen- und Außenpolitik, Politische Vierteljahresschrift 1969, Sonderheft 1, hrsg. von Ernst-Otto Czempiel; siehe auch Karl Dietrich Bracher, Kritische Bemerkungen über den Primat der Außenpolitik, in: Faktoren der politischen Entscheidung. Festgabe für Ernst Fraenkel zum 65. Geburtstag, Berlin 1963, S. 115ff.

3 Eckart Kehr, Der Primat der Innenpolitik. Gesammelte Aufsätze, hrsg. von Hans-Ulrich Wehler, Berlin 1965, S. 152.

4 Ebenda, S. 155.

hang nicht näher nachgehen kann. Man darf sagen, daß seine These, die Außenpolitik werde vornehmlich von sozialökonomischen Strukturen, insbesondere von den gesellschaftlichen und politischen Interessen der herrschenden Eliten, bestimmt, gegenwärtig von einer großen Mehrheit der Historiker vertreten wird, wenn auch in unterschiedlichem Maße und mit je eigener Akzentuierung.
Dies trifft insbesondere für die neuere Forschung zur Politik des wilhelminischen Deutschland zu, weshalb im ersten Teil der folgenden Überlegungen einige derjenigen Ansätze diskutiert werden sollen, die von der Annahme ausgehen, daß die auswärtigen Beziehungen im allgemeinen und der deutsche Imperialismus im besonderen eher aus der Perspektive innenpolitischer Prozesse als vor dem Hintergrund des komplizierten Geflechts diplomatischer Aktionen und Gegenaktionen gesehen werden müssen. Vorläufig können fünf verschiedene Ansätze unterschieden werden, unter denen das marxistisch-leninistische Erklärungsmodell dabei eine Sonderstellung einnimmt. Dem Marxismus-Leninismus zufolge ist das politische Handeln, zumindest in letzter Instanz, stets vom ökonomischen System her determiniert oder genauer: Es handelt sich dabei – zumindest unter den Bedingungen des bürgerlichen Kapitalismus – um eine besondere Erscheinungsform des Klassenkampfes. Unter der Herrschaft des imperialistischen Kapitalismus ist der Staat, direkt oder indirekt, das Werkzeug der bürgerlichen Klasse, wobei seine Politik vornehmlich zwei Zielen zu dienen hat: einerseits der Unterdrückung der Arbeiterklasse zum Nutzen der Kapitalisten und andererseits der Abschirmung, ja gegebenenfalls der gewaltsamen Expansion der ökonomischen Interessen der inländischen Kapitaleigner zum Nachteil der kapitalistischen Rivalen jenseits der nationalen Grenzen. Darüber hinaus ist seit Hilferding und Lenin für den Marxismus-Leninismus die Annahme konstitutiv, daß kapitalistische Systeme sich um so aggressiver zeigen, je fortgeschrittener, d. h. je monopolistischer ihr Entwicklungsniveau ist. Dabei gilt es zu beachten, daß sich diese Behauptung gleichermaßen auf die Innenpolitik wie auf die internationalen Beziehungen erstreckt, ein Grund, weshalb der marxistisch-leninistische Ansatz eine strikte Trennung von innerer und auswärtiger Politik nicht zuläßt: einen Primat dieser oder jener politischen Sphäre kann es in diesem Bezugsrahmen schlechterdings nicht geben, sind doch die Unterdrückung der Arbeiterklasse in der Metropole und die Ausbeutung der unterjochten Völker an der Peripherie nur zwei Seiten derselben Medaille. So ist z. B. das Phänomen des Militarismus sowohl ein Symptom der wachsenden Ausbeutung und Verelendung der Arbeiterklasse als auch Ausfluß einer besonders aggressiven Außenpolitik. Dieses Erklärungsschema erscheint zunächst konsistent, ja zwingend. Die Überlegung, daß der monopolistische Kapitalismus einerseits not-

wendigerweise mit einer aggressiven Politik, mit imperialistischen Abenteuern und kriegslüsternen Bestrebungen verknüpft ist, andererseits mit einer gesteigerten Unterdrückung der Arbeiterklasse einhergeht, findet sich in der marxistisch-leninistischen Literatur durchweg als Standardargument.[5]

Doch gewinnt es auch durch Wiederholung nicht an Plausibilität. Offenkundig weisen kapitalistische Systeme nicht stets in gleichem Maße die Tendenz auf, in eine Strategie der Unterdrückung im Innern und der gewaltsamen Expansion nach außen auszuweichen. Vielmehr erscheint uns das Spektrum der gegebenen Möglichkeiten wesentlich breiter, und selbst orthodoxe Marxisten halten es neuerdings zunehmend für problematisch, die aggressiven Tendenzen kapitalistischer Systeme der kapitalistischen Produktionsweise als solcher zuzuschreiben. Nur eine Minderheit wird wohl heute noch auf der These beharren, daß das Gesetz der sinkenden Profitrate die Kapitalisten zwingt, sich im Interesse ihres Überlebens einer imperialistischen Politik zu verschreiben. Der angeführte Kausalnexus muß offenbar wesentlich behutsamer formuliert werden, um eklatanten Widersprüchen mit der jüngsten Entwicklung kapitalistischer Systeme aus dem Wege zu gehen. Und in der Tat haben sich marxistisch-leninistische Historiker längst genötigt gesehen, nach flankierenden Argumenten Ausschau zu halten, übrigens in eben der gleichen eklektischen Manier, die in ihren Augen für die bürgerliche Geschichtsschreibung symptomatisch ist.

Bereits Lenin hatte darauf hingewiesen, daß der Kapitalismus nicht so sehr wegen der Beutegier der Kapitalisten und ihres Strebens nach ungehemmter Expansion notwendigerweise auf den imperialistischen Krieg zusteuert, sondern eher wegen der ungleichen Entwicklung kapitalistischer Volkswirtschaften, welche zwingenderweise zu einer ungeheuren Disparität der ökonomischen und damit auch der politischen Kräfte zwischen den unterschiedlichen, miteinander rivalisierenden kapitalistischen Mächten führt.[6] Doch sind ähnliche Denkfiguren auch bürgerlichen Ökonomen heute nicht mehr ganz unvertraut, man denke etwa nur an W. W. Rostow.[7] Davon abgesehen stellt das ungleichmäßige Wirtschaftswachstum auch innerhalb des sozialistischen Lagers eine Quelle ständiger Konflikte dar, und es scheint sich mithin nicht um eine spezifische Qualität kapitalistischer Systeme zu handeln. Wenn nun neuere marxistisch-lenini-

5 Dafür ein Beispiel bei Willibald Gutsche und Annelies Laschitza, Forschungen zur deutschen Geschichte von der Jahrhundertwende bis 1917, Historische Forschungen in der DDR, Zeitschrift für Geschichte, Sonderband 1970, S. 476.

6 Vgl. Wladimir Iljitsch Lenin, Ausgewählte Werke I, Moskau 1967, S. 770.

7 Walt Whitman Rostow, Stadien wirtschaftlichen Wachstums. Eine Alternative zur marxistischen Entwicklungstheorie, Göttingen 1967², S. 106ff.

stische Autoren unterstreichen, daß imperialistische Politik ein probates Mittel seitens der bürgerlichen Klasse war, um die Arbeiterschaft zu provozieren, zu spalten oder gar zu korrumpieren, so erscheint uns dieses Argument auch nicht gerade sehr bestechend. Sobald man die These akzeptiert, daß es nicht einen Kapitalismus schlechthin, sondern vielmehr ein ganzes Spektrum möglicher Gesellschaftssysteme gibt, die die Strukturmerkmale einer kapitalistischen Marktwirtschaft aufweisen – Gesellschaftssysteme, in denen der tatsächliche politische Einfluß der Kapitalisten als solcher bedeutend oder begrenzt sein kann –, wird die Vermutung unabweisbar, daß die analytische Kraft des marxistisch-leninistischen Erklärungsschemas zumindest so lange beschränkt bleibt, wie seine Basisannahmen nicht beträchtlich verfeinert werden.

Bis jetzt zeigte die offizielle marxistisch-leninistische Historiographie jedoch wenig Neigung, ihren theoretischen Zugriff grundsätzlich zu ändern. Dies gilt auch für die Kollektivarbeit »Deutschland im Ersten Weltkrieg«, die eine Gruppe von DDR-Historikern unter der Leitung von Fritz Klein Ende der 60er Jahre vorgelegt hat.[8] Es handelt sich hier um eine bedeutende und ertragreiche Analyse, doch abgesehen von verschiedenen deklaratorischen Bekenntnissen, die dem Leser regelmäßig begegnen, ohne indessen mehr als vage mit dem tatsächlichen Geschehen verknüpft zu werden, ist es schwierig, in dieser Arbeit einen genuinen marxistischen Untersuchungsansatz auszumachen. In der Tat gelingt es den Autoren nicht, die zwischen den allgemeinen Annahmen des Marxismus-Leninismus und der faktennahen Darstellung der Handlungsabläufe klaffenden Lücken überzeugend zu schließen. Zwar wird der repressive und reaktionäre Charakter des wilhelminischen Systems nachdrücklich herausgearbeitet, ebenso die Aggressivität seiner äußeren Politik; auch die monopolistischen Strukturen in der deutschen Wirtschaft finden die ausführlichste Beachtung. Gleichwohl gelingt den Autoren nicht der stringente Nachweis, daß die Regierung durchgängig von kapitalistischen Kreisen abhängig gewesen sei, obgleich der Leser doch eigentlich gerade dies erwartet hätte. Dagegen behandelt die Darstellung in breiter Ausführlichkeit die Rolle der Arbeiterschaft, insbesondere des linken Flügels der Sozialdemokratie. Auch die Friedensbewegung erfährt eine eingehende Würdigung, womit – blickt man einmal auf die traditionelle deutsche Geschichtsschreibung – ein gewisses Maß an ausgleichender historischer Gerechtigkeit geleistet wird. Von ihrem methodischen Ansatz her unterscheiden sich die Beiträge des vorliegenden Werkes allerdings am Ende nicht substantiell von westlichen positivistisch getönten Darstellun-

8 Deutschland im Ersten Weltkrieg I: Vorbereitung, Entfesselung und Verlauf des Krieges bis Ende 1914, Autorenkollektiv unter der Leitung von Fritz Klein, Berlin 1968.

gen der in Frage stehenden Epoche, auch wenn die üblichen Devotionsformeln an die Adresse des offiziellen Marxismus-Leninismus dies gelegentlich verschleiern. Eine genaue Analyse der Methode sowie des theoretischen Bezugsrahmens der genannten Arbeit führt zu dem Schluß, daß jene Verbeugungen nur selten in mehr als nur loser Verbindung mit dem Text selbst stehen. Wer eine kohärente und schlüssige Analyse des Wilhelminismus aus marxistisch-leninistischer Perspektive erwartet, wird also letztlich enttäuscht. Allerdings darf dies nicht in vollem Umfang den Autoren selbst angelastet werden. Vielmehr liegt der Schluß nahe, daß das marxistisch-leninistische Erklärungsmodell als solches zu allgemein gefaßt ist und sein Zugriff viel zu unelastisch bleibt, wie hilfreich marxistisch inspirierte Analysen im Rahmen verfeinerter Fragestellungen auch immer sein mögen.

Es scheint daher lohnend, sich nach anderen, zwar weniger spektakulären, zugleich aber auch weniger ambitiösen Ansätzen in der westlichen Wilhelminismus-Forschung umzusehen. Ich sehe gegenwärtig vier deutlich unterscheidbare Richtungen:

1. Einen pseudomarxistischen Ansatz, der dem Einfluß spezifischer Interessengruppen nachgeht, welche an einer imperialistischen Politik interessiert waren und die zu ihren möglichen Nutznießern zählten, eine Konzeption, welche insbesondere von G. W. Hallgarten vertreten wird.[9]
2. Einen moralistischen oder – wie ich an anderer Stelle gesagt habe – »gesinnungsethischen« Ansatz, der sich vornehmlich als kritische Analyse der vorherrschenden ideologischen, d. h. antidemokratischen Werthaltungen versteht.[10]
3. Der Ansatz der sogenannten Kehrites, der dazu neigt, die Entwicklung des politischen Systems als Ergebnis der Defensivstrategien der herrschenden Eliten gegen das zu beschreiben, was man den Prozeß der

9 George William F. Hallgarten, Imperialismus vor 1914, 2 Bde., München 1963²; ders., Das Schicksal des Imperialismus im 20. Jahrhundert, Frankfurt/M. 1969.

10 Dieser Ansatz vor allem bei Fritz Fischer und seiner Schule, vor allem bei Imanuel Geiss und Klaus Wernecke. Vgl. Fritz Fischer, Griff nach der Weltmacht. Die Kriegszielpolitik des kaiserlichen Deutschland 1914–1918, Düsseldorf 1968³; ders., Krieg der Illusionen. Die deutsche Politik von 1911–1914, Düsseldorf 1969; ders., Weltmacht oder Niedergang. Deutschland im Ersten Weltkrieg, Frankfurt/M. 1965; Imanuel Geiss, The Outbreak of the First World War and German War Aims, in: Journal of Contemporary History 1 (1966), Heft 3, S. 75–91; ders., Julikrise und Kriegsausbruch 1914. Eine Dokumentensammlung, 2 Bde., Hannover 1963–1964; Hartmut Pogge von Strandmann/Imanuel Geiss, Die Erforderlichkeit des Unmöglichen. Deutschland am Vorabend des Ersten Weltkrieges, Frankfurt/M. 1965; Klaus Wernecke, Der Wille zur Weltgeltung. Außenpolitik und Öffentlichkeit im Kaiserreich am Vorabend des Ersten Weltkrieges, Düsseldorf 1970; siehe auch Wolfgang J. Mommsen, The Debate on German War Aims, in: Journal of Contemporary History 1 (1966), S. 47ff.

Demokratisierung nennen mag, ein Erklärungsmodell, dem zuweilen kräftige marxistische Untertöne beigemengt sind.[11]

4. Einen funktional-strukturellen Ansatz, der sich vornehmlich den Funktionen und Dysfunktionen der Verfassungs- und Herrschaftssysteme unter dem Einfluß vielfältigster gesellschaftlicher Kräftekonstellationen zuwendet, Kräfte, deren Entfesselung sich insbesondere der fortschreitenden Industrialisierung und der modernen Massenkultur verdanken, oder anders gesagt: dem Prozeß der Modernisierung.[12] In diesem Erklärungsmodell werden die Defensivstrategien der herrschenden Eliten ausschließlich als ein Faktor unter anderen betrachtet, während das Hauptgewicht der Argumentation auf die Disparitäten zwischen dem gesellschaftlichen und dem politischen System gelegt wird, welche in zunehmendem Maße zu offenen Konflikten und damit zu einer nachhaltigen Störung des Herrschaftsprozesses führen, mit dem schließlichen Ergebnis, daß der Entschluß zum Krieg oft nicht mehr ist als eine »Flucht nach vorn«.

Es versteht sich von selbst, daß idealtypische Klassifizierungen wie die hier vorgenommene natürlich nur bis zu einem bestimmten Punkt Geltung beanspruchen können, zumal die Mehrzahl der Historiker zu einer

11 Dieser methodische Zugriff findet sich gegenwärtig in einer Vielzahl von Arbeiten, wenn auch nicht immer mit gleicher Stringenz und Radikalität. Siehe vor allem die Schriften von Hans-Ulrich Wehler, Dirk Stegmann, Helmut Böhme und – mit Einschränkungen – Volker Berghahn: Hans-Ulrich Wehler, Bismarck und der Imperialismus, Köln 1969; ders., Krisenherde des Kaiserreiches 1871–1918, Köln 1970; ders., Bismarcks Imperialismus und späte Rußlandpolitik unter dem Primat der Innenpolitik, in: Michael Stürmer (Hrsg.), Das Kaiserliche Deutschland, Darmstadt 1976², S. 235ff.; Dirk Stegmann, Die Erben Bismarcks. Parteien und Verbände in der Spätphase des Wilhelminischen Deutschlands. Sammlungspolitik 1897–1918, Köln 1970; Helmut Böhme, Thesen zur Beurteilung der gesellschaftlichen, wirtschaftlichen und politischen Ursachen des deutschen Imperialismus, in: Wolfgang J. Mommsen (Hrsg.), Der moderne Imperialismus, Stuttgart 1971, S. 31ff.; Volker Berghahn, Zu den Zielen des deutschen Flottenbaus unter Wilhelm II., in: Historische Zeitschrift 210 (1970), S. 34ff.; ders., Der Tirpitzplan. Genesis und Verfall einer innenpolitischen Krisenstrategie unter Wilhelm II., Düsseldorf 1971; ders., Flottenrüstung und Machtgefüge, in: Stürmer (Hrsg.), Das Kaiserliche Deutschland, S. 378ff.

12 Ein solcher Ansatz, wenngleich in der Regel nicht auf Probleme der Außenpolitik bezogen, bei Gerhard A. Ritter, Hans-Günther Zmarzlik, John C. G. Röhl, Gustav Schmidt und Hans-Jürgen Puhle. Vgl. Gerhard A. Ritter/Georg Kotowski/Werner Pöls, Das Wilhelminische Deutschland, Frankfurt a. M. 1965; Hans-Günther Zmarzlik, Bethmann Hollweg als Reichskanzler 1909–1914, Bonn 1957; John C. G. Röhl, Deutschland ohne Bismarck. Die Regierungskrise im Zweiten Kaiserreich 1890–1900, Tübingen 1969 (engl: Germany without Bismarck, London 1967); ders., Zwei deutsche Fürsten zur Kriegsschuldfrage. Lichnowski, Eulenburg und der Ausbruch des Ersten Weltkrieges, Düsseldorf 1971. In seinen jüngsten Arbeiten hat sich Röhl allerdings der Fischer-Schule stärker genähert. Siehe ferner Hans-Jürgen Puhle, Parlament, Parteien und Interessenverbände 1890–1914, in: Stürmer (Hrsg.), Das Kaiserliche Deutschland, S. 340ff., und Gustav Schmidt, Deutschland am Vorabend des Ersten Weltkrieges, in: ebenda, S. 397ff.

Kombination der oben angeführten Erklärungsmodelle neigt, wenn auch meist mit höchst unterschiedlicher Akzentuierung.
Die wohl am ehesten faßbare Position ist jene, die vornehmlich von G. W. Hallgarten vertreten wird. Hallgartens Werk kann als einer der frühesten Versuche gelten, die deutsche Politik vor dem Ersten Weltkrieg in sozialökonomischen Kategorien zu beschreiben, und auf diesem Wege gelang es ihm, den Ersten Weltkrieg als das gleichsam logische Ergebnis dieses Imperialismus zu bestimmen. Auf den ersten Blick scheinen zwischen dieser Konzeption und dem marxistisch-leninistischen Ansatz wesentliche Übereinstimmungen zu bestehen, doch zeigt eine genauere Prüfung, daß Hallgarten den Imperialismusbegriff gleichsam zu einer Aufzählung sinistrer politischer Machenschaften spezifischer Wirtschaftsinteressen und pressure groups verengt, die – motiviert durch ihr privates Gewinnstreben – die politische Führungsspitze zu einer Politik imperialistischer Aggression zu verleiten suchen.
In Hallgartens Arbeiten finden wir diese personalistische Variante der marxistischen Geschichtstheorie: nicht die gesellschaftlichen Strukturen kapitalistischer Ordnungen als solche, sondern vielmehr die parasitären Umtriebe einzelner Individuen und Gruppen werden am Ende für den Imperialismus verantwortlich gemacht. Und es ist daher auch nicht mehr überraschend, daß Hallgarten sich explizit von Lenins Imperialismusbegriff absetzt, der, wie er zu Recht betont, sich letztlich auf jedes Land kapitalistischen Zuschnitts anwenden läßt, »gleichgültig, ob die einzelne beteiligte Nation expandiert oder nicht«.[13]
Hallgarten behandelt mit Vorliebe solche Fälle, bei denen eine enge Verzahnung von Geschäftsinteressen und Verwaltungstätigkeit nachweisbar ist. Besondere Aufmerksamkeit widmet er in diesem Zusammenhang denjenigen Personen, die sich in Schlüsselpositionen im Regierungsapparat befanden und in dieser Eigenschaft maßgeblich Einfluß auf den politischen Entscheidungsprozeß nahmen, und dies im Interesse einzelner wirtschaftlicher Gruppen, mit denen sie direkt oder indirekt verbunden waren, wobei verwandtschaftliche Beziehungen nicht selten wichtiger waren als direkte finanzielle Beteiligungen. Die »wirklichen Schurken« indessen sind nach Hallgarten offenbar in der »neuen Internationale« der Rüstungsindustrie zu suchen, die, so seine These, »zehnmal mächtiger war als die marxistischen Internationalen«.[14] Diesem Erklärungsmodell entsprechend geht Hallgarten insbesondere den bekanntlich sehr engen Beziehungen zwischen Wilhelm II. und Friedrich Krupp nach. Ausdrücklich wird auf die Schlüsselrolle der Schwerindustrie bei der Unterstützung

13 Das Schicksal des Imperialismus im 20. Jahrhundert, S. 140.
14 Ebenda, S. 34.

der Tirpitzschen Flottenpolitik verwiesen, und hinsichtlich der diplomatischen Beziehungen Deutschlands mit dem Osmanischen Reich mißt er gleichfalls vornehmlich persönlichen Verbindungen zwischen den Jungtürken und hochgestellten Persönlichkeiten auf deutscher Seite einen entscheidenden Stellenwert bei. Im Rahmen einer Analyse der deutschen Außenpolitik vor 1914 wird man die Tragfähigkeit dieses methodischen Vorgehens allerdings eher skeptisch einschätzen müssen. So ist etwa, um nur einen Punkt anzusprechen, Hallgartens Behauptung, die Hochfinanz habe Kiderlen-Wächter im Jahre 1911 zu seiner relativ riskanten Marokkopolitik verleitet, schlicht irreführend. Tatsächlich lagen die Dinge genau umgekehrt: Die deutschen Handelsinteressen dienten lediglich als Vorwand für einen diplomatischen Schachzug, der die Franzosen zwingen sollte, dem Deutschen Reich den französischen Kongo zu überlassen. Alle Versuche, die deutsche Politik im letzten Jahrzehnt vor 1914 ausschließlich als Ergebnis des Einflusses bestimmter Interessengruppen zu deuten, führten demgemäß nicht weiter. Man kann z. B. nicht sagen, daß bestimmte wirtschaftliche pressure groups irgendeinen direkten Einfluß auf die Entscheidungen der deutschen Regierung am Vorabend des Ersten Weltkrieges gehabt hätten oder auch, daß Regierungskreise gerade zu diesem Zeitpunkt konkreten wirtschaftlichen Problemen besondere Bedeutung beigemessen hätten. Soweit sich Versuche politischer Einflußnahme seitens deutscher Wirtschaftskreise im Juni und Juli 1914 nachweisen lassen, richteten sich diese eher gegen einen Krieg, als daß sie auf ihn abzielten. Die Hochfinanz beobachtete den Lauf der Dinge mit wachsendem Unbehagen, und die Stimmung unter den Industriellen, soweit sie sich öffentlich Gehör verschafften, scheint alles andere als besonders kriegsbegeistert gewesen zu sein. Die *Westfälische Zeitung*, die gemeinhin als Sprachrohr der Schwerindustrie betrachtet wird, war eines der wenigen Blätter, das noch bis in den späten Juli des Jahres 1914 hinein den offiziellen Kurs einer Rückendeckung für Österreich-Ungarn gegen Serbien nachdrücklich bekämpfte.

Ungleich gewichtiger und ohne Zweifel wesentlich treffender erscheint dagegen die Argumentation Fritz Fischers. Was immer auch zu seinen Thesen im einzelnen gesagt werden mag, ihm kommt das unbestreitbare Verdienst zu, die Diskussion über einen zentralen Problemkomplex wieder eröffnet zu haben, den die deutsche Forschung irrigerweise bereits für endgültig abgeklärt hielt. Gleichwohl bleibt abzuwarten, ob seine Ergebnisse als letztes Wort der Forschung zur deutschen Politik vor 1914 gelten können. Fischer behauptet, daß die deutsche Außenpolitik letztlich das zwingende Ergebnis eines aggressiven Nationalismus war, der *alle* Schichten der deutschen Gesellschaft erfaßt hatte, obschon er bei der herrschenden Elite besonders ausgeprägt vorhanden gewesen sei. War Fischer 1961

zunächst mit der These hervorgetreten, daß Deutschland in der Julikrise vorsätzlich auf einen imperialistischen Krieg losgesteuert sei, um dergestalt den Durchbruch zur Weltmacht zu erzwingen, so radikalisierte er seine Position später dahingehend, daß Deutschland bereits 1911, zumindest aber nach dem 8. Dezember 1912, definitiv zum Krieg entschlossen gewesen sei, um aus der außenpolitischen Sackgasse herauszukommen, in die alle bisherigen Bemühungen um koloniale Erwerbungen und erweiterte politische Einflußnahme in Übersee geführt hatten. Zugleich behauptete er, daß die nach 1914 erkennbaren deutschen Kriegsziele sich zumindest in Ansätzen schon weit in der Vorkriegszeit nachweisen ließen. Dies gelte insbesondere für die Erwerbung von Longwy Briey, nicht weniger auch für das Ziel der Etablierung einer ökonomischen Vorherrschaft auf dem Kontinent mit Hilfe eines von Deutschland geführten europäischen Wirtschaftsverbandes, möglicherweise sogar unter Einbeziehung auch des Balkans.
Um diese These weiter zu untermauern, breitete Fischer in seinem Buch »Der Krieg der Illusionen« eine nahezu erdrückende Fülle von Quellen aus, die sich teilweise Klaus Wernecke Studie über die deutsche öffentliche Meinung vor 1914 verdanken.[15] An dieser Stelle kann eine detaillierte Kritik von Fischers Interpretation der deutschen Politik zwischen 1911 und 1915 nicht geleistet werden, doch ist es offensichtlich, daß er sich hinsichtlich seiner zentralen These vom deutschen Weltmachtwillen hat zu weit treiben lassen. So wird man etwa anmerken dürfen, daß Fischer letztlich keine definitive Klarheit in der Frage schafft, welche Schichten und Gruppen der deutschen Gesellschaft tatsächlich für den Krieg optierten, um den gordischen Knoten des deutschen Imperialismus zu durchschlagen. Waren es die Regierung, der Kaiser, die Militärs, die Konservativen, die Industrie oder die gesamte Nation? Waren nur einzelne der genannten Elemente oder sie alle en bloc für den Kriegsentschluß verantwortlich? In der Tat schwankt Fischers Argumentation gerade in dieser Frage ständig; bald unterstellt er dieser Gruppe kriegerische Absichten, bald jener. Er behauptet jedoch keineswegs, daß die einzelnen von ihm untersuchten Gruppen und Personen tatsächlich insgesamt und zu jedem Zeitpunkt definitiv zum Krieg entschlossen waren. Obgleich der Leser in vielen Fragen wesentliche neue Einsichten in das Geschehen gewinnt, ist Fischers These insgesamt alles andere als klar.[16] Um nur einen Punkt zu nennen: Fischer mißt dem informellen Kriegsrat, den Wilhelm II. am

15 Vgl. Anm. 10.
16 Eine detaillierte Beleuchtung der Thesen Fischers bei Mommsen, The Debate on German War Aims, S. 47ff.; vgl. auch ders., Die deutsche »Weltpolitik« und der Erste Weltkrieg, in: Neue Politische Literatur 16 (1971), S. 482ff.

8. Dezember 1912 in einem Anfall von Panik einberief, größte Bedeutung bei und behauptet, daß das Deutsche Reich von diesem Zeitpunkt an entschlossen gewesen sei, bei der nächsten sich bietenden Gelegenheit einen allgemeinen europäischen Krieg vom Zaun zu brechen, und er geht ferner davon aus, daß die deutsche Öffentlichkeit seitdem systematisch auf diesen Krieg vorbereitet worden sei, eine Deutung, die in einem eingeschränkten Sinne auch von J. C. G. Röhl vorgetragen worden ist. Auch Röhl ist geneigt, die Bemerkung von Tirpitz im sogenannten Kriegsrat vom 8. Dezember 1912 wörtlich zu nehmen, daß nämlich die deutsche Flotte im Juni 1914 kriegsbereit sein werde.[17] Es bleibt indessen fraglich, ob die bei dieser Gelegenheit getroffenen Entscheidungen tatsächlich den Stellenwert gehabt haben, den Fischer, Röhl und auch I. Geiss ihnen beimessen. Es gibt nicht den geringsten Beweis für die Annahme, daß der hektischen Anweisung des Kaisers, die Bevölkerung mit Hilfe einer offiziellen Pressekampagne auf den Krieg vorzubereiten, wirklich Taten gefolgt sind. Ebensowenig ist es ausgemacht, daß die Reichsleitung von diesem Zeitpunkt an vorsätzlich auf einen Krieg lossteuerte. Der Reichskanzler wurde von der Konferenz des 8. Dezember erst acht Tage später unterrichtet und obendrein nur auf informellem Wege.[18] Wenn der sogenannte Kriegsrat vom 8. Dezember 1912 tatsächlich zu der Entscheidung

17 Vgl. Fischer, Krieg der Illusionen, S. 231 ff.; John C. G. Röhl, Admiral von Müller and the Approach of War 1911–1914, in: Historical Journal XII (1969), S. 651 ff., hat gezeigt, daß Walter Goetz, der Herausgeber der Tagebücher des Admirals von Müller (vgl. Der Kaiser. Aufzeichnungen des Chefs des Marinekabinetts Admiral Georg von Müller über die Ära Wilhelms II., Göttingen 1965, S. 124 ff.), auf denen unser Wissen über diese Konferenz nahezu ausschließlich beruht, wesentliche Passagen des Textes ausgelassen hat, insbesondere den zweiten Teil des Absatzes, der mit den Worten beginnt: »aber er«. Diese Passage zeigt Moltke eindeutig als Anwalt eines Präventivkrieges: »Der Chef des Großen Generalstabs sagt: Krieg je eher, desto besser, aber er zieht nicht die Konsequenz daraus, welche wäre: Rußland oder Frankreich oder beide vor ein Ultimatum zu stellen, das den Krieg mit dem Recht auf unserer Seite entfesselte. Nachmittags an den Reichskanzler wegen der Pressebeeinflussung geschrieben.« Man kann sich nur schwer dem Schluß entziehen, daß die Konferenz von der Annahme bestimmt war, der Krieg könne jederzeit ausbrechen, was tatsächlich nicht abwegig war, da sich Europa auf dem Höhepunkt einer ernsten Balkankrise befand. Ein entscheidender Punkt war die Frage, wie vor der deutschen Öffentlichkeit ein europäischer Krieg im Interesse der österreichischen Ambitionen, ein halbunabhängiges Albanien zu schaffen, zu rechtfertigen wäre. Daher der Vorschlag des Kaisers: »Nun gehen Sie ordentlich in die Presse«, nach Bethmann Hollwegs Mitteilung an Kiderlen-Wächter vom 17. Dezember 1912, in: Die Große Politik der europäischen Kabinette, Berlin 1922–1927, Bd. 39, Nr. 15553 (im folgenden zit.: GP).

18 Wie das in Anm. 17 zitierte Dokument zeigt, erfuhr der Kanzler nicht vor dem 16. Dezember von dem stattgefundenen »Kriegsrat«. Offenbar ließ Admiral von Müller die Konferenz gänzlich unerwähnt, als er am Nachmittag des 8. Dezember an den Kanzler schrieb und darauf hinwies, daß in dieser kritischen Situation etwas zur Beeinflussung der Presse getan werden müsse, um die öffentliche Meinung für die Möglichkeit eines europäischen Krieges im Interesse der österreichisch-ungarischen Sache zu präparieren. Dies würde aber heißen, daß von Müller in der Tat der Ansicht war, das Ergebnis der Konferenz sei »gleich null« gewesen. Im

gelangt sein soll, das Reich nach Ablauf von 18 Monaten in den Krieg zu führen und darüber hinaus eine zur Absicherung dieser Politik geeignete Pressekampagne zu inszenieren, so wäre es doch in der Tat mehr als erstaunlich gewesen, den verantwortlichen Reichskanzler ebenso wie die Wilhelmstraße über dieses Projekt mehr als eine Woche lang im dunkeln tappen zu lassen! Zweierlei wird man der Konferenz vom 8. Dezember 1912 jedoch entnehmen können: Zum einen hat die militärische Führungsspitze damals die Möglichkeit ernsthaft ins Auge gefaßt, die Probleme der deutschen »Weltpolitik« mit Hilfe eines Präventivkrieges zu lösen. Moltke befürwortete eine zügige Entscheidung für den Krieg mit dem Argument, daß die militärische Stellung des Reiches sich rapide verschlechtere. Zum anderen kam die Konferenz dahin überein, daß die bereits im Gange befindlichen Vorbereitungen für die neue Heeresvorlage beschleunigt werden sollten. Indessen: Die unmittelbaren Folgen der Besprechung waren eher dürftig. Den Plan, eine weitere Flottenvorlage einzubringen, hat Bethmann Hollweg erfolgreich durchkreuzt, und er verhinderte auch diskret, aber wirkungsvoll die Ausführung der kaiserlichen Anweisung, »ordentlich in die Presse zu gehen«, soweit diese überhaupt ernstgenommen worden war.[19] Ohne Zweifel wird man von einem Anwachsen militaristischer Tendenzen sowohl innerhalb wie außerhalb offizieller Kreise sprechen können. Doch berechtigt dies keinesfalls zu der Folgerung, daß die deutsche Regierung seit 1912 definitiv zum Krieg entschlossen war.

Desgleichen ist es keinesfalls ausgemacht, ob der deutsche Imperialismus 1914 tatsächlich in eine Sackgasse geraten war, wie Fischer dies unablässig in den düstersten Farben ausmalt. Deutschlands wirtschaftliche Stellung im Osmanischen Reich war konsolidiert, obwohl es dazu einiger Konzessionen an französische und britische Interessen bedurft hatte. Zumindest war der deutsche Einfluß in dieser Zone selbst angesichts des

übrigen ist es unwahrscheinlich, daß von Müller den Kanzler in dieser Angelegenheit vorsätzlich irregeführt hat, da er gewöhnlich als dessen Verbündeter gegen Tirpitz auftrat.

19 Es gelang Bethmann Hollweg, den Kaiser zu beruhigen, indem er darauf hinwies, daß die Botschaft Greys letztlich keineswegs so verheerend sei, zumindest solange seitens des Reiches jeder provokative Schritt unterbliebe; vgl. Bethmann Hollwegs Memorandum vom 18. Dezember 1912, GP, Bd. 39, Nr. 15560, S. 9f. Er hatte Tirpitz und Heeringen bereits zu verstehen gegeben, daß eine offizielle Propagandakampagne zugunsten neuer Rüstungsvorhaben zu unterbleiben habe. Recht amüsant liest sich in diesem Zusammenhang der Hinweis des Kanzlers: »Ich müsse aber mit allem Nachdruck verlangen, daß sie sich hinter meinem Rücken auch seiner Majestät gegenüber nicht bänden, daß von Vorarbeiten, die sie innerhalb ihrer Ressorts etwa vornähmen, auch nicht das geringste in die Öffentlichkeit dringen dürfe, und daß ich irgendwelche Pressetreiberei zugunsten der Projekte unter keinen Umständen dulden könne«, ebenda, S. 147f. Wohl keiner von beiden Protagonisten scheint gewagt zu haben, sich auf die Argumente des Kaisers zu berufen, die dieser anläßlich des »Kriegsrates« vom 8. Dezember 1912 geäußert hatte!

chronischen Kapitalmangels für »politische« Investitionen nicht beeinträchtigt worden.[20]

Offensichtlich wird Fischer bereits durch die Art seines Erklärungsmodells daran gehindert, die gemäßigten Strömungen innerhalb des politischen Spektrums hinreichend zu würdigen. Er zieht seine Schlüsse eher aus verbalen Bekundungen denn aus den tatsächlichen politischen Abläufen. Daher werden die aggressiven nationalistischen Ausbrüche der behandelten Personen allzu vorschnell verallgemeinert. Andererseits wird man gerne einräumen, daß Fischer zumindest in seinem zweiten Buch den ernsthaften Versuch unternommen hat, über eine Interpretation hinauszugelangen, die sich primär auf die ideologischen Aspekte beschränkt, wenn auch nicht mit durchgängig gleichem Erfolg. Dennoch ist die Folgerung gerechtfertigt, daß Fischer vornehmlich deshalb zu allzu radikalen Schlußfolgerungen getrieben wird, weil er dazu neigt, Zitate imperialistischen oder nationalistischen Zuschnitts aus ihrem Kontext zu lösen und diese zur Grundlage seiner Deutung zu machen, anstatt sie in eine kohärente Analyse der politischen und sozialen Strukturen einzubetten.

Noch einen letzten Punkt gilt es anzusprechen: die Prämisse seiner Interpretation der Politik des wilhelminischen Deutschland, daß nämlich ein aggressiver Nationalismus gleichsam die Wurzel allen politischen Geschehens war, führt Fischer dazu, das Vorgehen der übrigen Mächte als bloße Reaktionen auf die Schachzüge der deutschen Diplomatie zu beschreiben. Doch können damit weder der französische Nationalismus noch die

20 Fischers Interpretation geht von der unausgesprochenen Annahme aus, daß Deutschland zunächst eine beherrschende ökonomische Rolle im Osmanischen Reich spielte und erst in den letzten Jahren vor 1914 mit der Konkurrenz anderer Industriestaaten konfrontiert wurde. Tatsächlich waren alle deutschen Unternehmungen in dieser Zone in starkem Maße auf die Hilfe der »Caisse de la Dette Publique« angewiesen, die unter dem bestimmten Einfluß der Franzosen stand und auf das engste mit ausländischen, insbesondere französischen Banken – vor allem der Banque Ottomane – verzahnt war. Die ersten Abschnitte der Bagdadbahn hätten ohne die entscheidende Unterstützung dieser Gruppen nicht gebaut werden können; vgl. Donald C. Blaisdell, European Financial Control in the Ottoman Empire, New York 1966, S. 124ff. Darüber hinaus ist zu beachten, daß es der deutschen Seite gelang, ihren Anteil an der Dette Publique von anfangs 8 % auf etwa 30 % im Jahre 1914 aufzustocken, wodurch ihr Einfluß beträchtlich verstärkt wurde, obgleich die Franzosen nach wie vor die mächtigste Gruppe der Anteilseigner stellten; vgl. Raymond Poidevin, Les Relations Economiques et Financières entre la France et l'Allemagne de 1898 à 1914, Paris 1969, S. 697. – Die Trennung der jeweiligen wirtschaftlichen Unternehmungen der Mächte, die sich nach 1909 im Osmanischen Reich abzeichnete, bedeutete nicht notwendigerweise eine Beschneidung der deutschen Position. Der Vertrag zwischen einer deutschen und einer französischen Gruppe vom 15. Februar 1914 über die Abgrenzung ihrer Interessensphären und ihres wirtschaftlichen Engagements hätte – wie das im März 1914 erreichte Abkommen zwischen der Gruppe d'Arcy und der Deutschen Bank über die gemeinsame Ausbeutung der mesopotamischen und anatolischen Ölvorkommen – für die deutsche Seite günstiger ausfallen können, doch zeigte sich die Deutsche Bank hier gänzlich zufrieden. Vgl. etwa GP, Bd. 37/I, Nr. 14888, S. 435. Fischers Darstellung, Krieg der Illusionen, S. 424ff., ist insofern ziemlich verfehlt.

Zunahme militaristischer Tendenzen in Rußland ernsthaft erklärt werden. Eine vergleichende Analyse der europäischen Nationalismen könnte zeigen, daß die stetig wachsende Anteilnahme breiter Bevölkerungsschichten am politischen Geschehen überall mit einer Intensivierung nationalistischer Tendenzen verschränkt war.
Der Ansatz der Kehrites ist in dieser Hinsicht lohnender, schenkt er doch universalen Faktoren, wie etwa dem Prozeß der Industrialisierung, wesentlich größere Aufmerksamkeit, obgleich auch er dazu neigt, die Perspektive auf nur eine nationale Entwicklungslinie hin zu verengen. Bis zu einem gewissen Grade ist dieses Erklärungsmodell in der Lage, eine Antwort auf die Frage zu geben, warum imperialistische Strömungen gerade in Deutschland mit solcher Wucht zur Geltung gekommen sind, obgleich doch beträchtliche Teile des deutschen Volkes, insbesondere die Arbeiterschaft, keinen Anteil daran nahmen. Der deutsche Imperialismus war dieser Theorie zufolge vornehmlich eine Abwehrstrategie der oberen und mittleren Schichten gegen die Sozialdemokratie und – in einem weiteren Sinne – gegen die demokratischen Tendenzen des Zeitalters überhaupt. Selbstverständlich wird diese Interpretationslinie im Detail in sehr nuancierter Weise vertreten: Hans-Ulrich Wehler etwa hat die These aufgestellt, daß der deutsche Imperialismus dem in den Oberschichten weitverbreiteten Gefühl entsprang, daß die bestehende Gesellschaftsordnung nur im Rahmen einer ständig expandierenden Wirtschaft aufrechterhalten werden könne und daß daher Wirtschaftswachstum und Kolonialerwerb, wenn nicht aus objektiven ökonomischen Gründen, so doch zumindest aus sozialpsychologischen Motiven, zu einem zwingenden Erfordernis geworden waren.[21] Doch ist dieses Erklärungsmodell, das Wehler mit Blick auf das entwickelt hat, was er »Bismarcks Imperialismus« nennt, für den hier zu betrachtenden Zeitraum nicht besonders tragfähig, stellten doch die beiden Jahrzehnte nach 1894 eine Zeit beispiellosen und nahezu ununterbrochenen Wirtschaftswachstums dar.[22] Wesentlich überzeugender ist wohl die soziopolitische Variante dieses von Wehler vertretenen Modells, das er von Kehr übernommen zu haben scheint, nämlich das Argument, daß der Imperialismus ein Instrument zur Konservierung der überkommenen Privilegienstruktur und gleichzeitig zur Niederhaltung der Sozialdemokratie gewesen sei. Diese Deutung ist insbesondere von Dirk Stegmann, Volker Berghahn und Helmut Böhme übernommen worden. Diesen Autoren zufolge war der »agrarisch-industrielle Komplex«

21 Bismarck und der Imperialismus, Köln 1972³, S. 17ff., wo Wehler seine theoretischen Annahmen darlegt. Vgl. meine Besprechung in Central European History 2 (1969), S. 366ff. Vgl. auch Wehlers Einleitung zu: Imperialismus, hrsg. von Hans-Ulrich Wehler, Köln 1972², S. 11ff.
22 Dieser Einwand auch bei Böhme, S. 39ff.

die wichtigste gesellschaftliche Größe im wilhelminischen Deutschland; die deutsche Außenpolitik sei mehr oder weniger unter dem direkten Einfluß dieser Gruppe formuliert worden.
Diesen Erklärungsmodellen zufolge fungierten ferner die imperialistischen Unternehmungen sowie der Bau einer monströsen Schlachtflotte vornehmlich als Mittel, um die konservativen und bürgerlichen Schichten der deutschen Gesellschaft gegen den gemeinsamen Feind, die Sozialdemokratie, zusammenzuschweißen, eine These, die Eckart Kehr bereits 1928 vorweggenommen hat, wenn er schrieb: »In der Miquelschen Sammlungspolitik liegen die letzten Gründe der Außenpolitik des Deutschen Reiches, die in den Krieg steuerte.«[23] Stegmanns Buch über »Die Erben Bismarcks« läßt sich mehr oder weniger als der Versuch einer empirischen Ausführung dieser These auf der Basis einer beeindruckenden Materialfülle lesen. Stegmann bewegt sich strikt im Rahmen der Fischer-Schule, wenn er beharrlich das Kontinuitätstheorem in den Vordergrund stellt. Für ihn läßt sich eine ungebrochenen Kontinuität der 1879 von Bismarck inaugurierten, von Miquel dann 1899 neuaufgelegten Sammlungspolitik bis zum Jahre 1933 und damit eine maßgebliche Vorbedingung für den Aufstieg des Nationalsozialismus nachweisen. Nicht ganz so weit geht Helmut Böhme in seinem Aufsatz über den deutschen Imperialismus; obgleich auch er prinzipiell einer ähnlich gelagerten Deutung zuneigt, zögert er, den Industriellen ausschließlich die Schuld für den weiteren Lauf der Dinge zu geben.[24] Volker Berghahn verfährt in seinen Arbeiten zur deutschen Flottenpolitik vergleichsweise etwas behutsamer; er macht geltend, daß die Tirpitzsche Flottenpolitik nicht nur eine tendenziell antiparlamentarische Stoßrichtung gehabt, sondern zugleich auch eine spezifisch sozialimperialistische Funktion besessen habe.[25]
Indessen bleibt zu fragen, inwieweit die genannten Erklärungsmodelle tatsächlich zu einem besseren Verständnis der deutschen Außenpolitik vor 1914 führen.
Ein Kernproblem sei gleich vorweggenommen: Es will scheinen, daß so-

23 Kehr, S. 150.
24 Böhme, S. 48f. Für ihn handelt es sich beim deutschen Imperialismus um den »Versuch der Staatsleitung und der sie tragenden Gruppen und Interessen [...], im Gegensatz zum Entwurf ›des Sozialismus‹, die sozialen Veränderungen der sich durch die rasante Industrialisierung rasch wandelnden Gesellschaft nicht mit einer grundlegenden Reform der Umwälzung der Eigentumsverhältnisse zu lösen, sondern mit Hilfe der Ablenkung auf Großmacht- und Weltmachtpläne zu paralysieren, um auf diese Weise den innenpolitischen Status quo ohne Reformen zu erhalten.«
25 Vgl. Berghahn, Zu den Zielen des deutschen Flottenbaus, S. 34ff.; ders., Der Tirpitzplan, S. 592ff. Nach Berghahn war Tirpitz' Strategie um 1909 gescheitert; für die folgende Zeit wird man sie nicht mehr als bestimmenden Faktor der deutschen Innenpolitik ansetzen dürfen, obgleich Tirpitz weiterhin beträchtliches Prestige bei den bürgerlichen Parlamentariern genoß.

wohl Stegmann als auch Böhme den Einfluß der sogenannten »Sammlungspolitik« auf die deutsche Außenpolitik erheblich überschätzen. Insbesondere Stegmanns aufwendiger Versuch, ungeachtet des Debakels zwischen den konservativen und den industriell orientierten Kreisen anläßlich der Reichsfinanzreform von 1909, eine ungebrochene Kontinuität der Zusammenarbeit zwischen CVDI und BDL seit den frühen 90er Jahren nachzuweisen, vermag nicht voll zu überzeugen. Selbst wenn man einmal mit Stegmann eine so weitreichende Zusammenarbeit von Schwerindustrie und agrarischen Interessen unterstellen würde, so bliebe immer noch die Frage zu beantworten, weshalb dieses Zweckbündnis am Ende nur von so dürftigem Erfolg gekrönt war. Kann die zeitweilige Stagnation in der Sozialpolitik 1914 tatsächlich als Triumph dieses Bündnisses gewertet werden? Wird man wirklich behaupten können, daß der vereinte Druck der agrarischen und schwerindustriellen Interessen der einzige oder auch nur der wichtigste Grund für die Blockierung verfassungspolitischer Reformen gewesen ist? Es ist unübersehbar, daß es dem vermeintlich allmächtigen CVDI letztlich nicht gelang, einen maßgebenden Einfluß auf die Führung der Nationalliberalen Partei zu erlangen. Obgleich die Nationalliberalen nach 1912 verstärkte Neigung zu einer Zusammenarbeit mit den Konservativen an den Tag legten, hegte man in ihren Reihen nach wie vor erhebliche Bedenken gegen jene offen reaktionäre Politik, der die Konservativen und der CVDI das Wort redeten.

Aus all dem ergibt sich zunächst, daß es eines erheblich differenzierteren Erklärungsansatzes bedarf, um dem vielschichtigen Problemkomplex des deutschen Imperialismus gerecht zu werden, als es im Rahmen des Ansatzes der Kehrites möglich ist. Denn entgegen der Kehrschen These läßt sich keine ungebrochene Kontinuität von der Miquelschen Sammlungspolitik der 90er Jahre bis 1913 nachweisen.

Zwischen der Miquelschen »Sammlung der produktiven Stände« auf einer ausgemacht reaktionären Basis und der dann von Bülow und Tirpitz sowie späterhin von Bethmann Hollweg noch wesentlich zielstrebiger verfolgten »Sammlungspolitik« besteht in der Tat ein beträchtlicher Unterschied.[26] Miquels Konzeption trug eindeutig antiparlamentarische Züge und war weitgehend gegen die wachsende Bedeutung des Reichstages gerichtet; er regte nicht nur eine »Anpassung« des Reichstagswahl-

26 Diese Interpretation deckt sich teilweise mit der von Berghahn, der ebenfalls vorschlägt, zwischen der von den Agrariern und der Schwerindustrie favorisierten »Kleinen Sammlung« einerseits und der von Tirpitz und Bülow verfolgten »Großen Sammlung« andererseits zu unterscheiden. Es bleibt indessen festzuhalten, daß hier nicht nur ein gradueller, sondern ein qualitativer Unterschied besteht: Die Konzeption einer großen Sammlung sollte die Mehrheit der Mittelschichten und das Zentrum integrieren. Bei Stegmann liegt, zum Nachteil seiner Argumentationsführung, eine ständige Verwechslung beider Sammlungstypen vor.

rechts an das preußische Vorbild an, sondern favorisierte zugleich auch eine entschieden repressive Politik gegenüber der Sozialdemokratie. Nach 1898 wurde diese Strategie allerdings zugunsten eines wesentlich elastischeren Kurses aufgegeben, der es erlauben sollte, sich mit dem bestehenden Verfassungssystem zu arrangieren und zugleich wieder ein erträgliches Verhältnis zum Reichstag, in erster Linie aber zu den bürgerlichen Parteien, zu begründen; demgemäß wurde nun von einer Neuauflage spezifisch antisozialistischer Gesetzesprojekte Abstand genommen. Hingegen inaugurierten Bülow und Tirpitz, statt dem Reichstag verfassungspolitische Zugeständnisse zu machen, mit dem Bau der »bürgerlichen« Schlachtflotte die Politik eines populären Imperialismus, die unter dem Banner eines plebiszitären Cäsarismus die Beziehungen zwischen den Parteien der Mitte und der Reichsleitung auf eine neue Grundlage zu stellen hoffte. Eine derartige Strategie schloß eine partielle Modernisierung des politischen Systems nicht aus, selbst um den Preis einer zeitweiligen Brüskierung der Konservativen.[27] Zumindest vorübergehend gelang Bülow, indem er die imperialistische Karte ausspielte, eine relative Stabilisierung des politischen Systems sowie eine Eindämmung der wachsenden Macht des Parlaments. Dies erklärt auch, warum unter Bülow »Weltpolitik« im eigentlichen Sinne mehr oder weniger halbherzig und ohne zielstrebige Planung betrieben wurde. Bülow sah darin vornehmlich ein Instrument, um durch die Fixierung der öffentlichen Meinung auf überseeische Objekte von den Spannungen des politischen und sozialen Systems im Innern abzulenken. Kurzfristige Prestigeerfolge, die einen Popularitätszuwachs der Regierung versprachen, wogen in Bülows Kalkül ungleich schwerer als Aussichten auf tatsächlichen Erwerb überseeischer Territorien. Imperialistische Expansion war keine eigenständige Zielsetzung, sondern diente primär als Hebel, um dem seit 1892 stark angeschlagenen Prestige des Kaisers und des bestehenden politischen Systems insgesamt wieder aufzuhelfen. Daher ist es auch kaum überraschend, daß sich die Regierung Bülow nicht dazu entschließen konnte, die kolonialpolitischen Aktivitäten des Reiches auf ein definitives Ziel zu konzentrieren. Überdies neigte die Reichsleitung stets dazu, von energischen Schritten in kolonialpolitischen Fragen abzusehen, wenn dadurch die vermeint-

27 Vgl. zu Bülows Versuch, das »persönliche Regiment« des Kaisers wiederzubeleben, die Arbeit von John C. G. Röhl, Deutschland ohne Bismarck, S. 123f., 147f., 251ff. Bereits 1896, kurz vor seiner Ernennung zum Staatssekretär des Auswärtigen Amtes, meinte Bülow, daß eine Lösung der Verfassungsprobleme nur in einem »Royalismus sans phrase« zu finden sei, ebenda, S. 187. Siehe auch seine Stellungnahme aus dem Jahre 1897, ebenda, S. 229: »Ich lege den Hauptakzent auf die auswärtige Politik. Nur eine erfolgreiche Außenpolitik kann helfen, versöhnen, beruhigen, sammeln, einigen.« Zu der antiparlamentarischen Stoßrichtung der Tirpitzschen Flottenpolitik: Berghahn, Zu den Zielen des deutschen Flottenbaus, S. 36ff., und ders., Der Tirpitzplan, S. 14ff.

lich unabhängige Position Deutschlands zwischen dem »britischen Löwen« und dem »russischen Bären« hätte gefährdet werden können. Andererseits entsprach dieser »Scheinimperialismus« Bülowscher Prägung den langfristigen Zielen der Tirpitzschen Flottenpolitik, verlangte diese doch relative Ruhe an der außenpolitischen Front, um die Flottenplanung unbehelligt durch die Risikoperiode hindurchzubringen, während der man einen Konflikt mit der britischen Flotte nicht wagen konnte. Nach dem gescheiterten Versuch, die Entente cordiale auseinanderzudividieren, zeigte sich Bülow allerdings zunehmend besorgt über die Verschlechterung der deutsch-englischen Beziehungen: 1908 konfrontierte er Tirpitz mit der Frage, ob den strategischen Interessen des Reiches nicht eher mit einer U-Boot-Waffe als mit der Schlachtflotte gedient sei.[28]
Für das erste Jahrzehnt dieses Jahrhunderts läßt sich indessen ein tiefgreifender Funktionswandel des deutschen Imperialismus nachweisen: war dieser bislang vornehmlich ein geschickter Kunstgriff gewesen, um einem nicht allzu populären Regime zu neuem Ansehen zu verhelfen, so machten ihn nun die Mittelschichten zu ihrem ureigensten Anliegen, und dies im übrigen nicht nur aus Furcht vor der Arbeiterbewegung. Nunmehr assoziierte man den Imperialismus mit gesellschaftlicher Modernisierung und industriellem Fortschritt, so daß ihm dergestalt ein dezidiert antikonservativer Beigeschmack zuwuchs. Einerseits war die imperialistische Ideologie der Integration der Mittelschichten in das bestehende politische System förderlich, andererseits steigerte sie deren politischen Kurswert auf Kosten der konservativen Aristokratie. Es ist daher keineswegs überraschend, daß den wegen einer kolonialpolitischen Streitfrage vorgezogenen Reichstagswahlen von 1907 ein konservativ-liberales Bündnis folgte, das beiden Gruppierungen Zugeständnisse abverlangte. Der »konservativ-liberalen Koalition« war allerdings kein langer Bestand beschieden; sobald erneut innenpolitische Fragen in den Vordergrund rückten, trat die Zerbrechlichkeit des sogenannten »Bülow-Blocks« offen zutage: nicht bereit, den Preis für den Block zu bezahlen, brachten die Konserva-

28 Bülow an Tirpitz, 25. Dezember 1908, in: Otto Hammann, Bilder aus der letzten Kaiserzeit, Berlin 1922, S. 148: »Ew. pp enthalten sich aber einer Meinungsäußerung darüber, ob, angesichts der von Ihnen selbst hervorgehobenen derzeitigen großen Überlegenheit der englischen Flotte über unsere Streitkräfte zur See – eine Überlegenheit, die überdies das englische Volk auch für die Zukunft unter allen Umständen aufrechtzuerhalten entschlossen scheint –, es unseren Schlachtschiffen überhaupt möglich sein würde, entscheidend in Aktion zu treten. Ist aber die Befürchtung gerechtfertigt, daß unsere Flotte in ihrer gegenwärtigen Stärke von den übermächtigen englischen Seestreitkräften blockiert in unseren Häfen zurückgehalten werden würde, müssen wir mit der Wahrscheinlichkeit rechnen, in einem Seekrieg mit England vorläufig auf die Defensive angewiesen zu sein, so entsteht die Frage, ob sich nicht empfiehlt, der Verbesserung unserer Küstenbefestigungen, der Vergrößerung unseres Bestandes an Seeminen und der Schaffung einer starken Unterseebootflotte unsere Aufmerksamkeit zuzuwenden, anstatt uns ausschließlich auf die Vermehrung von Schlachtschiffen zu konzentrieren ...« [...]

tiven Bülow mit Hilfe des Zentrums über die Reichsfinanzreform zu Fall.[29]

Für die Entwicklung der deutschen Außenpolitik nach 1909 erscheint uns die inzwischen allzu geläufige Formel vom »Sozialimperialismus« noch entschieden problematischer, denn man wird kaum behaupten können, daß es gerade die reaktionärsten Gruppen der deutschen Gesellschaft waren, die mit der größten Lautstärke für überseeische Territorien agitierten. Die entschiedensten Anhänger einer weitausgreifenden, wenn nicht gar aggressiven »Weltpolitik« lassen sich vornehmlich in den von der Nationalliberalen Partei repräsentierten oberen Mittelschichten, ferner bei den im Alldeutschen Verband und im Flottenverein auffällig überrepräsentierten Intellektuellen sowie bei Teilen des Kleinbürgertums nachweisen. Die Konservativen fanden sich dagegen erst ab 1911 zu vorbehaltloser Unterstützung einer entschieden imperialistischen Politik bereit, obgleich ihr Mißtrauen gegenüber dem Prozeß der Industrialisierung, dem vermeintlichen Zwillingsbruder des Imperialismus, damit keineswegs begraben war.[30] Die konservative Schützenhilfe für eine imperialistische Politik war im übrigen Ausfluß höchst opportunistischer Berechnungen, hoffte man doch auf diesem Wege, den schwindenden Einfluß auf die eigene angestammte Wählerschaft wieder zu beleben, denn die zunehmende Mobilisierung bisher eher apathischer und politisch desinteressierter Bevölkerungsgruppen stellte ja gerade für die konservativen Machtbastionen eine unübersehbare Bedrohung dar, und die fortschreitende Industrialisierung war dabei, die letzten gemütlichen Winkel einer traditional orientierten Gesellschaftsordnung aufzusprengen, in der bislang das Wort eines preußischen Junkers nahezu unhinterfragbare soziale und politische Normen gesetzt hatte.

Die wiederholten Anläufe sowohl der Konservativen als auch der reaktionären Gruppen der deutschen Industrie, insbesondere des dominierenden rechten Flügels im CVDI, eine neue »Sammlung der produktiven Stände« und damit eine Neuformierung der oberen Mittelschichten auf

29 Vgl. Peter Christian Witt, Die Finanzpolitik des Deutschen Reiches von 1903–1913. Eine Studie zur Innenpolitik des Wilhelminischen Deutschland, Lübeck 1970, S. 303f.

30 Tatsächlich hatten imperialistische Belange in der Ideologie der Konservativen bislang eine eher sekundäre Rolle gespielt. Die Konservative Partei war bisher vornehmlich dem offiziellen Kurs gefolgt, ohne sich dem Druck auf die Reichsleitung anzuschließen. Obgleich der Bund der Landwirte sich einem recht aggressiven Nationalismus verschrieben hatte, verfügten die Konservativen über kein erkennbares Konzept für eine imperialistische Politik. Wann immer ihre eigenen ökonomischen Interessen tangiert waren, standen sie eher gegen imperialistische Unternehmungen. Vgl. auch Hans-Jürgen Puhle, Agrarische Interessenpolitik und preußischer Konservatismus im Wilhelminischen Reich (1893–1914). Ein Beitrag zur Analyse des Nationalismus in Deutschland am Beispiel des Bundes der Landwirte und der Deutsch-Konservativen Partei, Hannover 1966, S. 86ff., 241f.

einer gemeinsamen politischen Plattform zustande zu bringen, führten letztlich nicht allzu weit. Die Nationalliberalen etwa scheuten vor einem solchen Bündnis zurück, zumal ihnen ein offenes Engagement für einen in sozial- und verfassungspolitischen Fragen eindeutig repressiven Kurs als politischer Selbstmord erschien. Sie zogen es vor, ihre Position als Verfechter eines, wie es hieß, gesunden und effektiven Imperialismus, verbunden mit einer Politik der schrittweisen Modernisierung im innen- und verfassungspolitischen Bereich, zu konsolidieren. Auch die Regierung Bethmann Hollweg ließ sich nicht auf einen dezidiert repressiven Kurs drängen, obgleich sie zu Kompromissen mit den Konservativen bereit war, wo immer dies realisierbar erschien. Insofern ist es kein Zufall, daß sich gerade die Anhänger eines ungeschminkten Sozialimperialismus ersichtlichermaßen zu den heftigsten Gegnern der Regierung entwickelten, in innen- ebenso wie in außenpolitischen Fragen.

Wie die Ereignisse nach 1909 zeigen, wurde Bethmann Hollweg zur Zielscheibe von Angriffen aus dem konservativen und großbürgerlichen Lager, gerade weil er es ablehnte, sich auf eine rücksichtslose imperialistische Politik, verbunden mit bedenkenloser Repression, sei es der Sozialdemokratie, sei es anderer fortschrittlicher Kräfte im Innern, einzulassen. Im Sommer 1909 gesellte sich zu den manifesten Zweifeln an der bislang verfolgten Grundlinie der deutschen Diplomatie eine ernste innenpolitische Krise: Erstmals hatte eine Koalition zweier Parteien, wenn auch nur indirekt, den Sturz eines Reichskanzlers erzwungen. Dies war auch deshalb eine für die herrschenden Eliten bedenkliche Konstellation, weil die Konservativen nicht nur offen gegen die Regierung Front gemacht, sondern sich zugleich auch die erklärte Gegnerschaft erheblicher Teile des bürgerlichen Lagers sowie der Geschäftswelt zugezogen hatten. Nicht wenige Zeitgenossen gelangten nach diesem Debakel zu der treffenden Prognose, daß bei den nächsten Wahlen ein gigantischer Sieg der Sozialdemokratie zu erwarten sei, zumal der Löwenanteil der neuen Steuerlasten auf die unteren Einkommensgruppen abgewälzt worden waren.

Wenn es Bülow noch um die Jahrhundertwende gelungen war, mit imperialistischen Manövern einen offenen Konflikt mit dem Reichstag abzufangen, so hegte Bethmann Hollweg gegenüber einer erneuten Anwendung dieser riskanten Strategie erhebliche Bedenken, freilich von einer Ausnahme abgesehen, die noch zu erörtern sein wird. Die politische Situation nach der Krise von 1909 erschien ihm für außenpolitische Abenteuer denkbar ungeeignet; in seinen Augen bedurfte es zunächst einer Beruhigung des innenpolitischen Klimas. In der Tat läßt sich für die Zeit zwischen 1909 und 1911 die Konsolidierung der deutschen Position im europäischen Mächtesystem als Fixpunkt seiner Politik erkennen. So zog sich Deutschland aus seiner seit Algeciras recht merkwürdigen Position in Marokko zurück, auch wenn die Gebr. Mannesmann dieses Vorhaben nach Kräften zu torpedieren trachteten. Die Reichsleitung bemühte sich daneben auch um eine Entspannung des deutsch-russischen Verhältnisses, ein Unternehmen, das sich zunächst recht gut anließ. Zugleich setzte Bethmann Hollweg alles an eine Verbesserung der deutschen Beziehungen zu Großbritannien, auch nachdem der zaghafte Versuch gescheitert war, um den Preis einer maßvollen Beschränkung des Flottenbaus ein Neutralitätsabkommen auszuhandeln.[31] Die Verständigung mit England hatte für Bethmann Hollweg höchste Priorität, vor allem deshalb, um der Gefahr eines europäischen Krieges entgegenzuarbeiten, in den Deutschland über den schwelenden österreichisch-russischen Gegensatz auf dem Balkan jederzeit hineingezogen werden konnte.[32] Darüber hinaus hätte eine Stabilisierung der deutschen Stellung auf dem Kontinent, so das Kalkül des Kanzlers, das Reich seinen kolonial-politischen Zielen ein Stück näher gebracht. Das Hauptziel der Regierung Bethmann Hollweg war die Schaffung eines zusammenhängenden deutschen Kolonialreiches in Mittelafrika durch den Erwerb der portugiesischen, belgischen und französischen Gebiete im Kongogebiet. Daneben bemühte sich die Reichsleitung, das wirtschaftliche Engagement Deutschlands im Osmanischen Reich zu stärken und, wenn möglich, auszubauen.

Bethmann Hollweg ging davon aus, daß für eine solche Politik behutsamer Expansion die Unterstützung Englands zu gewinnen sei. Allerdings gab er sich keinem Zweifel darüber hin, daß eine Verständigung mit Großbritannien nicht leicht herbeizuführen sein würde, zumal allein schon die englandfeindliche Haltung der deutschen öffentlichen Meinung ein ernstes Hindernis dafür darstellte. Seine Hoffnung konzentrierte sich daher auf eine allmähliche Umorientierung der öffentlichen Meinung in Richtung auf eine realistische Einschätzung der von ihm aufgewiesenen außenpolitischen Möglichkeiten. Es muß indessen offenbleiben, inwieweit dieses Konzept des Kanzlers von erfüllbaren Voraussetzungen ausging, denn weder der Kaiser noch die Mittelschichten waren bereit, dem Gedanken einer substantiellen Reduktion des Flottenprogramms näherzutreten, obwohl diese eine Vorbedingung jeder deutsch-englischen Annäherung darstellte. Wie dem auch sei, die nachgerade katastrophalen Folgen der allzu machiavellistisch konzipierten Marokko-Politik Kider-

31 Eine detaillierte, aber selten problematisierende Darstellung dieser Verhandlungen bei Alexander Kessler, Das deutsch-englische Verhältnis vom Amtsantritt Bethmann Hollwegs bis zur Haldane-Mission, Erlangen 1938. Vgl. auch Hans Joachim Henning, Deutschlands Verhältnis zu England in Bethmann Hollwegs Außenpolitik 1909–1914, Phil. Diss. Köln 1962.

32 Vgl. insbesondere Bethmann Hollwegs Memorandum für Kiderlen-Wächter vom 3. April 1911, GP, Bd. 28, Nr. 10347, S. 409.

len-Wächters vom Jahre 1911 reduzierten diese Aussichten auf die denkbar drastischste Weise.
In vielerlei Hinsicht wird man die Agadirkrise von 1911 als die große Zäsur in der deutschen Politik vor 1914 ansehen müssen. Die allzu ausgeklügelten Berechnungen Kiderlen-Wächters erwiesen sich als gänzlich verfehlt. Optimistischerweise hatte der Staatssekretär angenommen, daß eine endgültige Regelung der Marokko-Frage den Weg für eine deutsch-englische Annäherung freimachen würde.[33] Tatsächlich aber führte der waghalsige »Sprung« vom 1. Juli 1911 nicht nur zu einer bedenklichen Verschlechterung der deutsch-englischen Beziehungen, sondern er zog auch einen empörten Aufschrei der deutschen öffentlichen Meinung gegen England nach sich, das, so meinte man, immer dann zur Intervention schreite, wenn ein kolonialpolitischer Erfolg Deutschlands in greifbare Nähe gerückt sei.
Der Verstoß gegen Frankreich in der Marokko-Frage war nicht von seiten irgendwelcher wirtschaftlicher Interessengruppen initiiert worden, im Gegenteil: Man hatte die Gebr. Mannesmann, die im Süden Marokkos finanziell engagiert waren, mit Bedacht aus dem Spiel gelassen. Vielmehr wurde auf Ersuchen des Auswärtigen Amtes seitens einer Hamburger Bankengruppe ein geeigneter Vorwand für eine deutsche Intervention in Marokko fabriziert, doch wurde diese selbst über die tatsächlichen Absichten der Regierung gänzlich im dunkeln gelassen.[34] Das gleiche gilt für die Presse und selbst für den Alldeutschen Verband: Beide wurden von offizieller Seite zu einer kompromißlosen Linie in der Marokko-Frage ermuntert, um die französische Seite für eine Abtretung des Kongogebietes verhandlungsreif zu machen.[35]

33 Vgl. GP, Bd. 29, S. 107f., Anm., und Kiderlen-Wächters Telegramm an Schoen vom 30. Juni 1911, wo auf seine Absicht angespielt wird, »das Marokko-Problem endgültig als Reibungsfläche aus der internationalen Politik auszuschalten«, ebenda, Nr. 10578, S. 155. Vgl. auch Bethmann Hollwegs Erklärung vor dem Reichstag am 9. November 1911: »Marokko war eine dauernd schwärende Wunde in unserem Verhältnis nicht nur zu Frankreich, sondern auch zu England ... Die Erledigung der Marokkoangelegenheit [reinige] auch in unseren Beziehungen zu England den Tisch.« Stenographische Berichte über die Verhandlungen des Reichstages, Bd. 268, S. 7713, 3 A–B.
34 Dies wird überzeugend nachgewiesen bei Alfred A. Vagts, M. M. Warburg & Co. Ein Bankhaus in der deutschen Weltpolitik 1905–1935, in: Vierteljahresschrift für Sozial- und Wirtschaftsgeschichte 45 (1958), S. 253ff. Vgl. die Tagebücher von Regendanz, der als Agent der deutschen Regierung tätig war, F. W. Pick, Searchlight on German Africa. The Diaries and Papers of Dr. Regendanz, London 1939. Siehe auch Joanne St. Mortimer, Commercial Interests and German Diplomacy in the Agadir Crisis, in: Historical Journal 10 (1967), S. 440ff., die allerdings das Gewicht wirtschaftlicher Interessen hinter Regendanz erheblich überschätzt.
35 Die leichtfertige Pressepolitik Kiderlen-Wächters wurde bereits 1912 im Reichstag heftig kritisiert; vgl. die Debatten im Haushaltsausschuß sowie die Auseinandersetzungen im Plenum am 17. Februar 1912, Verhandlungen des Reichstages, Bd. 283, S. 96 Aff. Eine Darstellung der Pressepolitik Kiderlen-Wächters bei Wernecke, S. 26ff. Einzelheiten über die

Zweifellos war das ganze Unternehmen nicht zuletzt wegen der bevorstehenden Reichstagswahlen lanciert worden.[36] Die tastenden Versuche Bethmann Hollwegs, die Erhaltung des gegebenen Handelsvertragssystems zum offiziellen Wahlkampfslogan zu machen, waren in der Öffentlichkeit nur auf recht magere Resonanz gestoßen, so daß ihm ein respektabler außenpolitischer Erfolg in dieser Situation durchaus willkommen gewesen wäre. Doch blieben die bescheidenen Ergebnisse der Diplomatie Kiderlen-Wächters weit hinter dem Erwartungshorizont einer öffentlichen Meinung zurück, die ja durch die gouvernementale Pressepolitik bewußt aufgeheizt worden war. Dergestalt geriet die innenpolitische Lage jetzt gänzlich außer Kontrolle, und die Regierung sah sich nunmehr wegen ihrer angeblich schwächlichen Politik heftigsten Angriffen aus nahezu allen politischen Lagern gegenüber. Vor allem die Konservativen und die Nationalliberalen schwenkten jetzt auf die Linie eines offen proklamierten Imperialismus ein, und auf dem Höhepunkt der Krise plädierte auch die Schwerindustrie lautstark für eine Vorwärtsstrategie. Die Heeresleitung zeigte sich über den Gang der Ereignisse ebenfalls sichtlich unzufrieden: Moltke ließ wissen, daß er einen Krieg dem in seinen Augen schmachvollen Ausverkauf der deutschen Interessen vorgezogen haben würde,[37] während Tirpitz seinerseits die Gelegenheit nutzte, um eine neue Flottenvorlage in Vorschlag zu bringen.
Der Kanzler war über die Kriegsleidenschaft erheblicher Teile der deutschen Gesellschaft zutiefst beunruhigt und sprach sich entschieden dagegen aus, jedoch ohne nennenswerten Erfolg.[38] Obgleich über die Ziele, die die deutsche Außenpolitik konkret verfolgen sollte, kein erkennbarer Konsens bestand, waren sich die Konservativen und die bürgerlichen Schichten in einem Punkt einig: Das Reich sollte in jedem Falle energischer auftreten, wann immer die nächste Gelegenheit zu überseeischen

Verhandlungen des Staatssekretärs mit Class auch in: Dieter Fricke u. a. (Hrsg.), Die bürgerlichen Parteien, Bd.I, Leipzig 1970, S. 11f.

36 Vgl. Kiderlen-Wächters Memorandum für Wilhelm II. vom 3. Mai, GP, Bd. 29, Nr. 10549, S. 108: »Unsere öffentliche Meinung würde mit alleiniger Ausnahme der Sozialdemokratischen Partei das einfache Geschehenlassen der Dinge im Scherifenreich der Kaiserlichen Regierung zum Vorwurf machen, während andererseits mit Sicherheit angenommen werden darf, daß praktische Ergebnisse manchen unzufriedenen Wähler umstimmen und den Ausfall der bevorstehenden Reichstagswahlen vielleicht nicht unwesentlich beeinflussen würden.«

37 Helmuth von Moltke, Erinnerungen, Briefe, Dokumente 1877–1916, Darmstadt 1922, S. 362.

38 Vgl. Bethmann Hollwegs Reichstagsrede vom 9. November 1911, Verhandlungen des Reichstags, Bd. 268, S. 756 A, und seinen Brief an Eisendecher vom 16. November 1911, PA, NL Eisendecher 1/1–7: »Krieg für die Gebrüder Mannesmann wäre ein Verbrechen gewesen. Aber das deutsche Volk hat diesen Sommer so leichtfertig mit dem Kriege gespielt. Das stimmt mich ernst; dem mußte ich entgegentreten. Auch auf die Gefahr, den Unwillen des Volkes auf mich zu laden.«

Erwerbungen auftauchen sollte, gegebenenfalls auch auf das Risiko eines größeren Krieges hin. Demnach zeichnete sich bereits 1912 eine politische Konstellation ab, die in Umrissen bereits die innenpolitischen Fronten der ersten Kriegsjahre vorwegnahm: hier eine Regierung, die – obgleich einer expansionistischen Politik nicht abgeneigt – einen im wesentlichen gemäßigten Kurs durchzuhalten versuchte, dort starke Gruppierungen in den oberen Mittelschichten mit erheblichem Rückhalt in den Parteien, die einer kraftvollen Außenpolitik das Wort redeten und dabei einen Krieg als *ultima ratio* durchaus in Kauf zu nehmen bereit waren. Der »zivilen Reichsleitung« gelang es in dieser Konstellation nicht, ihre Position durchzusetzen. Vielmehr wurde sie Schritt für Schritt in die entgegengesetzte Richtung gedrängt.

Ein Blick auf die Eigentümlichkeiten des deutschen politischen Systems am Vorabend des Ersten Weltkriegs vermag diese Konstellation näher zu erklären. Seit der Jahrhundertwende hatten sich in der wilhelminischen Gesellschaft tiefgreifende Verwerfungen bemerkbar gemacht; weniger denn je schien die politische Verfassung dem im Gefolge der beschleunigten Industrialisierung freigesetzten sozialen Strukturwandel angepaßt. Die gesellschaftliche Basis des Konservativismus war einem permanenten Schwund ausgesetzt. Nicht allein die Schwerpunktverlagerung von einer vorwiegend agrarisch geprägten Sozialordnung zu einer urbanen Industriegesellschaft drängte die Konservativen zunehmend in die Defensive, auch die beschleunigte soziale Mobilisierung, im Verbund mit einer wachsenden Einkommensdifferenzierung, erfaßte nun auch jene Bevölkerungssegmente, die bislang vornehmlich traditionalen Wertorientierungen verpflichtet gewesen waren. Unter sozialökonomischen Gesichtspunkten schoben sich jetzt die oberen Mittelschichten als dominante Sozialgruppe nach vorn, und nur das rapide Anwachsen der Arbeiterbewegung verschaffte den Konservativen eine erneute Atempause im Ringen um den politischen Führungsanspruch. Doch wird man andererseits das Tempo des sozialen Wandels nicht überschätzen dürfen: Zwar war der fortschreitende Industrialisierungsprozeß für die traditionellen Schichten der deutschen Gesellschaft bedrohlich genug, gleichwohl war dieser nicht so rasant, um ihren angestammten sozialen Besitzstand tatsächlich auszuhöhlen. Um 1910 befand sich Deutschland zwar schon, in den Worten Rostows, im wirtschaftlichen »Reifestadium«;[39] das berechtigt aber noch nicht, von einer vollentwickelten Industriegesellschaft zu sprechen, denn gemessen an den sozialökonomischen Daten stellten die agrarischen, insbesondere aber die kleinbürgerlich geprägten Gruppen der deutschen Gesellschaft nach wie vor die Mehrheit, ein Phänomen, das sich unschwer

39 Stadien wirtschaftlichen Wachstums, S. 116.

an den bis 1914 erstaunlich geringen Durchschnittsbetriebsgrößen ablesen läßt. Gerade die letztgenannten Sozialgruppen waren bewährte Stützen einer konservativ geführten Politik und kamen dergestalt nach wie vor als Trägerschichten des pseudokonstitutionellen Regierungssystems unter Bülow und Bethmann Hollweg in Frage.

Die traditionell orientierten Kräfte der deutschen Gesellschaft verfügten demnach zwar wie ehedem über erhebliche Bastionen, doch reichte dies nun längst nicht mehr als Basis einer offen konservativen Politik. Aber auch die entgegengesetzte Alternative war verstellt; die Sozialdemokratie, die Fortschrittliche Volkspartei, ein Teil der Nationalliberalen sowie – bis zu einem gewissen Grade – der linke Zentrumsflügel befanden sich zwar als potentielle politische Kraft auf dem Vormarsch, aber einstweilen verfügten sie nicht über eine ausreichende Mehrheit. Auf mittlere Sicht standen zwar die Chancen für diese latente Koalition nicht schlecht, doch noch 1912 zahlte sich eine allzu progressive politische Orientierung nicht aus. Trotz ihres eindrucksvollen Wahlerfolgs von 1912 waren die Sozialdemokraten von jeder effektiven Einflußnahme auf die Gesetzgebung weit entfernt. Ihr politisches Gewicht stand in nahezu umgekehrtem Verhältnis zu ihrer numerischen Stärke, und dies um so mehr, als die Regierung peinlich darauf bedacht war, jede Gesetzesvorlage zu vermeiden, deren Verabschiedung ohne sozialdemokratische Stimmen unmöglich geworden wäre. Darüber hinaus gelang es der Regierung stets, mit dem Hinweis auf das nationale Interesse die bürgerlichen Parteien wieder gefügig zu machen, wann immer diese die Zusammenarbeit mit den Sozialdemokraten in einer konkreten Frage ins Auge gefaßt hatten. Hinzu kam, daß die Nationalliberalen der mehrheitlich eher traditionalistischen Orientierung ihrer Wählerschaft Rechnung zu tragen hatten; ein Bündnis mit der Linken hätte jederzeit das Risiko einer Parteispaltung heraufbeschworen. Auch die Sozialdemokratie stand einem »Bündnis von Bassermann bis Bebel« reserviert gegenüber, selbst wenn ein solches tatsächlich in Reichweite gewesen wäre. Beide Parteien waren also an Werthaltungen gebunden, die jedem politischen Kompromiß nahezu unüberwindbare Hindernisse in den Weg stellten, eine Konstellation, die sich angesichts der sozioökonomischen Lage, die schon 1909 zu erheblich verhärteten sozialen und ökonomischen Fronten geführt hatte, weiter verschlimmerte. Die Arbeitgeber versuchten den Aufstieg der Gewerkschaften mit schlagkräftigen Gegenorganisationen zu bremsen und nutzten jede Chance, um die öffentliche Meinung gegen einen weiteren Ausbau der Sozialpolitik zu mobilisieren. Auf der anderen Seite zeichnete sich nach einer Periode nahezu ununterbrochenen Wachstums eine Stagnation der Reallöhne ab, was in erster Linie den steigenden Nahrungsmittelpreisen zu verdanken war, so daß aktive Sozialreformer wie Lujo Brentano und

Max Weber sich beunruhigt die Frage stellten, ob die Gewerkschaften im Kampf mit den Arbeitgebern überhaupt noch eine realistische Chance besäßen. Weber beklagte 1912, daß die Sozialpolitik gleichsam aus der Mode gekommen sei, und versuchte vergeblich, ihr durch die Gründung eines Agitationsvereins wieder neue Popularität zu verschaffen.[40]
Die nahezu vollständige Paralyse des parlamentarischen Systems – zu einem nicht geringen Teil Konsequenz der Gegensätze zwischen der Sozialdemokratie und den liberalen Parteien – war in letzter Instanz Ausdruck des tiefgreifenden, durch den augenfälligen ökonomischen Wachstumsprozeß nur noch intensivierten sozialen Antagonismus in der deutschen Gesellschaft. Keine der relevanten politischen Gruppierungen, die Konservativen ebensowenig wie die bürgerlichen Parteien oder die Sozialdemokratie, verfügten in dieser Situation über den notwendigen Handlungsspielraum, um das erstarrte innenpolitische Machtgefüge wieder in Bewegung zu bringen. Die Konservativen, vom rechten Flügel der preußischen Nationalliberalen unterstützt, konnten dank ihrer überwältigenden Mehrheit in beiden Häusern des preußischen Landtages eine starke Defensivposition halten. Das Zentrum und die Nationalliberalen standen zwar einem gemeinsamen Vorgehen mit den Konservativen immer reservierter gegenüber, doch verfügten sie ebenfalls nicht über die notwendige Manövrierfähigkeit für eine Politik gemäßigter Reformen bei gleichzeitiger Eindämmung der Sozialdemokratie. Diese wiederum war von jeder effektiven Einflußnahme auf den politischen Entscheidungsprozeß nahezu gänzlich ausgeschlossen, und ihre Führung war darüber hinaus angesichts der sich abzeichnenden Erschöpfung des sozialdemokratischen Wählerreservoirs zu Recht alarmiert.
Allein diese innenpolitische Pattsituation ermöglichte den weiteren Fortbestand des halbautoritären Regiments unter Bethmann Hollweg auch gegen den erkennbaren Widerwillen in allen politischen Lagern. Anders gewendet: Vornehmlich in der Lähmung des Parteiensystems lag der Schlüssel für Bethmann Hollwegs relativ starke Position. Im übrigen konnte der Kanzler stets der Loyalität derjenigen Gruppen in den Mittelschichten sicher sein, denen Parteipolitik nach wie vor als »schmutziges Geschäft« suspekt war. Gelegentlich rief er mit der Bitte um politische Rückendeckung gerade diese Sozialgruppen zur Distanzierung vom »fruchtlosen Gezänk der Parteien« auf.[41] Auf der gleichen Ebene bewegte sich Bethmann Hollwegs Bemühen, größtmögliche Distanz zu den

40 Vgl. Wolfgang J. Mommsen, Max Weber und die deutsche Politik 1890–1914, Tübingen 1974$^2$, S. 130f.
41 So appellierte er etwa an Delbrück und Lamprecht, das regierungsamtliche Konzept einer Vermögensabgabe zu unterstützen, um die Finanzierung der Wehrvorlage von 1913 in einer politisch tragbaren Form sicherzustellen.

Parteien und ihren politischen Führern zu halten und deren Einflußnahme auf den politischen Entscheidungsprozeß soweit wie möglich einzuschränken. Indessen war die Fortsetzung einer »Politik oberhalb der Parteien« nur dazu angetan, die unvermeidlichen Nebenfolgen zu verstärken, denen kein autoritäres Regime entgeht: Der offizielle Regierungskurs und die Politik der Parteien liefen unkoordiniert nebeneinanderher, ein Kommunikationsdefizit entstand, das besonders für die Außenpolitik nachgerade fatale Konsequenzen hatte. Traditionsgemäß hatte der Reichstag in außenpolitischen Fragen kein Mitspracherecht, und der Kanzler sah dementsprechend keinen Anlaß, die Parteispitzen ernsthaft über die wirklichen Schwierigkeiten der deutschen Außenpolitik zu unterrichten; nach wie vor hielt man oberflächliche Konsultationen, verbunden mit Appellen an die nationale Solidarität, für hinreichend. Gerade dieser Zustand verschaffte den Parteiführern den Spielraum, sich einer mehr als unverantwortlichen nationalistischen Agitation zu überlassen, um so mehr, als sich die Parteien zugleich der Konkurrenz außerparlamentarischer Organisationen wie dem Alldeutschen Verband und dem Wehrverein ausgesetzt sahen. Das Fehlen eines geordneten Informationsflusses zwischen der Regierung und der politischen Öffentlichkeit des Landes mußte dergestalt die Kluft zwischen kurzatmigen Tagesideologien und politischen Realitäten zunehmend vertiefen.

Das Patt zwischen den unterschiedlichen politischen Gruppierungen war begleitet von steriler publizistischer Agitation und blockierte zugleich den Weg zu einer grundlegenden Reform der Verfassungsstruktur. Doch stärkte dies keinesfalls die Position der Regierung. Eher das Gegenteil trat ein, denn in dem Maße, in dem die Regierung ohne die verläßliche Rückendeckung von seiten zumindest einer der im Reichstag vertretenen Parteien agieren mußte, geriet sie zunehmend in die Abhängigkeit der Bürokratie, des Offizierskorps und der aristokratischen preußisch-deutschen Führungsschichten insgesamt. Ohne deren Unterstützung hatte die Regierung keine Überlebenschance gegenüber den wiederholten Angriffen des Reichstages; ebensowenig hätte sie sonst der radikalen Agitation des Alldeutschen Verbandes und ähnlich gelagerter außerparlamentarischer Verbände sowie den eher indirekten Pressionen des CVDI standhalten können.

Unterdessen zeigten sich die hohe Bürokratie und das Offizierskorps in zunehmendem Maße beunruhigt über das Anwachsen der demokratischen Tendenzen in der deutschen Gesellschaft. Die Militärs waren gegenüber diesem Trend ganz besonders empfindlich und reagierten demgemäß unverhältnismäßig schroff auf jeden Eingriff des Reichstages oder der öffentlichen Meinung in ihre angestammte Domäne. So hatte Bethmann Hollweg alle Hände voll zu tun, um sich der in Armee- und Hofkreisen gegen ihn erhobenen Vorwürfe zu erwehren, er habe in den Debatten über die Heeresvorlage von 1913 im Haushaltsausschuß des Reichstages die Prärogativen der Armee nur allzu halbherzig verteidigt.[42] Da Wilhelm II. in der »Kommandogewalt« nach wie vor den Kern der monarchischen Prärogative sah, konnte Bethmann Hollweg nicht verhindern, daß die Grenzen dieses Privilegs zunehmend umfassender ausgelegt wurden, ein Prozeß, der eher in der politischen Praxis als im Verfassungsrecht seinen Niederschlag fand, wie heftig der Reichstag dies auch immer inkriminierte.[43]

Für den Kaiser und das militärische Establishment war es die vornehmste Pflicht jedes Reichskanzlers, den Reichstag in Schach zu halten, eine Aufgabe, die indessen selbst unter den verhältnismäßig günstigen Bedingungen des wilhelminischen Systems immer unlösbarer wurde. Der säkulare Trend zu populären, wenn nicht demokratischen Regierungsformen machte sich in der deutschen Gesellschaft ebenso bemerkbar wie anderswo und bewirkte nicht zuletzt ein gesteigertes Selbstbewußtsein des Reichstages, dessen Forderungen jetzt nicht mehr in vollem Umfang zurückgewiesen werden konnten. Umgekehrt führte dies zu einer zunehmenden Verunsicherung der Konservativen und ihres Anhangs, und nicht selten meinte man nunmehr, daß man mit dem Rücken zur Wand zu kämpfen habe, eine Situation, die jedem Kompromiß auf sozialer und politischer Ebene unbestreitbare Grenzen setzte. Die Reichsleitung entschied sich angesichts dieser gesamtgesellschaftlichen Konstellation für

42 Vgl. Bethmann Hollweg an Eisendecher, undatiert (Juli 1913), NL Eisendecher 1/1–7: »Der Kaiser ist wieder hochgradig nervös. Jeder törichte Beschluß, den die Reichstagskommission in der Wehrvorlage faßte, und es sind ihrer allerdings genug, reizt ihn aufs Äußerste und er möchte am liebsten jeden Tag auflösen oder doch mit der Auflösung drohen... ich kann mir nicht verhehlen, daß dem Kaiser meine Art, Politik zu treiben, von Tag zu Tag unerträglicher wird.« Siehe auch Kurt Stenkewitz, Gegen Bajonett und Dividende, Berlin 1960, S. 117f., und Kuno Graf Westarp, Konservative Politik im letzten Jahrzehnt des Kaiserreichs I, Berlin 1935, S. 238.

43 Dieser Trend spiegelt sich in den Reichstagsdebatten über mehrere Interpellationen, die auf eine klarere Abgrenzung der »Kommandogewalt« zielten. So am 23. Januar sowie am 5. und 6. Mai 1914, Verhandlungen des Reichstages, Bd. 252, S. 6730ff., und Bd. 294, S. 8480ff.

Am 6. Mai 1914 lieferte der neue Kriegsminister von Falkenhayn mit seiner Umschreibung der königlichen Privilegien die Rechtfertigung für die quasi-unabhängige Stellung des Kaiserlichen Militärkabinetts und des Kriegsministeriums gegenüber dem Reichstag: »Die Befugnisse des Königs von Preußen gegenüber der bewaffneten Macht Preußens, sowie den ihr durch Konventionen angegliederten anderen Staaten sind in der Verfassung enthalten und durch die Reichsverfassung erweitert, aber in keinem Punkte eingeschränkt worden. Seine Majestät der König und Kaiser übt diese Befugnisse innerhalb der Gesetze völlig selbständig aus. Ein Mitwirkungsrecht des Reichstages besteht dabei in keiner Weise, obschon natürlich nicht bestritten werden soll, daß der Reichstag zuständig ist, bei seinen gesetzgeberischen Arbeiten seine Wünsche in Bezug auf das Militärwesen zur Sprache zu bringen.« Ebenda, Bd. 294, S. 8515 B. Vgl. auch Zmarzlik, S. 135f.

einen vermeintlich neutralen Kurs: Bethmann Hollweg wagte nicht, sich die notwendige politische Rückendeckung bei der Linken zu verschaffen, und selbst wenn er – was man getrost ausschließen darf – ernsthaft mit diesem Gedanken gespielt hätte, die nach wie vor intransigente Haltung der Sozialdemokratie hätte diese Option höchst fraglich gemacht. Auf der anderen Seite hielt der Kanzler nichts von einem Bündnis mit der Rechten und einer bedenkenlos repressiven Politik gegenüber der Arbeiterbewegung und den demokratischen Tendenzen überhaupt, obgleich nicht unerhebliche Kräfte in der Bürokratie dies von ihm erwarteten und obwohl die konservative Partei sowie einflußreiche Interessenverbände, insbesondere der CVDI, die Regierung in diese Richtung zu drängen suchten. Auch wenn Bethmann Hollweg sich gegenüber solchen Bestrebungen in einigen Punkten nachgiebig zeigte, blieb er ein grundsätzlicher Gegner einer solchen Strategie. Dies ist unschwer zu erklären; hätte diese doch zu einer weiteren Zerklüftung des Parteiensystems geführt und die Aussichten auf eine neuerliche Sammlung der bürgerlichen und konservativen Parteien – für den Kanzler der einzige Ausweg aus dem bestehenden Dilemma – noch weiter verschlechtert. In diesem Sinne wird man Bethmann Hollwegs »Politik der Diagonale«, die es niemandem recht machen wollte, eine genuin konservative Politik nennen können.

Der Dissens innerhalb der herrschenden Elite über die Tragfähigkeit dieser Konzeption mußte natürlich auch auf die Außenpolitik durchschlagen. In gewisser Hinsicht hegte Bethmann Hollweg gerade in diesen Fragen ein tiefes Mißtrauen gegenüber der öffentlichen Meinung, doch hätte diese Haltung zumindest bei umstrittenen Entscheidungen ein geschlossenes Auftreten aller Regierungsinstanzen nach außen erfordert, ein Prinzip, das der Kanzler jedoch immer weniger durchsetzen konnte.

Dementsprechend glaubte Bethmann Hollweg in Fragen der Außenpolitik im Stile der geheimen Kabinettsdiplomatie verfahren zu müssen; er ließ daher der Öffentlichkeit und sogar den Parteiführern nur die elementarsten Informationen zukommen. Der Kanzler gab sich keinem Zweifel darüber hin, daß gerade dieses Vorgehen ihm die heftigsten Angriffe der Konservativen und der extremen Nationalisten eintragen mußte, erschien doch seine Politik nach außen hin nachgiebig und konzeptionslos. Gleichwohl weigerte er sich, mit einem expliziten Programm an die Öffentlichkeit zu treten, um der Nation dergestalt eine außenpolitische Generallinie vorzugeben, wie Rathenau[44] es ihm nahegelegt hatte. In den Augen des Kanzlers hätte jede Form der Publizität die Erfolgschancen seiner Außenpolitik in Frage gestellt. Riezler notierte damals, nicht ohne

44 Vgl. Walther Rathenau, Tagebücher 1907–1922, hrsg. von Hartmut Pogge von Strandmann, Düsseldorf 1967, S. 182.

eine gewisse Selbstgefälligkeit, daß nur eine Außenpolitik, die weder den Beifall der Öffentlichkeit suche noch auf vordergründige Augenblickserfolge abgestellt sei, auf Dauer etwas erreichen könne.[45] Anders gewendet: Bethmann Hollweg hat nie den ernsthaften Versuch unternommen, seine Politik vor der deutschen öffentlichen Meinung offensiv zu verfechten, und gerade diese Abstinenz machte ihn vom Wohlwollen der verschiedenen Strömungen innerhalb der herrschenden Eliten abhängig. Einstweilen fand sein politisches Konzept die Unterstützung des Kaisers und – wenn auch unter erheblichen Vorbehalten – die Billigung seitens des militärischen *Establishments* und der konservativen Bürokratie, zumal der Kanzler dem Drängen der Admiralität und des Generalstabes auf verstärkte Rüstung zögernd nachgegeben und schließlich 1913 eine weitere beträchtliche Heeresvermehrung durchs Parlament gebracht hatte. Eine starke Armee lag bis zu einem gewissen Grade auf der Linie seiner politischen Gesamtkonzeption, betrachtete er doch eine unangreifbare Position des Deutschen Reiches auf dem europäischen Kontinent als zwingende Voraussetzung für eine expansive Außenpolitik in Übersee.[46] Andererseits sah der Kanzler in einer Entspannung der deutsch-englischen Beziehungen den Schlüssel zu einer Verbesserung der verfahrenen außenpolitischen Lage des Reiches. Zweierlei hoffte er durch eine deutsch-englische Annäherung zu bewirken: zum einen würde dann das Risiko eines europäischen Konflikts verringert und so dem Reich an der Seite seines krisengeschüttelten Bündnispartners und angesichts des rapide rüstenden Rußland als möglichem Gegner eine stetige Außenpolitik ermöglicht; zum anderen bestand die begründete Hoffnung, daß Deutschland dann zumindest einige seiner kolonialpolitischen Ziele mit britischer Hilfe verwirklichen könne, vor allem in Mittelafrika, aber auch im Nahen Osten und vielleicht sogar in China.[47]
Zumindest bis zu einem gewissen Grade konnte Bethmann Hollweg bei diesem seinem Kalkül auf die Unterstützung der Nationalliberalen und des Zentrums zählen, obgleich die in diesen Parteien vorherrschende Englandfeindschaft nur schwer zu überwinden war. Darüber hinaus gelang es dem Kanzler, enge Kontakte zu einigen Großbanken anzuknüpfen und sie zu Investitionen in denjenigen Interessensphären zu ermuntern, die die Regierung auf dem afrikanischen Kontinent oder anderswo im Wege komplizierter diplomatischer Verhandlungen abzustecken suchte, obgleich, von der ohnehin dünnen Kapitaldecke der deutschen Wirt-

45 »J. J. Ruedorffer« (Kurt Riezler), Grundzüge der Weltpolitik, Berlin 1913, S. 229.
46 Vgl. Bethmann Hollwegs Rede bei der Einbringung der Heeresvorlage am 22. April 1912, Verhandlungen des Reichstags, Bd. 284, S. 1300ff.
47 Diese Strategie ergibt sich vielleicht am deutlichsten aus einem Brief Jagows an Eisendecher vom 24. Juli 1913, NL Eisendecher.

schaft abgesehen, die Gewinnaussichten für derartige Investitionen mehr als dürftig waren.[48] Die Beziehungen des Kanzlers zur Schwerindustrie waren hingegen keineswegs zufriedenstellend; zahlreiche Vertreter der Industrie zeigten sich an einem deutschen Mittelafrika gänzlich desinteressiert. Soweit man bei ihnen überhaupt spezifische Interessen voraussetzen kann, so waren diese eher auf den Nahen Osten gerichtet.[49] Nicht wenige, unter anderem Walther Rathenau, meinten, daß die Konzentration der wirtschaftlichen Aktivitäten auf dem europäischen Kontinent einem Ausgriff des Reiches nach Übersee vorzuziehen sei.[50] Bethmann Hollweg tat unterdessen alles, um die politischen Voraussetzungen für die Fortsetzung der ökonomischen Durchdringung des Osmanischen Reiches zu schaffen, obgleich er dabei darauf bedacht blieb, den britischen Ansprüchen einen hinreichenden Spielraum zu lassen. Erst unter dem Druck des Krieges ging der Kanzler in das Lager der Befürworter einer europäischen Wirtschaftsunion unter deutscher Hegemonie über, ein Konzept, das man als Alternative zu dem nunmehr obsolet gewordenen altmodischen formellen Imperialismus territorialer Natur verstand.[51]

Es steht außer Zweifel, daß die Regierung Bethmann Hollweg bis Mai/Juni 1914 niemals ernsthaft daran gedacht hat, diese Ziele im Wege eines Krieges durchzusetzen, allerdings mit einer einzigen Ausnahme: Die Reichsleitung hätte einer Liquidation des Osmanischen Reiches ohne angemessene Berücksichtigung der deutschen Interessen nicht tatenlos zu-

48 Eine zufriedenstellende Untersuchung dieses Problems steht noch aus. Siehe einstweilen die Arbeiten von Vagts (Anm. 34) und Poidevin (Anm. 20) sowie den Überblick von Wolfgang Zorn, Wirtschaft und Politik im deutschen Imperialismus, in: Wirtschaft, Geschichte, Wirtschaftsgeschichte. Festschrift zum 65. Geburtstag von Friedrich Lütge, Stuttgart 1966, S. 340ff.

49 Vgl. Böhme, S. 42f.

50 Walther Rathenau, Deutsche Gefahren und neue Ziele, in: Gesammelte Schriften. Zur Kritik der Zeit, Mahnung und Warnung, Berlin 1925, S. 272, 276; vgl. auch ders., Tagebuch, S. 168f., dort Notizen über ein Gespräch mit Bethmann Hollweg über diese Frage.

51 Fischer behauptet, daß Bethmann Hollweg bereits 1912 dem Gedanken einer Mitteleuropäischen Wirtschaftsunion unter deutscher Führung zugestimmt habe. Allein es bleibt zweifelhaft, ob Rathenaus Notiz »Bethmann allgemein einverstanden« mehr als ein Bekenntnis vager Sympathie gegenüber diesen Überlegungen aussagt. Tatsächlich gibt es keinen Hinweis für die Annahme, daß die Entscheidungen der Reichsleitung von diesen Überlegungen überhaupt beeinflußt wurden. In seinem Aufsatz Weltpolitik, Weltmachtstreben und deutsche Kriegsziele, in: Historische Zeitschrift 199 (1964), S. 324ff., und in Krieg der Illusionen, S. 368ff., geht Fischer davon aus, daß die »Mitteleuropapläne« und die Pläne für ein deutsches Zentralafrika nur zwei Seiten derselben Medaille gewesen seien. Mir erscheinen Egmont Zechlins Einwände, Deutschland zwischen Kabinetts- und Wirtschaftskrieg, in: Historische Zeitschrift 199 (1964), S. 398ff., insgesamt gesehen zutreffend. Fischers Entgegnung, Krieg der Illusionen, S. 529ff., vermag letztlich nicht zu überzeugen. Selbst im September 1914 hielt das Reichsamt des Innern diese Pläne für unrealistisch und votierte für eine Fortsetzung des bestehenden Systems bilateraler Handelsverträge.

gesehen.[52] Bethmann Hollweg war zuversichtlich, daß ein Krieg werde vermieden werden können, obgleich er seit Ende 1913 angesichts der sich verschlechternden Position des Deutschen Reiches innerhalb des europäischen Mächtesystems zunehmend von Besorgnissen erfaßt wurde. Er blieb an einer Politik der Friedenserhaltung nicht zuletzt deshalb interessiert, weil er überzeugt war, daß die bestehende politische Ordnung einen Krieg nicht überstehen würde.[53] Fritz Fischer hat beharrlich die These vertreten, daß Bethmann Hollwegs wiederholte Anläufe zu einem Neutralitätsabkommen mit Großbritannien als integraler Bestandteil einer Politik militärischer Expansion zu deuten seien. Großbritannien habe ins neutrale Abseits manövriert werden sollen, um Deutschland den Weg zur ungehinderten Zerschlagung Frankreichs und Rußlands freizumachen; dies – so Fischer – sei der Kern des deutschen Kalküls gewesen.[54] Indessen findet diese These in den Quellen keine Stütze.[55] Man wird allerdings einräumen müssen, daß die Hoffnung auf ein Neutralitätsabkommen oder eine diesem nahekommende Abmachung in den internen Auseinandersetzungen zwischen Tirpitz und Wilhelm II. einerseits und Bethmann Hollweg sowie dem Auswärtigen Amt andererseits eine gleichsam symbolische Rolle gespielt hat, eine Konstellation, die sich hinter den Kulissen während und nach der Haldane-Mission vom Februar 1912 nachweisen läßt. Die auf einen harten Kurs eingeschworene Gruppierung war zu grundsätzlichen Zugeständnissen im Flottenbau nur unter der Voraussetzung bereit, daß Großbritannien seinerseits eine grundlegende Änderung seiner vermeintlich deutschfeindlichen Haltung vornehmen würde. Die unklare Haltung des Auswärtigen Amtes im Februar und März 1912 hinsichtlich des Ausmaßes der von der britischen Regierung zu verlangenden Zugeständnisse für ein Flottenabkommen läßt sich nur als Reflex des ständigen Auf und Ab im internen Machtkampf in Berlin interpretieren.

Bethmann Hollweg war 1912 außerstande, seinen Kurs durchzusetzen, doch ließ er sich vom Scheitern der deutsch-englischen Verhandlungen im

52 Siehe etwa Zimmermann an Lichnowsky, 23. Januar 1913, GP, Bd. 34/I, Nr. 12718, S. 237.

53 Vgl. Bethmann Hollweg zu Lerchenfeld, 6. Juni 1914: »Aber der Kaiser hat keinen Präventivkrieg geführt und werde keinen führen. Es gebe aber Kreise im Reich, die von einem Krieg eine Gesundung der inneren Verhältnisse in Deutschland erwarten, und zwar im konservativen Sinne. Er – der Reichskanzler – denke aber, daß ganz im Gegenteil ein Weltkrieg mit seinen gar nicht zu übersehenden Folgen die Macht der Sozialdemokratie, weil sie den Frieden predigt, gewaltsam steigern und manche Throne stürzen könnte.« Bayrische Dokumente zum Kriegsausbruch, im Auftrag des Bayrischen Landtages hrsg. von Pius Dirr, München/Berlin 1925[3], S. 113.

54 Griff nach der Weltmacht, S. 59ff.; Krieg der Illusionen, S. 85ff., 182 und passim.

55 Bethmann Hollwegs eigene Position läßt sich aus seinem Memorandum für Kiderlen-Wächter vom 5. April 1911 ersehen, GP, Bd. 28, Nr. 10441, S. 408f.

Jahre 1912 nicht entmutigen. Nach wie vor hielt er eine Verbesserung des Verhältnisses zu Großbritannien im Verein mit kolonialpolitischen Zugeständnissen für erreichbar. Es ist daher nicht überraschend, daß diese Option dem Kanzler bei den herrschenden Eliten den Ruf eines im wesentlichen proenglischen Staatsmannes eintrug und daß sich sein politisches Schicksal fortan mit der Entwicklung der britisch-deutschen Beziehungen unlösbar verknüpfte. Als Sir Edward Grey im Dezember 1912 der deutschen Regierung die unmißverständliche Warnung zukommen ließ, daß Großbritannien im Falle eines über der Balkankrise aufflammenden europäischen Krieges auf der Seite Frankreichs und Rußlands stehen würde, legte man dies in der Umgebung Wilhelms II. sogleich als positiven Beweis dafür aus, daß Bethmann Hollwegs Erwartungen hinsichtlich einer allmählichen Verbesserung der Beziehungen zu Großbritannien jeder Grundlage entbehrten (eine durchaus abwegige Annahme). Demgemäß nahm der Kaiser, wie bereits erwähnt, hinter dem Rücken der »Zivilisten« mit Tirpitz und dem Generalstab Beratungen über die Frage auf, wie die Nation auf den vermeintlich unmittelbar bevorstehenden Krieg vorzubereiten sei.[56] Das Prestige des Kanzlers war stark angeschlagen, und wenn es ihm im Gefolge auch gelang, wieder Tritt zu fassen, so hatte er von nun an doch stets mit der Labilität seiner Position zu rechnen.

Darüber hinaus wird man davon ausgehen können, daß Bethmann Hollwegs gemäßigter Kurs seit 1912 in zunehmendem Maße auf den Widerstand der herrschenden Eliten, insbesondere aber des Generalstabs, stieß, dessen politischer Einfluß, wie sich zeigen ließ, erheblich gestiegen war. Die führenden Militärs waren angesichts des Wiederaufstiegs Rußlands zu einer führenden Militärmacht erheblich beunruhigt und hegten, wie sich zweifelsfrei nachweisen läßt, den Gedanken eines Präventivkrieges gegen Rußland und Frankreich, zumal der Schlieffen-Plan in nicht allzuferner Zukunft seinen Wert zu verlieren drohte. Soweit die verstreuten Quellen ein Urteil erlauben, zeigte sich Moltke zunehmend über die Diplomaten verärgert, die nicht müde wurden zu beteuern, daß die gegenwärtige Risikoperiode angesichts der sich verbessernden deutsch-englischen Beziehungen durchaus zu überstehen sei.[57] Es ist nicht auszuschließen, daß der Artikel eines Oberleutnants Ulrich, der im März 1914 in der Kölnischen Zeitung erschien und eine Pressefehde zwischen deutschen und russischen Blättern provozierte, auf die Initiative von generalstabsfreundlichen Kreisen zurückgeht. Obgleich ein stringenter Nachweis hierfür nicht geführt werden kann, liegt dies um so näher, als der Text

56 Vgl. oben S. 325–327 und Anm. 17–19.

57 Vgl. Conrad von Hötzendorf, Aus meiner Dienstzeit 1906–1918, Wien 1921–1923, Bd. III, S. 670.

als getreues Spiegelbild der in deutschen Militärkreisen anzutreffenden Befürchtungen und Ängste gelten darf.[58]
In diesem Zusammenhang bedarf auch die Haltung der Öffentlichkeit einer eingehenderen Beleuchtung. Die Beziehungen zwischen dem militärischen Establishment, dem Hof und den Konservativen waren ohne Zweifel recht enger Natur, und in konservativen Kreisen schrieb man ebenso wie beim Alldeutschen Verband einem Krieg den Wert eines für den deutschen Nationalcharakter heilsamen Gewitters zu. Darüber hinaus sah man in einem Krieg das probate Mittel, um in der Innenpolitik die Uhren wieder richtig stellen zu können. Dies ist freilich nur ein Teilaspekt der Dinge. Denn der Gedanke, daß sich die diplomatische Lage in den letzten Jahren verheerend zugespitzt habe und demnach mit einem bevorstehenden europäischen Krieg gerechnet werden müsse, hatte zugleich auch erhebliche Teile der Mittelschichten erfaßt. Friedrich Bernhardis Schrift »Deutschland und der nächste Krieg«, in eine Sprache gekleidet, die man als Amalgam aus bürgerlichem Kulturerbe und militantem Nationalismus bezeichnen kann, verfehlte ihren Eindruck auf die deutsche Intelligenz durchaus nicht. Doch reicht der von erheblichen Teilen der deutschen Gesellschaft auf die Regierung ausgeübte Druck zugunsten eines unnachgiebigen außenpolitischen Kurses nicht aus, um den Ereigniszusammenhang zu erklären, der letztlich zum Kriegsausbruch führte. Zwar macht die Popularität einer imperialistischen Politik vieles erklärlich, doch gibt es keinen zwingenden Grund für die Annahme, daß Erwägungen dieser Art einen spezifischen und letztlich bestimmenden Einfluß auf die Überlegungen der Reichsleitung am Vorabend des Krieges gehabt hätten. Vielmehr war es die Strukturschwäche des Regierungssystems als solches, die die Verantwortlichen schließlich dazu veranlaßte, ihr Heil in einer aggressiven politischen Strategie zu suchen.
Es wurde bereits gezeigt, daß die Regierung Bethmann Hollweg weder die Unterstützung der breiten Öffentlichkeit noch einer entscheidenden Gruppierung im Reichstag besaß. Gerade dies machte den Kanzler mehr als irgendeinen seiner Amtsvorgänger seit Bismarck vom Wohlwollen des konservativen Establishments, vor allem aber von der Umgebung des Kaisers, abhängig, die den Konservativen durch eine Vielzahl gesellschaftlicher Beziehungen eng verbunden war. Seit 1913 hatten die Konservativen eine ganze Serie von scharfen Angriffen gegen den Kanzler geführt. Insbesondere suchten sie den Kaiser von der schwächlichen Haltung des Kanzlers sowohl gegenüber der Sozialdemokratie als auch ge-

58 Ein detaillierter Bericht bei Wernecke, S. 244ff. Es gibt jedoch keinen Beweis für Werneckes und Fischers Behauptung, der »Pressekrieg« sei vorsätzlich inszeniert worden, um die deutsche Öffentlichkeit auf den Krieg vorzubereiten; vgl. Krieg der Illusionen, S. 542ff.

genüber dem Reichstag zu überzeugen. Der Alldeutsche Verband hoffte unterdessen, diese Kräftekonstellation für sich ausbeuten zu können, und Class setzte im Oktober 1913 zum Kanzlersturz an: Mit Hilfe der Konservativen brachte man dem Kaiser ein ausführliches Memorandum zur Kenntnis, in welchem General von Gebsattel die vermeintlich allzu schlappe Außenpolitik des Kanzlers den heftigsten Angriffen unterzog.[59] Wenn Wilhelm II. sich auch zu einer Entlassung Bethmann Hollwegs nicht zu entschließen vermochte, so war doch die Position des Kanzlers kritisch geworden; er hatte fortan stets den Vorwurf einer zu weichen und ineffizienten Außenpolitik zu fürchten.

Die bei weitem größte Bedrohung für Bethmann Hollwegs Politik ging allerdings vom Generalstab aus. Die militärischen Führungsspitzen zeigten sich hochgradig beunruhigt angesichts der Aussicht, daß die wesentlichste Voraussetzung des Schlieffen-Plans, nämlich eine sich nur langsam vollziehende russische Mobilmachung, die der deutschen Armee die rechtzeitige Zerschlagung Frankreichs erlauben würde, noch bevor Rußland zu einer ernsthaften Bedrohung werden könne, durch die Rüstungsfortschritte des Zarenreiches und den Ausbau seines westlichen Eisenbahnnetzes mehr und mehr in Frage gestellt wurde. Diese Befürchtungen erhielten zusätzlichen Auftrieb durch die recht zweideutigen Stellungnahmen von offizieller russischer Setie auf Pressevorwürfe, das Zarenreich bereite einen Krieg gegen Deutschland vor. Im Mai oder Juni 1914 schlug Moltke demgemäß vor, die Regierung solle den ohnehin zu erwartenden Krieg herbeiführen, solange das Deutsche Reich noch eine reale Siegeschance besitze.[60] Offensichtlich gewann der Präventivkriegsgedanke in militärischen Kreisen zunehmend an Attraktivität. Selbst der Kaiser, der seinem zur Schau getragenen militärischen Pathos zum Trotz definitiv dem Frieden zuneigte, hegte, wie er in einem Gespräch mit Warburg im Juli 1914 bekannte, Zweifel, ob das Reich nicht zu den Waffen greifen solle, noch bevor das russische Aufrüstungsprogramm abgeschlossen sei.[61]

Außerhalb der Regierungskreise kamen weitere Überlegungen ins Spiel: von Heydebrandt und der Lasa hielt einen Krieg für die optimale Gele-

59 Für die Opposition der Konservativen: Westarp, Konservative Politik I, S. 182ff. Die nach 1913 wiederholt von den Konservativen im Reichstag unternommenen Versuche, die Reichsleitung wegen ihrer zu weichen Haltung gegenüber der Sozialdemokratie zu tadeln, dienten vornehmlich dem Ziel, Bethmann Hollwegs Prestige innerhalb des Establishments zu untergraben. Siehe zur Gebsattel-Affäre Hartmut Pogge von Strandmann, Die Erforderlichkeit des Unmöglichen, S. 16–31.

60 Vgl. Moltkes Unterredung mit Jagow im Mai oder Juni 1914, veröffentlicht bei Egmont Zechlin, Motive und Taktik der Reichsleitung 1914, in: Der Monat XVIII, Nr. 209, Februar 1966, S. 92 und 93.

61 Vagts, M. M. Warburg, S. 353.

genheit zur Zerschlagung der Sozialdemokratie.[62] Bethmann Hollweg war über diesen »Unsinn«[63] aufgebracht, vor allem wohl, weil er die möglichen Folgen für seine Position absehen konnte, wenn der Kaiser derartige Überlegungen aufgreifen würde. Der Kanzler wandte sich entschieden gegen die Illusion, daß ein europäischer Krieg zu einer Stärkung »der patriarchalischen Ordnung und Gesinnung führen« würde. Im Gegenteil sei dann eine Stärkung der Macht der Sozialdemokratie zu erwarten; selbst der Sturz einiger Throne war in seinen Augen keineswegs ausgeschlossen.[64] Obgleich die eher dürftigen Quellen allzu weitgehende Schlüsse verbieten, wird man ihnen doch entnehmen dürfen, daß Bethmann Hollweg und Jagow offenbar alle Hände voll zu tun hatten, um derartigen Bestrebungen entgegenzutreten. Einerseits ging es ihnen darum, klarzumachen, daß sie nicht prinzipiell gegen den Gedanken eines Präventivkrieges eingestellt seien – eine andere Haltung hätte ihnen als Schwäche ausgelegt werden können –, doch erhoben sie gleichwohl Einspruch gegen die Vorstellung, daß sich die Probleme der deutschen Diplomatie im Wege eines Präventivkrieges im Ernst lösen ließen; sie verwiesen dabei vornehmlich darauf, daß angesichts der sich verbessernden Beziehungen zu Großbritannien eine solche Strategie mehr als abwegig sei.[65]

Die Machtstellung des Kanzlers innerhalb des komplizierten gouvernementalen Machtgefüges war in hohem Maße abhängig von seiner Position als verantwortlicher Leiter der Außenpolitik. Wilhelm II. stand dem Gedanken eines Kanzlerwechsels schon wegen der zu befürchtenden Rückwirkungen auf die diplomatischen Beziehungen eher ablehnend gegenüber, ein Umstand, der nicht zuletzt dem recht positiven Image zu verdanken war, das Bethmann Hollweg in Großbritannien besaß. Um so verheerender mußten sich daher die Nachrichten über ein bevorstehendes englisch-russisches Flottenabkommen auf die innenpolitische Position des Kanzlers auswirken, die im Mai 1914 über einen Spion in der englischen Botschaft in St. Petersburg die deutsche Hauptstadt erreichten, verhee-

62 Vgl. Kurt Riezler, Tagebücher, Aufsätze, Dokumente, eingel. u. hrsg. von Karl Dietrich Erdmann, Göttingen 1972, Eintrag vom 27. Juli 1914, S. 192f. Heydebrandts Stellungnahme, auf die Bethmann Hollweg im Juli 1914 Bezug nahm, muß früher erfolgt sein, da Heydebrandt sich zu diesem Zeitpunkt nicht in Berlin aufhielt und sich politisch einstweilen zurückgezogen hatte.

63 Ebenda.

64 Siehe die Stellungnahme gegenüber Lerchenfeld, oben zit., Anm. 53.

65 Dies läßt sich einer Bemerkung Moltkes gegenüber Conrad entnehmen, mit der jener die Abneigung der Reichsleitung gegenüber dem Gedanken eines Präventivkrieges zu erklären versuchte: »Bei uns erwartet man unglückseligerweise von England immer eine Deklaration, daß es nicht mittun werde. Diese Deklaration wird England nie geben.« Conrad von Hötzendorf, Aus meiner Dienstzeit III, S. 670.

rend vor allem deshalb, weil im Dezember 1912 die Befürworter einer Vorwärtsstrategie erneut Oberwasser bekommen hatten. Bethmann Hollwegs Hauptargument gegen einen Präventivkrieg, nämlich die Hoffnung, daß Großbritannien dazu beitragen würde, das Zarenreich von einem Krieg abzuhalten, war damit über Nacht zusammengebrochen, ja schlimmer noch: England schien bereit, endgültig auf ein Bündnis mit Rußland und Frankreich einzuschwenken, und dies arbeitete genau jenen in die Hände, die der These anhingen, daß es angesichts der sich stetig verschlechternden Position des Deutschen Reiches in jedem Falle vorzuziehen sei, den vorgeblich »unvermeidbaren« Krieg so bald wie möglich zu entfesseln, eine Situation, auf die Bethmann Hollweg in seinem Schreiben an Sir Edward Grey vom 16. Juni 1914 übrigens recht deutlich anspielt.[66]
Bethmann Hollwegs grundsätzlich proenglische Orientierung war niemandem verborgen geblieben. Gerade deshalb mußte seine Enttäuschung hinsichtlich einer möglichen deutsch-englischen Annäherung Wasser auf die Mühlen seiner innenpolitischen Gegner sein. Nicht zuletzt aus diesem Grunde legte der Kanzler seine eigene Einschätzung der englischen Haltung im Falle eines europäischen Krieges nicht offen dar. Man wird festhalten müssen, daß Bethmann Hollweg im Falle eines großen europäischen Krieges nicht mit der Neutralität Englands rechnete, obgleich nicht wenige Zeitgenossen (und späterhin zahlreiche Historiker) dies annahmen. In seinen Augen trugen engere Beziehungen zwischen dem Deutschen Reich und Großbritannien zu einer Stabilisierung der deutschen Position auf dem Kontinent bei und verringerten die Gefahr eines europäischen Konflikts im Falle einer neuen Balkankrise. Darüber hinaus hätten sie die wirtschaftliche und politische Expansion des Reiches in Übersee erheblich erleichtern können. Aber Bethmann Hollweg war sich durchaus der Tatsache bewußt, daß die Briten einer Niederwerfung Frankreichs durch das Deutsche Reich niemals tatenlos zusehen würden. Das höchste, was der Kanzler erwartete, war, daß Großbritannien in der Anfangsphase eines europäischen Krieges zunächst neutral bleiben und versuchen würde, eine diplomatische Lösung zu finden. 1914 zählte Bethmann Hollweg auf die britische Unterstützung, sofern es darum ging, einen Krieg zu vermeiden, nicht jedoch auf dauernde englische Neutralität für den Fall eines europäischen Krieges, zumal alle verfügbaren Nachrichten auf das Gegenteil hindeuteten.[67] Jedenfalls hat die Annahme, daß

66 GP, Bd. 39, Nr. 18883, S. 628ff.
67 Entgegen den Thesen Albertinis und Fischers baute die Reichsleitung ihre politische Strategie nicht auf der englischen Neutralität im Falle eines europäischen Krieges auf, obgleich sie in der Krise alles tat, um diese zu erreichen; vgl. Dieter Groh, Die geheimen Sitzungen der

Großbritannien neutral bleiben würde, im deutschen Kalkül am Vorabend des Ersten Weltkrieges keine Schlüsselrolle gespielt, obschon man Hoffnungen in dieser Richtung – übrigens berechtigterweise – keineswegs ganz aufgab. Eher ist das Gegenteil richtig. Es war die bestürzende Nachricht, daß Großbritannien offensichtlich im Begriff war, ins gegnerische Lager abzuschwenken, welche den Stein schließlich ins Rollen brachte. Denn dies war bei Lage der Dinge Wasser auf die Mühlen der innenpolitischen Gegner des Kanzlers, die für die Entfesselung eines Präventivkrieges bei der nächstgünstigen Gelegenheit plädierten, um damit der Formierung einer noch engeren Entente zuvorzukommen, durch die das Zarenreich zu einem militanten Kurs ermuntert würde.[68]
Dies läßt sich am Leitfaden der Ereignisse zeigen, die in der deutschen Entscheidung gipfelten, der Donaumonarchie die Genugtuung eines Strafgerichts über Serbien zu verschaffen, gleichviel, wie die Folgen auch immer aussehen mochten, obgleich die Reichsleitung sehr wohl wußte, daß ein österreichisch-serbischer Krieg nur allzu leicht zu einem europäischen Konflikt eskalieren konnte. Bis zu diesem Zeitpunkt hatte die deutsche Diplomatie einen vergleichsweise proserbischen Kurs verfolgt. Mehr als einmal war Wien von einer militärischen Intervention auf dem Balkan abgehalten worden. Zum größten Verdruß der Österreicher hatte Berchtold von deutscher Seite wiederholt hören müssen, daß eine friedliche Regelung der Differenzen mit Serbien am Ende doch die beste Lösung darstellen würde. Noch in den ersten Tagen nach der Ermordung des österreichischen Thronfolgers hat die Wilhelmstraße an diesem Kurs festgehalten, wie sich an dem abwiegelnden Verhalten Tschirschkys ablesen läßt, das ihm freilich wenig später den heftigsten Unwillen des Kaisers

Reichshaushaltskommission am 24. und 25. April 1913, IWK, Nr. 11/12, 1971, S. 29ff. Am 5. Juni äußerte Bethmann Hollweg gegenüber Bassermann: »... wenn es Krieg mit Frankreich gibt, marschiert der letzte Engländer gegen uns.«; vgl. Bassermanns Brief an Schiffer vom 5. Juni 1914, NL Schiffer 6, Hauptarchiv Berlin. Dies wird durch einen Bericht Lerchenfelds vom 4. Juni 1914 bestätigt: »Was England betrifft, so lauteten seine [i. e., Bethmann Hollwegs] Ausführungen ungefähr dahin: Zu allen Zeiten habe die britische Macht immer gegen die stärkste Macht auf dem Kontinent gestanden. Zuerst gegen Spanien, dann gegen Frankreich, später gegen Rußland und jetzt gegen Deutschland. England wolle keinen Krieg. Er – der Reichskanzler – wisse bestimmt, daß die englische Regierung in Paris wiederholt erklärt habe, daß sie keine provokatorische Politik und keinen vom Zaun gebrochenen Krieg gegen Deutschland mitmache. Aber das hindere nicht, daß, wenn es zum Kriege käme, wir England nicht auf unserer Seite finden würden.« Vgl. Bayrische Dokumente zum Kriegsausbruch, Nr. 1, S. 112. Wie ein Brief Bethmann Hollwegs an Eisendecher vom 18. Dezember 1912 zeigt, hatte der Kanzler diese Ansicht bereits früher geäußert. Vgl. auch das Memorandum für Wilhelm II. vom 18. Dezember 1912, GP, Bd. 39, Nr. 15560, S. 9f.
68 So gesehen sind nicht die Auswirkungen der englisch-russischen Flottenverhandlungen auf die internationalen Beziehungen als solche das Wesentliche – wie Zechlin, Deutschland zwischen Kabinetts- und Wirtschaftskrieg, S. 348ff., annimmt –, sondern vielmehr deren Folgen für die innenpolitische Kräftekonstellation.

einbringen sollte. Der Entschluß, der Donaumonarchie eine Art Blankoscheck für den Angriff auf Serbien auszustellen, bedeutete einen entscheidenden Einschnitt in der deutschen Außenpolitik. »Nur nach anfänglichem Zögern« hat sich Bethmann Hollweg dazu bereit gefunden.[69] Grundsätzlich stand diese Entscheidung bereits vor dem Eintreffen des österreichischen Sonderbotschafters Graf Hoyos am 5. Juli in Berlin fest, vermutlich war sie bereits am 2. oder 3. Juli gefällt worden.[70] Es handelte sich dabei gleichsam um einen Kompromiß zwischen dem bisher vom Kanzler und vom Auswärtigen Amt verfolgten politischen Kurs einerseits und den Bestrebungen des Generalstabes andererseits, der dafür plädiert hatte, daß das Deutsche Reich nicht versuchen sollte, den Frieden zu bewahren, wann immer sich die Aussicht auf die große Kraftprobe mit Rußland und Frankreich anbieten solle, die man ja innerhalb der nächsten Jahre ohnehin für unausweichlich hielt. Wie er später bekannt hat,[71] räumte Bethmann Hollweg ein, daß – vorausgesetzt, die Einschätzung des Generalstabes hinsichtlich der Lage der Mittelmächte sowie der Kriegsabsichten des Zarenreiches sei zutreffend – man es »besser jetzt als später« auf den Krieg habe ankommen lassen müssen. Demgemäß ließ sich der Kanzler nunmehr auch im außenpolitischen Bereich auf einen Kurs der »Diagonale« ein; die Donaumonarchie sollte die Rolle des »agent provocateur« spielen, um dergestalt den serbischen Konflikt zu einem Testfall für die Beantwortung der Frage zu instrumentalisieren, ob Rußland es auf einen großen europäischen Krieg abgesehen habe oder nicht.[72] Damit kam der Kanzler zugleich dem Verlangen der Militärs entgegen, daß Deutschland einem Krieg, wenn immer dieser in Sicht sei, keinesfalls aus dem Wege gehen solle, ohne sich jedoch deren Präventivkriegsstrategie zu eigen zu machen. Er unterstellte vielmehr, daß Rußland nicht zum Krieg bereit sei und daß demgemäß eine reale Chance bestehe, den Ring der Entente, auch

69 Vgl. den Bericht Koesters vom 20. Juli 1914, Deutsche Gesandtschaftsberichte zum Kriegsausbruch 1914. Berichte und Telegramme der badischen, sächsischen und württembergischen Gesandten aus dem Juli und August 1914, hrsg. von August Bach für das Auswärtige Amt, Berlin 1937, Nr. 5.
70 Vgl. auch Fischer, Krieg der Illusionen, S. 688f.
71 Siehe den Bericht Haußmanns vom 24. Februar 1918, zit. bei Wolfgang Steglich, Die Friedenspolitik der Mittelmächte 1917/18, Bd. I, Wiesbaden 1964, S. 418.
72 An dieser Stelle ist eine erschöpfende Darstellung des politischen Kalküls der Reichsleitung in der Julikrise nicht möglich. Ich hoffe dies in einer Studie über »Die Politik des Reichskanzlers Bethmann Hollweg als Problem der politischen Führung« nachholen zu können. Siehe einstweilen Wolfgang J. Mommsen, Das Zeitalter des Imperialismus, Frankfurt a.M. 1969, S. 272ff., und ders., Die latente Krise des Deutschen Reiches 1909–1914, in: Leo Just u.a. (Hrsg.), Handbuch der deutschen Geschichte, Bd. IV, 2, Frankfurt a.M. 1972. Zu den deutschen Absichten, die serbische Frage als »Prüfstein« für Rußlands Kriegsbereitschaft zu benutzen, siehe die Notizen Hoyos' über ein Interview mit Viktor Naumann, Österreich-Ungarns Außenpolitik, hrsg. von L. Bittner, Wien/Leipzig 1930, VIII, Nr. 9966, und Alfred von Tirpitz, Erinnerungen, Leipzig 1919, S. 227.

ohne daß es zu einem europäischen Konflikt komme, aufzubrechen. Obgleich alle relevanten Entscheidungsträger sich in dieser Situation der Tatsache bewußt waren, daß ein militärisches Vorgehen der Donaumonarchie gegen Serbien den europäischen Krieg bedeuten könnte – der Kanzler erwartete für diesen Fall die russische Kriegserklärung binnen weniger Tage[73] –, nahmen zumindest Bethmann Hollweg und das Auswärtige Amt an, daß Rußland schließlich doch zurückstecken würde, um so mehr, als Frankreich und Großbritannien sich im Hinblick auf ein militärisches Engagement für Serbien sichtlich reserviert zeigten.[74] Es sei hinzugefügt, daß eine unmißverständliche Erklärung der britischen Regierung, daß man für den Fall des Krieges keinesfalls neutral abseits stehen würde, am Ablauf der Ereignisse nicht das Geringste geändert haben würde. Im Gegenteil, dies wäre Wasser auf die Mühlen Moltkes gewesen und hätte dessen These zusätzlich gestützt, daß angesichts der sich stetig verschlechternden militärischen Position des Deutschen Reiches der Krieg besser jetzt geführt werde, solange dieser noch innerhalb weniger Monate gewonnen werden könne, und nicht zu einem späteren Zeitpunkt. Das politische Kalkül der Reichsleitung war nachgerade ein äußerst riskantes Spiel mit höchsten Einsätzen. Bethmann Hollweg sprach von einem »Sprung ins Dunkle«, der zugleich »schwerste Pflicht« sei.[75] Die Position des Kanzlers war nicht mehr stark genug, um innerhalb der herrschenden Elite eine alternative politische Linie wirksam durchzusetzen. Sein Konzept stellt sich mithin als Reflex der gegensätzlichen Tendenzen innerhalb des Regierungslagers dar; es war ein Kompromiß zwischen zwei rivalisierenden Strategien: einerseits legte er es nicht direkt auf Krieg an, sondern strebte vielmehr eine Lösung der Krise auf diplomatischem Wege an; andererseits kam er den Wünschen der Militärs insofern entgegen, als er nichts tat, um den Ausbruch des Krieges tatsächlich abzu-

73 Riezler, Tagebuch, 23. Juli 1914, S. 188.

74 Insbesondere Fritz Fischer und Imanuel Geiss haben beharrlich die These vertreten, daß der Plan, den serbischen Krieg zu isolieren, nicht nur eine gigantische Illusion, sondern auch ein willkommener Vorwand gewesen sei. Allein, der engere Kreis um Bethmann Hollweg glaubte in der Tat an eine Lösung ohne die europäische »Coflagration«, wie sich der Kanzler zuweilen ausdrückte. Daß diese Annahme – zumindest subjektiv – aufrichtigen Intentionen entsprang, läßt sich etwa an dem Kalkül regierungsnaher Kreise ablesen, auf Kosten Österreich-Ungarns mit Rußland sogar ein Abkommen zu schließen, vorausgesetzt, die Krise ziehe ohne einen europäischen Krieg vorüber; vgl. Riezler, Tagebücher, 23. Juli 1914, S. 189, sowie die Äußerung Bethmann Hollwegs gegenüber Theodor Wolff vom 5. Februar 1915, die Riezlers Notizen stützt: »Ich habe Sasonow dann während der Krise – dies ganz unter uns – sagen lassen, er möge doch die Österreicher ihre Strafexpedition machen lassen, der Moment würde kommen, wo wir uns arrangieren würden. Natürlich nicht auf dem Rücken der Österreicher, aber gewissermaßen auf ihren Schultern.« Theodor Wolff, Der Marsch durch zwei Jahrzehnte, Berlin 1936, S. 442.

75 Riezler, Tagebücher, 14. Juli 1914, S. 185.

wenden, als Rußland entschieden auf die Seite Serbiens trat. Der Versuch, Rußland in eine Situation zu manövrieren, in der diesem am Ende die letzte Entscheidung über Krieg und Frieden zufiel, war nicht nur von der Überzeugung diktiert, daß die Sozialdemokraten nur auf diesem Wege zur Sammlung hinter der Regierung zu motivieren waren; er war zugleich von dem Kalkül bestimmt, daß sich die Krise nur auf diese Weise diplomatisch werde ausbeuten lassen, darüber hinaus aber von dem Hintergedanken, daß es solchermaßen möglich sein werde, die Befürchtungen des Generalstabs konkret zu widerlegen, vorausgesetzt, die Russen schreckten vor dem Äußersten zurück.
So gesehen war es nicht das Streben nach der Weltmachtstellung, sondern vielmehr Schwäche und Verwirrung, die Bethmann Hollweg zu dieser politischen Strategie bestimmten. Die Widersprüche im Kalkül der deutschen Regierung in der Juli-Krise bilden einen präzisen Reflex der scharfen Antagonismen innerhalb der Führungsschichten. Allerdings muß hinzugefügt werden, daß eine derartige Situation nur deshalb hat eintreten können, weil die Sozialgruppen, die dieser Führungsschicht zugerechnet werden müssen – dazu gehören vor allem die Spitzen der Regierungsbürokratie, der Generalstab und das hinter diesem stehende Offizierskorps sowie schließlich die hochkonservative Hofgesellschaft –, über ein Maß an Einflußmöglichkeiten auf die politischen Entscheidungen verfügten, das in einem krassen Mißverhältnis zu der tatsächlichen Bedeutung dieser Gruppen innerhalb der deutschen Gesellschaft als solcher stand. Dies war nicht zuletzt dem Umstand zu verdanken, daß die parlamentarische Pattsituation es der Regierung erlaubt hatte, ihre Politik oberhalb der Parteien und Gruppen fortzuführen, als hätte sich an der innenpolitischen Lage nichts geändert. Man wird festhalten müssen, daß es der Reichsleitung möglich war, während der Juli-Krise die Ansichten der Parteiführer gänzlich zu ignorieren.[76] Es gibt in der Tat keinen einzigen Hinweis darauf, daß irgendeiner der Parteiführer die Chance erhalten hätte, auf die

76 In gewisser Hinsicht wird man die Sozialdemokratie hier ausnehmen müssen, insofern die Reichsleitung mit Haase und, einige Tage später, mit dem Parteivorstand Verbindung aufnahm, obgleich nur Südekum erreichbar war. Hinsichtlich der Verhandlungen der Regierung mit der Sozialdemokratie liegt eine kontroverse Literatur vor. Vgl. Dieter Groh, Negative Integration und revolutionärer Attentismus. Die deutsche Sozialdemokratie am Vorabend des Ersten Weltkrieges 1909–1914, Berlin 1973, und ders., The Unpatriotic Socialists and the State, in: Journal of Contemporary History 1 (1966), S. 151ff. Über die Kontakte führender Vertreter der bürgerlichen Parteien mit der Reichsleitung ist wenig bekannt. Westarp berichtet, daß er im Verlauf der Krise mehrfach in der Wilhelmstraße war, doch erfuhr er offenbar wenig; vgl. ders., Konservative Politik I, S. 407. Heydebrand, der Führer der preußischen Konservativen, war noch am 3. August gänzlich uninformiert über die Vorgänge auf diplomatischer Bühne; vgl. seinen Brief an Westarp vom 3. August 1914 im Briefwechsel Heydebrand–Westarp. Ich verdanke diesen Hinweis der freundlichen Mitteilung von Freiherrn Hiller von Gärtringen.

Entscheidungen der Regierung Einfluß zu nehmen. Allerdings scheint der Kanzler zuversichtlich gewesen zu sein, daß zumindest die bürgerlichen Parteien, mit der möglichen Ausnahme der Fortschrittspartei, den riskanten Kurs der Reichsleitung unterstützen und einer Politik vorziehen würden, die die Chancen von Sarajewo hätte vorübergehen lassen, ohne der Donaumonarchie beizuspringen und die Krise zum Vorteil der Mittelmächte auszuschlachten.[77] Es bleibt zweifelhaft, ob Bethmann Hollweg, selbst wenn er den Rat der Parteiführer gesucht hätte, bei den bürgerlichen Fraktionen gegen die Anwälte eines Präventivkrieges volle Rückendeckung gefunden hätte. Doch hätten die Parteiführer gewiß eine Krisenstrategie abgelehnt, die die Scharfmacher und die Gemäßigten gleichermaßen zufriedenstellen sollte und gerade deshalb scheitern mußte. Dies ist natürlich eine recht spekulative Annahme. Indessen ist unzweifelhaft, daß gerade der verzweifelte Versuch der Regierung Bethmann Hollweg, konfrontiert mit einer mehr oder minder feindseligen Parlamentsmehrheit, allen ernsthaften Verfassungsreformen aus dem Wege zu gehen, ihn um so abhängiger vom Wohlwollen derjenigen Gruppierungen innerhalb der Führungsschichten machte, die nicht müde wurden, im Innern wie nach außen einem unnachgiebigen Kurs das Wort zu reden.

Insofern wird man schließlich die Ursachen des Ersten Weltkrieges nicht nur im Versagen und in der Fehlkalkulation der jeweiligen Regierungen suchen müssen, sondern auch in dem Umstand, daß das Herrschaftssystem des Deutschen Reiches, ebenso aber auch dasjenige Österreich-Ungarns und Rußlands, dem rapide fortschreitenden sozialen Wandel sowie den Bedingungen einer modernen Massengesellschaft nicht länger angepaßt waren.

(Übersetzt aus dem Englischen von Peter Theiner)

77 Für die Haltung der Parteien gegenüber Bethmann Hollwegs Politik im Juli 1914 bleiben wir weitgehend auf Vermutungen angewiesen. Insgesamt läßt sich die jeweilige Orientierung aber unschwer feststellen. Die Konservativen standen geschlossen für eine »Vorwärtsstrategie«, doch drängten sie erst zu einem relativ späten Zeitpunkt zum Krieg. Das führende Organ der Konservativen, die »Post«, scheint sich in den ersten Juliwochen nur recht zögernd in den Chor der proösterreichischen Stimmen eingereiht zu haben; vgl. Jonathan French Scott, Five Weeks. The Surge of Public Opinion at the Eve of the Great War, New York 1938, S. 191 ff. Die Nationalliberalen hätten Tirpitz als Kanzler wohl vorgezogen; vgl. Bassermann an Schiffer, 5. Juni 1914, siehe Anm. 67. Gewiß hätten sie eine Politik begrüßt, die dem Vorbild der vermeintlich äußerst erfolgreichen Strategie während der bosnischen Krise von 1908 gefolgt wäre. Das Zentrum war seit 1912 auf eine Politik der entschlossenen Rückendeckung für Österreich-Ungarn festgelegt; vgl. E. Malcolm Caroll, Germany and the Great Powers, 1866–1914, New York 1938, S. 747 ff.

## Außenpolitik und öffentliche Meinung im Wilhelminischen Deutschland 1897–1914

Auf dem Höhepunkt des Imperialismus entstand die Massenpresse. Sie kündigte eine stetige Erweiterung der »politischen Nation« an – jener Gruppen, die sich aktiv für Politik interessierten und sich damit von den noch weitgehend unpolitischen Massen abhoben. Bis zu den 90er Jahren des 19. Jahrhunderts war die Politik meist durch »Honoratioren« geprägt. Den Begriff »Honoratiorenpolitik« führte Max Weber ein, um grundlegende Veränderungen westlicher Gesellschaften um die Jahrhundertwende zu beschreiben. Allmählich verlor der Terminus »Öffentlichkeit« seine ursprüngliche Bedeutung, die Meinung der gebildeten oder herrschenden Schichten zu sein. Zwar konnte das Wilhelminische Deutschland die verfassungsmäßige Demokratisierung erfolgreich begrenzen, und das Zeitalter der Massenpolitik lag noch in ferner Zukunft; aber die Tendenzen der Zeit verwiesen auf eine allmähliche Stärkung der Wählerschaft, die faktisch (wenngleich nicht im Sinne der Verfassung) zunehmend Einfluß auf die Politik gewann. Das stellte die herrschenden Eliten vor neue Probleme. Gewiß gab es noch keine Massenpresse, wie sie gleichzeitig in Großbritannien aufzukommen begann. Die publizierte »öffentliche Meinung« richtete sich noch an ein ziemlich begrenztes Publikum, das neben den traditionell herrschenden Eliten nur die mittlere und obere Mittelschicht umfaßte. Dadurch hatten die Regierungen alle Chancen, die Öffentlichkeit politisch zu beeinflussen; andererseits wurde direkte Manipulation durch wenige gekaufte Journalisten immer schwieriger, wenn nicht gar unmöglich.

Daneben entwickelte sich eine sozialdemokratische Presse – die jedoch nicht ganz den traditionellen Formen von »Öffentlichkeit« entsprach – und mit ihr eine Art Meinung der Arbeiterklasse. Sie definierte sich zwar durch den Widerspruch zur bürgerlichen Öffentlichkeit, ahmte diese aber auch auf eigentümliche Weise nach. Ihre politische Rhetorik war stark durch den orthodoxen Marxismus geprägt, sie teilte jedoch viele Paradigmen mit der bürgerlichen »öffentlichen Meinung«, zum Beispiel das Vertrauen in Wissenschaft und Fortschritt oder den Glauben an Recht und Ordnung. Hier können wir die Auffassungen der Arbeiterklasse weitgehend beiseite lassen, da sie die Außenpolitik der wilhelminischen Epoche

– zumindest bis 1914 – kaum direkt beeinflußt haben. Man könnte jedoch argumentieren, daß die starken antiimperialistischen und pazifistischen Strömungen in weiten Teilen der sozialdemokratischen Presse (in der es auch nationalistische Unterströmungen gab) indirekt die entgegengesetzten Tendenzen der »Öffentlichkeit« – insbesondere in den herrschenden Gruppen der wilhelminischen Gesellschaft – stärkten. Auf das Wechselspiel zwischen amtlicher Pressepolitik und »öffentlicher Meinung«, das die deutsche Außenpolitik stark prägte, hatte die sozialdemokratische Presse mit nur sehr wenigen Ausnahmen jedoch keinen direkten Einfluß.

Im folgenden möchte ich die – nur zum Teil verfassungsmäßig legitimierte – amtliche Informationspolitik darstellen. Es scheint, als sei das wilhelminische Herrschaftssystem, trotz seiner autoritären Züge, nie mit dem Problem der Öffentlichkeit fertiggeworden. Zwar blickte das Deutsche Reich auf eine recht erfolgreiche Tradition zurück, die öffentliche Meinung durch eine geschickte Pressepolitik zu beeinflussen oder gar direkt zu manipulieren – hatten doch Bismarck und andere diese Waffe bereits in den sechziger und siebziger Jahren eingesetzt, um die nationale Einheit Deutschlands und andere Probleme nach eigenen Vorstellungen zu gestalten.[1] Jedoch wurde die amtliche Pressepolitik erst seit dem Regierungsantritt Bülows als Reichskanzler konsequent dazu verwendet, die Außenpolitik des Reiches im In- und Ausland durchzusetzen. Jedoch endeten diese Bemühungen langfristig in einem Desaster. Während die Regierungen oft felsenfest davon überzeugt waren, die angesehene Presse (besonders außenpolitisch) im eigenen Sinne beeinflussen zu können, mußten sie schließlich erkennen, daß die öffentliche Meinung außer Kontrolle geraten war und den Staat mit unerhört radikalen Forderungen konfrontierte. Das galt besonders für die ehrgeizige »Weltpolitik« des Deutschen Reiches, die Fürst Bülow 1897 – nach einem Jahrzehnt interner Streitereien und erfolgloser Außenpolitik – als Hauptprogramm für seinen Neubeginn wählte.

Eine solche Zugangsweise stößt auf große methodologische Probleme. So ist es sehr schwierig, wenn nicht gar unmöglich, die herrschenden Strömungen der öffentlichen Meinung präzise zu fassen, und noch ungreifbarer bleibt die Frage, wie weit die staatlichen Versuche, die Öffentlichkeit zu beeinflussen oder zu manipulieren, erfolgreich waren, selbst wenn man sich dabei auf die äußere Politik beschränkt.[2] Man kann jedoch die

1 Vgl. besonders Eberhard Naujoks, Bismarcks auswärtige Pressepolitik und die Reichsgründung (1865–1871), Wiesbaden 1976.

2 Die Beziehungen zwischen der staatlichen Pressepolitik und der Außenpolitik sind, auch was die empirische Basis angeht, in unterschiedlicher Qualität erforscht worden. Die Pionierarbei-

Maßnahmen der Regierung recht genau rekonstruieren, und in einigen brisanten Fällen läßt sich der Einfluß staatlicher Propaganda auf die zeitgenössische Öffentlichkeit ziemlich präzise nachweisen, auch wenn letzte Gewißheit nicht zu erreichen ist. Anderseits wird die Aufgabe dadurch erleichtert, daß die öffentliche Meinung – sofern die Politiker sie beachteten – weitgehend in Blättern publik wurde, die wir heute überregionale Zeitungen nennen würden: dem *Berliner Tageblatt*, der *Vossischen Zeitung*, der *Kölnischen Zeitung*, der *Täglichen Rundschau*, der *Post*, der sogenannten *Kreuzzeitung*, der *Germania* und in zweiter Linie der *National-Zeitung* oder den *Münchener Neuesten Nachrichten*.

Mein besonderes Augenmerk gilt den neuaufkommenden nationalistischen Agitationsverbänden. Diese Gruppen – allen voran der Alldeutsche Verband, der Flottenverein und später der Wehrverein – entwickelten neuartige Formen der öffentlichen Agitation und wandten sich primär an jene Teile der Bevölkerung, die bis dahin am Rande der Politik gestanden hatten. Ihre Meinungen drangen zwar nur langsam in die seriöse Tagespresse ein, doch im Laufe der Zeit gewannen sie zunehmend Einfluß auf die Öffentlichkeit. Sie organisierten pseudodemokratische politische Kampagnen und gaben ihren Stil bewußt als populistisch aus, womit sie das herrschende politische System nachhaltig herausforderten.[3] Das zwang die Parteien auf der Rechten, ihnen nachzueifern und zumindest einen Teil ihrer Forderungen zu übernehmen, auch wenn sie den politi-

ten E. Malcolm Carroll, Germany and the Great Powers 1866–1914. A Study in Public Opinion and Foreign Policy, New York 1938 (Nachdruck 1975), und Oron James Hale, Publicity and Diplomacy, London 1940, decken zwar einen bemerkenswert großen Bereich ab, stellen aber keine enge Verbindung zwischen der staatlichen Informationspolitik und der öffentlichen Meinung her. Günter Heidorn, Monopole–Presse–Krieg. Die Rolle der Presse bei der Vorbereitung des Ersten Weltkrieges, Berlin 1960, ist eine ziemlich ideologische Abhandlung. Klaus Wernecke, Der Wille zur Weltgeltung. Außenpolitik und Öffentlichkeit im Kaiserreich am Vorabend des Ersten Weltkrieges, Düsseldorf 1970, rekonstruiert aus zahlreichen Presseartikeln ein gigantisches Bild des deutschen Willens zur Weltgeltung, liefert jedoch keine Einsichten in die strukturellen Zusammenhänge zwischen öffentlicher Meinung und politischem Entscheidungshandeln. Walter Vogel, Die Organisation der amtlichen Presse- und Propagandapolitik des Deutschen Reiches, Berlin 1941, beschränkt sich auf die Darstellung der institutionellen Strukturen der staatlichen Pressepolitik vor 1914. Gründliche Analysen der amtlichen Pressepolitik und ihres Einflusses auf die allgemeine Politik besitzen wir nur für die Bülow-Ära. Vgl. besonders Peter Winzen, Bülows Weltmacht-Konzept. Untersuchungen zur Frühphase seiner Außenpolitik, 1897–1901, Boppard 1977, und – mit interessantem Material – Paul Kennedy, The Rise of the Anglo-German Antagonism 1860–1914, London 1980, besonders S. 362ff. Paul Elzbacher, Die Presse als Werkzeug der auswärtigen Politik, Jena 1918, ist ein völlig nutzloses Buch. Isolde Rieger, Die Wilhelminische Presse im Überblick, München 1957, bietet zwar einen guten Überblick, verrät uns aber kaum etwas über die Wechselwirkung zwischen Regierungspolitik und öffentlicher Meinung.

3 Das wurde im großen und ganzen überzeugend gezeigt von Geoff Eley, Reshaping the German Right. Radical Nationalism and Political Change after Bismarck, New Haven 1980. Vgl. auch Konrad Schilling, Beiträge zu einer Geschichte des radikalen Nationalismus in der wilhelminischen Ära, 1890–1909, phil. Diss., Köln 1967.

schen Stil dieser außerparlamentarischen Emporkömmlinge verachteten.

Seit Anfang der 90er Jahre begeisterte sich die Bevölkerung zunehmend für eine imperialistische Expansion in Übersee, nachdem die Flaute der späten 80er Jahre offenbar darauf zurückging, daß die auf indirekte Herrschaft ausgerichtete Kolonialpolitik Bismarcks mit einem Fehlschlag geendet hatte. Doch die Politiker und Diplomaten, die während der 90er Jahre deutsche Außenpolitik betrieben, gingen meist fest davon aus, die imperialistischen Bestrebungen kontrollieren und, wenn nötig, zum Guten wenden zu können. Anfang der 90er Jahre gab es in hohen Regierungskreisen – wenn überhaupt – nur sehr wenige überzeugte Imperialisten; der *official mind* war hier wie anderswo hinsichtlich des Erwerbs von Kolonien in Übersee ziemlich zurückhaltend, und die Diplomaten waren weiterhin primär kontinentalpolitisch ausgerichtet. Allerdings spürten sie, daß die neue imperialistische Stimmung genutzt werden konnte und vielleicht auch mußte, um wieder Vertrauen in das System der kaiserlichen Regierung zu begründen, das seit dem Sturz Bismarcks und, stärker noch, seit dem Rücktritt Caprivis im Jahre 1894 (verursacht durch verfehlte Maßnahmen im Zusammenhang mit dem »persönlichen Regiment« Wilhelms II.) ernsthaft erschüttert worden war.

Graf Monts argumentierte 1895, daß nur die Kaiseridee, eine erfolgreiche Außenpolitik und Stabilität im Innern nach und nach die Wurzeln des Partikularismus und lokale Vorurteile ausräumen könnten.[4] Holstein war in diesem Punkt deutlicher; er meinte, die Regierung Kaiser Wilhelms bedürfe eines substantiellen Erfolges in der äußeren Politik, die dann eine günstige Auswirkung auf die inneren Verhältnisse haben würde. Ein solcher Erfolg sei zu erwarten entweder als Ergebnis eines europäischen Krieges, einer riskanten Politik weltweiten Zuschnitts oder als Folge territorialer Erwerbungen außerhalb Europas.[5] Daher trat Holstein für eine Politik der kolonialen Expansion ein, obschon er nicht glaubte, daß der Besitz von Kolonien an sich irgendeinen Wert darstelle.

Admiral Caprivi weigerte sich standhaft, eine imperialistische Politik größeren Stils zu treiben; er strebte vielmehr eine Konsolidierung der Position Deutschlands auf dem europäischen Kontinent an und wollte das allzu komplizierte Bündnissystem Bismarcks entwirren. Daher bevorzugte er statt einer aggressiven Kolonialpolitik ein Abkommen mit Großbritannien, das die Rückgabe Helgolands an das Reich um den Preis des Verzichts auf zweifelhafte Ansprüche auf Sansibar anstrebte. Auch war er nicht geneigt, durch die Forcierung der deutschen Ansprüche auf Samoa

4 Monts an Bülow, 20. Juni 1895, zit. nach Kennedy, Antagonism, S. 227.
5 Holstein an Kiderlen-Wächter, 30. April 1897, Rückübersetzung nach Kennedy, ebenda.

einen ernsthaften Konflikt mit den anderen beteiligten Mächten zu riskieren. Deshalb bekam er sogar Streit mit Kaiser Wilhelm II., der als einer der ersten erkannt hatte, wie populär eine imperialistische Politik sein würde.

Der Alldeutsche Verband war von Anfang an lautstark für eine forsche imperialistische Politik eingetreten, und dies blieb nicht ohne Wirkung auf die deutsche Öffentlichkeit. Die Reichstagsparteien weigerten sich aber vorderhand neue koloniale Abenteuer zu unterstützen, zumal sie den Absichten der Reichsregierung unter Fürst Hohenlohe mißtrauten. Doch Imperialismus kam – besonders im Großbürgertum und bei den Intellektuellen – zunehmend in Mode. Max Weber brachte diesen neuen Trend in seiner Antrittsvorlesung von 1895 vielleicht am deutlichsten zum Ausdruck: »Wir müssen begreifen, daß die Einigung Deutschlands ein Jugendstreich war, den die Nation auf ihre alten Tage beging und seiner Kostspieligkeit halber besser unterlassen hätte, wenn sie der Abschluß und nicht der Ausgangspunkt einer deutschen Weltmachtpolitik sein sollte.«[6]

Kaiser Wilhelm II. selbst war immer schon sehr anfällig für Trends in der Öffentlichkeit und besonders für die Ansichten der oberen Mittelschichten und der Akademikerschaft. Ihn faszinierte diese neue Doktrin des Expansionismus, obwohl sie den traditionellen Werten des Konservativismus eindeutig widersprach, denn imperialistische Expansion wurde fast in einem Atemzug mit Modernisierung und industrieller Entwicklung gefordert. Als Bülow und Tirpitz 1897 in die Schlüsselpositionen der Reichsleitung einrückten, hatte Kaiser Wilhelm zwei »politische Leutnants« gefunden, die bereit waren, den Wünschen des Kaisers zu willfahren und eine ehrgeizige imperialistische Politik zu treiben. Geplant war vor allem der Bau einer starken Kriegsflotte, obwohl die Reichsleitung vorerst damit rechnen mußte, daß die Mehrheit der Reichstagsparteien auf einen solchen politischen Kurs feindselig reagieren würden, zumal er mit erheblichen Kosten einherging.

Bülow hatte die Umgebung des Kaisers wissen lassen, daß er bereit sei, als dessen »politischer Chef des Stabes« (wie er sich ausdrückte) zu agieren, um das sogenannte »persönliche Regiment« Wilhelms II. in die Praxis umzusetzen.[7] Allerdings war Bülow keineswegs bloß ein fügsames Werkzeug in den Händen des Kaisers. Vielmehr setzte er dessen Prestige fast von Anfang an geschickt gegenüber der Öffentlichkeit ein, um das

6 Max Weber, Gesammelte Politische Schriften, Tübingen 1913, S. 23.
7 John C. G. Röhl, Deutschland ohne Bismarck. Die Regierungskrise im Zweiten Kaiserreich, 1890–1900, Tübingen 1969, S. 179: »Ich würde mich als ausführendes Werkzeug Seiner Majestät betrachten, gewissermaßen als sein politischer Chef des Stabes. Mit mir würde im guten Sinne, aber tatsächlich ein persönliches Regiment beginnen [...].«

Ansehen der Regierung aufzubessern und dadurch ihren Handlungsspielraum gegenüber einem mehr oder weniger feindseligen Parlament zu vergrößern. Der von Bülow verfolgte »neue Imperialismus« war in gewisser Weise eine Kopie des Tory-Imperialismus, den Disraeli eine Generation zuvor praktiziert hatte; Bülow hoffte, die Parteien im Reichstag für sich gewinnen zu können, indem er den Kaiser systematisch zur Galionsfigur einer pompösen »Weltpolitik« machte, ihn aber gleichzeitig mit großzügigen Komplimenten bei Laune hielt.[8]
Dabei bemühte sich die Regierung sehr, die öffentliche Meinung für die neue Weltpolitik zu mobilisieren. Insofern unterscheidet sich die Bülow-Ära von der vorausgegangenen Epoche. Seine Regierung versuchte, sich eine neue populistische Basis für ihre Politik zu schaffen, deren Ziele – wenn auch nicht die Art ihrer Umsetzung – quer durch das traditionelle Parteienspektrum unterstützt wurden, ausgenommen natürlich die Sozialdemokraten. Bülows Politik sollte im deutschen Volk einen neuen, emotionalen Nationalismus wecken; darin sah er sein *arcanum imperii.* Nicht nur Vertreter der Regierung, auch der Kaiser selbst, der seine Rolle als Sprachrohr des neudeutschen Imperialismus genoß, priesen in öffentlichen Ansprachen die Idee des Nationalstolzes und der nationalen Größe. Bülow hielt es für die Pflicht der Regierung, die schlummernden nationalen Gefühle des Volkes zu wecken und als Grundlage seiner Politik zu nutzen. Er selbst war fest davon überzeugt, die Öffentlichkeit für »die nationale Idee« gewinnen zu können. Seiner Meinung nach ließ sich die öffentliche Meinung ziemlich einfach manipulieren. So schrieb er in sein Notizbuch: »Was ist ›Volk‹, öffentliche Meinung? Die Ansicht, welche sich – zuerst meist im Widerspruch zu den Anschauungen der großen Menge – 80 bis 90 intelligente und einflußreiche Köpfe gebildet haben und die sie dann allmählich verbreiten und zur communis opinio machen.«[9] Um die Öffentlichkeit für seine eigenen und die Ziele der Regierung zu gewinnen, ordnete Bülow an, die Maschinerie der amtlichen Pressepropaganda gründlich zu reorganisieren. Während der letzten Kanzlerjahre Bismarcks war die offizielle Pressepolitik weitgehend in Mißkredit geraten; Bismarck hatte sich zunehmend auf seine persönlichen Kontakte zu einzelnen Journalisten verlassen. Der aufwendige staatliche Apparat zur direkten Beeinflussung der Öffentlichkeit wurde stark reduziert; dafür setzten sich indirekte Methoden durch, die der Kanzler persönlich dirigieren konnte. Die amtlichen Presseorgane wur-

8 Friedrich Naumann, »Demokratie und Kaisertum«, das erstmals 1900 erschien, kann in gewisser Hinsicht als Programm für diese neue cäsarische Spielart der Reichsherrschaft gelten, wie sie unter Bülow praktiziert wurde.
9 Zit. nach Winzen, S. 67.

den gutenteils eingestellt, und sogar die *Norddeutsche Zeitung* büßte ihren offiziellen Status als Sprachrohr der Regierung weitgehend ein.
Bülows Kanzlerschaft brachte eine Kehrtwende hinsichtlich der Strategie der amtlichen Pressepolitik; dabei wurde allerdings auf die Erfahrung Bismarcks zurückgegriffen, daß man die Öffentlichkeit am besten indirekt beeinflußt. Im Auswärtigen Amt wurde eine komplexe institutionelle Maschinerie aufgebaut, um die Öffentlichkeit angemessen »lenken« zu können und den Ansichten der Regierung in der Presse Gehör und Zustimmung zu verschaffen. Ähnliche Presseabteilungen entstanden auch in anderen Ressorts, vor allem im Reichsmarineamt; dessen Pressestelle arbeitete besonders erfolgreich und entwickelte eine Vielzahl moderner Techniken, um die Idee einer deutschen Kriegsflotte auf allen gesellschaftlichen Ebenen zu propagieren. Sie beeinflußte nicht nur die Tagespresse, sondern verteilte auch Flugblätter, publizierte einschlägige Literatur und arbeitete, zumindest anfangs, mit dem neugegründeten Flottenverein zusammen. Außerdem wurden die Beziehungen zu der offiziellen und halboffiziellen Presse auf eine neue Grundlage gestellt: Die der Regierung nahestehenden Blätter – besonders die *Norddeutsche Allgemeine Zeitung* – sollten vor allem die Ansichten der Regierung in der Öffentlichkeit verbreiten.
Es scheint, als hätte die Propaganda der Regierung großen Anteil daran gehabt, daß Ende der neunziger Jahre in den Parteien und in der Öffentlichkeit wieder »patriotische Gefühle« aufkamen, die »zu wecken, zu beleben und [...] spontan und vorurteilslos festzuhalten« Bülow sich zur Aufgabe gestellt hatte.[10] Der Regierung standen mehrere äußerst wirksame Methoden zu Gebote, die Öffentlichkeit zu beeinflussen. Zum einen konnte sie offizielle Ansichten über die *Norddeutsche Allgemeine Zeitung* verbreiten. Zum anderen hatte sie erheblichen Einfluß auf die von »Wolffs Telegraphenbüro« herausgegebenen außenpolitischen Nachrichten, wenngleich diese Agentur mit Reuter und Agence Press assoziiert war; schließlich konnte sie auf zahlreiche regionale Presseagenturen zurückgreifen. Das war wichtig, weil die meisten nationalen, regionalen und lokalen Zeitungen in hohem Maße von den Informationen dieser Nachrichtenagenturen abhingen.
Die Regierung war sich jedoch von Anfang an klar darüber, daß die Verbreitung von Nachrichten aus offenkundig amtlichen Quellen ziemlich wirkungslos bleiben mußte. Demgemäß baute die Regierung ein verzweigtes System informeller Kontakte zu verschiedenen Zeitungen auf, die – aufgrund ihres Interesses, regelmäßig aktuelle Insidernachrichten aus offiziellen Kreisen zu erhalten – bereit waren, in außenpolitischen

10 Vgl. Bernhard Fürst von Bülow, Deutsche Politik, Berlin 1916, S. 227.

Fragen den Kurs der Regierung zu vertreten sowie Artikel offizieller Herkunft (manchmal aus der Feder des Staatssekretärs des Äußeren selbst) zu veröffentlichen. Schlüsselfigur in diesem Spiel war Otto Hammann, der bald zu einem engen Vertrauten des Kanzlers in allen politischen Fragen wurde.[11] Die *Kölnische Zeitung* und der *Berliner Lokal-Anzeiger* dieser Jahre können als amtlich inspirierte Blätter gelten. Allerdings waren sie keineswegs immer zuverlässige Partner der Regierung. So bekam die *Kölnische Zeitung* wegen ihrer Berichte über Rußland erhebliche Probleme mit dem Auswärtigen Amt; als ihr Chef-Herausgeber 1913 nach Berlin zitiert und für seine regierungsfeindliche Haltung getadelt wurde, weigerte er sich einfach, in Zukunft noch Instruktionen der Regierung entgegenzunehmen. Das System basierte auf informellem Geben und Nehmen, und keine dieser Zeitungen konnte als wirklich zuverlässig gelten, wenn ihre Herausgeber bestimmte Entscheidungen der Regierung mißbilligten.[12]

Die dritte – in gewissem Sinne noch indirektere – Methode bestand darin, unabhängige Journalisten oder Persönlichkeiten des öffentlichen Lebens zu veranlassen, einzelne Aspekte der Regierungspolitik in Beiträgen zu loben oder zu verteidigen. Tatsächlich gab es eine ziemlich große Gruppe von Publizisten und Gelehrten, die von Fall zu Fall bereit waren, sich für die Ziele der Regierung einspannen zu lassen, darunter etwa Männer wie Hans Delbrück, Otto Hoetzsch und gelegentlich sogar Friedrich Meinecke oder Karl Lamprecht.

All das beruhte jedoch weitgehend auf freiwilliger Kooperation und ließ sich nicht erzwingen. Entsprechend wurden die Möglichkeiten der Regierung, die Presse effektiv zu beeinflussen, zunehmend durch die Öffentlichkeit selbst beschränkt. Anfangs hatte das System sehr gut funktioniert. In der Frühzeit Bülows gelang es Hammann, dem Chef der Presseabteilung des Auswärtigen Amtes, in weitgehendem Maße, die Presse zu vorteilhaften Berichten über die Außenpolitik der Regierung zu veranlassen. Doch im Laufe der Zeit wurde dies immer schwieriger. Die Regierung beschränkte sich zunehmend darauf, einzelne Aspekte ihrer Politik gegen öffentliche Kritik zu verteidigen, indem sie die »erreichbare« Presse entsprechend instruierte; sie ging nur noch taktisch, aber nicht mehr strategisch vor. Der Grund dafür lag auf der Hand: Offiziell inspirierte oder amtliche Verlautbarungen wurden, sofern sie als

11 Vgl. hierzu Katherine Anne Lerman, Bernhard von Bülow and the Governance of Germany, 1900–1909, phil. Diss., Sussex 1984, S. 175ff.

12 Vgl. Risto Ropponen, Die russische Gefahr. Das Verhalten der öffentlichen Meinung Deutschlands und Österreich-Ungarns gegenüber der Außenpolitik Rußlands in der Zeit zwischen dem Frieden von Portsmouth und dem Ausbruch des Ersten Weltkrieges, Helsinki 1976, S. 165ff.

solche erkennbar waren, von der übrigen Presse sowohl der Linken und zunehmend auch der Rechten attackiert. Daher glaubte Bülow in seinen späteren Amtsjahren nicht mehr, daß es möglich sei, die öffentliche Meinung effektiv zu »machen«; in der Folge beschränkte sich die amtliche Pressepolitik weitgehend darauf, in der unabhängigen Presse für eine günstige Darstellung offizieller Ansichten und Maßnahmen zu sorgen.

Tatsächlich gelang es den Reichsregierungen nie, ihre Ansichten uneingeschränkt bei den großen liberalen Zeitungen – etwa der *Frankfurter Zeitung*, dem *Berliner Tageblatt* oder der *Vossischen Zeitung* – zur Geltung zu bringen; auch konnten sie nie vorbehaltlos darauf bauen, daß die Presseorgane der Rechten – etwa die *Neue Preußische (Kreuz-)Zeitung*, die *Post*, die *Tägliche Rundschau* oder die *Rheinisch-Westfälischen Nachrichten* – linientreu über wichtige Aspekte der Regierungspolitik berichten würden. Vielmehr dehnte die rechts orientierte Presse im Laufe der Zeit ihre Kritik an der Reichsleitung auch auf die Außenpolitik aus, obwohl diese allgemein als ein Bereich galt, in dem die Regierung zu Recht beanspruchen konnte, über alle parteilichen Zuordnungen hinweg von der nationalen Presse unterstützt zu werden.

Noch schwieriger gestaltete sich die Zusammenarbeit mit den nationalistischen Agitationsverbänden, die Bülow und Tirpitz anfänglich so überschwenglich begrüßt und indirekt unterstützt hatten. Zwar trug besonders die Agitation des Flottenvereins erheblich dazu bei, die neue Flottenpolitik in der Öffentlichkeit durchzusetzen, aber Bülow und Tirpitz mußten bald erkennen, daß die Kooperation mit solchen Partnern schwierig war, da sie stets dazu neigten, die Regierung zu überbieten und deren Politik aus einer extrem nationalistischen Perspektive anzugreifen. Die offiziellen Beziehungen zum Flottenverein gestalteten sich schon sehr bald als äußerst schwierig, wie Tirpitz zu seiner Irritation feststellen mußte; die zunehmend radikale Führung des Flottenvereins setzte sich über alle Empfehlungen der Regierung hinweg. Gleichermaßen machte Bülow die Erfahrung, daß es unmöglich war, gemeinsam mit den Alldeutschen einen sinnvollen politischen Kurs zu steuern; 1901 klagte er, es sei völlig ausgeschlossen, mit diesen »Bierbankpolitikern« zusammenzuarbeiten.[13] Ganz ähnlich verhielt es sich, allerdings in abgeschwächter Form, mit einem Großteil der Presse. Schon bald erwiesen sich die nationalistischen Emotionen, die Bülow zur Grundlage einer neuen, integrativen »Weltpolitik« hatte machen wollen, als unkontrollierbar und verselb-

13 Bülow im Reichstag am 10. Dezember 1901, Stenographische Berichte über die Verhandlungen des Reichstages, Bd. 179, S. 413ff. Vgl. auch Bernhard Fürst von Bülow, Denkwürdigkeiten, Bd. 1, Berlin 1930, S. 475f.

ständigten sich.[14] Während des Burenkrieges entwickelten viele Zeitungen – und mit ihnen die Öffentlichkeit, sehr zum Mißfallen Bülows massive anglophobe Tendenzen. Die Regierung selbst blieb gegenüber Großbritannien wohlwollend neutral, angesichts der vagen Aussicht, aufgrund des Angolavertrages von 1898 einen Teil des portugiesischen Kolonialreiches zu erwerben, das kurz vor dem Zusammenbruch zu stehen schien. Halbherzige Versuche der Presseabteilung Hammanns, die Presse entsprechend zu beeinflussen und den scharfen antibritischen Stimmungen in der Öffentlichkeit entgegenzuwirken, blieben weitgehend erfolglos und lösten in Regierungskreisen zunehmende Irritation aus.[15]

Es stellte sich nunmehr heraus, daß die nationalistischen Strömungen in der Öffentlichkeit – besonders gegenüber dem Schicksal der Buren deutlich spürbar – sich jeder amtlichen Beeinflussung entzogen. Das beruhte teilweise auf der widersprüchlichen diplomatischen Konstellation, in die sich die deutsche Außenpolitik infolge des britisch-deutschen Geheimabkommens von 1898 (aufgrund dessen das Deutsche Reich zu wohlwollender Neutralität gegenüber Großbritannien verpflichtet war) hineinmanövriert hatte, teils darauf, daß die deutsche Öffentlichkeit grenzenloses Mitgefühl mit den Buren empfand. Vergeblich suchte die Regierung die antibritische Presseagitation zu mäßigen; Bülow ging höchstpersönlich auf Claß, den Vorsitzenden des Alldeutschen Verbandes, zu, stieß aber dort auf taube Ohren. In diesen Jahren ebnete der Exzeß nationalistischer Gefühle faktisch den Weg für vieles, was später geschehen sollte.

Allgemein läßt sich sagen, daß die Welle des imperialistischen Nationalismus, von der sich die mittlere und obere Mittelschicht Deutschlands mitreißen ließ, die Reichsleitung in nahezu allen wichtigen außenpolitischen Forderungen zunehmend überbot. Infolgedessen verlor die Reichsleitung in Sachen der Beeinflussung der öffentlichen Meinung die Initiative. Die offizielle Presse konzentrierte sich darauf, die Öffentlich-

14 Einen guten Beleg hierfür liefert der Bericht Holsteins an Graf Hatzfeld vom 26. Oktober 1899, in: Gerhard Ebel/Michael Behnen (Hrsg.), Botschafter Graf von Hatzfeld. Nachgelassene Papiere 1838–1901, Teil 2, Boppard 1976, S. 1280ff., mit einigen repräsentativen Presseberichten.

15 Vgl. auch Frederic L. von Holthoon, Public Opinion in Europe during the Boer War, in: Opinion Publique et Politique Exterieure, Bd. 1, 1870–1950, hrsg. von der Università di Milano und der École Française de Rome, Rom 1981, S. 399: »Die Briten haben den Einfluß der Regierung auf die Presse schon immer überschätzt und beklagten sich in der Wilhelmstraße bitter über die antibritischen Tendenzen in führenden deutschen Zeitungen. Sie sahen darin eine bewußte Kampagne der Regierung und bekamen die ernüchternde Antwort, daß das Auswärtige Amt oder der Reichskanzler beim besten Willen nichts dagegen tun konnten [...].«

keit bei außenpolitischen Problemen von Fall zu Fall zu besänftigen oder behutsam zu lenken; hingegen vermied sie es, die nationalistischen Stimmungen noch weiter anzufachen. So geriet sie immer stärker in die Defensive.

Zum Teil ging diese Entwicklung darauf zurück, daß der »Neue Imperialismus« keinerlei konkrete Erfolge vorweisen konnte. Praktisch alle imperialistischen Unternehmungen Bülows endeten enttäuschend. Sie gefährdeten nicht nur die internationale Stellung des Deutschen Reiches, sondern blieben am Ende auch innenpolitisch wirkungslos. Zwar könnte man sagen, daß die bürgerlichen Parteien 1897 durch den Appell an die neu aufkommenden nationalistischen Emotionen ins Regierungslager zurückgeholt worden waren. Aber schon 1906 hatte die pseudo-plebiszitäre Herrschaft Bülows ihre Basis in der Bevölkerung wieder verloren, und am Ende scheiterte auch der Versuch, seine Position mit Hilfe des sogenannten »Bülow-Blocks« zu stabilisieren.

Bethmann Hollweg, der Bülow im Juni 1909 als Kanzler ablöste, suchte die Bruchstücke des halbautoritären Herrschaftssystems Bülows wieder zusammenzufügen, indem er in der Tradition Bismarcks »über den Parteien« zu regieren suchte; diese Politik mußte jedoch allen strittigen Themen behutsam aus dem Wege gehen. Außenpolitisch versuchte Bethmann Hollweg, die Stellung Deutschlands zunächst einmal zu konsolidieren, statt auf weitere Erwerbungen zu drängen; in der Marokkofrage war das Deutsche Reich bereit, nunmehr die französische Vorherrschaft in diesem Lande anzuerkennen. Dadurch entspannten sich vorübergehend die Beziehungen zu Frankreich. Ähnliche Offerten ergingen an Rußland, jedoch ohne nennenswerten Erfolg. Oberste Priorität hatte allerdings das Ziel, engere Beziehungen – vielleicht sogar ein Neutralitätsabkommen – mit Großbritannien anzustreben, wofür die Regierung bereit war, den Flottenbau zu verlangsamen. Diese ziemlich naiven Maßnahmen führten jedoch nicht zu durchgreifenden Erfolgen. Erst als Kiderlen-Wächter 1911 das Auswärtige Amt übernahm, knüpfte man wieder energisch an die »Weltpolitik« der Ära Bülow an, jedoch in stark veränderter Form.

Das spektakulärste imperialistische Unternehmen Kiderlen-Wächters war der »Panthersprung« nach Agadir. Mit dieser großangelegten imperialistischen Strategie sollte Frankreich gezwungen werden, auf den Kongo zu verzichten, um in Marokko freie Hand zu bekommen. Kiderlen-Wächter wollte die Verhandlungsposition des Deutschen Reiches stärken, indem er die deutsche Öffentlichkeit mit den ihm zu Gebote stehenden Mitteln für die Geltendmachung der deutschen Interessen mobilisierte und bewußt nationalistische Stimmungen entfachte. Er war fest davon ausgegangen, daß der französische Vormarsch auf Fez, veranlaßt durch den Machtverlust des Sultans, eine optimale Chance bot, um die Marokkofrage neu aufzuwerfen. Am 1. Juli 1911 ging ein deutsches Kriegsschiff im Hafen von Agadir vor Anker – angeblich um deutsche Interessen zu schützen, obwohl es dort kaum etwas zu schützen gab. Gleichzeitig ließ Kiderlen-Wächter in der deutschen Presse den Eindruck entstehen, daß Frankreich, sofern der südliche Teil des Landes als Gegenleistung deutsches Kolonialgebiet werde, im übrigen Marokko freie Hand erhalten solle. Anfang Juli 1911 lud das Auswärtige Amt etwa fünfzig Journalisten in die Wilhelmstraße ein. Dabei vermied Kiderlen-Wächter zwar eine klare Stellungnahme, tat aber auch nichts, um die naheliegende Annahme der Teilnehmer zu zerstreuen, die Regierung strebe die Erwerbung des »Sus« an. Zudem sprach Kiderlen-Wächter im September 1911 lange mit dem alldeutschen Vorsitzenden Claß und gab dessen Pamphlet »Westmarokko deutsch«, wovon innerhalb weniger Wochen zahlreiche Exemplare verkauft wurden, seinen Segen. Allerdings forderte Kiderlen-Wächter von Claß, einige besonders aggressive Passagen zu streichen, in denen für den Fall eines deutsch-französischen Krieges unter anderem ein deutsches Burgund als Kriegsziel gefordert wurde. Kiderlen-Wächter ging, wie er später vor dem Hauptausschuß des Reichstages zugab, fest davon aus, daß ein entschiedenes Eintreten der öffentlichen Meinung für die Annexion Südmarokkos geeignet sein würde, Frankreich dazu zu bringen, auf den gesamten Französischen Kongo zu verzichten. Die Marokkopolitik Kiderlen-Wächters schlug jedoch völlig fehl und hatte nur unbedeutende territoriale Zugeständnisse Frankreichs zur Folge.[16]

Als die Tatsachen Anfang November 1911 wirklich bekannt wurden, war die Öffentlichkeit maßlos enttäuscht. Erstmals wurde die offizielle Pressepolitik sowohl im Hauptausschuß als auch im Reichstag scharf kritisiert.[17] Man warf der Regierung vor, die Öffentlichkeit bewußt getäuscht zu haben; Bassermann schloß die Debatte im Hauptausschuß mit schar-

16 Die jüngste Darstellung der Marokkopolitik Kiderlen-Wächters von 1911 findet sich in Geoffrey Barraclough, From Agadir to Armageddon. Anatomy of a Crisis, London 1982. Das Buch behandelt jedoch nicht Kiderlen-Wächters doppelbödige Versuche, die deutsche »Öffentlichkeit« im Sinne seiner machiavellistischen Strategie zu manipulieren. Vgl. aber Emily Oncken, Panthersprung nach Agadir. Die deutsche Politik während der 2. Marokkokrise, Düsseldorf 1981.

17 Bei dieser Gelegenheit kamen in den vertraulichen Sitzungen des Hauptausschusses alle Einzelheiten über den Umgang Kiderlen-Wächters mit der deutschen Presse ans Licht. Vgl. Protokolle des Hauptausschusses des Deutschen Reichstags, 17. Nov. 1911, 111. Sitzung, S. 12, ZStA der DDR, Potsdam. Kiderlen-Wächter äußerte dazu: »Einer der Hauptgründe, warum der Gedanke sich verbreitete, in Marokko festen Fuß zu fassen, liege in der Broschüre des Dr. Claß. Diese Broschüre sei ihm bekannt gewesen, bevor sie in der Öffentlichkeit erschienen sei. Dies heiße aber doch nicht, daß er ihr zugestimmt habe. Er habe vielmehr dem Herrn, der sie ihm im Entwurf gezeigt habe, ›ausdrücklich vom Druck abgeraten‹. Die Broschüre würde übrigens anders beurteilt worden sein, wenn sie vollständig erschienen wäre, denn weiter habe

fen Vorwürfen und erklärte: »Es zeigte sich eben, daß man auswärtige Politik nicht machen könne in vollständiger Entfernung vom Empfinden des Volkes. Das habe die Leitung unserer auswärtigen Politik verkannt, und darin liege die Erklärung für die berechtigte Mißstimmung im Volke.«[18] Der Regierung fiel es schwer, ihre dubiosen Pressemanipulationen im Reichstag zu verteidigen.[19] Kiderlen-Wächter stellte seine Unterredung mit Claß im Parlament zwar sehr ausweichend, aber dennoch in enthüllender Weise folgendermaßen dar: »Ich habe ihm gesagt: so und so liegen die Dinge, wir wollen Kompensationen, aber jetzt ist noch nicht das Stadium, daß wir sagen können, die Sache ist fertig; aber es ist ganz gut, wenn sich bei uns eine patriotische Stimmung zeigt, und wenn Sie sie etwas räsonieren, so schadet das ja gar nichts. Ich glaube, das ist kein Verbrechen.« Jedoch stellte er in Abrede, daß er »irgend jemand damit gekommen wäre, wir wollten Teile von Marokko nehmen, und man möchte dafür Propaganda machen«.[20] Alle großen bürgerlichen Parteien waren sich einig in der Verurteilung der amtlichen Pressepolitik. Graf Hertling griff die Mißstände in äußerst scharfer Form an: »Ich bin allerdings der Meinung, daß die Presse überhaupt, aber besonders die offiziöse Presse, während der letzten Monate durchaus nicht auf der Höhe ihrer Aufgaben gestanden hat, daß sie es durchaus nicht verstanden hat, die öffentliche Meinung in der richtigen Weise zu belehren und im Sinne der Regierung auch zu dirigieren.« Er beanstandete im übrigen, daß es nicht bloß ein amtliches Pressebüro gebe, sondern derer drei: die Presseabteilung des Auswärtigen Amtes, die Presseabteilung des Reichsmarineamtes und jene des Reichskolonialamtes.[21]

Diese Vorgänge werfen ein grelles Licht auf die Mängel der amtlichen Pressepolitik. Die amtliche Propaganda war nicht nur extrem ambivalent, sondern bediente sich auch oft zweifelhafter Praktiken. Ihre Willkür zeigt sich vor allem darin, daß sie bestimmte Journalisten mit Informationen versorgte, anderen jedoch diese vorenthielt. Schlimmer noch: Die Pressepolitik der verschiedenen Regierungsinstanzen war widersprüchlich und produzierte außer einer diffusen, völlig maßlosen nationalistischen Begehrlichkeit fast nur Verwirrung.

Anfang 1912 begann die Regierung, einer Forderung der Reichstagspar-

darin z. B. gestanden, wir sollten nicht nur Marokko, sondern auch das Rhone-Departement uns friedlich aneignen.« Ebenda, S. 14.

18 Ebenda, S. 12.

19 Vgl. Verhandlungen des Reichstages, Bd. 263, S. 7808B; außerdem Kiderlen-Wächters Erklärung am 17. Februar 1912, ebenda, Bd. 283, S. 102D, 103A–C.

20 Ebenda, S. 103D; vgl. auch seine Erklärung im Hauptausschuß des Reichstags, 111. Sitzung, S. 14.

21 Verhandlungen des Reichstages, Bd. 268, S. 7716C, 7718D.

teien folgend, den amtlichen Presseapparat zu reformieren. Sie machte einen mutigen Anlauf, die Presseabteilungen der verschiedenen Ministerien aufzulösen und die amtliche Pressepolitik – unter der Zuständigkeit des Kanzlers – zu zentralisieren. Diese Versuche scheiterten jedoch kläglich, weil die einzelnen Ministerien, allen voran das Reichsmarineamt, erbitterten Widerstand leisteten und sich weigerten, ihre unabhängigen Pressebüros aufzugeben. So entwickelte sich zwischen den Presseabteilungen des Auswärtigen Amts und des Reichsmarineamts ein Kleinkrieg in der Frage, ob die Marine weiter ausgebaut oder ob das Deutsche Reich vorsichtiger agieren solle.[22] Bethmann Hollweg zog aus diesen Vorgängen den Schluß, daß man die öffentliche Meinung praktisch nicht beeinflussen könne. Er gestand ein, daß die Regierung nur begrenzte Möglichkeiten habe, ihre Auffassungen mittels der amtlichen Pressepolitik öffentlich durchzusetzen, und sich sogar auf diese Weise oft selbst schade. Daher schlug die amtliche Pressepolitik in der Folge einen neuen Kurs ein. Die Regierung suchte sich soweit wie möglich von der Öffentlichkeit fernzuhalten. So bewirkte das Scheitern der kühnen Versuche Kiderlen-Wächters, die Öffentlichkeit zu manipulieren, eine Rückkehr zu den vertrauten autoritären Praktiken, also zum Bestreben, die Außenpolitik möglichst geheim und ohne Rücksicht auf öffentliche Stimmungen zu gestalten. Infolgedessen versuchte man kaum noch, die Presse zu beeinflussen. Die Öffentlichkeit erfuhr nur noch durch trockene amtliche Artikel in der *Norddeutschen Allgemeinen Zeitung* sowie durch vorsichtig lancierte Berichte in der halboffiziellen Presse von den großen Zielen der deutschen Außenpolitik; gleichzeitig wurde alles getan, um Diskussionen über Detailfragen möglichst zu verhindern. Nicht ohne Grund beklagte Bassermann, der Fraktionsführer der Nationalliberalen Partei im Reichstag, immer wieder, daß die Regierung es versäume, in den Fragen der Außenpolitik engen Kontakt zum Parlament zu halten, obwohl diese von größter Bedeutung für das Reich seien. Er hielt es für eine Schande, auf die »äußerst mageren Informationen der *Norddeutschen Allgemeinen Zeitung* angewiesen zu sein«.[23] Die Regierung Bethmann Hollweg spielte die Außenpolitik am liebsten herunter, um größeren Kontroversen auszuweichen. Offenbar sah der Kanzler darin den besten Weg, sich in einer nationalistisch aufgeheizten politischen Atmosphäre möglichst viel Handlungsspielraum zu bewahren. Die extremistischen Kampagnen der nationalistischen Agitationsverbände fanden nämlich bei den Nationalliberalen und Konservativen, die ebenfalls kaum noch Sinn für Mäßigung und ausgewogenes Urteil hatten, ein zunehmend starkes Echo.

22 Einzelheiten bei Vogel, S. 19ff.
23 Am 2. Dezember 1912; Verhandlungen des Reichstages, Bd. 286, S. 2494 A–B.

Allerdings war die Rückkehr zur klassischen Kabinettspolitik, wenn auch in einem etwas neuen Stil, keineswegs einfach zu bewerkstelligen. Die Reichstagsparteien waren nämlich nicht mehr bereit, sich in Fragen der Außenpolitik übergehen zu lassen. Sie forderten regelmäßige Konsultationen seitens der Regierung – entweder in den vertraulichen Sitzungen des Hauptausschusses oder im Reichstag selbst. Im großen und ganzen ging die Regierung auf ihre Forderungen ein. In den Verhandlungen des Hauptausschusses äußerten sich Regierungsvertreter immer wieder überraschend freimütig über die Absichten, Pläne, Hoffnungen und Befürchtungen in der deutschen Außenpolitik. Diese wurde sogar zu einem der entscheidenden Schlachtfelder der parlamentarischen Debatten, und die Regierung flüchtete sich nicht mehr hinter den Verfassungsgrundsatz, die Führung der Außenpolitik sei ein Privileg der kaiserlichen Regierung. Die großen Wehrvorlagen von 1912 und 1913 gaben Anlaß zu intensiven außenpolitischen Debatten im Reichstag, und mehr noch die Balkankrise, die Anfang Dezember 1912 ihren Höhepunkt erreichte; damals schien ein allgemeiner europäischer Krieg unmittelbar bevorzustehen oder zumindest eine sehr realistische Möglichkeit zu sein. In dieser Situation versuchte die Regierung Bethmann Hollweg, eine Einheitsfront der Reichstagsparteien und der Öffentlichkeit herzustellen und diese auf den Kurs der Regierungspolitik einzuschwören; dieser lief darauf hinaus, die Position Österreich-Ungarns in der Balkanfrage vorbehaltlos zu unterstützen; dadurch sollte Rußland veranlaßt werden, seine starre Haltung aufzugeben und Österreich-Ungarn freie Hand zu geben. Am 1. Dezember 1912 ging Bethmann Hollweg sogar auf die Sozialdemokraten zu, um diese dafür zu gewinnen, seine Erklärung zugunsten Österreichs, die er am folgenden Tag im Reichstag abgeben wollte, ebenfalls zu unterstützen. Diese Erklärung sollte eine Warnung an Rußland darstellen; der Kanzler sagte der Politik Österreich-Ungarns uneingeschränkte Unterstützung zu, mit dem Ziel, dadurch Rußland zur Nachgiebigkeit zu zwingen und der internationalen Krise damit ein Ende zu setzen.[24]
Die Reichstagsrede Bethmann Hollwegs vom 2. Dezember 1912 hatte freilich ein etwas unerwartetes Nachspiel. Sir Edward Grey ließ die deutsche Regierung daraufhin wissen, daß Großbritannien nicht neutral bleiben könne, wenn es infolge des Balkankonflikts zu einem Krieg in Europa und zu einem militärischen Angriff auf Frankreich kommen sollte. Als Wilhelm II. von dieser Mitteilung erfuhr und den Eindruck gewann, daß sich die Mächte am Rande eines europäischen Krieges befänden, geriet er in Panik. In einem extrem aufgewühlten Zustand berief er die Führungs-

24 Vgl. Erich Matthias/Eberhard Pikart (Hrsg.), Die Reichstagsfraktion der deutschen Sozialdemokratie 1898–1918, Erster Teil, Düsseldorf 1966, S. 280f.

spitzen von Heer und Marine ein, um am 8. Dezember 1912 im sogenannten »Kriegsrat«, zuweilen auch »Krisenkonferenz« genannt, die militärische Lage zu erörtern.[25] Da jetzt ein Krieg zwischen den Großmächten direkt bevorzustehen schien, wurde ernsthaft erwogen, ob Deutschland nicht besser losschlagen statt abwarten sollte, bis sich die militärische Lage noch stärker zu seinen Ungunsten veränderte. Man erwog auch, ob das deutsche Volk unter diesen Umständen angemessen auf die Möglichkeit eines Krieges vorbereitet sei, ging man doch nunmehr davon aus, daß Kriege heutzutage nur noch mit Unterstützung der Öffentlichkeit geführt werden konnten. Das einzige konkrete Ergebnis dieser ansonsten ziemlich folgenlosen Besprechung – die hinter dem Rücken des erst später flüchtig informierten Kanzlers und seines Staatssekretärs des Auswärtigen stattfand – war eine Anweisung an Bethmann Hollweg, er solle die Öffentlichkeit durch die amtliche Pressepolitik auf die Möglichkeit eines Krieges vorbereiten.

Im Anschluß an die Konferenz schrieb Admiral von Müller an den Kanzler: »S[eine] M[ajestät] d[er] K[aiser] haben heute im Kgl. Schlosse gelegentlich einer Besprechung der militärpolitischen Lage befohlen, durch die Presse das Volk darüber aufzuklären, welche großen nationalen Interessen auch für Deutschland bei einem durch den Österreichisch-Serbischen Konflikt entstehenden Krieg auf dem Spiele ständen. Das Volk dürfe nicht in die Lage versetzt werden, sich erst bei Ausbruch eines großen europäischen Krieges die Frage vorzulegen, für welche Interessen Deutschland in diesem Kriege zu kämpfen habe. Das Volk müsse vielmehr schon vorher mit dem Gedanken an einen solchen Krieg vertraut gemacht werden. Da es sich hier um eine rein politische Maßnahme handelt, beehre ich mich Ew. Exzel. von dem vorstehenden Allerhöchsten Befehle g[efälligst] erg[ebenst] in K[enntnis] zu setzen, indem ich das Weitere ebenmäßig anheimstelle.«[26] Diese Anweisung war Ausdruck der

25 Die andauernde Kontroverse über die Rolle des »Kriegsrates« vom 8. Dezember 1912 kann hier nicht umfassend dargestellt werden. Vgl. aber John C. G. Röhl, An der Schwelle zum Weltkrieg: Eine Dokumentation über den »Kriegsrat« vom 8. Dezember 1912, in: Militärgeschichtliche Mitteilungen 21 (1977), S. 77–134, und ders., »Die Generalprobe«. Zur Geschichte und Bedeutung des »Kriegsrates« vom 8. Dezember 1912, in: Dirk Stegmann/Bernd-Jürgen Wendt/Peter-Christian Witt (Hrsg.), Industrielle Gesellschaft und politisches System, Bonn 1978, S. 366ff. Eine Kritik dieser Deutungen findet sich in Wolfgang J. Mommsen, The Topos of Inevitable War in Germany in the Decade before 1914, in: Volker R. Berghahn/Martin Kitchen (Hrsg.), Germany in the Age of Total War, London 1981, S. 43f., Anm. 26 und 27 (siehe auch die deutsche Fassung »Der Topos vom unvermeidlichen Krieg« in diesem Band, S. 393f.); siehe ferner Bernd F. Schulte, Zu der Krisenkonferenz am 8. Dezember 1912 in Berlin, in: Historisches Jahrbuch 102 (1982), S. 183ff., mit neuem Material aus den Hopman-Papieren. Schultes wilde Polemik ist jedoch unangebracht, weil die von ihm und Röhl vorgelegten neuen Belege die oben dargelegte Interpretation im Grunde unterstützen.

26 Vgl. Röhl, An der Schwelle zum Weltkrieg, S. 100.

Überzeugung Wilhelms II. und seiner Militärberater, daß sich keine Regierung ohne hinreichende öffentliche Unterstützung und ohne »gerechten« Kriegsgrund auf das Wagnis eines Krieges einlassen dürfe. Gleichzeitig war die Botschaft jedoch ziemlich unklar. Aus ihr ergab sich nämlich noch nicht einmal, ob die Öffentlichkeit auf einen Krieg an der Seite Österreich-Ungarns vorbereitet werden solle, der jeden Augenblick ausbrechen konnte, oder auf einen allgemeinen Krieg in der nahen oder ferneren Zukunft.

Das Auswärtige Amt reagierte sehr schnell, um die Befürchtungen Seiner Majestät zu zerstreuen; es wies darauf hin, daß man in einem halboffiziellen Artikel der *Norddeutschen Allgemeinen Zeitung* (mit dem ziemlich blassen Titel »Um Durazzo«) die Öffentlichkeit bereits darüber informiert habe, daß ein Krieg an der Seite Österreich-Ungarns angesichts der internationalen Lage gleichbedeutend damit wäre, für die Wahrung der Machtstellung Deutschlands in der Welt zu kämpfen.[27] Kiderlen-Wächter räumte allerdings ein, daß es notwendig sei, in dieser Hinsicht stärker auf die Presse Einfluß zu nehmen. Doch am Ende kam es zu keinerlei konkreten Maßnahmen, jedenfalls nicht von der Art, wie sie sich der Kaiser vorgestellt hatte, als er Tirpitz anwies, auch seine Öffentlichkeitsarbeit in entsprechendem Sinne auszurichten. Im Gegensatz zu der These Röhls, die sich nur auf höchst indirekte Quellenbelege stützt, tat die Regierung nichts, um die Öffentlichkeit systematisch auf einen Krieg vorzubereiten oder auch nur für eine Politik Stimmung zu machen, die sich ständig auf der Schwelle zum Kriege bewegte.[28] Vielmehr versuchte Bethmann Hollweg, alle kriegerischen Tendenzen in der Öffentlichkeit tunlichst herunterzuspielen, wobei allerdings eingeräumt werden muß, daß er damit zugegebenermaßen primär taktische Ziele verfolgte. Erstens wollte der Kanzler eine gemeinsam mit Großbritannien zu erreichende diplomatische Lösung der Balkankrise nicht durch eine lautstarke Pressekampagne gefährden; zum zweiten lag ihm daran, die Wehrvorlage durch den Reichstag zu bringen, ohne international viel Staub aufzuwirbeln. Demgemäß bevorzugte die Regierung indirekte Methoden, um die Öffentlich-

27 Kiderlen-Wächters Erwiderung und der Artikel »Um Durazzo« sind abgedruckt in ebenda, S. 102ff.

28 Seit der Veröffentlichung meines Aufsatzes »Domestic Factors in German Foreign Policy before 1914«, in: Central European History 6 (1973) (vgl. jetzt auch die deutsche Fassung in diesem Band, S. 316–357) sind eine ganze Reihe zusätzlicher Belege ans Licht gekommen, die jedoch nicht zu einer grundsätzlich neuen Deutung Anlaß geben (vgl. S. 366f.). Zwar konnten es sich Bethmann Hollweg und Kiderlen-Wächter nicht leisten, die Forderung des Kaisers, man solle die Öffentlichkeit auf einen Krieg vorbereiten, gänzlich außer acht zu lassen, aber de facto unterdrückten sie alle direkte Regierungspropaganda zum Thema, und dieser politische Kurs änderte sich auch nicht, nachdem die Wehrvorlage angenommen worden war. In Wahrheit lenkte die Regierung die öffentliche Meinung nicht, sondern lief ihr nach.

keit für die Wehrvorlage und für die dafür erforderlichen fiskalischen Maßnahmen zu gewinnen. So wurden unter anderem unabhängige Persönlichkeiten wie Karl Lamprecht oder Hans Delbrück gebeten, sich öffentlich für die Wehrvorlage einzusetzen. Zudem wußte der Kanzler um die Gefahren einer offen nationalistischen Agitation seitens der Reichsleitung – gleichgültig, ob dies in der subtileren Art Bismarcks oder in der pompöseren Manier Bülows durchgeführt würde, obschon letztere dem Kaiser zweifellos zugesagt hätte.

Diese ziemlich unbeholfenen Versuche, den Patriotismus vorsichtig zu fördern, sich gleichzeitig aber von jeglicher radikal nationalistischen Agitation fernzuhalten, um nicht noch zusätzlich Wasser auf die Mühlen des Alldeutschen Verbandes und des Wehrvereins zu leiten, scheiterten am Ende kläglich. Der Kanzler löste am 21. April 1913 im Reichstag durch eine sehr unglückliche Bemerkung über die Wahrscheinlichkeit einer säkularen deutsch-slawischen Auseinandersetzung – mit der er eigentlich die Regierung von jenen Argumenten hatte dissoziieren wollen, wie sie bei extrem nationalistischen Gruppen und sogar in Teilen der seriösen Presse kursierten – eine hitzige Debatte darüber aus, ob ein Krieg mit Rußland in naher Zukunft bevorstehe.[29] Friedrich von Bernhardis radikale Ansichten über die Unausweichlichkeit, ja sogar Wünschbarkeit eines europäischen Krieges, die er in seinem einflußreichen Buch »Deutschland und der nächste Krieg« propagiert hatte, verhärteten sich allmählich zu einer anerkannten Doktrin. Mehr noch, seine Argumentation nahm zunehmend den Charakter einer sich selbst erfüllenden Prognose an. Die Regierung suchte diesen Tendenzen in der Öffentlichkeit indirekt entgegenzutreten. Richard von Kühlmann veranlaßte den Journalisten Hans von Plehn, unter Pseudonym ein Buch mit dem Titel »Deutsche Weltpolitik und kein Krieg« zu veröffentlichen, das ein Plädoyer für eine vorsichtige, aber beharrliche »Weltpolitik« in enger Kooperation mit Großbritannien darstellte. Mehr und mehr Zeitgenossen gelangten gleichwohl zu der Meinung, daß die Zeit nicht für, sondern gegen das Deutsche Reich arbeite, zumal Rußland in alarmierendem Tempo wiederaufrüstete.

Die konservative *Post* argumentierte – neben vielen anderen –, daß Deutschland sich so schnell wie möglich auf einen großen europäischen Krieg vorbereiten müsse, da es aussichtslos sei, auch weiterhin auf die Unterstützung der Briten zu hoffen. Die Regierung versuchte zwar, diese Tendenzen als haltlos und gefährlich zurückzuweisen, erreichte aber nicht viel, zumal sie bei anderen Gelegenheiten selbst ausgesprochen nationalistische Töne anschlug, um die Sozialdemokraten zu bekämpfen und po-

29 Verhandlungen des Reichstages, Bd. 289, S. 4513 A–B.

litisch zu isolieren.[30] Nicht nur schlug ihr von seiten der Neuen Rechten, die von den nationalistischen Agitationsverbänden repräsentiert wurde, wachsende Kritik entgegen; auch die Nationalliberalen und die Konservativen traten nunmehr lautstark für eine kraftvolle »Weltpolitik« ein und empfahlen sich der Wählerschaft als entschiedene Vertreter einer effizienten deutschen »Vorwärtspolitik«. Allerdings waren dabei vor allem wahltaktische Motive im Spiel. Das alles hatte eine nachhaltige Wirkung auf die öffentliche Meinung. Zumindest im bürgerlichen Lager breitete sich ungehemmt imperialistische Begehrlichkeit aus und erfaßte sogar Teile der Radikalliberalen und der Sozialdemokratie. Von der Regierung erwartete man nunmehr sichtbare imperialistische Erfolge. Nicht nur die extremen nationalistischen Gruppierungen, auch die Rechtsparteien im Reichstag traktierten dieses Thema mit zunehmender Lautstärke. Im Mai 1914 klagte Bassermann, eine Schlüsselfigur in allen außenpolitischen Debatten im Reichstag, ziemlich sarkastisch, daß es in den letzten Jahren »territorialen Zuwachs« für Frankreich, Italien, Großbritannien und Rußland gegeben habe, »während wir eine sehr bescheidene Rolle spielten«.[31]

Allerdings konnte die Regierung auf einige ziemlich aussichtsreiche Projekte hinweisen, die künftige Gebietserwerbungen oder – vielleicht noch wertvoller – die Eröffnung bedeutender wirtschaftlicher Chancen in Übersee verhießen. Die Verhandlungen mit Großbritannien über eine künftige Aufteilung von Angola und Mozambique, die davon ausgingen, daß Portugal dazu gebracht werden könne, diese Territorien gegen eine finanzielle Entschädigung aufzugeben, waren Ende 1913 erfolgreich abgeschlossen worden. Doch die deutsche Regierung wagte es nicht, auf die britische Forderung einzugehen, diese Vereinbarungen zu veröffentlichen, weil sie mit einigem Recht befürchtete, ein solcher Schritt könnte die Verwirklichung dieser imperialistischen Projekte gefährden. Wichtiger war jedoch die Sorge, daß die von Anglophobie erfaßte deutsche Öffentlichkeit das Abkommen einmal mehr für eine »Falle« Großbritanniens halten könnte. Einstweilen wurde daher aus dieser Sache nichts. Gleichzeitig nahm die deutsche Regierung geheime Verhandlungen über einen möglichen Erwerb des belgischen Kongo auf. Die internationalen Vereinbarungen über die Abgrenzung der deutschen Interessensphären im Osmanischen Reich hatten einige greifbare, aber nicht immer zufriedenstellende Resultate gebracht. Jedenfalls waren die Hindernisse für den Bau der Bagdadbahn aus dem Wege geräumt worden, und Deutsch-

30 Einzelheiten bei Wolfgang J. Mommsen, The Topos of Inevitable War, S. 33ff. (siehe in diesem Band, S. 396ff.)
31 Am 14. Mai 1914, Verhandlungen des Reichstages, Bd. 295, S. 8834.

land hatte sich auch eine bescheidene Beteiligung an der Ausbeutung der Ölvorkommen am Persischen Golf gesichert. Die Regierung wagte es jedoch nicht, diese Projekte öffentlich vorzustellen; teils wollte sie deren Verwirklichung nicht durch vorzeitige Bekanntmachung gefährden, teils fürchtete sie, dies alles könnte einer nationalistischen Öffentlichkeit, die völlig übertriebene Erwartungen hatte, als viel zu wenig und – was die Durchsetzbarkeit anging – viel zu unsicher erscheinen. Daher beschränkte sich die Reichsleitung auf vorsichtige Andeutungen im Hauptausschuß des Reichstages über das, was an dieser Front erreicht worden war, vermied es aber, in eigener Sache an die Öffentlichkeit zu treten.

In den letzten Jahren vor dem Ersten Weltkrieg trieb die Reichsleitung also keine aktive, sondern eine reaktive Öffentlichkeitspolitik; sie versuchte vielmehr, sich aus den öffentlichen Debatten über Probleme des Imperialismus möglichst herauszuhalten. Andererseits wagte sie es nicht, jenen Publizisten entschieden entgegenzutreten, die behaupteten, das Deutsche Reich müsse seinen Weltmachtstatus früher oder später durch einen Krieg auf eine dauerhafte Grundlage stellen. Vielmehr äußerte sich die Regierung nur lammfromm und zu Einzelfragen, war sie doch schon seit langem von weit extremeren Gruppen ausmanövriert worden. Außerdem hatte sie allen Grund zu der Befürchtung, daß alle direkten Maßnahmen gegen extrem imperialistische Strömungen fehlschlagen und dem Kanzler samt seinen Beratern nur den Vorwurf eintragen würden, schwach, unentschlossen, vielleicht sogar pazifistisch zu sein. Das hätte ihrem Ansehen beim Kaiser, bei den Konservativen und beim militärischen Establishment geschadet, jenen Machtfaktoren, die für alle Kanzler der wilhelminischen Epoche eine weitaus wichtigere Rolle spielten als parlamentarische Mehrheiten.

Im Jahre 1913 sah sich die Regierung Bethmann Hollweg mit mindestens drei Gruppierungen konfrontiert, die sie zunehmend unter Druck setzten: erstens die »staatstragenden Parteien«, also die Konservativen, die Freikonservativen, die Nationalliberalen und, in geringerem Maße, sogar der konservative Flügel der Zentrumspartei, die sich immer stärker zu einer Politik der Identifikation mit dem herrschenden System unter nationalen Vorzeichen bekannte; zweitens die extremistischen Agitationsverbände, denen es gelungen war, Teile der unteren Mittelschichten und der Intelligenz auf ihre Seite zu ziehen; und drittens die Militärs und die Aristokraten bei Hofe, die allmählich in Panik gerieten, weil der Reichstag zunehmend Anstalten machte, ihre traditionellen Privilegien zu beschneiden und die Sonderstellung des Militärs im konstitutionellen System sowie seinen privilegierten Status in der wilhelminischen Gesellschaft zu beseitigen. Nicht wenige von ihnen waren für die Idee gewonnen worden, daß ein Krieg der einfachste Ausweg aus diesem Dilemma sein würde, da er die Chance eröffne, die Sozialdemokraten zu unterdrücken und ein weiteres Fortschreiten der Demokratisierung oder – wie man es neuerdings genannt hat – der »stillen Parlamentarisierung« zu verhindern.[32] Anläßlich der »Zabern-Affäre« Ende 1913, aber mehr noch im März 1914, als die *Kölnische Zeitung* einen Artikel ihres Korrespondenten in Petersburg (»Ist Krieg in Sicht?«) veröffentlichte, der zur großen Bestürzung des Auswärtigen Amtes einen förmlichen deutsch-russischen Pressekrieg auslöste, zeigte sich, wie unfähig die Regierung war, diese Strömungen zu kontrollieren. Die öffentliche Empörung über angeblich aggressive Absichten Rußlands verschärfte das politische Klima erheblich, und die recht zahmen Versuche des Auswärtigen Amtes, extremistischen Ansichten entgegenzutreten, blieben weitgehend erfolglos. Der Herausgeber der *Kölnischen Zeitung* wurde ins Auswärtige Amt bestellt, wo man ihm bedeutete, daß Artikel zu derart heiklen Themen nicht ohne vorherige Fühlungnahme mit der Regierung veröffentlicht werden dürften; doch dieser weigerte sich rundheraus, sein Blatt einer derartigen Vorzensur zu unterwerfen. Die offizielle Pressepolitik hatte sich also weit von dem entfernt, was sie zur Zeit Bülows gewesen war.

Allmählich wurde die sogenannte »russische Gefahr« nicht nur in der Öffentlichkeit, sondern auch in hohen Regierungskreisen und besonders im Generalstab zunehmend als bedrohlich betrachtet. Dadurch erhielten die nationalistischen Strömungen weiteren Auftrieb. Schon seit langem hatte ein Prozeß eingesetzt, der durch die Propagierung immer weitreichenderer, extrem nationalistischer Erwartungen, mit dem Ziel, die jeweiligen Rivalen auf dem Felde »nationaler Zuverlässigkeit« zu überbieten, immer weiter vorangetrieben wurde. Dieser Prozeß wurde durch die Konkurrenz zwischen den Konservativen und den Nationalliberalen sowie, auf breiterer Basis, zwischen der Alten und der Neuen Rechten um die Gewinnung von Gefolgschaft in der breiteren Öffentlichkeit zusätzlich beschleunigt. Bereits seit 1912 war dieser Prozeß in ein Stadium eingetreten, in dem er fast unkontrollierbar geworden war; jedenfalls befand sich die Regierung seitdem eindeutig in der Defensive. Selbst wenn sie versucht hätte, auf die öffentliche Meinung aktiv Einfluß zu nehmen, wären ihre Auffassungen kaum akzeptiert worden. Angesichts ihrer geschwächten Stellung sowohl gegenüber der Öffentlichkeit als auch bei einflußreichen Gruppen in der Umgebung des Kaisers geriet sie statt dessen ins Schlepptau eines Imperialismus ohne konkrete Ziele oder, um Joseph Schumpeters Definition zu zitieren, »ohne angebbare Grenze«. Diese Entwicklung löste bei den führenden Politikern große Sorgen und Beden-

32 Vgl. Manfred Rauh, Die Parlamentarisierung des Deutschen Reiches, Düsseldorf 1977. Rauh überschätzt jedoch die bis 1914 tatsächlich in dieser Richtung erreichten Veränderungen.

ken aus. In der Tat konnte die Bereitschaft der Regierung, sich gleichsam von einer nationalistischen öffentlichen Meinung treiben zu lassen, nicht ohne schwerwiegende Auswirkungen bleiben.

Die nationalistischen Einstellungen weiter Teile der deutschen Gesellschaft waren überwiegend emotional geprägt. Sie erwuchsen nicht nur aus einem Gefühl des Nationalstolzes, sondern vielleicht mehr noch aus Furcht und aus einer tiefsitzenden Verunsicherung. Zum einen drohte die steigende Flut des Sozialismus, der damals fast unbesiegbar erschien, die gesellschaftliche Ordnung aus den Angeln zu heben. So gerieten viele Geschäftsleute in den Sog eines nationalistischen Imperialismus, obschon dieser ihnen rein ökonomisch kaum etwas zu bieten hatte, nur weil er als die einzige politische Ideologie galt, mit der man eine weitere Ausbreitung der sozialistischen Doktrin eindämmen konnte. Gleiches galt für die Mehrzahl der bürgerlichen Parteien, ganz zu schweigen von den Konservativen, die diesen Trumpf so oft wie möglich ausspielten, weil die Grundlagen ihrer eigenen politischen Philosophie zunehmend unattraktiv geworden waren. Noch wichtiger dürfte gewesen sein, daß es den nationalistischen Agitationsverbänden gelungen war, neue Bevölkerungsgruppen, die bis dahin abseits von der Politik gestanden hatten, unter dem Banner eines integralen Nationalismus zu mobilisieren, der sich als konservativ und als fortschrittlich zugleich ausgab. Dies war letzten Endes nur möglich, weil das halbkonstitutionelle System des Deutschen Reiches nicht mehr den Anforderungen einer modernen Industriegesellschaft und den Bedingungen einer populären Massenpolitik genügte. Im Juli 1914[33] griff die »latente Krise« des politischen Systems des Deutschen Reiches auf die internationalen Beziehungen über und verursachte einen Weltkrieg, den die »zivilen« Staatsmänner an der Spitze im Grunde lieber vermieden hätten.

(Übersetzt aus dem Englischen von Hans-Günther Holl)

33 Die ziemlich delikaten und reichlich machiavellistischen Versuche der Regierung Bethmann Hollweg, ihre Politik während der Julikrise durch eine geschickte Beeinflussung der Presse abzusichern, können hier nicht behandelt werden. Trotz der Arbeiten Fritz Fischers, Egmont Zechlins und Klaus Werneckes wurden sie bisher noch nicht umfassend erforscht. Vgl. auch Ropponen, Die russische Gefahr, und J. F. Scott, Five Weeks. The Surge of Public Opinion on the Eve of the Great War, New York 1973. Im großen und ganzen versuchte die Regierung auch nach dem Ultimatum an Serbien vom 23. Juli 1914 noch, die Krise herunterzuspielen und die nationalistische Erregung zu dämpfen, weil sie hoffte, den Konflikt so eher begrenzen zu können, in jedem Falle aber, um die Bedingungen, unter denen ein europäischer Krieg geführt werden müsse, gegenüber der deutschen Öffentlichkeit günstig zu gestalten. So sollte das Odium, den Krieg verursacht zu haben, unter allen Umständen Rußland zugeschoben werden. In dieser Hinsicht wurde den Offerten Bethmann Hollwegs an die Sozialdemokratie zu Recht besondere Aufmerksamkeit zuteil. Insbesondere wollte die Regierung die Fürsprache der Presse für ihre Linie erreichen, daß die Unterstützung Österreich-Ungarns von Anfang an gerechtfertigt gewesen sei – eine Auffassung, der eigentlich nur die Rheinisch-Westfälische Zeitung widersprach. Ansonsten unterließ die Regierung alle Versuche, die Presse direkt zu beeinflussen, was allerdings ohnehin kaum erforderlich war.

# Der Topos vom unvermeidlichen Krieg: Außenpolitik und öffentliche Meinung im Deutschen Reich im letzten Jahrzehnt vor 1914*

Jede Analyse der Ursachen des Ersten Weltkriegs hat von dem Grundtatbestand auszugehen, daß alle politischen Systeme in Europa, wenn auch in unterschiedlichem Grade, Schwierigkeiten damit hatten, die hergebrachten Formen der Herrschaftsausübung namentlich auf dem Gebiete der auswärtigen Politik den neuen Verhältnissen anzupassen, die durch den Eintritt der breiten Massen in die politische Arena und eine fortschreitende formelle oder indirekte Demokratisierung der politischen Prozesse bestimmt wurden. Die Führung der auswärtigen Politik war vor 1914 selbst in weitgehend demokratischen Staaten wie Frankreich oder Großbritannien nach wie vor größtenteils den traditionellen Eliten vorbehalten. Diese fanden es jedoch zunehmend schwieriger, die eigene Politik sei es unabhängig von der öffentlichen Meinung zu betreiben, sei es, für diese die Zustimmung der öffentlichen Meinung zu erlangen. Vielfach kam es zu einem gestörten Verhältnis zwischen den Eliten, die weiterhin den traditionellen Vorstellungen klassischer Mächtepolitik anhingen, und einer zunehmend nationalistisch eingestellten Öffentlichkeit.
Hier soll im folgenden ein Aspekt, der als Bestandteil eines übergreifenden strukturanalytischen Erklärungsmodells zu gelten hat, näher analysiert werden, nämlich die Formverwandlungen in der öffentlichen Meinung in den letzten Jahren vor 1914 im Hinblick auf Erwartungen und Befürchtungen der Öffentlichkeit bezüglich eines bevorstehenden europäischen Krieges. Wir beschränken uns dabei auf das Deutsche Reich, doch setzen wir voraus, daß sich vergleichbare Phänomene prinzipiell, wenn auch nicht immer mit der gleichen Bestimmtheit und den gleichen konkreten Inhalten, auch in anderen europäischen Ländern nachweisen lassen.
Wir gehen von der Annahme aus, daß gerade solche Regierungssysteme, die man mit Max Weber als »halbkonstitutionell« bezeichnen kann, von den Strömungen der öffentlichen Meinung bzw. (um präzis zu sein) der

* Erstfassung: The Topos of Inevitable War in Germany in the Decade befor 1914, in: Volker R. Berghahn/Martin Kitchen (Hrsg.), Germany in the Age of Total War. Essays in Honour of Francis Carsten, London 1981, S. 23–45.

Meinung der innerhalb dieses Systems politisch aktiven Gruppen und Schichten besonders abhängig zu sein pflegen. Die Machtstellung der Regierungen ist nicht mehr stark genug, um es sich leisten zu können, die öffentliche Meinung in Fragen der auswärtigen Politik einfach außer acht zu lassen; umgekehrt verfügen sie nicht über die Vertrauensbasis in den Parteien und in der Bevölkerung als solcher, wie sie parlamentarische Systeme besitzen, und ebenso nicht über die institutionellen Möglichkeiten, auf die Entwicklung der öffentlichen Meinung führend einzuwirken. Sie können diese zu manipulieren suchen und tun dies beständig, aber stehen ihr gleichwohl immer wieder hilflos gegenüber.

Nach dem Ende der großen nationalen Einigungskriege in der Mitte des Jahrhunderts, die im deutsch-französischen Krieg von 1870/71 kulminierten, hatte Europa eine Periode ununterbrochenen Friedens erlebt. Kriegerische Verwicklungen hatte es zwar immer wieder gegeben, aber stets an der Peripherie; und immer hatten die Mächte es verstanden, die Auswirkungen dieser Konflikte auf das europäische Staatensystem in engen Grenzen zu halten. Die Krieg-in-Sicht-Krise von 1875 und die – gutenteils künstlich hochgespielte – Kriegshysterie anläßlich der Boulangerkrise 1887 hatten eigentlich der Überzeugung wenig Abbruch getan, daß, zumal unter Bismarcks Kanzlerschaft, ein großer europäischer Krieg kaum zu befürchten sei. Auch das Problem Elsaß-Lothringen hatte zunehmend an aktueller Bedeutung verloren. Das Vertrauen darauf, daß es den Regierungen gelingen werde, regionale oder periphere Konflikte auf diplomatischem Wege oder doch ohne große Kriege zu lösen, war bis Ende des 19. Jahrhunderts berechtigterweise groß. Seit der Mitte der 90er Jahre, mit dem Einsetzen der zweiten, letzten Welle des »scramble« für überseeische Territorien, ging dieses Vertrauen jedoch allmählich verloren. Der deutsche Schlachtflottenbau ließ Befürchtungen hinsichtlich eines *»Kopenhagens«* der deutschen Flotte wach werden; wiederholte Zwischenfälle im Verhältnis zu Frankreich weckten beiderseits des Rheins neue Besorgnisse; vor allem aber gewann die Ansicht zunehmend an Boden, daß die unvermeidliche imperialistische Expansion der Großstaaten in noch unentwickelte Gebiete des Erdballs, die als unverzichtbar für das Überleben der eigenen Nation in der kommenden Weltepoche angesehen wurde, nicht ohne schwere kriegerische Konflikte zwischen den rivalisierenden Großmächten werde abgehen können. Unter dem Einfluß dieser Entwicklungen bildete sich eine von imperialistischer Begeisterung getragene geistige Disposition zur Anwendung von Gewalt und Krieg; Gewalt wurde zunehmend als ein notwendiges Element des Völkerlebens betrachtet, ja begrüßt. Umgekehrt entwickelte sich, gleichsam als Reflex dieser Auffassungen, eine fatalistische Grundstimmung, die einen Weltkrieg früher oder später als unvermeidlich anzusehen begann. Ursprünglich von interessierter Seite als ein rhetorisch höchst wirksames Argument eingeführt, löste sich diese Vorstellung dann zunehmend von solchen eindeutig propagandistischen Zusammenhängen ab und verselbständigte sich angesichts der zunehmenden Verschärfung der internationalen Beziehungen schließlich vielerorts zu einer Art von fatalistischer Kriegserwartung. Diese schwächte, formal gesehen, die Resistenz gegenüber kriegerischen Tendenzen und hat letzten Endes die Wirkung einer *self-fulfilling prophecy* gehabt.

Es ist freilich außerordentlich schwierig, Kriegsbegeisterung einerseits, fatalistische Kriegserwartung andererseits als eigenständige Faktoren aus der Mannigfaltigkeit des historischen Geschehens herauszufiltern und als historisch wirksam zu erweisen, schon deshalb, weil diese in den Bereich der »unspoken assumptions«[1] hineinreichen, vor allem aber, weil Argumentationsmuster dieser Art in aller Regel Reflexe der verschiedensten politischen oder sozialen Interessenlagen gewesen sind. Es gibt mittlerweile eine Fülle von Untersuchungen der öffentlichen Meinung im letzten Jahrzehnt vor 1914, vornehmlich gestützt auf die Auswertung eines schier unerschöpflichen Quellenmaterials – z. B. die Arbeiten von Carroll, Hale, Wernecke und, für einen spezielleren Bereich, von Jux oder Ropponen –, doch ist die Tragfähigkeit der Ergebnisse solcher Studien begrenzt, da sie letzten Endes ihren weitgehend impressionistischen Charakter nicht abschütteln können.[2] Hier soll die Verfolgung des Syndroms der Unvermeidlichkeit eines kommenden Krieges denn auch eher als Leitmotiv einer Analyse der Dispositionen der großen gesellschaftlichen Gruppen und insbesondere der strategischen Cliquen (wir bedienen uns hier eines Terminus von Gilbert Ziebura[3]) in den Jahren vor dem Ausbruch des Ersten Weltkrieges dienen, ohne diesem Faktor eine eigenständige kausale Funktion zuschreiben zu wollen.

Die Ausgangslage ist nicht leicht eindeutig bestimmbar. In Deutschland wie überall in Europa bejahten zumindest die bürgerlichen und aristokratischen Schichten den Krieg im Prinzip als ein notwendiges Mittel der

1 James Joll, 1914: The Unspoken Assumption, London 1968, S. 24.

2 E. Malcolm Carroll, Germany and the Great Powers 1866–1914. A Study in Public Opinion and Foreign Policy, New York 1938; Oron James Hale, Publicity and Diplomacy, New York 1940; Klaus Wernecke, Der Wille zur Weltgeltung. Außenpolitik und Öffentlichkeit im Kaiserreich am Vorabend des Ersten Weltkrieges, Düsseldorf 1970; Anton Jux, Der Kriegsschrekken des Frühjahrs 1914 in der europäischen Presse, Berlin 1929; Risto Ropponen, Die russische Gefahr. Das Verhalten der öffentlichen Meinung Deutschlands und Österreich-Ungarns gegenüber der Außenpolitik Rußlands in der Zeit zwischen dem Frieden von Portsmouth und dem Ausbruch des Ersten Weltkriegs, Helsinki 1976; Jonathan French Scott, Five Weeks. The Surge of Public Opinion on the Eve of the Great War, New York 1932.

3 Vgl. Gilbert Ziebura, Interne Faktoren des britischen Hochimperialismus 1871–1914, in: Wolfgang J. Mommsen (Hrsg.), Der Moderne Imperialismus, Stuttgart 1971, S. 123.

Politik. Wenn Treitschke in seinen berühmten Vorlesungen über Politik den Krieg als »eine von Gott gesetzte Ordnung« bezeichnete und den Rekurs auf Krieg als ein normales Mittel der Politik ansah, so dürfte er damit eine gängige Meinung seiner Zeit zum Ausdruck gebracht haben.[4] Andererseits läßt sich nicht verkennen, daß im Zuge der Ausbildung des modernen Staates, mit wachsender Anteilnahme der breiten Schichten des Volkes an den politischen Entscheidungsprozessen und zugleich mit dem Vordringen liberaler Denkweisen, die psychologische Schwelle für eine kriegerische Politik höher geworden war. Auch wenn pazifistische Strömungen in der deutschen Öffentlichkeit zumindest außerhalb der Arbeiterbewegung, und auch dort nur partiell, kaum Resonanz fanden, so wurde doch in den führenden Kreisen zunehmend anerkannt, daß die Zeiten der Kabinettskriege vorbei seien und eine zureichende Legitimierung kriegerischer Politik in den Augen der Öffentlichkeit zu einem realen Problem geworden war. Über die Notwendigkeit, gegebenenfalls »den *casus belli* so zu formulieren, daß die Nation einmütig und begeistert zu den Waffen greift«, war man sich in den militärischen und politischen Führungsgruppen vollständig einig.[5]

Teilweise gegenläufig zu der Einstellung der breiten Massen, die den Gedanken eines kommenden großen Krieges überwiegend perhorreszierten, fand die Idee, daß ein Krieg eine Art von Gesundbrunnen für die saturierte, in materialistischem Gewinnstreben erstarrte bürgerliche Kultur darstellen würde, vielfach Zustimmung. Solche Vorstellungen von einer revitalisierenden Wirkung eines Krieges auf die deutsche Gesellschaft wurden vorwiegend in konservativen Kreisen, daneben aber auch in Teilen der Intelligenz gehegt. Es war beispielsweise die konservative Tageszeitung *Die Post*, die solchen Auffassungen bereitwillig Raum in ihren Spalten lieh, so unter anderem in ihrer Ausgabe vom 28. Januar 1912 dem Plädoyer eines Medizinalrats Fuchs für einen Angriffskrieg, da ein solcher den »zersetzenden Einflüssen« einer langen Friedenszeit auf »Seele und Körper des deutschen Volkes« entgegenwirken könne. *Die Post* rechtfertigte dies mit den Worten: »Wenn wir, ganz allgemein gesprochen, den Krieg und damit die größte nationale Kraftanspannung, deren ein Volk fähig ist, als im Interesse unseres Volkes liegend erachten, so geschieht dies lediglich aus dem Gedanken heraus, daß es das einzige

4 Heinrich von Treitschke, Politik. Vorlesungen, gehalten an der Universität Berlin, hrsg. von Max Cornicelius, Bd. 2, Leipzig 1911³, S. 553.

5 Vgl. Ludendorffs große Denkschrift vom Dezember 1912, zitiert bei Walter Kloster, Der deutsche Generalstab und der Präventivkriegs-Gedanke, Stuttgart 1932, S. 52: »Trotzdem werden wir, wenn es gelingt, den casus belli so zu formulieren, daß die Nation einmütig und begeistert zu den Waffen greift, unter den augenblicklichen Verhältnissen auch den schwersten Aufgaben noch mit Zuversicht entgegensehen können.«

Mittel ist, das uns heute noch als Nation vor der unserer rettungslos harrenden physischen und psychischen Erschlaffung und Entnervung retten kann.«[6] Äußerungen vergleichbaren Tenors lassen sich innerhalb des konservativen Milieus, aber auch bei zivilisationskritisch gestimmten Publizisten und Intellektuellen vielfach finden. Selbst der Reichskanzler von Bethmann Hollweg stand dem Gedanken, »daß das [deutsche] Volk einen Krieg nötig« habe, nicht fern.[7] Sie fanden ein vergröbertes Echo in den Organen der nationalistischen Agitationsverbände, vor allem des »Alldeutschen Verbandes« und des »Wehrvereins«, der unter der Führung des Generals a. D. Keim seit 1912 eine lebhafte agitatorische Tätigkeit entfaltete, die das Ziel verfocht, den Wehrwillen der Nation zu stärken und zugleich deren ansonsten drohende »körperliche und ethische Verweichlichung« zu bekämpfen.[8] Ein besonders spektakuläres Beispiel dieser Art bildet die 1912 erschienene Schrift des alldeutschen Agitators Schmidt-Gibichenfels *Der Krieg als Kulturfaktor, als Schöpfer und Erhalter der Staaten*, der einer vulgarisierten Variante Treitschkescher Argumente und einem pathologischen Nationalismus das Wort redete.

Der Zusammenhang solcher Argumentationsmuster mit konservativen Parteiinteressen ist freilich in der großen Mehrheit der Fälle allzu offensichtlich. Der Führer der preußischen Konservativen, Heydebrand und der Lasa, gab einer verbreiteten Meinung Ausdruck, wenn er 1914 meinte, daß »ein Krieg [...] zu einer Stärkung der patriarchalischen Ordnung und Gesinnung führen« werde. Und Bethmann Hollweg selbst bezeugte, daß es damals »Kreise im Reich« gab, »die von einem Krieg eine Gesundung der inneren Verhältnisse in Deutschland erwarten, und zwar im konservativen Sinne«, eine Ansicht, der er vergeblich entgegenzuwirken suchte.[9] In der Tat rechneten sich konservative Presseorgane ebenso wie zahlreiche konservative Politiker eine Chance dafür aus, daß man im Kriegsfall die Sozialdemokratie kurzerhand würde unterdrücken und dem allgemeinen Abgleiten der deutschen Politik auf der schiefen Ebene hin zum demokratischen Parlamentarismus wirksam würde Einhalt gebieten könnnen. Oft findet sich in diesem Zusammenhang auch die Klage über das Fehlen eines »überraschenden Führers«, der die Kraft zu einer entschlossenen, den Krieg nicht scheuenden, kraftvollen Außenpolitik

6 Zit. nach Otfried Nippold, Der deutsche Chauvinismus, Bern 1917², S. 14.

7 Kurt Riezler, Tagebücher, Aufsätze, Dokumente, eingel. u. hrsg. von Karl Dietrich Erdmann, Göttingen 1972, S. 180, Eintragung vom 30. Juli 1911.

8 Vgl. August Keim, Ein Wehrverein, in: Tägliche Rundschau vom 15. Dezember 1911, wieder veröffentlicht in: August Keim, Erlebtes und Erstrebtes. Lebenserinnerungen, Hannover 1925, S. 167.

9 Vgl. Lerchenfelds Bericht über ein Gespräch mit dem Kanzler am 4. Juni 1914, in: Pius Dirr (Hrsg.), Bayerische Dokumente zum Kriegsausbruch und zum Versailler Schuldspruch, München 1928⁴, S. 111f.

besitze, im Gegensatz zu dem als schwächlich verteufelten Reichskanzler Bethmann Hollweg, der es angeblich an der notwendigen Festigkeit bei der Vertretung der deutschen Interessen nach außen, aber auch bei der Bekämpfung der Sozialdemokratie fehlen lasse. Gelegentlich schreckte man nicht davor zurück, dieses Argumentationsmuster auch umzukehren, so wenn z. B. *Die Post* am 5. Januar 1913 schrieb, »Bethmann Hollwegs Schwäche in der Unterstützung deutscher Interessen mache es besonders notwendig, die öffentliche Meinung auf den Krieg vorzubereiten, den seine Haltung unvermeidlich mache«.[10] Hier wird das Argument, daß ein Krieg ein gegebenes Mittel sei, um die Uhr der deutschen inneren Verhältnisse wieder »richtig«, d. h. auf eine konservative Grundlage, zu stellen, rhetorisch höchst effektiv verknüpft mit seinem Gegenstück, dem Topos von der Unvermeidlichkeit eines kommenden europäischen Krieges.

Parallel dazu muß das Syndrom des Militarismus genannt werden, der Krieg als ein naturgegebenes Mittel der Auseinandersetzung zwischen Völkern betrachtet und bemüht ist, in der Bevölkerung kriegerische Dispositionen und Werthaltungen nach Kräften zu fördern. Die traditionell herausragende gesellschaftliche Stellung, die das Offizierskorps innerhalb der deutschen Gesellschaft genoß, garantierte militärischen Wertidealen einen entsprechend hohen Stellenwert innerhalb des gesellschaftlichen Bewußtseins. Ebenso war der Einfluß der militärischen Instanzen auf die politischen Entscheidungsprozesse im Wilhelminischen Deutschland vergleichsweise hoch und gewann im letzten Jahrzehnt vor 1914 noch stärker an Gewicht, teils infolge der politischen Pattsituation, die sich im parlamentarischen Felde seit 1909 herausgebildet hatte, teils infolge der steigenden außenpolitischen Bedrohung. Technizistische Gesichtspunkte wie die Überzeugung, daß der Angriff allemal die stärkere Kriegsform sei, hatten schon seit längerem das Übergewicht über Erwägungen politisch-strategischer Art erlangt, wie nicht zuletzt die Geschichte der deutschen Kriegsplanungen, insbesondere des Schlieffenplans, zeigt. Von vielleicht noch größerer Bedeutung war es, daß damit auch den, zunächst unter rein militärstrategischen Erwägungen, propagierten Präventivkriegsideen hoher militärischer Kreise zunehmend auch politisches Gewicht zugemessen wurde. Im gleichen Zusammenhang gewann die Vorstellung, daß ein großer europäischer Krieg früher oder später unvermeidlich sein werde, in höchsten militärischen Kreisen zunehmend Anhänger. Deren Meinungen zu vernachlässigen, konnte sich die politische Führung unter den gegebenen Umständen jedoch weniger denn je zuvor leisten.

10 Zit. nach Nippold, Chauvinismus, S. 13.

Die indirekte Verknüpfung militaristischer Denkweisen mit großagrarischen Interessen und nicht zuletzt mit den Berufschancen des Offizierskorps ist zu bekannt, um hier einer erneuten ausführlichen Erörterung zu bedürfen. Es ist allerdings zu beachten, daß die eigentlich aggressiven Varianten militaristischen Denkens, die sich vielfach offen mit der Propagierung eines Präventiv- bzw. Angriffskriegs verbanden, nicht in erster Linie aus dem Lager des Offizierskorps oder der preußischen großgrundbesitzenden Aristokratie kamen. Die Widerstände gegen eine allzu dramatische Vermehrung der Sollstärke der deutschen Armee, die, wie man befürchtete, die konservativ-monarchische Gesinnung des Offizierskorps zu unterminieren geeignet sei, verdienen in diesem Zusammenhang einige Beachtung. Es ist nicht zufällig ein bürgerlicher Aufsteiger, der sich 1912 zum Sprecher einer rückhaltlosen Vermehrung der deutschen Armee ohne Rücksicht auf die delikate Frage ihrer Auswirkungen auf den Korpsgeist des Offizierskorps machte, nämlich Ludendorff, der ob dieser seiner Ansichten denn auch in Ungnade fiel und erst nach Kriegsausbruch wieder aus der unscheinbaren Position eines nach Düsseldorf strafversetzten Regimentskommandeurs in eine kommandierende Position geholt wurde! Es waren Teile der Intelligenz und des gehobenen Bürgertums, die sich im letzten Jahrzehnt vor 1914 besonders intensiv mit der Forderung nach einer kraftvollen Außenpolitik, gestützt auf möglichst schlagkräftige Streitkräfte, identifizierten, obschon ausgediente Generale wie Friedrich v. Bernhardi, v. Freitag-Loringhoven und Keim sich dieser Strömung bereitwillig als Experten und Propagandisten andienten. Der Alldeutsche Verband, und mit ihm zahlreiche andere Agitationsverbände, bildeten die Speerspitzen eines neuen, tendenziell antikonservativen Nationalismus, der einer offen aggressiven Außenpolitik und gelegentlich ganz offen einer Präventivkriegspolitik das Wort redete.[11]
Die lautstarke Propaganda der Agitationsverbände und der äußersten Rechten zugunsten einer forcierten Aufrüstung und einer offen aggressiven Außenpolitik haben dennoch in der deutschen Gesellschaft nicht den Widerhall gefunden, den man ihr gemeinhin zuschreibt. Kriegsenthusiasmus im eigentlichen Sinne war keineswegs allgemein verbreitet. Hingegen bestand in breiten Schichten des Bürgertums die Überzeugung, daß eine kraftvolle deutsche Weltpolitik, wie sie im Interesse der Sicherstellung der Zukunft der deutschen Nation betrieben werden müsse, die Bereitschaft einschließe, gegebenenfalls auch das Mittel kriegerischer Auseinandersetzung nicht zu scheuen, sofern die als legitim erachteten deutschen Interessen bei den anderen Großmächten nicht angemessene

11 Vgl. dazu Geoff Eley, Reshaping the German Right. Radical Nationalism and Political Change after Bismarck, New Haven/Conn. 1979.

Berücksichtigung erfahren würden. Insbesondere die Nationalliberale Partei machte sich, unter Führung Bassermanns und seines politischen Adjutanten Stresemann, konsequent zum Sprecher einer solchen Politik einer realistischen, zugleich aber die militärischen Machtmittel des Deutschen Reiches gegebenenfalls voll ausspielenden Weltpolitik. Bassermanns Haltung läßt sich wohl am besten auf die Formel bringen, daß die deutsche Politik den Krieg zwar nicht suchen oder durch eine unbesonnene Politik provozieren solle, andererseits aber vor dem Krieg, sofern sich dieser zur Wahrung vitaler deutscher Interessen als unabweisbare Notwendigkeit darstelle, nicht zurückscheuen dürfe. Eine volle Ausschöpfung des deutschen Rüstungspotentials, verbunden mit einer durchgreifenden Modernisierung von Armee und Diplomatie, erschien als logische Folge einer solchen Einstellung.

Im Grunde handelte es sich hier um die fatalistische Hinnahme des Krieges als des Grenzfalls einer erfolgreichen Weltpolitik; sollte die deutsche Politik in der Verfolgung ihrer imperialistischen Bestrebungen auf unüberwindliche Widerstände stoßen oder dem Deutschen Reich ein Krieg von dritten Mächten aufgezwungen werden, bejahte man den Gedanken eines Krieges. Dabei spielte die Erwartung eine nicht unwesentliche Rolle, daß, falls man den Gegnern nur deutlich mache, daß man es wirklich ernst meine, diese schließlich zurückweichen und den Interessen des Deutschen Reiches Raum geben würden. Die Mentalität des »kalten« oder, wie sich Hans Delbrück damals ausdrückte, »trockenen« Krieges, d. h. offensiver Diplomatie hart am Rande eines Krieges, war weit verbreitet. Kurt Riezler, der Privatsekretär Bethmann Hollwegs, entwikkelte 1913 in einem Buch, das damals viel Aufsehen erregte, die Ansicht, daß die Schwelle der Tür des Janus-Tempels unter modernen Verhältnissen höher geworden sei, d. h. daß es den Staatsmännern schwerer denn je zuvor geworden sei, den ersten Schritt zur Auslösung eines allgemeinen Krieges zu tun. Er zog daraus die gewagte Folgerung, daß die allgemeine Erhöhung der Schwelle, die vor dem Entschluß zur Auslösung eines Krieges liege, diplomatisch ausnutzbar sei, wenn man die eigene Strategie und die Interessenlage der Gegenspieler nur entsprechend scharf kalkuliere – eine Theorie, die die deutsche Politik während der Julikrise 1914 in unglückseliger Weise beeinflußt hat.[12]

Im Unterschied zu dem etwas naiven Optimismus Riezlers war sich Bethmann Hollweg fast überscharf der Tatsache bewußt, daß unter den gege-

12 Kurt Riezler, Die Erforderlichkeit des Unmöglichen. Prolegomena zu einer Theorie der Politik und zu anderen Theorien, Berlin 1913. Dazu Andreas Hillgruber, Riezlers Theorie des kalkulierten Risikos und Bethmann Hollwegs politische Konzeption in der Julikrise 1914, in: Historische Zeitschrift, Bd. 202 (1966), S. 333–351.

benen Verhältnissen einer rationalen Außenpolitik Grenzen gesetzt seien. Die weitgehende Abhängigkeit der Regierungen der großen Mächte, namentlich Rußlands, von wechselnden Strömungen in der Öffentlichkeit habe die auswärtigen Verhältnisse zunehmend unberechenbar gemacht und damit die Kriegsgefahren erheblich erhöht.[13] Im Grunde war diese Klage nur ein Reflex der Tatsache, daß unter den Bedingungen moderner Politik die traditionellen politischen Eliten viel von ihrer Führungskraft eingebüßt hatten und mehr denn je den Pressionen einflußreicher gesellschaftlicher Gruppen und der sogenannten öffentlichen Meinung ausgesetzt waren. Dies war nicht zufällig gerade im Deutschen Reich und im zaristischen Rußland besonders ausgeprägt; in beiden Ländern standen die Regierungen vor 1914 zunehmend unter dem Druck einflußreicher Gruppen, die ihnen eine schlappe Außenpolitik und eine mangelhafte Vertretung der eigenen nationalen Interessen unterstellten.

Analoges läßt sich auch für die militärischen Eliten sagen. In militärischen Kreisen griff zunehmend die Vorstellung um sich, daß man in eine Art von Scherensituation geraten war. Einerseits sah das Offizierskorps die eigene bevorzugte Stellung innerhalb des politischen und sozialen Systems durch die fortschreitende Demokratisierung, die sich konkret in den massiven Modernisierungsvorschlägen der Reichstagsmehrheit anläßlich der Beratungen der Wehrvorlagen von 1912 und 1913 niedergeschlagen hatte, akut bedroht. Das Verhalten von Kriegsminister und Offizierskorps anläßlich der Zabern-Affäre kann als Symptom dieses Gefühls subjektiver Bedrohtheit gedeutet werden; zum Zurückschlagen und zur Einigelung in den einmal gewonnenen Positionen schien aller Anlaß gegeben. Gleichzeitig bedingte die sich verschlechternde militärische Lage die Notwendigkeit einer forcierten Heeresvermehrung, auch auf die Gefahr hin, daß das Offizierskorps einem Prozeß hoffnungsloser Verbürgerlichung ausgesetzt und seine besondere Bindung an die Krone zerstört werden würde.

Dies alles ließ Zweifel an der Fähigkeit zur Meisterung der wachsenden militärischen und militärstrategischen Probleme unterhalb der extremen Lösung eines baldigen großen Krieges wach werden, um so mehr, als im Zuge einer überwiegend technizistischen Ausrichtung der strategischen Planungen das seinerzeit bei Clausewitz so ausgeprägte Wissen um die politische Dimension der Kriegführung weitgehend verlorengegangen

13 Vgl. Bethmann Hollweg an Eisendecher, 19. Februar 1913, Nachlaß Eisendecher, 1/1–7, Politisches Archiv des Auswärtigen Amtes (PAAA) sowie Reichstagsrede vom 7. April 1913, in: Stenographische Berichte über die Verhandlungen des deutschen Reichstages, Bd. 289, S. 1413C und S. 4513C u. D, sowie Jagow an Eisendecher vom 4. Juli 1913, Nachlaß Eisendecher 4/7–11.

war. Dies alles verstärkte die Bereitschaft der Militärs, eine Lösung der Probleme von der Flucht nach vorn in einen Präventivkrieg zu erwarten, mit anderen Worten: den allgemein für wahrscheinlich gehaltenen europäischen Krieg zu führen, solange man noch einigermaßen sicher sein konnte, diesen für sich entscheiden zu können.

Selbst im Lager der sozialistischen Linken wich die grundsätzliche Ablehnung des Krieges zunehmend einer teils fatalistischen, teils gemäßigt positiven Einstellung. Die »sekundäre Integration« der Sozialdemokratie war weit genug gediehen, um dem Gedanken einer Unterstützung eines Verteidigungskrieges durch die Arbeiterschaft zunehmend Raum zu geben. Zwar existierte eine breite pazifistische Strömung innerhalb der Arbeiterschaft, doch bestanden nur geringe Möglichkeiten, diese politisch effektiv werden zu lassen. Auch überzeugte Kriegsgegner wie August Bebel waren pessimistisch gestimmt hinsichtlich der Aussichten, einen Krieg gegebenenfalls verhindern zu können. Im Jahr 1910 hat Bebel durch die Vermittlung des britischen Generalkonsuls in Bern Großbritannien ausdrücklich vor einer Abrüstung zum gegebenen Zeitpunkt gewarnt, da über kurz oder lang – wahrscheinlich 1912 – mit einem Angriffskriege von seiten des Deutschen Reichs gerechnet werden müsse. »Before the great war has taken place in Europe, I do not encourage the idea of general disarmament in Europe.«[14] Auf der sozialistischen Linken waren die Erwartungen ohnehin düster gestimmt; Hilferding hatte in seinem bereits 1909 niedergeschriebenen Buch *Das Finanzkapital* ziemlich präzis den Ausbruch eines Weltkrieges als Folge der zunehmenden Rivalitäten innerhalb der kapitalistischen Staaten vorausgesagt.

Demnach waren eigentlich alle Voraussetzungen gegeben, um dem Topos von der Unvermeidlichkeit eines großen europäischen Krieges in der öffentlichen Meinung Deutschlands einen festen Platz zu verschaffen. In der Tat läßt sich beobachten, daß die rhetorische Figur von der Unvermeidlichkeit eines künftigen Krieges oder, wie Hale dies genannt hat, »the cult of inevitability«[15] nach und nach in immer breiteren Kreisen Zustimmung fand. In dieser Hinsicht bedeutete die Agadirkrise von 1911 einen entscheidenden Einschnitt. Die Krise und ihr Ausgang hinterließen in der politischen Landschaft des Deutschen Reiches tiefe Spuren und veränderten diese in mancher Hinsicht grundlegend. Die nationalistische Erregung der Öffentlichkeit, mit panikartiger Kriegsfurcht abwechselnd, schlug, nachdem der magere Ausgang der von Kiderlen-Wächter so sorgfältig geplanten diplomatischen Offensiven hart am Rande des Krieges

14 R. J. Crampton, August Bebel and the British Foreign Office, in: History, Bd. LVIII (1973), S. 291f.
15 Hale, Publicity and Diplomacy, S. 445.

mit Frankreich offenbar geworden war, in tiefe Erbitterung um. Seitens der bürgerlichen Presse war die Verurteilung des Abkommens und der Nachgiebigkeit der Regierung nahezu allgemein.[16] Die Empörung machte sich dann insbesondere in der Reichstagsdebatte vom 9. November 1911 Luft, in der Bethmann Hollweg vergeblich versucht hatte, die Vorteile des Abkommens mit Frankreich deutlich herauszustellen, die britische Intervention nachträglich herunterzuspielen und zugleich den Gedanken eines Präventivkriegs in aller Form als mit den Traditionen der deutschen Außenpolitik seit Bismarck unvereinbar zurückzuweisen. Vor allem Heydebrand und der Lasa schlug äußerst scharfe Töne insbesondere gegenüber Großbritannien an – »wir wissen jetzt wo [des deutschen Volkes] Feind sitzt« – und steigerte sich zu der kaum verhüllten Forderung, Großbritannien zu gegebener Stunde die gebührende Antwort zu geben, nämlich in Form eines Krieges. Die Konservativen schlossen sich damit, im Unterschied zu ihrer früheren Linie, in aller Form der Phalanx des bürgerlichen nationalistischen Imperialismus an, die von den Nationalliberalen angeführt wurde. Vergeblich trat Bethmann Hollweg dieser Phalanx seiner nationalistischen Kritiker entgegen: »Um utopistischer Eroberungspläne und um Parteizwecke willen aber die nationalen Leidenschaften bis zur Siedehitze zu bringen, das heißt den Patriotismus kompromittieren.«[17] Privat schrieb er in diesen Tagen an Eisendecher: »Das deutsche Volk hat diesen Sommer so leichtfertig mit dem Kriege gespielt [...] dem mußte ich entgegentreten.«[18] August Bebel hingegen analysierte die Situation nach Agadir in Worten, denen ein im nachhinein prophetischer Charakter nicht abgesprochen werden kann: »So wird man eben von allen Seiten rüsten und wieder rüsten, [...] bis zu dem Punkte, daß der eine oder andere Teil eines Tages sagt: lieber ein Ende mit Schrecken als ein Schrecken ohne Ende. [...] Sie kann auch sagen: halt, wenn wir länger warten, dann sind wir der Schwächere statt der Stärkere. Dann kommt die Katastrophe. Alsdann wird in Europa der große Generalmarsch geschlagen, auf den hin 16 bis 18 Millionen Männer, die Männerblüte der verschiedenen Nationen, ausgerüstet mit den besten Mordwerkzeugen, gegeneinander als Feinde ins Feld rücken [...] Die Götterdämmerung der bürgerlichen Welt ist im Anzuge.«[19]

Oswald Spengler konzipierte unter dem Eindruck der Agadirkrise von 1911, in der er den Auftakt eines künftigen Weltkrieges sah, sein Werk

16 Vgl. Carroll, Germany, S. 682ff. Die »Berliner Neuesten Nachrichten« beispielsweise forderten, der Reichstag solle nunmehr mit allem Nachdruck erklären, daß er die gegenwärtige Politik des Friedens um jeden Preis mißbillige.

17 Verhandlungen des Reichstages, Bd. 268, S. 7756C.

18 Bethmann Hollweg an Eisendecher, 16. November 1911, Nachlaß Eisendecher 1/8.

19 Verhandlungen des Reichstages, Bd. 268, S. 7730C.

*Der Untergang des Abendlandes*, das zum Zeitpunkt des von ihm erwarteten deutschen Sieges über seine Widersacher erscheinen sollte; er erwartete davon zugleich eine grundlegende Formverwandlung der westlichen Kultur, eingeleitet durch ein deutsches cäsaristisches Regime über Mitteleuropa.[20] Und der jüngere Moltke, der ebenso wie wohl die große Mehrzahl des deutschen Offizierskorps das deutsche Einlenken in der Marokkofrage als schmählichen Rückzug ansah,[21] kam in einer großen Denkschrift über die strategische Lage von Ende Dezember 1911 zu dem Schluß: »Es ist unverkennbar, daß die seit Jahren bestehende und sich periodisch verschärfende Spannung zwischen Deutschland und Frankreich fast in allen europäischen Staaten eine erhöhte militärische Tätigkeit ausgelöst hat. Alle bereiten sich auf den großen Krieg vor, den alle kurz oder lang erwarten.«[22] Diese Belege, die sich unschwer vermehren ließen, sprechen für sich. Seit 1911 begann die Vorstellung, daß das Deutsche Reich keine Aussicht habe, seine weltpolitischen Ambitionen ohne einen großen europäischen Krieg zu verwirklichen, da es bei Großbritannien und Frankreich mit keinerlei Entgegenkommen rechnen könne, sich zunehmend in den Köpfen festzusetzen. Vor diesem Hintergrund entfaltete sich eine Flutwelle nationalistischen Denkens, angefacht durch den Konkurrenzkampf zwischen Konservativen und Nationalliberalen um die ihnen verbliebenen Wählerschichten. Der Topos von der Unvermeidlichkeit eines künftigen großen Krieges fand dann wenig später seine wohl wirksamste Propagierung in dem Buche des Generals a. D. Friedrich v. Bernhardi *Deutschland und der nächste Krieg*, das im Frühjahr 1912 erschien. Von anderen Publikationen dieser Art unterschied sich Bernhardis Werk im Niveau der Argumentation ganz erheblich; es beschrieb die angeblichen Gefahren der Zukunft unter gleichzeitiger Beschwörung der großen deutschen Bildungstradition von Weimar und sprach daher insbesondere das Bildungsbürgertum mit großem Erfolg an. Bernhardis Argumentation gipfelte in der These, »daß wir den Krieg um unsere Weltmachtstellung unter keinen Umständen vermeiden können und daß es keineswegs darauf ankommt, ihn möglichst lange hinauszuschieben, sondern vielmehr darauf, ihn unter möglichst günstigen Bedingungen herbeizuführen«.[23]

Die Resonanz des Buches war außerordentlich groß, und der Multiplikatoreffekt der Berichte über das Buch, die in zahlreichen rechtsgerichteten Zeitungen erschienen, darf nicht gering eingeschätzt werden. Jedoch

20 Anton Mirko Koktanek, Oswald Spengler in seiner Zeit, München 1968, S. 137, 140f.
21 Helmuth von Moltke, Erinnerungen – Briefe – Dokumente, Stuttgart 1922, S. 362.
22 Vgl. Kloster, Generalstab, S. 48.
23 Friedrich von Bernhardi, Deutschland und der nächste Krieg, Stuttgart/Berlin 1912, S. 121.

wäre es verfehlt, es zu diesem Zeitpunkt als Ausdruck der herrschenden Meinung zu betrachten. Die großen liberalen Blätter ebenso wie die der Sozialdemokratie verurteilten Bernhardis Kriegspropaganda in den schärfsten Worten. Auch die Regierung mobilisierte die ihr zugänglichen Mittel der Pressebeeinflussung, um Bernhardis gefährlich suggestiven Thesen entgegenzutreten. Wenig später veröffentlichte Hans Plehn unter Pseudonym, veranlaßt von Richard v. Kühlmann, eine Broschüre *Deutsche Weltpolitik und kein Krieg*, die Kühlmanns Konzept einer an Großbritannien angelehnten Politik kolonialer Erwerbungen vertrat. Dennoch wird man davon ausgehen dürfen, daß die Eindämmung dieser so gefährlichen Ansichten in der deutschen Öffentlichkeit nur unvollkommen gelang.

Daß dies so kam, war freilich teilweise auch durch die Zuspitzung der internationalen Lage infolge des ersten Balkankrieges bedingt, in der die Wilhelmstraße im Interesse des Bündnispartners Österreich-Ungarn sich gegenüber Rußland unerwartet hart zeigte, allerdings mit dem Fernziel, in Zusammenarbeit mit der britischen Regierung eine Lösung der Krise unter möglichster Satisfaktion für Österreich-Ungarn zu erreichen. Auf dem Höhepunkt der Krise Anfang Dezember 1912 trat Bethmann Hollweg mit einer ungewöhnlich scharfen Reichstagsrede hervor, in der Rußland kaum verhüllt vor einer Intervention gegen Österreich-Ungarn gewarnt und für diesen Fall die deutsche Bereitschaft zum Kriege angedeutet wurde.[24] Die britische Regierung reagierte darauf mit einer auf diplomatischem Wege – durch eine Erklärung Haldanes gegenüber Lichnowsky – übermittelten Warnung, daß Großbritannien einen deutschen Angriff auf Frankreich nicht werde hinnehmen können, sondern dann gezwungen sein würde, seinerseits in den Krieg einzugreifen, wohl mit dem Ziel, die deutsche Regierung von einer allzu weitgehenden Identifikation mit den Interessen Österreich-Ungarns abzubringen. Diese Nachricht löste bei Hofe eine Art von »war scare« aus; Wilhelm II. berief unverzüglich seine militärischen Berater zu dem sogenannten »Kriegsrat« vom 8. Dezember 1912 zusammen, allerdings ohne Kanzler und Staatssekretär des Äußeren davon auch nur in Kenntnis zu setzen.[25] Auf dieser denkwürdigen Besprechung, die unter dem unmittelbaren Eindruck der

24 Am 2. Dezember 1912, vgl. Verhandlungen des Reichstages, Bd. 286, S. 2472 A–B.

25 Vgl. Walter Görlitz (Hrsg.), Der Kaiser. Aufzeichnungen des Chefs des Marinekabinetts Admiral Georg Alexander v. Müller über die Ära Wilhelms II., Göttingen 1965, S. 124 ff., und für wichtige Passagen, die von Görlitz unterdrückt wurden, John C. G. Röhl, Admiral von Müller and the Approach to War 1911–1914, in: Historical Journal 12 (1966), S. 651–689. Müllers Bericht über die Konferenz ist nun vollständig abgedruckt bei John C. G. Röhl, An der Schwelle zum Weltkrieg. Eine Dokumentation über den »Kriegsrat« vom 8. Dezember 1912, in: Militärgeschichtliche Mitteilungen 21 (1977), S. 100. Für eine Analyse des politischen Umfeldes, innerhalb dessen der sogenannte »Kriegsrat« gesehen werden muß, vgl. Wolfgang J.

Möglichkeit eines europäischen Krieges wegen der Balkanfrage stand, traten erstmals auf allerhöchster Ebene eindeutig kriegerische Tendenzen zutage. Auch wenn sich die jüngst von Röhl erneuerte These Fritz Fischers schwerlich aufrechterhalten läßt, daß auf diesem »Kriegsrat« förmlich die Auslösung eines Weltkrieges zum Juli 1914 ins Auge gefaßt und beschlossen worden sei, dafür unverzüglich alle militärischen, bündnispolitischen und sonstigen Vorbereitungen zu treffen,[26] läßt sich doch nicht übersehen, daß bei dieser Gelegenheit in aller Form der Vorschlag diskutiert wurde, die deutschen politischen und strategischen Probleme mit dem Mittel eines Präventivkrieges gegen Rußland und Frankreich zu lösen. Der deutsche Generalstabschef v. Moltke erklärte, »er halte einen Krieg für unvermeidlich und: je eher, desto besser«, doch fand er mit dem Vorschlag sofortigen Losschlagens vor allem bei Tirpitz wenig Gegenliebe. In diesem Zusammenhang wurde ferner beschlossen, durch eine Pressekampagne »die Volkstümlichkeit eines Krieges gegen Rußland besser vorzubereiten«.

Die unmittelbaren Auswirkungen der Konferenz blieben gleichwohl gering, wenn man von der Entscheidung absieht, so bald wie möglich eine neue große Heeresvorlage (und ursprünglich auch eine Flottenvorlage) einzubringen.[27] Allerdings waren die Vorbereitungen für erstere bereits im vollen Gange; nur auf den Umfang dieser Vorlage, die dann im April

Mommsen, Domestic Factors in German Foreign Policy before 1914, in: James Sheehan (Hrsg.), Imperial Germany, New York 1976, S. 231ff., und ebenso ders., Die latente Krise des Deutschen Reiches 1909–1914, in: Otto Brandt/Arnold O. Mayer/Leo Just, Handbuch der deutschen Geschichte (Hrsg.), Bd. IV/1, Frankfurt 1973, S. 56f.

26 Vgl. Fritz Fischer, Krieg der Illusionen, Düsseldorf 1969, S. 231ff.; John C. G. Röhl, An der Schwelle zum Weltkrieg, S. 77ff., und ders., Die Generalprobe. Zur Geschichte und Bedeutung des »Kriegsrates« vom 8. Dezember 1912, in: Dirk Stegmann/Bernd-Jürgen Wendt/Peter-Christian Witt (Hrsg.), Industrielle Gesellschaft und politisches System. Beiträge zur politischen Sozialgeschichte, Bonn 1978, S. 366ff.

27 Der Veröffentlichung von Röhl gebührt großes Verdienst, insofern er alle Dokumente zusammenhängend publiziert hat, die für eine angemessene Bewertung des Kriegsrats und seiner unmittelbaren Konsequenzen von Bedeutung sind. Aber im Gegensatz zu seinen wiederholten Behauptungen bestätigt seine eigene Darstellung die Tatsache, daß der Kriegsrat »nicht als Wendepunkt der deutschen Außenpolitik vor 1914 in irgendeinem konkreten Sinne« gelten kann. Röhls Argumentation ist insofern unklar, als er durchweg versäumt, zwischen einem Kriege, der als unmittelbare Folge der Balkankrise entstehen könnte – letztere war bekanntlich in diesem Augenblick auf ihrem Höhepunkt –, und einem europäischen Kriege zu unterscheiden, der zielbewußt über eine Periode von anderthalb Jahren vorbereitet würde. Die vorwiegend indirekten Beweisstücke, die er zusammengetragen hat, um seine – oder genauer: Fischers – These zu erhärten, daß das Deutsche Reich seit dem 8. Dezember 1912 konsequent auf einen großen Krieg hinarbeitete, d. h. auf einen Krieg mit Frankreich, Rußland und Großbritannien, kann niemanden überzeugen, der den Quellen nicht mit der vorgefaßten Auffassung gegenübertritt, daß es sich hier um eine Art von sorgfältig geplanter Verschwörung gehandelt habe, um diesen Krieg im Juni oder Juli 1914 auszulösen. Im November 1913 erklärte Bethmann Hollweg, als der Alldeutsche Verband unter wesentlicher Beteiligung Gebsattels den Versuch gemacht hatte, ihn zu stürzen: »In einem zukünftigen Krieg, der ohne zwingenden

1913 dem Reichstag vorgelegt wurde, dürfte der »Kriegsrat« einen gewissen Einfluß gehabt haben. Die Kampagne zur Vorbereitung des deutschen Volkes auf einen Krieg mit Rußland hingegen blieb aus, nachdem es gelungen war, Wilhelm II. durch Hinweis auf die bereits erfolgten, freilich recht bescheidenen Maßnahmen des Auswärtigen Amtes zu beruhigen.[28] Vielmehr suchten Kanzler und Auswärtiges Amt, jegliche Presseagitation der anderen Ressorts im Zusammenhang der Wehrvorlage möglichst zu unterbinden.[29] Doch setzte sich jetzt auch in Wilhelms II. Den-

Anlaß unternommen wird, steht nicht nur die Hohenzollernkrone, sondern auch die Zukunft Deutschlands auf dem Spiel« (vgl. Hartmut Pogge von Strandmann/Imanuel Geiss, Die Erforderlichkeit des Unmöglichen. Deutschland am Vorabend des Ersten Weltkrieges, Frankfurt 1965, S. 36). Bethmann konnte sich in diesem Punkte der vollen Unterstützung des Kaisers sicher sein. Wie hätte dies möglich sein können, wenn der Kaiser seit langem entschlossen war, den europäischen Krieg im Juni oder Juli 1914 mit voller Absicht auszulösen? Wenn Röhl argumentiert hätte, daß sich am Hofe wachsende Tendenzen zeigten, den Krieg, oder in diesem Falle den Präventivkrieg, als eine Lösung der bestehenden Probleme anzusehen, statt zu behaupten, daß es sich hier um eine Art von zielbewußter Politik zur Herbeiführung des Krieges handele (man ist übrigens geneigt zu fragen: welches Krieges eigentlich?), hätte seine Interpretation an Glaubwürdigkeit gewonnen.

28 Den einzigen neuen Beleg von größerem Gewicht, den Röhl zutage gefördert hat, stellt ein Brief von Bethmann Hollweg an Wilhelm II. vom 10. Dezember 1912 dar, in dem er diesem eine Kopie eines Zeitungsartikels »Um Durazzo« übersendet sowie parallel dazu ein Schreiben Kiderlen-Wächters an Admiral von Müller, das am folgenden Tage geschrieben wurde. Beide Dokumente zeigen, daß der Kanzler und ebenso der Staatssekretär des Äußeren den Ratschlag Müllers aufgriffen, daß man die Öffentlichkeit besser auf die Eventualität eines größeren Krieges mit Rußland vorbereiten müsse, für den Fall, daß die laufenden Verhandlungen zwischen den Großmächten scheitern würden, und daß Kanzler und Staatssekretär bemüht waren, der entsprechenden Forderung Wilhelms II. umgehend zu entsprechen. Jedoch zeigt der Text des Artikels mit großer Deutlichkeit, daß er wenig mit der Vorbereitung der Öffentlichkeit auf Krieg im allgemeinen zu tun hatte. Vielmehr wurde darin mit ziemlicher Umständlichkeit erläutert, warum es gegebenenfalls notwendig werden könnte, für den Fall, daß die gegenwärtigen Verhandlungen zugunsten Österreich-Ungarns scheitern würden, sehr gegen die Neigungen der deutschen Diplomatie zum Kriege zu schreiten. Es ist darüber hinaus vielleicht bemerkenswert, daß sich dieser – im übrigen ziemlich hölzerne – Artikel ausdrücklich von der damals vorherrschenden Meinung distanzierte, daß ein solcher Krieg einem Kampf zwischen den germanischen und den slawischen Völkern gleichkommen würde, obwohl der Kaiser selbst gerade diese Idee teilte. Der ganze Artikel wäre ziemlich unverständlich, wenn man von der Annahme ausgeht, daß sein Autor, nämlich Kiderlen-Wächter selbst, dabei von der Annahme geleitet worden sei, daß von nun an alles auf die Vorbereitung der Öffentlichkeit auf einen großen europäischen Krieg ausgerichtet sein müsse. Ganz im Gegenteil, die Frage eines möglicherweise bevorstehenden Krieges wurde hier in äußerst vorsichtiger Weise angesprochen, gerade um nationalistischen Ausbrüchen in der Öffentlichkeit keine Ansatzpunkte zu bieten.

29 Im übrigen sei darauf hingewiesen, daß im Schreiben Admiral von Müllers nur ganz beiläufig darauf hingewiesen wurde, daß der Befehl seiner Majestät, eine Pressekampagne in Gang zu setzen, »angelegentlich einer Besprechung der militär-politischen Lage« ergangen sei, nicht mehr. Dies ist ziemlich mager, wenn man davon ausgeht, daß dies eine Konferenz von größter Bedeutung gewesen sei, eine Meinung, die Müller selbst jedoch ersichtlichermaßen nicht geteilt hat. Röhls Argument, daß der Kanzler früher und besser über den Kriegsrat informiert worden sei, als ich seinerzeit dargelegt habe (vgl. Röhl, Die Generalprobe, S. 369), wird von eben jenen Dokumenten, die er publiziert hat, widerlegt, insbesondere dem Schreiben Bethmann Hollwegs an Kiderlen-Wächter vom 17. Dezember, das bereits in der »Großen Politik«,

ken der Topos von der Unvermeidlichkeit eines kommenden Weltkrieges fest, nunmehr in der Variante von der unvermeidlich bevorstehenden großen Auseinandersetzung der Germanen mit den Slawen. Wilhelms II. Haltung in diesem Punkte war freilich wenig mehr als ein Reflex entsprechender Stellungnahmen in der rechtsnationalen Presse, z. B. der *Hamburger Nachrichten*, die bereits am 3. Dezember 1912 von dem »früher oder später unausbleiblichen Kampf zwischen Slawentum und Germanentum« gesprochen hatten.[30] Niemand anders als Friedrich Meinecke charakterisierte das Argumentieren mit derartigen Gemeinplätzen als »Nachwirkung jener trivialen Geschichtsphilosophie, mit der der deutsche Spießbürger die Weltereignisse glossierte«.[31] Dennoch wurde es in der Folge zu einem Schlagwort, das die rechtsnationale Presse nach Kräften zugunsten einer nationalistischen Agitation ausnutzte, zumal es den düsteren Prognosen Danilewskis, einem der Väter des Panslawismus, nur zu sehr zu entsprechen schien.

Bd. 39, S. 7f., veröffentlicht worden ist. Tatsächlich zeigt Röhl selbst, daß die Militärbevollmächtigten der Bundesstaaten viel besser informiert waren als der Kanzler und der Staatssekretär Kiderlen-Wächter – letzterer war gewiß kein Narr, der sich leicht manipulieren ließ –, obschon die Berichte der Bevollmächtigten der Bundesstaaten ersichtlichermaßen aus Quellen zweiter Hand schöpfen, die man eher als Gerüchte denn als tatsächliche Informationen ansehen kann. Sie folgerten im übrigen korrekt, daß es substantielle Differenzen zwischen dem Generalstab und der »zivilen« Regierung gegeben habe, dabei freilich den Sachverhalt vergröbernd. Es ist ohne jeden Zweifel sicher, daß Bethmann Hollweg die Idee einer öffentlichen Debatte zugunsten von Rüstungen, geschweige denn zugunsten der Förderung der Popularität des Krieges verabscheute. Er teilte nicht die Idee Wilhelms II.: »gehen Sie ordentlich in die Presse«, und er setzte sich damit zumindest unter den damaligen Umständen durch. Die Belege, die Röhl vorlegt, um das Gegenteil zu beweisen, sind spärlich verstreut und ausschließlich indirekter Art und bestätigen keinesfalls seine Auffassung. Die tatsächliche Haltung Bethmann Hollwegs wird deutlich, wenn man seine Reaktion auf einen ziemlich ähnlichen, wenn auch sehr viel besser geschriebenen Artikel Martin Spahns »Österreichs Sache unsere Sache«, in dem übrigens die These vertreten wurde, daß Österreich-Ungarn von Deutschland unterstützt werden müsse, genauer ins Auge faßt (vgl. Röhl, Dokumentation, Seite 119ff.). Bethmann Hollweg sah in diesem Artikel nur ein Beispiel dafür, »wie seine Majestät bearbeitet wird«. Das paßt nun wirklich nicht zu der These, daß es eine Art von offizieller Pressekampagne gegeben haben soll, um die Öffentlichkeit auf einen, geschweige denn den großen europäischen Krieg vorzubereiten. Soweit man überhaupt von einer Pressekampagne sprechen kann, die von anderen Regierungsinstanzen in Gang gesetzt worden war, wurde dieser seitens des Reichskanzlers ein Ende gemacht. Im übrigen läßt sich aus einer generellen Analyse der offiziellen Pressepolitik seit 1911, die hier nicht im Detail gebracht werden kann, zeigen, daß die Regierung nach dem Debakel von 1911 im großen und ganzen vorzog, sich mit offiziellen Propagandabemühungen zurückzuhalten und nicht etwa irgendwelche nationalistischen Kampagnen zu initiieren. Tatsächlich war die Regierung seit langem von einer nationalistischen Öffentlichkeit überholt worden, die nach imperialistischen Erfolgen verlangte und zunehmend bereit war, den Krieg als eine mögliche Lösung zu betrachten. Aber dies ist keineswegs gleichbedeutend mit der These, daß die Regierung, oder auch nur Teile derselben, vielleicht mit Ausnahme des Generalstabs, 1912 oder später zielbewußt auf einen Krieg hingearbeitet hätten, möglichst hinter dem Rücken der »zivilen Regierung« und der Parteien des Reichstages.

30 Zit. nach Wernecke, Wille, S. 185.

31 Ebenda, S. 184.

Unglücklicherweise fand der Topos vom »Endkampf der Germanen gegen die Slawen« nicht ohne Zutun Bethmann Hollwegs im April 1913 während der Reichstagsverhandlungen über die große Wehrvorlage erneute, vergleichsweise schwererwiegende Beachtung in der Öffentlichkeit. Bei der Vertretung der Heeresvorlage gegenüber Parlament und Öffentlichkeit hatte die Regierung sich bemüht, einen Mittelweg zu gehen, der die Notwendigkeit der Vorsorge für einen möglichen europäischen Krieg betonte, gleichzeitig aber vermied, erneut Wasser auf die Mühlen der in rechtsnationalen Organen wie *Der Post* eifrig geschürten Kriegshysterie zu gießen. In seiner Reichstagsrede vom 7. April 1913 zur Begründung der Vorlage suchte Bethmann Hollweg der verbreiteten These vom »unausweichlichen« Zusammenstoß zwischen dem Slawentum und dem Germanentum die Spitze abzubrechen; er tat es freilich in so unglücklicher Form, daß jedermann seinen Ausführungen das Umgekehrte entnahm.[32] Alle Versicherungen zum Gegenteil vermochten nicht den Eindruck zu verwischen, daß die Reichsregierung der Ansicht nahestehe, ein künftiger Krieg mit Rußland, und demgemäß gegebenenfalls auch mit Frankreich, sei in den Bereich der Wahrscheinlichkeit gerückt.

In den öffentlichen Debatten über die internationale Lage und die Gefahren eines künftigen Krieges hatte sich bislang die Speerspitze der nationalistischen Erregung insbesondere gegen Großbritannien und in vermindertem Maße gegen Frankreich gerichtet. Letzteres blieb auch jetzt nicht von Invektiven und der Unterstellung verschont, man bereite dort systematisch einen Krieg gegen die Mittelmächte vor. Ein besonders krasses Beispiel dieser Art bildete der sogenannte »Störenfried«-Artikel in der *Kölnischen Zeitung* vom 10. März 1913, der deshalb besondere Aufmerksamkeit auf sich zog, weil diese Zeitung gemeinhin als Sprachrohr des Auswärtigen Amtes galt (was sie aber nur bis zu einem gewissen Grade tatsächlich war). Hier wurde Frankreich, unter Berufung auf die bevorstehende Einführung der dreijährigen Dienstpflicht, die Absicht unterstellt, einen Krieg zur Rückeroberung Elsaß-Lothringens vorzubereiten: »An welcher Ecke daher die Welt auch Feuer fangen mag; wir, das ist ganz sicher, werden mit den Franzosen die Klinge zu kreuzen haben. Wann das geschehen wird, kann niemand wissen, sicher aber ist, daß die Franzosen jede Gelegenheit, gegen Deutschland zu marschieren, benutzen werden, sobald sie nur mit einiger Zuversicht hoffen dürfen, durch die Überlegenheit der eigenen Waffen oder durch die Hilfe Rußlands und Englands zu siegen.«[33] Der offen deklarierte Zweck solchen Geredes war es, ein Maximum von populärer Unterstützung für die Wehrvorlage zu

32 Verhandlungen des Reichstages, Bd. 289, S. 4513 A–B.
33 Zit. nach Nippold, Chauvinismus, S. 90.

mobilisieren. Gleichzeitig glaubte der Schreiber des Artikels, in Frankreich eine systematische Deutschenhetze feststellen zu können, mit der das französische Volk auf den Augenblick des Krieges vorbereitet werden solle. Für den Fall, daß Großbritannien der französisch-russischen Kombination beitreten sollte, könne »kein Zweifel darüber bestehen, daß wir in nicht allzu ferner Zukunft den Krieg der beiden ›Gruppen‹ erleben«. Ganz analog meinte die der Schwerindustrie nahestehende *Rheinisch-Westfälische Zeitung*, daß »der Revanchekrieg für 1870« bevorstehe. Der Regierung war dergleichen Tobak denn doch zuviel, und sie ließ in der offiziösen *Norddeutschen Zeitung* dagegen Stellung nehmen. Die Tragweite solcher Presseäußerungen ist nicht leicht abzuschätzen; dabei ist bedeutsam, daß nun auch Frankreich unmittelbar als potentieller Kriegsverursacher in das Syndrom vom unvermeidlichen Krieg aufgenommen wurde.

Gleichwohl konzentrierten sich die Befürchtungen in der deutschen Öffentlichkeit in den hitzigen Debatten über die Möglichkeit eines künftigen Krieges zunehmend auf das zaristische Rußland. Frankreich blieb allerdings insofern weiterhin im Schußfeld, als man betonte, daß es die Aufrüstung Rußlands finanziere und damit allererst ermögliche. Zugleich wurde der Topos vom unvermeidlichen Kriege jetzt nicht mehr bloß in rechtsnationalen Blättern wie *Der Post*, den *Berliner Neuesten Nachrichten* oder der *Rheinisch-Westfälischen Zeitung* repetiert, sondern auch von ernster zu nehmenden Zeitungen der politischen Mitte wie der *Kölnischen Zeitung* und der dem Zentrum nahestehenden *Germania* aufgegriffen. Letztere schrieb am 8. März 1913: »Wenn einmal der große Weltkrieg kommt, und alle Großmächte rechnen damit, [...] dann hat der Dreibund nicht nur Rußland, Frankreich und England, sondern auch den Balkanbund gegen sich [...]. Bisher war man in Deutschland vielfach der Ansicht, daß wir uns vor allem auf einen mehr oder weniger unvermeidlichen Krieg mit England einrichten müßten; aber näher, weit näher und drohender erscheint nach den Ereignissen der letzten sechs Monate eine Auseinandersetzung mit Rußland. Die orientalische Frage hat eine andere Form angenommen und heißt jetzt einfach: *Germanentum* oder *Slaventum?*«[34]

Von Fritz Fischer und Klaus Wernecke ist die These vertreten worden, daß die sogenannte »russische Bedrohung« von der Reichsleitung systematisch »aufgebaut« worden sei, um die eigenen aggressiven Bestrebungen gegenüber der Öffentlichkeit besser legitimieren zu können.[35] Dies ist

34 Germanentum oder Slaventum?, 8. März 1913, zit. nach ebenda, S. 67 f.
35 Vgl. Fischer, Krieg der Illusionen, S. 542 ff.: »Der Angreifer wird aufgebaut«; Wernecke, Wille, S. 249, freilich sehr viel zurückhaltender argumentierend.

freilich in dieser Form mit Sicherheit nicht zutreffend. Es gab in der Tat innerhalb der herrschenden Cliquen des Deutschen Reiches Gruppen, die ein Interesse daran hatten, die von Rußland drohenden Gefahren in den leuchtendsten Farben auszumalen, so namentlich die Militärs und in gewissen Grenzen die Nationalliberalen. Aber: Wenngleich nicht ausgeschlossen werden kann, daß auf die Frage des Verhältnisses zu Rußland manipulierend Einfluß genommen worden ist, ausschlaggebend gewesen ist dies keinesfalls. Vielmehr schlug die populäre Agitation auf die Haltung der regierenden Kreise selbst zurück; sie verselbständigte sich zu einem das Handeln der Politiker und Militärs bestimmenden Faktor, mochte sie auch ursprünglich von interessierten Kreisen in Gang gesetzt worden sein. Außerdem wurde die russische Gefahr in weiten Kreisen als real empfunden. Mit anderen Worten, in dem Syndrom der Rußlandgefahr, das die innerdeutsche Diskussion mehr und mehr bestimmte, mischten sich subjektive und objektive Faktoren in einem schwer bestimmbaren Verhältnis. Die Militärs waren über das Ausmaß der russischen Rüstungen, vor allem aber über den Ausbau der russischen Westbahnen, der die Voraussetzungen des Schlieffenplans zu untergraben drohte, ernstlich besorgt. Wilhelm II., der überhaupt das Sprachrohr der großbürgerlichen Richtung der öffentlichen Meinung zu sein pflegte, war von seiner Vorstellung, daß ein Endkampf zwischen den Slawen und den Germanen drohe, nicht abzubringen; Graf Berchtold gegenüber meinte er im Spätherbst 1913, daß »der Krieg zwischen Ost und West [...] auf die Dauer unvermeidlich« sei.[36] Und Bethmann Hollweg selbst war zwar überzeugt, daß die leitenden Staatsmänner in Rußland einen europäischen Krieg nach Möglichkeit zu vermeiden gewillt seien, war sich aber nicht sicher, ob sie nicht früher oder später den aggressiven panslawistischen Strömungen im eigenen Lande nachgeben könnten: »Rußland macht Sorgen. Seine Politik ist ganz undurchsichtig, weil man nicht weiß, wer momentan den ausschlaggebenden Einfluß hat, und weil dieser Einfluß schnellem Wechsel unterworfen ist. So hoffe ich, daß die augenblicklich stark panslawistische Strömung doch noch der Vernunft weichen wird. Zum Glück ist Frankreich jetzt friedliebend.«[37]

36 Aufz. Berchtold über sein Gespräch mit Wilhelm II. am 26. Oktober 1913, Österreich-Ungarns Außenpolitik, Bd. VII, Nr. 8934, S. 512ff. Das Zitat ebenda S. 513. Vgl. auch Carroll, Germany, S. 767, für einen Parallelbeleg von etwas apokrypher Art.

37 An Eisendecher, 19. Februar 1914, Nachlaß Eisendecher 1/1–7. Vgl. auch die Ausführungen Bethmann Hollwegs in seiner Reichstagsrede vom 7. April 1913: »Ich habe allen Grund, zu glauben, daß die gegenwärtige französische Regierung in nachbarlichem Frieden mit uns zu leben wünscht. Ob und welchen Wechsel die Zukunft zu bringen vermag, weiß niemand. Im Vergleich zu der Zeit vor 25 Jahren sind, wie ich glaube, die Chancen dafür, daß die Kabinette der Großmächte den Mittelpunkt kriegerischer Aspirationen bilden, nicht gestiegen, sondern gesunken. Von den Dimensionen eines Weltbrandes, von dem Elend und der Zerstörung, die

Allerdings gab es zugleich objektive Anhaltspunkte für die führenden Kreise im Deutschen Reich, die Entwicklung in Rußland mit steigender Besorgnis zu betrachten. Das schroffe Auftreten der russischen Diplomatie während der Liman von Sanders-Krise ließ erkennen, daß Rußland die vergleichsweise maßvollen Bestrebungen hinsichtlich einer indirekten wirtschaftlichen Durchdringung Kleinasiens, unter tunlicher Ausräumung konkreter Interessenkollisionen insbesondere mit Großbritannien und Frankreich, nicht hinzunehmen gewillt war. Ja mehr noch, es ließ die Besorgnis aufkommen, daß Rußland aktiv auf eine Zerstörung und Aufteilung des Osmanischen Reiches hinarbeite. Dies hätte die Hoffnungen des deutschen informellen Imperialismus im Nahen Osten zunichte gemacht. Bei Lage der Dinge war die deutsche Politik an der Erhaltung des Osmanischen Reiches interessiert und suchte in dieser Frage möglichst mit Großbritannien zusammenzuarbeiten; eine Aufteilung des Osmanischen Reiches, noch dazu ohne angemessene Beteiligung Deutschlands. an der Beute, würde das Deutsche Reich in eine Situation bringen, in der es gezwungen sein würde, seinerseits zu den Waffen zu greifen. Die Erhaltung der politischen Vorbedingungen für den deutschen informellen Imperialismus im Osmanischen Reich war nachweisbar das einzige politische Objekt, das der deutschen Regierung vor 1914 einen allgemeinen Krieg wert gewesen wäre!

Die Liman von Sanders-Krise konnte durch ein taktisches Nachgeben der deutschen Seite, nach kritischen Wochen der Hochspannung in den Hauptstädten Europas, vergleichsweise glatt beigelegt werden. Aber auf beiden Seiten blieb Bitterkeit zurück. In deutschen militärischen Kreisen griff nunmehr, vermutlich aufgrund fragmentarischer Informationen über die russischen Militärkonferenzen während der Krise, zunehmend die Annahme um sich, daß Rußland nach dem Abschluß der damals im Gange befindlichen Rüstungsmaßnahmen, der für 1916/17 zu erwarten war, einen Angriffskrieg auf das Deutsche Reich plane. Konkrete Anhaltspunkte für eine solche Annahme fehlten freilich fast völlig, abgesehen von dem – gemessen an dem Stand der russischen Rüstungen zum Zeitpunkt der Konzipierung des Schlieffenplans – in der Tat dramatischen Fortschreiten der russischen Rüstungsmaßnahmen.

er über die Völker bringen würde, kann sich kein Mensch eine Vorstellung machen. Alle Kriege der Vergangenheit werden wahrscheinlich ein Kinderspiel dagegen sein. Kein verantwortlicher Staatsmann wird gesonnen sein, leichtfertig die Lunte an das Pulver zu legen. Die Neigung dazu hat abgenommen. Zugenommen aber hat die Macht der öffentlichen Meinung, und innerhalb der öffentlichen Meinung der Druck derjenigen, die sich am lautesten gebärden. Das pflegen, je demokratischer die Einrichtungen sind, in leidenschaftlich erregten Zeiten nicht Majoritäten, sondern Minoritäten zu sein.« Verhandlungen des Reichstages, Bd. 289, S. 4513C u. D.

Ob der berühmte Krieg-in-Sicht-Artikel des Rußlandkorrespondenten der *Kölnischen Zeitung*, Oberleutnant a. D. Ulrich, vom 2. März 1914 auf Veranlassung militärischer Kreise geschrieben worden ist, um diese Mutmaßungen zu testen und den russischen Rüstungen gleichsam eine Schelle umzuhängen, läßt sich trotz intensiver Bemühungen der Forschung heute nicht mehr feststellen.[38] Jedenfalls wurde darin ziemlich unverhüllt behauptet, daß »Rußland gegen Deutschland« rüste, und angedeutet, daß es nach Abschluß der gegenwärtigen Rüstungsmaßnahmen in drei Jahren zum Losschlagen geneigt sein könne. Dies gab den Anstoß zu einer wilden deutsch-russischen Pressefehde, die durch den Umstand noch mehr angeheizt wurde, daß der russische Kriegsminister Suchomlinóv in der Petersburger Börsenzeitung eine primär wohl an die Adresse der französischen Öffentlichkeit gerichtete Zurückweisung dieser Unterstellungen veröffentlichte, in der einerseits darauf hingewiesen wurde, daß es nicht Rußland sei, welches aggressive Absichten hege, andererseits aber nachdrücklich betont wurde, daß Rußland schon jetzt auf einen Krieg vorbereitet sei und daß die russische Armee diesen gegebenenfalls offensiv zu führen gedenke.[39] Es ist leicht zu sehen, weshalb diese Erklärung in Deutschland äußerst negativ aufgenommen wurde, nicht zuletzt in militärischen Kreisen; sie schien zu bestätigen, was der Generalstab insgeheim befürchtete, nämlich die Unterminierung der wesentlichen Prämissen des Schlieffenplans – nur langsame Mobilmachung und anfängliche strategische Zurückhaltung Rußlands, die den deutschen Armeen die Zeit geben würde, Frankreich in der beabsichtigten gewaltigen Flügeloperation entscheidend zu schlagen. Die Abwiegelungsbemühungen der offiziösen Presse blieben nahezu wirkungslos und ebenso die Eingaben des deutschen Botschafters in Petersburg, Graf Pourtalès, die insbesondere Wilhelm II. davon zu überzeugen suchten, daß die Annahmen Ulrichs über einen in wenigen Jahren bevorstehenden russischen Angriffskrieg jeder Grundlage entbehrten. Wilhelm II., der darin wie so oft nur das Sprachrohr der herrschenden Tendenzen in der öffentlichen Meinung war, meinte auf Pourtalès' Vorstellungen hin nur: »Ich als Militair hege nach allen Meinen Nachrichten nicht den allergeringsten Zweifel, daß Rußland den Krieg systematisch gegen uns vorbereitet; und danach führe ich meine Politik.«[40]

Im Zuge der Krieg-in-Sicht-Krise vom März 1914 entwickelte sich eine antirussische Massenhysterie, die aggressive Energien freisetzte, die sich

38 Vgl. Wernecke, Wille, S. 249f.; Ropponen, Gefahr, S. 165f.
39 Vgl. Jux, Kriegsschrecken, S. 140f.
40 Die große Politik der europäischen Kabinette, Bd. 39, S. 554.

in der Folge als unkontrollierbar erweisen sollten. Sogleich tauchte nicht nur in militärischen Kreisen, sondern auch in der Öffentlichkeit der Gedanke auf, die Gelegenheit zu nutzen und Rußland zuvorzukommen, solange dessen Rüstungen noch nicht vollendet seien. In einem besonders krassen Falle reagierte Bethmann Hollweg sogar höchstpersönlich (wenn wir Bernhardis Zeugnis Glauben schenken können). Als *Die Post* im März 1914 unter ausdrücklicher Berufung auf Bernhardi erneut dafür plädierte, die deutsche Politik so einzurichten, »daß wir einen notwendigen Krieg unter möglichst günstigen allgemeinen Bedingungen offensiv beginnen können«, statt einen Angriff der Entente abzuwarten, verteidigte Bethmann Hollweg seine Politik des Zuwartens in einem allerdings anonym erschienen Artikel unter dem Titel »Ist die Zeit für uns oder gegen uns?«.[41] Die Regierung versuchte, teils durch Beeinflussung der ihr nahestehenden Presse – mit der *Kölnischen Zeitung* geriet man freilich in arge Auseinandersetzungen über deren Eigenwilligkeiten –, teils mittels offiziöser Stellungnahme in der *Norddeutschen Allgemeinen Zeitung* die Erregung der Öffentlichkeit über die allgemeine Lage zu besänftigen. Doch blieben alle diese Bemühungen im wesentlichen erfolglos, zumal sie meist in höchst unbeholfener und ungeschickter Form unternommen wurden. Der Versuch, die antideutschen Tendenzen eines Teils der russischen Presse in den Vordergrund zu stellen, um die allgemeine Aufmerksamkeit von den Problemen der russischen Aufrüstung abzulenken, wie dies unter anderem der Staatssekretär des Äußeren, v. Jagow, in einer großen Reichstagsrede vom 15. Juni 1914 unternahm, zeugte mehr von der Hilflosigkeit der Regierung als von ihrem angeblichen Bestreben, Rußland als potentiellen Angreifer aufzubauen, wie dies von Fritz Fischer behauptet worden ist.

Die Meinung, daß die Gefahr eines Krieges mit Rußland, in den Frankreich notwendigerweise eingreifen werde, in den Bereich der Wahrscheinlichkeit gerückt sei, gewann in der öffentlichen Meinung auch ganz ohne Zutun der amtlichen Stellen zunehmend an Boden. Charakteristisch ist dafür, daß jetzt auch die Propagandisten eines liberalen Imperialismus in den Chor der Unkenrufer einzustimmen begannen. Paul Rohrbach und Ernst Jaeckh begründeten im Frühsommer 1914 eine neue politische Wochenschrift *Das größere Deutschland*, die, wie ersterer später berichtete, sich zum Ziel setzte, das deutsche Volk auf den bevorstehenden Krieg vorzubereiten.[42] Rußland bilde, so meinte Rohrbach, »die eigentlich große

41 Friedrich v. Bernhardi, Denkwürdigkeiten, Berlin 1927, S. 387. Vgl. auch Wernecke, Wille, S. 260. Der Artikel ist datiert: vom 9. März 1913.
42 Paul Rohrbach, Zum Weltvolk hindurch, Stuttgart 1914, S. 4.

Gefahr für den europäischen Frieden«.[43] Er unterstellte den russischen Staatsmännern, daß sie einen siegreichen Krieg als Ausweg aus den eigenen inneren Schwierigkeiten ansähen, und argumentierte, daß die gegenwärtige Finanzkrise die zaristische Regierung dazu veranlassen könne, von einem Tag auf den anderen loszuschlagen. Auch Frankreich sei an einer baldigen Austragung des bevorstehenden großen Völkerringens interessiert und werde Rußland demgemäß kaum zurückhalten. »Jeder einsichtige Mensch muß sich sagen, daß Frankreich diese Last [die dreijährige Dienstpflicht, W. J. M.] auf die Dauer gar nicht tragen kann und daß ihre Übernahme nur verständlich ist, wenn die Beteiligten sich sagten: es wird die letzte große Kraftanstrengung sein vor der Entscheidung. Die Franzosen sind höchstens imstande, noch ein paar Jahre die dreijährige Dienstzeit zu tragen, und wenn diese Zeit um ist, wird auch die Beschleunigung des russischen Aufmarsches fertig sein. Und was wird dann sein? Glaubt jemand vielleicht, daß Frankreich unter das Riesenopfer, das es gebracht hat, durch die Rückkehr zur zweijährigen Dienstzeit einen Strich machen und Rußland auf seinen neuen Eisenbahnen Gras wachsen lassen wird? Oder sollen wir etwa Österreich und die Türkei als Opfer für uns schlachten lassen?«[44]

Gegengewichte gegenüber diesen Strömungen waren seitens der großen liberalen Zeitungen wie dem *Berliner Tageblatt* oder der *Frankfurter Zeitung* durchaus vorhanden, aber die strategischen Cliquen gerieten gleichwohl mehr und mehr in dieses Fahrwasser. Die antirussische Kampagne, die in jenen Monaten von Teilen der rechtsstehenden Presse und den Agitationsverbänden mit kaum verminderter Lautstärke betrieben wurde und in der der Topos vom unvermeidbaren Krieg eine wichtige Rolle spielte, blieb jedoch nicht ohne schwerwiegende Rückwirkungen auch auf die Führungseliten des Deutschen Reiches im engeren Sinne, mochten sich auch Kanzler und Auswärtiges Amt noch so sehr dagegen sträuben. Ersichtlich wurde es Bethmann Hollweg seit 1913 immer schwerer, seine politische Linie, die auf eine allmähliche Annäherung zwischen dem Deutschen Reich und Großbritannien setzte und die unzweifelhaft die auch in seinen Augen bestehende Krisenperiode dank sich bessernder Beziehungen zu London ohne einen großen Krieg durchstehen wollte, innerhalb der rivalisierenden Führungsgruppen des Reiches überzeugend durchzusetzen.

Im November 1913 war es Bethmann Hollweg zwar noch relativ mühelos gelungen, einen höchst geschickt eingefädelten Vorstoß des Alldeutschen

43 Preußische Jahrbücher, 25. Juni 1913, zit. nach ebenda, S. 12; vgl. Das größere Deutschland, Jg. I, Nr. 11, 20. Juni 1914, S. 292.
44 Das größere Deutschland, Jg. I, Nr. 3, 19. April 1914, zit. nach ebenda, S. 61.

Verbandes gegen seine persönliche Stellung abzuwehren. Unter Einschaltung des Kronprinzen hatte General v. Gebsattel dem Kaiser eine Denkschrift zugehen lassen, in der der Reichskanzler der fortgesetzten Nachgiebigkeit gegenüber der Sozialdemokratie geziehen und außerdem beschuldigt wurde, den Frieden um jeden Preis erhalten zu wollen. Jedoch sei selbst ein Krieg mit unglücklichem Ausgang einem »langen und feigen Frieden« vorzuziehen. Das Ziel dieses Vorstoßes war nichts weniger als der Sturz des verhaßten Kanzlers und dessen Ersetzung durch Tirpitz. Bethmann Hollweg wies unter Berufung auf Bismarck diese kriegstreiberische Denkschrift als törichtes und unüberlegtes Gerede zurück und fand dabei für diesmal Wilhelms II. volle Zustimmung, der dann auch den Kronprinzen brieflich zurechtwies.[45] Aber Bethmann Hollwegs Position war verwundbar geworden. Er sah hinfort Anlaß gegeben, sich stets so auszudrücken, daß man ihm nicht »theoretische Friedensneigungen« nachsagen konnte.

Schwerwiegender waren die Folgen dieser Agitation im Lager der Militärs. Was den Generalstabschef v. Moltke angeht, so hatte sich dieser, wie wir sahen, schon 1912 prinzipiell für einen Krieg zum frühestmöglichen Zeitpunkt erklärt. Dennoch war er bislang, in Übereinstimmung mit der Politik des Auswärtigen Amtes, dem Drängen seines österreichischen Kollegen Conrad v. Hötzendorff entgegengetreten, das verhaßte Serbien in einem Überraschungskrieg niederzuwerfen, um für Österreich-Ungarn genehme Verhältnisse auf dem Balkan zu schaffen. Nunmehr ließ er durchblicken, daß er es begrüßen würde, wenn Österreich-Ungarn durch eine militärische Aktion gegen Serbien den Stein ins Rollen bringen würde. Am 12. Mai 1914 beklagte er gegenüber Conrad, daß die Reichsleitung bedauerlicherweise immer noch auf die Neutralität Englands hoffe, obgleich es diese nie geben werde. Ersichtlich war Moltke im Frühsommer 1914 definitiv zu der Ansicht gelangt, daß Rußland planmäßig auf einen Angriffskrieg gegen die Mittelmächte hinarbeite und daß es daher besser wäre, diesem mit einem Präventivkrieg zuvorzukommen, sobald sich eine geeignete Gelegenheit dazu biete.[46] Nach den spärlichen Quellen, die wir über diese Vorgänge zur Verfügung haben, dürfte Beth-

45 Vgl. Pogge v. Strandmann/Geiss, Die Erforderlichkeit des Unmöglichen, S. 17ff.

46 Lerchenfeld wußte am 5. August 1914 nach München zu berichten, daß Moltke erklärt habe, auf das Bestimmteste zu wissen, »daß zwischen Rußland, Frankreich und England für 1917 ein Angriffskrieg gegen Deutschland abgemacht war und vorbereitet wurde« (Bayerische Dokumente, S. 187). Vgl. auch das Zeugnis Bethmann Hollwegs gegenüber Friedrich Thimme aus dem Jahre 1919: »Auch das gibt er zu, daß unsere Militärs von der Überzeugung durchdrungen gewesen seien, jetzt den Krieg *noch* siegreich bestehen zu können, aber in einigen Jahren, etwa 1916, nach Vollendung des russischen Bahnnetzes, nicht mehr. Das habe natürlich auch auf die Behandlung der serbischen Frage eingewirkt« (Nachlaß Thimme 662, PAAA). Vgl. auch Mommsen, Latente Krise, S. 92.

mann Hollweg gegenüber dem Verlangen der Militärs, dem in absehbarer Zeit – Moltke scheint mit 1916 oder 1917 gerechnet zu haben – zu erwartenden Krieg mit Rußland präventiv zu begegnen, einen zunehmend schwereren Stand gehabt haben. Ende Mai oder Anfang Juni 1914 legte Moltke dem Staatssekretär des Äußeren, v. Jagow, konkret die Frage vor, ob es angesichts der Tatsache, daß Rußland »in 2–3 Jahren seine Rüstungen beendet haben« würde, nicht besser sei, »einen Präventivkrieg zu führen, um Gegner zu schlagen, solange wir den Kampf noch einigermaßen bestehen können«. Er drängte den Staatssekretär, die deutsche Außenpolitik zumindest so einzurichten, daß man einem Kriege, sofern dieser sich bieten sollte, jedenfalls nicht länger aus dem Wege gehe.[47] Jagow und Bethmann Hollweg haben es allerdings auch zu diesem Zeitpunkt abgelehnt, sich auf einen Präventivkrieg einzulassen; letzterer erklärte unter anderem gegenüber Lerchenfeld am 4. Juni 1914 bündig: »[...] der Kaiser habe keinen Präventivkrieg geführt und werde keinen führen.«[48] Doch Wilhelm II. selbst war sich keineswegs sicher, ob er in diesem Punkte seinem Kanzler oder nicht doch besser seinen Generälen folgen solle. Am 21. Juni 1914, also nur wenige Wochen später, richtete er an den ihm befreundeten Bankier Warburg die Frage, ob es im Hinblick auf die russischen Kriegsvorbereitungen, die für das Jahr 1916 einen russischen Angriffskrieg erwarten ließen, nicht »besser wäre loszuschlagen anstatt zu warten«.[49] All dies läßt die Folgerung zu, daß die Eventualität eines Präventivkrieges im Juni 1914 auf höchster Regierungsebene ernsthaft diskutiert worden ist. Die beunruhigenden Nachrichten von britisch-russischen Verhandlungen über ein Flottenabkommen, die der deutschen Regierung in eben jenen Wochen zugespielt wurden und die Sir Edward Grey verfehltermaßen öffentlich zu dementieren suchte, dürften dabei die Position des Kanzlers und des Auswärtigen Amtes zusätzlich geschwächt haben, schienen sich doch die Hoffnungen auf eine Besserung der Beziehungen zu Großbritannien, die der Kanzler gegenüber allen Präventivkriegserwägungen ins Feld zu führen pflegte, nunmehr endgültig zerschlagen zu haben. Seit Jahren hatte die rechtsstehende Presse behauptet, daß ein Angriff der Entente in dem Augenblick vollends gewiß sei, in dem diese sich der Unterstützung Englands sicher sein könne; eben diese Situation schien jetzt definitiv eingetreten zu sein. Die fatalistische Grundstimmung, die sich in den Äußerungen maßgeblicher Regierungskreise, in erster Linie Bethmann Hollwegs selbst, feststellen läßt, darf als

47 Egmont Zechlin, Motive und Taktik der Reichsleitung 1914, in: Der Monat, Jg. XVIII, Nr. 209, 1966, S. 92f.
48 Bericht Lerchenfelds v. 4. Juni 1914, Bayerische Dokumente, S. 111f.
49 Zit. nach Alfred Vagts, M. M. Warburg & Co. Ein Bankhaus in der deutschen Weltpolitik, in: Vierteljahresschrift für Sozial- und Wirtschaftsgeschichte 45 (1958), S. 353.

ein Reflex dieser Lage gelten. Bassermann, der Führer der Nationalliberalen Partei, berichtete in jenen Tagen seinem Parteifreunde Schiffer: »Es geht nicht gut. Die russische antideutsche Bewegung nimmt zu, die Franzosen nehmen [...] das Maul immer voller. [...] Bethmann sagte mir fatalistisch-resigniert: Wenn es Krieg mit Frankreich gibt, marschiert der letzte Engländer gegen uns.« Und er zog daraus die Schlußfolgerung: »Wir treiben dem Weltkrieg zu.«[50]

Der »cult of inevitability« hatte innerhalb wie außerhalb der regierenden Kreise zahlreiche einflußreiche Anhänger gefunden, und diese neigten immer mehr dazu, ihre Handlungen danach auszurichten; alles Bemühen um eine Bewahrung des Friedens schien unter den obwaltenden Umständen zunehmend sinnlos geworden zu sein. Der Topos von der »Unvermeidlichkeit« eines großen europäischen Krieges war nun endgültig über die Ebene interessengeleiteter Propaganda und nationalistischer Agitation hinausgewachsen. Er hatte die Qualität einer *self-fulfilling prophecy* gewonnen, die eben das objektiv erzeugt, was sie subjektiv voraussagt. Die Äußerungen Bethmann Hollwegs aus jenen Wochen bezeugen mit aller Deutlichkeit die Wirksamkeit dieses Prinzips auch auf höchster Ebene; eine fatalistische Grundhaltung, die an der Möglichkeit zweifelte, den Gang der Dinge noch kontrollieren zu können, überschattete die Entscheidungen der Reichsleitung in den Tagen und Wochen, die dem Attentat von Sarajewo folgten. Diese dürfte wesentlich dazu beigetragen haben, die letzten Hemmungen gegenüber dem Kurs äußersten Risikos zu überwinden, den die deutsche Regierung Anfang Juli 1914 einschlug, nämlich die Unterstützung Österreich-Ungarns in einem Krieg gegen Serbien auf die Gefahr, ja Wahrscheinlichkeit eines allgemeinen europäischen Krieges hin. Bethmann Hollweg selbst bezeichnete diese Entscheidung gemäß dem Zeugnis Kurt Riezlers als »Sprung ins Dunkle und [...] schwerste Pflicht«.[51] Zwar hoffte der deutsche Kanzler einerseits, allen diesbezüglichen Prognosen zum Trotz, daß Rußland auf Drängen Frankreichs und Großbritanniens, die an der serbischen Frage kein unmittelbares Interesse besaßen und an einem Krieg nicht interessiert seien, ebenso wie 1908 doch noch zurückweichen und den Weg für eine grundlegende Umgestaltung des Systems der Allianzen in Europa freimachen werde. Andererseits aber sah er keine Möglichkeit gegeben, seinerseits eine solche Lösung auf anderem Wege zu erreichen als durch die unmißverständliche und uneingeschränkte Unterstützung Österreich-Ungarns, zumal die eigenen Militärs – und mit ihnen nicht wenige konservative und bürgerliche Politiker – den Krieg als ein befreiendes Ereignis zu betrachten

50 Nachlaß Schiffer, Geheimes Staatsarchiv Berlin, Brief v. 5. Juni 1914.
51 Riezler, Tagebücher, S. 185.

geneigt waren. »Ein Fatum, größer als Menschenmacht« liege, so meinte Bethmann Hollweg auf dem Höhepunkt der Julikrise am 27. Juli 1914, »über der Lage Europas und unserem Volke«.[52] Es war dies die Abdankung der Politik gegenüber der Übermacht der Verhältnisse, die nicht länger der steuernden Kraft des Staatsmanns zugänglich schienen. Und doch war dieser Fatalismus letzten Endes hausgemacht; er war die Folge von zwei Jahrzehnten nationalistischer Agitation, welche die amtliche Politik in Schranken zu verweisen niemals imstande gewesen war.

52 Ebenda, S. 192.

# Der Geist von 1914: Das Programm eines politischen »Sonderwegs« der Deutschen

Der Erste Weltkrieg steht am Beginn einer Epoche der europäischen Geschichte, die mehr als nahezu jede andere, vergleichbar allenfalls jener des Dreißigjährigen Krieges, unvorstellbares Leid und Zerstörung über die Menschheit gebracht hat. Im August 1914 fanden sich die Angehörigen der jungen Generation in allen kriegführenden Nationen voller nationaler Begeisterung freiwillig zum Waffendienst für das eigene Vaterland bereit, wenn auch durchgängig in der Annahme, daß es sich um einen Verteidigungskrieg handele. Die Aufwallung nationaler Gesinnung in allen kriegführenden Nationen Anfang August 1914 – der »Geist von 1914« – war vielleicht nicht ganz so einhellig, wie man vielfach gemeint hat; aber unzweifelhaft war der Krieg zunächst auch in den breiten Schichten der Bevölkerung populär. Insbesondere große Teile der Führungsschichten der europäischen Völker begrüßten den Kriegsausbruch nach einer langen Periode »atemberaubenden Drucks« internationaler Spannungen und gesellschaftlicher Krisen als einen Akt der Erlösung, »wie einen Feuerbrand, in welchem die turmhoch aufgehäufte innere Verworrenheit in Flammen aufging«, wie der Historiker Karl Alexander von Müller stellvertretend für eine ganze Generation in seinen Erinnerungen berichtet.[1] Bei den deutschen Führungseliten hinterließ das Erlebnis der nationalen Geschlossenheit der Nation bei Kriegsausbruch einen tiefen Eindruck. »Zum erstenmal in seiner Geschichte sahen sie den geeinten Kern des deutschen Volkes um einen einzigen Mittelpunkt, zu einem Organismus, wie die Geschichte noch keinen gesehen hatte, windesschnell und ruhig ineinandergreifend, gleich einem riesigen Räderwerk und doch beseelt von Opfergeist, Heldenmut, Verantwortung bis ins kleinste, ein Volk von 70 Millionen, das wirklich ein einziges Heer geworden ist.«[2] Diesen »Geist von 1914«, der in vieler Hinsicht einem religiösen Aufbruch glich, verkörperte, wie sie vermeinten, die deutsche Staatsidee in ihrer reinsten, innerlichsten Gestalt, im Gegensatz zu jener der anderen europäischen Nationen.

1 Mars und Venus. Erinnerungen 1914–1916, Stuttgart 1954, S. 18f.
2 Ebenda, S. 144.

Auch in den anderen europäischen Nationen gab es vergleichbare Tendenzen. Die *union sacré* in Frankreich war ebenso von der Begeisterung der breiten Massen für die eigenen nationalen Ideale getragen wie nationale Entrüstung der Briten über die Verletzung der elementaren Rechte der belgischen Nation durch Deutschland. Jedoch wurde die nationale Begeisterung des August 1914 vor allem in Deutschland nicht nur von Vaterlandsliebe getragen, sondern indirekt auch von nationalistischen Überzeugungen und militaristischer Gesinnung, insbesondere aber von einem spezifischen Sendungsbewußtsein, das sich als den eigentlichen Kern der Ideologie des »deutschen Sonderwegs« ausmachen läßt, die für mehr als ein Jahrhundert den Gang der deutschen Geschichte maßgeblich bestimmt hat.

Als analytische Kategorie zur Bestimmung der Besonderheiten der deutschen Geschichte geht das Paradigma vom »deutschen Sonderweg«, rechts von dem materialistischen Utilitarismus der westlichen demokratischen Systeme und links von der Autokratie des zaristischen Rußland, auf die geistige Auseinandersetzung zwischen den politischen Überzeugungen des Westens und der Mittelmächte zurück. Die erste systematische Analyse der Besonderheiten der deutschen politischen Kultur aus dem Blickwinkel eines Defizits an liberalen Errungenschaften findet sich bereits in Thorsten Veblens »Theory of Business Enterprise« vom Jahre 1915; hier wie auch sonst in der zeitgenössischen angelsächsischen Literatur findet sich in zahlreichen Variationen die These, daß das deutsche politische System angesichts des Fortbestands zahlreicher autoritärer Elemente, insbesondere des Fehlens einer effektiven demokratischen Kontrolle der Exekutive und des Überhangs an aristokratischen und monarchischen Traditionen, die zu einer Verfremdung des bürgerlichen Geistes geführt hätten, den Erfordernissen der modernen industriellen Gesellschaft ungenügend angepaßt sei und demgemäß auf die bestehenden Probleme in der internationalen Arena mit Aggression und »Militarismus« zu reagieren pflege.

In der jüngeren historischen und politologischen Forschung ist das Paradigma vom »deutschen Sonderweg«, genauer eines besonderen deutschen Entwicklungspfades, der sich von jenem, den die westlichen Gesellschaften durchlaufen hätten, substantiell unterscheide, weithin aufgenommen und zum Ausgangspunkt einer Rekonstruktion der jüngeren deutschen Geschichte in kritischer Absicht genommen worden. Die Verwerfungen zwischen der wirtschaftlichen und der politischen Entwicklung des deutschen Kaiserreiches wurden in letzter Instanz als die wesentliche Ursache dafür angesehen, daß dieses auf eine schiefe Ebene geraten sei, an deren Ende der Aufstieg des Nationalsozialismus zur Macht und die deutsche Katastrophe gestanden habe. Anders gesagt, die deutsche

Gesellschaft habe es versäumt, die politischen Verhältnisse rechtzeitig den sich rapide verändernden sozio-ökonomischen Verhältnissen anzupassen; statt dessen habe man an einem weithin antiquierten politischen System festgehalten, durch welches die aus vorindustrieller Zeit stammenden Führungseliten lange über die Phase hinaus, in der sie die politischen Führungspositionen kraft eigenen Rechts beanspruchen konnten, an der Macht gehalten wurden. Die mangelnde Liberalisierung der deutschen Gesellschaft und die überbordenden Tendenzen zu einem lautstarken, aggressiven integralistischen Nationalismus seien die eigentlichen Ursachen des deutschen Dilemmas gewesen.

Gegen diese Deutung ist seit einiger Zeit, zunächst von englischer Seite – hier sind insbesondere Geoff Eley und David Blackbourn zu nennen – Einspruch erhoben worden, in erster Linie mit dem Argument, daß das Paradigma vom »deutschen Sonderweg« die englische Entwicklung von einer aristokratischen Oligarchie zum bürgerlichen Staat demokratischen Zuschnitts ganz unangemessen idealisiert habe; auch der englische Entwicklungsweg sei weder konfliktfrei noch in friedlichen Formen verlaufen, und an Relikten älterer sozialer Formationen habe es auch dort nicht gefehlt. Wesentliche Modifikationen an dem vor allem von der jüngeren deutschen sozialgeschichtlichen Forschung vorgetragenen Erklärungsmodell wurden in der Tat notwendig; auch im deutschen Fall kann nicht uneingeschränkt von einer Feudalisierung des Bürgertums infolge der Rückständigkeit des politischen Systems gesprochen werden; und auf sozio-ökonomischem Gebiet zumindest setzte sich die bürgerliche Ordnung auch im Rahmen eines obrigkeitlich verformten Staates ohne wesentliche Einschränkungen durch.

Angesichts der solcherart sich abzeichnenden Notwendigkeit einer Differenzierung des Paradigmas vom »deutschen Sonderweg«, dem man die spezifischen Züge des englischen Entwicklungspfads zur modernen Industriegesellschaft demokratischen Typs gegenüberstellte, kam etwa Thomas Nipperdey zu dem Schluß, daß es in der europäischen Geschichte »viele Sonderwege« gegeben habe, von denen der deutsche nur einer gewesen sei, während von anderer Seite die Berechtigung dieser Argumentation schlechthin bestritten wurde. Allein, es ist unübersehbar, daß die These vom »deutschen Sonderweg« nicht bloß eine Erfindung von linken Intellektuellen ist, sondern daß es tatsächlich so etwas wie einen besonderen deutschen Entwicklungspfad gegeben hat, der sich von den Entwicklungspfaden der westeuropäischen Gesellschaften vor allem dadurch unterschied, daß hier dem Staate und der den Staat tragenden hohen Staatsbeamtenschaft von vornherein besonderes Gewicht zugemessen wurde; dieses, wie Max Weber sich ausdrückte, bürokratische Regime zeichnete sich aus durch die enge Verbundenheit der hohen Beamtenschaft mit dem Bildungsbürgertum, etwas, das die autoritären Züge des politischen Systems abmilderte; andererseits agierte die Bürokratie gleichsam wie ein Schutzschild für die Aristokratie und die monarchische Hofgesellschaft, und demgemäß wurden Verfassungsreformen zumeist bereits im Ansatz erstickt, weil sie *de facto* nicht nur die Machtstellung der traditionellen Eliten, sondern auch jene der Beamtenschaft beeinträchtigt haben würden. Ideologisch stützte sich dieses System nicht zuletzt auf die aus dem deutschen Idealismus stammende Staatstheorie ab, die dem Staate und der diesem vornehmlich dienenden Beamtenschaft – bei Hegel wurde dieser nicht zufällig der »allgemeine Stand« genannt – eine herausragende Stellung zuwies, die jener der »Gesellschaft« ausdrücklich vorgeordnet war. Im Grundsatz war die vorgeblich oder tatsächlich allein dem Allgemeinwohl verpflichtete Herrschaft des »allgemeinen Standes« schon bei Hegel mit dem Prinzip einer parlamentarischen Regierung unvereinbar, weil diese vor allem die materiellen Interessen der Gesellschaft, und vornehmlich der oberen Schichten, ungebremst und ungefiltert zum Staatszweck erhebe. Im Grundsatz hat sich diese Auffassung in der deutschen politischen Tradition während des gesamten 19. Jahrhunderts erhalten; in mancher Hinsicht erfuhr sie sogar noch eine Verschärfung im Zuge der sich herausbildenden Klassengegensätze.

Die Wirkkraft dieser ideologischen Denkschemata in der politischen Kultur des Kaiserreichs ist schlechterdings unübersehbar. Nirgends aber kamen diese deutlicher und schärfer zum Ausdruck als in der Debatte über den »Geist von 1914«, der seitens der deutschen Führungseliten allgemein als Ausdruck einer spezifisch deutschen Staatsgesinnung verstanden wurde, die sich von jener der westlichen Demokratien grundsätzlich unterscheide. Mehr noch, die nationale Aufbruchstimmung des August 1914 wurde als Wiedergewinn des eigenen deutschen Weges gedeutet, und die deutsche Intelligentsia, insbesondere die Akademikerschaft, sah ihre vornehmlichste Kriegsaufgabe darin, eben diese Aufbruchstimmung und das, was diese politisch und moralisch beinhalte, auf Dauer zu stellen und zur Grundlage einer geistig-sittlichen Erneuerung des deutschen Volkes zu machen. Dies gab den Anstoß zur Entwicklung jenes ideologischen Gedankengebäudes, welches von den Zeitgenossen, Formulierungen von Johann Plenge, Ernst Troeltsch und dem schwedischen Politikwissenschaftler Johann Rudolf Kjellén aufgreifend, als »Die Ideen von 1914« bezeichnet wurde.[3]

3 Für die Rolle der Hochschullehrer bei der Formierung der »Ideen von 1914« siehe Klaus Schwabe, Wissenschaft und Kriegsmoral. Die deutschen Hochschullehrer und die politischen Grundlagen des Ersten Weltkrieges, Göttingen 1969, S. 19–45. Eine meisterhafte Analyse der Rolle der Philosophen findet sich bei Hermann Lübbe, Politische Philosophie in Deutschland.

Den wesentlichen Anstoß zur Entwicklung der »Ideen von 1914« hat, wie bereits erwähnt, das Erlebnis des 4. August 1914 gegeben, welches in dieser Weise von den deutschen Führungseliten nicht für möglich gehalten worden war. Hinzu kam freilich das Bedürfnis, der Kritik an der Politik und Kriegführung des Deutschen Reiches und am deutschen politischen System überhaupt, wie sie schon bald nach Kriegsausbruch im westlichen Ausland laut wurde, argumentativ entgegenzutreten. Am bekanntesten, zugleich am bedenklichsten war in dieser Hinsicht der sogenannte »Aufruf der 93 an die Kulturwelt«, mit dem führende Vertreter der deutschen Wissenschaft von rechts bis hin zur linken Mitte der angeblichen »literarischen Einkreisung« durch die westliche Publizistik und Wissenschaft entgegenzutreten suchten.[4] Freilich lagen die Wurzeln dieser Bemühungen tiefer; sie gründeten sich in einem Verständnis der deutschen politischen Identität und der deutschen Nationalgeschichte, das obrigkeitlich verformt und in seinem Kern antidemokratisch ausgerichtet war.

Die deutschen Publizisten und Wissenschaftler, die sich nach Kriegsausbruch an die »literarische Front« warfen, um ihren Teil zu den gemeinsamen Kriegsanstrengungen der Nation beizutragen, waren von der Überlegenheit der eigenen Kultur über die anderen europäischen Kulturen tief überzeugt und geneigt, nicht nur deren Eigenständigkeit mit allen Mitteln zu verteidigen, sondern deren Prinzipien den anderen europäischen Völkern gegebenenfalls mit Gewalt zu oktroyieren. Dies trug in nicht geringem Maße dazu bei, daß insbesondere in Deutschland, allerdings auch bei den anderen kriegführenden Nationen, von Beginn des Ersten Weltkrieges an keinerlei Bereitschaft bestand, das Blutvergießen auf dem Verhandlungswege zu einem Ende zu bringen. Ein Siegfriede mußte es sein, und dafür wurden in den folgenden vier Jahren Millionen von jungen Menschen aus zahlreichen Ländern der Welt auf den Schlachtfeldern Europas geopfert, oft aufgrund militärischer Planungen, die von vornherein den voraussichtlichen Verlust von Hunderttausenden von Menschenleben in ihr Kalkül einbezogen. Vor allem der mörderische Stellungskrieg im Westen und die immer neuen Versuche, durch rücksichtslose Opferung von Menschen die festgelaufenen Fronten wieder in Bewegung zu bringen, haben in der Kriegführung selbst des Zweiten Weltkrieges nahezu keine Parallele.

Mehr noch, die »Ideen von 1914«, die unter dem Eindruck der Einmütigkeit entstanden, mit der die Deutschen sich ungeachtet der scharfen poli-

Studien zu ihrer Geschichte, Stuttgart 1963, S. 173–238. Für die Rolle der Soziologen siehe Hans Jonas, Die Klassiker der Soziologie und der Erste Weltkrieg. Erlanger Antrittsvorlesung vom 2. August 1988 (Manuskript).

4 Vgl. Schwabe, S. 22f.

tischen und sozialen Gegensätze im August 1914 zum Waffendienst für die Nation bereit gefunden hatten, haben den Boden bereitet für den Aufstieg des extremen Nationalismus und späterhin des Nationalsozialismus.

Von Anfang an war der Erste Weltkrieg nicht nur ein Krieg um Machterhalt oder Machtsteigerung der europäischen Nationen, vornehmlich des Deutschen Reiches, sondern auch ein Krieg der politischen Systeme und der diese bestimmenden geistigen Traditionen. In den westeuropäischen Nationen griff – ungeachtet des Bündnisses mit dem autoritären Zarenreich, das die ostmitteleuropäischen Nationalitäten seit längerem einem Prozeß der Russifizierung unterworfen hatte – die Überzeugung um sich, daß der Krieg in erster Linie zur Durchsetzung des nationalen Selbstbestimmungsrechts der Völker geführt werde, das im Falle des neutralen Belgien so gröblich verletzt worden war. Hingegen waren die meinungsführenden Schichten im Deutschen Reich zutiefst überzeugt, daß es in diesem Kriege nicht nur um die Verteidigung der deutschen politischen Ordnung, sondern auch um die Behauptung und die Stärkung der deutsch bestimmten Kultur in Mitteleuropa als solcher gehe. Selbst Friedrich Meinecke, der persönlich eher gemäßigten Auffassungen zuneigte, meinte damals: »Während unmittelbar und greifbar in diesen gewaltigen Tagen unsere Kultur ganz in den Dienst des Staates gepreßt wird, dient im Reich des Unsichtbaren heute unser Staat, unsere Machtpolitik, unser Krieg den höchsten Gütern unserer nationalen Kultur.«[5] Dabei waren unzweifelhaft unterschwellig Minderwertigkeitskomplexe gegenüber den vergleichsweise fortgeschritteneren westlichen Gesellschaften, namentlich jener Großbritanniens, im Spiel.

Vielleicht wurde gerade deshalb mit großem publizistischen Aufwand die Ideologie der »Ideen von 1914« geboren. Sie suchte den umfassenden Nachweis dafür zu führen, daß die deutsche politische Ordnung jener des Westens keineswegs nachstehe. Vielmehr sei das halbkonstitutionelle deutsche politische System, das dem Staate und der die Staatsfunktionen wahrnehmenden hohen Beamtenschaft ein hohes Maß an politischer Macht zugestand, während das Parlament und die Parteien auf ein bloßes Mitspracherecht ohne eine echte Beteiligung an den politischen Entscheidungen beschränkt blieben, den westlichen Demokratien haushoch überlegen. Nicht der westlichen individualistischen Kultur, die maßgeblich durch die »Ideen von 1789« bestimmt worden sei, sondern der deutschen politischen Ordnung, die durch ein Gleichgewicht von Ordnung und Freiheit geprägt sei, gehöre die Zukunft. In der kommenden Periode der Ge-

5 1. Kriegsheft der Süddeutschen Monatshefte, »Nationale Kundgebung der deutschen und österreichischen Historiker«, 1914, S. 800.

schichte werde die besondere Befähigung der Deutschen zur Organisation im Rahmen einer Staatsordnung, die die freiwillige Unterordnung aller Bürger unter den Staat als der die gemeinsame politische Zukunft der Nation verbürgenden Ordnung, im Gegensatz zur Willkür des in den westlichen Demokratien allmächtigen Individuums in den Vordergrund stelle, eine entscheidende Rolle zu spielen haben, und vor allem über diese Frage werde der Krieg geführt.
Dabei spielten, aller idealistischen Sprachspiele ungeachtet, gesellschaftliche Interessen eine nicht unerhebliche Rolle. Im Grunde wurde erwartet, daß durch die Stabilisierung und ideologische Verklärung des bestehenden halbkonstitutionellen Systems, das angeblich besonders dazu befähigt sei, die großen sozialen Probleme zu lösen, die Arbeiterschaft gleichsam an ihrem untergeordneten Platz im gesellschaftlichen System gehalten werden könne. Alois Riehl beispielsweise sprach diesen Gesichtspunkt in einer Kriegsrede vom 23. Oktober 1914 über »1813 – Fichte – 1914« unverblümt an: »Parteien wird es wieder geben und soll es geben; die Gesundheit des staatlichen Lebens verlangt solche Mannigfaltigkeit. Fort aber mit den Klassenkämpfen! [...] Wir wollen England besiegen, nicht Englands Beispiel nachahmen. Zu deutlich hat uns sein Beispiel gezeigt, wohin es führt, wenn ein Staat ausschließlich kommerzielle und industrielle Ziele verfolgt. Wir wollen den Staat nicht auf Erwerb und Erzeugung materieller Güter allein stellen. Das Mutterland der sozialen Gesetzgebung muß auch das Land der sozialen Fortschritte, der sozialen Reformen bleiben.«[6] Im Grunde verbarg sich hinter solchen Argumentationen das ältere Modell eines gesellschaftlichen Systems, das vor den vollen Konsequenzen der industriellen Entwicklung zurückschreckte und vom Staate erwartete, daß er kraft bürokratischer Intervention die Klassengegensätze mediatisiere, die sich in industriellen Gesellschaften in erster Linie in Form des Emanzipationskampfs der Arbeiterschaft zu artikulieren pflegen. Statt sich des westlichen Modells der freien Austragung der Interessenkonflikte der verschiedenen sozialen Schichten und Gruppen im Rahmen einer demokratischen Ordnung zu verschreiben, erhoffte man von der deutschen Variante des obrigkeitlich verformten Verfassungsstaats eine administrative Form der Konfliktregelung von oben. Insoweit stand die Idee der »deutschen Freiheit« in der Tat in einem scharfen Gegensatz zu der Idee der pluralistischen Industriegesellschaft, wie sie sich in den westlichen Demokratien bereits ausgebildet hatte. Max Weber zum Beispiel sah hinter solchen wohlmeinenden Bestrebungen eine fatale Neigung, allein von der Bürokratie eine Lösung der drängenden politischen und gesellschaftspolitischen Probleme der Gegenwart zu

6 Deutsche Reden in schwerer Zeit, Berlin 1914, S. 206f.

erwarten. »[...] hinter den sogenannten ›deutschen Ideen von 1914‹, hinter dem, was die Literaten euphemistisch den ›Sozialismus der Zukunft‹ nennen, hinter dem Schlagwort von der ›Organisation‹, der ›Genossenschaftswirtschaft‹« verberge sich in Wahrheit der »nüchterne Tatbestand der universellen Bürokratisierung«, und er fügte hinzu, daß die verbreitete Leidenschaft für die Bürokratisierung mit den nationalen Interessen Deutschlands in keiner Weise verträglich sei.[7]

Freilich war Max Weber, der, wie er gelegentlich gesagt hat, »die vielen Phrasen der Ideen von 1914 gründlich satt« hatte,[8] in dieser Hinsicht ein einsamer Rufer in der Wüste. Die große Mehrheit der Intellektuellen, auch Max Webers Bruder Alfred, ließ sich unter den Bedingungen des Krieges von der Ideologie des besonderen deutschen Weges einfangen und fühlte sich veranlaßt, öffentlich über »die deutsche Sendung« zu philosophieren. Georg Simmel, der den Kriegsausbruch selbst als eine Art von Befreiung aus dem geistigen Nihilismus empfand, in den die deutsche Kultur in den letzten Jahrzehnten verstrickt gewesen sei, meinte sogar, dem nationalen Aufbruch vom August 1914 die Qualität einer historischen Wende zuzumessen, aus der ein erneuertes Deutschland hervorgehen werde. Vor allem werde die in den letzten Jahrzehnten vorherrschende Gesinnung des »Mammonismus«, der verbreiteten Hingabe an bloß materialistische Werte, die in der Hochschätzung des Geldes als solchem ihren symbolischen Ausdruck gefunden habe, einem neuen Bewußtsein der Gemeinschaft Platz machen. Der Sache nach gehe es heute um die »Vollendung von 1870«, der Schaffung des Nationalstaats auf einer höheren, vergleichsweise sublimeren Ebene, ein Prozeß, der einhergehen müsse mit der Ausbildung des Ideals eines neuen Menschen, der nicht in erster Linie materiellen Zielen nacheifere, sondern in der Ganzheit der Nation aufgehe.[9] Mehr noch als viele vergleichbare Äußerungen der Zeit gab diese Rede einem emotionalen Irrationalismus Ausdruck, der im Kriege die Lösung der eigenen Lebensprobleme schlechthin suchte und erwartete, daß die nationale Begeisterung jener Tage und Wochen *quand même* in eine neue, bessere Zukunft führen müsse.

Die »Ideen von 1914«, die im Dunstkreis der nationalistischen Begeisterungswelle bei Kriegsausbruch entstanden und diese auf Dauer zu stellen suchten, wurden als Ausdruck einer neuen, einer deutschen Revolution gefeiert, mit der, ähnlich wie 125 Jahre zuvor mit der Französischen Revo-

7 Max Weber – Gesamtausgabe (=MWG) I/15, S. 462.
8 Ebenda, S. 777f.
9 Deutschlands innere Wandlung. Rede am 7. November 1914, Straßburg 1914, S. 9, 11 und passim.

lution, eine neue Epoche der Geschichte beginnen werde, jedoch eine Epoche, die in ihrem geistigen Gehalt und ihrer politischen Kultur das genaue Gegenteil jener darstelle. Während die Ideen von 1789, nämlich Freiheit, Gleichheit und Brüderlichkeit, in Wahrheit »echte und rechte Händlerideale seien, die nichts anderes bezweckten, als den Individuen bestimmte Vorteile zu verschaffen«[10], gehe es der »deutschen Revolution« von 1914 um den »Zusammenschluß aller staatlichen Kräfte gegenüber der Revolution der zerstörerischen Befreiung im 18. Jahrhundert«.[11] Der Sache nach lief dies auf eine Idealisierung der überkommenen, halbautoritären Staatsordnung im Kaiserreich hinaus. Diese sei, wie man argumentierte, weit eher in der Lage, die Probleme der Zukunft auf der Grundlage eines »nationalen Sozialismus« ständestaatlicher Spielart zu lösen als die demokratischen Ordnungen des Westens, die, wie man meinte, ausschließlich von materialistischen Lebensidealen beherrscht würden.

Am schärfsten hat dies damals Werner Sombart in einem überaus einflußreichen Buch »Händler und Helden. Patriotische Besinnungen« formuliert. Die Engländer seien längst eine ausschließlich materiellen Lebensinhalten frönende Krämernation geworden, deren Leben sich um durchaus unkriegerische Dinge, vor allem Sport und Komfort, drehe. Dagegen hatten sich unter der deutschen Nation die ursprünglichen großen kriegerischen Qualitäten erhalten; kurz, die Deutschen seien eine Nation von Helden, die sich an den großen Vorbildern der deutschen Geschichte seit den Freiheitskriegen orientierte. Krämergeist versus Heldengesinnung, dies war die Formel, auf die Sombart das Verhältnis der westlichen demokratischen Kultur und der deutschen – wie wir es heute sehen würden, autoritär verformten – politischen Kultur brachte. Demgemäß begrüßte Sombart den Ersten Weltkrieg in aller Form als eine große Kraftanstrengung der gesamten Nation, die zur Regeneration eben jener heldischen Qualitäten der deutschen Nation beitragen werde: »Der Krieg, der die Vollendung der heldischen Weltanschauung bildet, der aus ihr hervorwächst, ist notwendig, damit diese heldische Anschauung selber nicht den Mächten des Bösen, nicht dem kriechenden Händlergeiste zum Raube werde.«[12] Sombart verband damit zugleich einen beschwörenden Appell an seine Landsleute, daß dieser Krieg, gleichviel, wie hoch der Preis an Menschenleben und materiellen Gütern auch immer sein möge, unter

10 So die Frankfurter Zeitung in einem kritischen Artikel über die »Ideen von 1914« vom 24. Dezember 1914; abgedruckt bei Johann Plenge, 1789 und 1914. Die symbolischen Jahre in der Geschichte des politischen Geistes, Berlin 1916, S. 171–175.
11 Ebenda, S. 15.
12 Werner Sombart, Händler und Helden. Patriotische Besinnungen, München/Leipzig 1915, S. 92.

allen Umständen bis zu einem siegreichen Ende durchgefochten werden müsse, um den von der deutschen Nation verkörperten Lebensidealen die Zukunft zu sichern.

Der höchst aggressive, das Lebensrecht und die Lebensformen anderer Nationen grundsätzlich in Frage stellende »Geist von 1914« erfuhr zugleich eine religiöse Überhöhung. Der Ausbruch des Krieges wurde vielerseits als ein Segen für das deutsche Volk bezeichnet, der dieses aus einer Periode beschaulicher Existenz, intellektueller Leere und bloßen materiellen Lebensgenusses herausgerissen und ihr neue große, gemeinschaftliche Ideale vor Augen gestellt habe, für die es zu leben wieder wert sei. Die »Ideen von 1914« repräsentierten, so glaubte man, den Vorläufer einer neuen Gesellschaftsordnung, welche bestimmt sei, die westliche, angeblich materialistische Demokratie mit ihrem, wie man meinte, hoffnungslos überzogenen Individualismus abzulösen. Dies wurde vielerorts als eine Art von Sendung des deutschen Volkes angesehen, die nicht zuletzt auch eine religiöse Qualität besaß. Werner Sombart verstieg sich gar zu der These, daß das deutsche Volk kraft seiner besonderen moralischen und politischen Qualitäten in unserem Jahrhundert zum vornehmlichsten Vertreter »des Gottesgedankens auf Erden« geworden sei; nach den Griechen und den Juden seien die Deutschen »das auserwählte Volk« Gottes »dieser Jahrhunderte«.[13] Demgemäß sollten die Deutschen, ungeachtet des Hasses und der Kritik, mit der sie von den anderen europäischen Völkern verfolgt würden, »stolz, erhobenen Hauptes, in dem sicheren Gefühl, das Gottesvolk zu sein [...]«, in diesem Kriege »durch die Welt gehen«.[14] In ähnlicher Weise wurde der Erste Weltkrieg von zahllosen Kanzeln herab als eine aus christlicher Sicht gerechtfertigte Sache bezeichnet.

Auch bei Denkern, die sich nicht in gleichem Maße diesen ebenso vagen wie suggestiven und dennoch äußerst publikumswirksamen Idealen verschrieben, war die Neigung groß, die deutsche politische Ordnung zu idealisieren und sie der westlichen demokratischen Ordnung gegenüber als zukunftsträchtiger zu erklären. Selbst Ernst Troeltsch, der schon damals um eine Überbrückung der Kluft zwischen den deutschen und der westeuropäischen politischen und geistigen Traditionen bemüht war, die, wie er richtig meinte, aus den gleichen christlichen und humanistischen Wurzeln herausgewachsen seien, neigte 1915 noch dazu, die »deutsche politische Freiheit«, die eine vom Willen des Parlaments letztendlich unabhängige Machtstellung des »zentralen Regierungswillens« und damit die unkontrollierte Beamtenherrschaft beinhaltete, seinerseits zu beja-

13 Ebenda, S. 142.
14 Ebenda, S. 143.

hen.[15] 1917 argumentierte Friedrich Naumann: »Das ist oder das wird unser nationaler Glaube«, nämlich das deutsche Volk als »das erste revolutionslose Großvolk des organisierten Lebensspielraums«, das kraft seiner organisatorischen Begabung und seiner am nationalen Staate orientierten Disziplin in der Lage sein werde, die sozialen und demographischen Probleme der zweiten Hälfte des 20. Jahrhunderts zu meistern.[16] Davon abgesehen aber hat die Ideologie der »Ideen von 1914« den Nährboden für die Entstehung radikaler nationalistischer Strömungen abgegeben, die während des Krieges immer stärker an Boden gewannen. In ihrem Kern waren die »Ideen von 1914«, wie sie von zahlreichen Professoren, Journalisten und Literaten in eine regelrechte Ideologie umgeschmiedet wurden, gekennzeichnet nicht nur von nationalistischer Überhebung, die die eigene Nation und ihre geistigen und politischen Traditionen gegenüber jener anderer rivalisierenden Nationen völlig kritiklos in den Himmel hob, sondern zugleich von der Bereitschaft, die eigenen Ideale anderen Völkern mit den Mitteln der Gewalt aufzuzwingen. Demgemäß wurde aus der Sicht dieser Ideologen denn auch aus dem angeblichen »Verteidigungskrieg« von 1914 gleichsam zwangsläufig ein »Eroberungskrieg«, der die machtpolitischen Voraussetzungen für die Durchsetzung dieser neuen geistigen und politischen Ordnung in ganz Europa schaffen sollte. Demgemäß scheute sich beispielsweise Johann Plenge nicht, Wilhelm II. – freilich in krasser Verzeichnung der tatsächlichen Verhältnisse – mit Napoleon I. und dessen Versuchen seit 1797, die hegemoniale Herrschaft des post-revolutionären Frankreich auf ganz Europa auszudehnen, unmittelbar in Vergleich zu setzen: »Zum zweitenmal zieht ein Kaiser durch die Welt als Führer eines Volkes mit dem ungeheueren weltbestürmenden Kraftgefühl der allerhöchsten Einheit [des deutschen Volkes, d. Vf.].«[17] Die hier besonders schroff hervortretende Auffassung, daß die Welt »am deutschen Wesen genesen« möge und daß dafür der Krieg allemal ein gerechtes Instrument darstelle, lieferte die ideologische Rechtfertigung für weitausgreifende annexionistische Bestrebungen, die schon bald die Realität gänzlich hinter sich zurückließen. Sie fanden einen Höhepunkt in der Anfang 1917 entstandenen Sammlungsbewegung der »Deutschen Vaterlandspartei«, die in nahezu fanatischer Form für einen Siegfrieden, koste es was es wolle, agitierte und die zeitweilig breite Schichten der deutschen Bevölkerung in ihren Bann zu ziehen vermocht hat.

15 Ernst Troeltsch, Die deutsche Freiheit, Berlin 1915, S. 28.
16 Friedrich Naumann, Die Freiheit in Deutschland, Manuskript aus dem Jahre 1917, in: Werke, hrsg. von Theodor Schieder, Opladen 1963ff., Bd. 2, S. 455, 460.
17 Plenge, 1789 und 1914, S. 15.

Im Rückblick ist es schwer verständlich, wieso dieses Syndrom von halbdurchdachten, emotionalen Argumenten zugunsten der bestehenden deutschen politischen Ordnung und ihrer geistigen Wurzeln in einer auf Hegel, Fichte und Adam Müller zurückgeführten organischen Staatsidee ständestaatlichen Zuschnitts in der deutschen Bildungsschicht des Kaiserreichs so großen Anhang hat finden können. Sie erfaßte nicht nur jene Gruppen der Bildungsschicht, die ohnehin für »rechte Ideologien« aufgeschlossen waren, sondern auch einen guten Teil jener, die ansonsten nicht mit dem Strom schwammen und für eine Politik des Ausgleichs und der behutsamen Öffnung gegenüber den unteren Schichten eintraten, wie beispielsweise Friedrich Meinecke, Ernst Troeltsch und, wie eben dargelegt wurde, selbst Friedrich Naumann. Max Weber hat die »Ideen von 1914« einigermaßen verächtlich unverantwortliches Literatengeschwätz genannt. »Geistreiche Personen«, so meinte er im August 1916 in seiner Rede »An der Schwelle des Dritten Kriegsjahres«, »haben sich zusammengetan und die ›Ideen von 1914‹ erfunden, aber niemand weiß, welches der Inhalt dieser ›Ideen‹ war. Großartiger waren sie, großartiger als jene von 1870, die nur wie ein Rausch waren gegen die majestätische Erhebung des deutschen Volkes zum jetzigen Kampf um seine ganze Existenz. Sich im Kriege zusammenzuschließen und zu organisieren, ist nichts Besonderes; dazu braucht man keine neue Ideen [...] Entscheidend werden die Ideen von 1917 sein, wenn der Friede kommt.«[18] Entscheidend waren, nach Max Weber, die inneren Reformen, die sicherstellen würden, daß die »heimkehrenden Krieger« gleiches Recht für alle Staatsbürger vorfinden würden, ebenso wie dies eben die Engländer mit ihrem *Representation Act* vom Frühjahr 1918 taten, in dem die letzten Reste plutokratischer Wahlbeschränkungen fielen. Jedoch wird man nicht umhinkommen festzustellen, daß die Idealisierung der halbkonstitutionellen deutschen Staatsordnung mit ihrem bürokratischen Machtzentrum dazu beigetragen hat, eben diese Reformen zu verhindern. Insofern fügt sich dies ein in die lange Geschichte der Ideologie des »besonderen deutschen Weges«, die aus der Tatsache der relativen Rückständigkeit des deutschen politischen Systems eine Tugend hat machen wollen und damit die Antriebe für eine Anpassung der politischen an die gesellschaftliche Ordnung immer wieder entscheidend abgeschwächt hat.

Infolgedessen wurden die bescheidenen Möglichkeiten, den Ersten Weltkrieg auf dem Verhandlungswege doch noch zu einem erträglichen Ende zu bringen, gänzlich verspielt. Statt dessen wurde der Erste Weltkrieg zu einem Krieg *à outrance*, wie man damals sagte, der nach endlosem Blutvergießen nur noch die vollständige Niederlage des einen oder des ande-

18 MWG I/15, S. 660 (Bericht des Fränkischen Kuriers).

ren Lagers zuließ, zu Lasten vor allem der darbenden breiten Massen der Bevölkerung einschließlich der Arbeiterschaft. Jedoch wuchsen auch im westlichen Lager die Neigungen, nur einen solchen Frieden schließen zu wollen, der es erlauben würde, dem deutschen Volk weitgehend solche Friedensbedingungen aufdiktieren zu können, die auf eine langfristige Ausschaltung des Deutschen Reiches als Machtfaktor in Europa und der Welt abzielten. Nationale Überhebung war, dies ist nicht zu übersehen, auf allen Seiten vorhanden; in Frankreich und Großbritannien trat sie nach Kriegsende besonders deutlich hervor, als die Staatsmänner es unter dem Druck der nationalistischen Strömungen in ihren Ländern nicht vermochten, auf der Pariser Friedenskonferenz jene dauerhafte Friedensordnung in Europa zuwege zu bringen, von der bislang so viel die Rede gewesen war. Nur mühsam wurde das Europäische Haus, das im Krieg weithin zerstört worden war, neu wieder aufgerichtet, aber so recht war keines der Völker bereit, sich in dem neugeschaffenen Gebäude häuslich einzurichten und mit dem Erreichten zufrieden zu sein; vielmehr drängten auch in den neuen Nationen nationalistische und imperialistische Tendenzen von Anfang an darauf hin, die eigene Machtstellung auf Kosten anderer zu steigern bzw. die eigenen Nachbarn nicht wieder politisch auf die Beine kommen zu lassen, während die Verlierer von bitteren nationalistischen Ressentiments gegen die neue demokratische Ordnung erfüllt waren, um so mehr, als ihnen eine gleichberechtigte Mitwirkung im neugeschaffenen Völkerbund einstweilen versagt blieb. Der Aufstieg des italienischen Faschismus zur Macht nur kurz nach dem Ende des Ersten Weltkriegs, nach oben getragen von einer Flutwelle irredentistischer Bestrebungen und einem äußerst brutalen Antisozialismus, war ein Vorbote noch größeren Unheils.

Nirgendwo aber wirkte der Geist der Unversöhnlichkeit und der nationalen Überhebung, der in den »Ideen von 1914« seine deutlichste Ausprägung erhalten hatte, stärker nach als in Deutschland selbst. Die Fähigkeit, den Dingen nüchtern ins Auge zu schauen und auf dem Boden der neuen Tatsachen eine realistische Politik des Augenmaßes zu betreiben, war hier von Anfang an durch das Fortdauern jener durchaus illusionären Bestrebungen, wie sie in den »Ideen von 1914« erstmals scharf hervorgetreten waren, schwerstens beeinträchtigt.

Die »Neue Rechte«, wie sie sich bereits während des Ersten Weltkriegs in der »Vaterlandspartei« eine schlagkräftige Organisation zu verschaffen vermochte, kreierte am Ende des Ersten Weltkriegs, nicht zuletzt um ihre eigenen krassen Fehleinschätzungen der politischen und militärischen Möglichkeiten des Deutschen Reiches im nachhinein mit einem propagandistischen Schleier zu verdecken, die sogenannte Dolchstoßlegende, derzufolge die sozialistische Arbeiterschaft dem siegreichen deutschen

Heer in einem kritischen Augenblick in den Rücken gefallen sei. Eben dies hat bekanntlich in der Folge entscheidend dazu beigetragen, die neugegründete demokratische Republik von Weimar politisch zu diskreditieren.
Die andauernden Kampagnen der äußersten Rechten gegen die Parteien der demokratischen Mitte und insbesondere gegen die Sozialdemokratie, denen man die Verantwortung für die Niederlage und das System von Versailles zuschob, orientierten sich an dem Modell einer »deutschen Freiheit« autoritären Zuschnitts, wie sie im Kaiserreich bestanden hatte, und den illusionären Hoffnungen, auf solcher Basis eine konfliktfreie politische Ordnung schaffen zu können, in der die Privilegien und Herrschaftsinteressen der traditionellen Eliten auf Dauer abgesichert werden könnten.
Im Dunstkreis dieser ideologischen Strömungen gewann die auf die Propagandisten des »Geistes von 1914« zurückgehende Idee der »Volksgemeinschaft« als einer antimodernistischen Alternative zur gefürchteten Idee einer sozialistischen Ordnung immer stärkere Anziehungskraft. Die lachenden Erben dieser nationalistischen Agitation, die sich in einer erbitterten Bekämpfung des verhaßten »Systems« von Weimar erschöpfte, waren am Ende die Nationalsozialisten. Sie waren die eigentlichen Gewinner in diesem ideologischen Krieg gegen die demokratische Republik von Weimar, die aus der Sicht der traditionellen Rechten alle jene negativen Züge besaß, die man vor und nach 1914 den angeblich von materialistischem Geiste beherrschten westlichen Demokratien zugeschrieben hatte.
Am 21. März 1934, dem sogenannten »Tag von Potsdam«, an dem Hitler und Hindenburg erstmals öffentlich einander die Hände schüttelten und die konservativen Eliten und die nationalsozialistische »Bewegung« ihren Frieden miteinander schlossen, erklärte der Pfarrer der traditionsreichen Garnisonskirche in Potsdam in seiner Festpredigt, daß dieses Ereignis einer »Wiedergeburt des ›Geistes von 1914‹« gleichkomme.[19] Die Absolutsetzung der deutschen Nation, die Verteufelung aller jener Gruppen der Gesellschaft, die sich dem Diktat eines rassistischen Systems nicht zu fügen bereit waren, und die Glorifizierung des Krieges erreichten mit dem »Tag von Potsdam« einen neuen Höhepunkt. Es war nur eine Frage der Zeit, wann Hitler den schon lange geplanten großen europäischen Krieg vom Zaune brechen werde, der dem deutschen Volk neuen Lebensraum im Osten verschaffen, vor allem aber die Herrschaft der germanischen Herrenrasse in Europa auf Dauer stellen würde.

19 Ich verdanke diesen Hinweis Herrn Jeffrey Verhey, der an der Universität Berkeley gegenwärtig eine Dissertation über »›The Spirit of 1914‹. Public Opinion and Integral Nationalism in Germany during World War I« vorbereitet.

Von nun an war der Fortbestand des Europäischen Hauses unmittelbar in Frage gestellt; die extremen politischen Kräfte, die 1914 erstmals massiv in Erscheinung getreten waren, hatten eine neue, noch zugleich zerstörerischere Qualität angenommen. Nur fünf Jahre später, am 1. September 1939, kam es dann zum Ausbruch des Zweiten Weltkriegs, der nicht allein aus der Sicht Adolf Hitlers, sondern auch vieler seiner Gefolgsleute aus den alten wilhelminischen Eliten, in einer erneuten, noch ungleich gewaltigeren Kraftanstrengung des »geeinten« deutschen Volkes und mit noch ungehemmterer Brutalität das Rad der Geschichte wieder zurückdrehen und die Niederlage im Ersten Weltkriege nachträglich ungeschehen machen sollte. Man könnte auch sagen, daß die geschichtliche Entwicklung der deutschen Nation wieder in die Bahnen des »deutschen Sonderwegs« zurückgezwungen werden sollte. Die Ideologie des »deutschen Sonderwegs« hat wesentlich dazu beigetragen, daß die Machtergreifung des Nationalsozialismus und seine parasitäre Ausbreitung über die ganze überkommene politische Kultur der Deutschen allererst möglich geworden ist.

# Die deutsche öffentliche Meinung und der Zusammenbruch des Regierungssystems Bethmann Hollweg im Juli 1917

Nicht allein unter universalhistorischen Gesichtspunkten, sondern auch unter dem vergleichsweise weit spezielleren Aspekt der innenpolitischen Entwicklung in Deutschland bildet das Jahr 1917 einen tiefen Einschnitt. Mit dem Aufstieg Hindenburgs und Ludendorffs zu einer quasi-plebiszitären Führerstellung, durch welche das komplizierte Verfassungsgefüge des Deutschen Reiches gleichsam durchbrochen wurde, ohne es formell außer Kraft zu setzen, trat eine qualitative Veränderung der politischen Ordnung von großer Tragweite ein. Die politische Leitung sah sich in einem bisher unbekannten Maße dazu gezwungen, sich den Wünschen der militärischen Instanzen zu beugen. Die Militarisierung des Wirtschaftslebens wurde mit großer Energie vorangetrieben, die Kriegführung den Grundsätzen des clausewitzschen »absoluten Krieges« beträchtlich angenähert.

In der bisherigen Forschung hat man dabei insbesondere die militärischen Faktoren in den Vordergrund gestellt. Gerhard Ritter hat, in Reaktion auf Fritz Fischers Tendenz, die Gegensätze zwischen politischer und militärischer Führung zu minimisieren,[1] die Rolle der dritten Obersten Heeresleitung in schwärzesten Farben gemalt und in Ludendorff und seinem politischen Gehilfen, Oberst Bauer, geradezu den »bösen Geist« der deutschen Politik gesehen.[2] Die Untersuchungen von Feldman und Baumgart[3] ergeben jedoch deutlich, daß die Macht der dritten Obersten Heeresleitung weder vor noch nach dem Sturz Bethmann Hollwegs unbeschränkt gewesen ist, allerdings zum Teil deshalb, weil sie davor zurückschreckte, bis zur letzten Konsequenz voranzuschreiten und sich selbst auch mit den politischen Aufgaben zu belasten. Der Sturz Bethmann Hollwegs war – dies sei unbestritten – wesentlich das Werk der Obersten Heeresleitung, aber doch nur in einem vordergründigen Sinne. Die Frage muß vielmehr lauten: Warum gelang es Ludendorff und seinen politi-

1 Fritz Fischer, Griff nach der Weltmacht, Düsseldorf 1964[3], S. 411 und passim.
2 Gerhard Ritter, Staatskunst und Kriegshandwerk, Bd. 3, München 1964, S. 251 ff.
3 Gerald D. Feldman, Army, Industry and Labor in Germany 1914–1918, Princeton 1966; Winfried Baumgart, Deutsche Ostpolitik 1918, Wien/München 1966.

schen Handlangern im Juli 1917, über die ihnen an Hilfstruppen und Weitsicht überlegene politische Leitung zu triumphieren und gar den Reichskanzler zu stürzen, obwohl Wilhelm II. ein Hineinregieren der Generäle in die Politik selbst nachdrücklich ablehnte und Bethmann Hollweg bis zum letzten Augenblick hatte halten wollen? Die Antwort auf diese Frage muß in einer anderen Richtung gesucht werden, als man dies bisher vorwiegend getan hat. Es handelte sich um einen Konkurrenzkampf zwischen politischer und militärischer Führung um die Gunst der öffentlichen Meinung, um das Vertrauen der Volksmassen im weitesten Sinne des Wortes. Die dritte Oberste Heeresleitung wurde zur Opposition gegen Bethmann Hollweg bis hin zur Intrige zum Zwecke seiner Ablösung vorangetrieben, nicht, weil dieser ihren militärischen Planungen oder Zielsetzungen in den Weg trat – ersteres tat er grundsätzlich nicht, letzteres suchte er zumindest für den Augenblick geflissentlich zu vermeiden, ohne sich doch politisch für die Zukunft die Hände völlig zu binden –, sondern weil das Regime Bethmann Hollweg seit Ende 1916 einem fortgesetzten Vertrauensschwund ausgesetzt war, der sich wohl nur durch einen zumindest teilweisen Übergang zu parlamentarischen Regierungsmethoden hätte abfangen lassen. Halbautoritäre, pseudokonstitutionelle Systeme wie das damalige Deutsche Reich sind in Krisenzeiten bekanntlich von der öffentlichen Meinung häufig weit abhängiger als parlamentarische Systeme, obwohl sie größere physische Machtmittel zur Steuerung der Presse und der politischen Gruppen besitzen. Das von Oberst Bauer entwickelte Alternativmodell einer diktatorischen Führung der öffentlichen Meinung, verbunden mit rücksichtsloser Unterdrückung aller antiannexionistischen Agitation und jeglicher Parlamentarisierungsbestrebungen, hatte zwar nur theoretische Bedeutung, und doch neigte Ludendorff dazu, Bethmann Hollweg an diesen Maßstäben zu messen. Immer mehr machte sich die Oberste Heeresleitung die Ansicht des Obersten Bauer zu eigen, daß die gedrückte Stimmung im Innern und das ungleich energischere Auftreten der Sozialdemokratie in der Frage der »Neuorientierung« im Frühjahr 1917 eine Folge der Schwäche der Regierung Bethmann Hollwegs sei.[4] Die innenpolitische Lage war in der Tat höchst verworren; einerseits ließ die »Neuorientierung« auf sich warten, andererseits bewog die Furcht vor Verfassungsreformen in demokratischer Richtung die Kreise der Rechten, sich nun noch schärfer als bisher gegen

4 Bauer erwog schon im Herbst 1916 den Übergang zu einer Art von militärischer Diktatur auf der Basis des Gesetzes über den Belagerungszustand. Siehe Entwurf einer Eingabe an Wilhelm II., August 1916, Nachlaß Bauer/2, Bundesarchiv Koblenz, sowie »Bemerkungen über den Reichskanzler« vom 6. März 1917, Nachlaß Bauer/16, ebenda. In den gleichen Zusammenhang gehört auch die undatierte, aber im März 1917 verfaßte kurze Denkschrift »Die Stellung des Reichskanzlers«, ebenda.

Bethmann Hollweg zu wenden. Die Linke aber begann an der Politik Bethmann Hollwegs, dem man bisher das ehrliche Bestreben, einen Kurs der Mitte zu steuern, zugestanden hatte, immer stärker zu zweifeln. Eine Vertrauenskrise großen Ausmaßes bahnte sich an.

Man kann freilich nicht sagen, daß Bethmann Hollweg dieser Entwicklung gegenüber blind gewesen sei. Im Gegenteil! Sehenden Auges sah er das Verhängnis auf sich zukommen, und er versuchte, in dem engen Rahmen, der ihm durch seine verfassungsrechtliche Stellung einerseits und die politische Gesamtkonstellation andererseits gesetzt war, alles nur Mögliche zu tun, um den drohenden Vertrauenseinbruch noch rechtzeitig abzufangen.

An dieser Stelle ist ein kurzer Rückblick auf Bethmann Hollwegs Gesamtpolitik notwendig. Sein ursprüngliches politisches Konzept läßt sich als eine Art von Vertrauensdiktatur beschreiben, welche die persönliche Fühlungnahme mit den leitenden Politikern der Parteien mit dem indirekten Einsatz der Zensur kombinierte. Der Kanzler hoffte auf diese Weise, freie Hand für eine von der öffentlichen Meinung weitgehend unabhängige Politik nüchterner Staatsraison zu gewinnen. Das Verbot der Erörterung von Kriegszielen war nicht nur zur Aufrechterhaltung des »Burgfriedens« gedacht gewesen, sondern sollte zugleich die Regierung gegenüber aller Kritik seitens der Parteien oder der öffentlichen Meinung decken.[5] Die wilde Kriegszielagitation, die ihren ersten Höhepunkt im Mai 1915 erreichte, und die ihr folgende Agitation für den unbeschränkten U-Boot-Krieg, welche sich seit Anfang 1916 mit immer größerer Macht der deutschen öffentlichen Meinung bemächtigte, ließ für einen derartigen politischen Kurs immer weniger Raum. Es endete schließlich damit, daß sich seit Mitte 1916 die Agitation der Rechten, unter prominenter Beteiligung schwerindustrieller Kreise, zunehmend gegen den Regierungsstil und gegen die Person des Kanzlers selbst zu richten begann. Bethmann Hollweg war in dieser Situation gezwungen, zu zeigen, daß er ein »starker Mann« sei, wie schon damals Max Weber gesagt hat.[6] So sah er sich veranlaßt, in seinen Reichstagsreden eine

5 Siehe beispielsweise die Ende Oktober 1914 herausgegebenen Leitsätze für das Verhalten der Presse, in denen es unter Punkt 4 hieß: »Die von dem Reichskanzler im Einvernehmen mit Seiner Majestät dem Kaiser mit fester Hand geleitete auswärtige Politik darf in dieser kritischen Zeit, die über ein Jahrhundert entscheidet, durch keine unberufene Kritik gestört werden. Sie ist ein schwieriges Geschäft, das von der Bierbank aus nicht entschieden werden kann. Zweifel an ihrer Festigkeit zu äußern, ist unpatriotisch, das Vertrauen in sie zu erschüttern, verwerflich.« Politisches Archiv des Auswärtigen Amtes, Wk 8, Bd. 42, S. 105f., sowie die dazu abgegebene Erklärung an die Presse, ebenda, S. 148f., wo es heißt, es sei der »Wunsch der kaiserlichen Regierung, daß der von ihnen allen gebilligte Burgfriede nicht nur zwischen den Parteien, sondern auch zwischen der Regierung und der Presse gehalten wird«.

6 Brief Max Webers an Marianne Weber vom 7. April 1916, in: Marianne Weber, Max Weber.

immer massivere Tonart anzuschlagen und sich über Kriegsziele deutlicher auszusprechen, als ihm an sich lieb sein konnte. Den sich immer mehr weitenden Spalt zwischen den Anhängern eines weitausgreifenden Annexionsfriedens und eines maßvollen Verständigungsfriedens betrachtete er als eine staatsgefährdende Angelegenheit erster Ordnung; aber er sah sich nunmehr außerstande, etwas Effektives dagegen zu tun. Die Freigabe der Erörterung der Kriegsziele im November 1916 setzte einen letzten Schlußpunkt unter diese Phase der inneren Politik Bethmann Hollwegs.

Die politische Leitung hatte sich seit dem Herbst 1916, im Zusammenhang der Vorbereitung des Friedensangebotes der Mittelmächte, darum bemüht, Auffangpositionen zu schaffen, um die öffentliche Meinung wieder einigermaßen in den Griff zu bekommen und der Regierung in den Kriegszielfragen wieder die Rolle einer meinungsführenden Instanz zurückzugewinnen. Dazu gehörte insbesondere die Gründung des »Deutschen Nationalausschusses«, einer formell privaten, faktisch aber unter der Leitung der Reichskanzlei zustande gebrachten überparteilichen Vereinigung, die für einen maßvollen Frieden werben sollte und die innenpolitischen Voraussetzungen für den Erlaß eines Friedensangebotes an die Feindmächte zu schaffen bestimmt war. Es war dies ein höchst seltsames Experiment obrigkeitlich-patriarchalischer Bemühungen um die Beeinflussung der Öffentlichkeit, das denn auch ohne greifbare Resultate blieb.[7] Mehr Erfolg war den Versuchen der Regierung beschieden, in verstärktem Maße Einfluß auf die öffentliche Meinungsbildung zu gewinnen, ohne jedoch zu dem problematischen Mittel offiziöser Pressepropaganda zu greifen. In diesen Zusammenhang gehörte insbesondere die Reorganisation der Nachrichtenabteilung des Auswärtigen Amtes unter Oberstleutnant Deutelmoser, der aus dem Kriegspresseamt in die Dienste der politischen Leitung überwechselte und bald zu einem der einflußreichsten Mitarbeiter Bethmann Hollwegs wurde. Deutelmoser arbeitete energisch auf eine Verstärkung und Straffung der amtlichen Pressebeeinflussung hin, welche bisher unter Hammann nur in höchst lockeren Formen ausgeübt worden war. Darüber hinaus ging Bethmann Hollweg dazu über, persönlich Pressekonferenzen zu geben, eine in der preußisch-deutschen Politik bisher unbekannte Neuerung. Ebenso wurde ernstlich erwogen, die offiziöse »Norddeutsche Allgemeine Zeitung« in eine zug-

Ein Lebensbild, Tübingen 1926[4], S. 577. Vgl. dazu Wolfgang J. Mommsen, Max Weber und die deutsche Politik, Tübingen 1959, S. 247.

7 Über den Deutschen Nationalausschuß s. insbesondere die Aktenreihe in: Deutsches Zentralarchiv I (künftig zitiert DZA I), 2448. Wir zitieren nach den Repertoriumsnummern des DZA, nicht nach den originalen Aktensignaturen.

kräftige Tageszeitung zu verwandeln.[8] Eine neue »Kriegswochenschau« sollte objektiver und sachlicher im Sinne der Regierung auf die Öffentlichkeit einwirken.[9] All dies fand dann im Frühjahr 1917, angesichts der extrem schlechten Stimmung in den breiten Massen des Volkes, seine Fortsetzung in Plänen, auf breiter Basis die Lehrer, die Kirchen, die Landräte und andere staatliche Organe zur Beeinflussung der öffentlichen Meinung und Stärkung der Zuversicht auf einen schließlichen Sieg einzusetzen.

Von weit größerer Bedeutung war freilich, daß Bethmann Hollweg seit dem Herbst 1916 das gewaltige Prestige der Sieger von Tannenberg systematisch einzusetzen versuchte, um die Krisenstimmung im Innern zu bekämpfen und der Regierung indirekt neue Autorität zuzuleiten, ein Kalkül, das sich freilich nur zu bald gegen den Kanzler selbst wenden sollte. Allerdings galten Ludendorff und Hindenburg anfänglich in Kriegszielfragen als gemäßigt eingestellt. Darüber hinaus war Bethmann Hollweg mit Recht der Meinung, daß mit Hindenburg und Ludendorff auch ein schlechter Friede zu schließen sei.[10] Bethmann Hollweg ging dazu über, seine Politik gegenüber den Parteien des Reichstages und der Öffentlichkeit durch die Berufung auf den Willen der Obersten Heeresleitung oder doch wenigstens durch Betonung der Übereinstimmung mit dieser in aller Form abzustützen. Er verschanzte sich gleichsam jeweils hinter den »objektiven Kriegsnotwendigkeiten«. Schon die Entscheidung gegen den unbeschränkten U-Boot-Krieg im Oktober 1916 begründete er öffentlich vor allem mit dem Wunsche der Obersten Heeresleitung, vorläufig von einem solchen Schritt abzusehen, da die dafür eventuell notwendigen Truppen gegen Holland und Dänemark im Augenblick nicht zur Verfü-

8 Vgl. das Protokoll der Sitzung des preußischen Staatsministeriums vom 19. August 1916, Politisches Archiv des Auswärtigen Amtes, Preußen 11, I A, Bd. 18, ferner Breitenbach an Bethmann Hollweg, 15. September 1916, sowie die Korrespondenz der zuständigen Reichsbehörden mit Hobbing, welcher die NAZ kaufen wollte, insbesondere das Schreiben Bethmann Hollwegs an diesen vom 30. Mai 1917, in: DZA I, Rk 1565.

9 Bethmann Hollweg an alle Bundesregierungen, 19. Januar 1917, DZA I, Rk 12475.

10 Vgl. Bethmann Hollweg an Grünau für General von Lynker, 23. September 1916, DZA I, Rk 2398/6: »Ew. pp. wissen selbst, daß unser Volk es nicht verstehen würde, wenn Hindenburg [...] beiseite geschoben und an seiner Stelle ein Heerführer 2. Ranges genommen wird. Der Name Hindenburg ist der Schrecken unserer Feinde, elektrisiert unser Heer und Volk, die grenzenloses Vertrauen zu ihm haben. Unser Menschenmaterial ist nicht unerschöpflich, schwere Nahrungsmittelsorgen und die Länge des Krieges drücken die Stimmung des Volkes. Aber selbst wenn er eine Schlacht verlöre, was Gott verhüten wolle, unser Volk würde auch das hinnehmen, wenn Hindenburg geführt hat, und ebenso jeden Frieden, den sein Name deckt. Andererseits werden, wenn das nicht geschieht, die Länge und Wechselfälle des Krieges schließlich von der Volksstimme dem Kaiser angerechnet werden. Mit solchen Imponderabilien müssen wir rechnen.« Ungenau zitiert bereits bei Gerhard Ritter, Staatskunst und Kriegshandwerk, S. 227, und ihm folgend Karl Heinz Janssen, Der Kanzler und sein General. Die Führungskrise um Bethmann Hollweg und Falkenhayn (1914–1916), Göttingen 1967, S. 215.

gung stünden.[11] Bethmann Hollweg ging sogar so weit, Hindenburg und Ludendorff in aller Form darum zu ersuchen, den Reichstagsabgeordneten persönlich Rede und Antwort zu stehen, was von den Heerführern allerdings abgelehnt wurde.[12]

Schließlich diente auch das Friedensangebot der Mittelmächte vom 16. Dezember 1916 nicht zuletzt dem Ziel, die Stimmung im Innern wieder aufzurichten.[13] Das Scheitern dieser Initiative zog gleichwohl eine schwerlich zu überschätzende Schwächung der inneren Machtstellung Bethmann Hollwegs nach sich. Denn damit entfiel fürs erste jede Chance, einen Frieden auf dem Verhandlungswege zu erreichen, und damit die Aussicht, durch das Ausspielen der außenpolitischen Karte auch im Innern wieder das Heft in die Hand zu bekommen. Der Übergang zum unbeschränkten U-Boot-Krieg wurde nun, obwohl Bethmann Hollweg nach wie vor von größtem Zweifel hinsichtlich seiner Erfolgsaussichten erfüllt war, schon aus Gründen der Stabilisierung des Vertrauens in die Regierung unvermeidlich. Insofern bedeutete die Entscheidung für den unbeschränkten U-Boot-Krieg keinen Bruch mit der bisherigen Politik Bethmann Hollwegs, obwohl diese leidenschaftlich darum bemüht war, einen Krieg *à outrance* zu vermeiden. Denn ohne den zuvorigen Einsatz dieses »letzten Mittels«, wie es in den zahllosen Propagandaschriften der Zeit hieß, war an die Durchsetzung auch eines mageren Friedens in der deutschen Öffentlichkeit nicht zu denken. Deshalb entschloß sich Bethmann Hollweg schweren Herzens, grünes Licht für die U-Boote zu geben, selbst auf die Wahrscheinlichkeit hin, daß die Vereinigten Staaten nunmehr in den Krieg gegen die Mittelmächte eintreten würden.

Bethmann Hollweg und seine Umgebung waren sich nicht nur der politischen, sondern auch der psychologischen Gefahren dieses Schrittes vollauf bewußt. Schon im Herbst hatte Riezler die U-Boot-Agitation als »Spekulation à la baisse« kritisiert und gefragt, was passieren werde, wenn diese »letzte, aber unfehlbare« Karte schließlich nicht stechen sollte.[14] Der Kanzler versuchte, dieser von Riezler angesprochenen Gefahr, die er selbst genauso beurteilte, in seiner Begründung des Entschlus-

11 Vgl. Grünau für Hindenburg, 8. Oktober 1916, Politisches Archiv des Auswärtigen Amtes, Rußland 104, Nr. 18 Geh., Adh. 1, Bd. 6.

12 Grünau an Hindenburg, 28. September 1916, DZA I, Rk 2398/8. Ebenda Hindenburgs ablehnende Antwort vom 29. September 1916.

13 Vgl. Bethmann Hollwegs Erklärung im Bundesratsausschuß für die auswärtigen Angelegenheiten: »Die Friedensaktion habe ihren Hauptzweck nicht erreicht. Aber die gewünschten Begleiterscheinungen in England seien eingetreten, es sei notwendig gewesen, die Stimmung wieder aufzurichten.« Protokolle der Sitzungen des Bundesausschusses für die auswärtigen Angelegenheiten, Hauptstaatsarchiv Stuttgart, E 49–51, BA V 16a.

14 Denkschrift Riezlers vom 15. September 1916 »Aufzeichnung über die Umtriebe der Alldeutschen«, DZA I, Rk 1418, S. 120ff.

ses zum unbedingten U-Boot-Krieg im Hauptausschuß des Reichstags entgegenzuwirken, indem er darauf hinwies, daß vom U-Boot-Krieg weniger der Zusammenbruch Englands als vielmehr der Abfall seiner Verbündeten, namentlich Italiens und Frankreichs, zu erwarten sei. Das politische Ziel des U-Boot-Krieges bestehe darin, England friedensgeneigt zu machen. »Man darf«, so führte der Kanzler aus, »nach meiner Ansicht die Frage nicht so stellen, ob wir England aushungern können. Die Frage wird niemand weder bejahen noch verneinen wollen. Aber ich bin überzeugt, wir werden die Lebensmittelschwierigkeiten in England, vor allem aber auch in Frankreich und namentlich in Italien, so steigern, daß England, das die Seele des Krieges ist, seine Bundesgenossen nicht mehr an der Stange halten kann und daß dann damit der Friede kommt. Zu unserem Vorteil handelt es sich für Frankreich und Italien namentlich nicht nur um Lebensmittel, sondern vor allem auch um Kohlen. Auch die Kohlenfrage ist im Krieg eine Lebensfrage. Sie ist schon jetzt, wie Sie wissen, in Frankreich und Italien kritisch – unsere U-Boote werden sie noch kritischer machen.«[15] Und ebenso gab die Nachrichtenabteilung des Auswärtigen Amtes an die Presse die Richtlinie aus, der U-Boot-Krieg sei »nicht ›das letzte, verzweifelte Rettungsmittel‹, sondern ›das beste und allerdings auch das einzige Mittel‹, um der von unseren Feinden gewollten Fortsetzung des Blutvergießens ein schnelles Ende und ein solches Ende zu machen, wie die Sicherung von Deutschlands glücklicher Zukunft es verlangt«.[16] Aber was halfen dergleichen vorsichtige Formulierungen gegenüber Capelles leidenschaftlichen Versicherungen, man werde in spätestens sechs Monaten England auf die Knie zwingen, eine These, die von Bassermann und Westarp in verschärfter Weise aufgegriffen und dann in vielfältiger Form in der ganzen Presse der Rechten propagiert wurde. Die einer Wunderdroge vergleichbare Wirkung des Slogans »In sechs Monaten« schuf Bethmann Hollweg freilich zunächst Luft gegenüber seinen innenpolitischen Gegnern. Die Konferenz der Kanzlerstürzler der Rechten im Hotel Adlon im Februar 1917 gab Haußmann, nicht ohne Mitwirkung Riezlers, der ihm die entsprechenden Informationen

15 Protokoll der 118. Sitzung des Haushaltsausschusses des Reichstages vom 31. Januar 1917. Vgl. auch Bethmann Hollwegs und Helfferichs Äußerungen im Bundesratsausschuß für die auswärtigen Angelegenheiten am 16. Januar 1917. Insbesondere Helfferich urteilte: »Nicht bloß in England, auch in Frankreich und in Italien sei die Nahrungsfrage das Wichtigste geworden.« Siehe ferner die Äußerung des Kanzlers im preußischen Staatsministerium am 5. April 1917, »ferner glaube er auch nicht, daß der U-Bootkrieg auch bei weiteren guten Erfolgen unsere Feinde in absehbarer Zeit zum Frieden zwingen würde [...]. Er habe zunächst geglaubt, daß Italien wegen seiner Lebensmittel- und Kohlennot bald zusammenbrechen werde.« Leo Stern (Hrsg.), Die Auswirkungen der großen sozialistischen Oktoberrevolution auf Deutschland, Berlin 1959, S. 411.
16 Pressebesprechung vom 31. Januar 1917, DZA I, Rk 2439.

zugespielt hatte, im Reichstag dem allgemeinen Spott preis.[17] Das Kalkül der politischen Leitung in dieser Situation war: »Wer hat jetzt die besseren Nerven und das bessere Durchhaltevermögen?« Demgemäß begann die Reichsleitung jetzt in verstärktem Maße, Verbindungen zu oppositionellen Gruppen in den Feindstaaten, namentlich in Rußland, Frankreich und Italien, aufzunehmen, in der Hoffnung, deren inneren Zusammenbruch beschleunigen oder diese doch wenigstens friedensgeneigt machen zu können. Darüber hinaus bestanden gewisse Aussichten auf das Zustandekommen von Friedensverhandlungen mit Frankreich auf dem Umwege über Österreich-Ungarn. Überhaupt richtete Bethmann Hollweg in den folgenden Monaten seine ganze Aufmerksamkeit auf die innere Entwicklung in den Feindstaaten, in der Hoffnung, daß sich hier ein Ansatzpunkt für die eventuelle Anknüpfung von Friedensgesprächen mit einem oder mehreren Feindstaaten ergeben werde. Demgemäß kam es der politischen Leitung darauf an, im Innern den Siegeswillen und den Eindruck der ungebrochenen deutschen Kampfkraft möglichst unbeeinträchtigt aufrechtzuerhalten. Zugleich bemühte sich Bethmann Hollweg, die Kriegszielagitation im Rahmen des Möglichen zu dämpfen und ein Höchstmaß innerer Geschlossenheit zustande zu bringen.[18] Freilich wollte die Linke nunmehr, wenn schon nicht in der Friedensfrage, so doch wenigstens auf innerpolitischem Gebiet Taten sehen. So konnte der Kanzler nicht mehr umhin, die Frage der »Neuorientierung« jetzt ernstlich aufzugreifen, um so mehr, als das preußische Abgeordnetenhaus im Februar eine ganze Reihe von Gesetzesvorlagen verabschiedet hatte, die die Linke im Reichstag herausfordern mußten. Ein höchst kritischer Artikel des »Berliner Tageblatts« über die Politik des ewig zaudernden Bethmann Hollweg veranlaßte Deutelmoser am 13. März 1917, dem Kanzler dazu zu raten, jetzt wenigstens auf innenpolitischem Gebiete »Farbe zu bekennen«, da in Sachen der Kriegsziele ein eindeutiges Auftreten der Regierung nun einmal nicht möglich sei.[19]
Alle diese Probleme erhielten dann außerordentliche Aktualität durch die russische Februarrevolution und deren Auswirkungen auf die deutsche öffentliche Meinung. Der Zusammenbruch des zaristischen Systems brachte den Mittelmächten eine erhebliche militärische Entlastung, und trotz des Eintritts der USA in den Krieg, deren militärische Auswirkun-

17 Stenographische Berichte über die Verhandlungen des deutschen Reichstages, Bd. 309, vom 27. Februar 1917, S. 2413 D ff. Vgl. Nachlaß Haußmann 27, Bundesarchiv Koblenz, wo sich u. a. ein Durchschlag der Eingabe Hoensbroech an Hindenburg vom 24. Januar 1917 findet, der Randbemerkungen von der Hand Riezlers trägt.
18 Bethmann Hollweg an Grünau, 18. April 1917, jetzt in: A. Scherer/Jacques Grunewald, L'Allemagne et les Problèmes de la Paix, Bd. 2, Paris 1966, S. 125.
19 Denkschrift Deutelmosers vom 13. März 1917, DZA I, Rk 976/1.

gen man als vorerst geringfügig bewertete, wieder neue Zuversicht, vor allem aber die Hoffnung auf einen baldigen Sonderfrieden mit Rußland. Namentlich Zimmermann, der neue Staatssekretär des Auswärtigen Amtes, war in dieser Frage außerordentlich optimistisch.[20] Jedoch führte diese Entwicklung zugleich zu einer neuen Belastungsprobe für die dilatorische politische Strategie Bethmann Hollwegs in den Fragen der Verfassungsreformen ebenso wie der Kriegsziele. Einerseits bekamen die Annexionisten wieder Oberwasser; andererseits erfuhren die demokratischen Tendenzen und mit ihnen die Friedenssehnsucht der Massen eine beträchtliche Verstärkung. Namentlich die Bestrebungen, die Reform des preußischen Dreiklassenwahlrechts schon jetzt, und nicht erst nach dem Kriege, durchzusetzen, lebten aufs neue auf. Gesteigert wurde diese Entwicklung noch durch die alliierte Propaganda, welcher die Regierung mit den verschiedensten Maßnahmen, u. a. einer Intensivierung des monarchisch ausgerichteten Geschichtsunterrichts in den Schulen, entgegenzuwirken suchte.
Im April 1917 machten sich die streikenden Arbeiter in Leipzig die Forderung einer Reform des preußischen Wahlrechts als eines ihrer politischen Hauptziele zu eigen. Die April-Streiks waren ein gefährliches Warnzeichen; sie zeigten die große Unruhe der Massen, welche nur zu bereit waren, dem russischen Aufruf für einen »Frieden ohne Annexionen und Kontributionen« Folge zu leisten. Der Gegensatz zwischen den Anhängern der Rechten und den demokratischen Kräften erfuhr demgemäß im Frühsommer 1917 eine bislang unbekannte Zuspitzung. Beide Richtungen schreckten immer weniger davor zurück, ihre Meinungsverschiedenheiten vor der Öffentlichkeit auszutragen, ungeachtet der Einwirkungen der Regierung und nur noch wenig gehemmt durch die Zensur, deren Grenzen als positive politische Waffe sich deutlich gezeigt hatten. Auch jetzt noch freilich wurde die Stimme der äußersten Linken, welche sich im April in aller Form von der Sozialdemokratie abgespalten hatte, rigoros unterdrückt und so die Bilanz der öffentlichen Meinung zugunsten der Rechten verzerrt, deren Presse ohnehin weit bedeutsamer war, als es der zahlenmäßigen Stärke der durch sie repräsentierten Gruppen entsprochen haben würde. Die vielbeschworene Einigkeit der deutschen Nation im Innern war längst dahin; gleichwohl war der Kanzler auch jetzt noch bestrebt, davon soviel wie möglich zu retten und zumindest die Fassade nationaler Geschlossenheit zu erhalten.
Die Unzufriedenheit in den breiten Massen, welche den unabhängigen

20 Stresemann an Ballin, 25. März 1917, und insbesondere an Hebel, 26. März 1917, Nachlaß Stresemann 189, Politisches Archiv des Auswärtigen Amtes.

Sozialdemokraten die günstigste Chance für ihre Argumentation gab, wog im Urteil Bethmann Hollwegs freilich schwerer als die gleichzeitige Versteifung des Widerstandes gegen Verfassungsreformen und gegen maßvolle Friedensziele auf seiten der Rechten. So entschloß sich Bethmann Hollweg, nun wenigstens die Reform des preußischen Wahlrechts voranzutreiben, um die Lage zu stabilisieren und einer weiteren Radikalisierung der Arbeiterschaft vorzubeugen. In Form einer kaiserlichen Botschaft sollte die feste Zusage der Gewährung des allgemeinen gleichen und direkten Wahlrechts für Preußen erfolgen und so dem Drängen der Linken in dieser Frage entgegengewirkt werden. Jedoch stieß Bethmann Hollweg in konservativen Kreisen und namentlich im preußischen Staatsministerium auf sehr starken Widerstand, und auch der Kaiser vermochte sich nicht zur Gewährung des gleichen Wahlrechts durchzuringen. Infolgedessen kam es nur zu der halben, unbefriedigenden Lösung der sogenannten »Osterbotschaft«, welche zwar die Beseitigung des Klassenwahlrechts in Aussicht stellte, aber das Wort »gleiches« Wahlrecht ausdrücklich vermied.

Darüber hinaus suchte Bethmann Hollweg die militärischen Behörden für eine möglichst tolerante Handhabung der Zensur zu gewinnen. Er beschwor die militärischen Behörden, »jede Nervosität und Ängstlichkeit in allen Anordnungen, insbesondere auch solchen der Zensur, zu vermeiden«. Denn dies würde nur »den Eindruck der Schwäche und Unsicherheit« hervorrufen und womöglich das Vertrauen in die Konsequenz und Einheitlichkeit des politischen Willens der Regierung erschüttern. Bei der schweren und steigenden Not, mit der gerade die unteren und mittleren Schichten des Volkes zu ringen hätten, könne dies zu einer gefährlichen Erregung führen. Auch im Auslande würde ein allzu schroffes Vorgehen gegen antiannexionistische oder sonstige radikale Äußerungen in der Presse der Linken nur als Beweis für die Existenz einer schweren inneren Krise in Deutschland gewertet werden. Statt der nur negativen Waffe der Zensur gelte es vielmehr, einer eventuellen Radikalisierung der Verhältnisse entgegenzuwirken.[21] So wurde die Presse beispielsweise ersucht, jeden Vergleich zwischen den russischen und den deutschen Vorgängen zu unterlassen.[22] Vor allem aber richtete Bethmann Hollweg sowohl an die Presse wie an die Parteiführer den immer erneuten Appell, mögliche Sonderfriedenschancen nicht durch eine öffentliche Erörterung der Kriegszielfragen zu belasten oder gar zu zerstören. Auch möge man

21 Bethmann Hollweg an den Kriegsminister, 26. März 1917, DZA I, Rk 2439, S. 53ff., sowie die Besprechung in der Reichskanzlei über die Rückwirkungen der russischen Revolution auf die inneren Verhältnisse in Deutschland am 31. März 1917, ebenda, S. 100–106.

22 Vgl. die Anweisungen des Kriegspresseamtes an die Zensurstellen vom 5. April 1917, Auswirkungen, S. 406ff.

das Wort »Sonderfrieden« in den öffentlichen Erörterungen ganz vermeiden. Das Bestreben der politischen Leitung ging dahin, möglichst eine Dämpfung der Kriegszielbewegung zu erreichen, da der Kanzler die Rückwirkung der Propagierung weitgesteckter Kriegsziele auf die Haltung der breiten Massen der Bevölkerung fürchtete. Der Eindruck, daß Deutschland jederzeit bereit sei, einen billigen, freilich seine zukünftige Entwicklung sichernden Frieden zu schließen, sollte unbedingt erhalten bleiben. Namentlich unter diesem Gesichtspunkt befürwortete der Kanzler auch die Teilnahme der deutschen Sozialdemokraten an der bevorstehenden Stockholmer Konferenz der Sozialistischen Parteien. Nicht nur aus außenpolitischen, sondern insbesondere aus innenpolitischen Gründen kam es ihm darauf an, der Stockholmer Konferenz nichts in den Weg zu legen. Es kam darüber zu heftigen Konflikten mit der Obersten Heeresleitung, die sich aber schließlich den Wünschen der politischen Leitung fügte.[23] Einen der Reichsleitung zugegangenen französischen Geheimbericht vom Februar 1917, in dem eingehend über die Kriegsziele der Alldeutschen berichtet wurde, benutzte der Kanzler im Mai zu einem Versuch, die extrem annexionistischen Gruppen in Schranken zu verweisen; er ließ die französische Denkschrift, aus welcher die Schädlichkeit der Agitation der Alldeutschen nur zu deutlich hervorging, sämtlichen Parteiführern zustellen.[24]
Jedoch lehnte es Bethmann Hollweg strikt ab, sich zu einer Erklärung herbeizulassen, daß die deutsche Regierung gegebenenfalls zu einem annexionslosen Frieden, und sei es auch nur mit Rußland, bereit sei, wie dies beispielsweise der Präsident des Kriegsernährungsamtes, von Batocki, dem Kanzler schon Anfang April 1917 in einer großen Denkschrift eindringlich angeraten hatte.[25] Er ließ sich auch von Czernins energischem Drängen nicht dazu bringen, sich offen für einen Sonderfriedensschluß mit Rußland auf der Basis der Formel »ohne Annexionen und Kontributionen« auszusprechen. Seine Versuche, sich in den Kriegszielfragen weiterhin möglichste Zurückhaltung aufzuerlegen, dagegen die Unruhe der Öffentlichkeit soweit wie möglich durch innenpolitische Konzessionen zu beschwichtigen, wurden freilich nicht nur von den Parteien der Rechten und der Linken, sondern vor allem auch von der Obersten Heeresleitung und dem Monarchen selbst durchkreuzt. Bethmann Hollwegs dringende Vorstellungen, daß für die Aufstellung und Erörterung neuer Kriegszielprogramme die Zeit nicht reif sei, verfingen nicht, um so

23 Vgl. Ludendorff an den Kriegsminister, 7. April 1917, und Bethmann Hollweg an den Kriegsminister, 12. April 1917, Politisches Archiv des Auswärtigen Amtes, Deutschland 9, Bd. 3.
24 Verfügung Bethmann Hollwegs vom 10. Mai 1917, DZA I, Rk 4418/2.
25 Denkschrift Batockis von Anfang April 1917, DZA I, Rk 2445.

mehr, als die Sozialdemokraten bereits am 10. April im »Vorwärts« die russische Formel eines »Friedens ohne Annexionen und Kontributionen« aufgegriffen hatten.
Die grundsätzlich unterschiedlichen Vorstellungen der Obersten Heeresleitung einerseits, der politischen Leitung andererseits hinsichtlich der Behandlung der öffentlichen Meinung und namentlich der Sozialdemokratie hatten sich bereits in scharfen Auseinandersetzungen über das von den Zensurbehörden verhängte Verbot der Publikation des Kopenhagener Aufrufs der russischen Sozialisten vom 27. März 1917 offenbart, in dem erstmals ein Friede ohne Annexionen und Kontributionen gefordert worden war. Vergeblich versuchte die politische Leitung, eine Aufhebung dieses Verbots durchzusetzen.[26] Unter Federführung von Oberst Bauer entwickelte die Oberste Heeresleitung ein Gegenbild der autoritären Führung der öffentlichen Meinung im Sinne der annexionistischen Richtung, unter rückhaltloser Unterdrückung aller Äußerungen der nichtannexionistischen Gruppen, insbesondere der Sozialisten. Bethmanns bisherige Politik gegenüber der Sozialdemokratie brandmarkte Bauer als schwächlich; erst diese habe es den Führern der Sozialdemokratie ermöglicht, die Massen, die ihr im August 1914 entglitten seien, wieder in den Griff zu bekommen.[27] Daher war die Oberste Heeresleitung nicht geneigt, gegenüber öffentlichen Erklärungen der Linken Milde walten zu lassen, während Bethmann Hollweg eben dies aus allgemeinen politischen Gründen für unumgänglich hielt. Das Mißfallen der Obersten Heeresleitung über Bethmann Hollwegs nachsichtige Haltung gegenüber der linksgerichteten Presse führte im April zu der Forderung zentralistischer Steuerung der Presse durch eine einheitliche zentrale Presseorganisation beim Reichskanzler.[28] Das Postulat der Erhaltung der Willenseinheit des Volkes unter diktatorischer Führung der öffentlichen Meinung bei gleichzeitiger Unterdrückung der sozialdemokratischen Presse und aller parlamentarisch-demokratischen Tendenzen wurde nun zum Maßstab, an dem die OHL die Politik Bethmann Hollwegs maß. Sein Argument, daß ein solches scharfes Eingreifen der Regierung die Stimmung nur vollends zum Einsturz bringen müsse, fand bei der OHL keine Gnade, und sie begann, auf den Sturz des Kanzlers hinzuarbeiten, ein Bemühen, welches im März und April freilich noch

26 Siehe die Telegramme Zimmermanns an Lersner vom 27. März 1917 und dessen Antwort vom 28. März 1917, Politisches Archiv des Auswärtigen Amtes, Gr. Hq., Bd. 1.
27 Vgl. Bauer, »Bemerkungen über den Reichskanzler« vom 6. März 1917, Nachlaß Bauer/16. Ebenda auch die Denkschrift »Über die Zukunft Deutschlands«, Bauer/2, vom April 1917.
28 Lersner an Zimmermann, 10. und 12. Juni 1917. Politisches Archiv des Auswärtigen Amtes, Gr. Hq., Presse, Nr. 28, Bd. 2.

an der unbedingten Loyalität Wilhelms II. gegenüber seinem Kanzler abprallte.[29]
Bethmann Hollweg hatte daher keineswegs ganz unrecht, wenn er in dem Verlangen der Obersten Heeresleitung, daß die deutschen Kriegsziele nun in aller Form festgelegt werden sollten, den Versuch vermutete, seine politische Stellung beim Monarchen zu untergraben. Es kam freilich noch ärger, als der Kanzler erwartet hatte. Zwei Tage vor dem Beginn der Kreuznacher Kriegszielkonferenz, am 21. April 1917, trat die Sozialdemokratie mit einer offiziellen Kriegszielerklärung hervor, die sich gegen jede Annexion aussprach. Die Reichsleitung hatte diese Publikation vergeblich zu verhindern versucht. Bei Lage der Dinge verschlechterte dieser Schritt der Sozialdemokratie die politische Position des Kanzlers innerhalb des engeren Führungskreises des Deutschen Reiches in katastrophaler Weise, denn bisher hatte er immer für sich in Anspruch nehmen können, daß er die Sozialdemokratie »bei der Stange« gehalten habe.[30] Bethmann Hollweg sah sich demgemäß weniger denn je in der Lage, gegenüber den extremen Kriegszielbestrebungen der Obersten Heeresleitung offen für seine vergleichsweise maßvolleren Auffassungen einzutreten. Der vertrauliche Charakter des am 23. April 1917 in Kreuznach beschlossenen, extremen Kriegszielprogramms ließ Bethmann den Weg gangbar erscheinen, diese »Phantastereien« mit einer den amtlichen Akten beigefügten *reservatio mentalis* zu unterschreiben.[31] Schlimmer aber war, ja geradezu fatal wurde es, daß sich Bethmann Hollweg angesichts Ludendorffs und Hindenburgs Haltung nunmehr weniger denn je dazu entschließen konnte, ebenso wie Österreich-Ungarn öffentlich zu erklären, daß man zu einem Sonderfrieden mit Rußland »ohne Annexionen und Kontributionen« bereit sei. Schon der offiziöse Artikel in der »Norddeutschen Allgemeinen Zeitung« vom 15. April, der den Friedensvorschlag der russischen Sozialisten in höchst vagen Formulierungen be-

29 Vgl. Grünau an Auswärtiges Amt, 14. März 1917, Politisches Archiv des Auswärtigen Amtes, Gr. Hq., Reichskanzler, Nr. 29, Bd. 1.
30 Für die höchstkriegsherrliche Entrüstung über die Erklärung des *Vorwärts* siehe DZA I, Rk 2445. Für die Haltung der Obersten Heeresleitung vgl. Grünau an Auswärtiges Amt, 21. April 1917, der folgenden Protest Hindenburgs übermittelte: »Erfahre soeben Inhalt der von sozialdemokratischer Presse veröffentlichten sozialdemokratischen Resolution. Die einer solchen Veröffentlichung entgegenstehenden Interessen der Kriegführung haben bei den Verhandlungen der Parteiführer mit der politischen Reichsleitung anscheinend keine Würdigung gefunden.« Wk Nr. 2 Geh., Bd. 33.
31 Das Programm jetzt bei Scherer-Grunewald, Bd. II, S. 149ff. Bethmann Hollwegs bekannte Reservationserklärung findet sich schon bei Westarp, Konservative Politik im letzten Jahrzehnt des Kaiserreiches, Bd. 2, Berlin 1935, S. 85f. Vgl. Bethmann Hollwegs Aktenvermerk bei Scherer-Grunewald, S. 151, Anm. 6, sowie dessen ähnlich lautende Erklärung im Bundesratsausschuß für die auswärtigen Angelegenheiten. Fritz Fischer schiebt diese Äußerungen des Kanzlers allzu leichthin beiseite, a. a. O., S. 455 und 457f.

grüßte, hatte viele Möglichkeiten offengelassen und auf allen Seiten Zweifel am Friedenswillen der Reichsleitung geweckt, ja zu einer schweren Verstimmung in Wien geführt. Die Entgegnung auf die sozialdemokratische Kriegszielerklärung in einem zweiten offiziösen Artikel in der »Norddeutschen Allgemeinen Zeitung« vom 25. April, zu der sich Bethmann Hollweg unter dem Druck der Obersten Heeresleitung herbeigelassen hatte, obwohl er sie aus außenpolitischen Gründen für höchst gefährlich hielt, ließ gleichfalls entgegengesetzte Schlüsse zu.[32] Bethmann Hollweg war, wie Gerhard Ritter hervorgehoben hat, entschlossen und willens, einen Frieden mit Rußland gegebenenfalls nicht an der Frage eventueller Annexionen scheitern zu lassen; aber er wagte es nicht, sich zu diesem Prinzip offen zu bekennen und gar dafür zu kämpfen. Er schlug damit eine Politik ein, die er selbst gelegentlich einen »Eiertanz« genannt hat.[33] Nur mit Hilfe eines halsbrecherischen Kurses vermochte der Kanzler weiterhin das Unvereinbare zu vereinen und sich in der Frage der Kriegsziele gegenüber beiden Richtungen selbst nicht festzulegen. Diese Taktik beeinträchtigte jedoch zunehmend die Glaubwürdigkeit seines politischen Kurses. Während die Rechte lautstark dem Zweifel Ausdruck verlieh, ob Bethmann Hollweg der rechte Mann zur Führung von Friedensverhandlungen sei, verloren die Sozialdemokraten und die Fortschrittler den Glauben an den Willen und die Fähigkeit des Kanzlers, sich mit seinen gemäßigten Vorstellungen durchzusetzen. Bethmann Hollweg versuchte sich abzusichern, indem er die Parteiführer des Reichstages erneut ersuchte, angesichts der Kriegsmüdigkeit der breiten Massen unter allen Umständen von der Erörterung von Kriegszielen abzusehen. Bedenklicher war, daß der Kanzler es jetzt wider besseres Wissen zuließ, daß Helfferich und Zimmermann nunmehr im Hauptausschuß des Reichstages in höchst optimistischen Reden die baldige friedenbringende Wirkung des U-Boot-Krieges beschworen, um ihren Appellen zur Zurückhaltung in den Kriegszielfragen und zum Durchhalten Nachdruck zu verleihen. Es war dies ein Spiel mit dem Feuer, das sich nur wenig später bitter rächen sollte.

Dennoch gelang es Bethmann Hollweg, mit dieser Strategie wenigstens fürs erste durchzukommen. Anfang Mai erreichte er es durch persönliche Einflußnahme auf Ebert und Scheidemann, die Sozialdemokratie von einer parlamentarischen Interpellation hinsichtlich der Kriegsziele der Regierung abzubringen, welche den Kanzler auf das Prinzip »ohne Anne-

32 Siehe Bethmann Hollwegs und Zimmermanns Aktennotizen vom 24. April 1917 zu dem ihnen vorliegenden Entwurf des Artikels der »Norddeutschen Allgemeinen Zeitung« über die deutschen Kriegs- und Friedensziele, Politisches Archiv des Auswärtigen Amtes, Wk Nr. 2 Geh., Bd. 33.

33 Ebenda.

xionen und Kontributionen« festlegen oder doch eine klare Stellungnahme dazu erzwingen sollte.[34] Allerdings geschah dies um den Preis, daß nun Scheidemann den Kanzler öffentlich auf seine privaten Äußerungen festzulegen suchte, die seine Neigung zu einem Frieden ohne größere Annexionen ziemlich deutlich hatten hervortreten lassen. Dies aber kompromittierte Bethmann Hollweg bei der Rechten und veranlaßte die Konservativen zu einem gleichartigen Vorstoß im Reichstage, der zur Folge hatte, daß die Sozialdemokratie nun doch mit ihrer geplanten Interpellation hervortrat. Nur durch einen Verzweiflungsakt vermochte sich Bethmann Hollweg noch einmal aus der Schlinge zu ziehen; er lud die Führer aller Parteien mit Ausnahme der Sozialdemokraten und der Konservativen am 3. Mai 1917 zu einer Besprechung ein und distanzierte sich hier im Schutz der Vertraulichkeit der Verhandlungen *expressis verbis* von Scheidemann, nicht ohne gleichzeitig auf möglicherweise bevorstehende Friedensgespräche mit Frankreich zu verweisen, welche eine öffentliche Erörterung der Kriegsziele im Reichstage ganz und gar inopportun erscheinen ließen.[35] Mit Hilfe dieses äußersten Auskunftsmittels gelang es Bethmann Hollweg, die Klippen noch einmal zu umschiffen und die Mehrheit der Reichstagsparteien mit zurückhaltenden Formulierungen zu befriedigen. Freilich, seine Glaubwürdigkeit, namentlich bei der Linken, wurde durch diese Taktik vollends unterhöhlt. Bethmann Hollweg wußte freilich selbst, auf welchem schmalen Grat er sich bewegte: »Es wissen zuviel Menschen, daß die Oberste Heeresleitung Kurland und Litauen haben will. Entsteht die Auffassung, daß wir wegen Annexionen den Frieden mit Rußland verpassen, dann erfolgt ein Zusammenbruch.«[36]

Das Ausbleiben der sehnlichst erwarteten friedenbringenden Wirkung des U-Boot-Krieges führte dann im Juni zu einer schweren allgemeinen Depression, über deren Ausmaß sich Bethmann Hollweg selbst keinerlei

34 Bethmann Hollweg im Bundesratsausschuß für die auswärtigen Angelegenheiten vom 8. Mai 1917, DZA I, Rk 2445, Bd. 13, sowie Hauptstaatsarchiv Stuttgart, E 49–51, BA V, 16a.
35 Protokoll der Besprechung von der Hand Wahnschaffes, DZA I, Rk 2445, Bd. 13, S. 69ff. Es heißt hier u. a.: »Wir sind auf kritischem Höhepunkt des Krieges. Äußerlich Entente Siegesgewißheit, aber täglich Stimmen laut, als ob Frankreich indirekt über Wien mit uns sprechen möchte. Ob? Aber sehr ernste Stimmen. Erregte Debatten können nur schaden [...]. Heute könnte ich [...] nur in förmlicher Erklärung antworten, daß Kriegszieldebatten schädlich. Aber so wenig ich mich mit den Kriegszielen, wie sie heute veröffentlicht [identifizieren kann], so wenig mit Scheidemann. Dessen Kriegsziele stehen in so schreiendem Gegensatz zu dem, was ich immer sagte. Ich kann aber das jetzt nicht immer wieder aussprechen.« Vgl. auch Bethmann Hollwegs Erklärung im Bundesratsausschuß für die auswärtigen Angelegenheiten vom 8. Mai 1917: »Scheidemann würde auch er gern abschütteln, könnte es aber nicht, ohne sich von Österreich zu trennen.«
36 Am 9. Juni 1917, Politisches Archiv des Auswärtigen Amtes, Wk 2 Geh., Bd. 39, freilich ungenau zitiert auch bei Ritter, S. 534.

Illusionen hingegeben hat: »Ich war gewöhnt, die Volksstimmung im Kriege sich zwischen Extremen hin und her bewegen zu sehen. Jetzt aber zeigte sich plötzlich im ganzen Lande eine Niedergeschlagenheit, die so stark noch niemals gewesen war und zu schwerer Sorge Anlaß gab.«[37] Er unternahm entschlossen energische Versuche, den bereits im Gange befindlichen Vertrauenseinbruch im letzten Augenblick abzufangen. Neben dem Einsatz des freilich schwerfälligen Apparates der Regierung zur Beeinflussung der öffentlichen Meinung – selbst die Landräte wurden jetzt zu diesem Zweck in Berlin zusammengerufen – und wenig erfolgreichen Bemühungen um eine wohlwollende Haltung der führenden bürgerlichen Blätter, entschloß sich Bethmann Hollweg, durch die Einbeziehung von Vertrauensmännern der Parteien in die Regierung deren geschwächte Autorität wieder zu stabilisieren, ohne doch damit den Übergang zum Parlamentarismus zu vollziehen, wie ihn der im April begründete Verfassungsausschuß des Reichstages anzusteuern sich anschickte. »Um die Einheit von Volk und Staat aufrechtzuerhalten und die Entwicklung nicht in verhängnisvolle Bahnen gleiten zu lassen, wird es nötig und nützlich werden, einzelne wenige Parlamentarier nicht als Vertreter ihrer Parteien, sondern als sachlich geeignete Persönlichkeiten an hervorragende Stellen zu berufen. Nach menschlichem Ermessen wird eine solche freiwillige Heranziehung von Persönlichkeiten aus dem Parlament weiterem Drängen des Parlaments den Boden entziehen.«[38] Glaubte der Kanzler zunächst noch, durch einen solchen Schritt die unmittelbare Durchführung der Reform des preußischen Dreiklassenwahlrechts noch aufschieben zu können, so belehrte ihn die Stimmung unter den Parlamentariern bald eines Besseren. Eine große Denkschrift des Parteivorstandes der Sozialdemokratischen Partei vom 28. Juni 1917 schilderte ihm die schwere Notlage und die gedrückte Stimmung der breiten Massen in zwingender Argumentation. Die Sozialdemokraten forderten angesichts dieser Lage vom Kanzler ein unverzügliches öffentliches Bekenntnis zu einem Frieden »ohne Annexionen und Kontributionen«, um die schwere Enttäuschung hinsichtlich der Wirkungen des unbedingten U-Boot-Krieges zu neutralisieren.[39] Und angelegentlich der Parteiführerbesprechung vom 2. Juli erwiesen sich die Versuche der Regierungsvertreter, die Stimmung durch optimistische Lageschilderungen aufzubessern, als

37 Nicht publizierte Passagen der Erinnerungen Bethmann Hollwegs im Nachlaß Thimme 61, Bundesarchiv Koblenz.
38 Aufzeichnung Bethmann Hollwegs für einen Vortrag bei Wilhelm II. am 29. Juni 1917, nach Abschrift im Nachlaß Thimme 61, Bundesarchiv Koblenz.
39 Denkschrift des Parteivorstands der Sozialdemokratischen Partei Deutschlands vom 28. Juni 1917, DZA I, Rk 2446, S. 49ff. Gedruckt bei Philipp Scheidemann, Der Zusammenbruch, Berlin 1921, S. 161ff.

gänzlich wirkungslos.[40] Nur durch rasche innerpolitische Konzessionen konnte die Krise allenfalls noch abgewendet werden. Demgemäß forderte der Kanzler am 3. Juli in einem Brief an Valentini die unverzügliche Gewährung des gleichen Wahlrechts für Preußen.[41] Schon zuvor hatte er, unter Berufung auf Mitteilungen des dänischen Staatsrats Andersen, die an allerhöchster Stelle bislang ungebrochen gehegten Erwartungen hinsichtlich eines baldigen durchschlagenden Erfolges des U-Boot-Krieges in Zweifel gezogen: »Damit, daß der U-Boot-Krieg England in absehbarer Zeit zur Kapitulation zwingen wird, darf schwerlich gerechnet werden.«[42] Gleichzeitig bemühte sich Bethmann Hollweg, die Mithilfe der Parlamentarier zur Überwindung der allgemeinen tiefen Depression zu erlangen. Die Resultate waren nicht eben günstig, wie der Kanzler gegenüber Valentini einräumen mußte.
Im Kronrat vom 5. Juli 1917 vertrat Bethmann Hollweg die Ansicht, daß im Augenblick die von ihm vorgeschlagenen Wahlrechtskonzessionen noch nicht aus einer Zwangslage heraus erfolgen würden.[43] Aber tatsächlich war dies schon nicht mehr der Fall. Der Abfall eines Teils der bisher Bethmann Hollweg treuen Presse, so namentlich des »Berliner Tageblatts« und der »Vossischen Zeitung«, war ein deutliches Anzeichen für den Wandel der Dinge. Beide Blätter sprachen sich jetzt offen für einen Kanzlerwechsel aus und ließen sich auch durch persönliche Einflußnahme nicht umstimmen. Bernhard, der Direktor der »Vossischen Zeitung«, führte die Schwenkung seines Blattes in erster Linie auf »die Art und Weise« zurück, »wie wir die Angelegenheiten unseres Friedensangebotes Rußland gegenüber betrieben hätten. Hätten wir damals, als die österreichische Regierung ein sofortiges Eingehen auf die Formel des Arbeiter- und Soldatenrats [vorschlug], unsererseits sofort mitgemacht, anstatt kostbare Wochen zu verlieren und erst dann mit Mühe und Not sich der österreichisch-ungarischen Formel anzuschließen, dann hätten wir der Friedenssache (sic) einen kräftigen Impuls geben können. So aber sei alles verspielt. Er sehe jetzt keinen anderen Ausweg, als daß ein neuer Reichskanzler möglichst bald auftrete mit der an alle unsere Gegner zu richtenden Formel: Frieden ohne Annexionen und Entschädigungen im Ausgleichswege.«[44] Gleichzeitig prasselte in den Artikeln Max Webers in

40 Protokoll der Besprechung, in: DZA I, Rk 2398/10, S. 296ff.
41 Bethmann Hollweg an Valentini, 3. Mai 1917, DZA I, Rk 2398/10.
42 24. Juni 1917, Politisches Archiv des Auswärtigen Amtes, Wk Nr. 2, Geh., Bd. 42.
43 Stern, Auswirkungen, S. 585ff.
44 Aufzeichnung von Rheinbaben über ein Gespräch mit Bernhard vom 25. Juni 1917, Politisches Archiv des Auswärtigen Amtes, Deutschland 9, Bd. 4. Für die Haltung des Berliner Tageblatts siehe Theodor Wolff an Haußmann, 15. Mai 1917, Nachlaß Haußmann 117, Hauptstaatsarchiv Stuttgart.

der »Frankfurter Zeitung« eine Fundamentalkritik von massiver Kraft auf das verfassungspolitische System des Wilhelminischen Reiches nieder, welche ihre Wirkung in weiten Kreisen nicht verfehlte und die Stimmung bei Hofe auf den Nullpunkt absinken ließ.
Erst diese Konstellation der Dinge eröffnete der Obersten Heeresleitung nunmehr endlich die Chance, Wilhelm II., der bisher den Vorstellungen der Generäle gegenüber letzten Endes doch immer wieder taub geblieben war, im Zusammenspiel mit Erzberger und Stresemann den Rücktritt Bethmann Hollwegs aufzuzwingen. Entscheidend dafür aber wurde – nicht ohne Grund – die U-Boot-Frage. Es waren Bauer und Erzberger, die gemeinsam den Stein ins Rollen brachten. Drei Tage nach deren Gespräch über den Fehlschlag der U-Boot-Kriegshoffnungen und die Wahrscheinlichkeit eines vierten Kriegswinters vom 16. Juli 1917 forderte ausgerechnet Hindenburg, der noch im Mai dank der großen Erfolge der U-Boote fest an Frieden im Juli geglaubt hatte, den Kanzler dazu auf, den falschen Erwartungen hinsichtlich einer baldigen friedenbringenden Wirkung des U-Boot-Krieges in der Öffentlichkeit entgegenzutreten und das deutsche Volk auf einen weiteren Kriegswinter vorzubereiten. Dies war ein Verlangen, das zu einem höchst erbitterten Briefwechsel zwischen dem Kanzler und der OHL führte.[45] Für Bethmann Hollweg war diese Wendung der Dinge um so überraschender, als ihm bisher allzu deutliche Zweifel an der unfehlbaren Wirkung des U-Boot-Krieges gerade in militärischen Kreisen als Defätismus ausgelegt worden waren. Ludendorff selbst hatte im Gegensatz zu Bethmann Hollweg durch Verbreitung von Hunderttausenden von Exemplaren von Flugblättern an der Front, in denen die kriegsentscheidende Wirkung des U-Boot-Krieges gepriesen worden war, zur Verbreitung des U-Boot-Mythos wesentlich beigetragen.
Des Kanzlers Versäumnis, den Glauben an die Wunderwirkung der U-Boote auch in der Öffentlichkeit rechtzeitig in die Schranken zu verweisen, wurde ihm jetzt zum Verhängnis. Mit Erzbergers bekannter Rede im Haushaltsausschuß vom 6. Juli 1917 trat die Krise in ihr letztes, ihr akutes Stadium ein. Die Wirkung der Ausführungen Erzbergers, denen sich Capelle und Helfferich vergeblich entgegenstellten, war ungeheuer, und auch Bethmann Hollweg selbst, der eilends herbeigerufen worden war, vermochte ihnen nichts entgegenzusetzen. Sein Prestige als meisterhafter Innenpolitiker, der es allen Widrigkeiten zum Trotz bisher verstanden habe, die Parteien der Linken bei der Stange zu halten, war schwer er-

45 Erich Ludendorff, Urkunden der Obersten Heeresleitung, Berlin 1920, S. 395ff., sowie Bethmann Hollwegs Konzept seines Antwortschreibens vom 25. Juni 1917 (mit erheblichen, wieder gestrichenen Varianten), DZA I, Rk 2446, S. 22ff.

schüttert; und eben in diese Kerbe hieben nun Hindenburg und Ludendorff, wohlpräpariert durch Bauer, ihrerseits hinein.[46] Dieses Spiel setzten dann Oberst Bauer und Oberstleutnant von Haeften in den folgenden Tagen mit Hilfe des Kronprinzen zielbewußt fort. Es gelang, dem Monarchen zu demonstrieren, daß Bethmann Hollweg zu Unrecht das Ansehen eines geschickten Innenpolitikers besitze und weder die Presse noch die Parteien der Linken noch hinter sich habe. Freilich, erst nachdem Stresemann und Payer am 11. Juli in Besprechungen der Parteiführer mit Wahnschaffe ausgeplaudert hatten, daß Hindenburg und Ludendorff mit Bethmann Hollweg nicht mehr zusammenzuarbeiten willens seien, entschlossen sich die Heerführer, der zu erwartenden Demarche des Kanzlers bei Wilhelm II., die keinesfalls ungefährlich war, durch Einreichung ihrer Rücktrittsgesuche zuvorzukommen.[47] Die Zielsetzungen der Obersten Heeresleitung waren im Grunde weit begrenzter, als man gemeinhin angenommen hat: Ein neuer Kanzler sollte durch forsches Auftreten die Aufweichungen der inneren Front beseitigen und durch Festigkeit den Willen zum Durchhalten wiederherstellen, der, wie Hindenburg und Ludendorff aufgrund der Theorien Oberst Bauers glaubten, nur durch Bethmann Hollwegs schwächliche und nachgiebige Innenpolitik verlorengegangen sei. Zwar hatten ihnen Erzberger und Stresemann in Bülow einen geeigneten Kanzlerkandidaten aufgeschwätzt, aber sie waren schließlich nur zu bereit, sich mit dem erstbesten Kandidaten, nämlich Michaelis, abzufinden. Tatsächlich gab der Vorstoß der OHL, obwohl Oberst Bauer diesen von langer Hand vorbereitet hatte, Bethmann Hollweg bloß den Gnadenstoß. Dieser wurde das Opfer nicht der Obersten Heeresleitung, sondern einer schweren Vertrauenskrise, welche in erster Linie durch die enttäuschten Hoffnungen auf den unbeschränkten U-Boot-Krieg, aber auch durch die unklare Haltung des Kanzlers in der Frage der Ostkriegsziele ausgelöst worden war.

46 Ein Immediatschreiben Hindenburgs vom 27. Juni 1917, entworfen von Bauer, Abschrift im Nachlaß Thimme 62, stellenweise zitiert in: Erich Ludendorff, Meine Kriegserinnerungen, Berlin 1919, S. 359, beleuchtet deutlich diese Strategie. Hier wurde der Abfall namentlich der linksgerichteten Presse von Bethmann Hollweg breit dargelegt und argumentiert, daß dieser Anfang Mai im Reichstage nur deshalb eine Art von Vertrauensvotum erhalten habe, weil er die »Übereinstimmung der Reichsleitung mit den Bundesgenossen und der Obersten Heeresleitung« betont habe.

47 Aufzeichnung Stresemanns über die Kanzlerkrisis, Nachlaß Bauer/16, ferner die Demarche Wahnschaffes an Ludendorff vom 12. Juli 1917, Politisches Staatsarchiv des Auswärtigen Amtes, Gr. Hq., Reichskanzler, Nr. 29, Bd. 1.

## Die sozialen Auswirkungen des Ersten Weltkrieges auf die deutsche Gesellschaft

Der Erste Weltkrieg wurde von allen kriegführenden Mächten mit dem äußersten Kraftaufwand geführt, und als die Kampfhandlungen andauerten, ohne daß ein Ende in Sicht gewesen wäre, wurden alle verfügbaren menschlichen und materiellen Ressourcen mobilisiert, um die Kriegführung zu intensivieren. Es ist keine leichte Aufgabe, die hieraus resultierenden gesellschaftlichen Auswirkungen abzuschätzen. Nicht nur die Verlierer, sondern auch die Sieger befanden sich am Ende des Krieges in einem Zustand der totalen Erschöpfung, und ihre Wirtschaft war in hohem Maße in Unordnung geraten. Anerkanntermaßen waren die Zerstörungen, die durch Feindeinwirkung entstanden waren – ausgenommen in Belgien und Frankreich –, begrenzt, jedenfalls im Vergleich mit den Verwüstungen des Dreißigjährigen Krieges oder denen des Zweiten Weltkrieges. Dennoch war eine Rückkehr zu den Verhältnissen vor 1914 undenkbar. In drei europäischen Ländern waren die Regierungssysteme völlig zusammengebrochen: im zaristischen Rußland, in Österreich-Ungarn und im deutschen Kaiserreich. Der Wiederaufbau schien, wenn nicht unmöglich, so doch lange Zeit in Anspruch zu nehmen.

Die Deutsche Revolution, die Anfang November 1918 ausbrach, wenige Tage vor Unterzeichnung des Waffenstillstands, richtete sich in erster Linie gegen die kaiserlichen Autoritäten. Ihr erstes Ziel war es, dem Krieg um jeden Preis ein Ende zu machen; erst in einer späteren Phase wurde sie zu einer politischen und teilweise sozialen Revolution, in der die Arbeiterparteien, besonders die Mehrheits-Sozialdemokraten, die Führung übernahmen. Nach bitteren Auseinandersetzungen gelang es schließlich, die revolutionäre Bewegung einzudämmen und eine neue demokratische Ordnung zu errichten. Jedoch erwies sich die Weimarer Republik von Anfang an als ein instabiles politisches System; die herrschenden Schichten, und mit wenigen Ausnahmen auch das Bildungsbürgertum, waren nicht bereit, die neue Ordnung innerlich zu akzeptieren, sondern orientierten sich politisch weiterhin an der vergangenen kaiserlichen Ordnung. Sie gaben alle Schuld an der derzeitigen Misere der politischen Linken, die den Soldaten an der Front in den Rücken gefallen sei und für die drückenden Bedingungen des Versailler Vertrages und insbesondere für die Reparationsverpflichtungen in erster Linie die Verantwortung trüge. Die Deutschen übersahen dabei nahezu vollständig die Tatsache, daß ein Großteil der Misere, in der sie sich befanden, eine unmittelbare Folge einer vierjährigen Kriegführung und einer Wirtschaftspolitik war, die sich am Rande des Hasards bewegt hatte. Die Kriegswirtschaft war vollständig auf die möglichste Steigerung der Kriegsproduktion auf höchstem Stand abgestellt gewesen, ungeachtet der immer größer werdenden Knappheit aller menschlichen und materiellen Ressourcen. Die Auswirkungen waren am Ende des Krieges unübersehbar. Eine weitreichende Verzerrung der Wirtschaftsstruktur, insbesondere eine aufgeblähte Schwerindustrie, und eine galoppierende Inflation waren die sichtbarsten Zeichen der ruinösen Auswirkungen des volkswirtschaftlichen Raubbaus der Kriegsjahre. Außerdem übersahen die Deutschen, daß die meisten anderen Staaten Europas – die Sieger eingeschlossen – in wirtschaftlicher Hinsicht kaum bessergestellt waren.

Der Krieg hatte gewaltige Menschenopfer gefordert. Die Verluste an Menschenleben waren groß, obschon vergleichsweise geringer als im Falle Frankreichs, das, gemessen an der Gesamtbevölkerung, eine höhere Todesrate aufwies. Im Falle Deutschlands hatten 2,7 Mio. Menschen ihr Leben verloren – das waren 4% der Gesamtbevölkerung vor 1914; dazu muß man die 4 Mio. hinzuzählen, die im Kriege verwundet oder zu Invaliden wurden und auf Kosten der öffentlichen Hand unterhalten werden mußten. Zur Verdeutlichung dieser Zahlen: 41% der Mobilisierten waren im Verlauf des Krieges entweder verwundet oder getötet worden, gewiß ein beachtlicher Prozentsatz.[1] Diese Zahlen sagen natürlich nichts über den Grad des menschlichen Elends und der Verzweiflung aus, die durch den Niedergang der Lebensqualität und den Verlust von Angehörigen verursacht worden war.

Es muß nicht betont werden, daß die materiellen Kriegsfolgen groß waren. Es ist schwierig, wenn nicht gar unmöglich, darüber genauere Angaben zu machen, doch soviel kann gesagt werden, daß der Krieg zu einer wesentlichen Verringerung des Nationalwohlstands geführt hatte; es ist geschätzt worden, daß als eine Folge des Ersten Weltkrieges nahezu 35% des Nationalvermögens direkt oder indirekt vernichtet worden ist. Hinzu kamen noch die schwere finanzielle Bürde der Reparationsverpflichtungen und die finanziellen Versorgungsleistungen für Kriegsversehrte respektive die Angehörigen der im Kriege Gefallenen.

Die Verhältnisse wurden durch den Umstand verschlimmert, daß

1 Diese Angaben siehe: Marc Ferro, The Great War 1914–1918, London 1973, und für den deutschen Fall: Gerhard Bry, Wages in Germany, Princeton 1960.

Deutschland den Krieg größtenteils, wenn nicht ausschließlich, mit Hilfe von Staatsanleihen bzw. Schatzanweisungen der Reichsbank finanziert hatte, für die keinerlei Deckung vorhanden war. Nur ein sehr geringer Anteil der Kriegskosten war direkt aus erhöhtem Steueraufkommen bestritten worden. Der größte Teil der Kriegsausgaben war durch das Drucken von neuem Geld finanziert worden, das durch Kriegsanleihen abgesichert worden war; auf diese Weise war die Schuldenlast auf die Schultern der kommenden Generationen verlagert worden. Die Bevölkerung war durch nationalistische Propaganda dazu veranlaßt worden, all ihre Ersparnisse in diesen Kriegsanleihen zu investieren. Diese sollten nach dem Krieg vollständig und mit einem ansehnlichen Zinsgewinn zurückgezahlt werden, basierend auf der Annahme, daß nach dem Sieg die Feindstaaten diese Rechnung begleichen würden. So entstand während des Krieges ein gigantischer Schuldenberg, der bis Ende 1918, einschließlich der Staatsverschuldung, die schon vor 1914 entstanden war, auf 150,7 Milliarden Mark angewachsen war.[2] Am Ende des Rechnungsjahres 1918/19 hatte die Verschuldung des Kaiserreiches 156,1 Milliarden Mark erreicht – 40% davon in kurzfristigen Anleihen. Verbunden damit war ein starker Anstieg des Geldumlaufs. Anfangs hielt sich die Wirkung der Inflation allerdings in Grenzen, was zum großen Teil der Knappheit aller Arten von Gütern zu verdanken war. Einstweilen zeigten sich nur wenige darüber beunruhigt. Nichtsdestotrotz stellte die Inflation eine potentielle Gefahr für das gesamte soziale Gefüge dar. Die Preise waren während des Krieges um 250% gestiegen,[3] aber dies war noch harmlos im Vergleich zu dem, was noch kommen sollte. Bis zu einem gewissen Grad überdeckte die Inflation die Schäden, die der deutschen Gesellschaft durch die »Kriegswirtschaft« zugefügt worden war; einstweilen bemerkte die Öffentlichkeit noch nicht, in welchem Ausmaß die deutsche Gesellschaft durch den Krieg verarmt war. Solange die Zinsen für die Kriegsanleihen weitergezahlt wurden, wenn auch um den Preis einer immer stärker wachsenden Verschuldung des Reiches, machten sich nur wenige – wenn überhaupt jemand – klar, daß die Schuldscheine nicht mehr viel wert waren und sich ihre Ersparnisse größtenteils in nichts aufgelöst hatten.

Kriege werden für gewöhnlich als Perioden des beschleunigten sozialen Wandels betrachtet, wenn nicht gar als die Brutstätten neuer sozialer Ordnungen. Unzweifelhaft hatte der Erste Weltkrieg weitreichende Auswirkungen auf das soziale Gefüge in Deutschland, wenn auch letztlich die

2 Gerd Hardach, Der Erste Weltkrieg 1914–1918, München 1973, S. 173.
3 Vgl. Gerhard Bry, Wages, S. 209; die zeitgenössischen Statistiken variieren ein wenig. Calver gibt 229%, Quente 257%, und das Statistische Reichsamt gibt 313% an.

Kräfte der Kontinuität stärker waren als jene des Wandels. In sozio-ökonomischer Hinsicht scheint die besondere Zwangslage des Krieges nichts wirklich Neues hervorgebracht zu haben; jedoch führte der Krieg zu einer erheblichen Beschleunigung der ökonomischen und sozialen Wandlungsprozesse, die bereits seit geraumer Zeit im Gange waren, allerdings bis dahin von einer Reihe von politischen und ökonomischen Faktoren abgebremst, die unter den Bedingungen des Krieges wiederum außer Kraft gesetzt wurden.

Die Kriegssituation veränderte die Rahmenbedingungen des Wirtschaftssystems nachhaltig: Quasi über Nacht hörte dieses auf, eine primär exportorientierte Wirtschaft zu sein. Wegen der Blockade der Alliierten verlor das deutsche Kaiserreich die meisten seiner Märkte in Übersee, und es wurde, von wenigen Ausnahmen abgesehen, zunehmend von seinen Rohstofflieferanten abgeschnitten. Allerdings konnte dies bis zu einem gewissen Grad durch die Intensivierung des Handels mit den neutralen Ländern Europas ausgeglichen werden, insbesondere mit Schweden und Norwegen. Dies erforderte im Gegenzug eine Steigerung der Produktion bestimmter Konsumgüter, um so die Devisen für die dringend benötigten Rohstoffimporte zu beschaffen. Ungeachtet dieser Tatsache wurde eine grundlegende Umstrukturierung der deutschen Wirtschaft unvermeidlich; die bisher stark exportorientierte Industrie mußte auf die Bedürfnisse der Kriegsproduktion eingestellt werden und bis zu einem gewissen Grad Ersatz für besonders knappe Rohstoffe entwickeln, wie zum Beispiel Stickstoff. Die Details dieser Umstrukturierung wurden größtenteils der Initiative der Wirtschaft selbst überlassen; dies soll hier nicht weiter verfolgt werden. Vor allem der Mangel an Gütern aller Art und die zunehmende Rohstoffknappheit machte eine Reorganisation der deutschen Kriegsindustrie nötig. Während die Kriegsindustrien einen gewaltigen Aufschwung erfuhren, wurde die Konsumgüterindustrie dramatisch zurückgeschraubt, vermittels der Beschneidung der Zufuhr von Rohstoffen und/oder Energie oder, in einigen Fällen, durch staatlich angeordnete Betriebsstillegungen, auch wenn die Besitzer großzügig entschädigt wurden. Das wichtigste Ergebnis war eine erhebliche Verschiebung der Gewichte zugunsten der Großindustrie und zu Lasten der kleineren Unternehmen. Dies galt für alle Produktionszweige und, bemerkenswerterweise, auch für das Handwerk, das im Kaiserreich stets auf seine Selbständigkeit stolz gewesen und dessen Beitrag zum Volksvermögen nach wie vor bedeutend war.

Die Statistik zeigt diesen Wandel klar, wenn auch in ziemlich pauschaler Form:

**Strukturelle Verschiebungen innerhalb des industriellen Systems 1914–1918**

| | |
|---|---|
| Chemische Industrie | + 170 % |
| Maschinenbauindustrie (inkl. Elektroindustrie) | + 49 % |
| Holzindustrie | + 13 % |
| Metallverarbeitende Industrie | + 8 % |
| Bergbau | – 5 % |
| Industrie Steine Erden | – 59 % |
| Textilindustrie | – 58 % |
| Baugewerbe | – 57 % |
| Bekleidungsindustrie | – 32 % |
| Graphisches Gewerbe | – 31 % |
| Nahrungs- und Genußmittelindustrie | – 24 % |
| Papiererzeugung und -verarbeitung | – 20 % |
| Lederverarbeitung | – 17 % |

Der Strukturwandel der Industrie machte auch eine beträchtliche Umverteilung der Arbeitskräfte notwendig. Die Zahlen verdeutlichen, wie Jürgen Kocka zutreffend dargelegt hat, eine Umschichtung zugunsten der Schwerindustrie und besonders der chemischen Industrie, zum Nachteil der Konsumgüterindustrie und des Handwerks.[4] Anerkanntermaßen war das Übergewicht der Schwerindustrie bereits vor 1914 ein typisches Merkmal der deutschen Wirtschaft. Während sich jedoch in dem Jahrzehnt vor dem Krieg die Lücke zwischen den beiden Wirtschaftszweigen wieder einigermaßen geschlossen hatte, öffnete sich diese nunmehr erneut. Es ist anzunehmen, daß die kriegsbedingten Notlagen in Deutschland keine derartige Situation schufen wie in Italien, wo die Überkapazitäten der Schwerindustrie nach dem Ende des Krieges eine schwere Krise auslösten; man kann aber sagen, daß die Überkapazitäten der Schwerindustrie auch für die Weimarer Republik zu einer substantiellen Bürde werden sollten. Generell ist festzustellen, daß die Kriegsproduktion den säkularen Trend zu größeren Produktionseinheiten zu Lasten der Kleinbetriebe verstärkte; letztere hatten in den »Kriegsrohstoffgesellschaften«, die weitgehend die Steuerung der Kriegswirtschaft an sich gezogen hatten, nahezu nichts zu sagen. Ebenso verlor der landwirtschaftliche Sektor gegenüber Industrie und Handel weiter an Boden, wenn auch dies während des Krieges angesichts des augenfälligen Preisanstiegs für sämtliche Agrarprodukte und der relativ hohen Gewinne der agrarischen Betriebe nicht sofort erkennbar wurde. Die unzureichenden Versuche, die Produktion der landwirtschaftlichen Betriebe von staatlicher Seite zu regulieren und besonders deren Vermarktung der behördlichen Kontrolle zu unterwerfen, änderte an dieser Situation nur wenig; sie bewirkten nur,

4 Jürgen Kocka, Facing Total War. German Society 1914–1918, Lemington Spa 1984, S. 35 f.

daß die ländliche Bevölkerung zunehmend erbittert auf die staatlichen Eingriffe in ihre Angelegenheiten reagierte.
Es ist nicht leicht, aus diesen Beobachtungen eindeutige Schlußfolgerungen über die sozialen Auswirkungen dieser durch die Kriegsanstrengungen notwendig gewordenen Umstrukturierung der deutschen Wirtschaft abzuleiten. Man muß dabei berücksichtigen, daß die verschiedenen Sektoren von Industrie und Handel von diesen Maßnahmen in sehr unterschiedlicher Weise betroffen wurden. Es war oft entscheidender, ob die Besitzer oder Geschäftsführer eine Freistellung vom Wehrdienst erreichen konnten, als die wirtschaftliche Leistungsfähigkeit bestimmter Betriebe als solcher. Im weiteren Verlauf des Krieges achteten die für die Rohstoffzuteilung zuständigen militärischen Instanzen zunehmend darauf, daß Aufträge auch an kleinere Produzenten und Handwerker vergeben wurden, um so der allgemeinen Kritik zu begegnen, daß die staatlichen Eingriffe in die Wirtschaft ungerechte Folgen hätten. Es gab keine dezidierte Politik der Bevorzugung der Großunternehmen gegenüber den kleineren Unternehmern; dennoch ging der Trend der Entwicklung in diese Richtung. So darf davon ausgegangen werden, daß die Großunternehmen während des Krieges wesentlich günstiger operiert haben. Die Gewinne der Eisen- und Stahlindustrie waren wesentlich höher als der Durchschnitt, wie aus der Entwicklung der Dividenden zu ersehen ist:

Entwicklung der Dividenden der deutschen Industrie 1914–1918

| | Eisen- und Stahlindustrie | Chemische Industrie | Allgemein |
|---|---|---|---|
| 1913/14 | 8,33* | 5,94* | 7,96* |
| 1914/15 | 5,69 | 5,43 | 5,00 |
| 1915/16 | 10,00 | 9,69 | 9,90 |
| 1916/17 | 14,58 | 11,81 | 6,52 |
| 1917/18 | 9,60 | 10,88 | 5,41 |

* Dividenden in Mark

Es ist nicht überraschend, daß sich schon die Zeitgenossen bitter über die neue Klasse der »Kriegsgewinnler« beklagten, die angeblich hohe Gewinne aus der Kriegsproduktion herausholten, während die Masse der Bevölkerung unter überlangen Arbeitszeiten, Unterernährung und Unterversorgung mit Konsumgütern aller Art litt. Mit einiger Verspätung wurden Versuche unternommen, die Kriegsgewinne einer besonderen Steuer zu unterwerfen, doch ist deren Effektivität zu bezweifeln. Es scheint, als habe der Krieg eine kleine Gruppe von Kapitaleignern beachtlich reicher werden lassen – zumindest auf den ersten Blick, während die Masse der Bevölkerung zunehmender Verarmung unterworfen war. Das ist jedenfalls die Schlußfolgerung, zu der Jürgen Kocka in seiner Studie »Klassengesellschaft im Krieg« gekommen ist: »... dann scheint sich anzudeuten, daß der Krieg, abgesehen von der anfänglichen Anpassungskrise und den Monaten des Zusammenbruchs für die großen Industrieunternehmungen insgesamt nicht unprofitabel war.«[5]

Doch ist selbst diese sehr vorsichtige Einschätzung angesichts der allgemeinen Preisentwicklung nicht notwendigerweise richtig. Man muß beachten, daß während des Krieges jedenfalls die Dividenden, und vermutlich auch die Gewinne, weit hinter dem Anstieg der Preise zurückblieben. Von 1914 bis 1919 stiegen die Großhandelspreise, wenn wir für 1912 von der Basis 100 ausgehen, von 106 im Jahre 1914 auf 415 im Jahre 1919; dies entspricht einer Steigerung von 300%. Es gab sicher einige wenige, die durch die geschickte Ausnutzung der durch den Krieg neuentstandenen wirtschaftlichen Möglichkeiten, unter weitgehender Umgehung der Steuer, große persönliche Vermögen anzuhäufen imstande gewesen sind; aber insgesamt gesehen muß gesagt werden, daß alle Bevölkerungsgruppen einschließlich der Kapitaleigner große finanzielle Einbußen erfahren haben. Es stellt sich nur die Frage, wie groß diese Einbußen waren und welche Gruppen davon stärker bzw. welche Gruppen weniger betroffen waren. Das genaue Maß, in dem die verschiedenen gesellschaftlichen Gruppen von dem allgemeinen Prozeß der Verarmung während des Krieges erfaßt waren, ist bis heute Gegenstand heftiger Kontroversen.

Jürgen Kocka hat argumentiert, daß die deutsche Gesellschaft während des Ersten Weltkrieges immer mehr zu einer Klassengesellschaft geworden sei, in der klassischen Bedeutung des Begriffes. Er hat die These vertreten, daß der Krieg zu einer Verschärfung der Klassengegensätze geführt habe; dies lasse sich aus der fallenden Tendenz der Reallöhne einerseits und den relativ hohen Gewinnen der Kriegsproduktion andererseits ablesen. Er nimmt an, daß die Unternehmerschaft dieser Produktionszweige (er schätzt deren Zahl auf ca. 120000 Personen) ihre ökonomische Situation bedeutend verbessert hätte. Sicherlich gehörte die Unternehmerschaft zu den Gewinnern, wenn auch nur relativ gesehen, während die Arbeiterschaft insgesamt zweifellos zu den Verlierern gezählt werden muß. Wichtiger ist Kockas These, daß es unter dem Einfluß des Krieges zu einer Polarisierung im Lager der Mittelschichten gekom-

5 Ebenda, S. 33. In der deutschen Ausgabe: Klassengesellschaft im Krieg. Deutsche Sozialgeschichte 1914–1918, Göttingen 1978[2], S. 27, wird die Teilung der Klassen ein wenig stärker betont, wie auch der Titel direkt darauf anspielt, daß der Klassenkampf ein wesentliches Element der Politik während des Krieges war.

men sei. Der neue Mittelstand – dazu gehören vor allem die Angestellten – mußte eine beträchtliche Minderung seines Realeinkommens hinnehmen. Darüber hinaus wurde der bisher deutlich von der Masse der Arbeiterschaft abgegrenzte Sozialstatus des neuen Mittelstandes erschüttert. Man kann ferner auch sagen, daß die Angestelltenschaft proletarisiert und zugleich politisch radikalisiert wurde. Der alte Mittelstand – und zu diesem gehören insbesondere die Beamtenschaft des Höheren Dienstes, das Kleingewerbe und die Rentiers, die ausschließlich von Kapitaleinkommen lebten – erfuhr ebenfalls eine Minderung seines ökonomischen Status, aber, wie Kocka darlegt, er fühlte sich gleichwohl weiterhin eher der Unternehmerschaft als der Masse der arbeitenden Bevölkerung verbunden. Dies kam auch darin zum Ausdruck, daß der alte Mittelstand jegliche Form von Staatssozialismus und alle dirigistischen Eingriffe des Staates in die Wirtschaft ablehnte und insofern für die Unternehmerschaft Partei ergriff. Wenn wir Kocka folgen, so bedeutet das, daß der Gegensatz zwischen der Unternehmerschaft und der Arbeiterklasse sich während des Krieges zunehmend verschärft hat.

Es ist unbestritten, daß die Kriegswirtschaft zu bedeutsamen Veränderungen der sozialen Schichtung und der geistigen Ausrichtung der Bevölkerung geführt hat. Jedoch ist zu bezweifeln, ob das von Kocka zwar nicht als materielle Aussage, aber als Orientierungsmaßstab eingeführte idealtypische Klassenmodell, das eine dichotomische Entgegensetzung der Besitzenden und der Arbeiterschaft behauptet, sonderlich geeignet ist, um die komplexen Prozesse des sozialen Wandels, die sich während des Krieges vollzogen haben, zuverlässig zu beschreiben. In diesem Zusammenhang kommt der Frage nach der sozialen Lage der Arbeiterklasse unter den Verhältnissen der Kriegswirtschaft besondere Bedeutung zu. Es steht außer Zweifel, daß die Nominallöhne sowohl der gelernten wie der ungelernten Arbeiter (mit Ausnahme der ersten Monate nach Kriegsausbruch, in der sich die Wirtschaft in einem Zustand beträchtlicher Unruhe befand) beträchtlich angestiegen sind. Davon abgesehen war die dramatische Zunahme der Beschäftigung weiblicher Arbeitskräfte am bedeutsamsten. Frauen übernahmen in großer Zahl die Arbeitsplätze ihrer Ehemänner oder ihrer Söhne, und die Lohnunterschiede zwischen männlichen und weiblichen Beschäftigten verringerten sich beträchtlich. Dies gilt ebenso für die Lohnunterschiede zwischen gelernter und ungelernter Arbeit, obwohl die uns verfügbaren Aggregatdaten nicht berücksichtigen, daß vielfach hochqualifizierte Arbeitsplätze von weniger qualifizierten Arbeitskräften übernommen wurden und daß deren Löhne demgemäß entsprechend stiegen. Aus diesem Grund ist es auch nicht überraschend, daß sich die Position der Facharbeiter, die bisher im Vergleich mit der Masse der Arbeiterschaft einen relativ höhergestellten Status ge-

nossen hatten, verschlechterte. Dem entspricht ein Trend hin zu einem größeren Maß an Homogenität der ökonomischen Interessen der Arbeiterschaft. Dies könnte sich zugunsten eines höheren Grades innerer Geschlossenheit der Arbeiterschaft und demgemäß einer Stärkung ihres Klassenbewußtseins ausgewirkt haben. Dies scheint die These Kockas zu stützen, wonach sich die Klassengegensätze während des Krieges erheblich verschärft haben. Jedoch dürfte der relative Rückgang der sozioökonomischen Differenzierung innerhalb der Arbeiterschaft überwiegend darauf zurückzuführen sein, daß unter den Bedingungen der Kriegswirtschaft Arbeiter in hohem Maße in unterschiedliche Beschäftigungen überwechselten. Dies aber hat keineswegs notwendigerweise zu einem ausgeprägteren Klassenbewußtsein der Arbeiterschaft geführt.
Obwohl die Nominallöhne beständig stiegen, fielen die Reallöhne der Arbeiterschaft in erheblichem Maße, jedenfalls bis 1917. Jedoch gelang es der organisierten Arbeiterbewegung, seit dem Spätherbst 1917 ein weiteres signifikantes Absinken der Reallöhne zu verhindern. Dabei muß jedoch berücksichtigt werden, daß das statistische Material die Tatsache verdeckt, daß sich der faktische Lebensstandard der breiten Massen weiterhin dramatisch verschlechterte; die notwendigen Konsumgüter ließen sich mit Geld nicht mehr in ausreichendem Maße beschaffen, und der Schwarzmarkt war in der Regel der einzige Ausweg, der den Arbeitern verblieb, um die schlimmsten Lücken zu schließen. Zahlreiche Berichte über die Notlage der arbeitenden Bevölkerung bestätigen diese Sachlage. Andererseits haben bestimmte Gruppen der Facharbeiterschaft, insbesondere in der Berliner Maschinenbauindustrie, offenbar ungewöhnlich gut verdient; seit 1917 war es allgemein üblich, daß die Facharbeiter die Unternehmer gegeneinander ausspielten. Angesichts der Tatsache, daß Arbeitskräfte knapp waren, während die Produktionskosten eigentlich keine Rolle spielten, fanden sich die Unternehmer dazu bereit, immer höhere Löhne zu zahlen; die Behörden kauften zu jedem Preis.
Es ist demgemäß nicht leicht, zuverlässige Aussagen über die tatsächliche Lage der Arbeiterschaft zu treffen. Man darf jedoch davon ausgehen, daß, ungeachtet der zunehmenden Massennot in den industriellen Zentren, das Einkommensniveau und die ökonomische Lage der gewerkschaftlich organisierten industriellen Arbeiterschaft in der Endphase des Krieges eine relative Stabilisierung erfuhren, jedenfalls im Vergleich mit der Lage der Bevölkerung in ihrer Gesamtheit. Es kommt hinzu, daß das Lohnniveau sehr stark abhängig war von der Lokation und von dem jeweiligen Wirtschaftssektor. Hauer und Stemmer in den Bergwerken an der Ruhr haben offensichtlich ihr Reallohnniveau seit 1917 nicht halten können, während ungelernte Arbeiter in wichtigen Staatsbetrieben sie mühelos überrundeten. Den Druckern z. B., die vor dem Krieg eine der höchstbezahlten

Gruppen der Arbeiterschaft waren, erging es vergleichsweise sehr viel schlechter.[6] Obschon, wenn wir Bry folgen, nach 1917 die Unterschiede zwischen kriegswichtigen und sonstigen Industrien abflachten, spielten sie doch während der gesamten Periode eine wesentliche Rolle.[7] Davon abgesehen variierten die Lebenshaltungskosten von Ort zu Ort in erheblichem Maße; obschon die Behörden die vergleichsweise hohen Lebenshaltungskosten und die schlechte Versorgungssituation in den großen Städten durch entsprechende Zuschläge auszugleichen suchten, bestanden diese Differenzen auch weiterhin fort. Wenn man diese Umstände berücksichtigt, dann ergibt sich, daß zuverlässige Schätzungen der Reallöhne außerordentlich schwer zu erstellen sind. Die im folgenden wiedergegebenen globalen Daten sollten demgemäß mit großer Vorsicht betrachtet werden; dennoch zeigen sie sehr deutlich den beschriebenen Trend.[8]

Reallöhne für Deutschland und Großbritannien 1914–1918
(1914 = 100)

| | Deutschland | Großbritannien |
|---|---|---|
| 1915 | 96 | 86 |
| 1916 | 87 | 80 |
| 1917 | 79 | 75 |
| 1918 | 77 | 85 |

Die relative Abschwächung des Falls der Reallöhne seit 1917, die freilich angesichts der sich dramatisch verschlechternden Ernährungs- und Versorgungslage immer noch als bedeutsam eingeschätzt werden muß, findet im großen und ganzen eine Entsprechung in den politischen Ereignissen. 1916 führte die Regierung das sogenannte »Hindenburg-Programm« ein, unter erheblichem Druck von seiten der OHL, die verlangte, daß die wirtschaftlichen Kriegsanstrengungen aufs äußerste intensiviert werden müßten. Das Hindenburg-Programm sollte die totale Mobilisierung aller menschlichen und materiellen Ressourcen für die Kriegsproduktion erbringen, ohne Rücksicht auf die wirtschaftlichen Konsequenzen oder die sozialen Kosten, die damit verbunden sein würden. Es wurde angestrebt, die Produktion von Kriegsmaterial aufs Äußerste zu steigern und gleich-

6 Dietmar Petzina/Werner Abelshauser/Anselm Faust, Sozialgeschichtliches Arbeitsbuch III. Materialien zur Statistik des Deutschen Reiches 1914–1945, München 1987, S. 83.
7 Ebenda, S. 208.
8 Bry, Wages, S. 310, Tabelle 75.

wohl noch mehr Arbeiter zum Kriegsdienst einzuziehen. Jedoch war unter den obwaltenden Umständen ein solches Programm ohne die Kooperation der Gewerkschaften nicht mehr durchzusetzen. Infolgedessen wurden nunmehr im Hindenburg-Programm, das die Kriegsanstrengungen Deutschlands auf ein völlig neues Niveau heben sollte, die Gewerkschaften als gleichberechtigte Partner anerkannt. Im Grundsatz veränderte sich die Einstellung weder der Unternehmer noch der militärischen Autoritäten gegenüber den Gewerkschaften nennenswert. Die Beziehungen zwischen Unternehmern und Arbeiterschaft wurden weiterhin von dem alten Mißtrauen gegenüber gewerkschaftlichen Organisationen bestimmt. Aber der erste Schritt hin zu einem System sozialer Partnerschaft war getan. Fortan wurden die Gewerkschaften durchgängig konsultiert und erlangten erheblichen Einfluß auf alle gesetzgeberischen Maßnahmen, die Fragen der Lohn- und Preispolitik betrafen. Mit einiger Gewißheit darf man davon ausgehen, daß dies auf die materielle Lage der Arbeiterschaft positive Auswirkungen gehabt haben dürfte. So gelang es den Gewerkschaften zu erreichen, daß in dem Hindenburg-Programm alle diejenigen Bestimmungen gestrichen wurden, die die freie Wahl des Unternehmens beschränkten. Mit anderen Worten, die Möglichkeit zur Ausnutzung der Chancen eines günstigen Arbeitsmarktes durch Teile der Arbeiterschaft blieb demgemäß uneingeschränkt erhalten. Es war weithin üblich geworden, zum Zwecke der Erlangen von Lohnerhöhungen, häufig den Unternehmer zu wechseln, namentlich in der Maschinenbauindustrie.

Wie bescheiden auch immer dieser Durchbruch materiell eingeschätzt werden mag, dieser war nichtsdestoweniger bedeutsam. Die Arbeiterschaft hatte ihre Macht gezeigt und erwies sich als eine vergleichsweise starke *bargaining group* innerhalb des wirtschaftlichen Systems, während fast alle anderen Gruppen der Bevölkerung immer mehr an Boden verloren. Gewiß haben sich im kaiserlichen Deutschland niemals Verhältnisse eingestellt, die auf eine Polarisierung zwischen der organisierten Arbeiterschaft und den besitzenden Klassen, den freien Berufen, der Landwirtschaft und den nichtorganisierten Lohnarbeitern hinauslief, wie dies bis zu einem gewissen Grade in Großbritannien der Fall war; die »Times« sprach damals im Hinblick auf eine derartige Dichotomie (in Anspielung auf Disraelis berühmtes Wort von den »two nations«, in die England sozial gespalten sei) von den »beiden Nationen« des 20. Jahrhunderts, die sich infolge des Krieges herausgebildet hätten, nämlich der Arbeiterschaft einerseits und dem Rest der Bevölkerung andererseits.[9] Aber ersichtlichermaßen war die industrielle Arbeiterschaft nicht mehr die

9 Vgl. Bentley B. Gilbert, British Social Policy, 1914–1935, Ithaca/Cornell 1970, S. 12.

schwächste Gruppe innerhalb der arbeitenden Bevölkerung. Eine Analyse der ökonomischen Situation der anderen Gruppen der deutschen Gesellschaft zeigt denn auch, daß einige von diesen sich in wesentlich schlechterer Lage befanden als die industrielle Arbeiterschaft.

Zu den Sozialgruppen, die in realen Begriffen den höchsten Einkommensverlust hinnehmen mußten, gehörte die höhere Beamtenschaft. Ihr Nominaleinkommen blieb während des Krieges fast konstant; dies bedeutet jedoch nahezu eine Halbierung ihres Realeinkommens.[10] Es macht Schwierigkeiten zu verstehen, wie dies überhaupt möglich gewesen ist, und man darf annehmen, daß diese Sozialgruppe nur dadurch hat durchkommen können, daß sie auf ihre aufgelaufenen Ersparnisse zurückgriff. Da Gehaltserhöhungen normalerweise in Form von Teuerungszuschlägen gegeben wurden, die für alle Gehaltsgruppen gleich hoch ausfielen und nicht in Form von einer prozentualen Erhöhung, erging es den mittleren und unteren Einkommensgruppen der Beamtenschaft etwas besser; aber wenn man ihre Lage mit jener der Industriearbeiterschaft vergleicht, ergibt sich, daß auch diese vergleichsweise schlechter davongekommen sind. Nach Angaben des »Statistischen Reichsamts« fielen die Gehälter der untersten Einkommensgruppen der Beamtenschaft auf etwa 70 % ihres Vorkriegseinkommens. (Dies entsprach wahrscheinlich annähernd der Entwicklung der Durchschnittseinkommen.) Die Gehälter der mittleren Einkommensgruppe der Beamtenschaft sanken auf 55 % und jene der obersten Einkommensgruppe auf 47 % ihres Vorkriegseinkommens. Dies zeigt, daß namentlich der mittlere und höhere Dienst, dessen Angehörige zumeist eine akademische Ausbildung erfahren hatten, jenen vergleichsweise komfortableren Sozialstatus einbüßten, den sie früher genossen hatten. Der Krieg beschleunigte demgemäß einen generellen Trend hin zur Nivellierung des Sozialstatus der professionellen Mittelschichten.

Die zweite Gruppe der Gesellschaft, deren Sozialstatus als Folge der Kriegswirtschaft und der galoppierenden Inflation zumindest teilweise erheblich absank, waren das Kleingewerbe und die Handwerkerschaft, soweit diese nicht in unmittelbar kriegswichtigen Sektoren tätig waren oder erhebliches Eigentum besaßen. Diese Sozialgruppen waren bisher besonders stolz darauf gewesen, gegenüber der Arbeiterklasse, aber auch gegenüber der Unternehmerschaft einen eigenständigen Status zu besitzen. Für jene Mitglieder des Handwerkerstandes, die direkt oder indirekt Dienstleistungen oder Arbeiten erbrachten, die für die Kriegswirtschaft wichtig waren, war die Lage gewiß um einiges besser als für die Masse ihrer Standesgenossen. Aber man darf mit einiger Sicherheit davon ausgehen, daß alle jene Gewerbe, die mit Handel oder Dienstleistungen für

10 Siehe zu den Zahlen Kocka, Klassengesellschaft, S. 74.

den Konsumenten befaßt waren, erhebliche Einkommensverluste hinnehmen mußten. Der allgemeine Niedergang der Einkommen traf den kleinen Kaufmann an der Ecke oder den Gastwirt besonders hart. Zwar ist das Kleingewerbe, wie Kocka zeigt, in absoluten Zahlen während der Kriegsjahre nicht nennenswert zurückgegangen, aber in jedem Falle dürften der Kleinhandel, die Gastronomie und andere verbraucherorientierte Gewerbe ganz erhebliche Einkommensminderungen erfahren haben, auch im Vergleich zur industriellen Arbeiterschaft, jedenfalls wenn man die Vorkriegssituation als Maßstab wählt.
Sehr viel weniger wissen wir über die Verhältnisse im agrarischen Sektor. Angesichts der dramatisch steigenden Preise für alle agrarischen Produkte und der beschränkten Effektivität behördlicher Versuche, Preisbeschränkungen durchzusetzen, ging es der Bauernschaft und auch dem Großgrundbesitz im Kriege gut. Es kommt hinzu, daß die Verschuldung des Großgrundbesitzes dank der Inflation erheblich zurückging, wenn auch eher indirekt. Aber ungeachtet der relativ günstigen Marktposition der Landwirtschaft standen die Dinge nicht zum Besten. Es gab auch schwere Probleme. Die Einziehung zum Wehrdienst traf das flache Land weit härter als die Städte. Die ohnehin bestehende Knappheit an landwirtschaftlichen Arbeitern wurde dadurch erheblich verschärft. Demgemäß gestaltete es sich zunehmend schwieriger, unter den Bedingungen der Kriegswirtschaft zu produzieren, zumal landwirtschaftliche Maschinen und Düngemittel nur in begrenztem Umfang zur Verfügung standen; letzteres führte in vielen Fällen zur Erschöpfung der Böden. Der Mangel an landwirtschaftlichen Arbeitskräften konnte teilweise dadurch gemildert werden, daß man auf Kriegsgefangene zurückgriff; aber auch so kam es zu einer Verringerung der landwirtschaftlich bestellten Flächen und zu einer Verlagerung von Getreideproduktion zugunsten von Viehhaltung.
Davon abgesehen schwächten die wirtschaftlichen Umschichtungen die relative Position des agrarischen Sektors innerhalb des wirtschaftlichen Systems, zumindest auf lange Sicht. Die Neigung der Landarbeiterschaft, dem Land den Rücken zu kehren und einträglichere Beschäftigungen in den Städten zu suchen, war schon lange vor dem Krieg für den Großgrundbesitz ein schweres Problem gewesen. Angesichts der Tatsache, daß die in den Kriegsindustrien gezahlten Löhne weit höher waren als jene in der Landwirtschaft, erfuhr dieser Trend eine Verschärfung. Ebenso wurde es notwendig, die Löhne der Landwirtschaft den in der Industrie gezahlten Löhnen wenigstens teilweise anzupassen. Dies hat sich nach Kriegsende nicht mehr revidieren lassen. Insofern sollte sich der relative Wohlstand der landwirtschaftlichen Produzenten während des Krieges nach Ende des Krieges als nachteilig für die ökonomische Situation des

agrarischen Sektors innerhalb der deutschen Volkswirtschaft auswirken. Dies hat vermutlich den relativen Niedergang der Landwirtschaft im Vergleich zu anderen Wirtschaftssektoren um einiges beschleunigt. Während 1913 der Sektor Landwirtschaft, Forsten und Fischerei noch 23,2% des Nationalprodukts erwirtschaftet hatte, waren dies 1925 nur noch 15,7%.[11] Gleichwohl waren im landwirtschaftlichen Sektor weiterhin 30% der Erwerbstätigen beschäftigt. Daraus läßt sich entnehmen, daß das Einkommen aus landwirtschaftlicher Beschäftigung deutlich gesunken war. Diese Zahlen deuten an, daß die Situation der Landwirtschaft nicht so rosig war, wie dies auf den ersten Blick angenommen werden konnte, ungeachtet der außerordentlichen Gewinne während des Krieges, die durch die extreme Mangellage an Nahrungsmitteln ermöglicht worden waren.

Zusammenfassend kann gesagt werden: Der Krieg führte nicht zu einer grundstürzenden Veränderung der gesellschaftlichen Verhältnisse. Die zeitweilig erwogenen Pläne, die dirigistische Kriegswirtschaft in Form eines staatlich gesteuerten Sozialismus in die Friedenswirtschaft hinüberzunehmen, wie sie Wissell und Möllendorf vertraten, fanden keinerlei Anhang, auch nicht im Lager der Gewerkschaften. Jedoch hatten sich während des Ersten Weltkrieges erhebliche Umschichtungen in der Struktur der deutschen Wirtschaft eingestellt, die allerdings teilweise nur die Trends verschärften, welche sich schon lange vor dem Ersten Weltkrieg abzeichneten, nämlich die Zunahme großer Betriebseinheiten auf Kosten der kleinen und mittleren Betriebe und die Zurückdrängung handwerklicher Produktionsformen. Aber allein schon die Tatsache, daß sich diese Veränderungen mit großer Schnelligkeit vollzogen hatten, war ein destabilisierender Faktor, der sich dann in den 20er Jahren als zusätzliches Belastungsmoment für das ohnehin krisengeschüttelte gesellschaftliche System erweisen sollte. Die Anpassung des gesellschaftlichen Systems an die sich entwickelnde Industriegesellschaft war in jedem Falle ein schmerzhafter Prozeß, der nicht wenige Sozialgruppen hart traf; je kürzer aber die Zeit war, die den einzelnen Sozialgruppen für eine entsprechende Neuorientierung verblieb, desto schmerzlicher wurden die Konsequenzen empfunden. Es sollte dabei berücksichtigt werden, daß im kaiserlichen Deutschland ungeachtet des spektakulären Aufstiegs der Großindustrie seit den 1880er Jahren immer noch traditionelle Sozialstrukturen und Verhaltensweisen vorherrschend gewesen waren. In diesem Zusammenhang muß insbesondere die Lage des Handwerks und des Kleingewerbes genannt werden, die sich ohnehin schrittweise verschlechtert hatte. Davon abgesehen führten die besonderen Verhältnisse wäh-

11 Petzina u. a., Sozialgeschichtliches Arbeitsbuch, S. 82.

rend des Krieges zu strukturellen Verzerrungen, die sich dann nach dem Kriege als Belastung für die Leistungsfähigkeit des Wirtschaftssystems herausstellen sollten. Dazu gehört insbesondere das überproportionale Wachstum der Eisen- und Stahlindustrie während des Krieges, der Verlust wesentlicher Außenhandelspositionen, die es der Exportindustrie nach dem Kriege erschwerte, wieder in den überseeischen Märkten Fuß zu fassen, und schließlich die zunehmende Beeinträchtigung der Konkurrenzfähigkeit der deutschen Landwirtschaft innerhalb des weltwirtschaftlichen Systems. Alles dieses waren Entwicklungen, die ohnehin im Gang waren, aber durch den Krieg außerordentlich beschleunigt worden waren. Davon abgesehen hatte sich während des Krieges die Neigung breitgemacht, ökonomische Probleme durch Staatseingriffe und nicht durch Anpassung an die Marktbedingungen lösen zu wollen. Max Weber gehörte zu jenen, die forderten, die Wiederherstellung der Konkurrenzfähigkeit der deutschen Wirtschaft, die durch die Verhältnisse während des Krieges erheblich beeinträchtigt worden sei, müsse unter allen Umständen Vorrang haben, jedoch hätten sich die Bedingungen dafür verschlechtert; die ökonomische Weltherrschaft der Vereinigten Staaten sei nicht mehr abzuwenden.

Aus den vorstehenden Darlegungen ergeben sich hinsichtlich der Veränderungen der Lage der einzelnen Sozialgruppen innerhalb der deutschen Gesellschaft während des Krieges die nachstehenden Schlußfolgerungen:

Die *Landwirtschaft* hatte während des Krieges ihre privilegierte Position innerhalb der deutschen Gesellschaft als ein Wirtschaftssektor, der gegenüber den Zwängen des wirtschaftlichen Wandels und der überseeischen Konkurrenz durch staatliche Unterstützung abgeschirmt war, erfolgreich verteidigt, obschon sie während des Krieges mit einem hohen Maß von Staatsintervention hatte fertig werden müssen. Am Ende des Krieges freilich brach diese, schon klassisch zu nennende privilegierte Position mit einem Mal zusammen. Fortan mußte die deutsche Landwirtschaft ohne substantielle Unterstützung von seiten des Staates, so wie sie diese in der Vergangenheit erhalten hatte, leben.

Der relativ hohe Sozialstatus der *oberen Mittelschichten*, insbesondere der hohen Beamtenschaft und der freien Berufe, war vor dem Krieg ein typischer Zug der deutschen Gesellschaft gewesen. Dieser war jedoch 1919 weitgehend zusammengebrochen als Folge der relativen Verarmung dieser Gruppen während des Krieges sowie zusätzlich infolge des Umstands, daß diese Sozialgruppen einen großen Teil ihrer Ersparnisse in Kriegsanleihen angelegt hatten, die nun nur noch einen Bruchteil ihres früheren Wertes besaßen. Es ist eine offene Frage, ob es gerechtfertigt ist, von einer teilweisen Depossedierung dieser Sozialgruppen zu sprechen, die gemeinhin dem älteren Mittelstand zugerechnet wird. In sozio-ökonomischer Hinsicht waren sie mit Sicherheit die Hauptverlierer. In vergleichsweise geringerem Maße war dies der Fall für jene Teile des *Handwerks* und des *Kleingewerbes*, die im Einzelhandel und im Dienstleistungsgewerbe tätig waren. Auch sie büßten einen erheblichen Teil ihres sozialökonomischen Status ein. Aber hier ist wiederum darauf hinzuweisen, daß der Krieg nur eine Entwicklung beschleunigt hatte, die schon geraume Zeit im Gange gewesen war.

Es wäre gewiß unangemessen, zu behaupten, daß sich die Arbeiterschaft am Ende des Krieges in einer vergleichsweise günstigen Position befand. Ohne Zweifel war sie von der unzulänglichen Versorgung mit Nahrungsmitteln und nahezu allen Gebrauchsgütern am härtesten getroffen worden. Die Arbeiter hatten am stärksten unter den drückenden wirtschaftlichen und sozialen Bedingungen gelitten, die sich während des Krieges in nahezu allen industriellen Zentren einstellten. Die dramatische Zunahme der Streiks seit 1917, ungeachtet der äußerst drastischen Gegenmaßnahmen der militärischen Behörden – dazu gehörten insbesondere die Einziehung der Streikführer zum Wehrdienst, die als Facharbeiter zumeist bisher UK gestellt gewesen waren –, ist ein untrüglicher Indikator dafür, daß in den Arbeitervierteln der großen Industriezentren die Verhältnisse unerträglich geworden waren. Die Unzufriedenheit unter den Arbeitern war im letzten Jahr des Krieges so groß geworden und meistens auch so gut begründet gewesen, daß die Gewerkschaften es zunehmend schwieriger fanden, Streikaktionen entgegenzutreten, wie sie dies in den ersten drei Kriegsjahren getan hatten. Gleichwohl sollte man beachten, daß sich diese Streiks in aller Regel gegen die Kriegspolitik der Regierung richteten, nicht aber gegen die Unternehmerschaft, obschon ökonomische Faktoren, normalerweise Engpässe in der Versorgung mit notwendigen Nahrungsmitteln oder Gütern, dabei vielfach auslösend gewesen sind.

Die Gründung der USPD im Jahre 1917 ging weitgehend auf fundamentale Meinungsverschiedenheiten innerhalb des sozialistischen Lagers zurück, insbesondere über die Frage, ob die Strategie der wohlwollenden Tolerierung der kaiserlichen Regierungen noch gerechtfertigt war oder nicht. Dabei waren politische Gesichtspunkte dominant, insbesondere die steigende Irritation der Arbeiterschaft über die amtliche Kriegszielpolitik und die Verzögerung der Reform des preußischen Dreiklassenwahlrechts durch die Regierung und die konservativen Parteien. Lademacher hat mit Recht darauf aufmerksam gemacht, daß am Ende des Krieges die radikale Zimmerwalder Gruppe kaum Anhang in der deutschen Arbeiterklasse besaß, und dies ungeachtet der wachsenden Notlage der breiten Massen der Bevölkerung. Der Protest der Arbeiterschaft richtete sich primär gegen die Politik der Regierung und insbesondere gegen die Oberste Heeresleitung, die weiterhin auf einen Siegfrieden setzte, der weitreichende Annexionen in Ost und West ermöglichen würde. Dagegen lag die Sozialordnung als solche weit weniger unter Beschuß, als man angesichts der Tatsache, daß sozialistische Ideen eine große Anhängerschaft gewonnen hatten, hätte erwarten können. Es ist nicht zufällig, daß die Streikbewegung in dem Augenblick einen Höhepunkt erreichte, als das Scheitern der Verhandlungen in Brest-Litowsk jedermann klarmachte, daß die Reichsleitung und die Militärs immer noch auf einen Siegfrieden hinarbeiteten, und dies ungeachtet der außerordentlichen Notlage der Masse der Bevölkerung. Auch die revolutionäre Propaganda aus Rußland spielte dabei eine Rolle, aber sie hatte mit Sicherheit nur begrenzte Bedeutung. Vorherrschend war der Wunsch nach Frieden um jeden Preis, um den Entbehrungen der Unterschichten ein Ende zu setzen, gleichviel, welche politischen Folgen dies haben würde.

Seit Januar 1918 nahm die Unzufriedenheit der Industriearbeiterschaft demgemäß weiter zu und ließ sich immer weniger von den Gewerkschaften und der sozialdemokratischen Parteiführung unter Kontrolle halten, die weiterhin an der Politik loyaler Unterstützung der Kriegsanstrengung festhielt. Aber einstweilen war die Arbeiterschaft in keiner Weise revolutionär im sozialistischen Sinne eingestellt. Die Stoßrichtung der Streiks und Protestaktionen richtete sich eindeutig gegen das Regierungssystem und gegen die Politik der kaiserlichen Regierung sowie insbesondere gegen die militärischen Autoritäten, denen man in Kreisen der Arbeiterschaft tief mißtraute, nicht gegen das ökonomische System als solches. Die wachsende Protesthaltung der Arbeiterschaft war nicht nur eine Folge zunehmender Entbehrungen und Desillusionierung; darin kam zugleich das Bewußtsein zum Ausdruck, daß das Gewicht der Arbeiterschaft innerhalb des Systems nicht länger mißachtet werden dürfe. Die Arbeiter waren sich zunehmend stärker der Tatsache bewußt geworden, daß das Funktionieren der Kriegsmaschine weitgehend von ihrer Arbeitsbereitschaft abhängig war. Das wird bestätigt durch das Verhalten der Behörden. Diese nahmen mehr und mehr davon Abstand, gegen Proteste und Streikaktionen der Arbeiterschaft mit den bisher üblichen Methoden rigoroser Unterdrückung vorzugehen, sondern bemühten sich um ein elastisches Vorgehen. Sie wurden dabei von der Sorge geleitet, daß ansonsten eine Flutwelle der Proteste ausgelöst werden könnte, die sich dann nicht mehr länger kontrollieren lassen würde. Indirekte Methoden wie die Einziehung der Streikführer oder bekannter Repräsentanten der extremen Linken wurden freilich weiterhin in großem Umfange angewendet.

Ungeachtet der wachsenden Unzufriedenheit und der zunehmenden Verschlechterung der Versorgung der breiten Massen war die große Mehrheit der Arbeiterschaft freilich immer noch bereit, der loyalen Politik der Parteiführung der Sozialdemokratischen Partei zu folgen. Nur am Rande tauchten syndikalistische und extrem linksgerichtete Tendenzen auf, aber diese waren, rein zahlenmäßig gesehen, einstweilen noch unbedeutend. Es mag paradox klingen, aber die Arbeiterklasse hatte nicht das Gefühl, daß sie sich im Lager der Verlierer befinde. Zumindest die Führer der Gewerkschaften und der Mehrheits-Sozialdemokratie waren überzeugt, daß man an der bisherigen Politik festhalten müsse, und dies nicht nur aus nationalen Gründen, sondern auch, weil die volle Emanzipation der Arbeiterschaft innerhalb des bestehenden sozio-politischen Systems durchaus in Reichweite gerückt zu werden schien. Ingesamt darf man sagen, daß seit 1917 die politische, aber auch die ökonomische Verhandlungsposition der Arbeiterbewegung zunehmend stärker geworden war – und die Führer der Arbeiterschaft waren sich dessen durchaus bewußt.

Dies erklärt, warum die deutsche Revolution von 1918/19 keine sozialistische Revolution gewesen ist, obwohl die politische Macht den sozialistischen Parteien über Nacht in den Schoß fiel, ohne daß sie dafür hatten kämpfen müssen. Ebenso ist ersichtlich, warum diese Revolution sich niemals in eine sozialistische Revolution weiterentwickelt hat, wie auch immer bedrohlich sich die Dinge zu Zeiten aus bürgerlicher Sicht darstellten. Allerdings kam es zu einer massiven Protestwelle der Arbeiterschaft gegen das bestehende System, bei der jene Gruppen der industriellen Arbeiterschaft die Führung innehatten, die bisher politisch nicht organisiert gewesen waren und die mit syndikalistischen Strategien, die unverzügliche Ergebnisse erwarten ließen, sympathisierten. Diese Protestwelle brach einigermaßen verspätet im Januar und Februar 1919 los und kam erst mit dem Ende des Ruhrkampfes im Jahre 1920 definitiv zu einem Ende.

Diese Bewegungen hatten der Sache nach jedoch wenig mit der offiziellen sozialistischen Politik, sei es der Mehrheits-Sozialdemokratie, sei es der Kommunisten, zu tun. Vielmehr waren diese Protestbewegungen von einer Vielfalt vager syndikalistischer und sozialistischer Ideen beeinflußt, die sich von wissenschaftlichem Sozialismus, ob im marxistischen, im kautskyanischen oder im bernsteinschen Sinne, klar unterschieden. Am Ende gelang es den Mehrheits-Sozialdemokraten mit der Unterstützung der Deutschen Demokratischen Partei und der Zentrumspartei, die Kontrolle über die Massenstreikbewegung der ersten Hälfte des Jahres 1919 zurückzugewinnen. Dies wurde ermöglicht teilweise deshalb, weil während der Revolutionsphase sowohl die Regierung wie auch die Unternehmer geneigt waren, den ökonomischen Forderungen der Arbeiterschaft so weit wie möglich entgegenzukommen, um diese nicht noch stärker zu radikalisieren. Unter diesen Umständen wurden Lohnerhöhungen sehr häufig ohne Zögern konzediert. Dementsprechend gelang es der Industriearbeiterschaft, hinsichtlich des Lohnniveaus die Verluste der Kriegszeit wieder weitgehend wettzumachen, und dies ganz offensichtlich wesentlich schneller, als dies anderen Sozialgruppen möglich gewesen ist. Allerdings muß man hinzufügen, daß diese Gewinne dann während der Periode der Hochinflation im Jahre 1921/22 weitgehend wieder verlorengegangen sind.

Im übrigen bestätigt die neuere Forschung über die deutsche Inflation, daß Regierung und Unternehmerschaft während der Revolutionsperiode ein relativ hohes Lohnniveau ebenso wie Vollbeschäftigung für politisch unverzichtbar angesehen haben. Dies wurde dem Ziel einer gesunden Haushaltspolitik vorgeordnet, auch wenn dies die Gefahr in sich schloß, die Inflation stärker zu beschleunigen. Knut Borchardt hat die Ansicht vertreten, daß das demokratische Experiment von Weimar nur möglich gewesen ist, weil die Staatshaushalte mit inflationären Methoden finanziert worden seien. Mit seinen Studien über die Weltwirtschaftskrise und die Wirtschaftspolitik der Weimarer Republik hat Borchardt eine leidenschaftliche Debatte über die Frage ausgelöst, ob das Lohnniveau der deutschen Arbeiterschaft während der 20er Jahre nicht zu hoch gewesen sei, um die deutsche Industrie international konkurrenzfähig zu erhalten. Wenn dieses Argument zutreffend ist, dann liegt die Folgerung nahe, daß dieses Phänomen den sozio-ökonomischen Konsequenzen des Ersten Weltkrieges zugerechnet werden muß.

Wie immer diese Frage entschieden werden wird, eines scheint sicher, nämlich daß es nicht in erster Linie die Polarisierung zwischen einer verarmten Arbeiterklasse und einer bürgerlichen Unternehmerklasse gewesen ist, die den Gang der Dinge in Deutschland nach dem Ende des Krieges entscheidend bestimmt hat, sondern vielmehr der Niedergang der traditionellen Mittelschichten der Gesellschaft. Diese schrieben in der Folge die Schuld für ihr eigenes Unglück der politischen Linken zu und lösten damit einen Prozeß der fortschreitenden Destabilisierung des politischen Systems der Weimarer Republik aus. Im Gegensatz dazu hielten sowohl die Führer der Gewerkschaften wie die Unternehmer im November 1918 den Zeitpunkt für gekommen, um das sozioökonomische System auf der Grundlage der Sozialpartnerschaft von Unternehmern und Arbeiterschaft zu stabilisieren. Die Gewerkschaften sahen darin eine einmalige Chance, um den Einfluß auf die Wirtschaftspolitik, den sie während des Krieges gewonnen hatten, zu konsolidieren und ihm in der Arbeitsgemeinschaft, die am 10. November 1918 begründet wurde, eine institutionalisierte Form zu verleihen. Ob dies in erster Linie ein Schritt gewesen ist, mit dem die Gewerkschaften einen radikalen Umsturz verhindern wollten, wie Borchardt darlegt, ist eine offene Frage. Zuallererst sahen die Gewerkschaften darin eine Möglichkeit, ihre Terraingewinne des Krieges auf Dauer zu stellen und sich auf den Kommandohöhen der Wirtschaft fest zu etablieren. Allerdings wurde das Abkommen zwischen den Gewerkschaften und den Unternehmern vom November 1918 von der Arbeiterschaft nicht honoriert, wie die Führer der Gewerkschaften zuversichtlich angenommen hatten. Die Arbeiter zogen es während der zweiten Phase der Revolution vor, ihre ökonomischen und politischen Interessen mit Hilfe der Strategie der »direkten Aktion« zu verfolgen, einschließlich der Forderung nach Sozialisierung der Großbetriebe. Sie verstanden darunter freilich nicht die Überführung des Wirtschaftssystems in eine zentral gesteuerte Wirtschaftsordnung mit einem großen bürokratischen Apparat, sondern vielmehr die Verwaltung der Großbetriebe durch die betriebseigene Arbeiterschaft selbst.

Dies weist darauf hin, daß es nicht in erster Linie die Arbeiterschaft war, die während des Krieges sozioökonomische Statusverluste, verglichen mit ihrer Vorkriegssituation, hatte hinnehmen müssen. Vielmehr waren die wirklichen Verlierer die Mittelschichten und insbesondere die Beamtenschaft, die Angestellten und Teile des Handwerks, die ja ohnehin eine etwas prekäre Mittellage zwischen der Wirtschaft und der Arbeiterschaft einnahmen. Ohnedies hatten die Mittelschichten indirekte Verluste hinnehmen müssen, weil sie einen erheblichen Teil ihrer Ersparnisse in am Ende wertlosen Kriegsanleihen investiert hatten. Die Schwächung des sozioökonomischen Status dieser Sozialgruppen (die man einigermaßen unpräzise als Teil des alten Mittelstandes beschreiben kann) als Folge des Ersten Weltkriegs läßt sich nicht leicht in quantitativen Daten nachweisen, aber sie ist unmittelbar einsichtig. Allerdings muß sogleich hinzugefügt werden, daß der Sozialstatus dieser Gruppen im Zuge der Ausbildung einer fortgeschrittenen Industriegesellschaft ohnedies seit langem einem Prozeß gradueller Erosion ausgesetzt gewesen war.

Die relative Zunahme der Lohnquote, mit anderen Worten des Verhältnisses der Lohneinkommen im Verhältnis zur Gesamtbevölkerung während und nach dem Ersten Weltkriege, darf ebenfalls als signifikanter Indikator dieses sozioökonomischen Umschichtungsprozesses angesehen werden. Ob dieser Prozeß als »Depossedierung des alten Mittelstandes« beschrieben werden kann, ist eine offene Frage. Vielleicht sollte man besser davon sprechen, daß es als Folge des Krieges zu einer außerordentlich raschen Durchsetzung von Sozialstrukturen, wie sie fortgeschrittenen Industriegesellschaften eigentümlich sind, auf Kosten herkömmlicher sozialer Ordnungen gekommen ist. Aber angesichts der großen Geschwindigkeit, mit der sich diese Umschichtungen vollzogen, blieb diesen Sozialgruppen nicht genügend Zeit, um sich allmählich auf die neuen Ver-

hältnisse einzustellen. Demgemäß reagierten sie auf die Entwicklung mit großer Erbitterung und politischer Radikalisierung.
Dies erklärt wiederum teilweise, warum die Mittelschichten im Deutschland der Weimarer Republik wesentlich anfälliger für antimarxistische Propaganda gewesen sind als in anderen europäischen Ländern. In dieser Perspektive war der bittere Streit über die Ursachen der Niederlage und den Frieden von Versailles nicht mehr und nicht weniger als ein Reflex der bedrängten sozioökonomischen Lage der Mittelschichten. Es ist demgemäß nicht überraschend, daß sie zunehmend der politischen Rechten und schließlich dem Nationalsozialismus ihre Unterstützung gaben und damit in gewisser Weise das Schicksal der Weimarer Republik von vornherein besiegelten. Man soll die Ursachen des Aufstiegs des Faschismus nicht vordatieren, aber es ist unübersehbar, daß unter solchen Bedingungen das Versprechen, Deutschland vom Marxismus, zugleich aber auch von den Exzessen des Kapitalismus zu befreien, in breiten Kreisen auf große Zustimmung rechnen konnte. Das gleiche gilt für die antimodernistische Propaganda des Nationalsozialismus (die allerdings nicht mit ihrer Politik geineins gesetzt werden sollte). Diese versprach die Rückkehr zu einer Gesellschaft, in der die Bauern, die kleinen Geschäftsleute, die Handwerker und die Kaufleute nicht länger dem unerbittlichen Druck der Konkurrenz der Großbetriebe ausgesetzt sein würden.
Desgleichen sollte berücksichtigt werden, daß die Kriegswirtschaft und die ökonomischen Entwicklungen, die durch ein unter den Bedingungen des Krieges gefärbtes Marktsystem hervorgerufen waren, dazu beigetragen haben, die schweren Ungleichgewichte in der ökonomischen Struktur des Deutschen Reiches zu verschärfen. Die Schwerindustrie hatte erhebliche Überkapazitäten aufgebaut. Darüber hinaus war während des Krieges den Problemen der technologischen Innovation und einer günstigen Kostenstruktur weniger Aufmerksamkeit zugewandt worden. Infolgedessen hatte ihre Konkurrenzfähigkeit gelitten. Die chemische Industrie, die während des Krieges ebenfalls enorm gewachsen war, erwartete eine Lösung ihrer Probleme in erster Linie von einer Kartellisierung, die eine Kontrolle der Preise im Binnenmarkt ermöglichen würde; außerdem dachte man daran, auch auf den internationalen Märkten zum Mittel der Kartellabsprache zu greifen. Die Banken, die während des Krieges relativ gut gefahren waren, zeigten sich durchaus bereit, der Industrie auf solchem Wege zu folgen. Hingegen haben sich die Kleinbetriebe von den staatlichen Eingriffen, die während des Krieges vorgenommen wurden, niemals erholt. Im Jahre 1915 betrug der Anteil der Selbstbeschäftigten in Industrie und Handwerk 15,3%. Bis zum Jahre 1925 sank dieser auf 10,7%. Im Handel und Verkehr fiel der Rückgang der Selbstbeschäftigten noch deutlicher aus; ihr Anteil sank von 29,1% im Jahre 1907 auf

21,6% im Jahre 1925. Allerdings kann dies nicht ausschließlich auf die Kriegseinwirkungen zurückgeführt werden; aber auch hier dürfte der Krieg die Entwicklung beschleunigt haben.

Mit Sicherheit haben die Ungleichgewichte in der ökonomischen Struktur, die sich aus den Bedingungen währen des Ersten Weltkrieges herleiten lassen, die wirtschaftlichen Probleme der Weimarer Republik erheblich verschärft; aber auch dies sollte sich erst in vollem Ausmaß nach dem Ende der vergleichsweise günstigen Konjunkturperiode von 1924 bis 1928 und dem Beginn der Wirtschaftskrise herausstellen. Es ist nicht überraschend, daß die Unternehmer demgemäß zur Ansicht gelangten, daß es nur einen Ausweg gebe, nämlich die Sozialausgaben drastisch zu beschneiden und auf diese Weise die Lohnkosten zu senken. Als sich die demokratischen Regierungen unwillig oder unfähig zeigten, entsprechend zu verfahren, begann man, nach autoritären Alternativen Ausschau zu halten; zumindest aber schien klar, daß man diesen jedenfalls nicht entgegentreten solle, wenn sie aus anderen Gründen vorgeschlagen würden.

Schließlich sei noch ein Wort zur Landwirtschaft während der Zwischenkriegszeit angefügt. Wie bereits dargelegt wurde, waren die Kriegsjahre relativ gute Jahre für den agrarischen Sektor. In der Nachkriegszeit sah sich die Landwirtschaft jedoch mit einem Schlage uneingeschränkt internationaler Konkurrenz ausgesetzt, und es ist demgemäß nicht erstaunlich, daß sowohl der Großgrundbesitz wie die Bauernschaft den Blick zurück auf die glücklichen Tage richteten, in denen der Staat sie vor überseeischer Konkurrenz geschützt und ihnen erhebliche Steuererleichterungen und andere Vorteile sowohl direkter wie indirekter Art gewährt hatte. Ihnen fiel es am schwersten, sich den neuen Bedingungen anzupassen. Nicht zufällig gehörten die Bauern zu den frühesten Mitläufern des Nationalsozialismus. Die großgrundbesitzende Aristokratie hingegen hat wesentlich dazu beigetragen, die Koalition zwischen der traditionellen Rechten und dem Nationalsozialismus zu schmieden, die Hitler den Weg in die Reichskanzlei gebahnt hat. Man darf demgemäß mit einigem Recht sagen, daß sich bereits während des Ersten Weltkrieges eine Gemengelage von sozioökonomischen Faktoren und geistigen Verhaltensweisen herausgebildet hat, die den Nährboden für das Wachstum eines extremen Nationalismus und am Ende für den Aufstieg des Nationalsozialismus zur Macht abgegeben hat.

(Übersetzt aus dem Englischen von Petra Krauß)

# Die deutsche Revolution 1918–1920: Politische Revolution und soziale Protestbewegung

Die revolutionären Bewegungen, in denen das deutsche Kaiserreich am Ende des Ersten Weltkrieges zugrunde ging und die in der älteren Forschung in einer die Vorgänge ganz unangemessen verkürzenden Weise Novemberrevolution genannt zu werden pflegen, bilden seit geraumer Zeit einen bevorzugten Gegenstand der historischen Forschung nicht nur in der Bundesrepublik und der DDR, sondern auch in den angelsächsischen Ländern.[1] Dies liegt zunächst daran, daß der Verlauf und die Ergebnisse der Revolution die künftige Entwicklung der politischen Verhältnisse in maßgeblicher Weise bestimmt haben; das Scheitern der unzureichend fundierten demokratischen Neuordnung von Weimar und der Aufstieg des Nationalsozialismus zur Macht sind für Europa, ja die ganze Welt, von schicksalhafter Bedeutung gewesen. Schon Arthur Rosenberg hat die Frage aufgeworfen, ob nicht bei einem anderen Verlauf der Revolution, der zu tiefgreifenderen Veränderungen der deutschen Gesellschaft geführt hätte, eine stabilere Fundamentierung für eine deutsche Demokratie hätte erreicht werden können.[2] Um dieses Problem kreist die gesamte neuere Forschung; mit wechselnden Argumenten und mit unterschiedlicher Intensität wirft sie insbesondere der Mehrheits-Sozialdemokratie vor, die Gunst der Stunde nicht genutzt zu haben, und, statt die Revolution bis zu dem Punkte weiterzutreiben, an dem die Grundlagen für eine wirkliche demokratische Neuordnung gelegt gewesen seien, diese nicht nur nicht gewollt, sondern mit allen verfügbaren Mitteln abgestoppt zu haben, noch bevor sie eigentlich zu voller Entfaltung gekommen war. Von jeweils verschiedenen Ausgangspunkten her hat sich die große Mehrzahl der neueren Autoren darum bemüht, die Ereignisse nach Ansätzen und Anhaltspunkten für mögliche alternative Positionen abzu-

1 Statt eines ausführlichen Nachweises sei hier verwiesen auf die vorzügliche zusammenfassende Übersicht über die neuere Literatur von Hartmut Pogge von Strandmann, Die Deutsche Revolution von 1918, in: Deutschlandstudien, Bd. 2, hrsg. von Robert Picht, Bonn 1975, S. 49–74; sowie die jüngst erschienene Gesamtbibliographie von Georg P. Meyer, Bibliographie zur deutschen Revolution 1918/19, Göttingen 1977.

2 Arthur Rosenberg, Entstehung der Weimarer Republik, Berlin 1928, Neudruck Frankfurt 1969, u. ö.

klopfen, um diese dann, zu idealtypischen Maßstäben verdichtet, dem Handeln und Denken der führenden Gruppen als potentiellen Gegenentwurf vorzuhalten. Dieses Verfahren, das als solches wissenschaftlich durchaus als legitim gelten darf, soweit und solange der hypothetische Charakter solcher Gegenentwürfe offen deklariert wird, hat zu einer wesentlichen Erweiterung unserer Kenntnisse der Revolutionsperiode geführt und zugleich zur Entwicklung neuer Urteilskriterien beigetragen, die, gleichviel, ob sie berechtigt sein mögen oder nicht, eine wesentlich genauere Bestimmung der historischen Bedeutung der deutschen Revolution 1918/20 ermöglicht haben.
Freilich verband und verbindet sich mit der Suche nach potentiellen politischen Alternativen, mit Hilfe derer gegebenenfalls der Revolution eine ganz andere, heilsamere Richtung hätte gegeben werden können, zugleich das Bemühen um die Legitimierung politischer Positionen, die von jener der »konstitutionellen Demokratie« westlich-parlamentarischen Typs mehr oder minder stark abweichen. Seit dem Erwachen der Studentenbewegung und der »Neuen Linken«, die beide einem romantisch-utopischen Marxismus nichtautoritären Charakters das Wort redeten, wurde Ende der 60er Jahre die deutsche Revolution 1918/20 vollends zu einem Debattierfeld, das der historischen Verifikation möglicher Alternativkonzeptionen zur parlamentarischen Demokratie diente. Insbesondere das Rätesystem, um dessen permanente Erhaltung die sozialistische Linke spätestens seit Ende 1918 mit großer Erbitterung gekämpft hat, ohne doch bei den Mehrheits-Sozialdemokraten dafür nennenswertes Verständnis zu finden, stand im Mittelpunkt der allgemeinen Aufmerksamkeit. Allerdings waren die führenden Arbeiten über die Räteproblematik schon vor dem Aufflammen des »romantischen Neo-Marxismus« entstanden, in partieller Antizipation von Vorstellungen, die in den 60er Jahren in der jüngeren Generation weiteste Verbreitung finden sollten. In diesem Zusammenhang sind insbesondere die Untersuchungen von Tormin, Kolb und v. Oertzen zu nennen, die die Rätebewegung erstmals als ein im Kern positiv zu wertendes Phänomen, nämlich als spezifische Form spontanen demokratischen Handelns, beschrieben.[3] Die DDR-Forschung hatte die deutsche Revolution von Anfang an als ein historisches

3 Walter Tormin, Zwischen Rätediktatur und sozialer Demokratie. Die Geschichte der Rätebewegung in der deutschen Revolution 1918/19, Düsseldorf 1954; Eberhard Kolb, Die Arbeiterräte in der deutschen Innenpolitik 1918/19, Düsseldorf 1962; Peter von Oertzen, Die großen Streiks der Ruhrbergarbeiterschaft im Frühjahr 1919. Ein Beitrag zur Diskussion über die revolutionäre Entstehungsphase der Weimarer Republik, in: Vierteljahreshefte für Zeitgeschichte 6 (1958), jetzt auch in Eberhard Kolb (Hrsg.), Vom Kaiserreich zur Weimarer Republik, Köln 1972, S. 185–217; ders., Betriebsräte in der Novemberrevolution. Eine politikwissenschaftliche Untersuchung über Ideengehalt und Struktur der betrieblichen und wirtschaftlichen Arbeiterräte in der deutschen Revolution 1918/19, Düsseldorf 1963. Diese Inter-

Phänomen beansprucht, das allein der Vorgeschichte der DDR angehöre, während die Bundesrepublik das späte Produkt der antirevolutionären Kräfte von 1918/19 darstelle; allerdings taten sich diese Studien von Anfang an schwer, zu dem diffusen Phänomen der Arbeiter- und Soldatenräte, die, gemessen am Maßstab eines erstarrten marxistisch-leninistischen Geschichtsbildes, zwar bisweilen und namentlich in den Anfängen der Revolution eine progressive, in den entscheidenden Momenten des revolutionären Prozesses jedoch eine »reaktionäre« Haltung eingenommen hatten, eine kohärente Position zu beziehen.[4]

Als Frucht dieser Tendenzen liegt heute eine große Zahl neuerer Arbeiten vor, die vor allem der Entwicklung der Rätebewegung nachgegangen sind. Vergleichsweise weniger stark erforscht wurden hingegen die Prozesse und Entwicklungen innerhalb der einzelnen Parteien und Gruppen, die in der Revolution eine führende Rolle gespielt haben. Darüber hinaus ist inzwischen eine große Zahl von Regionalstudien veröffentlicht worden, die, auch wenn sie von sehr unterschiedlicher Tendenz und Qualität sind, nunmehr eine präzise Analyse der revolutionären Abläufe nicht nur in den Metropolen, sondern im ganzen Lande ermöglichen. Insgesamt sind dadurch unsere Kenntnis, aber auch unsere Beurteilung der revolutionären Vorgänge auf eine neue Ebene erhoben worden, ungeachtet der unterschiedlichen Tendenzen, die in diesen Arbeiten zum Ausdruck kommen. Selbstverständlich ist auch die ältere Forschung in erheblichem

pretationslinie wurde zudem durch umfassende Editionen, namentlich jene der Protokolle des Zentralrats der Arbeiter- und Soldatenräte durch Eberhard Kolb/Reinhard Rürup, Der Zentralrat der deutschen sozialistischen Republik 19.12.1918 bis 8.4.1919. Vom ersten zum zweiten Rätekongreß, Bd. 1, Leiden 1968, zusätzlich gestützt. Vgl. auch die zusammenfassenden Darlegungen von Eberhard Kolb in seinem Aufsatz, Rätewirklichkeit und Räteideologie in der deutschen Revolution von 1918/19, ursprünglich erschienen in: Helmut Neubauer (Hrsg.), Deutschland und die russische Revolution, Stuttgart 1968, S. 94–110, jetzt in Kolbs oben zitiertem Sammelband, S. 165–184.

4 Vgl. dazu Hans Dähn, Die lokale und regionale Revolutions- und Rätebewegung 1918/19 in der DDR-Geschichtsschreibung, in: Archiv für Sozialgeschichte 15 (1975), S. 452–470; ferner Lutz Winckler, Die Novemberrevolution in der Geschichtsschreibung der DDR, in: Geschichte in Wissenschaft und Unterricht 21 (1970), S. 216–234; A. Decker, Die Novemberrevolution und die Geschichtswissenschaft der DDR, in: Internationale Wissenschaftliche Korrespondenz zur Geschichte der Arbeiterbewegung 10 (1974), S. 269–299. Charakteristisch für die Zwiespältigkeit der Beurteilung der Räte durch die DDR-Historie, ungeachtet eines fest vorgegebenen marxistisch-leninistischen Interpretationsrahmens, ist der dem Räteproblem gewidmete Bd. 17 (1969) der Zeitschrift für Geschichtswissenschaft. Klaus Mammach vertritt in seiner Abhandlung: Die Bedeutung der Novemberrevolution (ebenda, S. 209–212) die These, daß die Räte im wesentlichen ein Werkzeug der Konterrevolution gewesen seien, während Diehl (Die Bedeutung der Novemberrevolution 1918, ebenda, S. 14–32) einräumt, daß die Räte eine Chance zu einer demokratischen Entwicklung geboten hätten. Vgl. auch den kurzen Überblick von H.-J. Fieber/Heinz Wohlgemuth, Forschungen zur Novemberrevolution und zur Gründung der KPD, in: Historische Forschungen in der DDR 1960–1970, Sonderband der Zeitschrift für Geschichtswissenschaft 18 (1970), S. 508–514.

Maße von zeitbedingten erkenntnisleitenden Interessen und politischen Bewertungskriterien abhängig gewesen, die in gewisser Hinsicht als Reflex der jeweils in der deutschen Gesellschaft vorherrschenden politischen Grundhaltungen zu gelten haben. Dies wird im Rückblick auf die bisherige Forschungsentwicklung unmittelbar deutlich. Im einzelnen lassen sich seit 1945 mehrere Phasen der Entwicklung der Forschung zur Revolution von 1918/19 unterscheiden: Am Anfang stand eine historische Beurteilung der Revolutionsperiode, die, in Entgegensetzung zur demagogischen Propaganda der deutschen Rechten der Zwischenkriegszeit und dann des Nationalsozialismus insbesondere gegen die sogenannten »Novemberverbrecher«, die positive Leistung der Mehrheits-Sozialdemokratie hervorhob. Die Mehrheits-Sozialdemokraten hätten durch eine realistische, verantwortungsvolle Politik des Augenmaßes unter Zurückstellung eigener Ziele und nicht ohne schwere Opfer die deutsche Gesellschaft vor dem Versinken in einer kommunistischen Diktatur bewahrt und die Begründung des demokratischen Staates von Weimar erst möglich gemacht. Unter den obwaltenden Umständen sei der Handlungsspielraum der Mehrheits-Sozialdemokratie auf die Wahl zwischen einem »konkreten Entweder-Oder der sozialen Revolution im Bund mit den auf eine proletarische Diktatur hindrängenden Kräften und der parlamentarischen Republik im Bund mit konservativen Elementen wie dem Offizierskorps« beschränkt gewesen, wie Karl Dietrich Erdmann geurteilt hat.[5] Als flankierende Abstützung dieser Interpretation wurde darauf hingewiesen, daß die weitgehenden Kompromisse, die die Sozialdemokraten mit den konservativen Kräften eingingen und deren problematischer Charakter als solcher kaum bestritten wird, erst infolge der Zuspitzung der revolutionären Entwicklungen, die durch die Unterwanderung eines Teils der deutschen Arbeiterbewegung von kleinen, von Rußland aus dirigierten kommunistischen Gruppen eingetreten sei, unvermeidlich geworden seien.

In den 50er Jahren wurde allerdings die schon zeitgenössische Annahme, daß sowohl indirekte Einflüsse wie auch direkte Interventionen von seiten des bolschewistischen Rußland in wesentlichem Maße auf den Verlauf der deutschen Revolution eingewirkt hätten, zunehmend falsifiziert. Be-

5 Bruno Gebhardt, Handbuch der deutschen Geschichte, Stuttgart 1959, Bd. 4, Die Zeit der Weltkriege, S. 88. In den späteren Auflagen hat Erdmann diese Ansicht dann jedoch abgeschwächt. Ungleich undifferenzierter, freilich noch ohne Berücksichtigung der Arbeiten von Tormin und von Oertzen, urteilte Hans Herzfeld (Die Moderne Welt 1789–1945, T. 2, Weltmächte und Weltkriege. Die Geschichte unserer Epoche 1789–1945, Braunschweig 1952, S. 240) zu Beginn der fünfziger Jahre, daß die Mehrheits-Sozialdemokratie »die Übernahme des russischen Rätesystems und die Errichtung einer Diktatur des Proletariats verhindert« habe.

reits Walter Tormin zerstörte in seiner 1954 erschienenen Untersuchung »Zwischen Rätediktatur und sozialer Demokratie. Die Geschichte der Rätebewegung in der deutschen Revolution 1918/19«[6] den verbreiteten Mythos vom bolschewistischen Charakter der Rätebewegung; er wies nach, daß die Rätebewegung, obwohl sie fraglos vom russischen Vorbild inspiriert gewesen ist, im wesentlichen nicht die »Diktatur des Proletariats«, sondern eine neuartige Form der »sozialen Demokratie« angestrebt habe. Die Dissoziierung der Rätebewegung von kommunistischen Zielsetzungen wurde flankierend unterstützt durch die Ergebnisse der Arbeiten Anweilers, aus denen sich ergab, daß auch die russische Rätebewegung ursprünglich nichts mit Bolschewismus zu tun gehabt hat, sondern erst relativ spät von der leninistischen Bewegung zur Durchsetzung ihrer revolutionären Zielsetzungen ausgenutzt worden ist.[7] Erst nach erfolgreicher Unterwanderung der Arbeiterräte unmittelbar vor der Oktoberrevolution hätten die Bolschewiki die Räte als geeignete Instrumente für ihre Machtergreifungsstrategie erkannt und die Parole »Alle Macht den Räten« ausgegeben. Das Auftreten von Arbeiterräten ähnlichen Typs im Ungarn-Aufstand von 1956 dürfte inzwischen auch die hartnäckigen Vertreter der These, daß Rätesystem und Kommunismus miteinander identisch seien, eines Besseren belehrt haben. Davon abgesehen hat die neuere Forschung den Nachweis zu führen vermocht, daß die Mehrheits-Sozialdemokratie den Vorwurf, die Räte betrieben eine Politik der Bolschewisierung, teilweise sogar wider besseres Wissen zur Legitimierung ihrer eigenen – der Sache nach antirevolutionären – Politik verwendet hat.[8]

Beginnend mit den Arbeiten von Matthias Kolb, v. Oertzen und Rürup hat dann ein breiter Strom von Untersuchungen über die Rolle der Rätebewegung während der deutschen Revolution 1918/20 die ältere Annahme, daß die Arbeiter- und Soldatenräte Instrumente einer Revolutionierung der deutschen Gesellschaft im kommunistischen Sinne gewesen seien, vollends erschüttert. Es erwies sich, daß die Arbeiter- und Soldatenräte primär als spontan entstandene Organe einer provisorischen demokratischen Selbstorganisation der Gesellschaft in einer Situation völligen Machtverfalls der traditionellen Herrschaftsorgane zu gelten haben. Die Soldaten- und Arbeiterräte bildeten sich überall in einem Augenblick, als die Autorität der traditionellen Gewalten infolge eines plötz-

6 Vgl. Anm. 3.

7 Oskar Anweiler, Die Rätebewegung in Rußland 1905–1921, Leiden 1958; ders., Der revolutionsgeschichtliche Zusammenhang des Rätesystems, in: Politische Vierteljahresschrift, Sonderheft 2, 1970.

8 Siehe vor allem Peter Lösche, Der Bolschewismus im Urteil der deutschen Sozialdemokratie 1903–1920, Berlin 1967.

lichen Legitimitätsentzugs durch die breiten Massen der Bevölkerung zusammengebrochen war oder doch kraftlos am Boden lag. Schon Matthias hat betont, daß es sich bei den Arbeiter- und Soldatenräten um eine spontane Massenbewegung gehandelt habe, die von den Soldaten ausgegangen sei und dann auf die Arbeiter übergegriffen habe. Ähnlich urteilte Kolb, daß die Räte die geeignete Form gewesen seien, um der Auflehnung der Bevölkerung gegen die restlos diskreditierten alten Gewalten politischen Ausdruck zu geben. Über die ideologische Ausrichtung der Rätebewegung im einzelnen gingen die Meinungen weiterhin auseinander; doch in einem Punkt konnte hinfort kein Zweifel mehr bestehen, daß nämlich die Arbeiter- und Soldatenräte grundsätzlich eine Reorganisation der deutschen Gesellschaft auf demokratischer Grundlage und insbesondere eine Entmachtung der traditionellen militärischen Instanzen angestrebt haben, während ihre Auffassungen über die Wünschbarkeit der Sozialisierung und deren konkrete Realisierung höchst unterschiedlich und im allgemeinen ziemlich vage gewesen sind. Erst seit den Januarkämpfen in Berlin 1919, die die zweite Phase der Revolution eröffneten, kam es auf breiterer Front zu einer Radikalisierung der Räte; nunmehr gelang es der USPD und dem Spartakusbund, in vielen Fällen in den lokalen Räteorganisationen die Mehrheit zu gewinnen und diese für ihre politischen Zielvorstellungen einzuspannen, während sich die Vertreter der Mehrheits-Sozialdemokratie nicht selten aus den Räten zurückzogen. In den politischen Metropolen hingegen mißlangen die Versuche der Linken, mit Hilfe der Räteorganisationen politische Macht zu gewinnen, zumeist in spektakulärer Weise.

Auf der Grundlage dieser Ergebnisse hat die neuere Forschung überwiegend die Ansicht vertreten, daß die Mehrheits-Sozialdemokratie das »demokratische Potential der Arbeiter- und Soldatenräte« verkannt und demgemäß die historische Chance, gestützt auf die Rätebewegung eine gründlichere Demokratisierung der deutschen Gesellschaft durchzuführen, versäumt habe. Statt sich vorschnell auf ein Bündnis mit dem Offizierskorps und den rasch wieder erstarkenden bürgerlichen Kräften einzulassen, hätte die Sozialdemokratie die Revolution bis zu dem Punkte vorantreiben sollen, der eine weitgehende Eliminierung der antidemokratischen Residuen in der deutschen Gesellschaft erlaubt und ein gesichertes gesellschaftliches Fundament für die künftige demokratische Ordnung gebracht haben würde.[9] Am weitesten in dieser Richtung ist von

9 Am pointiertesten wird diese These bei Kolb (Räte-Wirklichkeit und Räte-Ideologie, S. 180ff.) sowie von Rürup in seiner Einleitung zu: Reinhard Rürup (Hrsg.), Arbeiter- und Soldatenräte im rheinisch-westfälischen Industriegebiet. Studien zur Geschichte der Revolution 1918/19, Wuppertal 1975, S. 8f., formuliert.

Oertzen gegangen, der die Errichtung einer auf die Räte gestützten »proletarischen Demokratie« bzw. eine Kombination von Rätesystem und parlamentarischer Ordnung als eine reale Alternative zur Weimarer Formaldemokratie betrachtete.[10] Auch Rürup hat in zahlreichen Publikationen auf die von seiten der Sozialdemokraten versäumte Chance hingewiesen, im Bunde mit den Räten den alten Obrigkeitsstaat und seine sozialen Fundamente gründlich zu zerstören und »eine tiefgreifende demokratische Umgestaltung der politischen, sozialen und ökonomischen Verhältnisse« durchzuführen, die einer demokratischen Ordnung als stabilere Grundlage gedient haben würde als die weiterhin durch und durch von traditionellen Strukturen bestimmte Weimarer Gesellschaft. Die Revolution habe ihre historische Zielsetzung, nämlich »die Befreiung der großen Masse des Volkes von politischen und sozialen Abhängigkeiten und die Begründung einer Verfassung der Freiheit« verfehlt; ihre Geschichte sei vielmehr »eine Geschichte ihrer fortschreitenden Zurücknahme« gewesen.[11]

Diese – von Rürup besonders prononciert vertretene – Interpretation darf, ungeachtet des Fortlebens älterer Auffassungen insbesondere in den Hand- und Lehrbüchern zur Geschichte der Weimarer Zeit, gegenwärtig als »herrschende Meinung« der Forschung gelten, auch wenn die Akzente im einzelnen verschieden gesetzt werden. Sie beruht unter anderem auf einer Prämisse, nämlich, daß die demokratische Ordnung nur dann Bestand haben könne, wenn nicht nur das politische System, sondern auch die Gesellschaft selbst den Prinzipien einer egalitären Demokratie entspreche, d. h. nicht nur die formelle, sondern – in Anlehnung an Lassalle – auch die reale Verfassung eines Landes demokratisch strukturiert sein müsse, soll eine Demokratie wirklich stabil und krisenfest sein. Die Erfahrung, daß die Weimarer Demokratie späterhin dem Ansturm insbesondere der Rechten nicht standhielt, bildet einen wesentlichen Stützpfeiler für diese Auffassung. Jedoch läßt sich nicht verkennen, daß ihr ein utopistisches Moment durchaus nicht fehlt, wie denn auch die Vertreter der These, daß man die deutsche Revolution 1918/20 bis zu einer materiellen Demokratisierung der deutschen Gesellschaft hätte vorantreiben müssen, über die konkrete Politik, die die Realisierung dieser Zielsetzungen hätte bringen sollen, ziemlich vage Aussagen machen; zumeist ist von Sozialisierung der Grundstoff- und Schlüsselindustrien, der Enteignung des Großgrundbesitzes, der Zerschlagung des alten Beam-

10 Vgl. von Oertzen, Betriebsräte in der Novemberrevolution, in der in verschlüsselter Form auch die Wiederkehr eines Rätesystems als Herrschaftssystem für möglich erklärt wird.
11 Reinhard Rürup, Probleme der Revolution in Deutschland 1918/19, Wiesbaden 1968, S. 50.

tenapparates und insbesondere des Offizierskorps die Rede, ohne jedoch die konkreten Wege anzugeben, auf denen dies hätte erreicht werden können, oder zu sagen, bis zu welchem Punkt dieser Prozeß hätte vorangetrieben werden sollen bzw. wann diesem Postulat Genüge geleistet gewesen wäre.

Alle diese Themen stehen und fallen mit der Annahme, daß die Arbeiter- und Soldatenräte ein »demokratisches Potential« dargestellt haben, welches jener Politik einer nicht bloß formalen, sondern substantiellen Demokratisierung der deutschen Gesellschaft die erforderliche Abstützung hätte geben können, sofern die sozialistischen Revolutionsregierungen diese als politische Partner anerkannt hätten, statt sie, wie dies zumeist der Fall gewesen ist, anfangs notgedrungen zu tolerieren und im Sinne der eigenen Zielsetzungen soweit wie angängig zu manipulieren, um diese dann, sobald die politischen Voraussetzungen dafür gegeben waren, zu beseitigen oder doch in das politische Abseits zu manövrieren.

Inzwischen liegt eine nahezu unüberschaubar gewordene Zahl von Regionalstudien über die Arbeiter- und Soldatenräte vor; darüber hinaus ist das Spektrum der Rätebewegung in wesentlich differenzierterer Weise untersucht worden als bisher. So sind die »Soldatenräte« als eine insbesondere in der ersten Phase der Revolution entscheidende Gruppe von Kluge systematisch untersucht worden;[12] Muth hat darüber hinaus die Aufmerksamkeit auf die Bauernräte gelenkt, die keineswegs nur, wie bislang angenommen wurde, im Zusammenhang der bayerischen Räterepubliken eine wichtige Rolle gespielt haben.[13] Nur die immerhin auch vorhandene Gruppe bürgerlicher Räte ist bislang nicht zureichend erfaßt worden, gutenteils, weil die erreichbaren Quellen darüber zumeist schweigen. Danach ist in der Tat nicht mehr daran zu zweifeln, daß die Arbeiter- und Soldatenräte insbesondere in der ersten Phase der Revolution, aber im Prinzip durchaus auch späterhin als eine politische Kraft angesehen werden müssen, die auf die Durchsetzung und Sicherstellung demokratischer Verhältnisse hinwirkte. Dies gilt jedoch keineswegs nur in Richtung der Förderung der revolutionären Prozesse. Die Durchsetzung demokratischer Grundsätze in Staat und Gesellschaft erforderte auch die Abwehr von linksradikalen putschistischen Aktionen und Bemühungen um die Mäßigung von Massenstreikaktionen, wie sie seit dem

12 Ulrich Kluge, Soldatenräte und Revolution. Studien zur Militärpolitik in Deutschland 1918/19, Göttingen 1975; ders., Militärrevolte und Staatsumsturz. Ausbreitung und Konsolidierung der Räteorganisationen im rheinisch-westfälischen Industriegebiet; ders., Der Generalsoldatenrat in Münster und das Problem der bewaffneten Macht im rheinisch-westfälischen Industriegebiet, beides in: Rürup (Hrsg.), Arbeiter- und Soldatenräte, S. 39–82 und 315–392.
13 Heinrich Muth, Bauernräte und Landarbeiterräte 1918, in: Vierteljahreshefte für Zeitgeschichte 21 (1973), S. 1–38.

Frühjahr 1919 in breitem Maße einsetzten. Obgleich die Arbeiter- und Soldatenräte sich seit dem Frühjahr 1919 insbesondere auf lokaler Ebene überwiegend erheblich stärker nach links hin orientierten, was teilweise dadurch verstärkt wurde, daß sich die Vertreter der Mehrheits-Sozialdemokratie aus diesen zurückzogen, kann doch, von einzelnen Ausnahmen abgesehen, gesagt werden, daß die Arbeiter- und Soldatenräte als solche keineswegs die Träger der Flutwelle von putschistischen Aktionen und Massenstreiks gewesen sind, die die deutsche Gesellschaft im Frühjahr und Frühsommer 1919 und dann noch einmal wieder im März/April 1920 erschüttert haben. Vielmehr wurden die Arbeiter- und Soldatenräte von diesen Entwicklungen, sofern sie nicht von vornherein eindeutig rechts von denselben anzusiedeln sind, selbst mitgerissen. Nur selten spielten sie dabei von Anfang an eine Führungsrolle. Die Initiative zur zweiten Welle der Revolution ging vielmehr spontan von den Arbeitermassen selbst aus, nicht von den Räten; und nicht zufällig traten nun Zechen- und Betriebsräte neben die Arbeiter- und Soldatenräte. Erst jetzt gelang es spartakistischen Gruppen, unterstützt von Teilen der USPD, in zahlreichen Arbeiterräten die Führung an sich zu reißen.

In der ersten Phase der Revolution von November bis Ende Dezember 1918 waren die Räte, als spontan entstandene Organe der Selbstorganisation der Gesellschaft, die eigentlichen Bannerträger der revolutionären Bewegung; die Stoßrichtung ihrer Aktivität richtete sich jedoch primär gegen die alten Gewalten. Nachdem im ersten Anlauf deren Sturz erreicht und den beiden sozialdemokratischen Parteien kampflos die Herrschaftsgewalt im Reich und in den Ländern zugefallen war, zumeist nahezu ohne deren Zutun, beschränkten sich die Arbeiter- und Soldatenräte auf die Niederhaltung der Kräfte der Reaktion. Nur in Ausnahmefällen entwickelten sie politische Initiativen, die sich direkt gegen die Politik des Rates der Volksbeauftragten richteten. Ganz im Gegenteil, dieser konnte sich der Arbeiter- und Soldatenräte im großen und ganzen als zuverlässige Bundesgenossen im Kampf gegen den Spartakusbund und die extreme Linke bedienen, welch letztere unverzüglich darangingen, die Rebellion gegen die alten Gewalten in eine sozialistische Revolution zu verwandeln.

Seit Ende Dezember 1918 und seit den Januarereignissen 1919 in Berlin wandelte sich das Bild mit der Veränderung des Charakters der Soldatenräte, die anfangs für einen gemäßigten Kurs innerhalb der Rätebewegung gesorgt hatten, jetzt aber in zunehmendem Maße gegen die Restaurationstendenzen innerhalb der Armee Front machten. Unter dem Einfluß einer allgemeinen Linksschwenkung in den breiten Massen der Arbeiterschaft gewannen nunmehr insbesondere in solchen Regionen, in denen der linke Flügel der Arbeiterbewegung auch bisher schon besonders stark gewesen war, linkssozialistische Vertreter in vielen lokalen und regionalen Räten entscheidenden Einfluß, während die Vertreter der MSPD nicht selten resignierten. Erst jetzt begann die Parole der sozialistischen Linken: »Alle Macht den Räten«, verbunden mit der Idee einer permanenten Institutionalisierung des Rätesystems, zu einer potentiellen Bedrohung für die Mehrheits-Sozialdemokratie zu werden. Die Linksschwenkung der Räte kam den beiden rivalisierenden linkssozialistischen Parteien, der USPD und der am 31. Dezember 1918 neugegründeten KPD freilich in weit geringerem Maße zugute, als man bislang angenommen hat. Die Radikalisierung der Arbeiterschaft, die seit Anfang 1919 einsetzte, vollzog sich vielmehr gleichsam quer zu dem überkommenen Parteispektrum innerhalb der Arbeiterbewegung. Im Zuge dieser Entwicklung kam es einerseits zu einer ganzen Reihe von Versuchen der anarchisch-utopistischen Linken, lokale oder regionale Räteregimente zu errichten, andererseits zu spontanen sozialen Protestaktionen weitreichender Art, die vielfach die etablierten Arbeiter- und Soldatenräte rechts liegenließen und sich direkt gegen den vermeintlichen Klassengegner, die großindustriellen Eigentümer, richteten. In diesen Fällen liefen die Arbeiter- und Soldatenräte meist hinter der Entwicklung her; sie bemühten sich einerseits, sich der radikalen Massenstimmung anzupassen, andererseits suchten sie spontane Streiks vielfach behutsam abzufangen.

Einen vollends anderen Charakter gewann die Rätebewegung – soweit diese nicht, wie in einigen Regionen, so nach dem Scheitern der Zweiten Republik in München, ganz erlahmte – in der letzten Phase der revolutionären Entwicklungen, die in der Aufstandsbewegung der »Roten Armee« im Ruhrgebiet, die durch den Kapp-Putsch ausgelöst wurde, kulminierte. Nun verlagerte sich das Schwergewicht der revolutionären Aktionen auf Räteorgane, die zumeist auf betrieblicher Basis entstanden waren und mit den Arbeiter- und Soldatenräten der früheren Phasen der Revolution kaum noch etwas gemein hatten. Erst sie hatten eindeutigen Klassenkampfcharakter und repräsentierten zumeist nur noch die radikaleren Elemente innerhalb der Industriearbeiterschaft.

Unter Berücksichtigung dieser strukturellen Veränderungen läßt sich der Charakter der Rätebewegung relativ präzis bestimmen. Wie weit waren die Räte tatsächlich die Träger eines spontanen revolutionären Machtstrebens der breiten Massen? Rürup hat von den Arbeiter- und Soldatenräten gesagt: »Die Räte entstanden spontan [...] als provisorische Kampf- und Herrschaftsinstrumente der Revolution.«[14] Allein es ist ziemlich problematisch, den Arbeiter- und Soldatenräten uneinge-

14 Probleme der Revolution, S. 20.

schränkt die Qualität von »Herrschaftsinstrumenten der Revolution« zuzusprechen. Im Grunde kann davon kaum die Rede sein. Zumindest in der ersten Phase der revolutionären Prozesse haben die Arbeiter- und Soldatenräte überwiegend defensive, nicht offensive Energien entfaltet. Schon in Kiel wurden die Räte fast wider Willen zu eigentlich politischer Aktion getrieben; am Anfang beschränkten sich ihre Zielsetzungen ganz überwiegend auf Maßnahmen, die sich gegen die militärischen Kommandobehörden richteten. Obwohl die Rätebewegung dann die überkommene politische Ordnung in Deutschland zum Einsturz brachte, muß die Begrenztheit ihrer Zielsetzungen beachtet werden. Die Stoßrichtung ihres Wirkens richtete sich in erster Linie gegen die traditionellen politischen – am Anfang übrigens primär die militärischen – Gewalten. Sie waren um die Stützung des neuen Regimes gegen eine potentielle militärische Konterrevolution und gegen eventuelle konterrevolutionäre Maßnahmen der Bürokratie bemüht, strebten aber keineswegs eine permanente Änderung der bestehenden militärischen Kommandostrukturen oder der Verwaltungshierarchien an. Dies gilt auch auf höchster Ebene. Zwar beanspruchte der Zentralrat der Arbeiter- und Soldatenräte, das oberste revolutionäre Organ und demgemäß der revolutionäre Souverän zu sein; doch hat er gar nicht erst versucht, sich in der Verfassungswirklichkeit damit durchzusetzen; er begnügte sich mit einem nicht näher definierten und in seinem Umfang beständig umstrittenen Kontrollrecht gegenüber der Politik der Regierung der Volksbeauftragten, das faktisch hinter den Rechten des kaiserlichen Reichstags noch erheblich zurückblieb.[15] Noch stärker gilt dies, von einzelnen Ausnahmen abgesehen, auf regionaler und lokaler Ebene. In aller Regel beschränkten sich die Arbeiter- und Soldatenräte in den beiden ersten Phasen ihrer Existenz auf die Kontrolle des bisherigen Behördenapparates; soweit sie eine Änderung der Verwaltungsstruktur oder eine Säuberung des Behördenapparates in personeller Hinsicht verlangten, galt dies zumeist der Verhinderung potentieller gegenrevolutionärer Aktionen, nicht aber der Schaffung von Grund auf neuer Verhältnisse. Neben den Spitzen der Verwaltung waren es zumeist nur die für die Polizei zuständigen Beamten, die auf Drängen der Räte ausgewechselt wurden. Hingegen fühlten sich die Räte für solche Fragen zuständig, die die Existenz der Arbeiterschaft unmittelbar in hohem Maße tangierten, wie die Lebensmittelversorgung oder sozialpoli-

15 Eine eingehende, eindrucksvolle Analyse dieses Problems bei Erich Matthias in seiner Einleitung zu Susanne Miller/Heinrich Potthoff, Die Regierung der Volksbeauftragten 1918/19. Quellen zur Geschichte des Parlamentarismus und der politischen Parteien. Erste Reihe: Von der konstitutionellen Monarchie zur Parlamentarischen Republik, Bd. 6/I, Düsseldorf 1969. Die Einleitung ist auch separat unter dem Titel: Zwischen Räten und Geheimräten. Die deutsche Revolutionsregierung 1918/19, Düsseldorf 1970, erschienen. Siehe insbesondere S. 69f.

tische Probleme; hier aber wurden sie nicht selten mit der Billigung oder Konnivenz der Behörden tätig.

Zwar verhielten sich die Räte nicht überall so obrigkeitlich wie in Köln, wo Sollmann »unserem Oberbürgermeister Adenauer« die Nachricht von der vollzogenen Revolution überbrachte, worauf sich dieser auf den Boden der neugeschaffenen Tatsachen stellte, oder in Lübeck, wo der Arbeiter- und Soldatenrat am 7. November 1918 erklärte: »Der provisorische Arbeiter- und Soldatenrat sieht sich nicht als Regierung an, sondern stellt Forderungen an die Obrigkeit.«[16] Aber auch in den Fällen, in denen es einzelnen Räteorganen unter dem Einfluß linkssozialistischer Gruppen gelang, zeitweilig formell die Macht zu übernehmen – wie im November 1918 in Hamburg, Bremen, Düsseldorf und Braunschweig –, beschränkten sich diese faktisch dennoch weitgehend auf die Kontrolle der Verwaltungen. Diese Räteregime blieben Fassaden, hinter denen sich bestenfalls eine Art von Doppelherrschaft nach dem Muster der russischen Februarrevolution verbarg, niemals aber eine proletarische Diktatur im klassischen Sinne, wie denn überhaupt als hervorstechender Zug der deutschen Revolution gelten darf, daß sich der »Umsturz der Verhältnisse« unter voller Wahrung der »öffentlichen Ordnung« vollzogen hat, eine Tatsache, auf die die Arbeiter- und Soldatenräte selbst immer wieder mit Stolz hingewiesen haben.

Dieser Befund stützt zunächst die These, daß von den Räten keinesfalls eine Gefahr in Richtung auf eine Bolschewisierung der deutschen Gesellschaft ausgegangen ist. Umgekehrt läßt er es aber auch als zweifelhaft erscheinen, ob die Arbeiter- und Soldatenräte tatsächlich durchgehend eine effektive Demokratisierung der Verwaltung angestrebt haben, einmal abgesehen davon, ob sie diese auch hätten durchsetzen können, sofern ihnen die Reichsregierung und die Behörden nicht in den Weg getreten wären. Tatsächlich finden sich zwar gelegentliche programmatische Äußerungen zugunsten einer durchgreifenden Demokratisierung der Bürokratie, aber es kam selbst dort, wo wir es mit ausgesprochen radikal zusammengesetzten Räten zu tun haben, so gut wie überhaupt nicht zu Taten.[17] Auch in den nicht eben häufigen Fällen, in denen massive Eingriffe in die Verwaltung zu Streiks der betroffenen Gruppen der Beam-

16 Zit. nach Heinz Hürten, Soldatenräte in der Novemberrevolution 1918, in: Historisches Jahrbuch 90 (1970), S. 306.

17 Die von Kolb beigebrachten Belege über entsprechende Absichtserklärungen der Arbeiter- und Soldatenräte finden sich ganz überwiegend erst seit dem Frühjahr 1919, also zu einem Zeitpunkt, als die Räte bereits in die Defensive geraten waren und unter Legitimationszwang standen, nicht in der Anlaufphase der Revolution. Vgl. Kolb, Die Arbeiterräte, S. 328ff., sowie neuerdings Eberhard Kolb/Klaus Schönhoven, Regionale und lokale Räteorganisationen in Württemberg 1918/19, Düsseldorf 1976, S. LXV u. 278f. Die von Kolb hier veröffentlichte Entschließung der Zweiten Landesversammlung der württembergischen Arbeiter- und

tenschaft führten, gaben die Räte zumeist sofort nach.[18] Für eine totale Konfrontation mit der Beamtenschaft fehlte den Räten nicht nur die Macht, sondern auch der Wille. Man beschränkte sich vielmehr darauf, die Entlassung einiger besonders unliebsamer Spitzenbeamten durchzusetzen, meist mit der Begründung, daß diese konterrevolutionäre Absichten hegten. Von einer durchgreifenden Reorganisation der Beamtenschaft, wie sie zur Schaffung einer soliden Grundlage für eine demokratische Ordnung gewiß notwendig gewesen wäre, kann nirgends die Rede sein. Die These von den Räten als potentiellen Organen einer durchgreifenden Demokratisierung der Bürokratie muß also mangels entscheidender Aktionen der Räte in entsprechendem Sinne als Überinterpretation betrachtet werden. Es gibt nur einen Bereich, in dem die Räte auch entgegen den Vorstellungen des Rates der Volksbeauftragten mit großem Nachdruck den Abbau traditioneller Herrschaftsstrukturen gefordert haben: die Armee. Ansonsten aber steht die These von den Arbeiter- und Soldatenräten als »demokratischem Potential« auf nicht eben sonderlich stabilen Grundlagen. Selbst Rürup räumt ein, daß das Wirken der Arbeiter- und Soldatenräte im Gegenteil zumeist geradezu zu einer Stabilisierung der überkommenen Verwaltungsapparate beigetragen habe. Insgesamt muß also Bermbach zugestimmt werden, wenn er darauf verweist, daß »das Sich-Beschränken der Rätebewegung auf Mitsprache [...] und ihr Verzicht auf politische Alleinführung [...] die immanenten Grenzen der Leistungsfähigkeit des Rätesystems« angedeutet habe und demgemäß weitergehende Interpretationen, die auf einen andersartigen Verfassungsbau unter Einbezug des Rätesystems abzielten, der Grundlage entbehrten.[19]

Auf dem Austritt der Vertreter der USPD aus dem Rat der Volksbeauftragten Ende Dezember 1918 begann eine neue Phase der revolutionären Entwicklungen. Diese erreichten einen ersten spektakulären Höhepunkt im Januaraufstand 1919 der äußersten Linken in Berlin und kulminierten dann in einer Massenstreikbewegung gewaltigen Ausmaßes im Ruhrge-

Soldatenräte vom 1. bis 3. März 1919 steht deutlich im Zusammenhang von Bemühungen, den Räten nunmehr eine bestimmte permanente Aufgabe innerhalb des politischen Systems zuzuweisen. Für die Frühphase der Revolution betont Kolb selbst das ungestörte Weiterarbeiten der alten Verwaltungsorgane (S. 93).

18 Eine Ausnahme macht darin, soweit wir sehen, nur der Beamtenstreik in Mülheim/Ruhr vom 5. bis 9. Februar 1919, den der Arbeiter- und Soldatenrat zu unterlaufen vermochte. Aber selbst hier verstand man sich auf die Rückgängigmachung von Entlassungen mißliebiger Beamter und die Neuwahl des Arbeiter- und Soldatenrats. Vgl. Irmgard Steinisch, Linksradikalismus und Rätebewegung im westlichen Ruhrgebiet. Die revolutionären Auseinandersetzungen in Mülheim an der Ruhr, in: Rürup (Hrsg.), Arbeiter- und Soldatenräte, S. 203f.

19 Udo Bermbach, Das Scheitern des Rätesystems und der Demokratisierung der Bürokratie, in: Politische Vierteljahresschrift 8 (1967), S. 445–460, bes. S. 456.

biet, in Berlin und Mitteldeutschland. Nunmehr verloren die Arbeiter- und Soldatenräte vollends die politische Initiative, die sie in den Anfängen der Revolution besessen hatten. Die große Masse der Arbeiter- und Soldatenräte folgte dem Vorbild des Zentralrats, der am 4. Februar 1919 seine Befugnisse feierlich auf die Nationalversammlung übertragen hatte, und fügte sich bereitwillig den Bestrebungen der ersten parlamentarischen Regierung der Weimarer Republik, die Rätebewegung einzudämmen und bestenfalls auf das Gebiet einer rein wirtschaftlichen Interessenvertretung abzulenken. Soweit die Arbeiter- und Soldatenräte weiterhin bestehenblieben, gleichwohl aber dem Programm einer Demokratie sozialistischen Einschlags treu blieben, kamen sie nun großenteils rechts von der spontanen Protestbewegung der Massen der Arbeiterschaft zu stehen, in der sich in einer schwer unterscheidbaren Weise politische Motive mit unmittelbaren wirtschaftlichen Gravamina vermischten. Diese Bewegung war teils aus der Enttäuschung über die mageren Resultate der Revolution, teils unmittelbaren ökonomischen Bedrängnissen entsprungen. Sie hatte sich bereits Anfang Dezember in Massenstreiks der Bergarbeiter in Duisburg-Hamborn angekündigt, die in offener Desavouierung der Vereinbarungen zwischen den Gewerkschaften und den Zechenverbänden ausgebrochen waren und sich dann in unkoordinierter Form sporadisch auf das gesamte östliche Ruhrrevier ausgebreitet hatten. Der syndikalistische Einschlag in diesen, von dem sogenannten »Alten Verband«, der offiziellen Gewerkschaft der Bergleute, als »wilde Streiks« bezeichneten Aktionen war unverkennbar; obgleich dabei die Propaganda der syndikalistischen »Freien Vereinigung« und ähnlicher Organisationen eine gewisse Rolle gespielt hat, handelt es sich im Kern um theoretisch ganz unklare spontane Massenaktionen, die sich direkt gegen den »Klassengegner« richteten und von tiefem Mißtrauen gegen die etablierten Gewerkschaften und die politischen Organisationen der Arbeiterschaft, insbesondere die Mehrheits-Sozialdemokratie, getragen waren.[20] Darin vermischten sich ökonomische Forderungen, insbesondere

20 Vgl. dazu Hans Mommsen, Die Bergarbeiterbewegung an der Ruhr 1918–1933, in: Jürgen Reulecke (Hrsg.), Arbeiterbewegung an Rhein und Ruhr, Wuppertal 1974, S. 275–314, und die, hinsichtlich der inhaltlichen Erschließung dieser Vorgänge, bahnbrechenden Untersuchungen von Erhard Lucas, Ursachen und Verlauf der Bergarbeiterbewegung in Hamborn und im westlichen Ruhrgebiet. Zum Syndikalismus in der Novemberrevolution, in: Duisburger Forschungen 15 (1971), S. 1–119, sowie ders., Zwei Formen von Radikalismus in der deutschen Arbeiterbewegung, Frankfurt am Main 1976. Lucas' Ansicht, daß die vom »Typus des Hamborner Arbeiters« getragene Form von Arbeiterradikalismus eine konstruktive Alternative zu den von den politischen Parteien der Arbeiterschaft vertretenen Positionen dargestellt habe, läßt sich freilich schwerlich ohne weiteres nachvollziehen. Zur Geschichte des Syndikalismus und der syndikalistischen Organisationen in der deutschen Arbeiterbewegung siehe die aufschlußreiche Untersuchung von Hans M. Bock, Syndikalismus und Linkskommunismus

nach Verkürzung der Arbeitszeiten und Lohnerhöhungen, mit dem Ruf nach »Sozialisierung« des Bergbaus. Die ältere Forschung hat, darin namentlich Spethmann folgend, diese Massenaktionen in erster Linie auf das Wirken einiger weniger Spartakisten zurückgeführt und demgemäß das Wesen dieser Bewegung gründlich verkannt. Tatsächlich handelte es sich um eine elementare Bewegung von großer Gewalt, die *alle* Richtungen der politischen Arbeiterbewegung gleichermaßen überrascht und unvorbereitet fand. Noch am 23. November 1918 hatte der Berliner Vollzugsrat der Arbeiter- und Soldatenräte den Grundsatz proklamiert, daß die Sozialisierung der Betriebe »nur von der Regierung systematisch und organisch in Berücksichtigung der gesamten inneren und äußeren Verhältnisse vorgenommen werden dürfe«.[21] Jetzt sahen sich die sozialistischen Parteien mit einer Massenbewegung konfrontiert, die mit Hilfe von zu diesem Zwecke zu bildenden Zechenräten die Sozialisierung der Bergwerksunternehmen unmittelbar in eigene Hände nehmen wollte, in der Erwartung, daß mit der Vertreibung der verhaßten Kapitaleigentümer sich die materielle Lage der Arbeiter automatisch werde verbessern lassen – eine direkte, wenngleich unter theoretischen Gesichtspunkten ziemlich irrationale Auswirkung der jahrzehntelangen Propaganda, der zufolge sich die Unternehmerschaft im kapitalistischen System den »Mehrwert« an der Produktivleistung der Arbeiterschaft unberechtigt aneigne, während der Sozialismus den Arbeitern den ihnen zustehenden vollen Arbeitslohn sichern werde.

Parallel dazu wuchs der Unmut breiter Arbeitermassen, auch jener, die der Politik der Volksbeauftragten bisher uneingeschränkt ihre Unterstützung gegeben hatten, über die mageren Ergebnisse der Revolution, insbesondere aber über die weitreichenden politischen Konzessionen des Rats der Volksbeauftragten an die traditionellen Gewalten, namentlich das Offizierskorps. Vor allem weil die eben gegründete KPD – oder besser ihr linker utopistischer Flügel – glaubte, in dieser Situation, die durch steigende Unruhe breiter Arbeitermassen gekennzeichnet schien, poten-

von 1918–1923. Zur Geschichte und Soziologie der Freien Arbeiter-Union Deutschlands (Syndikalisten), der Allgemeinen Arbeiter-Union Deutschlands und der Kommunistischen Arbeiter-Partei Deutschlands, Meisenheim 1969. Zum ganzen Problem jetzt auch, freilich ohne die hier vorgeschlagenen Differenzierungen zwischen revolutionären Bewegungen primär politischen Zuschnitts und sozialen Protestbewegungen syndikalistischen Zuschnitts, zu beachten: Gerald D. Feldman u. a., Die Massenbewegungen der Arbeiterschaft in Deutschland am Ende des Ersten Weltkrieges (1917–1920), in: Politische Vierteljahresschrift 13 (1972), S. 84–105. Unseres Erachtens werden hier die Massenbewegungen noch zu stark mit den parteipolitischen Gruppierungen der Arbeiterschaft in Beziehung gesetzt und ihr spontaner Charakter mit tendenziell antiparteilicher Stoßrichtung unterschätzt. Gerade jetzt spielte die Forderung der Einheit der Arbeiterklasse wieder eine bedeutende Rolle.

21 Text bei Gerhard A. Ritter/Susanne Miller (Hrsg.), Die Deutsche Revolution 1918–19. Dokumente, Hamburg 1975[2], S. 242.

tielle Machtpositionen für revolutionäre Aktionen großen Stils unter allen Umständen behaupten zu müssen, kam es aus Anlaß der Entlassung des der USPD angehörenden Polizeipräsidenten Eichhorn am 5. Januar 1919 zum Ausbruch der sogenannten Januarkämpfe in Berlin. Es war kein Zufall, daß es den spartakistischen Gruppen in diesen Kämpfen in erster Linie um die Kontrolle der Berliner Zeitungsverlage ging, allen voran des »Vorwärts«, und nicht so sehr um die Kontrolle militärisch wichtiger Objekte. Es war dies teils ein symbolischer Kampf, der seine Vorgeschichte im erzwungenen Frontwechsel des »Vorwärts« während des Ersten Weltkrieges hat, teils aber auch ein Kampf um den Besitz der Presseorgane, die für die politische Beeinflussung der ziellos in Bewegung geratenen breiten Massen von größter Bedeutung zu sein schienen. Der erste Schritt zum endgültigen Sieg der revolutionären Bewegung galt dem Ziel, den immer noch starken Einfluß der verhaßten Mehrheits-Sozialdemokratie auf die Massen zu brechen, durch Eroberung und Umfunktionierung insbesondere des »Vorwärts«; darüber hinaus aber wollte man auch die bürgerliche Presse zum Schweigen bringen oder doch zumindest einschüchtern.
Die putschistischen Aktionen, zu denen es unter dem Eindruck der Januarkämpfe in einer ganzen Reihe deutscher Städte kam, so am 8./9. Januar 1919 in Düsseldorf und einen Tag später in Bremen, waren ebenfalls von der Erwartung geleitet, daß man sich in einem Augenblick, in dem die Massen der Arbeiterschaft endlich wirklich in Bewegung gekommen schienen, unbedingt die politischen und publizistischen Ausgangspositionen für eine kraftvolle Steuerung der Entwicklung im Sinne des Weitertreibens der Revolution sichern müsse. In allen Fällen blieb es bei einem Minimum an Gewaltanwendung; man dachte, im Unterschied zu landläufigen Vorstellungen in der Öffentlichkeit, nirgends daran, sich entgegen dem Willen der breiten Massen der arbeitenden Bevölkerung mit Waffengewalt an der Macht zu halten, sondern rechnete durchweg zuversichtlich damit, daß sich die Unterstützung der großen Mehrheit der Arbeiterschaft bei genügender Aufklärung – unter Ausschaltung der Organe der Mehrheits-Sozialdemokratie – bald von selbst einstellen werde. Als sich herausstellte, daß dies nicht der Fall war, gaben die spartakistischen Gruppen vielfach von sich aus wieder auf, nicht selten bereits nach wenigen Tagen. In Bremen beispielsweise wurde die drei Tage zuvor proklamierte »Diktatur des Proletariats« bereits am 14. Januar kleinlaut wieder für beendet erklärt, als sich abzeichnete, daß eine effektive Stützung des Putsches von seiten der Arbeiterschaft einstweilen ausgeblieben war. Es hätte in den meisten Fällen keinesfalls des Einsatzes von Freikorps und regulären Armee-Einheiten bedurft, um diese putschistischen Regime wieder zu beseitigen; sie wären, wie dies ja auch bei der ersten bayeri-

schen Rätediktatur der Fall gewesen ist, allemal an ihren inneren Widersprüchen und an der fehlenden Massenbasis gescheitert. Einen Lenin und einen Trotzkij hat es in der deutschen Revolution 1918/20 nirgends gegeben! Insofern beruhte die rücksichtslose Unterdrückung der linkssozialistischen Putsche des Frühjahrs 1919 durch Freikorpsverbände, die im Solde der sozialdemokratisch geführten Reichsregierung standen, auf einem historischen Irrtum. Die österreichischen Sozialdemokraten haben damals vor ganz dem gleichen Problem gestanden und es vorgezogen, die linksradikale Bewegung sich totlaufen zu lassen, ohne daß es je ernstlich zu der Gefahr der Errichtung eines kommunistischen Systems gekommen wäre![22]

Die Radikalisierung der Arbeitermassen seit Ende Dezember 1918 hat nicht nur die Mehrheits-Sozialdemokratie und, wenn auch in geringerem Maße, die USPD, die ohnehin im Strom der revolutionären Entwicklungen mitzuschwimmen gedachte, weitgehend unvorbereitet getroffen, sondern auch die KPD. Keine der sozialistischen Parteien konnte, wenn sie ihren eigenen theoretischen Vorstellungen treu bleiben wollte, den Forderungen dieser Bewegung wirklich entsprechen.[23] Denn diese verstand unter dem Stichwort der »Sozialisierung« die Übernahme der Betriebe in die Regie der Betriebsarbeiterschaft; man versprach sich davon eine unmittelbare Verbesserung der materiellen Lage der betroffenen Belegschaften, verband aber damit keinesfalls »eine grundlegende Umgestaltung der gesamtgesellschaftlichen Verhältnisse«.[24]

Dies erhellt sich deutlich aus dem Schicksal der Essener Sozialisierungsbewegung, die unter dem Druck der Massenstreikwelle im Januar 1919 in Gang kam. Am 9. Januar 1919 beschloß der Essener Arbeiter- und Soldatenrat, in dem Vertreter aller drei sozialistischen Parteien paritätisch vertreten waren, von sich aus die Sozialisierung der Bergbaubetriebe zu proklamieren. Am 13. Januar wurde dann unter dem unmittelbaren Druck

22 Vgl. dazu neben Francis L. Carsten, Revolution in Central Europe 1918–1919, London 1972, dt.: Revolution in Mitteleuropa 1918–1919, Köln 1973, S. 87ff., auch die interessante, neues Material erschließende Abhandlung von H. Hartmann, Rätedemokratie in Österreich 1918–1924, in: Österreichische Zeitschrift für Politikwissenschaft 1 (1972), S. 73–87, sowie ders., Die verlorene Räterepublik. Am Beispiel der Kommunistischen Partei Deutschösterreichs, Wien 1971. Siehe ferner den in der Festschrift für Fritz Fischer erschienenen Aufsatz von Francis L. Carsten, Revolutionäre Situationen in Europa 1917–1920, der allerdings auf die starken Widerstände in Österreich gegen die Rätebewegung hinweist, die außerhalb der SPÖ bestanden.

23 Über Bemühungen um eine nachträgliche Integration der von den Massen angestrebten »Sozialisierung« nach dezentralem Muster in die marxistische Theorie berichtet von Oertzen, S. 99ff.; hier ist insbesondere Karl Korsch zu nennen. Was die KPD angeht, so führte die Entwicklung zur zeitweiligen Machtergreifung des utopistischen Flügels in der KPD, für den Bewegung alles, konkrete Politik mit langfristiger Perspektive dagegen nichts bedeutete.

24 Mommsen, Bergarbeiterbewegung, S. 292.

demonstrierender Arbeitermassen ein Manifest über die »sofortige Sozialisierung des Kohlenbergbaus« herausgegeben sowie eine »Neunerkommission« eingesetzt, die diese organisatorisch in die Wege leiten sollte. Das erfolgte in erster Linie in der Absicht, die Streikbewegung im Ruhrbergbau mit ihren katastrophalen Auswirkungen auf die gesamte Volkswirtschaft zu einem Ende zu bringen; eine tatsächliche Realisierung dieses Programms mit all seinen die unmittelbare Kontrolle der Betriebe durch die betreffenden Belegschaften sicherstellenden Modalitäten binnen kurzer Frist war jedoch schwerlich denkbar.[25] Der politische Status dieses Manifests erhellt allein schon aus der in ihm verwendeten emotionalen Sprache. So hieß es unter anderem:

»Sozialisierung, das ist ein Wort, unter dem sich nicht jeder etwas vorstellen kann. Es bedeutet, daß die Ausbeutung des Arbeiters durch den Unternehmer ein Ende haben soll, daß die großen Betriebe dem Kapitalisten genommen und Eigentum des Volkes werden sollen. Niemand soll sich mehr mühelos an der Arbeit anderer bereichern können; allen Arbeitenden sollen die Früchte ihrer Arbeit selbst zugute kommen. Der Anfang soll gemacht werden bei den Bergwerken, bei den Bodenschätzen, die noch mehr als alles andere von Rechts wegen dem Volke und nicht einzelnen Bevorzugten gehören.«[26]

Ausdrücklich wurde den Bergarbeitern zugesichert, daß die Sozialisierung mit einem betrieblichen Rätesystem verbunden sein solle, das die »Mitbestimmung der Arbeiterschaft in den kleinsten wie den größten Fragen« gewährleisten werde. Jedoch dachten die sozialistischen Parteien ebensowenig wie der Rat der Volksbeauftragten an eine uneingeschränkte Einhaltung dieser Versprechungen. Der Rat der Volksbeauftragten war schon deshalb nicht dazu imstande, weil er der Konstituante nicht vorgreifen wollte, ganz abgesehen davon, daß die Mehrheits-Sozialdemokratie jegliche wirkliche Sozialisierung zu diesem Zeitpunkt als inopportun und ökonomisch schädlich ablehnte. Er beschränkte sich demgemäß darauf, bis zur »gesetzlichen Regelung einer umfassenden Beeinflussung des gesamten Kohlenbergbaus durch das Reich und bis zur Festlegung der Beteiligung der Volksgesamtheit an seinen Erträgen – Sozialisierung« – drei Reichsbevollmächtigte für das Rheinisch-Westfälische

25 Zur Essener Sozialisierungsbewegung siehe von Oertzen, Die großen Streiks, in: Kolb (Hrsg.), Vom Kaiserreich zur Weimarer Republik, S. 185–217; Jürgen Tampke, The Rise and Fall of the Essen Model, January–February 1919, in: Internationale wissenschaftliche Korrespondenz zur Geschichte der Arbeiterbewegung 13 (1977), S. 160–172; ferner, für den militärischen Aspekt, Ulrich Kluge, Essener Sozialisierungsbewegung und Volksbewegung im rheinisch-westfälischen Industriegebiet, in: Ebenda 16 (1972), S. 56ff. Wesentliche Anregungen verdanke ich ferner der Staatsexamensarbeit von Frl. Gunhild Wittenborn, Bergarbeiterbewegung im Ruhrgebiet im Frühjahr 1919, Düsseldorf 1977.

26 Abgedr. bei Ritter/Miller, S. 267–269.

Kohlenrevier einzusetzen; es waren dies der Geh. Bergrat Röhrig, Generaldirektor Vögler und der Gewerkschaftsführer Otto Hué, sämtlich Persönlichkeiten, von denen zu erwarten stand, daß sie eine Sozialisierung des Bergbaus gewißlich hintertreiben würden.[27]

Verständlicherweise waren besonders die Freien Gewerkschaften über die Streikbewegung aufgebracht, die im wesentlichen gegen ihren Willen in Gang gekommen war. Die gewerkschaftlichen Organisationen, die noch zu Beginn der Revolution geglaubt hatten, nunmehr die Produktion gemeinsam mit der Unternehmerschaft in großem Stile organisieren zu können, waren dadurch völlig ins Abseits manövriert worden. Otto Hué vermochte sich die Vorgänge nur aus dem Umstand zu erklären, daß die Streikbewegung vornehmlich solche Bezirke erfaßt habe, »wo die sozialistische Bewegung unter den Bergleuten verhältnismäßig die geringste Breite und Tiefe erreicht« habe. Er klagte bitterlich: »Schon der Umstand, daß alle kameradschaftlichen Vorstellungen von der dringlichen Notwendigkeit, gegenwärtig die große Kohlennot zu lindern, auf die fraglichen Belegschaften keinen nachhaltigen Eindruck machten, beweist hinlänglich, daß wir es nicht mit geschulten, überzeugten Sozialisten zu tun haben; denn der Sozialist wird das Gemeinschaftsinteresse voranstellen! [...] In den Streikbewegungen aber, die den mit den Verhältnissen Unkundigen als Demonstration für die Sozialisierung des Bergbaus erscheinen mögen, beobachten wir umgekehrt Handlungen und Widerstände gegen alle organisierte Arbeit, nämlich syndikalistische, zu anarchischen Ausschreitungen unsozialster Art führende Aktionen.«[28] Ähnlich entsetzt äußerten sich Vertreter der Mehrheits-Sozialdemokratie:

»Die große Streikbewegung [...] erschüttert nach wie vor unser Wirtschaftsleben, und wenn man die Formen betrachtet, unter denen sie sich abspielt, kann man sagen, daß die deutsche Revolution zur Zeit nur *einen* wirklich gefährlichen Gegner hat, und das ist die deutsche Arbeiterklasse. Den Gewerkschaften sind die Zügel der Bewegung schon lange entglitten, eine neue Generation von Menschen ist den Organisationen zugeströmt, die weder die alte Disziplin kennen noch gesonnen sind, sich der berufenen Leitung unterzuordnen. Diesen Massen sitzt der sozialistische Gedanke nicht einmal hauttief; von individualistischen Bedürfnissen ausgehend, ohne politische Übung, ohne Überblick über die Gesamtlage der Industrie und ohne Rücksicht auf die allgemeinen

27 Verordnung des Rats der Volksbeauftragten vom 18. Januar 1919, auszugsweise abgedruckt bei Ritter/Miller, S. 270. Vgl. auch Hans Spethmann, 12 Jahre Ruhrbergbau, Bd. 1, Essen 1928, S. 149ff., der die Vorgänge aus der Sicht der Unternehmerschaft darstellte und – in charakteristischer Einseitigkeit – dabei in erster Linie Spartakisten am Werke sah.
28 Die Neue Zeit 37 (1919), Nr. 15 (10.1.1919).

Interessen der Revolution stürmen sie auf das deutsche Wirtschaftsleben ein und bringen es systematisch zur Auflösung.«[29]
Aber auch die USPD und die KPD vermochten dieser Massenbewegung, deren Ziele mit ihren eigenen theoretischen Vorstellungen durchaus nicht identisch waren, im Grunde nicht viel abzugewinnen. Sie warfen sich zwar unverzüglich zu Sprechern der Bergleute auf und verlangten nunmehr lautstärker denn je die unverzügliche Sozialisierung der Großindustrien, vor allem aber des Bergbaus. Auf seiten der USPD war dabei treibendes Motiv, nicht den Anschluß an die Massenstimmung zu verlieren, die sich seit Mitte Dezember sichtlich radikalisiert hatte; konkrete Perspektiven hinsichtlich des zielbewußten Aufbaus einer sozialistischen Gesellschaft besaß man noch weniger als die Mehrheits-Sozialdemokratie. Der der USPD angehörende Volksbeauftragte Barth hatte schon auf dem Rätekongreß Ende Dezember 1918 die Sozialisierung vor allem aus *politischen* Gründen gefordert,[30] um den in Bewegung geratenen Arbeitermassen etwas bieten zu können, sei es auch nur deklamatorischer Natur. Die Haltung des Spartakusbundes bzw. der KPD in diesen Fragen war zwar konsequenter; aber der Sache nach deckte sich ihr marxistisches Verständnis von Sozialisierung ebenfalls keineswegs mit den Vorstellungen, die die Bergarbeiterschaft, und nicht nur diese, mit dem Begriff – oder besser: dem Symbol – der Sozialisierung verband.[31]
Unter diesen Umständen ist es sehr fraglich, ob das sogenannte »Essener Modell« der Sozialisierung, das die Übertragung der Rechte der Eigentümer auf ein kompliziertes System von betrieblichen und regionalen Zechenräten vorsah, jemals eine Zukunft hätte haben können, selbst dann, wenn die Reichsregierung sich nicht von vornherein gegen dessen Realisierung gewandt hätte.[32] Es ist allzu offensichtlich, daß die Essener Sozia-

29 So Paul Lensch, Revolutionsprobleme, in: Die Glocke 4 (1919), Bd. 1, Nr. 4 (1.2.1919).
30 Siehe das Protokoll der Rede Barths, in: Allgemeiner Kongreß der Arbeiter- und Soldatenräte Deutschlands vom 16. bis 21. Dezember 1918 im Abgeordnetenhause zu Berlin, Berlin o. J., S. 164f. Vgl. auch David W. Morgan, The Socialist Left and the German Revolution. A History of the German Independent Social Democratic Party, 1917–1922, London 1975, S. 190f., sowie Hartfrid Krause, USPD. Zur Geschichte der Unabhängigen Sozialdemokratischen Partei Deutschlands, Frankfurt 1975.
31 Die These von Tampke, daß entgegen bisherigen Annahmen die Spartakisten bei der Essener Sozialisierungsbewegung eine initiative Rolle gespielt hätten, ist nicht sonderlich überzeugend; diese sprangen vielmehr gleichsam auf den fahrenden Wagen auf, früher als die USPD, jedoch ohne die Zielrichtung der Bewegung maßgeblich bestimmen, geschweige denn deren quasisyndikalistischen Charakter zurückdrängen zu können. Die von ihm herangezogenen Belege sind übrigens retrospektive Äußerungen von kommunistischer Seite, deren Aussagewert begrenzt ist; vgl. Tampke, S. 64f. Die Versuche, die Protestbewegung primär gegen die Beamtenschaft der Bergbauunternehmungen zu lenken, entsprechen der Stimmung der Bergarbeiter mehr als prinzipiellen Gesichtspunkten kommunistischer Strategie.
32 Dies muß gegen von Oertzens Interpretation, in: Die großen Streiks, in: Kolb (Hrsg.), Vom Kaiserreich zur Weimarer Republik, S. 196f., eingewandt werden. Dieses Sozialisierungspro-

lisierungsbeschlüsse unter dem unmittelbaren Druck spontan demonstrierender Arbeitermassen gefaßt worden waren und, jedenfalls auf seiten des Essener Arbeiter- und Soldatenrates, primär die unverzügliche Beendigung des Massenstreiks zum Ziel gehabt haben. Im übrigen waren hier die sozialistischen Parteien nicht die treibenden Elemente, sondern die Getriebenen; allenfalls kann man sagen, daß die Spartakisten die Massenstimmung zugunsten sofortiger Sozialisierung nach Kräften anzuheizen suchten, ohne sich um die Modalitäten ihrer Durchführung konkrete Gedanken zu machen.

Denn hinter der Parole der Sozialisierung des Bergbaus, die schon zuvor in zahlreichen »wilden Sozialisierungen« mehr oder minder abenteuerlichen Charakters Ausdruck gefunden hatte, verbargen sich viel konkretere Zielsetzungen als jene einer grundsätzlichen Umgestaltung der Gesellschaft auf lange Frist in sozialistischem Sinne. Dazu gehörten vor allem die Erwartung einer unmittelbaren materiellen Verbesserung der eigenen Lage der Arbeiter, als Folge der Abschaffung des »unverdienten«, »ausbeuterischen« Mehrwerts, und die Selbstbestimmung am Arbeitsplatz, sowie damit verbunden das Bestreben, die Betriebe, ohne sie als solche zu reorganisieren, einfach in eigener Regie fortzuführen.[33] Diese Vorstellungen müssen in gewisser Hinsicht als naiv bezeichnet werden, gerade weil sich darin bestenfalls Spuren von wirklichen marxistischen Perspektiven festmachen lassen. Sie waren Ausdruck spontanen sozialen Protestes, gerichtet zunächst gegen den unmittelbaren Klassengegner, verbunden mit tiefem Mißtrauen gegenüber allen sozialistischen Parteien. Die USPD kam unter den gegebenen Umständen noch am besten davon, gerade *weil* sie kein klares politisches Profil besaß, sondern hinter den Massenstimmungen herlief, während die KPD im allgemeinen wenig Zustimmung fand, weil man deren weitergehende Ziele als viel zu weit

gramm war vielmehr in der von den Bergarbeitern – und nicht allein von diesen – vertretenen Form Ausdruck eines unmittelbaren Protestes; es war aber unter modernen industriellen Verhältnissen nicht realisierungsfähig, jedenfalls nicht durch Sozialisierung der Großindustrie durch staatliches Dekret.

33 Ein gutes Beispiel für die Tendenz der Forderungen, die die Arbeiter mit dem Begriff »Sozialisierung« verbanden, freilich ohne daß hier die wesentlichen Unterschiede klar erkannt werden, bringt I. Marßolek, Sozialdemokratie und Revolution im östlichen Ruhrgebiet. Dortmund unter der Herrschaft des Arbeiter- und Soldatenrats, in: Rürup (Hrsg.), Arbeiter- und Soldatenräte, S. 290, für den Fall Lünen. Unter den »sehr konkreten« (sic!) Vorstellungen, die die Arbeiter dort mit dem Begriff »Sozialisierung« verbanden, zählt sie auf: »1. Demokratisierung am Arbeitsplatz (wobei letztlich die kollektive Leitung durch Arbeiter angestrebt wurde). 2. Kontrolle und Einblick in die gesamte Geschäftsführung. 3. Minderung, letztlich Aufhebung der Privatprofite.« Dies ist schwerlich mit den klassischen Sozialisierungskonzeptionen der sozialistischen Parteien, gleichviel welcher Richtung, vereinbar, sondern weist darauf hin, daß die Arbeiterschaft in erster Linie an einer unmittelbaren Verbesserung ihrer Arbeitsbedingungen und ihrer sozialen Lage interessiert war, ohne eine grundlegende Umgestaltung der Sozialordnung mit ihren vollen Konsequenzen im Auge zu haben.

von den eigenen konkreten Gravamina entfernt liegend ansah. Unter der Bergarbeiterschaft hatte der Ruf nach Sozialisierung eine eindeutige syndikalistische Färbung; Sozialisierung im bürokratischen Sinne, als ersten Schritt hin zur Errichtung einer Gesellschaft mit ausschließlich sozialistischer Produktionsweise, so wie dies die Programme der sozialistischen Parteien gepredigt hatten, war damit nicht gemeint.
Dies gilt – es sei dies eingeräumt – nicht in ganz dem gleichen Maße für den großen Generalstreik in Berlin vom 2. bis 6. März 1919 und die Massenstreikbewegungen in Mitteldeutschland. Hier war das syndikalistische Element weit weniger ausgeprägt vorhanden, und der Ruf nach Sozialisierung hatte eine weit politischere Tönung (im traditionellen Sinne des Wortes), teilweise, weil die Politiker sich nunmehr darauf einzustellen bemüht waren. Im Distrikt Halle, dem Zentrum der mitteldeutschen Streikbewegung, riß eine Gruppe von USPD-Politikern unter Führung Wilhelm Koenens die Leitung der Bewegung an sich und suchte dieser eine eindeutige politische Stoßrichtung gegen Berlin zu verleihen.[34] Aber auch hier verband man mit dem Symbol der Sozialisierung in viel höherem Maße, als dies in der Forschung bisher beachtet worden ist, Erwartungen höchst unmittelbarer Art, vor allem mehr direkte Einflußnahme der Belegschaften auf die Betriebe und eine unverzügliche Verbesserung ihrer Lohn- und Arbeitsbedingungen.[35] Keine der verschiedenen Richtungen innerhalb der deutschen Arbeiterbewegung aber hatte jemals das Problem der Sozialisierung unter diesen konkreten Aspekten betrachtet, sondern darin eher den theoretischen Zauberschlüssel für den automatischen Eintritt in ein neues Äon der Weltgeschichte gesehen, gleichviel, ob dieser auf revolutionärem oder auf evolutionärem Wege erreicht werden sollte.
In diesem Zusammenhang ist es bemerkenswert, daß die streikenden Massen in der Regel die Zusammenarbeit aller drei sozialistischen Parteien erwarteten und bisweilen sogar erzwangen, unter Außerachtsetzung ihrer höchst unterschiedlichen theoretischen und strategischen Positionen. Unmittelbare Aktion war gefordert, nicht Gesellschaftspolitik auf lange Sicht. Dadurch erklärt sich allein, daß die Essener Sozialisierungsbewegung äußerlich den Charakter einer von allen sozialistischen Parteien gemeinsam getragenen Bewegung gewinnen konnte;[36] nicht die

34 Koenen selbst kam aus der Gruppe der revolutionären Obleute, besaß also selbst einen syndikalistischen Hintergrund. Vgl. Morgan, S. 229f.
35 Dies gilt etwa auch für die Leipziger Streikbewegung vom 27. Februar bis 10. März 1919, in der die spontane Forderung nach machtvollen Betriebsräten eine ausschlaggebende Rolle spielte. Vgl. ebenda, S. 221f.
36 Wenn Morgan (ebenda, S. 225) urteilt: »the socialisation movement in the Ruhr was a genuine multiparty, even supraparty movement«, so ist dies eigentlich nicht richtig akzentuiert.

Parteien, sondern die spontan in Bewegung geratenen Massen, die die theoretischen Streitereien zwischen den Parteien nicht verstanden und diesen ohnehin mit steigendem Mißtrauen gegenüberstanden, erzwangen eine solche Linie. Ähnliches läßt sich in der bereits erwähnten Berliner Massenstreikbewegung vom März 1919 beobachten. Zwar hatte die »Rote Fahne« den teilweise erfolgreichen Versuch gemacht, sich als eigentlichen Initiator des Streiks in Szene zu setzen, aber dieser selbst war im wesentlichen eine spontane Aktion der Belegschaften der Berliner Großbetriebe, in denen es ja schon immer eine gewisse syndikalistische Tradition gegeben hatte. Der Streikausschuß, in dem Vertreter aller sozialistischen Parteien paritätisch vertreten waren, beschloß – wenn auch im Endeffekt ohne Erfolg –, daß alle sozialistischen Parteiblätter ihr Erscheinen einstellen und nur das Mitteilungsblatt des Ausschusses erscheinen solle – ein deutliches Plädoyer für ein gemeinsames Vorgehen der Arbeiterschaft unter Hintanstellung der Parteiengegensätze. Es ist bemerkenswert, daß daraufhin ausgerechnet die beiden Vertreter der KPD, weil sie sich mit einem Nichterscheinen der »Roten Fahne« nicht einverstanden erklären wollten, aus dem Komitee austraten![37]
Allen diesen Massenstreikbewegungen war gemeinsam, daß sie die Sozialisierung als Weg zur unmittelbaren Verbesserung der ökonomischen Lage der Arbeiterschaft ansahen, hingegen von den langfristigen Perspektiven, die sich damit im Denken geschulter Sozialisten verbanden, wenig wissen wollten. Damit verknüpfte sich in steigendem Maße massive Erbitterung über die Wehrpolitik der Regierung, die die Gefahr der Konterrevolution heraufbeschworen hatte und die Realisierung der eigenen, mit dem symbolhaften Slogan der Sozialisierung verbundenen, konkreten Nahziele unmittelbar zu gefährden schien. Es handelte sich primär um eine, in ihren konkreten Zielen höchst amorphe, soziale Protestbewe-

Gerade weil die Stoßkraft der Bewegung aus dem vorparlamentarischen Raum kam und im Grunde auf »direkte Aktion« abzielte, erschien die Negierung der prinzipiellen ideologischen und theoretischen Differenzen zwischen sozialistischen Parteien folgerichtig.

37 Vgl. Cains, Generalstreik und Noske-Blutbad in Berlin, Berlin 1919, S. 9. In Berlin war es schon von Anfang an zu erbitterten Streitigkeiten zwischen den sozialistischen Parteien über die von den Massen geforderte gemeinsame Beteiligung an dem Massenstreik gekommen; obwohl die KPD anfänglich erfolgreich die Initiative an sich zu reißen versucht hatte, zog sie sich schließlich als erste von der aktiven Beteiligung an der Streikleitung zurück, und im Lichte der oben gemachten Ausführungen wird es verständlicher, daß dabei der Frage der Behandlung der Presse ein so großes Gewicht zugemessen wurde. Die KPD rechtfertigte ihren Austritt aus der Streikleitung mit dem Argument, daß wenn die Streikleitung ein Ausdruck des revolutionären Willens der Massen sein wolle, sie die konterrevolutionäre Presse einschließlich des den Streik bis aufs Messer bekämpfenden »Vorwärts« auszuschalten, dagegen die revolutionäre Presse nicht nur zu dulden, sondern durch verstärkte Papierlieferungen zu fördern habe. Mit ihrer entgegengesetzten Haltung mache sich die Streikleitung selbst zum Werkzeug der Gegenrevolution.

gung von beachtlichem Ausmaß, die immer weniger bereit war, sich der Führung der etablierten sozialistischen Parteien zu unterwerfen.
Erst vor diesem Hintergrund wird es verständlich, warum es seit Anfang Januar 1919 zu so zahlreichen putschistischen Aktionen kam, beispielsweise in Bremen, Braunschweig, Düsseldorf und dann auch in München. Überall ging es den Spartakisten und ihren Mitläufern aus der USPD vor allem darum, die Ausgangsbasen für die kommende zweite Welle der Revolution zu erobern und insbesondere nach Möglichkeit die Presse in ihrem Sinne gleichzuschalten, um über ein entsprechendes kommunikatives Steuerungspotential verfügen zu können. Dagegen wurde nur in seltenen Fällen der Versuch gemacht, die bestehenden politischen Verhältnisse wirklich grundlegend zu verändern. Man sicherte zwar die eigene Machtstellung, so gut es ging, gegen konterrevolutionäre Bestrebungen ab, was vielfach die Ablösung der Spitzen der lokalen Verwaltungen notwendig machte, verlegte sich aber im übrigen aufs Abwarten, in Erwartung kommenden Massenzulaufs. Dabei verkannte man freilich die tatsächlichen Absichten der streikenden Arbeiterschaft in erheblichem Maße. Die Protestaktionen der Arbeitermassen liefen in Richtung unmittelbarer Aktion; die putschistischen Regime hingegen konnten daraus kaum politische Unterstützung herleiten. Im Gegenteil, die Masse der Arbeiterschaft mißbilligte diese Aktionen.[38] Andererseits stellte sich die KPD nur zögernd und mit innerem Unbehagen an die Spitze dieser putschistischen Aktionen, deren Scheitern theoretisch gesehen unvermeidlich zu sein schien. Angesichts der Massenstimmungen gewannen jedoch auch in ihren Reihen die utopistischen Elemente, die eine zunehmende Beschleunigung der sozialen Protestbewegungen an Rhein und Ruhr sowie in Mitteldeutschland für sicher hielten und glaubten, sie in ihrem Sinne lenken zu können, immer mehr an Einfluß. Infolgedessen wurde die KPD, entgegen den erklärten Absichten ihrer Führungsgruppe, die freilich durch die Ermordung Liebknechts und Rosa Luxemburgs entscheidend geschwächt war, in eine ganze Serie von aussichtslosen Kämpfen verwickelt und mußte im Zuge der Niederwerfung der Streikbewegungen und der Unterdrückung der putschistischen Experimente des Frühjahrs 1919 eine Reihe schwerer, ihre Politik nachhaltig kompromittierender Niederlagen hinnehmen.

38 In einzelnen Fällen ist es sogar zum offenen Konflikt zwischen streikenden Arbeitermassen mit »syndikalistischen« Zielvorstellungen und kommunistisch kontrollierten Vollzugsräten gekommen, wie Mitte Februar 1919 in Düsseldorf, als die Arbeiter von Rheinmetall den dortigen Vollzugsrat aus allerdings im einzelnen nicht näher bekannten Gründen kurzerhand absetzten und einen Vollzugsrat eigenen Vertrauens einsetzten, der allerdings, da die Mitglieder des abgesetzten Vollzugsrats mit Hilfe der »revolutionären Sicherheitswehr« bereits am folgenden Tage den alten Zustand wiederherstellen konnten, nur einen einzigen Tag agierte.

Angesichts dieser Sachlage erweist sich die eingangs vorgestellte, der neueren Forschung als Leitmaxime dienende Alternativkonzeption, die auf ein Plädoyer für eine begrenzte Weiterführung der revolutionären Prozesse, gestützt auf das demokratische Potential der Arbeiter- und Soldatenräte, hinausläuft, zumindest teilweise als modifikationsbedürftig. Soweit die Arbeiter- und Soldatenräte auf eine gründlichere Durchdringung von Verwaltungen und Gesellschaft mit den neuen politischen Grundsätzen und eine tiefergreifende Verwirklichung der Prinzipien der Demokratie drängten, war diese Politik unter den obwaltenden Umständen durchaus angebracht.[39] Doch ist es fraglich, ob dies unter den konkreten Verhältnissen des Frühjahrs 1919 wirklich viel am Ablauf der Dinge geändert haben würde – vielleicht mit Ausnahme des Bereichs der Militärpolitik. Denn konfrontiert mit den elementaren Streikbewegungen des Frühjahrs 1919 versagten auch die Arbeiter- und Soldatenräte weitgehend. Sie zeigten sich ebensowenig wie die sozialistischen Parteien, insbesondere die Mehrheits-Sozialdemokratie, imstande, die amorphe Schubkraft dieser Bewegungen aufzufangen und in konstruktive Bahnen zu lenken; vielmehr gerieten sie überwiegend selbst in Zugzwang und streckenweise gar in die Defensive, soweit sie nicht das Feld einfach kleinen Gruppen von spartakistischen Scharfmachern überließen. Vielleicht hätten die Räte auch hier eine positivere Rolle spielen können, wenn sie seitens der Mehrheits-Sozialdemokratie, ebenso wie dies die österreichischen Sozialdemokraten erfolgreich getan haben, als echte politische Partner behandelt worden wären. Aber gerade das österreichische Beispiel zeigt, daß man in dieser Hinsicht nicht zu viel erwarten darf; obwohl von der SPÖ eine grundsätzlich andere Linie in Sachen der Arbeiter- und Soldatenräte gesteuert worden ist, hat die Entwicklung im Endeffekt einen von den deutschen Verhältnissen keineswegs wesentlich unterschiedlichen Verlauf genommen.[40]

39 Vgl. auch oben, Anm. 17.

40 Im Unterschied zur USPD hatte die SPÖ sich von Anfang an der Rätebewegung als eines politischen Partners versichert und dadurch ihre eigene politische Position in den Monaten des Zusammenbruchs des österreichischen Kaiserstaates und der Begründung der österreichischen Republik nicht nur gegenüber dem Bürgertum, sondern auch der äußersten Linken wesentlich stärken können. Anfängliche Versuche, die Rätebewegung gänzlich zu monopolisieren und die linksextremen Gruppen daraus herauszuhalten, mußten dann bald aufgegeben werden. Anders als im deutschen Fall haben die regierenden österreichischen Sozialdemokraten der Rätebewegung in den städtischen Zentren Österreichs bis zu deren gleichsam natürlichen Ende seit Anfang 1920 völlig freien Lauf gelassen. Dem sozialrevolutionären Schub des Frühjahrs 1919, der eine gesamteuropäische Dimension besaß, sind die österreichischen Sozialisten damit freilich ebensowenig entgangen wie ihre deutschen Kollegen. Wohl aber haben sie durch eine äußerst elastische Politik gegenüber den Räten ebenso wie gegenüber den extrem linken Gruppen jene Polarisierung im Lager der Arbeiterschaft selbst weitgehend vermeiden können, die für die deutschen Verhältnisse so charakteristisch ist. Ansonsten aber zeigt das

Es bleibt zudem höchst fraglich, ob durch eine unverzügliche Sozialisierung weiter Teile der Grundstoffindustrien nach dem Muster bürokratischer Sozialisierung, dem damals alle europäischen sozialistischen Parteien angehangen haben, die Radikalisierung der Arbeitermassen wirklich hätte abgewendet werden können. Denn dies hätte zumindest vorderhand an der realen materiellen Notlage der Arbeiterschaft nichts geändert, sondern diese – darin ist den Mehrheits-Sozialdemokraten nachträglich zuzustimmen – vermutlich zunächst noch weiter verschlechtert. Allenfalls ein Aufgreifen des Gedankens der betrieblichen Mitbestimmung der Arbeiterschaft hätte der allgemeinen Unzufriedenheit der Arbeitermassen abhelfen können. Die effektive Beteiligung der Arbeiterschaft an den betrieblichen Entscheidungen hätte unter Umständen den Abbau eines Teils der aufgestauten Protestpotentiale ermöglichen können. Eine solche Politik aber lag damals im Prinzip jenseits des theoretischen Horizonts der sozialistischen Parteien, gleichviel welcher Observanz.

Nicht nur die Mehrheits-Sozialdemokraten, sondern auch ihre linkssozialistischen Gegenspieler haben auf die Radikalisierung der breiten Massen der Arbeiterschaft im Frühjahr 1919 nicht adäquat zu reagieren vermocht; die KPD ließ sich wider besseres Wissen in putschistische Aktionen verschiedenster Art hineintreiben, die sie schon bald bitter bereuen sollte und die die Idee des Kommunismus auf lange Zeit hinaus diskreditierten. Die USPD ließ den Dingen einfach ihren Lauf, zumal sie als reine Protestpartei kurzfristig gesehen die Früchte dieser Entwicklung zu ernten vermochte. Allenfalls beschränkte sie sich darauf, nach Möglichkeiten einer Kombination von Rätesystem und parlamentarischer Regierungsform zu suchen. Die Bestrebungen des Kreises um Däumig, ein reines Rätesystem unter Absage an Parteien und Gewerkschaften zu propagieren, blieben bloße Episode ohne wirklichen Nachhall selbst in der USPD. Die Mehrheits-Sozialdemokratie hingegen vermochte sich, im Bunde mit ihren bürgerlichen Partnern, nicht anders zu helfen, als die im Februar im Ruhrgebiet und in Mitteldeutschland, Anfang März in Berlin und dann im April 1919 im Ruhrgebiet erneut aufflammenden Massenstreikbewegungen mit Gewalt niederzuwerfen. Im übrigen machte sie redliche, aber ziemlich kraftlose Versuche, das Rätesystem in Form des Betriebsrätegesetzes in die Weimarer Verfassung hineinzubringen und

österreichische Beispiel, daß Interpretationen, die von einer grundsätzlich positiven Rätepolitik seitens der MSPD einen wesentlich anderen Verlauf der revolutionären Prozesse erwarten, sei es auch nur in Form einer hypothetischen Gegengeschichte, im wesentlichen fehlgehen. Hartmann kommt für Österreich zu dem treffenden Urteil, daß die Machtstellung der Räte selbst auf dem Höhepunkt ihres Einflusses »eher defensiver Art« gewesen sei (S. 86), ein Ergebnis, das sich zu unserer hier vorgelegten Interpretation komplementär verhält.

dergestalt den Forderungen der Arbeiterschaft nach unmittelbarer Einflußnahme auf ihre wirtschaftliche und gesellschaftliche Lage wenigstens in beschränktem Maße zu entsprechen. Die gleichzeitigen Bemühungen, durch entsprechende Gesetzesanträge in der Nationalversammlung sowie durch Einsetzung einer neuen Sozialisierungskommission einen Weg zu einer »geordneten« Verstaatlichung von Teilen der Grundstoffindustrien zu bahnen, um dem Ruf nach Sozialisierung zumindest in bescheidenem Umfang zu entsprechen, verliefen dagegen bekanntlich im Sande.

Das Fazit der Politik der Mehrheits-Sozialdemokratie war bedenklich genug. Das Bündnis mit den Freikorps und anderen präfaschistischen Militärverbänden mußte sie mit dem Verlust der Sympathien großer Teile der Arbeiterschaft bezahlen, so wenig diese ansonsten von den putschistischen Strategien der Kommunisten wissen wollten. Und die Enttäuschung über die Resultate der Revolution war allgemein und grenzenlos. Max Cohen hat im April 1919 auf dem 2. Rätekongreß rückblickend scharfe Selbstkritik an der Politik *aller* sozialistischen Parteien, insbesondere aber der Sozialdemokratischen Partei geübt. Die sozialistischen Parteien, so meinte er, hätten nicht nur während der Revolution die ungeheuerlichsten Fehler begangen, sondern während ihrer ganzen Existenz, in einer fünfzigjährigen Agitation: »Wir haben unseren Anhängern Wechsel ausgestellt, die sie jetzt präsentieren, und wir können sie nicht einlösen [...]. Es ist vielleicht unser Unglück, daß wir am 9. November in eine Situation hineingekommen sind, auf die wir alle miteinander nicht vorbereitet waren.«[41]

Vom Standpunkt der Mehrheits-Sozialdemokratie und der Parteien der Weimarer Koalition war die Revolution, die sie eigentlich ohnehin nicht gewollt hatten, mit der Eröffnung der verfassunggebenden Nationalversammlung am 6. Februar 1919 definitiv abgeschlossen. Demgemäß vermochte die Reichsregierung in den Streikbewegungen, die im Februar und dann wieder im März und April 1919 weite Teile der industriellen Regionen Deutschlands erfaßten, nur rebellische Aktionen von durch Spartakisten und sonstigen radikalen Elementen irregeführten Arbeitermassen zu erblicken. Daraus erklärt sich auch, weshalb man konsequent den Weg der gewaltsamen Unterdrückung dieser Streiks ging, ohne sich viel um die Motive zu kümmern, die diesen Bewegungen so enorme Schubkraft verliehen. Das Allgemeininteresse verlangte in einer äußerst angespannten Versorgungssituation die schnellste Wiederaufnahme der Produktion; so neigten die Mehrheits-Sozialdemokraten dazu, diese

41 2. Kongreß der Arbeiter-, Bauern- und Soldatenräte Deutschlands vom 8. bis 14. April 1919 im Herrenhaus zu Berlin. Stenographisches Protokoll, Berlin o. J., S. 803ff.

Streikaktionen unbesehen als Verrat an den wahren Interessen der in erster Linie von ihnen selbst repräsentierten Arbeiterklasse anzusehen.
Die ältere Literatur ist ihnen in der Beurteilung dieser Vorgänge vielfach gefolgt. Doch als unbefangener Beobachter wird man sagen müssen, daß mit dem formellen Zusammentritt der Konstituante und dem Erlaß des Gesetzes über die vorläufige Reichsgewalt vom 10. Februar 1919 die Revolution keinesfalls vorüber gewesen ist. Dies kann auch nicht für die Zeit nach der Niederwerfung der 2. Münchener Räterepublik im Mai 1919, der letzten größeren putschistischen Aktion der äußersten Linken, gesagt werden, obgleich sich nunmehr vorübergehend Ruhe in den Arbeitervierteln der großen Industriezentren einstellte. Denn ungeachtet der Wiederherstellung gesetzlicher Verhältnisse konnte von einer materiellen Legitimierung des demokratischen Systems von Weimar durch die breiten Massen des Volkes noch keineswegs gesprochen werden. Vielmehr vollzog sich, teilweise unter dem unmittelbaren Einfluß der Pazifizierungsaktionen der Freikorps und Einwohnerwehren gegen die Arbeiterschaft, die die Grenze zu Racheaktionen immer häufiger überschritten, eine politische Polarisierung innerhalb der deutschen Gesellschaft, die sich zu einer ernsten Gefährdung der Weimarer Republik auswachsen sollte. Während die äußerste Rechte zunehmend an Selbstbewußtsein gewann und immer nachdrücklicher mit dem Gedanken einer konterrevolutionären Beseitigung des Weimarer Regimes spielte, wandten sich große Teile der Arbeiterschaft nach links. *De facto* bildete sich nunmehr ein revolutionäres Potential, das, obgleich es nach wie vor primär auf soziale Protestaktionen gegen den unmittelbaren Klassengegner gerichtet war und insofern syndikalistische Züge trug, weit stärker als bisher radikalen sozialistischen Parolen zugänglich war.
Die USPD beeilte sich, als politischer Vorreiter dieser Strömungen zu dienen; Anfang Dezember 1919 beschloß sie ein neues Aktionsprogramm, das die »Erringung der sozialistischen Demokratie« auf dem Umweg über die »Diktatur des Proletariats«, und zwar unter Einsatz »aller politischen, parlamentarischen und wirtschaftlichen Kampfmittel«, zu ihrem eigentlichen Ziel erklärte, in planmäßiger und systematischer »Zusammenarbeit mit den revolutionären Gewerkschaften und der proletarischen Räteorganisation«.[42] Bezeichnend war jedoch vor allem, daß sich große Teile der Bergarbeiterschaft nunmehr den syndikalistischen Gewerkschaftsverbänden, insbesondere der »Allgemeinen Bergarbeiter-Union« und dann nach deren Zerschlagung im April 1919 der »Freien Vereinigung« anschlossen, während der »Alte Verband«, die traditionelle

42 Text des Programms bei Wilhelm Mommsen (Hrsg.), Deutsche Parteiprogramme, München 1960, S. 445–447.

mehrheitssozialistische Gewerkschaft der Bergarbeiter, gut zwei Drittel seiner Anhänger einbüßte. Dies ist insofern besonders bemerkenswert, als es in der deutschen Arbeiterbewegung – im Unterschied zu ihren westlichen Partnern – bislang eine syndikalistische Tradition überhaupt nicht gegeben hatte. In der Tat handelte es sich auch jetzt durchweg primär um eine emotionale Zustimmung zu den Parolen dieser syndikalistischen Verbände und nicht um eine Identifizierung mit deren theoretischen Auffassungen. Es war dies Ausdruck eines Protestes gegen *alle* Richtungen der politischen Arbeiterbewegung und insbesondere gegen die Freien Gewerkschaften. Eine aus grenzenloser Enttäuschung geborene Hinneigung zu »direkter Aktion« gegen den Klassengegner verband sich mit und wurde genährt von tiefem Mißtrauen gegen die Reichsregierung und ihr militärisches Exekutivinstrument, die Reichswehr und deren subsidiäre weißgardistischen Freiwilligenverbände. Dieses sich insbesondere im Ruhrgebiet stillschweigend aufbauende Protestpotential, das die USPD und die KPD, so gut es ging, in ihre eigenen Kanäle zu lenken bestrebt waren, ohne daß ihnen dies wirklich gelungen wäre, kam im Zuge der Generalstreikaktion zur Abwehr des Kapp-Putsches im März 1920 zu einer erneuten Eruption. Mißtrauen gegen die Haltung der Reichswehrverbände des Generals Watter, der während des Putsches eine abwartende und durchaus zwiespältige Haltung eingenommen hatte, war ein wesentliches Motiv, das Teile der Arbeiterschaft an der Ruhr Mitte März 1920 zum aktiven militärischen Kampf gegen das Freikorps Lichtschlag bestimmte, als dieses Anstalten machte, die Streikbewegung im östlichen Ruhrgebiet zu unterdrücken.[43]

Über Nacht verwandelte sich der Massenstreik der Ruhrarbeiterschaft gegen Kapp und Lüttwitz dergestalt in eine offene Aufstandsbewegung, die sich gleichzeitig gegen die konterrevolutionären Aktionen verdächtiger Reichswehrverbände und gegen die Politik der Reichsregierung richtete, verbunden mit »wilden« Sozialisierungsaktionen ziemlich planlosen Zuschnitts. Zielsetzung und Struktur dieser Bewegung waren diffus; keiner der politischen Parteien der sozialistischen Linken gelang es, sie politisch unter Kontrolle zu bringen. Auch kam es niemals zur Bildung eines einheitlichen Führungsorgans; eine Vielzahl lokaler Vollzugsräte und verwandter Gebilde, die nur in loser Verbindung miteinander standen, suchten dieser spontanen Bewegung ein organisatorisches Rückgrat zu verleihen. Gleichwohl gelang es, den Reichswehrverbänden binnen Ta-

43 Vgl. dazu die Arbeiten von E. Lucas, Märzrevolution im Ruhrgebiet 1920, Frankfurt 1974², und insbesondere von George Eliasberg, Der Ruhrkrieg von 1920, Bonn-Bad Godesberg 1974, der »den spontanen Charakter der Massenbewegung« des Ruhrkampfes überzeugend dargelegt hat (vgl. insb. S. 261); ferner R. Luke, Beiträge zum Kapp-Putsch und Ruhrkampf, in: Archiv für Sozialgeschichte 12 (1972), S. 545–551.

gen eine Streitmacht von mehr als 80000 Mann entgegenzustellen, die diesen anfänglich erhebliche Verluste zufügte und sie zwang, sich aus dem Ruhrgebiet zurückzuziehen. Konfrontiert mit diesem elementaren Phänomen spontaner Zufluchtnahme breiter Massen der Arbeiterschaft zu militärischen Gewaltmitteln sahen sich die Mehrheits-Sozialdemokraten und insbesondere die Freien Gewerkschaften nunmehr gezwungen, den sozialrevolutionären Charakter dieser Bewegung anzuerkennen und ihr durch Aufgreifen eines Teils ihrer Forderungen – namentlich in den sogenannten »Acht Punkten« der Freien Gewerkschaften – die Spitze abzubrechen. In langwierigen Verhandlungen unter Führung Severings gelang es dann, große Teile der Arbeiterschaft freiwillig zur Niederlegung der Waffen zu veranlassen und von ihren großenteils syndikalistischen Führern zu trennen.
Der weitgehend amorphe Charakter der Motive der aufständischen Arbeitermassen, unter denen nur der Haß gegen die reaktionären Machenschaften der Reichswehr als einigende Konstante hervorsticht, darf jedoch nicht darüber hinwegtäuschen, daß es sich um eine soziale Protestbewegung von beachtlicher Energie und großem Ausmaß gehandelt hat, die in unmittelbarem Zusammenhang mit den früheren Streikbewegungen in der gleichen Region stand und von tiefem Mißtrauen gegen die Berliner Politik seit November 1918 bestimmt war. Auch wenn vielfach Angehörige der USPD und der KPD in den Auseinandersetzungen und Kämpfen eine führende Rolle gespielt haben, kann keine Rede davon sein, daß diese Bewegung von USPD oder KPD oder beiden ausgelöst oder gar gesteuert worden sei; diese suchten vielmehr nur auf ihre Weise, und keineswegs sehr viel erfolgreicher als die SPD, mit den in Bewegung geratenen Massen Fühlung zu halten. Erst im April 1920 gelang es, die Bewegung, die ohnehin keinen einheitlichen Charakter besessen hatte, zu spalten, die Reste der »Roten Armee« vernichtend zu schlagen und das Ruhrgebiet endgültig zu »pazifizieren«. Damit war die deutsche Revolution wirklich zu einem Abschluß gelangt – wenn man von den Nachzüglern, wie dem Aufstand von Max Hoelz im mitteldeutschen Industriegebiet vom Jahre 1921, absieht – aber fraglos um einen hohen politischen Preis. Die Nachwirkungen zeigten sich u. a. in den Reichstagswahlen vom Juni 1920; sie brachten einerseits der USPD einen außerordentlichen Stimmenzuwachs; andererseits verlor die Weimarer Koalition ihre bisherige komfortable Mehrheit, ohne sie je wiederzuerlangen.[44]

44 Bekanntlich sank der Stimmenanteil der Mehrheits-Sozialdemokratie von 37,9% 1919 auf 21,6% ab, während die USPD ihren eigenen Anteil von 7,6% 1919 auf 18,0% zu steigern vermochte. Bemerkenswert ist daran jedoch vor allem das ungewöhnlich ungünstige Abschneiden der KPD mit nur 2,0%; dies verweist auf den Tatbestand, daß die Massenbewegun-

Im Rückblick erschließt sich uns der Charakter der deutschen Revolution 1918/20 als die Überlagerung einer politischen Revolution, die eigentlich nur als Rebellion gegen die militärischen Autoritäten und das sie legitimierende monarchische Establishment mit durchaus begrenzter Zielsetzung begonnen hatte, von einer sozialen Protestbewegung von großer Intensität und erheblichem Ausmaß. Letztere identifizierte sich großenteils mit der politischen Programmatik der sozialistischen Parteien, insbesondere der Idee der Sozialisierung der Produktionsmittel, jedoch keineswegs im Sinne der theoretischen Vorstellungen, die die Führungsgruppen dieser Parteien damit verbanden. Sie sah in der Sozialisierung nicht so sehr eine grundsätzliche Umwälzung der Produktionsverhältnisse, sondern vor allem ein Mittel, um in einer durch eine schwere Notlage der Massen gezeichneten Situation unmittelbare materielle und soziale Verbesserungen durchzusetzen. *Keine* der rivalisierenden Parteien der sozialistischen Linken hat den Charakter dieser sozialen Protestbewegungen richtig einzuschätzen vermocht; so liefen sich ihre Aktionen teils in bloßer Bewahrung des gesellschaftlichen status quo fest – abgesehen von der Durchsetzung eines parlamentarischen Systems (das vermutlich aber auch ohne revolutionäre Entwicklungen hätte erreicht werden können) –, teils versandeten sie in putschistischen Aktionen, die aussichtslos waren, weil die Massenunterstützung, die man zuversichtlich in Rechnung gestellt hatte, durchweg ausblieb. Die Mehrheits-Sozialdemokratie hat ihr Versprechen eingehalten, Deutschland vor dem Bolschewismus zu bewahren, doch war dies unter falschen Voraussetzungen gegeben worden; und die Methoden und Bündnispartner, die man zu seiner Realisierung wählte, erwiesen sich gleichermaßen als unangemessen. Die KPD hingegen mußte schließlich einsehen, daß die deutsche Gesellschaft ungeachtet der massiven Protestbewegungen im Lager der Arbeiterschaft für die »Diktatur des Proletariats« nach russischem Muster nicht zu haben war. Die USPD hingegen, die sich von den Verhältnissen hatte treiben lassen, profitierte als Sammelpartei der Unzufriedenen zunächst erheblich von dieser Flutwelle sozialen Protests; doch erwiesen sich ihre Erfolge schon bald als bloß ephemerer Art. Zurück bleibt vor allem, daß die Mehrheits-Sozialdemokratie, befangen in traditionellen Vorstellungen von sozialistischer Disziplin und auf die Radikalisierung der Stimmung innerhalb ihrer eigenen Anhänger ganz unvorbereitet, unangemessen hart zurückschlug, statt den Ursachen der steigenden Unruhe wirklich auf den Grund

gen des Jahres 1919, die im Ruf nach »Sozialisierung« zugunsten der jeweils betriebsangehörenden Arbeiter selbst kulminierten, mit den putschistischen Aktionen der äußersten Linken nicht in einen Topf geworfen werden dürfen und offenbar mit Sozialismus im landläufigen marxistischen Sinne keineswegs viel gemein gehabt haben.

zu gehen. Nicht so sehr die mangelnde Ausnutzung des »demokratischen Potentials« der Arbeiter- und Soldatenräte war ihr historisches Versäumnis, sondern vor allem, daß sie, konfrontiert mit Protesten aus dem eigenen Lager, die die USPD und die KPD zu ihrem Vorteil auszunutzen verstanden, allzu rasch zum Bündnis mit den traditionellen Gewalten griff, um sich politisch zu behaupten, statt die sozialen Protestbewegungen der Arbeiterschaft in eine konstruktive Bahn zu lenken. Im Grunde handelte es sich um eine – gleichsam mit Verzögerung zutage getretene – Führungskrise großen Ausmaßes, die die Mehrheits-Sozialdemokraten ausschließlich auf die Agitation der Spartakisten – oder gegebenenfalls auf die mangelhafte Schulung von Teilen der Arbeiterschaft – zurückführten. Sie setzten, durchaus im Bunde mit dem Gros der Arbeiter- und Soldatenräte, die Gründung der parlamentarischen Demokratie von Weimar zu einem frühen Zeitpunkt durch. Doch verkannten sie, befangen in einem allzu formalen Demokratieverständnis, das Ausmaß der Unzufriedenheit der Massen mit der tatsächlichen Entwicklung und waren bestürzt, als die militärischen Befriedungsaktionen gegen spartakistische Minoritätsregime Massenstreiks und Aufstandsversuche erheblicher Teile der Arbeiterschaft auslösten, deren Ursachen sie nicht erkannten und deren Motive sie nicht verstanden. Nachdem die Dinge einmal so weit gediehen waren, war der Rückgriff auf traditionelle militärische Machtmittel zur Unterdrückung der Streikbewegungen allerdings in der Tat nahezu unvermeidlich geworden. Die äußerliche Stabilisierung des Weimarer Systems in den Auseinandersetzungen vom Frühjahr 1919 und insbesondere vom März/April 1920 wurde freilich mit einer andauernden politischen Polarisierung der deutschen Gesellschaft, und nicht zuletzt im Lager der Arbeiterschaft selbst, bezahlt. Vor allem dadurch sind die gesellschaftlichen Fundamente der neuen Staatsordnung in den kommenden Kämpfen in entscheidender Weise beeinträchtigt worden.

# Verzeichnis der Druckorte

Das deutsche Kaiserreich als System umgangener Entscheidungen, in: Helmut Berding u. a. (Hrsg.), Vom Staat des Ancien Régime zum modernen Parteienstaat. Festschrift für Theodor Schieder, München 1978, S. 239–265.

Die Verfassung des Deutschen Reiches von 1871 als dilatorischer Herrschaftskompromiß, in: Innenpolitische Probleme des Bismarck-Reiches, hrsg. von Otto Pflanze unter Mitarb. von Elisabeth Müller-Luckner, München/Wien 1983, S. 195–216.

Preußisches Staatsbewußtsein und deutsche Reichsidee: Preußen und das Deutsche Reich in der jüngeren deutschen Geschichte, in: Geschichte in Wissenschaft und Unterricht 35 (1984), S. 685–705.

Gesellschaft und Staat im liberalen Zeitalter. Europa 1870–1890. (Originalfassung). Eine italienische Fassung erschien unter dem Titel »Società e politica nell' età liberale, Europa 1870–1890«, in: La transformatione politica nell' Europa liberale 1870–1890, Bologna 1986.

Bismarck, das Europäische Konzert und die Zukunft Westafrikas, 1883–1885 (engl.: Bismarck, The Concert of Europe, and the Future of West Africa, 1883–1885), in: Stig Förster/Wolfgang J. Mommsen/Ronald Robinson (Hrsg.), Bismarck, Europe and Africa. The Berlin Africa Conference 1884–1885 and the Onset of Partition, Oxford 1988, S. 151–170. (Aus dem Englischen von Johannes Thomassen)

Ägypten und der Nahe Osten in der deutschen Außenpolitik 1870–1914. (Originalbeitrag. Aus dem Englischen von Marion Enke).

Triebkräfte und Zielsetzungen des deutschen Imperialismus vor 1914, Neubearbeitung eines gleichlautenden Beitrages in: Klaus Bohnen/Conny Bauer (Hrsg.), Text und Kontext, Sonderreihe, Bd. 11: Kultur und Gesellschaft in Deutschland von der Reformation bis zur Gegenwart, Kopenhagen/München 1981, S. 98–129, sowie des englischen Beitrages: A Functionalist Interpretation of German Imperialism before 1914, in: S. Bertelli (Hrsg.), Per Federigo Chabod (1801–1960), Bd. 2: Equilibrio Europea ed espansione coloniale (1870–1914), Mailand 1981.

Österreich-Ungarn aus der Sicht des deutschen Kaiserreichs. (Originalbeitrag)

Wirtschaft, Gesellschaft und Staat im deutschen Kaiserreich 1870–1918. (Originalbeitrag)

Kultur und Politik im deutschen Kaiserreich. (Originalbeitrag)

Die latente Krise des Wilhelminischen Reiches: Staat und Gesellschaft in Deutschland 1890–1914, in: Militärgeschichtliche Mitteilungen 15 (1974), S. 7–28.

Innenpolitische Bestimmungsfaktoren der deutschen Außenpolitik vor 1914 (engl.: Domestic Factors in German Foreign Policy Before 1914), in: Central European History VI (1973), S. 3–43: ein Nachdruck in: James J. Sheehan (Hrsg.), Imperial Germany, New York/London 1976, S. 223–268. (Aus dem Englischen von Peter Theiner)

Außenpolitik und öffentliche Meinung im Wilhelminischen Deutschland, 1897–1914 (engl.: Public Opinion and Foreign Policy in Wilhelmine Germany, 1897–1914), in: John C. Font (Hrsg.), Politics, Parties and the Authoritarian State: Imperial Germany, 1871–1918. Festschrift für Otto Pflanze, Bd. 2, St. Paul/Minn. 1991. (Aus dem Englischen von Hans-Günther Holl)

Der Topos vom unvermeidlichen Krieg: Außenpolitik und öffentliche Meinung im Deutschen Reich im letzten Jahrzehnt vor 1914, englische Originalfassung unter dem Titel »The Topos of Inevitable War in Germany in the Decade before 1914«, in: Volker R. Berghahn/Martin Kitchen (Hrsg.), Germany in the Age of Total War. Essays in Honour of Francis L. Carsten, London 1981, S. 23–46; eine leicht gekürzte deutsche Fassung in: Jost Dülffer/Karl Holl (Hrsg.), Bereit zum Krieg. Kriegsmentalität im wilhelminischen Deutschland, Göttingen 1986, S. 194–224; eine französische Fassung in: 1914. Les psychoses de guerre, Rouen 1980, S. 95–124.

Der Geist von 1914: Das Programm eines politischen »Sonderwegs« der Deutschen, in: Wolfgang J. Mommsen, Nation und Geschichte. Über die Deutschen und die deutsche Frage, München 1990, S. 87–105.

Die deutsche öffentliche Meinung und der Zusammenbruch des Regierungssystems Bethmann Hollweg im Juli 1917, in: Geschichte in Wissenschaft und Unterricht 19 (1968), S. 656–671.

Die sozialen Auswirkungen des Ersten Weltkrieges auf die deutsche Gesellschaft, in: Arthur Marwick (Hrsg.), Total War and Social Change, Basingstoke 1988. (Aus dem Englischen von Petra Krauß)

Die deutsche Revolution 1918–1920. Politische Revolution und soziale Protestbewegung, in: Geschichte und Gesellschaft 4 (1978), S. 362–391.